하영삼 교수의

완역
설문해자

1 (제1권~제3권)

허신 저 · 하영삼 역주

完譯 說文解字

許愼 著 河永三 譯註

도서출판 3

한국한자연구소 연구총서 12

완역 설문해자 1 (제1권~제3권)

초판 1쇄 인쇄 2022년 05월 15일
초판 2쇄 인쇄 2023년 12월 01일

저자 [한] 허신(許慎)
역주 하영삼(河永三)
표지 디자인 김소연
편집 및 교열: 김형준
펴낸이: 정혜정
펴낸곳: 도서출판 3

출판등록 2013년 7월 4일 (제2020-000015호)
주소: 부산광역시 금정구 중앙대로1929번길 48
전화 070-7737-6738
팩스 051-751-6738
전자우편 3publication@gmail.com

ISBN: 979-11-87746-65-2 (94710)
      979-11-87746-64-5(세트)

說文解字

완역설문해자

제1책

『완역 설문해자서』

1.

필자는 서울에서 대구로 내려가서 34년 동안 살면서 여러 가지 애환이 겹치었으나, 그래도 가장 즐거웠던 일 중의 하나는 현대적인 한학, 중국어문학이 불모지였던 곳에서, 허다한 영남(대구, 부산, 경남북) 지역의 신진 수재들을 비교적 가까이 만날 수 있었던 일이다.

그 중에서도 지금까지 가장 자주 연락을 이어오고 있는 학자 중 한 사람이 바로 이하영삼 교수이다. 이 사람은 새로운 저술을 내면 반드시 1부씩 필자에게 보내어 주어, 별로 한 일도 없이 늙어가는 필자의 마음을 자주 흐뭇하게 만들어 주었다. 『갑골학 100년』, 『한자어원사전』, 『한자와 에크리튀르』 같은 매우 두텁고도 값진 책들이었다. 나는 그 저력과 성의에 감동하여, 대개 그러한 책을 읽어본 독후감을 겸한 해설을 적어, 필자가 관여하는 이런 저런 사이트에 올려서 두루 알리어 보려고 하였다.

이러한 보잘 것 없는 글을 쓴 나를 보고, 하 교수는 자주 감사하다는 말을 아끼지 않았다. 이렇게 필자와 하 교수는 정말 매우 끈끈한 끈을 지금까지 즐겁게 유지하여 오고 있다.

2.

금년에 들어와 신정 구정을 다 지내고서, 다시 무슨 좋은 소식이 있는가 싶기도 하고, 또 내가 요즘 자주 한시를 지어 보면서, 매우 관심을 가지고 있는 근대 한국 선비들이 많이 보던 시운서(『규장전운』, 『어정시운』)와 중국시운서(『시운집성』), 일본이 많이 보는 시운서(『시운함영』)의 발음의 차이, 특히 파음자의 발음과 뜻, 분간의 차이 같은 문제에 대하여, 자못 한자학 분야의 당대 세계 최고 권위자의 한 사람인 이러한 사람과 상의를 하여 보고 싶기도 하여, 문안 겸 문의 편지를 보낼 생각이었는데, 뜻밖에도 그 사람으로부터 다음과 같은 이 메일 편지가 날아 왔다.

선생님,
사회의 여러 모습이 아직 어수선하지만, 그래도 봄이 어느덧 곁에 다가왔습니다. 그간 만강하신지요? 안부조차 제대로 여쭙지 못해 송구할 뿐입니다.
외람되나 어렵게 부탁 말씀 하나 올릴까 합니다.
제가 그간 계획했던 일 중의 하나인 『설문해자』 번역을 마치고 마지막 교정 중에 있습니다. 여러 가지 연구소 사업 등으로 계획했던 것 보다 많이 늦어졌고, 또 마음만큼 상세한 주석을 달지도 못했습니다. 그러나 마냥 손에 쥐고 있을 수도 없는 처지인지라 이 정도에서 감히 우선 출판을 할까합니다. 때문에 여러 걱정이 앞섭니다.
부탁 말씀은, 혹시 선생님께서 『완역 설문해자』의 서문을 한 편 써 주실 수 있는지요? 원본 텍스트와 고문자 자료 등을 화동사범대학의 장극화(臧克和) 교수가 많이 제공해 주어서 장 교수에게도 부탁을 드렸더니 선뜻 응낙해주셨습니다. 보시면 아시겠지만, 장 교수가 교정한 『설문해자』에 근거하였고, 또 그가 제공한 고문자 자형을 반영한 저술한 『한자어원사전』의 내용을 첨부하여 대조가 가능하도록 해 두었습니다.
미천한 공부지만, 그래도 못난 제자가 의지하고 이 작업을 계속하고, 그래도 용기 가졌던 것도, 모두 선생님께서 어여삐 여겨 주시고 가르쳐주신 자산 때문이었습니다. 바쁘시겠지만 부디 뿌리치지 마시기를 간곡히 청합니다. ……
참고로 제1권과 제14권 샘플을 첨부 드립니다.
무례함을 용서하시고, 코로나 시국에 옥체 만강하시길 다시 한 번 빕니다.

학생 하영삼 올림.
2022.03.03.

이 편지를 읽고서, 필자는 말할 수 없는 기쁨을 느끼면서도, 또 한편으로는 매우 감당하기 어려움을 느끼기도 한다. 우선 이 사람이 나를 보고 스스로 '제자'니, '학생'이니 하는 말도 정말 감당하기 힘들고, 또 그 사람이 평생 노작을 내는데 서문을 적어 달라는 말도 정말 난감하다.

굳이 그런 말을 들을 수 있는 실마리를 찾는다면, 이 사람이 경북대학교 석사과정을 다닐 때, 내가 한 학기 강의를 한 인연이 있을 뿐이다. 지금은 내가 이 사람에게 오히려 배울 것이 너무나 많은데, 아직도 이러한 칭호를 듣는 것은 너무나 과분하다.

3.

더구나 『설문해자』이란 책에 관하여서는, 내가 이 책이 매우 훌륭한 책이고, 중국학, 또는 한학을 하는 데는 꼭 읽어야할 기본 필독서의 하나라는 것은 잘 알고 있기는 하였지만, 나 같이 어수선하고, 어려운 시대에 매우 힘겹게 공부를 한 사람은 이러한 기본 텍스트 한 가지조차 차분하게 읽어보지 못한 것이니 부끄러울 뿐이다.

그래도 나는 이 책이 중요하다는 것만은 잘 알고 있었기 때문에 이 책에 관한 기본적인 주석서 몇 가지와, 매우 방대한 『고문자고림(古文字詁林)』이란 책까지 사서 서가에 비치하기도 하였다.

뒤에 들으니, 이 방대한 『고문자고림』을 상해에 있는 명문 화동사범대학의 문자학 교수들과 더불어, 하 교수가, 이 책을 다시 보완하는 작업에 직접 참가하였다는 것을 듣게 되어, 얼마나 놀랍고 즐거웠는지 모른다. 이러한 최첨단 작업에 내가 잘 아는 사람이 직접 참여하다니……정말 꿈같은 이야기였다.

4.

그러한 꿈같은 이야기를 하 교수는 계속하여 만들어 내고 있다. 그가 운영하는 한자 연구소의 여러 가지 놀라운 업적물들이 그렇고, 이 『완역설문해자』도 바로 그러한 것이다.

지금 우리 한국의 문화 중 대중오락 음악과 영화 같은 것은 세계적으로 주목을 받고 있다고 한다.

또 한국의 정보산업의 발달과 더불어, 한국의 한자, 한문 자료의 정리, 보급 분야에 있어서도, 한국이 일본, 중국을 제치고 첨단을 달리고 있는 면이 더러 있다고도 듣고 있다. 이 특수하지만 매우 중요한 분야에서도 우리 하 교수는 분명 세계에서 최첨단을 달리고 있는 것이 분명하다.

지금 일반인들에게는 한자와 한문이 자꾸 멀어지고만 있지만, 어떤 점에 관하여서는 한국에서 새로운 한자·한문에 관련된 학문이, 어느 분야에서는, 최첨단을 달리고 있다니, 매우 재미있는 이야기가 아닌가?

잘 모르기는 하지만, 앞으로 한국이 세계의 고급문화 분야까지 주도하려면, 우리나라 전통에서 이미 높은 수준을 발휘하였던 한국의 한자·한문 문화를 다시 되돌아보고, 거기서 많은 자양분을 섭취하여서, 한국의 독특한 문화를 다시 꽃피워 나가야 할 것이 아닌가?

우리문화 연구를 앞으로 한 차원 더 격상시키고, 그것을 세계적인 차원으로 격상시키려면, 적어도 전통문화를 이해하는데 밑받침이 되는, 고문헌을 읽고 해석할 수 있는 능력(문헌학, philology)을, 한국에서 학문한다고 하는 모든 분야의 사람들이 고루 갖게 되어야 한다고 주장을 하는 사람을 보았는데, 필자는 그런 말이 꿈같은 말로 여겨지지만, 사실은 틀림없는 진리라고 생각한다. 그래서 그 말에 매우 공감한다. 한국에서 식자연하는 사람들이 모두 한학에 대한 기초를 바탕으로 새로운 여러 분야의 학문을 개척하여 나갈 때야 비로소 한국 사람들의 학문이 세계적인 각광을 받게 될 것이라는 말이다. 정말 깊이 생각하여 볼 일이다.

5.

한문 고전을 읽는데, 필요한 문헌학의 기본 요소는 문자학, 성운학, 훈고학, 문법학 같은 것들이다. 이러한 것을 중국 전통에서는 '소학(小學)'이라고 하여 본격적인 공부를 하는 사람들이 무엇보다도 먼저 갖추어야할 공부의 바탕으로 보았다.

이렇게 전통학문의 뿌리 중에도 가장 깊은 뿌리인 '소학(小學)'을 이해하는데, 이 『완역 설문해자』는 앞으로 틀림없이 매우 큰 영향력을 발휘할 것으로 믿는다.

6.

가장 가까이 지내온 자랑스러운 후배 한 사람이 내는 이러한 정밀하고도 유익한 책 앞머리에 두서없이 몇 자를 적게 된 것을 한편으로는 한없는 영광으로 생각하면서도, 한편으로는 이 분야에 대하여 깊이 아는 것이 별로 없어 매우 송구스럽게 생각한다.

그러나 이 사람이 지금하고 있는 이러한 연구와 작업이 틀림없이 한국문화 연구와 발전에도 큰 영향을 미칠 것이며, 세계의 한학 연구에도 큰 도움이 될 것으로 확신한다.

2022년(임인년) 경칩 뒷날, 서울 진관동에서
영남대학교 중국어문학부 명예교수
이장우(李章佑) 즐겁게 적다.

사방 한 자 넓이 속에 삼라만상이 다 들어있도다
方寸千名, 盈尺萬象
『설문해자』의 한국어 번역판을 위한 「서문」
──韓文翻譯版『說文解字』代序

당나라 때의 안진경(顔真卿, 709~784)이 쓴 「다보탑감응비(多寶塔感應碑)」에는 다음과 같은 말이 있습니다.

    '깨달음에 이르게 하는 가르침에는 세 가지 차원이 있으며[1], 불법을 수호하는 여덟 명의 신이 있도다.[2] 엄숙하면서도 위엄 당당한 승려, 숲처럼 끝없이 늘어

---

[1] [역주] 산스크리트어 'tri-yāna'의 번역어인 승(乘)은 중생을 깨달음으로 인도하는 부처의 가르침이나 수행법을 뜻한다. 여기서 말한 삼승(三乘)은 부처가 중생의 능력이나 소질에 따라 설한 다음의 세 가지 가르침을 말한다. ①성문승(聲聞乘): 성문을 깨달음에 이르게 하는 부처의 가르침. 성문의 목표인 아라한(阿羅漢)의 경지에 이르게 하는 부처의 가르침. 성문의 수행법. ②연각승(緣覺乘): 연기(緣起)의 이치를 주시하여 깨달은 연각에 대한 부처의 가르침. 연각의 경지에 이르게 하는 부처의 가르침. 연각에 이르는 수행법. ③보살승(菩薩乘): 깨달음을 구하면서 중생을 교화하는 수행으로 미래에 성불(成佛)할 보살을 위한 부처의 가르침. 자신도 깨달음을 구하고 남도 깨달음으로 인도하는 자리(自利)와 이타(利他)를 행하는 보살을 위한 부처의 가르침.(『시공 불교사전』, 2003.)

[2] [역주] 팔부(八部)는 팔부중(八部衆)이라고도 하는데, 불법(佛法)을 수호하는 다음의 여덟 신(神)을 말한다. ①천(天). 욕계의 육욕천(六欲天)과 색계의 여러 천(天)에 있는 신(神)들. ②용(龍). 산스크리트어 'nāga'로, 바다 속에 살며 구름을 모아 비를 내리고 광명을 발하여 천지를 비춘다고 함. ③야차(夜叉). 산스크리트어 'yakṣa'의 음사로, 용건(勇健)이라 번역함. 수미산 중턱의 북쪽을 지키는 비사문천왕(毘沙門天王)의 권속으로, 땅이나 공중에 살면서 여러 신(神)들

선 불사, 사방 한 치 넓이 속에 천 가지의 세계가 들어있고, 사방 한 자 넓이 속에 삼라만상이 다 들어있도다. 키 큰 사람도 작게 보일 수 있고, 넓은 자리라도 낮은 곳에 임할 수 있도다. 높디높은 수미산의 자태는 작은 씨앗에 날아갈 듯하고, 우뚝 솟은 탑은 잠시 한 생각에 삼천 세계를 뒤덮었도다.(至於列三乘, 分八部, 聖徒翕習, 佛事森羅. 方寸千名, 盈尺萬象. 大身現小, 廣座能卑. 須彌之容, 欻入芥子. 寶蓋之狀, 頓覆三千.)"

여기서 말한 '사방 한 치 넓이 속에 천 가지의 세계가 들어있고, 사방 한 자 넓이 속에 삼라만상이 다 들어있다.(方寸千名, 盈尺萬象)'라는 말은 조그만 공간에 기록된 말이 수천수만 가지에 이르고, 고정된 사물의 종류는 천대세계를 이룬다는 말입니다. 이러한 '명의(名義: 명칭과 의미)'라는 말은 당나라 사람들의 관용어일지도 모릅니다.

독자부(犢子部)[3])의 『삼미저부론(三彌底部論)』[4])을 비롯해 『삼법도론(三法度論)』[5])에

을 보호한다고 함. ④건달바(乾闥婆). 산스크리트어 'gandharva'의 음사로, 식향(食香)·심향(尋香)이라 번역함. 제석(帝釋)을 섬기며 음악을 연주하는 신(神)으로 향기만 먹고 산다 함. ⑤아수라(阿修羅). 산스크리트어 'asura'의 음사로, 비천(非天)이나 부단정(不端正)이라 번역함. 늘 싸움만을 일삼는 귀신. ⑥가루라(迦樓羅). 산스크리트어 'garuḍa'의 음사로. 금시조(金翅鳥)나 묘시조(妙翅鳥)라고 번역함. 조류(鳥類)의 왕으로 용을 잡아먹고 산다는 거대한 상상의 새. ⑦긴나라(緊那羅). 산스크리트어 'kiṃnara'의 음사로, 의인(疑人)이나 인비인(人非人)이라 번역함. 노래하고 춤추는 신(神)으로 형상은 사람인지 아닌지 애매하다고 함. ⑧마후라가(摩睺羅伽). 산스크리트어 'mahoraga'의 음사로, 대망신(大蟒神)이나 대복행(大腹行)이라 번역함. 몸은 사람과 같고 머리는 뱀과 같은 형상을 한 음악의 신(神). 또는 땅으로 기어 다닌다는 거대한 용(龍).(『시공 불교사전』, 2003.)

3) [역주] 산스크리트어 'Vātsīputrīya'이 번역어로, 가주자부(可住子部), 발차자부(跋次子部), 발사불다라가주자부(跋私弗多羅可住子部), 가주자제자부(可住子弟子部), 파자자부(婆雌子部) 등으로 부르기도 한다. 불멸 3백년 경에 설일체유부(說一切有部)에서 갈라진 학파이다. 만유(萬有)를 유위(有爲)의 3세(世)와 무위(無爲)와 불가설(不可說)의 5장(藏)으로 나누어 설명하고, 중생에게는 실아(實我)가 있다고 주장한다. 이는 불교의 진무아(眞無我)의 이치에 어긋나므로, 이 학파를 불법 안 외도, 또는 부불법(附佛法) 외도라고도 한다.(『위키백과』)

4) [역주] 역자는 미상이고 4~5세기경 번역되었다. 총 3권으로 된 이 논은 정량부의 견지에서 사람이란 어떤 것인가를 설명하고 있다.(『한 권으로 읽는 팔만대장경』)

5) [역주] 4세기 말 인도 출신의 학승 승가제바가 번역하였다. 총 3권3품으로 구성된 이 논은 네

는 소위 세 가지의 '가설시명(假設施名)'이라는 것이 있다고 했는데, 첫째는 수시설(受施設: 달리 '依假'로 번역하기도 함), 둘째는 과거시설(過去施設: 달리 '度假'로도 번역됨), 셋째는 멸시설(滅施設: 달리 '滅假'로도 번역됨) 등이 그것입니다.[6]

당(唐)나라 때의 일본 승려였던 공해대사(空海大師)[7]가 저술한 『전례만상명의(篆隷萬象名義)』[8]도 이러한 불교문헌에서 그 이름을 따온 것으로 생각되는데, 아마도 '삼라만상 모두가 임시로 고정되어 언어와 문자에 기탁하였을 뿐이다.'[9]라는 의미라

가지 부류의 소승불경들인 4아함의 요지를 3개의 체계로 나누어 설명하고 있다.(『한 권으로 읽는 팔만대장경』)

6) 여징(呂澂) 강술, 『인도불학원류약강(印度佛學源流略講)』, 상해인민출판사(上海人民出版社), 1979년, 67쪽.

7) [역주] 일본의 승려. 진언종(眞言宗)의 개조이자 서예가로, 유명은 진어(眞魚), 시호는 홍법대사(弘法大師)이다. 『병풍경(屛風經)』과 『사전(史傳)』 등을 배우고 18세 때 상경, 대학에서 『모시(毛詩)』, 『상서(尙書)』, 『좌씨춘추(左氏春秋)』 등을 배웠으나 곧 뜻을 달리 하여 산간을 순력, 드디어 불도(佛道)에 들었다. 795년 동대사(東大寺)에서 수계(受戒)하여 공해(空海)라 하고 804년 입당(入唐), 밀교(密敎)를 연구하고, 당의 문화의 흡수에 진력했다. 806년 일본으로 귀국, 진언종(眞言宗)을 전하고, 뒤에 천성천황(天城天皇, 774~824)의 도움으로 고야(高野)에 도량(道場)을 개설, 823년 동사(東寺)를 하사 받았다. 널리 일반 자제의 교육기관으로서 종예종지원(綜藝種智院)을 열고, 불교 이외의 과목도 교수했다. 일본의 밀교 사상은 공해대사에 의해 대성되었는데, 일본 서예의 시조로도 존숭되고, 기타 일본의 문화 전반에 위대한 공적을 남겼다.(『인명사전』, 2002, 인명사전편찬위원회.)

8) [역주] 일본 홍법대사(弘法大師) 공해(空海, 774~835)가 『옥편(玉篇)』에 근거해 편찬한 한자사전으로, 중고시기의 귀중한 언어문자, 음운학, 훈고학 자료를 대량으로 보존하고 있다. 『전례만상명의(篆隷萬象名義)』는 한문(漢文)으로 한자의 독음을 달고 의미를 해설한 저술이다. 공해(空海) 화상은 31세 때 중국에 들어가 유학하였는데, 당(唐) 덕종(德宗) 정원(貞元) 20년(804)에 장안(長安)에 도착했다. 3년 후 일본으로 귀국하였으며, 적잖은 불경과 서첩(法帖)과 시문집 등을 갖고 갔다. 또한 불교의 밀종(密宗)을 당나라에서 일본으로 전수했다. 그가 편찬한 『전례만상명의(篆隷萬象名義)』는 일본 최초의 한자자전이다.(『바이두백과』)

9) '가명(假名: 잠시 빌린 이름, 본디 이름이 없는 현상에 일시적으로 이름을 붙임)'이라는 용어는 대승용수(大乘龍樹)의 『중론(中論)』이라는 불교 경전에 나오는 것인데, 제법(諸法)은 일종의 가명(假名)일 뿐이다.('亦爲是假名.')라고 했다. 『대지도론(大智度論)』에서는 '가(假)'를 음역하여 '바라섭제(波羅攝提)'라고 했는데, 다른 곳에서는 '설시(設施)'나 '가설(假設)'(언어문자는 사물 현상에 대한 일종의 設施이다)이라 번역했는데, 의미는 같아, 모두 개념의 지시를 지칭하는 말이다. 개념의 지시는 언어문자(불교학에서는 '名言'이라 부르기도 한다)와 다름 아니다. 연기법(緣起法)에서는 무자성(無自性: 즉 空)을 보아야 할 뿐 아니라 가설(假設: 즉 假有)도 보아야만 한다고 했는데, 이 둘은 상호 연계되어 있어, 무자성(無自性)이 바로 가설(假設)

해석될 수 있을 것입니다.

'오경에서 최고(五經無雙)'라는 명성을 누렸던 동한(東漢) 때의 허신(許愼, ?58~?147)이 저술한 『설문해자(說文解字)』는 줄곧 중국에서 고전을 해석하는 도구로 여겨져 왔습니다. 오늘날에도 문자학을 전공하는 사람들에게 이는 여전히 고대문자와 현대 문자를 연결하는 교량으로 간주되고 있습니다. 역대 학자들의 『설문해자』에 관한 저술은 끝없는 바다처럼 광대하여 '『설문해자』 연구'는 커다란 세계를 이루었습니다. 장표(張標) 교수는 일찍이 '20세기 『설문해자』 연구'에 관한 목록을 전문적으로 정리한 바 있는데, 분류한 목록만 해도 한 권의 두꺼운 책이 될 정도였습니다. 다음에서 이야기 하고자 하는 몇 가지 문제는 『설문해자』 주제의 분류와 원리와 같이 번역의 복잡성과 관련된 문제들입니다.

(1) 『설문해자』의 구조유형─형부(形符)와 성부(聲符)에 관한 논의

형성(形聲)구조는 한자의 핵심을 차지하기에, 여기서는 몇 가지 단계로 나누어 설명하고자 합니다. 먼저, 의미는 체계화된 구조 속에서 대립과 구별의 원칙을 통해 실현됩니다. 형성구조는 가장 초기의 완전한 한자사전이라 할 『설문해자』의 주요 형식으로, 전체 수록자의 88%를 차지하고 있습니다. 일부 언어학자들은 글자의 의미구조와 의미장(場) 및 의미부에 관한 이론 등을 비교하여 이를 적절하게 수정하고 보완하면 일부 약점을 극복할 수 있다고 믿고 있습니다. 이는 '소리(聲)'부가 갖는 의

이고 가설(假設)이 바로 공(空)이기 때문이다. 또 '명(名)'을 '가(假)'라고 한 것도 불교학의 '공(空)'이라는 핵심 용어와 완전히 일치한다. 즉 공(空)의 실제작용은 공(空)이 있어야만 갖가지 설시(設施)가 있게 된다는데 있다. 만약 공(空)이 없다면 일체의 법(法)은 모두 결정적인 자주성을 갖지 못하게 되어 이러한 안배가 불가능하기 때문이다. '공(空)'에 대한 이러한 이해는 공을 단순한 허무(虛無)로 보지 않도록 만든다. 불교학에서 시설(施設)한 일체는 모두 공(空)의 측면에 두고서 논의를 하게 되는데, 먼저 부정확한 관점을 없애버려야만(空) 비로소 정확한 안배가 이루어질 수 있다는 의미다. 이렇게 볼 때, 중관(中觀)은 공(空)을 가명(假名)과 연계하여 보았는데, 이는 공(空)에 대해 진일보한 인식에서 필연적으로 얻을 수 있는 결론이었다. 공해(空海) 대사, 『전례만상명의(篆隸萬象名義)』, 고산사소장본(高山寺藏本).

미를 이들 글자의 핵심 연결고리로 사용하고, '소리'가 같으면서 의미도 같거나 유사한 글자들을 하나로 귀속시켜 글자가족(字族)을 구성하는 것인데, 이들 글자가족에 속한 각각의 개별 글자들을 동족자(同族字: 동원자)라고 부릅니다.

하나의 글자가족(字族)은 하나의 의미장에 해당하고, '소리'의 유사점과 차이점은 의미장의 유사점과 차이점을 결정하는 중요한 형식적 표지가 됩니다. 그리고 '형체'의 의미는 의미부에 상당합니다. 따라서 '소리'가 함축하는 다양한 의미를 다른 의미 범주로 귀납시킬 수 있습니다. 예컨대, '천(淺: 물이 얕다)'은 '물(水)'의 범주에, 또 '선(線: 실)'은 '비단실(糸)'의 범주에 귀납시킬 수 있습니다. 이렇듯 글자가족에서 각 개별자의 의미 관계는 작디작은 체계를 형성하고, 그 안에 '소리'로 대표되는 하나의 '뿌리'가 존재하게 되며 이것이 표시하는 의미는 광범위하고 추상적인데, 이는 논리적 개념관계에서 상위 개념에 해당합니다. 다른 글자들의 의미는 모두 이 '뿌리'에서 파생되어 나오며, 어떤 특정한 측면에서 '뿌리'의 의미에 주석을 달아 이를 구체화 시킵니다. 의미 분석을 글자가족을 단위로 하게 되면 '가족' 중의 각 개별 글자의 의미 관계는 의미장과 의미부와 같게 되며, 이에 따라 체계적으로 분석이 가능해 집니다.

이는 한자의 형성구조에서 소리부가 관여하는 범위가 의미부보다 더 방대하다는 것을 말해 줍니다. 문자학자들도 이 소리부에 특별히 주의를 기울여야 한다는 것을 일깨우면서 다음과 같이 생각하게 합니다. 언어의 기호로서의 문자는 본질적으로 음성을 표현하는 것이어야 하지만 한자는 형체로 의미를 표현하는 특성이 있기 때문에, 독음의 본질을 흐리게 하는 경우가 많습니다.

형성자를 소리부와 의미부로 구분하여 논의하는 것은 문자학적 차원의 논의입니다. 그러나 의미부와 소리부의 가능은 또 비교적 기계적이어서, 구체적인 분석과정에서는 항상 전체 형성구조 관계에 대한 규정과 제약과 불가분의 관계에 있습니다. 소리부를 독립적으로 하나의 추상적 범위에 귀납시키고, 게다가 이러한 범위는 비교적 광범위한 것이어서, 이러한 범위는 동원 관계를 가진 단어군에 대한 추상화에서 비롯됩니다. 그렇지 않으면 이러한 추상적 범위는 존재할 수 없습니다. 다시 말해, 이러한 추상성의 의미론적 자리는 실제로 비어 있습니다. 이러한 관행과 논의는 어원학적 차원에 속합니다. 필자는 형성구조의 소리부와 의미부가 갖는 각각의 기능이 모두 형성구조의 관계 속에 배치되어야만 그 경계를 명확히 할 수 있다고 믿습니다. 소리부를 중심으로 본다면, 해당 소리부가 제시하는 의미적 연계는 추상적이며, 관련 속성 등이 이에 대응하게 됩니다. 예를 들어, 학자들이 잘 인용하는 '전(戔)'을 소리부로 하는 예들이 그렇습니다. 이런 관점에서 보면 소리부가 대응하는 범위는 더 넓어지는 것 같습니다.

그러나 사실 이는 '전(戔)'이라는 소리부로 구성된 구조에서 기록된 단어의 의미를 체계적으로 귀납한 결과이며, 기록된 단어가족이 없으면 이러한 추상적인 의미라 불리는 것들은 존재하지 않습니다. 그래서 소리부에 중점을 두어 의미부를 배치할 때 음성의 대응이 실현되는 것입니다.(예를 들어, '흠(欠)'이라는 의미부에 '근(斤)'이라는 소리부를 결합한 '흔(欣)'자는 '흠(欠)'이라는 음성을 개성화하게 만듭니다.) 이와 동시에, 의미부에 중점을 두어 소리부를 배치할 경우에는 단어의미의 대응 기록이 실현됩니다.(예를 들어, '수(水)'라는 의미부에 '근(斤)'이라는 소리부가 더해진 '기(沂)'자는 '기(沂)'라는 고유의 미를 실현하게 합니다.)

그리고 소리부의 합성이 없을 경우, 의미부의 대응도 하나의 기본적인 범위에만 해당할 뿐입니다. 게다가 이 기본적인 범위도 대략적인 획정에 지나지 않아, 엄격한 경계가 존재하지 않습니다. 이러한 점은 『설문해자』에 수록된 '중문(重文)'이라는 이체자들을 비롯해 '중문'과 정식 표제자인 소전체 사이에서 발생하는, 의미부의 대량의 상호 교환 현상에서 분명하게 확인할 수 있습니다. 그래서 형성구조에서 소리부와 의미부의 어느 일방을 떠나서 각자의 기능적 특성과 범위를 분석한다는 것은 범위가 너무 축소되어 모두 곤란한 일이 됩니다.

결론적으로 말해서, 형성구조에서 소리부와 의미부는 각자의 기능을 갖고 있으며, 상호 의존적이고 상호 대립하는 구조적 관계 속에서 실현됩니다. 의미부와 소리부의 기능은 바로 계통적인 대비 속에서 표기된 단어의 의미와 독음을 구별하게 되는 것입니다. 이러한 구별을 통해 우리가 흔히 말하는 표음과 표의, 즉 독음과 의미의 관계가 확인될 수 있습니다. '구조적 무결성'이라는 이러한 특징에 중점을 둔 설명이 실제에 부합한다 할 것입니다. 게다가 컴퓨터 처리의 필요에서 출발한 기본 구성요소의 분류 및 구조 분할은 더더욱 기술적인 차원의 문제를 고려한 것이라 할 것입니다.10) 이상의 문제에 대한 중국 언어학계에서의 논의들은 지금까지 인식상의 한계를 반영하여 왔습니다. 이는 문화를 넘어선 한국어로의 번역에 큰 도전이 될 것입니다.

형성구조가 차지하는 비중과 관련한 문제를 살펴보겠습니다. 통시적 관점의 한자 체계에서 각 단계에서 차지하는 형성 문자의 비율은 얼마나 될까요?『설문해자』이전의 다양한 유형의 역사적 자료의 경우, 해석되지 않고 분석되지 않은 부분이 많습니다. 이 때문에 지금까지 우리가 본 다양한 데이터는 대략적인 추측일 수 있으며, 그래서 각 전문가들의 통계가 불일치하는 것은 자연스러운 일입니다.(서주 왕조의 금문 자료에서 분석 가능한 문자는 2,189자인데, 그중 상형자와 지사자가 349자로 전체의 15.9%를 차지하며, 회의자가 807개로 전체의 36.9%를 차지하며, 형성자는 824자로 전체의 37.6%를 차지합니다. 현재 정리된 전국시대의 문자 중 예정(隸定)을 거친 중복되지 않는 글자는 총 3,859자인데, 그 중에는 구조가 불분명한 글자가 676자, 분석 가능한 문자가 3,183자입니다. 분석 가능한 글자 중, 상형자가 234자로 전체의 7.63%를 차지하고, 지사자가 37자로 전체의 1.16%를 차지하며, 회의자는 510자로 전체의 16.02%를 차지하며, 회의 겸 형성자는 122자로 전체의 3.84%를 차지하며, 형성자는 2,234자로 전체의 70.19%를 차지하고 있으며, 이외에도 합문(合文)이 37자 포함되어 있습니다.)

관련 데이터베이스의 활용에 근거할 때, 대서본(大徐本)『설문해자』의 표제자(새로 첨부한 글자[新附字]는 포함하지 않음)의 경우『설문해자』에 수록된 정식 소전체 표제자

---

10) 臧克和,『說文解字新訂·前言』, 中華書局, 2002년; 臧克和,『讀字錄』'結構與意義', 上海古籍出版社, 2020년.

중에서 실제로 통계 가능한 '소리'가 포함된 글자는 8,221자 입니다. 이 8,221자를 형성구조로 간주한다면 이는 전체 수록 글자의 88%에 가깝습니다. 물론 '소리'가 포함된 이들 8,221자 중에는 '역성(亦聲)'인 경우도 215자가 포함되어 있으며, '생성(省聲)'자도 311자가 들어 있습니다.

이 두 가지 유형을 제외할 경우, 대서본 『설문해자』의 '형성구조'는 총 7,695자입니다. 대서본 『설문해자』에서 소위 '비성(非聲)'으로 간주되는 일부 글자를 제외한다면, 다시 말해 이전의 『설문해자』 연구가들이 형성자에 속하지 않는다고 여겼던 글자들을 제외한다면, 여기서의 데이터는 일부 조정되어야 할 것입니다. 그러나 원본에서 어떤 글자들은 독음 표시 기능이 있는 글자들(적어도 '역성(亦聲)' 구조는 포함되어야 함), 예컨대 '의(義)'자를 구성하는 '아(我)'의 경우, '의(義)'자와 함께 모두 가(歌)부에 속해있지만, 『설문해자』에서는 이 글자가 형성구조라는 표식을 하지 않았습니다.

(2) 『설문해자』 배열체계 및 분류의 문제

부수에 따른 한자의 배열은 왜 그렇게 오랜 역사를 가지고 있으며, 현대의 해서체 배열에도 영향을 미쳤던 것일까요? 결론적으로 말하자면, 이것이 한자의 형체 구조적 속성에 대한 인지 규칙과 일치하기 때문입니다. 형체에 따라 연결을 하면 한자를 무더기 지어 '하나로 묶을' 수 있으므로, 형체 구조의 시각적 상관관계를 실현하여 인식상의 효과를 높일 수 있습니다. 이러한 의미에서 허신의 『설문해자』의 배열과 조합은 형체적 특성에 따라 정보를 '하나로 묶는' 데 가장 큰 역할을 했습니다. 필자는 관련 연구에서 다음과 같이 지적한 바 있습니다. 『설문해자』가 후대 한자 배열에 미친 가장 큰 영향은 바로 자형 구조의 분류에 있습니다. 즉 겉보기에는 매우 산만한 글자 그룹에서 그것들이 공유한 형태적 구성 요소를 찾고 추출하고 이로부터 공통적인 관계 유형을 설정했던 것입니다. 이는 인수분해 과정에서 '공통요소의 추출'과 같은 수학적 방법론과 유사합니다. 이러한 과학적 사고는 후대에 이르러 어휘의 취합 및 문자의 정리에서도 창조적 의미를 가졌습니다.

『설문해자』에서 추출한 부수는 외연적인 측면에서 말하자면 하나의 범위에 해당하며, 그것이 지시하는 의미 영역은 바로 하나의 범주가 되는데, 이 범주의 대표적인 기호가 바로 의미부이며, 이는 심리학에서 말하는 '원형'을 구성합니다. 인지 심리학에서는 인지활동의 범주화를 주관적인 것과 객관적인 것 사이의 상호작용 과정으로 보고 모든 사물의 인지적 범주는 개념상으로 돌출된 '원형'으로 자리매김하는데, 이 '원형'이 범주의 형성에 중요한 역할을 한다고 여깁니다. '원형'은 범주 핵심으로서의 도식화의 심리적 표상이며, 범주화를 위한 인지적 준거점입니다. 어떤 사물이라도 원형과 근사하게 배합만 된다면 해당 범주의 일원이 될 수 있으며, 이로부터 인식될 수 있는 것입니다. '하나로 묶는' 이러한 과정에서 형성구조만이 가장 편리하게 처리할 수 있는 방법입니다.[11]

『설문해자』의 540부수와 후세에 등장한 사전에 나오는 부수간의 병합과 분류를 비교 분석하고 상충관계를 통합하고 부수 간의 내재적 연계를 귀납하면,『설문해자』에서 확립된 540개 부수의 형태소 단위가 결국 그것이 통합할 한자 체계의 요구를 초과하여 몇 가지 잉여적인 요소가 존재함을 알 수 있습니다. 그러나 부수의 병합이라는 것이 가능한 한 적을수록 좋다고 할 수만은 없으며, 최소한의 원칙을 따라야합니다. 부수의 편방으로 충당될 때, 가장 바람직한 것은 전체 글자의 계층 구조를 분할하는 과정에서 첫 번째 계층 분석에 의해 얻은 구성 요소가 될 것이며, 그렇지 않으면 분류하기 어려운 문자가 발생하기 때문입니다.

예컨대, 착(辵)부수와 주(走)부수의 경우 이들을 다시 분할하면 지(止)자를 추출할 수 있어서, 이들 두 부수를 지(止)부수에 귀속시킬 수도 있어 보입니다. 그러나 이렇게 할 경우, 이들 두 부수에 귀속된 글자들의 경우 모두 2차 분할 과정에 이르러서야 이들이 속한 부수(즉 지(止)부수)를 발견하게 됩니다. 그렇게 되면 이 두 개의 부

---

11) 趙豔芳, 『認知語言學槪論』, 上海外語敎育出版社, 2001년, 55~63쪽; 王甦, 汪安聖, 『認知心理學』, 北京大學出版社, 1992년, 52쪽.

수가 줄어들긴 하겠지만, 상당수의 글자들이 부수 귀속에서 어려움에 봉착하게 되고, 이와 동시에 검색 및 사용의 수고로움을 늘이게 되는 것과 같습니다. 이러한 인식에 기초하여 『설문해자』에서는 '지(只)'부수나 '고(古)'부수와 같은 몇몇 부수에는 귀속 글자가 해당 글자를 포함해 한두 개만 존재하기도 합니다. 후대의 사전에서 출현한 부수자의 대대적인 감소 현상은 바로 이러한 상황의 조정에 기인합니다. 사고의 효율성은 사용하는 기호 체계의 간결함에 달려 있습니다. 그러나 '필획'이라는 기본적인 공통 단위로 분해하여 그것을 약 200여개까지 줄이기 위해 노력하여 겉보기에 통괄의 비율은 높았지만, 결과적으로 여러 부분의 의미 집합이 각각 다른 부분으로 흩어지게 하였을 뿐만 아니라 한자의 인지적 분류와 귀속에 간섭이라는 보다 직접적인 문제를 초래했습니다. 즉, 종종 많은 수의 글자 구조에 대해 어느 부수에서 찾아야 할지 모르는 상황을 가져온 것입니다.

예를 들어 '토(兔)'와 '토(兎)'의 경우, 이를 인(人)부수, 아니면 주(丶)부수, 아니면 별(丿)부수, 어디에서 찾아야 할까요? 졸지에 이를 파악하기가 쉽지 않아졌습니다. 효율을 향상시키고자 한 것이지만 그 결과가 어떤 지를 상상할 수 있을 것입니다. 관련 연구팀의 연구 결과에 의하면, 한자 전체를 체계적으로 통괄하기 위해서는 400개 이상의 기본 의미부를 유지해야 한다고 합니다. 그리고 이 정도의 숫자를 유지한다고 검색의 어려움이 증가하지는 않습니다. 한 문자 시스템의 '기본 구성 문자'가 항상 수십 개가 아닌 400개 이상으로 유지된다면, 외면적으로는 기본적으로 소리와 의미의 관계와 일정한 대응관계를 유지해야 하는 실효적인 필요를 충족시킬 수 있을 것 같습니다. 이와 반대로, 단지 수십 개 정도만 있다면 독음을 기록하는 층차에만 관여할 수 있을 것입니다. 몇몇 기호 단위가 형식 조합의 무한한 변형 요구를 충족시킬 수 있지만, 복잡한 대응 관계의 유형은 아닙니다. 그러나 처음으로 이야기를 돌려서, 서면 기록의 시각적 기호 시스템에서 사용하는 수백 개의 '기본 구성 문자'는 일반 사용자가 일정 기간 동안 사용하는 한 다양한 정도의 한자의 어긋남과 변형은 거의 피할 수 없는 현상입니다. 역사적으로 출현한 대량의 이체자는 바로 한자 필사의 과정에서 존재하는 현실이기도 합니다.

(3) 구조적 패턴과 인지 메커니즘의 관계에 대한 정확한 파악

한자의 특징은 형체로 의미를 표현하는 것입니다. 형체로 의미를 연결하고 형체로 의미를 구별하여 그것을 구체적으로 구현합니다. 이는 표음문자 체계와 다르며, 이 때문에 복잡한 형태의 자형체계를 사용해야 합니다. 이러한 복잡한 자형 체계로 형체의 숫자가 매우 많이 늘어납니다.(이론적으로 말하자면 어휘만큼 많은 수의 자형 체계가 존재할 수 있습니다.)

게다가 오랜 역사적 사용 과정에서 다양하고 복잡한 관계가 형성될 수밖에 없습니다. 따라서 한자 구조는 의미의 인지 채널을 구성하고, 한자 구조의 사용은 의미론적 발달을 위한 인지적 단서를 형성합니다. 한자의 구조적 관계 유형은 인지 방식을 반영하고, 한자 구조의 사용 방식은 인지 발달을 반영하는 것입니다. 인지언어학에서 인간은 항상 자신과 자신의 행동에서 시작하여 공간과 시간 및 자연으로 확장되는 것으로 여깁니다. 하이네(海因, Heine) 등과 같은 학자들은 세계에 대한 인간 이해의 인지 영역을 구체적인 것에서 추상적인 계층으로 배열했습니다. 즉 '사람>물상>사물>공간>시간>성질' 등으로의 층차를 말합니다. 이는 인간이 갖는 인지영역 간의 투영의 일반법칙이며, 실사가 허화하여 문법 성분으로 변하는 것에도 부합합니다. 이것이 한자구조 사용의 역사과정 속에서 체현되는 것이 바로 추상화 과정이지만, 구상적인 것에서 벗어나지 않기에, 달리 임지의 형태로 추상적인 것을 표현한다고 합니다. 구조들 사이에는 실체적인 것도 있고 허구적인 것도 있고, 또 본질적인 것도 있고 활용적인 것도 있으며, 혹은 본질적인 것에서 활용적인 것에 이르기도 하고 활용적인 것에서 본질적인 것에 이르기도 하며, 본질과 활용이 둘이 아닌 것이 됩니다. 본질적인 속성에서부터 관련 특성을 부각시키기까지, 혹은 전체에서 부분으로, 또는 부분에서 전체로, 또 공간에서 시간으로까지 등등은 모두 한자의 구조적 인식의 고정된 길에 속합니다.

기능적 속성이라는 층차에서 볼 때 한자의 기본 속성은 '형체에 의한 의미의 표현'입니다. 그 중 '의미'는 인지 수준에 따라 상대성이 존재합니다. 예컨대, 한자의 전문 연구자와 일반적인 학습자나 사용자와 비교해 볼 때, 그 의미 표현의 정도에는 차이가 존재합니다. 마찬가지로 중국어를 모국어로 하는 학습자와 서양에서 배우는 학습자의 이른바 의미 표현 정도도 상당히 다릅니다. 그러나 '형체'는 어떤 상황의 학습자와 사용자에게도 관계없이 객관적으로 존재합니다. 한자의 체계는 기본적으로 사각형과 원형을 이루는 블록 구조로 구성되어 있습니다. 그리고 한자의 인지적 특징은 구조의 무결성에 대한 감지입니다. 한자의 표의 기능은 구조의 전체에 대한 실현입니다. 한자 형체의 독음과 의미 표시 기능은 구조 전체의 규정에 기초합니다. 구조의 구성 요소 간에는 상호 의존적이고 상호 정의되며, 구조 전체의 연결 없이 구성성분의 기능은 실현이 불가능합니다.

외국인을 위한 한자 인지 교육의 일부 연구자들은 형성구조 중의 소리부가 나타낼 수 있는 음운 값을 전체 형성구조의 음운 값과 체계적으로 테스트하고 비교하여 한자 구조가 표의적인 것인지 아니면 표음적 성질인지를 다시 이해하고자 하였습니다. 우리는 다음과 같은 방식으로 질문을 해 볼 수 있습니다. 한자를 접하기 시작한 학습자가 형성구조로 된 한자를 보면, 먼저 그것을 분석할 수 있는지에 대한 질문입니다. 두 번째는 그 속에 포함된 각각의 기호들의 기능을 인식할 수 있는지 입니다. 아마도 그들이 그것에 대해 이야기할 수는 없을 것입니다. 그들이 인식할 수 있는 것은 전체 형성구조에 의해 기록된 독음과 의미뿐이며, 그런 다음 그들은 일부 구성 요소가 전체 구조의 독음과 관련이 있음을 점차 알아차리게 되며, 심지어 '반쪽' 부분을 읽어낼 수 있게 될 것입니다. 그리고 어느 정도 익숙해지면 구조 내에서 항상 같은 자리에 위치하는 문자를 구별할 수 있고, 구조의 합성에서 담당하는 분업이 상대적으로 고정되어 있음도 알 수 있게 되며, 그래서 의미부의 위치에 자주 등장하는 부분과 소리부의 위치에 자주 등장하는 부분을 한데 모으게 될 것입니다. 이러한 모음의 결과는 일시적으로 각 문자의 기능을 구조 속에서 분리해 내는 것과 다르지 않습니다. 분리가 갖는 장점은 무엇보다도 전체 형성 체계의 내부 조직 구조에 대한 관찰과 분석을 직관적이고 작동 가능하게 한다는 것입니다.

(4) 『설문해자·서(敍)』에 정의된 문자의 기능 문제에 대한 이해

『설문해자·서』에서는 주(周)나라 때의 소학(小學)에 대한 교육과 그 내용에 대해 언급하고 있습니다. 이렇게 말했습니다.

> "『주례』에 의하면, 보씨가 공경대부들의 자제를 가르치는데, 육서로써 **이끌었다.**(保氏教國子, 先以六書.)"

이를 현대어로 번역하면 '주나라 때의 보씨(保氏)라는 관리가 공경대부의 자제들을 교육했는데, 육서(六書)로써 가르치고 이끌었다.'라는 말입니다. 여기서의 선(先)은 교선(教先) 즉 '이끌다(引導)', '교도하다(教導)'라는 뜻입니다. 육서(六書)는 허신(許愼)이 『설문해자』에서 구조와 활용에 따라 1만 자에 가까운 소전체를 구조적으로 분류한 것을 말하는데, 한국 조선의 소학류 저작인 『제오유(第五遊)』와 같은 것입니다. '선이육서(先以六書)'는 후치 개빈(介賓: 개사-목적어) 구조로, 현대 중국어의 어순에 의하면 '以六書教導(육서로써 교육하고 이끌었다)'가 됩니다. 즉 '상형(象形)' 등과 같은 단어의 의미를 표상할 수 있는 6가지의 문자 구조로써 가르침을 이끄는 것으로 삼았다는 것입니다. 선(先)과 결합하여 만들어지는 합성어로는 '선도(先導)'나 '교선(教先)' 등이 있는데, 여기서는 동사로 쓰여 '이끌다(引導)', '가르치다(教學)'라는 뜻입니다.

『한서·예문지(藝文志)·육예략(六藝略)』에서는 '교(教)'자로 여기서의 '선(先)'을 대신했습니다. 즉 이렇게 말했습니다.

> "옛날에는 8살에 소학에 입학했다. 그래서 『주관』의 보씨가 공경대부의 자제들을 가르치는 일을 담당했으며, 상형, 상사, 상의, 상성, 전주, 가차 등 육서로써

가르쳤는데, 그것은 글자를 만드는 근본이다.(古者八歲入小學, 故『周官』保氏掌養國子, 敎之六書, 謂象形、象事、象意、象聲、轉注、假借, 造字之本也.)"

게다가 당(唐)나라 개원(開元) 24년 때의 「어제영장신계(御制令長新誡)」에서도 이렇게 말했습니다. "敎先爲富, 惠恤於貧. 無大無小, 以躬以親.(부유한 자들은 교화로 이끌고, 가난한 자들은 은혜와 구휼을 베푼다. 큰 것도 없고 작은 것도 없으며, 스스로 친히 실천할 뿐이다.)" 여기서의 '교선(敎先)'은 병렬 합성어로 '이끌다(引導)', '교도하다(敎導)'라는 뜻입니다. '敎先爲富, 惠恤於貧.'은 부유한 자들에게는 교육으로 이끌고, 가난한 자에게는 그들의 입장이 되어 은혜를 베푼다는 말입니다. 출토된 석각 자료인 당나라 개원(開元) 8년 때의 「주리정묘지(周利貞墓志)」에서도 "교화는 덕으로써 이끌고, 글자는 인으로써 했다.(化先以德, 字之以仁.)"라고 했는데, 이는 '덕으로써 교화하고 인으로써 양육한다(敎化以德, 養育以仁.)'라는 뜻입니다. 당나라 때는 '교선(敎先)' 혹은 '화선(化先)'을 고정된 구조로 사용하고 있습니다. 또 현재 일본에 소장된 당나라 안진경(顔眞卿)이 쓴 유일한 친필 붓글씨인 「자서고신(自書告身)」에서도 이렇게 말했습니다. "敕: 國儲爲天下之本, 師導乃元良之敎. 將以本固, 必由敎先.(칙서에서 말했다. 저축이 천하의 근본이요, 스승의 지도는 바로 훌륭한 사람의 가르침이다. 장차 근본을 튼튼하게 하려면 반드시 가르침으로 이끌어야 한다.)"12) 만약 '선(先)'이 형용사로 쓰였다고 한다면 뒤에 연결된 '이(以)'자는 잉여적인 존재여야 하는바, 고문에서 이렇게 '先天下之憂而憂(천하의 걱정에 앞서서 걱정을 하다)'라는 식으로 쓸데없이 글자를 중첩하지는 않았을 것입니다.

---

12) 출토문헌에 보이는 '봉선(奉先)'이나 '선지(先之)' 등과 같다, 예컨대 한(漢)나라 때의 『돈황한간석문(敦煌漢簡釋文)』제1448호 죽간의 '制詔皇太子: 善禹百姓, 賦斂以理. 存賢近聖, 必聚諝士. 表敎奉先, 自致天子.'이 그러한데, 여기서의 '表敎奉先'은 병렬구조로, 표봉(表奉), 교선(敎先) 등과 의미로, '表奉敎育(교육을 높이 받들어)', 즉 교육을 존중하고 숭상하다는 뜻이다. 또 전국(戰國) 시대 초(楚)나라 죽간에 보이는 '선지(先之)'(예컨대『곽점초묘죽간(郭店楚墓竹簡)·성지문지(成之聞之)』제3간(簡)의 '古(故)君子之立民也, 身備(服)善以先之.')도 그렇다. 臧克和 참조.

이상의 기술에 기초해 볼 때, 『설문해자서』의 '선(先)'자를 '선후(先後)'의 선(先)이나 '~을 우선하다(以……爲先)'고 할 때의 선(先)으로 볼 수는 없습니다. 결론적으로 말해서, '先以六書'는 이 말의 앞에서 말한 '敎國子'와 순서의 배열을 말하는 것으로, 당시 교육 과정에서의 선후를 말한 것은 아닙니다.

이외에도, 『설문해자서』에서는 소위 '서(書)'의 중요성을 일깨웠습니다. "죽간이나 비단에 쓴 것을 서(書)라고 하는데, 서(書)는 여(如: 똑같이 그려내다)와 같다.(著於竹帛謂之書, 書者, 如也.)"라고 하여, 죽간이나 비단에다 새기거나 필사한 것을 '서(書)'라 불렀는데, '서(書)'는 바로 '~와 동일하다(如同)'는 의미입니다. 저(著)는 'zhù'로 읽는데, 동사로 쓰여 '부착하다(附著)', '명시하다(標明)', '기재하다(記載)'는 뜻입니다. 죽백(竹帛)은 초기에 사용했던 중요한 서사 재료입니다. 착(著, 箸)과 서(書)자가 모두 '자(者)'를 소리부로 삼는데, 자(者)는 구별하다는 뜻입니다. 그래서 서(書)는 필사하거나 새김으로써 구별되게 하다는 뜻입니다.

『설문해자』 율(聿)부수에서 이렇게 말했습니다. "율(聿)(□甲骨文 □ □ □金文 □ □簡牘文)은 쓰는 도구를 말한다(所以書也). 초(楚) 지역에서는 율(聿)이라 하고, 오(吳) 지역에서는 불률(不律)이라 하고, 연(燕) 지역에서는 불(弗)이라 한다." 또 "필(㶇)(□漢印)의 경우, 진(秦) 지역에서는 필(筆)이라 하는데, 율(聿)이 의미부이고 죽(竹)도 의미부이다."라고 했습니다. 또 "서(𦘠)(□ □甲骨文 □ □ □ □金文 □楚簡 □ □ □古璽 □古陶 □漢印 □ □石刻)는 저(箸: 어떤 물체 위에다 부착시키다.)(초(艸)와 죽(竹)은 서로 교환가능하며, 이로 인해 著와 箸의 이체자가 생겼다)라는 뜻입니다. 율(聿)이 의미부이고 자(者)가 소리부이다."라고 했습니다.13) '꼭 같이 그려낸다(如)'라고 했는데, 이는 그 사물의 형상과 꼭 같은 구조로 필사해 낸다는 뜻입니다.

필자의 생각은 이렇습니다. 간화체로 변하기 전의 '서(書)'나 '저(著)'자는 모두 '자(者)'를 소리부로 삼고 있습니다. '서(書)'는 '여(如: 같다)'에서 의미를 가져왔는데,

---

13) 臧克和 등(編), 『說文解字』, 上海古籍出版社, 2012년, '율(聿)부수', '죽(竹)부수' 참조.

사물을 관찰하여 이미지를 있는 그대로 '똑같이' 가져온 것입니다. 만물은 모두 각각의 영적인 성질을 갖고 있기 때문에, '형체 그대로(如其形)' 그린 문자의 기능도 신성한 것이 됩니다. 우주만물은 모두 흘러가는데 인간도 거기에 포함됩니다.

운행이라는 리듬의 관점에서, 그것은 '동일한 주파수에서만 공명'할 수 있습니다. 즉, 음성과 말의 흐름은 매우 순간적입니다. 인류가 최초로 문자를 만들어 냈을 때 천지에 감응하고자 했던 데는 정말 이유가 있었던 것입니다. 물리장이라는 구조에서 '이질의 동일한 구조'라 할 것입니다. '동일한 주파수에서의 공명'은 물리에서 보편적인 현상이며, '이질의 동일한 구조'는 문자에 읍소합니다. 인류가 문자를 처음으로 구조화할 당시, 일부는 자연에서 이미지를 그대로 가져왔고, 일부는 사회의 약속에 기대었습니다. 이들이 합성하여 체계를 이루게 되었는데, 이것이 우주의 모든 것과 동일한 구조를 처음으로 달성한 것입니다. 후대에서 말하는 '절천지통(絶天地通: 하늘과 단절하고 땅과 소통하게 되었다)'(『국어·초어(楚語)』)은 바로 천지와 소통하는 의무를 전담하기 위해 궁정에다 특별 부서를 설치했으며, 그것이 바로 천지와 동일한 구조를 독단적으로 판단하는 문자에 다름 아니었습니다.

(5) 문화를 넘어선 언어 전환의 어려움과 공헌

위의 내용을 토대로 볼 때, 『설문해자』의 방대하고 깊은 학문적 사고와 과학적 분류 원칙 때문에 거의 2천년 동안 중국에서조차도 현대 중국어로 번역하기가 어렵고도 어려웠습니다. 2천 년대 초에 들어서 상해고적(上海古籍)출판사에서 필자에게 현대 중국어로 번역된 『설문해자』를 출판할 필요가 있지 않겠느냐고 물어 온 적이 있습니다. 악록서사(嶽麓書社)에서 출판했던 탕가경(湯可敬)의 『설문금석(說文今釋)』을 다시 출판할 가치가 있는지도 물어왔습니다. 필자는 매우 필요하다고 했습니다. 문제는 단순히 『설문해자』 원래대로의 '×, ××也.'라는 것을 '×는 ××을 말한다.'라는 식의 기계적 번역은 효과가 거의 없다는 것입니다. 대량의 주석을 삽입해야 하고, 새로 발굴된 동시대의 고문자 및 더욱 이른 시기의 역사 문자들을 『설문해자』의 소전과 상호 증명하도록 해야 하는데, 이는 한두 명의 문헌 전문가로 해결할 수 있는 일이 아닙니다.

게다가 『설문해자』의 원래 편찬 의도는 고대 경전을 설명하는 데 있었습니다. 유가 문헌의 학술적 사상이 한반도에 전래되고, 그 후 이루어진 토착화 과정에서 『설문해자』도 역대 학자들의 큰 관심사였으며, 지속적인 연구 대상이 되었습니다. 예를 들면 조선 말기의 『설문해자익징(說文解字翼徵)』은 대량의 금문 자료를 채택하여 이를 소전과 비교하였습니다. 하영삼(河永三) 교수의 말을 빌리자면, 이는 '『설문해자』 연구의 한 지평을 열었다' 하겠습니다.

한국한자연구소를 설립한 하영삼 교수는 언어학에 대한 이론적 소양이 깊을 뿐만 아니라 풍부한 한자학의 축적으로, 지난 세기부터 중국문자학 연구에 주력해 왔습니다. 하 교수가 운영하고 있는 한국한자연구소는 방대한 한자자료와 한자 데이터베이스 및 연구 자료를 수집하였습니다. 예를 들면, 한국의 소전 자료, 한국의 고대 예학 자료, 한국의 석각 자료, 중국에서 출토된 고대문자자료 등이 이에 포함됩니다. 세계적인 연구 플랫폼 위에서 하 소장은 일련의 국제적 과제를 기획하고 구현해 왔습니다.

예를 들어, 『한국 소학류 총서』를 중국에서 출판하였고, 한국의 『제오유(第五遊)』에 관한 연구 성과를 중국에 소개하기도 했습니다. 그리고 최근에는 한국·중국·일본·베트남 한자문화권의 '한자어비교' 데이터베이스 구축 프로젝트를 수행중이며, 매년 세계한자학회(WACCS)를 운영함은 물론 한자학국제동계캠프를 개최하여 동아시아의 청년 포럼도 함께 하고 있습니다. 또한 하 교수는 다수의 중국문자학 연구 성과와 일본어 저작을 번역하기도 했습니다. 이렇게 함으로써 그간 문화를 뛰어 넘는 『설문해자』의 한국어 번역을 위한 성숙한 경험과 조건을 축적해 왔습니다.

앞서 언급한 문제에 대해, 하 교수는 『설문해자』의 번역 과정에서 갑골문(甲骨文), 금문(金文), 고대도기문자(古陶文), 간독문자(簡牘文), 백서문자(帛書), 새인 문자(璽

印文), 화폐문자(貨幣文), 석각문자(石刻文) 등 각종 출토 문자를 『설문해자』에 보존된 소전체와 하나하나 대조했습니다. 이를 통해 독자들로 하여금 청나라까지 전승된 소전체에 대해 그 중간에 일어난 조그만 모든 변형까지도 비교하고 발견할 수 있게 해 주었습니다. 이것은 완전히 신뢰할 수 있는 일종의 객관적인 정보 보존이라 할 것이지만, 이는 당연히 번역과 대조 및 출판의 어려움을 크게 증가시켰을 것입니다.

『설문해자』의 한국어 번역본의 출판은 『설문해자』 보급의 역사에서 중대한 사건임에 틀림없습니다. 조금의 과장도 없이, 이는 한국 한자학 연구가 국제 한자학 연구에서 갖는 '하나의 새로운 지평'이 될 것입니다. 후덕하고 학문에 충실한 하영삼 교수와 해인사 보존국장이셨던 고 성안(性安) 스님의 인연으로 일찍이 불교경전의 보고인 『고려대장경(高麗大藏經)』을 받잡아 읽을 기회가 있었습니다. 『설문해자』의 한국어 번역판 출간을 준비하고 있는 지금, 다시 미리 읽을 수 있는 즐거움을 갖게 되었습니다. 그리하여 위의 인연으로 좀 더 자세한 설명으로 한국어 번역판 『설문해자』의 출간을 위해 이 「서문」을 적습니다.

장극화(臧克和)
2022년 1월 23일
해상인수연호거(海上因樹緣湖居)
화동사범대학 중국문자연구와 응용센터(華東師範大學中國文字研究與應用中心)

역자 후기

1. 『설문해자』와의 인연

『설문해자』의 번역과 역자의 인연은 1991년으로 거슬러 올라간다. 이미 30년 전의 일이니 세월이 새삼 참으로 무상하다. 한중 수교가 되기 한 해 전이었던 그때, 필자는 난생 처음 중국 본토를 방문하였고, 그 목적지가 바로 『설문해자』의 저자 허신의 고향인 하남성 탑하(漯河)였다. 거기서 열린 제1회 『설문해자』 국제학술대회에 동희겸(董希謙, 1932~) 교수의 초청을 받았다.

지금은 작고하신 역자의 스승 탕민 류탁일(柳鐸一, 1934~2006) 선생님을 모시고 갈 예정이었는데, 선생님의 사정으로 혼자 가게 된 것이다. 그때만 해도 수교 전이라 교통편이 무척이나 불편했다. 부산서 인천으로, 인천에서 배로 위해(威海)까지 갔고, 다시 기차가 다니는 연대(烟台)까지 가서 청도(青島)로 이동했고, 청도에서 산동성 수도인 제남(濟南)까지, 제남에서 다시 하남성 수도인 정주(鄭州)까지 갔고, 정주에서 다시 완행열차를 갈아타고 탑하(漯河)로 갔다. 장장 3박 4일이나 걸린 대 장정이었다. 지금 생각해도 '적성국'이었던 낯선 땅 중국의 초행길을 혼자서 어떻게 갔는지 신기할 따름이다. 학회에서는 '남조선'에서 참석한 유일한 첫 손님이라며 영원히 잊을 수 없는 과분하고도 융숭한 대접을 해 주었다. 그러나 무엇보다 큰 수확은 『설문해자』가 가지는 학술적 위상 때문에 거기서 중국 학계의 대표적인 한자 학자들을 거의 다 뵐 수 있었다는 점이다. 주조모(周祖謨, 1914~1995), 유우신(劉又辛, 1913~2010), 이령박(李玲璞, 1934~2012), 허위한(許威漢, 1926~2016), 향광충(向光忠, 1933~2012), 구석규(裘錫圭, 1935~), 향희(向熹, 1928~), 요효수(姚孝遂, 1926~1996), 왕녕(王寧, 1936~), 송영배(宋永培, 1945~2005) 교수 등, 이미 작고하신 분도 계시지만, 그야말로 책 속에서만 뵙던 그야말로 학계의 쟁쟁한 선생님들이셨다. 이 많은 분들을 한 자리에서 뵐 수 있다는 것은 갓 서른을 넘긴 젊은 '초학자'에게 너무나 과분하면서도 영광스런 행운이었다.

허신의 묘소를 참배하고 향을 사르면서 다짐했다.『설문해자』를 한국어로 꼭 번역하겠노라고, 그리고『설문해자』를 내 평생 학문의 주춧돌로 삼겠노라고. 그러나 이 다짐은 지지부진하다가 2000년 새해 아침이 되어서야 겨우 마음을 다잡아 구체적인 행동에 옮기게 되었다. 그간 생각만 하고 실행하지 못했던 번역 작업을 '뉴밀레니엄'을 맞아 더는 지체해서는 아니 되겠다고 새롭게 다짐했던 것이다.『설문해자』의 가장 훌륭한 주석이라고 평가받는 단옥재의『설문해자주』를 목표로 삼아, 구체적인 일정표까지 세세하게 짜서 번역을 시작했다. 그리고 이 계획과 진행을 일기로 남겨 스스로에게 채찍질하고, 주위에도 알려 게으른 자신을 경계하도록 했다.

이후 허신의 묘소를 참배할 몇 번의 기회가 더 있었다. 2007년 학생들을 데리고 정주대학에 머물렀을 때 일부러 가기도 했고, 또 이후의 국제학술대회에 초대를 받기도 했다. 갈 때마다 항상 송구했다. 첫 참배 때의 다짐도, 새천년을 맞아 주위에까지 공표한 약속을 제대로 완성하지 못하고 있었던 자책감 때문이었다. 갈 때마다 생각날 때마다 다짐하곤 했지만, 쉽지 않았다. 할 수 없이 단옥재의『설문해자주』에서 허신의『설문해자』원문으로 그 범위를 축소하는 타협을 했다.

2016년 제3회 국제학술대회에서 대중들 앞에서 한국 참석자를 대표해『설문해자』의 의미에 대해 좌담을 할 기회가 있었다. 이때가 기회다 싶어 다시 한 번 공개적으로 약속했다. 마침 중국 문자학회 회장을 맡고 있던 황덕관(黃德寬, 1954~) 교수가 함께 자리했다. 황 회장과는 일찍이 그의 『한어문자학사』를 번역 출간한 인연이 있었다. 그래서 호기롭게 이야기 했다. "여기 계신 황 회장의 역작 『한어문자학사』를 번역한다고 박사논문을 1년 늦추어야 했습니다. 이후 1999년 갑골문 100주년을 기념하여 출간한 왕우신(王宇信) 교수의 『갑골문 1백년』을 번역한다고 10년이 걸렸습니다. 10년만 걸린 것이 아니라 까맣던 머리도 하얗게 세어 버렸습니다. 지금 저는 『설문해자』를 번역하고 있습니다. 필생의 작업이라 생각하고 생명이 붙어 있는 한 이 번역을 완성할 것입니다. 제가 중국을 처음 방문한 것도, 참석한 첫 학회도 바로 이 『설문해자』 국제학술대회입니다. 1991년 처음 방문했을 때의 첫 다짐을 반드시 실천할 것임을 여기 계신 여러분들께 약속드립니다."

당시 제법 진도가 나갔던 터라 바로 완성될 것이라 생각하고 호기롭게 내뱉었던 약속이었다. 그러나 이후 연구소의 인문한국플러스(HK+) 사업으로 또 몇 년을 연기해야 했다. 몇 년이 지나고 보니 한창 번역할 때 반짝였던 아이디어도, 정교하게 짜놓았던 번역 체계도, 특화할 기획도, 이미 까마득한 옛날 일이 되어 상당한 공력과 시간을 다시 투입해야만 했다. 많은 부분이 새로 해야 할 정도였다. 숱한 우여곡절 끝에 마지막 힘을 보태 완성한 번역본을 드디어 세상에 선보이게 된다. 처음보다 범위도 줄고, 기획한 내용도 축소되었고, 완성도도 떨어져 그다지 만족스러운 모습도 아니다. 그러나 마냥 그대로 둘 수는 없어 우선 이 정도라도 세상에 소개해야겠다는 사명감, 이러다가는 영원히 낼 수 없을지도 모른다는 두려움이 컸기 때문이다. 그러나 너무나 현실적인 타협이라 여전히 마음이 쓰리다.

2. 『설문해자』 번역과 여러 도움

숱한 우여곡절과 기나긴 번역 과정에서 여러 분들의 큰 도움이 있었다. 그중에서도 1994년 처음 만나 지금껏 학문적 스승이자 친형 같은 존재로 물심양면 모든 지원을 아끼지 않았던 화동사범대학 중국문자연구와 응용센터의 장극화(臧克和, 1956~) 소장은 『설문해자』의 교정 원본 텍스트와 폰트 일체 및 관련 데이터베이스를 사용할 수 있게 해 주었다. 그것이 없었더라면 방대하고 난해한 자료의 입력은 물론『설문해자』의 교정과 소전체 및 각종 고문자 폰트의 처리 등이 불가능해 출판 자체가 어려웠을 것이다. 뿐만 아니라 장극화 교수는 이후에도 갑골문에서부터 금문, 전국문자 등등에 이르는 출토 고문자 데이터베이스를 제공해 주었으며, 이를 기초로 역자는『한자어원사전』을 출간한 바 있다.『설문해자』가 경전적인 위대한 저작이긴 하지만 허신이 보지 못했던 그 이전의 실제 문자자료, 즉 갑골문과 금문 및 전국문자 등 출토 고문자 자료와의 비교와 이를 통한 보정은 필수적이다. 이런 과정을 통해『설문』의 한계와 가치를 더욱 분명하게 찾아 낼 수 있기 때문이다.

이번 완역본의 가장 두드러진 특색도,『한자어원사전』에서 반영되었던 고대 한자 실물 자형과 어원 해석을 일일이 제시하여『설문해자』의 원래 해설과 대조 비교 가능하도록 한 것이라 할 것인데, 이 모든 것이 장극화 교수의 도움에 힘입었음을 밝히지 않을 수 없다. 또 상해교통대학의 왕평(王平) 교수의 격려와 도움도 컸다.

3. 문자의 속성

허신의 묘소를 처음 참배하면서, 약 2천 년 전 그 당시 허신은 어떤 이유로, 어떤 목적으로 이 위대한 저작『설문해자』를 완성하게 되었을까 자문해 보았다. 그 질문은 지금도 화두처럼 필자의 뇌리 속을 지배하고 있다. 유학을 새로운 통치 이념으로 내세워 진시황 시절 분서갱유로 사라졌던 유가 경전의 복원과 그 과정에서 오경의 해석 및 연구를 국가적 사업으로 설정했던 한나라였다. 당시 유가의 대표적 다섯 가지 경전에서 최고를 뜻하는 "오경무쌍(五經無雙)"이라 불렸던 허신, 그러한 경전을 복원하고 해석하기 위한 순수한 학문적 열정에서 이루어낸 성과라고 처음에는 단순히 생각했었다. 하지만 점차 공부를 하면서 그것은 표피적 이유이고, 더 깊은 본질적인 이유가 있음을 확인하게 되었다.

수천 년 역사를 가진 한자, 그 기나긴 과정에서 중국의 전통이 아닌 마르크스주의로

'새로운' 중국을 세운 모택동(毛澤東), 그는 인류의 최고 발명품의 하나라 할 '문자'의 한 쪽을 대표해온 한자를 없애고 알파벳으로 가려고 했었고, 그 과정에서 지금의 간화자가 탄생했다. 수 백 개의 나라로 분열되었던 전국(戰國)시대, 그 모든 나라를 하나로 정복하여 통일 제국을 이루었던 진시황(秦始皇), 그도 그간의 열국에서 사용하던 다양한 문자를 없애고 새로운 통일 문자를 제창하였다. '서동문(書同文)' 정책을 국가 통치의 유효한 도구로 삼았던 것이다. 이들 역대 최고의 통치자들이 '한자'에 손을 대고 대대적인 수술한 것은 우연이었을까?

뿐만 아니다. 중국 역사에서 유일한 여자 황제였던 무측천(武則天)도 정권을 잡자마자 자신의 문자를 창제했다. 30여자에 지나지 않았지만 가장 많이 쓰이는 상용자들이어서 그 영향은 지대했다. 또 개혁의 아이콘이었던 송나라 때의 왕안석(王安石)은 문자창제는 아니지만 한자에 대한 전혀 새로운 해설서를 집필했다. 『자설(字說)』이 그것인데, 전통적인 해설과는 전혀 다른 '개혁적인' 해설서였다. 자신이 집권했을 당시는 과거시험의 필수 과목으로 채택될 만큼 인기를 누렸다. 그러나 그가 실각한 이후 이 책은 '금서(禁書)'가 되었다. 이후 그래도 그 영향이 지속되자 아예 '분서(焚書)'해 버렸다. 그런가 하면 이민족 출신으로 중화제국, 중국을 넘어서 동아시아의 진정한 패자가 되고자 했던 강희제도 마찬가지이다. 그가 심혈을 기울여 편찬한 『강희자전(康熙字典)』은 동아시아 한자문화권의 표준으로 자리 잡아 문화통일의 전범이 되었고 그를 문화적 패자로 남게 했다. 서한 제국을 끝내고 새 나라를 세웠던 왕망(王莽)도 한자 해석의 틀을 바꾸려고 했다. 금문(今文)학파의 전통에서 탈피하여 고문(古文)학파의 해석을 대거 끌어들여 지지기반을 바꾸었다.

이들은 모두 한자의 표준화나 창제 및 해설체계의 수립 등, 구체적인 방식은 조금씩 달랐지만, '한자'를 정치 개혁과 권력 장악의 수단으로 삼은 것만은 분명하다. 하버드 대학의 고 장광직(張光直, 1931~2001) 교수의 말처럼, 문자는 고대의 신화, 미술, 제사가 그러했듯 모두 권력을 장악하기 위한 수단이었다. 문자는 출발부터 권력의 장악과 관련되어 있었던 것이다.

알다시피 문자(文字)라는 말은 문(文)과 자(字)가 결합하여 만들어진 단어이다. '문자'라는 말이 보편적으로 쓰이기 전, '문(文)'은 더 이상 분리되지 않는 기초자를 지칭하는 개념이었고, 자(字)는 문(文)이 결합하여 만들어진 합성자를 말했다. 문(文)은 지금의 '부수'라는 개념과 비슷한 데, 모든 한자의 의미를 가진 최소 단위 요소이자, 분류된 개념을 지칭하는 대표자라는 점에서 출발에서부터 '분류'와 '관계의 규정' 및 '귀속'이라는 속성을 가지게 된다. 그리고 이는 사물의 체계와 세상의 질서를 규정할 수 있는 권한이라 할 수 있고, 이의 장악은 그 자체가 '권력의 획득'으로 이어졌다.

'분류'가 질서나 주도권(헤게모니)과 어떻게 관계되는지 보자. 단순한 예긴 하지만, 신과 사람과 원숭이의 관계에서 '사람'을 '신'과 관계 짓느냐 아니면 그것을 '원숭이'와 관계 짓느냐 하는 것은 천양지차이다. 전자는 신이 사람을 만들었다는 종교적 신학의 시대에서 가능했던 세계관으로, 사람이 신의 창조물이 아니라 원숭이에서 진화한 존재라는 주장은 다윈으로 대표되는 진화론이 나오면서 등장한 전통의 종교관과는 전혀 다른 세계관이다. 신학적 세계관이냐 진화론적 세계관이냐에 따라 세계를 이해하는 틀이 다르고, 이는 세상을 지배하는 주도권과 권력에도 관여하게 된다. 신학적 세계관에서는 종교의 힘이 절대적이어서 성경과 성당과 성직자들이 세계를 지배했다. 그러나 다윈의 진화론의 출현으로 이러한 질서는 재편된다. 신학에서 과학으로, 절대 진리에서 상대 진리로 바뀌었다. 이를 통해 신학의 자리에 과학의 자리가 위치하여 세상의 질서가 재편된 것이다. 그 과정에서 '교회'는 슬퍼 울었고, 세상은 신이 아니라 인간이 중심이 되는 새로운 가치와 창조가 끝도 없이 펼쳐졌다.

창힐(倉頡)은 중국에서 문자를 창제했다고 하는 신화적 인물이다. 신화에 의하면 창힐이 문자를 만들자, "하늘에서는 곡식이 비오듯 쏟아졌고 귀신은 밤새 울었다."라고 했다. 문자가 무엇이기에 문자를 만들자 귀신은 밤새 통곡했고 곡식은 비오듯 쏟아졌던 것일까? 그것도 땅이 아닌 하늘에서, 사람이 아닌 귀신이 말이다. 그것은 다름 아닌 '문자의 창제로 인한 세계 질서와 권력의 재편'의 상징이었다. 즉 땅이 아닌 '하늘'에서 곡식이 비오듯 내렸다는 것은 전혀 새로운 세계가 열림으로써 생산력은 비약적 발전을 이루었다는 말일 것이다. 또 '귀신'은 밤새 울었다는 것은 그간 권력을 발휘하고 헤게모니를 장악했던 '귀신'의 지배력이 '인간'에게로 옮겨가면서 귀신의 시대가 끝나고 인간의 시대가 열렸다는 웅변일 것이다.

4. 『설문해자』의 편찬

『설문해자』의 편찬도 한나라 당시 학문 권력을 장악하고 있던 '금문'학파에 대한 반격의 근거로, 절대적 자료로 만들어졌다고 생각한다. 공자 댁 벽 속에서 나온 옛날 문자로 된 경전에 신뢰를 보냈던 '고문'학파들이 자신의 권위를 확보하는 일은 금문학파들이 부정하는 그러한 고문자를 역사적으로 증명해야 했다. 그것은 오경으로 대표되는 유가 경전을 새롭게 해석할 수 있었으며, 그것은 국가를 경영하는 이데올로기의 새로운 해석이자 근거 제공이었다. 그것은 학문 권력과 국가 권력의 획득을 가능하게 했다.

이러한 것이 가능했던 것은, 한자 아니 문자라는 것이 처음부터 '권력'과 밀접한 관계를 가졌기 때문이었다. 앞서 말한 것처럼, 문자는 세상에 존재하는 사물과 개념들을 하나의 이미지로 개괄해 내는 부호이다. 세상의 존재물을 어떻게 분류하고, 어떤 그림이나 개념으로 그리고 표현해내는가 하는 것은 분류를 통한 질서의 재편이고, 이미지를 통한 개념의 표상이고, 이는 세상의 질서에 관여한다.

앞서 말했던 것처럼, '신'과 한 부류로 묶였던 '사람'이 다윈의 진화론 이후 자리를 옮겨 '원숭이'와 함께 묶이게 되는 분류의 재편을 경험한다. 그렇게 됨으로써 '신'의 신성성과 지위는 추락하고 신과 함께 하던 권력과 이익 집단은 그 지위를 잃게 된다.

뿐만 아니다. 문자는 계급과 국가의 출현, 권력의 탄생과 출발부터 연계되어 있었다. 스탈린의 해석처럼, 잉여 생산의 발생과 그로 인한 계급의 분화, 그리하여 이들의 체계적인 관리가 필요했고, 그 과정에서 국가가 탄생했다. 그래서 문자는 출발부터

'권력'과 관련되었고, 지금도 국가의 형성을 가름하는 중요한 잣대의 하나가 되었다.

그런가 하면 친 권력적 해석을 통해 권력의 옹호와 강화에도 적극 관여하였다. 예컨대, 왕권을 상징하는 '모자'나 '도끼'를 그렸던 갑골문에서의 '왕(王)'자를 두고 공자는 삼(三)과 곤(丨)으로 구성되어 천지만물 온 세상을 하나로 꿰뚫는 존재가 '왕'이라고 해석했다. 공자라는 위대한 성인에 의해 왕(王)자는 그냥 '왕'을 표상하는 단순한 부호가 아니라 그런 '존재'로 인식되고 대우받게 되었다. 나아가 허신은 『설문해자』에서 이 '왕'을 두고 '천하 사람들이 다 돌아와 귀의하는 존재'로 해석함으로서 왕의 지위는 더욱 숭고해졌다. 허신의 해석 덕택에 '왕'은 자신이 온 천하를 꿰뚫어야 한다는 책임과 그에 대한 부족으로 생길 외부적 위협에서 해방될 수 있었다.

허신이 한자 하나하나의 속 깊은 의미를 파헤치고 그에 대한 해설을 하고자 한 기저에는 이런 장치가 숨어 있다. 더구나 당시 다른 사람들이 알지 못했던 고대 한자를 통한 어원해석과 그 해박한 경전에 대한 이해를 결합하여 더욱 정교한 철학적 해석을 보탰으니, 상상 이상의 권위를 확보하게 되었다. 『설문해자』의 출현을 계기로 당시의 학문 권력이 재편되고 '고문'학파들이 학계의 주류가 된 것은 필연적인 일이었을 것이다.

이것이 바로 허신의 『설문해자』를 오늘날 우리가 어떻게 읽어야 할지를 보여주는 지점이다. 더구나 한자가 중국인들의 문명과 사유를 담보할 수 있는 가장 근원적인 요소라는 점을 상기하면 더욱 그렇다.

그래서 독자들은 『설문해자』를 단순한 어원사전이 아니라, 그가 어떻게 한자를 해석했는지, 즉 한자가 허신이라는 존재를 만나 어떤 식으로 확장되고 영역을 만들어 갔는지를 살피기를 바란다. 이로부터 의미를 형체 속에 담고 있는 한자의 특성에 주목하고, 발생 당시로부터 지금까지의 다양한 의미 스펙트럼이 켜켜이 녹아 있는 그 지층들을 세밀하게 읽어내기를 희망한다.

5. 『설문해자』의 체제[14]

『설문해자』를 효과적으로 읽기 위해서는 책의 체계를 이해해야 한다. 책의 체제를 잘 알지 못하면, 그 책의 내용과 저자의 의도를 알기 어렵다. 『설문해자』도 마찬가지이다. 서기 100년이라는 오래 전에 완성한 책이어서 완벽하진 않지만 그래도 상당히 엄격한 체제를 갖고 있다. 그 체제는 허신(許慎)의 『설문해자서(敍)』와 『설문해자』 해설을 분석 귀납한 결과 대체로 다음과 같이 정리할 수 있다.

(1) 부수와 귀속자의 배열

원칙	예시
부수(540부수)	
①일(一)부수에서 시작해 해(亥)부수에서 끝남(始一終亥)	"부수를 세우면서 '일(一)'을 시작으로 삼았다. 비슷한 부류를 함께 모음으로써, 만물이 무리로 구분될 수 있었다. 같은 조항들을 서로 연계되도록 함으로써, 공통의 이치가 서로 한결같이 하였다. 섞여도 넘어나지 않도록 하였고, 형체에 근거해 서로 연계시켰다. 끌어내 깊이 있게 해설함으로써, 만물의 근원을 파헤치게 하였다.(其建首也, 立一爲端. 方以類聚, 物以群分. 同條牽屬, 共理相貫. 雜而不越, 據形系聯. 引而申之, 以究萬原.)"
②형체에 근거해 연계를 시킴(據形系聯)	• 「상(上)」·「하(下)」·「시(示)」: 모두 「상(上)」과 관련됨 • 「삼(三)」·「왕(王)」·「옥(玉)」·「각(珏)」: 모두 「삼(三)」과 관련됨. • 「철(中)」·「초(艸)」·「욕(蓐)」·「망(茻)」: 모두 「철(中)」과 관련됨.
③유사한 것끼리 서로 모음(以類相從)	• 시(豕)·단(彖)·계(互)·돈(豚)·치(豸)·석(舄)·척(易)·상(象)·마(馬)·치(鷹)·록(鹿)·주(麤)·착(龜)·토(兔)·현(莧)·견(犬)·은(狀)·서(鼠)·능(能)·웅(熊) 등: 모두 짐승에 관한 것. • 근(斤)·두(斗)·모(矛)·거(車) 등: 모두 기물에 관한 것. • 갑(甲)·을(乙)·병(丙)·정(丁)·무(戊)·기(己)·경(庚)·신(辛)·임(壬)·계(癸)·자(子)·축(丑)·인(寅)·묘(卯)·진(辰)·사(巳)·오(午)·미(未)·신(申)·유(酉)·술(戌)·해(亥) 등: 모두 간지에 관한 것.

---

14) 여기서부터 아래의 7.'『설문해자』의 공헌과 한계'까지는 하영삼, 『한자의 세계』(신아사, 2013)의 제3장 허신과 『설문해자』에서 수정 인용함.

귀속자 9,833자(원본 9,353자)	
①유사한 것끼리 서로 모음(以類相從)	• 시(示)부수 귀속 글자: 신이나 의례(儀禮)와 관련됨. • 옥(玉)부수 귀속 글자: '옥(玉)'과 관련됨.
②황제의 이름은 해당 부수의 첫 번째 글자에 배열	• 「수(秀)」: 화(禾)부수의 첫 번째 글자, 한나라 광무제(光武帝)의 이름. • 「장(莊)」: 초(艸)부수의 첫 번째 글자, 한나라 명제(明帝)의 이름. • 「달(炟)」: 화(火)부수의 첫 번째 글자, 한나라 장제(漢章)의 이름. • 「조(肇)」: 과(戈)부수의 첫 번째 글자, 한나라 화제(和帝)의 이름. • 「호(祜)」: 시(示)부수의 첫 번째 글자, 한나라 안제(安帝)의 이름.
③길(吉)한 것을 먼저, 흉(凶)한 것을 뒤에 놓음	• 시(示)부수: 「예(禮)」·「희(禧)」·「기(祺)」·「록(祿)」·「정(禎)」·「상(祥)」·「지(祉)」·「복(福)」 등이 앞에 놓였는데, 모두 길상(吉祥)의 뜻이 있다. 이에 반해 「침(祲)」·「화(禍)」·「수(祟)」·「기(祺)」 등은 뒤에 놓였는데, 모두 재앙의 뜻이 있다.
④실체가 있는 것(實)을 앞에, 실체가 없는 것(虛)을 뒤에 놓음	• 수(水)부수: 강과 관련된 고유명사는 앞에, 물의 상태를 설명하는 글자는 뒤에 놓였는데, "실체가 있는 것(實)"을 앞에 "실체가 없는 것(虛)"을 뒤에 놓았다.
⑤부수가 중첩되어 만들어졌거나 부수와 상반된 형체로 된 글자는 해당 부수의 마지막에다 배열함	• 「답(譶)」: 언(言)이 세 개 모여 만들어진 글자이기 때문에 언(言)부수의 마지막에 배치. • 「신(姓)」·「유(瓜)」·「뢰(磊)」·「섭(聶)」·「빈(豩)」·「표(驫)」 등도 동일함. • 「촉(亍)」: 척(彳)과 형체가 상반된 모습이기에 척(彳)부수의 마지막에 배치. • 「원(邑)」: 「읍(邑)」의 상반된 모습이기에 읍(邑)부수의 마지막에 배치.

(2) 해설체계

표제자	석의	구조	독음	이설	이체자
축(祝)	祭主贊詞者. 제사에서 찬사를 주관하는 자를 말한다.	從示, 從人·口. 시(示)가 의미부이고, 또 인(人)과 구(口)가 의미부이다.		一曰: 從兌省. 『易』曰: 兌爲口, 爲巫. 일설에는 태(兌)의 생략된 모습이 의미부라고도 한다. 『역』에서 '태'괘는 입(口)을 상징하고, 무당(巫)을 상징한다고 했다.	

屮 중(中)	內也. 안으로 들어가다는 뜻이다.	從口. |, 上下通. 국(口)으로 구성되었다. 세로획(|)은 상하를 관통시키다는 뜻이다.			屮 古文中. 𣍘 籀文中. 屮 은 고문체이고, 𣍘 은 주문체이다.
丌 기(丌)	下基也. 薦物之丌. 물체의 아랫부분을 말한다. 물건을 놓는 책상을 말한다.	象形. 상형이다.	讀若箕同. 독음은 기(箕)와 같다.		

① 표제자

"지금 전서체를 표제자로 두어, 고문과 주문과 합쳐지게 했으며, 학자들의 다양한 견해를 널리 인용했다.(今敍篆文, 合以古籀, 博采通人)."라고 한 것처럼 소전체를 표제자로 삼았다. 당시에 쓰이던 예서를 표제자로 삼지 않고 소전체를 표제자로 삼았던 것은 글자의 자원을 파헤치기 위한 『설문해자』 편찬 목적에 부합한 결과로 보인다.

대부분의 표제자는 한 글자로 된 것이 정상적이지만, 간혹 소전체로 된 표제자가 연속되어 제시될 수도 있는데, 이를 '연속된 표제자'라 부를 수 있다. 예컨대, "미상은 날이 밝다는 뜻이다(眛爽, 旦明也)", "힐향은 베를 말한다(絜響, 布也)", "추애는 아래라는 뜻이다(湫隘, 下也)", "참상은 별을 말한다(參商, 星也)" 등이 그러하다.[15]

② 자의(字義)

『설문해자』는 해당 한자의 본래 의미를 규명하고자 노력했는데, 『설문해자』의 자의에 대한 해설 체계는 다음의 몇 가지로 귀납할 수 있다.

첫째, 반드시 글자의 의미(字義)를 먼저 설명하고, 그런 다음에 글자의 형체(字形)를

---

15) 이는 청나라 錢大昕이 처음 발견한 체제로 그의 『十駕齋養新錄』에 보인다.

설명했다.

　　과(果) : "과실을 말한다. 목(木)이 의미부인데, 과실이 나무에 달린 모습을 그렸다.(木實也. 從木, 象果實在木之上.)"

둘째, 형체(形體)를 설명할 때에는, 반드시 해당 부수(部首)를 먼저 들고, 그런 다음에 다른 부수의 형체를 제시했다.

　　폭(暴) : "햇볕에 말리다는 뜻이다. 일(日)과 출(出)과 공(収)과 미(米)로 구성되었다.(曬也. 從日, 從出, 從収, 從米.)"

셋째, 해당 글자에 대한 다른 해설을 제시해야 할 경우에는 '일왈(一曰)', '혹왈(或曰)', '우왈(又曰)' 등을 사용했다.

　　자(芓) : "암삼을 말한다. 초(艸)가 의미부이고, 자(子)가 소리부이다. 일설에는 모시풀이라고도 한다.(麻母也. 從艸, 子聲. 一曰: 芓即枲也.)"

③ 독음

『설문해자』에는 '역성(亦聲)'과 '생성(省聲)' 등으로 해성(諧聲)자의 편방(偏旁)을 설명한 이외에도 해당 글자의 독음을 직접 밝힌 예도 있다. 그 하나는 '독약(讀若: ~처럼 읽는다)'이고 다른 하나는 '독동(讀同: ~와 꼭 같이 읽는다)'이다. '독동(讀同)'에는 두 가지 형식이 있는데, 하나는 '독여모동(讀與某同)'이고, 다른 하나는 '독약모동(讀若某同)'이다. 다만 『설문해자』에서 "닉(匿)은……'양추추(羊騶箠: 양의 채찍 끝에 다는 쇠)와 같이 읽는다(匿……讀如羊騶箠)"[16]라고 한 예에서 '독여(讀如: ~와 같이

---

16) 단옥재의 『설문주』에서는 "당연히 '羊箠鏊의 鏊와 같이 읽는다(讀若羊箠鏊之鏊)"라고 했는데, 鏊은 채찍 끝에 달린 쇠를 말한다.

읽는다)'라는 말도 한 차례 보이는데, '독여(讀如)'는 '독약(讀若)'과 같다.

액(䭈) 䭈 : "굶주리다는 뜻이다. 식(食)이 의미부이고, 액(厄)이 소리부이다. 초나라 사람들이 '에인'이라고 할 때처럼 읽는다.(饑也. 從食, 厄聲. 讀若楚人言 恚人.)"

6. 『설문해자』의 판본과 연구

허신(許慎)이 『설문해자』를 완성한 것은 한나라 화제(和帝) 영원(永元) 12년(기원 100년)의 일이다. 그의 아들 허충(許沖)은 이 책을 건광(建光) 원년(기원 121년)에 한나라 안제(安帝)에게 올렸다. 그 이후로 『설문해자』는 널리 유포되기 시작했으며, 『수서·경적지(經籍志)』, 『구당서·경적지(經籍志)』, 『신당서·예문지(藝文志)』 등에도 모두 이 책이 실려 있다. 중국 한자학사에서 『설문해자』는 가장 중요한 연구 대상이 었다. 이 때문에 역대로 『설문해자』에 대한 연구가 끊이지 않았는데, 그에 관한 주요 판본과 연구서를 도표로 제시하면 다음과 같다.

시기	저자	제목	비고
양(梁)	유엄묵(庾儼默)	『연설문(演說文)』	실전
수(隋)		『설문음은(說文音隱)』	실전
당(唐)	이양빙(李陽冰)	간정(刊定) 『설문해자』	
남당(南唐)	서개(徐鍇)	『설문해자계전(說文解字繫傳)』	소서본(小徐本)이라 불림17)
송(宋)	서현(徐鉉)	교정본(校定) 『설문해자』	대서본(大徐本)이라 불림18)
송(宋)	이도(李燾)	『설문해자오음운보(說文解字五音韻譜)』	
송(宋)	정초(鄭樵)	『육서략(六書略)』	
원(元)	대동(戴侗)	『육서고(六書故)』	

원(元)	양환(楊桓)	『육서통(六書統)』 『육서소원(六書溯源)』	
원(元)	주백기(周伯琦)	『설문자원(說文字原)』 『육서정와(六書正譌)』	
청(淸)	요문전(姚文田) 엄가균(嚴可均)	『설문 교의(說文校議)』	대서본의 교감
청(淸)	뉴수옥(鈕樹玉)	『설문 교록(說文校錄)』	소서본의 교감
청(淸)	왕헌(汪憲)	『설문계전 고이(說文繫傳考異)』	소서본의 교감
청(淸)	왕균(王筠)	『설문계전 교록(說文繫傳校錄)』	소서본의 교감
청(淸)	단옥재段玉裁	『설문해자주(說文解字注)』[19]	설문4대가
청(淸)	왕균王筠	『설문구두(說文句讀)』 『설문석례(說文釋例)』 『설문계전교록(說文繫傳校錄)』	설문4대가
청(淸)	계복(桂馥)	『설문해자의증(說文解字義證)』	설문4대가
청(淸)	주준성(朱駿聲)	『설문통훈정성(說文通訓定聲)』	설문4대가
민국(民國)	장태염(章太炎)	『문시(文始)』	
민국(民國)	정복보(丁福保)	『설문해자고림(說文解字詁林)』 『설문해자고림보유(說文解字)詁林補遺』	『설문해자』 관련 저술 1백82종과 2백54명의 학설을 집대성
민국(民國)	마서륜(馬敍倫)	『說文解字六書疏證』	

7. 『설문해자』의 공헌과 한계

『설문해자』는 중국 한자학사에서 가장 권위를 가지면서 가장 영향력을 발휘한 저작

---

17) 『繫傳』의 판각본으로는 淸나라 祁寯藻가 道光 19년(1839)에 顧千里의 송나라 抄本 및 汪士鍾이 소장한 宋刻 殘本에 근거하고, 承培元과 苗夔 등의 상세한 교정을 거친 판본이 있다.

18) 현전하는 大徐本 중 가장 오래된 것은 毛晉이 宋刻本에 근거한 翻刻本이다. 이 번각본은 初印本과 剜改本으로 나뉘는데, 汲古閣本이라 불린다. 또 청나라 嘉慶 14년(1809) 孫星衍은 송나라 판본에 근거해 重刻했는데, 이것이 平津館本이다. 同治 12년(1873) 陳昌治는 다시 손성연 판본에 근거해 校訂하였는데, 이것이 中華書局에서 1963년 정리 출판한 『설문해자』의 底本이 되었다.

19) 鈕樹玉의 『段氏說文注訂』, 王紹蘭의 『說文段注訂補』, 徐承慶의 『說文解字注匡謬』, 徐灝의 『說文解字注箋』 등은 모두 『說文解字注』를 교정한 저작이다.

이다. 20세기 들어 갑골문 연구가 활성화되기 이전까지는 『설문해자』의 연구가 한자 연구라고 해도 과언이 아닐 정도로 절대적 지위를 가졌다. 왕명성(王鳴盛, 1722~1798)의 말은 『설문해자』에 대한 이러한 존숭의 극치를 보여준다.

"『설문해자』는 천하에서 제일가는 책이다. 천하의 모든 책을 다 읽어도 『설문해자』를 읽지 않았다면 이는 읽지 않은 것과 같다. 그러나 『설문해자』에만 통달한다면, 나머지 책을 읽지 않았다 하더라도 대학자가 아니라고 하지는 못할 것이다."(『說文』爲天下第一種書. 讀遍天下書, 不讀『說文』, 猶不讀也. 但能通『說文』, 餘書皆未讀, 不可謂非通儒也.)(『說文解字正義·序』)

청나라 말 진개기(陳介祺)도 『설문고주보(說文古籀補)·서(敍)』에서 "오늘날 허신의 책이 없다면 글자를 아는 사람도 없었을 것이다.(今世無許書, 無識字者矣.)"라고 극찬했는데, 이러한 무한한 존숭이 대체적 평가였다.

하지만, 극단적인 부정도 있었는데, 석일삼(石一參)의 『육서천설(六書淺說)』에서는 『설문해자』를 두고 "황당하다(荒謬)"거나 "비루하다(淺陋)"라고 하면서, 심지어 "죽어야 마땅할 허신(該死的許愼)"이라고까지 했다. 이는 지나친 평가라 할 수 있다.

이처럼 극단적인 부정은 아니지만, 『설문해자』가 장점만 가진 것은 아니며, 허신이 당시에 보지 못했던 갑골문을 비롯한 고문자 자료가 대거 출토되었고, 연구 방법도 대단히 발전한 지금의 관점에서 보면 상당한 한계를 보이는 것도 사실이다.

(1) 공헌

『설문해자』의 공헌에 대해서 요효수(姚孝遂)는 다음과 같은 네 가지 측면에서 평가했다.[20]

---

20) 姚孝遂(저), 하영삼(역), 『許愼과 說文解字』(도서출판3, 2014), 177~193쪽 참조.

첫째, 자형적 측면에서, 『설문해자』에는 허신이 당시의 서로 다른 문자의 형체를 통해 한자의 본원을 찾고자 했던 탓에 고문(古文)·주문(籒文)·소전(小篆)·혹체(或體) 등 각종 이체자가 보존되어 있다. 한자는 '예변(隸變)' 과정을 거치면서 형체에 커다란 변화가 일어나 원래의 형체 구조를 알아보기 어렵게 되었다. 오늘날 한자의 형체의 맥락을 그나마 일부라도 알 수 있게 된 공은 『설문해자』에게 돌려져야만 할 것이다.

둘째, 의미적 측면에서, 글자는 반드시 그것의 본래 의미(本義)를 먼저 알아야만 그것의 파생의미(引申義)와 가차 의미(假借義)를 알 수 있다. 그리고 글자의 본래 의미는 형체와 불가분의 관계에 있다. 본래의 형체를 알지 못하면 그것의 본래 의미도 알 수 없다. 『설문해자』는 바로 본래의 형체를 통해 본래의 의미를 파헤쳤으며, 동시에 대량의 가차 의미도 보존하고 있다.

셋째, 독음의 측면에서, 『설문해자』에는 "독약(讀若)"에 관한 많은 자료가 보존되어 있으며, 대량의 형성자에 대해 성독(聲讀)의 내원을 설명해 두었는데, 이는 진한(秦漢) 때의 다양한 고대음 연구 자료로 활용할 수 있다.

넷째, 문자의 규범화와 통일이라는 측면에서, 『설문해자』는 당시에 볼 수 있던 모든 한자에 대해 자형과 의미에 대해 하나하나 분석했는데, 이는 한자의 통일에 상당한 촉진 작용을 했을 것이며, 한자의 통일과 규범화에도 큰 영향을 미쳤다.

(2) 한계

육종달(陸宗達, 1905~1988)은 『설문해자통론』에서 『설문해자』의 한계를 첫째, 봉건 정치를 옹호하는 입장과 관점, 둘째, 과학 수준의 한계, 셋째, 귀납 방법의 결함, 넷째, 체제 편집상의 문란 등으로 귀납하였다.[21]

허신은 자신이 처했던 시대적 한계 탓에, 그는 단지 주(周)나라 후기 이후부터 진한

---

21) 陸宗達(저), 김근(역), 『說文解字通論』(1994), 343~368쪽 참조..

(秦漢) 때에 이르는 문자자료만 볼 수밖에 없었는데, 이러한 문자는 원시상태로부터 이미 상당히 떨어진 이후의 문자자료였다. 그래서 그가 지은 『설문해자』는 단지 이러한 자료에 근거해 문자의 본래 형체·본래 독음·본래 의미를 파헤쳐야 했는데, 이는 대단히 어려운 일이었으며, 어떤 상황에서는 심지어 불가능한 일이기도 했다.22)

또 고염무(顧炎武)는 이렇게 말했다. "큰 것은 취하고 작은 것은 버리며, 옳은 것은 택하고 틀린 것은 피해야 한다.(取其大而棄其小; 擇其是而違其非.)" 이는 『설문해자』에 대해서 뿐만 아니라 모든 고대 문헌을 대할 때에도 가져야 할 태도이며, 이전의 모든 연구 성과를 이용할 때에도 가져야 하는 태도이기도 하다.23)

8. 감사의 말씀

조그만 저술이나 번역이라도 이를 마무리하고 그 감회를 쓸 때는 더없이 후련하기도 하지만 언제나 아쉬움이 더 많이 남는다. 어쩔 수 없어 마무리를 하긴 하지만 미진한 곳이, 부족한 곳이 수두룩하기 때문이다. 더구나 『완역 설문해자』처럼 내용도 깊고 분량도 방대하고 복잡한 책은 더욱 그렇다. 오자도, 탈자도, 서체 변환이 되지 않은 곳도, 형식이 다른 곳들도 찾아도 찾아도 계속 나온다. 그래도 그나마 책으로서의 형식을 갖추어 출판하게 된 것은 처음부터 끝까지 싫은 내색 하나 하지 않고 꼼꼼하게 읽어준 동료 김화영 교수 덕분이다. 그리고 연구소의 조교 등 여러 학생들의 도움도 많았다. 이 자리를 빌려 다시 한 번 감사드린다.

어느덧 필자도 나이가 훌쩍 들어 육십 줄에 들어선 오늘, 이 책을 마무리하면서 지난날을 되새겨 본다. 부끄럽기 그지없지만, 그래도 지금 정도의 공부라도 하게 해주신, 도움 주신 분들의 모습이 주마등처럼 뇌리를 스친다. 고등학교 시절 이 길을 걷게 해 주신 은사 김영일(金榮一) 교수님, 중국이라는 세상을 알게 해 준 대학교 때

---

22) 姚孝遂, 앞의 책, 194쪽.
23) 姚孝遂, 앞의 책, 242쪽.

의 강식진(康寔鎭) 교수님, 공부의 맛을 알게 하고 학문의 길로 들게 해 주신 대학원 때의 탕민(湯民) 류탁일(柳鐸一) 교수님, 반농(半農) 이장우(李章佑) 교수님, 대만 유학 시절 석사와 박사를 지도해 주신 간종오(簡宗梧) 교수님, 학자적 만남으로 평생 길을 이끌어 주신 장극화(臧克和) 교수님, 목재(木齋) 정경주(鄭景柱) 교수님, 이외에도 이루 말할 수 없는 분들의 도움이 있었다. 다시 한 번 여러 선생님들께 머리 숙여 감사드린다.

돌아보니 주위의 도움만 받고 살아온 인생이다. 부끄럽지만 이 책이라도 세상에 내놓음으로써 그분들의 도움에 감사드리고자 한다. 또 이 작업이 한국에서의 한자 연구에 조그만 밑거름이 되었으면 하는 바람이다.

필자는 그간 한자 연구에 관심을 가지면서, 또 한자 뒤에 숨어 있는 문화적 속성에 주목하면서, 한자의 어원 연구가 가능하도록 『한자어원사전』(2014)을 출간한 바 있다. 또 한자의 문화성 연구를 위한 방법론으로 『한자와 에크리튀르』(2011)를 집필했었고, 이의 대중화를 위해 최근에는 『24개 한자로 읽는 동양문화』(2020)를 출간하기도 했다. 이외에도 고문자, 갑골문, 금문, 한자의 역사 등을 비롯해 한자와 중국문명을 보는데 필요한 몇 가지 중요한 책도 번역 소개하였다. 또 한자에 대한 깊은 이해와 우리 문화의 한 축으로 활용해야 할 중요한 자산으로서의 가치 발굴을 위해 『부산일보』, 『동아일보』, 『월간중앙』, 『중앙선데이』 등에도 끊임없이 글을 쓰기도 했다.

능력에 넘치는 다양한 시도를 해왔다. 그러나 보니 어설픈 곳이 많다. 그러나 이들 작업이 우선 필자 자신의 공부를 위한 데서 출발했고 또 기왕이면 같은 길을 걷는 사람들과 같은 고민을 하는 독자들이 그 성과를 함께 공유했으면 하는 마음에서였다. 이 자리를 빌려 송구한 마음으로 넓게 이해해 주시기를 부탁드린다. 그렇다 하더라도 이 책을 비롯한 그간의 저술에서 드러난 여러 오류나 부족함은 전적으로 필자의 책임이다. 이 부분에 대해서도 독자 여러분들의 기탄없는 엄한 질정을 바란다.

이제『설문해자』번역을 마무리 했으니, 그간 시도했던 다양한 번역은 일단락 할 생각이다. 앞으로는 시간이 허락하는 대로 좀 더 깊은 공부를, 남들이 하지 못한 해석들을 내는데 천착하려 한다. 한자 어원을 반영한 경전의 새로운 해석이 그 속에 포함될 것이다. 무엇이 공부인지도, 어떤 길을 가야 하는지도 잘 모른 상태에서 좌충우돌 우왕좌왕 하면서 흐른 세월이 이렇게 되었다. 나이 육십이라는 의미가 그간 살아온 인생을 한번 반추하고 남은 세월을 더 깊은 성숙한 삶을 살면서 사회에 봉사하라는 것에 있다 생각한다. 사회와 동료 및 여러 선생님의 도움으로 자란 세상을 앞으로는 필자가 받았던 것처럼 베풀면서 공유하면서 살겠다는 회포를 이를 기념하여 기록한다.

2022년 3월
도고재(渡古齋)에서 하영삼(河永三) 삼가 쓰다

일부 오탈자, 미 전환 고문자 폰트, 누락 색인자 등을 바로 잡고 보충하다
2023년 10월

범 례

범 례

1. 판본: 청(淸)나라 진창치(陳昌治) 판각 『설문해자(說文解字)』에 근거했다. 표점 과 교정은 『설문해자신정(說文解字新訂)』(臧克和·王平 校訂, 中華書局, 2002), 『실용설문해자(實用說文解字)』(臧克和·劉本才 編, 上海古籍出版社, 2012)에 근 거했다.

2. 수록자: 대서본 수록자 9,353자에다 신부자(新附字) 480자를 포함하여, 총 9,833 자를 수록했으며, 검색의 편의를 위해 1~9833까지 일련 번호를 매겨두었다.

3. 본문: ①일련번호, ②표제자(소전—해서—훈독—부수—총획—한어병음), ③원 문, ④번역, ⑤주석 등으로 구성되었다. 한글 독음은 『명문한한대자전』(명문 당, 1991)을, 한어병음은 "漢典(https://www.zdic.net/)"을 주로 참고했다.

4. 주석: 『설문해자』의 해설과 새로 출토된 고대 한자와의 자형 비교를 위해 『한 자어원사전』(하영삼, 도서출판3, 2014)을 첨부하여 대조 대비가 가능하게 했 다. 또 원문의 해석과 교감 등을 참고하기 위해 당나라 서개(徐鍇)의 『설문 해자계전(說文解字繫傳)』(『계전』 혹은 소서본으로 줄여 부름), 청나라 단옥재 (段玉裁)의 『설문해자주(說文解字註)』(『단주』로 줄여 부름)를 비롯해 근현대 『설문해자』 연구자들의 성과를 반영하였다.

5. 번역: 탕가경(湯可敬)의 『설문해자금석(說文解字今釋)』(上海古籍出版社, 2018) 을 참고했다. 인용 경전의 경우 『시경』은 김학주의 『새로 옮긴 시경』(명문당, 2010) 등을 주로 참고했다. 독자가 알아보기 쉽게 가능한 풀어서 해석했으며, 의미의 정확성을 위해 가능한 한 한자를 괄호 속에 넣어 병기했다.

6. 색인: ①한글독음색인, ②부수색인, ③총획수 색인 등 3종을 제공하여 검색의 편의를 높였다.

제1부수
001 ▪ 일(一)부수

부수목차

일련번호

1

표제자 정보
소전체-해서체-
훈독-부수-
총획수-한어병음

一 : 一 : 한 일 : 一총1획: yī

원문

原文

一: 惟初太始1), 道立於一, 造分天地, 化成萬物. 凡一之屬皆从一. 丁, 古文
一. 於悉切.

翻譯

번역문

처음으로 천지만물이 형성될 때, '도'가 '하나[一]'에서 세워졌으며2), 그 후 하늘과
땅으로 나누어졌고, 다시 변해서 만물이 되었다.3) 일(一)부수에 귀속된 글자들은 모
두 일(一)을 의미부로 삼는다.4) 일(丁)은 일(一)의 고문체이다.5) 독음은 어(於)와 실

---

1) 서현의 대서본에서는 '태시(太始)'로 되었으나, 서개의 소서본에서는 '태극(太極)'으로 되었다.
   의미는 같다.
2) 『노자』에서는 우주만물의 생성원리를 언급하면서 "道生一, 一生二, 二生三, 三生萬物.(도는
   일을 낳고, 일은 이를 낳고, 이는 삼을 낳고, 삼은 만물을 낳는다.)"라고 하여 "도가 일을 낳는
   다."라고 한 위의 언급과는 차이를 보인다.
3) 갑골문에서부터 가로획을 하나 그려 '하나'의 개념을 나타냈다(甲骨文 ━ 金文 ━
   古陶文 ━ 盟書 ━ 簡牘文 ━ 古幣文 ━ 古璽文 ━ 石刻古文 ━ 說文小篆 弌
   說文古文). 一이 둘 모이면 二(두 이)요, 셋 모이면 三(석 삼)이 된다. 一은 숫자의 시작이다.
   하지만 한자에서의 一은 단순한 숫자의 개념을 넘어선 오묘한 철학적 개념을 가진다. 一은 인
   간의 인식체계로 분화시킬 수 없는 카오스(chaos)이자 분리될 수 없는 전체이다. 그래서 一은
   하나이자 모두를 뜻하고, 만물을 낳는 道(도)이자, 우주 만물 전체를 의미하며, 劃一(획일)에서
   처럼 통일됨도 의미하는 숭고한 개념을 가진다. 달리 弋(주살 익)이 더해진 弌로 쓰기도 하는
   데, 弋은 가끔 형체가 비슷한 戈(창 과)로 바뀌기도 한다.
4) "凡○之屬皆从○"는 『설문』에서 처음 채택한 중요한 범례 중의 하나이다.『설문』에서는 수록
   한자를 540개의 그룹으로 나누고 해당 그룹의 대표자, 즉 부수를 설정했다 그리고 해당 부수
   자의 설명 끝부분에 이러한 말을 언급해 두었다. 이는 허신의 창의적 발명으로, 부수자로 대
   표되는 그룹에 속한 글자들은 글자에 모두 해당 부수자가 들어 있으며 이는 해당 부수자가
   그들 글자의 의미를 결정하는데 관여하고 있다는 뜻이다. 따라서 이 부분을 "○부수에 속한

주석

번역 규칙

『설문해자』는 개별 한자에 대한 형체, 의미, 독음의 삼요소를 중심으로 엄격한 해설 체계를 갖고 있으므로, 이들 특성이 학술적으로 반영되도록 노력했다. 이를 위해 이 책에서 적용한 주요 번역 규칙은 다음과 같다.

1. 부수 귀속자:
"凡○之屬皆从○"→"○부수에 귀속된 글자들은 모두 ○을 의미부로 삼는다."

2. 형체구조
(1) 회의구조:
　①"从A从B"→"A가 의미부이고 B도 의미부이다."
　②"从AB"→"A와 B가 모두 의미부이다."
　③"从A从B从C"→"A가 의미부이고 B도 의미부이며 C도 의미부이다."
　④"从A从BC"→"A가 의미부이고 B와 C도 모두 의미부이다."
　⑤"从AB, 从C"→"A과 B이 의미부이고, C도 의미부이다."
　⑥"从二A"→"2개의 A로 구성되었다."
　⑦"从反A"→"A의 뒤집은 모습으로 구성되었다."
(2) 형성구조:
　①"从AB聲"→"A가 의미부이고 B가 소리부이다."
　②"从A从B聲"→"A가 의미부이고 소리부인 B로 구성되었다."
　③역성(亦聲): "从A从B, B亦聲."→ "A가 의미부이고 B도 의미부인데, B는 소리부도 겸한다."
　④생성(省聲): "○省聲"→"○의 생략된 모습이 소리부이다."

3. 독음:

①讀若:

"讀若A"→"A와 같이 읽는다."

"讀若AB"→"A나 B와 같이 읽는다."

"讀若○之A"→"○라는 뜻의 A와 같이 읽는다."

"又讀若A"→"또 A와 같이 읽기도 한다."

"讀與A同"→"A와 똑같이 읽는다."

"A音B"→"A는 독음이 B이다."

"本音A"→"본래 음은 A이다."

4. 중문(重文: 이체자):

"A, 古文B"→"A는 B의 고문체이다."

"A, 或从B"→"A는 (○의) 혹체자인데, B로 구성되었다."

"或从A"→"달리 A를 의미부로 삼기도 한다."

5. 의미해석:

"闕"→"왜 그런 뜻인지는 알 수 없어 비워둔다."

"一云○"→"달리 ○라는 뜻이라고도 한다."

"一曰○"→"달리 ○라고도 한다."

"一本云○"→"어떤 판본에서는 ○라고 했다.

"或曰○"→"혹은 ○라고도 한다."

"俗謂之○"→"세속에서는 이를 ○라고 한다."

"古通用A"→"옛날에는 A와 통용되었다."

"其義未詳"→"그 의미에 대해서는 잘 알 수 없다."

"與A同意"→"A와 형성 원리가 같다."

참고문헌

남당(南唐) 서개(徐鍇), 『설문해자계전(說文解字繫傳)』

송(宋) 서현(徐鉉) 교정본(校定本) 『설문해자』

송(宋) 정초(鄭樵), 『육서략(六書略)』

청(淸) 진창치(陳昌治) 판각, 『설문해자(說文解字)』

청(淸) 단옥재(段玉裁), 『설문해자주(說文解字注)』

청(淸), 왕균(王筠), 『설문구두(說文句讀)』

청(淸), 왕균(王筠), 『설문석례(說文釋例)』

청(淸), 계복(桂馥), 『설문해자의증(說文解字義證)』

청(淸), 주준성(朱駿聲), 『설문통훈정성(說文通訓定聲)』

민국(民國), 정복보(丁福保), 『설문해자고림(說文解字詁林)』

민국(民國), 마서륜(馬敍倫), 『설문해자육서소증(說文解字六書疏證)』

장순휘(張舜徽), 『설문해자약주(說文解字約注)』, 華中師範大學, 2002.

우성오(于省吾) 주편, 『갑골문자고림(甲骨文字詁林)』, 中華書局, 1996.

이포(李圃) 주편, 『고문자고림(古文字詁林)』, 上海教育出版社, 2000~2004.

장극화(臧克和)·왕평(王平)(校訂), 『설문해자신정(說文解字新訂)』, 中華書局, 2002.

장극화(臧克和)·유본재(劉本才)(편), 『실용설문해자(實用說文解字)』, 上海古籍出版社, 2012.

탕가경(湯可敬), 『설문해자금석(說文解字今釋)』, 上海古籍出版社, 2018.

백천정(白川靜), 『신정(新訂) 자통(字統)』, 평범사, 2010.

하영삼, 『한자어원사전』, 도서출판3, 2014.

허진웅, 하영삼(역), 『갑골문고급자전』, 도서출판3, 2021.

김학주, 『새로 옮긴 시경』, 명문당, 2010.
신동준 역, 『춘추좌전』, 한길사, 2006.
주하(周何) 총주편, 구덕수(邱德修) 부주편, 『국어활용사전(國語活用辭典)』, 五南圖
　書出版公司, 2016(29쇄)
김혁제 편, 『명문한한대자전』, 명문당, 1991.
"漢典(https://www.zdic.net/)"

목 차

		제08권(상)	2179
제3책	본문(3)	제08권(하)	2377
		제09권(상)	2459
		제09권(하)	2575
		제10권(상)	2703
		제10권(하)	2877
		제11권(상)	3055
		제11권(하)	3245
제4책	본문(4)	제12권(상)	3345
		제12권(하)	3505
		제13권(상)	3677
		제13권(하)	3845
		제14권(상)	3985
		제14권(하)	4131
		제15권(상)	4271
		제15권(하)	4319
제5책	색인	(1) 한글독음색인	1
		(2) 부수색인	187
		(3) 총획수색인	365

540부수 목차

제2권 상	21	𠱾	告	고	gào	**337**
제2권 상	22	𠙴	口	구	kǒu	**339**
제2권 상	23	凵	凵	감	kǎn	**414**
제2권 상	24	𠱒	吅	훤	xuān	**415**
제2권 상	25	𢞵	哭	곡	kū	**418**
제2권 상	26	𧺆	走	주	zǒu	**420**
제2권 상	27	止	止	지	zhǐ	**451**
제2권 상	28	癶	癶	발	bō	**457**
제2권 상	29	步	步	보	bù	**459**
제2권 상	30	此	此	차	cǐ	**461**
제2권 하	31	正	正	정	zhèng	**465**
제2권 하	32	是	是	시	shì	**467**
제2권 하	33	辵	辵	착	chuò	**469**
제2권 하	34	彳	彳	척	chì	**523**
제2권 하	35	乀	乀	인	yǐn	**539**
제2권 하	36	延	延	천	chǎn	**541**
제2권 하	37	行	行	행	xíng	**542**
제2권 하	38	齒	齒	치	chǐ	**548**
제2권 하	39	牙	牙	아	yá	**565**
제2권 하	40	足	足	족	zú	**567**
제2권 하	41	疋	疋	필·소	shū	**601**
제2권 하	42	品	品	품	pǐn	**603**
제2권 하	43	龠	龠	약	yuè	**605**
제2권 하	44	冊	冊	책	cè	**608**
제3권 상	45	㗊	㗊	집·뢰	jí	**613**
제3권 상	46	舌	舌	설	shé	**616**
제3권 상	47	干	干	간	gān	**618**

제3권 하	75		鬥	투·두·각	dòu	814
제3권 하	76		又	우	yòu	819
제3권 하	77		𠂇	좌	zuǒ	832
제3권 하	78		史	사	shǐ	834
제3권 하	79		支	지	zhī	836
제3권 하	80		聿	녑	niè	838
제3권 하	81		聿	율	yù	840
제3권 하	82		畫	화	huà	842
제3권 하	83		隶	이·대	dài	844
제3권 하	84		臤	현·간	qiān	846
제3권 하	85		臣	신	chén	848
제3권 하	86		殳	수	shū	850
제3권 하	87		殺	살	shā	859
제3권 하	88		几	수	shū	860
제3권 하	89		寸	촌	cùn	862
제3권 하	90		皮	피	pí	866
제3권 하	91		㲋	연·준	ruǎn	869
제3권 하	92		攴	복	pū	871
제3권 하	93		教	교	jiào	902
제3권 하	94		卜	복	bǔ	904
제3권 하	95		用	용	yòng	908
제3권 하	96		爻	효	yáo	911
제3권 하	97		㸚	리·려	lǐ	912
제4권 상	98		夐	혈	xuè	917
제4권 상	99		目	목	mù	919
제4권 상	100		䀠	구	qú	964
제4권 상	101		眉	미	méi	966

제4권 하	129		受	표	biào	**1108**
제4권 하	130		奴	잔	cán	**1112**
제4권 하	131		歺	알	è	**1115**
제4권 하	132		死	사	sǐ	**1127**
제4권 하	133		冎	과	guǎ	**1129**
제4권 하	134		骨	골	gǔ	**1131**
제4권 하	135		肉	육	ròu	**1141**
제4권 하	136		筋	근	jīn	**1195**
제4권 하	137		刀	도	dāo	**1197**
제4권 하	138		刃	인	rèn	**1226**
제4권 하	139		韧	계·갈	qì	**1228**
제4권 하	140		丯	개	jiè	**1230**
제4권 하	141		耒	뢰	lěi	**1231**
제4권 하	142		角	각	jiǎo	**1235**
제5권 상	143		竹	죽	zhú	**1253**
제5권 상	144		箕	기	jī	**1314**
제5권 상	145		丌	기	jī	**1316**
제5권 상	146		左	좌	zuǒ	**1320**
제5권 상	147		工	공	gōng	**1322**
제5권 상	148		珡	전	zhǎn	**1325**
제5권 상	149		巫	무	wū	**1326**
제5권 상	150		甘	감	gān	**1328**
제5권 상	151		曰	왈	yuē	**1330**
제5권 상	152		乃	내	nǎi	**1334**
제5권 상	153		丂	교	kǎo	**1336**
제5권 상	154		可	가	kě	**1338**
제5권 상	155		兮	혜	xī	**1341**

제5권 하	183	倉	倉	창	cāng	**1447**
제5권 하	184	人	入	입	rù	**1449**
제5권 하	185	缶	缶	부	fǒu	**1452**
제5권 하	186	矢	矢	시	shǐ	**1461**
제5권 하	187	高	高	고	gāo	**1467**
제5권 하	188	冂	冂	경	jiōng	**1469**
제5권 하	189	臺	臺	곽	guō	**1472**
제5권 하	190	京	京	경	jīng	**1474**
제5권 하	191	㐭	㐭	향	xiǎng	**1476**
제5권 하	192	㫄	㫄	후	hòu	**1478**
제5권 하	193	富	富	복	fú	**1480**
제5권 하	194	㐭	㐭	름	lǐn	**1481**
제5권 하	195	嗇	嗇	색	sè	**1483**
제5권 하	196	來	來	래	lái	**1485**
제5권 하	197	麥	麥	맥	mài	**1487**
제5권 하	198	夊	夊	쇠	suī	**1493**
제5권 하	199	舛	舛	천	chuǎn	**1501**
제5권 하	200	舜	舜	순	shùn	**1503**
제5권 하	201	韋	韋	위	wéi	**1505**
제5권 하	202	弟	弟	제	dì	**1513**
제5권 하	203	夂	夂	치	zhǐ	**1515**
제5권 하	204	久	久	구	jiǔ	**1518**
제5권 하	205	桀	桀	걸	jié	**1519**
제6권 상	206	木	木	목	mù	**1523**
제6권 상	207	東	東	동	dōng	**1689**
제6권 상	208	林	林	림	lín	**1691**
제6권 상	209	才	才	재	cái	**1696**

제7권 상	237		月	월	yuè	**1898**
제7권 상	238		有	유	yǒu	**1903**
제7권 상	239		朙	명	míng	**1905**
제7권 상	240		囧	경	jiǒng	**1906**
제7권 상	241		夕	석	xī	**1908**
제7권 상	242		多	다	duō	**1913**
제7권 상	243		毌	관	guàn	**1915**
제7권 상	244		弓	함	hàn	**1917**
제7권 상	245		東	함	hàn	**1920**
제7권 상	246		卤	초	tiáo	**1921**
제7권 상	247		齊	제	qí	**1923**
제7권 상	248		朿	자	cì	**1924**
제7권 상	249		片	편	piàn	**1926**
제7권 상	250		鼎	정	dǐng	**1930**
제7권 상	251		克	극	kè	**1933**
제7권 상	252		彔	록	lù	**1934**
제7권 상	253		禾	화	hé	**1935**
제7권 상	254		秝	력	lì	**1971**
제7권 상	255		黍	서	shǔ	**1972**
제7권 상	256		香	향	xiāng	**1976**
제7권 상	257		米	미	mǐ	**1978**
제7권 상	258		毇	훼	huǐ	**1994**
제7권 상	259		臼	구	jiù	**1995**
제7권 상	260		凶	흉	xiōng	**1998**
제7권 하	261		朩	빈	pìn	**2003**
제7권 하	262		林	파	pài	**2004**
제7권 하	263		麻	마	mā	**2006**

제8권 상	291	𣲖	比	비	bǐ	**2293**
제8권 상	292	𣲖	北	북·배	bèi	**2294**
제8권 상	293	𣲖	丘	구	qiū	**2296**
제8권 상	294	𣲖	似	음	zhòng	**2299**
제8권 상	295	𡈼	壬	정	tǐng	**2301**
제8권 상	296	𡍩	重	중	zhòng	**2304**
제8권 상	297	𡇡	臥	와	wò	**2306**
제8권 상	298	𦣻	身	신	shēn	**2308**
제8권 상	299	𦣻	𠂤	은·의	yǐn	**2310**
제8권 상	300	𧝑	衣	의	yī	**2311**
제8권 상	301	𧚍	裘	구	qiú	**2355**
제8권 상	302	𦒳	老	로	lǎo	**2356**
제8권 상	303	𣎳	毛	모	máo	**2361**
제8권 상	304	𣯫	毳	취	cuì	**2366**
제8권 상	305	𡰣	尸	시	shī	**2367**
제8권 하	306	𡰥	尺	척	chǐ	**2379**
제8권 하	307	𡰱	尾	미	wěi	**2381**
제8권 하	308	𡱒	履	리	lǚ	**2383**
제8권 하	309	𦨉	舟	주	zhōu	**2386**
제8권 하	310	𠂤	方	방	fāng	**2394**
제8권 하	311	𠤎	儿	인	rén	**2396**
제8권 하	312	𠑇	兄	형	xiōng	**2400**
제8권 하	313	𠐦	先	잠	zān	**2402**
제8권 하	314	𠑹	兒	모	mào	**2403**
제8권 하	315	𠓝	兇	고	gǔ	**2405**
제8권 하	316	𠑺	先	선	xiān	**2406**
제8권 하	317	𠑹	禿	독	tū	**2407**

제9권 상	345	苟	苟	극	jì	2558
제9권 상	346	鬼	鬼	귀	guǐ	2560
제9권 상	347	甶	甶	불	fú	2569
제9권 상	348	厶	厶	사	sī	2571
제9권 상	349	嵬	嵬	외	wéi	2573
제9권 하	350	山	山	산	shān	2577
제9권 하	351	屾	屾	신	shēn	2603
제9권 하	352	屵	屵	알	è	2605
제9권 하	353	广	广	엄	yǎn	2608
제9권 하	354	厂	厂	엄·한	ān	2631
제9권 하	355	丸	丸	환	wán	2642
제9권 하	356	危	危	위	wēi	2644
제9권 하	357	石	石	석	shí	2645
제9권 하	358	長	長	장	cháng	2667
제9권 하	359	勿	勿	물	wù	2669
제9권 하	360	冄	冄	염	rǎn	2671
제9권 하	361	而	而	이	ér	2672
제9권 하	362	豕	豕	시	shǐ	2674
제9권 하	363	希	希	이	nǐ	2684
제9권 하	364	彑	彑	계	jì	2686
제9권 하	365	豚	豚	돈	tún	2689
제9권 하	366	豸	豸	치	zhì	2690
제9권 하	367	舄	舄	사	sì	2699
제9권 하	368	易	易	역·이	yì	2700
제9권 하	369	象	象	상	xiàng	2701
제10권 상	370	馬	馬	마	mǎ	2705
제10권 상	371	廌	廌	치	zhì	2750

제10권 하	399	亢	亢	항	kàng	**2921**
제10권 하	400	夲	夲	도	tāo	**2922**
제10권 하	401	夵	夵	고	gǎo	**2926**
제10권 하	402	大	大	대	dà	**2929**
제10권 하	403	夫	夫	부	fū	**2933**
제10권 하	404	立	立	립	lì	**2935**
제10권 하	405	竝	竝	병	bìng	**2943**
제10권 하	406	囟	囟	신	xìn	**2945**
제10권 하	407	思	思	사	sī	**2947**
제10권 하	408	心	心	심	xīn	**2949**
제10권 하	409	惢	惢	쇄	suǒ	**3054**
제11권 상	410	水	水	수	shuǐ	**3057**
제11권 하	411	沝	沝	추	zhuǐ	**3247**
제11권 하	412	瀕	瀕	빈	bīn	**3249**
제11권 하	413	〈	〈	견	quǎn	**3250**
제11권 하	414	〈〈	〈〈	괴	kuài	**3251**
제11권 하	415	川	川	천	chuān	**3252**
제11권 하	416	泉	泉	천	quán	**3257**
제11권 하	417	灥	灥	천	chuān	**3258**
제11권 하	418	永	永	영	yǒng	**3259**
제11권 하	419	辰	辰	파	pài	**3261**
제11권 하	420	谷	谷	곡	gǔ	**3263**
제11권 하	421	仌	仌	빙	bīng	**3267**
제11권 하	422	雨	雨	우	yǔ	**3274**
제11권 하	423	雲	雲	운	yún	**3294**
제11권 하	424	魚	魚	어	yú	**3296**
제11권 하	425	鱻	鱻	어	yú	**3335**

제12권 하	453	𢧵	我	아	wǒ	3626
제12권 하	454	𠄎	丿	궐	jué	3628
제12권 하	455	珡	琴	금	qín	3629
제12권 하	456	乚	乚	은	yǐn	3631
제12권 하	457	𠃊	亡	망·무	wáng	3632
제12권 하	458	𠃊	匸	혜	xǐ	3635
제12권 하	459	匚	匸	방	fāng	3639
제12권 하	460	𠀠	曲	곡	qū	3647
제12권 하	461	𤮽	甾	치	zāi	3649
제12권 하	462	瓦	瓦	와	wǎ	3651
제12권 하	463	弓	弓	궁	gōng	3661
제12권 하	464	弜	弜	강	jiàng	3672
제12권 하	465	弦	弦	현	xuán	3673
제12권 하	466	系	系	계	xì	3675
제13권 상	467	糸	糸	사·멱	mì	3679
제13권 상	468	素	素	소	sù	3778
제13권 상	469	絲	絲	사	sī	3781
제13권 상	470	率	率	솔	shuài	3783
제13권 상	471	虫	虫	훼·충	huǐ	3784
제13권 상	472	蚰	蚰	곤	kūn	3847
제13권 하	473	蟲	蟲	충	chóng	3857
제13권 하	474	風	風	풍	fēng	3860
제13권 하	475	它	它	타·사	tā	3867
제13권 하	476	龜	龜	구·귀·균	guī	3868
제13권 하	477	黽	黽	민·맹	mǐn	3870
제13권 하	478	卵	卵	란	luǎn	3876
제13권 하	479	二	二	이	èr	3877

제14권 하	507		五	오	wǔ	**4179**
제14권 하	508		六	륙	liù	**4180**
제14권 하	509		七	칠	qī	**4181**
제14권 하	510		九	구	jiǔ	**4182**
제14권 하	511		禸	유	róu	**4184**
제14권 하	512		嘼	축·휴	chù	**4189**
제14권 하	513		甲	갑	jiǎ	**4191**
제14권 하	514		乙	을	yǐ	**4192**
제14권 하	515		丙	병	bǐng	**4195**
제14권 하	516		丁	정	dīng	**4196**
제14권 하	517		戊	무	wù	**4197**
제14권 하	518		己	기	jǐ	**4199**
제14권 하	519		巴	파	bā	**4201**
제14권 하	520		庚	경	gēng	**4203**
제14권 하	521		辛	신	xīn	**4204**
제14권 하	522		辡	변	biàn	**4208**
제14권 하	523		壬	임	rén	**4209**
제14권 하	524		癸	계	guǐ	**4210**
제14권 하	525		子	자	zǐ	**4211**
제14권 하	526		了	료	liǎo	**4219**
제14권 하	527		孨	전	chán	**4221**
제14권 하	528		去	돌	tū	**4223**
제14권 하	529		丑	축	chǒu	**4225**
제14권 하	530		寅	인	yín	**4227**
제14권 하	531		卯	묘	mǎo	**4228**
제14권 하	532		辰	진·신	chén	**4229**
제14권 하	533		巳	사	sì	**4231**

완역 설문해자

제1권
(상)

제1부수
001 ▪ 일(一)부수

1

一: 一: 한 일: 一-총1획: yī

原文

一: 惟初太始1), 道立於一, 造分天地, 化成萬物. 凡一之屬皆从一. 弌, 古文
一. 於悉切.

飜譯

처음으로 천지만물이 형성될 때, '도'가 '하나[一]'에서 세워졌으며2), 그 후 하늘과
땅으로 나누어졌고, 다시 변해서 만물이 되었다.3) 일(一)부수에 귀속된 글자들은 모
두 일(一)을 의미부로 삼는다.4) 일(弌)은 일(一)의 고문체이다.5) 독음은 어(於)와 실

---

1) 서현의 대서본에서는 '태시(太始)'로 되었으나, 서개의 소서본에서는 '태극(太極)'으로 되었다.
   의미는 같다.
2) 『노자』에서는 우주만물의 생성원리를 언급하면서 "道生一, 一生二, 二生三, 三生萬物.(도는
   일을 낳고, 일은 이를 낳고, 이는 삼을 낳고, 삼은 만물을 낳는다.)"라고 하여 "도가 일을 낳는
   다."라고 한 위의 언급과는 차이를 보인다.
3) 갑골문에서부터 가로획을 하나 그려 '하나'의 개념을 나타냈다(　　　甲骨文　金文
   古陶文 ━ 盟書　　　簡牘文 ━古幣文 ━古璽文 ━ 石刻古文 ━ 說文小篆 弋
   說文古文). 一이 둘 모이면 二(두 이)요, 셋 모이면 三(석 삼)이 된다. 一은 숫자의 시작이다.
   하지만 한자에서의 一은 단순한 숫자의 개념을 넘어선 오묘한 철학적 개념을 가진다. 一은 인
   간의 인식체계로 분화시킬 수 없는 카오스(chaos)이자 분리될 수 없는 전체이다. 그래서 一은
   하나이자 모두를 뜻하고, 만물을 낳는 道(도)이자, 우주 만물 전체를 의미하며, 劃一(획일)에서
   처럼 통일됨도 의미하는 숭고한 개념을 가진다. 달리 弋(주살 익)이 더해진 弌로 쓰기도 하는
   데, 弋은 가끔 형체가 비슷한 戈(창 과)로 바뀌기도 한다.
4) "凡○之屬皆从○"는 『설문』에서 처음 채택한 중요한 범례 중의 하나이다. 『설문』에서는 수록
   한자를 540개의 그룹으로 나누고 해당 그룹의 대표자, 즉 부수를 설정했다 그리고 해당 부수
   자의 설명 끝부분에 이러한 말을 언급해 두었다. 이는 허신의 창의적 발명으로, 부수자로 대
   표되는 그룹에 속한 글자들은 글자에 모두 해당 부수자가 들어 있으며 이는 해당 부수자가
   그들 글자의 의미를 결정하는데 관여하고 있다는 뜻이다. 따라서 이 부분을 "○부수에 속한

(悉)의 반절이다.6)

2

元 **:** 元: **으뜸 원**: 儿-총4획: yuán

原文

元: 始也. 从一从兀. 愚袁切.

翻譯

'처음(始)'이라는 뜻이다. 일(一)이 의미부이고 또 올(兀)도 의미부이다.7)8) 독음은 우(愚)와 원(袁)의 반절이다.

글자들은 모두 ○를 의미부로 삼는다."라고 번역했다. 『설문』의 최고 해설가로 알려진 청나라 때의 단옥재는 『설문주』에서 이렇게 말했다. "凡云凡某之屬皆从某者，自序所謂分別部居，不相襍廁也。爾雅、方言所以發明轉注假借。倉頡、訓纂、滂熹及凡將、急就、元尙、飛龍、聖皇諸篇，僅以四言七言成文。皆不言字形原委，以字形爲書。俾學者因形以考音與義，實始於許，功莫大焉。('○부수에 속한 글자들은 모두 ○를 의미부로 삼는다.'라고 한 것은 『설문해자·서문』에서 말한 것처럼 '나누어 구별하여 부류화 하여 귀속시킴으로써 글자들이 서로 섞이지 않도록 했다'는 말이다. 『이아』와 『방언』에서는 전주와 가차법을 창안했고, 『창힐』, 『훈찬』, 『방희』를 비롯해 「범장편」. 「급취편」, 「원상편」, 「비룡편」, 「성황편」 등에서는 단지 4글자나 7글자씩 모아 문장을 이루게 했을 뿐이었다, 이들은 모두 자형의 자초지종을 언급하지 않아 자형을 위주로 한 책들은 아니었다. 배우는 사람으로 하여금 글자의 형체에 근거해 독음과 의미를 살피게 해 준 것은 허신에서부터 시작되며, 그 공은 정말로 크다 하겠다.)"

5) '고문'은 두 가지 의미가 있다. 하나는 '옛날의 오래된 글자체'라는 뜻이고, 다른 하나는 『설문』에서 표제자로 사용한 소전체와는 다른 이체자 중의 한 가지를 의미하여, 당시에는 공자벽중서(공자 댁의 벽속에서 나온 옛날 책)를 말했다. 그러나 오늘날의 연구에 의하면 후자는 진시황 문자통일 이전의 전국문자 중 동쪽 지역에서 유행한 제나라 계열 문자를 지칭하는 것으로 알려졌다.

6) 반절법은 알파벳으로 해당 한자의 독음을 표시하기 전 한자의 독음을 표시하던 주요한 방법의 하나였다. '○○切'의 경우 앞의 글자는 성(성모)을, 뒷글자는 운(운복, 운미, 성조)를 대표하며, 이 두 글자에서 각각 성과 운을 따와 조합하면 해당 글자의 독음이 된다. 예컨대, 여기서 말한 '愚袁切'의 경우 앞의 우(愚)는 성을, 뒤의 원(袁)은 운을 말한다. 그래서 우(愚)의 성인 'ㅇ'과 원(袁)의 운인 '눤'을 합치면 '원'이 된다. 한국어 번역은 '독음은 ○와 ○의 반절이다'라는 형식을 취했다.

7) "从○从○"는 "从○○"와 차이를 보여, 전자는 앞의 구성성분에 중점이 더 놓인 반면 후자는 동등한 지이를 가진다. 이를 반영하기 위해 전자는 "○가 의미부이고 또 ○도 의미부이다"로, 후자는 "○와 ○가 모두 의미부이다"라고 구분하여 번역하였다.

3

天 : 天: 하늘 천: 大-총4획: tiān

原文

天: 顚也. 至高無上, 从一、大. 他前切.

飜譯

'전(顚)과 같아 정수리'를 뜻한다.9) 가장 높아 그 위가 없음을 말하는데, 일(一)과
대(大)가 모두 의미부이다.10) 독음은 타(他)와 전(前)의 반절이다.

---

8) 고문자에서 甲骨文 金文 古幣文 帛書 簡牘文 石刻古文
등으로 썼다. 갑골문에서 볼 수 있듯, 사람의 측면 모습에 머리를 크게 키워 그렸고, 머리가
사람의 가장 위쪽에 있음으로써 '으뜸'이나 '처음'의 뜻이 생겼다.

9) 『설문』에는 천(天)을 전(顚)으로 풀이한 것과 같이, 독음이 같거나 비슷한 글자를 가져와 뜻풀
이를 한 것이 많은데, 이를 성훈(聲訓)이라 하며, 달리 음훈(音訓)이라고도 한다. 이는 다시 철
(哲)을 지(知)로 해석한 것과 같이 쌍성(雙聲)을 이용한 것, 월(月)을 궐(闕)로 해석한 것과 같
이 첩운(疊韻)을 이용한 것, 예(禮)를 리(履)로 해석한 것과 같이 동음(同音)을 이용한 것으로
나눌 수 있다. 한나라 때에는 이러한 풀이 법이 유행했으며, 특히 『석명(釋名)』은 이러한 풀이
법을 응용한 것으로 유명하다. 의미를 직접 연계시키는데 일정 정도 한계가 있긴 했으나, 유
사한 독음을 이용해 기억을 하기 쉽도록 한다는 장점을 가졌다. 이러한 특성을 반영하기 위해
'성훈'으로 뜻풀이 된 경우 '○와 같아 ~라는 뜻이다'라고 번역하였다.
『단주』에서도 이를 『설문』의 해설 체계로 인식하여, "이는 같은 운부에 속하는 글자 중 첩운
자로써 뜻풀이를 한 것이다.(此以同部疊韵爲訓也). 문(門)을 문(聞)이다, 호(戶)를 호(護)이다,
미(尾)를 미(微)이다, 발(髮)을 발(拔)이라고 한 것들이 이러한 예이다."라고 했다.

10) 고문자에서 甲骨文 金文 簡牘文 古幣文 古璽文
등으로 썼다. 갑골문에서처럼 원래는 사람(大·대)의 머리를 크게 그렸는데, 머리가 가로획(一)
로 변해 지금의 자형이 되었다. 머리끝에 맞닿은 것이 '하늘'임을 나타냈고, 이로부터 위에 있
는 것, 꼭대기, 최고 등의 뜻이 나왔으며, 이후 하늘, 자연적인 것, 기후, 하느님 등의 뜻도 나
왔다. '하늘'을 존재하는 자연물 그대로 그리지 않고 사람의 신체에 머리를 크게 그려놓고 거
기와 맞닿은 곳이 '하늘'임을 그려낸 중국인들의 사유 방식이 의미 있어 보인다.

4

丕: 丕: 클 비: 一-총5획: pī

原文

丕: 大也. 从一不聲. 敷悲切.

譯

'크다(大)'라는 뜻이다. 일(一)이 의미부이고 불(不)이 소리부이다.[11] 독음은 부(敷)와 비(悲)의 반절이다.

5

吏: 吏: 벼슬아치 리: 口-총6획: lì

原文

吏: 治人者也. 从一从史, 史亦聲. 力置切.

譯

'남을 다스리는 자'를 말한다. 일(一)이 의미부이고 또 사(史)도 의미부인데, 사(史)는 소리부도 겸한다.[12] 력(力)과 치(置)의 반절이다.

---

11) 고문자에서 丕金文 丕木古陶文 丕木亣盟書 丕簡牘文 등과 같이 썼는데, 불(不)과 같은 데서 근원한 글자이다. 즉 不(아닐 불)에 가로획(一)이 더해진 모습인데, 가로획은 땅을 상징하여 땅(一) 위로 자라난 꽃꼭지(不)를 그렸고 이로부터 씨앗처럼 생명을 배태하다는 뜻을 그렸다. 이후 생명의 위대함으로부터 '위대하다'는 뜻으로 쓰이게 되었고, 그러자 원래의 뜻은 肉(고기 육)을 더한 胚(아이 밸 배)로 분화했다.

12) 史(역사 사)와 事(일 사) 등과 같은 근원을 가지는 글자인데, 고문자에서는 吏吏甲骨文 吏金文 吏吏古璽文 등으로 썼다. 장식된 붓을 손(又)에 쥔 모습을 그렸는데, 자형이 조금 변해 지금처럼 되었다. 붓을 쥐고 문서를 기록하는 일을 하는 '관리'의 뜻이 나왔고 관원에 대한 통칭으로 쓰였으며 다스리다는 뜻도 나왔다. 혹자는 손(又)으로 글씨를 쓸 나무판을 갖다 놓는 모습으로 풀이하기도 한다(허진웅, 2021).

제2부수
002 ■ 상(⊥)부수

6

⊥ : 上: 위 상: 一-총2획: shàng

原文

⊥: 高也. 此古文上, 指事也. 凡⊥之屬皆从⊥. 丄, 篆文⊥. 時掌切.

譯

'높다(高)'라는 뜻이다. 이는 상(上)의 고문체로[13], 지사(指事)에 해당한다.[14] 상(⊥) 부수에 귀속된 글자들은 모두 상(⊥)을 의미부로 삼는다.[15] 상(丄)은 상(⊥)의 전서체이다. 독음은 시(時)와 장(掌)의 반절이다.

---

13) '선전후고(先篆後古)' 즉 '소전체를 표제자로 놓고, 고문이나 주문 등 이체자를 해설 속에 넣는 것'이 『설문』의 기본 해설 체제이다. 그러나 여기에서처럼 가끔 고문이나 기자나 주문 등을 표제자로 놓은 경우가 있는데, 이때에는 반드시 본문 속에다 "어떤 글자의 무슨 체이다"라고 밝혀 놓았다. 이를 "이체자를 표제자로 놓고, 소전체를 해설자 속에 놓은 것(先篆後古)"이라 한다.

14) '지사'에 대해 『설문·서』에서 "보면 알 수 있고 살피면 뜻이 드러나는 것으로, 상(上)과 하(下)가 이에 해당한다."라고 정의했다. 후세 학자들은 지사를 다시 구(凵)처럼 형체적으로 더 이상 분리되지 않는 독체(讀體)지사, 모(牟=厶+牛, 厶는 私의 원래 글자가 아니라 소의 울음소리를 나타내는 독립하여 쓸 수 없는 부호임)처럼 독체 상형이나 지사자에다 독립적으로 사용될 수 없는 형체가 더해진 합체(合體)지사, 환(幻, 序를 거꾸로 뒤집은 모양)처럼 지사자를 뒤집거나 거꾸로 하여 형체를 변화시킨 변체(變體)지사로 나눌 수 있다고 했다.(蔡信發, 133~134)

15) 고문자에서 二 二 二 甲骨文 二 𠄞 上金文 𠄞 簡牘文 등으로 썼다. 갑골문에서처럼 기준점이 되는 획과 그 위로 가로획이 더해져 어떤 물체의 윗부분임을 그렸는데, 자형이 변해 지금처럼 되었다. 위쪽이 원래 뜻이며, 이로부터 물체의 윗부분, 윗자리, 上帝(상제), 임금, 윗사람 등을 뜻하였으며, 시간이나 순서상 앞을 지칭하기도 한다.

7

帝: 帝: 임금 제: 巾-총9획: dì

原文

帝: 諦也. 王天下之號也. 从丄朿聲. 帝, 古文帝. 古文諸丄字皆从一, 篆文皆从
二. 二, 古文上字. 辛示辰龍童音章皆从古文丄. 都計切.

飜譯

'체(諦)와 같아 자세히 살피다'라는 뜻이다. 천하를 다스리는 사람을 부르는 말이다.
상(丄)이 의미부이고 자(朿)가 소리부이다.16) 제(帝)는 제(帝)의 고문체이다. 고문체
에서 상(丄)자는 모두 일(一)로 구성되었으며, 전서체에서는 모두 상(二)으로 구성되
었다. 상(二)은 상(上)의 고문체이다. 건(辛), 시(示), 진(辰), 용(龍), 동(童), 음(音), 장
(章) 등이 모두 고문체인 상(丄)으로 구성되었다. 독음은 도(都)와 계(計)의 반절이다.

8

旁: 旁: 두루 방: 方-총10획: páng

原文

旁: 溥也. 从二, 闕; 方聲. 㫃, 古文旁. 㫃, 亦古文旁. 㫃, 籒文. 步光切.

飜譯

---

16) 고문자에서 甲骨文 金文 帛書 簡牘文 漢印 石
刻古文 등으로 썼다. 帝가 무엇을 형상한 것인지에 대해서는 '제사를 드리기 위해 묶어놓은
나뭇단을 그렸다'는 등 아직 정론은 없지만, 크게 부푼 씨방을 가진 꽃의 모습을 형상한 것으
로 보는 것이 일반적이다. 즉 蒂(꼭지 체)의 본래 글자로, 역삼각형 모양으로 부풀어 있는 윗
부분이 씨방이고, 중간 부분은 꽃받침, 아랫부분은 꽃대를 형상했다. 꽃꼭지는 식물 번식의 상
징이다. 수렵과 채집 생활을 끝내고 농작물에 의해 생계를 꾸려 가는 정착 농경 사회로 들어
서자 곡물이 인간의 생계를 이어주는 더없이 중요한 존재가 되었고, 그 과정에서 그들은 자연
스레 식물을 숭배하게 되었다. 또한, 번식은 동식물의 생명을 이어주는 가장 근본이 되는 것
으로 애초부터 중요한 숭배 대상이었으니, 식물 중에서도 번식을 상징하는 꽃꼭지를 최고의
신으로 숭배하게 된 것으로 보인다. 이로부터 天帝(천제), 上帝(상제), 帝王(제왕), 皇帝(황제)
등을 뜻하게 됨으로써 帝는 고대 중국에서 최고의 신을 지칭하게 되었다.

'두루 퍼지다(溥)'라는 뜻이다. 상(二)이 의미부인데, 왜 그런지는 알 수 없어 비워 둔다.[17) 방(方)이 소리부이다.[18) 방(㫃)은 방(㫃)의 고문체이다. 방(㫃)도 방(㫃)의 고문체이다. 방(㫃)은 주문체이다.[19) 독음은 보(步)와 광(光)의 반절이다.

9

丅: 丅: 아래 하: 一-총2획: xià

原文

丅: 底也. 指事. 丅篆文丅. 胡雅切.

諺譯

'아래(底)'라는 뜻이다. 지사(指事)에 해당한다.[20)[21) 하(丅)는 하(丅)의 전서체이다.

---

17) 『설문』에서 '궐(闕)'은 확정할 수 없을 때 판단을 유보한 표현이다. 여기서는 방(旁)자가 상(上)자로 구성되긴 했지만 그 이유를 명확히 알 수 없어 비워둔다는 말이다. 이는 허신이 추측이나 상상에 의해 마음대로 해석하지 않고, 모르는 것은 모른다고 하며 다른 사람이나 훗날의 해결을 기다는 신중하고도 과학적인 태도의 반영이다. 『설문』에서는 '궐(闕)'이라 풀이된 곳이 총 44곳 나오는데, 형체에 대한 것도 있고, 독음에 관한 것도 있고, 의미에 관한 것도 있다. 한국어 번역에서는 '왜 그런지는 알 수 없어 비워 둔다'로 했다.

18) 고문자에서 (고문자) 甲骨文 (금문) 金文 (간독) 簡牘文 (백서) 帛書 (한인) 漢印 등으로 썼다. 이의 어원에 대해서는 설이 분분하나, 갑골문을 보면 方(모 방)에 벗(冂·경)이 더해진 모습이다. 方은 "쟁기의 아래 부분을 그렸다. 약간 구부러진 막대기에 가로로 된 나무판(횡판)을 묶어놓은 모습인데, 이 횡판은 발로 밟는 발판으로, 막대기의 끝이 흙을 파고 들어가 땅을 갈아엎는데 사용된다."(허진웅, 2021) 그렇다면 旁은 쟁기(方)의 곁으로 벗을 덧댔다는 뜻에서 양면의 뜻이, 다시 주변, 주위, 곁 등의 뜻이 나왔을 것으로 추정된다. 중국의 쟁기는 이 글자가 출현할 때쯤 이미 보습에 벗이 더해짐으로써 보습으로 일군 흙을 벗이 한쪽으로 조용히 뒤엎어 말끔한 이랑을 만들 수 있도록 발전하였을 것으로 보인다.

19) 주문(籀文)은 고대 한자의 서체 이름인데, 지금은 소전으로 통일되기 이전의 진나라의 한자를 지칭하는 개연으로 쓰이며, 통일 진나라 때의 소전과 구별하기 위해 대전(大篆)으로 부른다. 주문(籀文)이라는 이름은 주(周) 선왕(宣王) 때의 태사(太史)였던 주(籀)가 지었다는 『사주편(史籀篇)』(15편)(『漢書·藝文志』)에 실린 서체에서 나왔다. 그리하여 지금의 대전뿐만 서주 때의 금문까지 아우르는 광의의 개념으로 쓰였다. 『설문』에는 주문(籀文)이라 부른 것이 총 225자 실렸는데, 『사주편』에서 인용한 것인지는 확실치 않다. 현전하는 대전(大篆) 자료로는 『석고문(石鼓文)』이 있고, 전사 자료긴 하지만 「저초문」도 이에 속한다.

20) 고문자에서 (갑골문) 甲骨文 (금문) 金文 (고도문) 古陶文 (간독) 簡牘文 (고폐문) 古幣文 등으

독음은 호(胡)와 아(雅)의 반절이다.

로 썼다. 가로획 두 개로 어떤 것이 어떤 기준점보다 '아래'에 있음을 나타냈는데, 금문에서 丁 자형으로 변했고, 다시 형체가 변화하여 지금의 下가 되었다. '아래'가 원래 뜻이며, 아래로 내려가다, 알이나 새끼를 낳다, 순서상의 뒤, 질이 낮다 등의 뜻이 나왔고, 이후 시간적 개념 에서 '뒤'라는 뜻도 나왔다. 현대 중국어에서는 방향을 나타내거나 동작의 횟수를 나타내는 문 법소로도 쓰인다.

21) 『단주』에서는 "从反丄爲丁" 즉 "상(丄)을 뒤집은 하(丁)로 구성되었다"라는 말을 보충했다.

제3부수
003 ▪ 시(示)부수

10

示: 示: **보일 시**: 示－총5획: shì

原文

示: 天垂象, 見吉凶, 所以示人也. 从二. [二, 古文上字.] 三垂, 日月星也. 觀乎天
文, 以察時變. 示, 神事也. 凡示之屬皆从示. 爪, 古文示. 神至切.

飜譯

‘하늘에서 형상을 내려 주어, [인간사의] 길흉을 드러나게 하는데, 이는 사람들에게
계시를 주려는 것이다. 상(二)이 의미부이다. [상(二)은 상(上)의 고문체이다.] 세로로 늘
어뜨려진 세 개의 획은 각각 해(日)와 달(月)과 별(星)을 뜻한다.22) 천문(天文)을 자
세히 살피면 시세의 변화를 살필 수 있다. 시(示)는 신과 관련된 일임을 뜻한다.23)
시(示)부수에 귀속된 글자들은 모두 시(示)를 의미부로 삼는다. 시(爪)는 시(示)의
고문체이다. 독음은 신(神)과 지(至)의 반절이다.

---

22) 서개의 『계전』에 의하면, "세로로 된 세 획 중, 왼쪽 획은 해를, 오른 쪽 획은 달을, 중간 획
은 별을 상징한다. 세로획으로만 표현한 것은 빛이 아래로 내비치어 사람들에게 계시를 내린
다는 것을 상징한다."라고 했다.

23) 고문자에서 ⊤⊤⊤示示 甲骨文 簡牘文 古幣文 汗簡 등으로 썼다.
갑골문에서 신에게 제사를 드리기 위한 제단을 그렸으며 이후 제물을 뜻하는 가로획이 위에
추가되었고, 다시 『설문해자』의 해석처럼 하늘이 내리는 화복을 상징하기 위해 글자의 아랫부
분 양편으로 획이 더해져 지금처럼 되었다. 이를 따라 글자의 뜻도 제단에서 신이 길흉을 내려
준다는 의미에서 ‘나타내다’와 ‘보여주다’ 등으로 확장되었다. 그래서 示(보일 시)로 구성된 한
자는 신이나 제사, 제사를 드리는 사당, 신이 내리는 복이나 재앙 등과 관련된 의미를 갖는다.

11

祜: 祜: 복 호: 示-총10획: hù

原文

祜: 上諱. 候古切.

譯譯

임금의 이름자이다.24) 독음은 후(候)와 고(古)의 반절이다.

12

禮: 禮: 예도 례: 示-총18획: lǐ

原文

禮: 履也. 所以事神致福也. 从示从豊, 豊亦聲. 豊, 古文禮. 靈啓切.

譯譯

'리(履)와 같아 이행(履行)하다'라는 뜻이다.25) 신을 모셔서 복이 오게 하는 행위를

---

24) 상(上)은 임금을 뜻하고, 휘(諱)는 죽은 임금이나 존장(尊長)의 이름을 말한다. 여기서는 한나라 안제(安帝)를 말한다. 『단주』에 의하면, 『설문』에 임금의 이름이라 풀이된 곳은 다섯 곳인데, "화(禾)부수의 수(秀)는 한나라 세조(世祖)의 이름이고, 초(艸)부수의 장(莊)은 현종(顯宗)의 이름이고, 화(火)부수의 달(炟)은 숙종(肅宗)의 이름이고, 과(戈)부수의 조(肇)는 효화제(孝和帝)의 이름이고, 여기서의 호(祜)는 공종(恭宗)의 이름이다."라고 했다. 그러나 "상제(殤帝)의 이름이 융(隆)인데 융(隆)자에 대해서는 휘(諱)라 풀이하지 않았다. 『복후고금주(伏侯古今注)』에서 '융(隆)의 자(字)가 성(盛)이었다. 그렇다면 임금의 이름이다(諱明)라고 풀이했어야 함이 옳다. 그러나 『오경이의(五經異義)』에 의하면, 한나라의 경우 어려서 죽은 임금들은 사당에 모셔 제사 지내지 않고 무덤(陵)에서 제사를 지냈다고 한다. 사당에서 제사를 지내지 않았을진대 임금의 이름이라 풀이하지 않아도 무방하다. 이러한 것이 바로 허충(許沖)이 『설문』을 조정에 헌상한데 융(隆)자에 대해서 임금의 이름이라고 풀이하지 않았던 이유이다."라고 했다. 한나라 상제(殤帝) 유융(劉隆, 105년~106)은 한나라 화제(和帝) 유조(劉肇)의 막내아들인데, 민간에서 키워졌다가 동한의 제5대 임금으로 등극했다, 그때가 태어난 지 막 100여 일이 지났을 때였으니, 중국 역사에서 가장 어린 나이에 등극했던 임금이다. 그러나 불행히도 1살 때 요절하였으니, 중국 역사에서 가장 단명했던 임금이기도 하다. 그래서 시호를 효상황제(孝殤皇帝)라 붙였고, 강릉(康陵)에다 장사지냈다.

25) 예(禮)의 의미를 해설하면서 독음이 비슷한 리(履)를 가져와 풀이했는데, 이러한 풀이 법을 앞서 말했듯 성훈(聲訓)이라 한다. 예(禮)의 의미에 대해 여러 해설이 있지만, 허신은 그것을

말한다. 시(示)가 의미부이고 또 예(豊)도 의미부인데, 예(豊)는 소리부도 겸한다.26) 예(⿱龸心)는 예(禮)의 고문체이다. 독음은 령(靈)과 계(啓)의 반절이다.

13

禧: 禧: 복 희: 示-총17획: xǐ

原文

禧: 禮吉也. 从示喜聲. 許其切.

飜譯

'예를 행하여 복을 얻다(禮吉)'라는 뜻이다.27) 시(示)가 의미부이고 희(喜)가 소리부이다. 독음은 허(許)와 기(其)의 반절이다.

14

禛: 禛: 복 받을 진: 示-총15획: zhēn

原文

禛: 以眞受福也. 从示眞聲. 側鄰切.

飜譯

'참된 마음으로 [신을 감화시켜] 복을 받다'라는 뜻이다. 시(示)가 의미부이고 진(眞)이 소리부이다.28) 독음은 측(側)과 린(鄰)의 반절이다.

이행할 수 있는 '실천'성을 강조한 것으로 보인다.

26) 고문자에서 甲骨文 金文 石刻篆文 簡牘文 汗簡 등으로 썼다. 示 (보일 시)가 의미부이고 豊(예도·절·인사 례)가 소리부로, 옥과 북 등을 동원해(豊) 경건하게 신을 모시던 제사(示) 행위를 말하며, 이로부터 '예도'나 '예절'의 뜻을 갖게 되었으며, 예물이나 축하하다 등의 뜻도 나오게 되었다. 간화자에서는 豊을 줄여 乙(새 을)로 쓴 礼로 쓰는데, 『설문해자』 고문체(⿱龸心)에서도 이렇게 썼다.

27) 전점(錢坫, 1744~1806)에 의하면, 길(吉)은 고(告)를 잘못 쓴 것일 것이라고 했다. 왜냐하면 『이아』에서 '희(禧)는 신에게 알리다(告)는 뜻이다'라고 했기 때문이다.(『徐箋』). 그렇다면 '예로써 신에게 아뢰다'로 해석이 될 수도 있다.

15

禄 : 祿: 복 록: 示-총13획: lù

原文

祿: 福也. 从示录聲. 盧谷切.

飜譯

'복(福)'을 말한다. 시(示)가 의미부이고 록(彔)이 소리부이다.29) 독음은 로(盧)와 곡(谷)의 반절이다.

16

禠 : 禠: 복 사: 示-총15획: shí, sí

原文

禠 : 福也. 从示虒聲. 息移切.

飜譯

---

28) 단옥재의 『설문주』에서는 "시(示)가 의미부이고 진(眞)도 의미부인데, 진(眞)은 소리부도 겸한다(从示、从眞、眞亦聲).가 되어야 옳다고 했다. 왜냐하면 『설문』의 "해성(龤聲)자 중 독음을 나타내는 편방이 글자의 의미와 가까운 경우가 많다. 이들은 회의(會意)와 형성(形聲)을 겸한 글자들이기 때문인데, 『설문』에서는 단지 회의라고만 하고 형성은 생략한 경우도, 단지 형성이라 하고 회의를 생략한 경우도 있다. 비록 생략하여 불렀다 하더라도 사실은 둘 다 잘 살펴야 한다. 이러한 사실을 모르면 독음과 의미 간의 관계가 연결되지 않는다. 또 송나라 때의 『자설(字說)』처럼 단지 의미만 해석하고 형성은 논의하지 않게 된다. 그렇게 되면 이들 모두 잘못된 것이리라.

29) 록(彔)을 고문자에서는 [甲骨文] [金文] [古陶文] 등으로 썼고 『설문』에서는 [說文小篆]으로 썼는데, 갑골문에서 위쪽은 도르래를, 중간은 두레박을, 아래쪽은 떨어지는 물방울을 그려 물 긷는 장치를 그렸음이 분명하다. 하지만, 역대 문헌에서 그런 장치라는 뜻으로 쓰인 경우는 없으며, 『설문해자』에서도 이미 '또렷하게 새기다'는 뜻으로 사용되었다. 이후 쇠 등 영원히 변치 않도록 '새겨 넣다'는 의미를 강조하기 위해 金(쇠 금)을 더한 錄(기록할 록)을 만들었다. 그러나 물을 길어(彔) 논밭에 대면 풍성한 수확을 올릴 수 있고, 그것이 바로 복록(祿·록)이자 윤택함이었을 것이다.

'복(福)'을 말한다. 시(示)가 의미부이고 사(虒)가 소리부이다. 독음은 식(息)과 이(移)의 반절이다.

17

禎: 禎: **상서 정**: 示-총14획: zhēn

原文

禎: 祥也. 从示貞聲. 陟盈切.

飜譯

'상서롭다(祥)'라는 뜻이다. 시(示)가 의미부이고 정(貞)이 소리부이다.[30) 독음은 척(陟)과 영(盈)의 반절이다.

18

祥: 祥: **상서로울 상**: 示-총11획: xiáng

原文

祥: 福也. 从示羊聲. 一云善. 似羊切.

飜譯

'복(福)'을 말한다. 시(示)가 의미부이고 양(羊)이 소리부이다. 달리 '선하다(善)'라는 뜻이라고도 한다. 독음은 사(似)와 양(羊)의 반절이다.

19

祉: 祉: **복 지**: 示-총9획: zhǐ

原文

祉: 福也. 从示止聲. 敕里切.

---

30) 서개의 『계전』에서는 "정(禎)은 정(貞)과 같고, 정(貞)은 바르다(正)는 뜻이다. 사람이 선하다면 하늘은 상서로운 징조를 내려 바르게 알려주는 법이다."라고 부연 설명했다.

譯

'복(福)'을 말한다. 시(示)가 의미부이고 지(止)가 소리부이다. 독음은 칙(敕)과 리(里)의 반절이다.

20

 福: 복 복: 示-총14획: fú

原文

福: 祐也. 从示畐聲. 方六切.

譯

'보우하다(祐)'라는 뜻이다. 시(示)가 의미부이고 핍(畐)이 소리부이다.31) 독음은 방(方)과 륙(六)의 반절이다.

21

 祐: 도울 우: 示-총10획: yòu

原文

祐: 助也. 从示右聲. 于救切.

譯

'[하늘이] 도와주다(助)'라는 뜻이다. 시(示)가 의미부이고 우(右)가 소리부이다. 독음은 우(于)와 구(救)의 반절이다.

---

31) 고문자에서 甲骨文 金文 古璽文 簡牘文 등으로 썼는데, 示(보일 시)가 의미부고 畐(가득할 복)이 소리부로, 술통(畐)과 제단(示)을 그려 제단 앞에서 신에게 술을 올려 '복'을 비는 모습을 형상화했다. 이로부터 복과 保佑(보우)라는 뜻이, 다시 행복의 뜻이 나왔다.

22

祺: 祺: **복 기**: 示—총13획: qí

(原文)

祺: 吉也. 从示其聲. 禥, 籒文从基. 渠之切.

(飜譯)

'길하다(吉)'라는 뜻이다.32) 시(示)가 의미부이고 기(其)가 소리부이다. 주문체인 기(禥)는 기(基)로 구성되었다. 독음은 거(渠)와 지(之)의 반절이다.

23

祗: 祗: **공경할 지**: 示—총10획: zhī

(原文)

祗: 敬也. 从示氏聲. 旨移切.

(飜譯)

'공경하다(敬)'라는 뜻이다. 시(示)가 의미부이고 지(氏)가 소리부이다. 지(旨)와 이(移)의 반절이다.

24

禔: 禔: **편안할 제·복 지**: 示—총14획: tí

(原文)

禔: 安福也. 从示是聲. 『易』曰: "禔旣平." 市支切.

(飜譯)

'안정되다(安), 복을 받다(福)'라는 뜻이다. 시(示)가 의미부이고 시(是)가 소리부이

---

32) 서개의 『계전』에서는 이렇게 풀이했다. "곽박(郭璞)의 『이아주(爾雅注)』에서 기(祺)는 길조가 나타남을 말한다고 했다. 그래서 내 생각에 기(祺)는 기대하다(期)라는 뜻이라고 생각한다. 하늘이 복을 내리려 하면 먼저 그 징조를 내려 기대하게((期) 하기 때문이다.

다. 『역·감괘(坎卦)』(구오)에서 "안정되고 또 편안하리다(褆旣平)"라고 했다. 독음은 시(市)와 지(支)의 반절이다.

25

禑: 神: 귀신 신: 示-총10획: shén

原文

禑: 天神, 引出萬物者也. 从示、申. 食鄰切.

譯

'천신(天神)'을 말하는데, 만물을 이끌어내는 존재를 말한다.[33] 시(示)와 신(申)이 모두 의미부이다.[34] 독음은 식(食)과 린(鄰)의 반절이다.

26

祇: 祇: 토지의 신 기·마침 지: 示-총9획: qí

原文

祇: 地祇, 提出萬物者也. 从示氏聲. 巨支切.

譯

'땅의 신(地祇)'을 말하는데, 만물을 이끌어 자라게 하는 존재를 말한다. 시(示)가 의

---

33) 고문자에서 甲骨文 金文 帛書文 簡牘文 石刻篆文 汗簡 등으로 썼다. 示(보일 시)가 의미부고 申(아홉째 지지 신)이 소리부로, 원래는 번개(申, 電의 원래 글자) 신(示)을 말했다. 하지만 계절에 맞지 않게 일어나는 예사롭지 않은 번개는 사악한 사람을 징계하며, 신의 조화가 생길 어떤 변화를 나타내 주는 계시로 생각되었고, 강력한 에너지를 내뿜는 번개로써 자연계에 존재하는 각종 '신'을 대표하게 되었다. 이후 鬼神(귀신), 평범하지 않은 것, 神秘(신비)하다, 神聖(신성)함, 불가사의하다, 신경, 精神(정신), 표정 등의 뜻까지 나왔다.
34) 청나라 『설문』 사대가로 불리는 단옥재, 계복, 주준성, 왕균 등 모두 "시(示)가 의미부이고 신(申)이 소리부이다"라고 했다. 그러나 서개의 『계전』에서처럼 신(申)은 인(引)의 뜻이 있으므로, 신(申)이 의미부 겸 소리부 역할을 하여, 회의 겸 형성으로 보아도 무방할 것이다.

미부이고 씨(氏)가 소리부이다.35) 독음은 거(巨)와 지(支)의 반절이다.

27

祕: 祕: 귀신 비: 示-총10획: mì, bì

原文

祕: 神也. 从示必聲. 兵媚切.

飜譯

'신(神)'을 말한다. 시(示)가 의미부이고 필(必)이 소리부이다. 독음은 병(兵)과 미(媚)의 반절이다.

28

齋: 齋: 재계할 재·상복 자: 齊-총17획: zhāi

原文

齋: 戒, 潔也. 从示, 齊省聲. 鸞, 籀文齋从鸞省. 鸞音禱. 側皆切.

飜譯

'재계하다(戒)'라는 뜻이며, '깨끗하게 하다(潔)'라는 뜻이다.36) 시(示)가 의미부이고,

---

35) 씨(氏)를 고문자에서 甲骨文 金文 古陶文 簡牘文 등으로 썼는데, 이의 자원에 대해서는 이견이 많지만, 갑골문을 보면 허리를 숙인 채 물건을 든 모습이라는 해석이 비교적 타당해 보인다. 씨(氏)에 '씨', '뿌리', '낮다', '들다' 등의 의미가 들어 있는 것으로 보아 손에 든 것은 '씨앗'이 아닌가 라고 추정된다. 먼저, 씨를 뿌리는 모습에서 '씨'와 '뿌리'의 개념이 나왔는데, 氏族(씨족)이나 姓氏(성씨)는 이런 뜻을 반영하였다. 이후 씨를 뿌리려 허리를 굽힌 데서 '낮(추)다'의 뜻이 나왔는데, 금문의 자형은 이를 적극적으로 반영하였다. 이후 씨(氏)는 '씨'를 뿌리는 곳인 땅을 강조한 지사 부호(丶)를 더해 氐(근본 저)로 분화하여 '낮다'는 의미를 주로 표현했다. 하지만 氏와 氐는 지금도 자주 섞여 쓰인다. 이렇게 볼 때, 지(祇)를 두고 '만물을 이끌어내 만물을 자라게 하는 존재'라고 풀이한 것은 자원에 매우 근접한 해석이다.

36) 『설문교의』와 『구두』 등에서는 『설문』에 결(潔)자가 표제자로 수록되지 않았으므로, 혈(絜)이 되어야 옳다고 했다. 다음에 나오는 인(禋)의 설명에 등장하는 결(潔)자도 마찬가지이다.

제(齊)의 생략된 모습이 소리부이다. 재(襤)는 주문체이다. 재(齋)의 주문체는 도(襑)의 생략된 모습으로 구성되었다. 도(襑)의 독음은 도(禱)이다. 독음은 측(側)과 개(皆)의 반절이다.

29

禋: 禋: 제사 지낼 인: 示-총14획: yīn

原文

禋: 潔祀也. 一曰精意以享爲禋. 从示垔聲. 靈, 籒文从宀. 於眞切.

飜譯

'몸을 정갈하게 하여 제사를 지내다(潔祀)'라는 뜻이다. 달리 정성스런 마음으로 제수 품을 올려 제사를 지내는 것을 말한다고도 한다. 시(示)가 의미부이고 인(垔)이 소리부이다. 인(靈)은 주문체인데, 면(宀)으로 구성되었다. 독음은 어(於)와 진(眞)의 반절이다.

30

祭: 祭: 제사 제: 示-총11획: jì

原文

祭: 祭祀也. 从示, 以手持肉. 子例切.

飜譯

'제사(祭祀)'를 말한다. 시(示)가 의미부인데, 손(手)으로 고기(肉)를 쥔 모습이다.[37] 자(子)와 례(例)의 반절이다.

---

37) 고문자에서 甲骨文 金文 古陶文 簡牘文 帛書文 등으로 썼다. 月(肉·고기 육)과 又(또 우)와 示(보일 시)로 구성되어, 고기(肉)를 손(又)에 들고 제단(示)에 올리는 모습을 그렸다. 원래는 고기를 올려 지내는 제사를 말했으나, 이후 제사를 통칭하게 되었다.

31

祀: 祀: 제사 사: 示-총8획: sì

原文

祀: 祭無已也. 从示巳聲. 禩, 祀或从異. 詳里切.

飜譯

'[자손들의] 제사가 끊이지 않다(祭無已)'라는 뜻이다. 시(示)가 의미부이고 사(巳)가 소리부이다.[38) 사(禩)는 사(祀)인데, 간혹 이(異)로 구성되기도 한다. 독음은 상(詳)과 리(里)의 반절이다.

32

柴: 柴: 시료 시: 示-총10획: chái

原文

柴: 燒柴[39] 燓燎以祭天神. 从示此聲. 『虞書』曰: "至于岱宗[40], 柴." 祡, 古文柴从隋省. 仕皆切.

飜譯

'땔나무를 불사르고 희생을 불에 태워서 하늘의 신에게 제사를 지내다(燒柴燓燎以祭天神)'라는 뜻이다. 시(示)가 의미부이고 차(此)가 소리부이다. 『서·우서(虞書)·순전(舜典)』에서 "[순 임금이] 태산에 이르러 시(柴) 제사를 드렸다"라고 했다. 시(祡)는

---

38) 고문자에서는 [이미지]甲骨文 [이미지]金文 [이미지]陶文 [이미지]簡牘文 [이미지]汗簡 등으로 썼다. 示(보일 시)가 의미부고 巳(여섯째 지지 사)가 소리부로, 제사를 말하는데, 제단(示) 앞에서 '제사'를 드리는 자손(巳)의 모습을 그렸다. 또 상나라 때에는 제사의 한 주기를 가지고 일 년을 헤아렸으므로 일 년이라는 의미도 나왔고, 이로부터 한 세대의 뜻도 나왔다. 특히 『汗簡(한간)』에서는 巳 대신 異(다를 이)가 들어간 禩로 쓰기도 했는데, 귀신처럼 기이한(異) 존재에 제사를 드린다(示)라는 의미를 담았다.
39) 계복의 『의증』에 의하면, 시(柴)는 시(柴)가 되어야 한다고 했다.
40) 대종(岱宗)은 태산을 말한다. 오악 중에서도 동악으로 불리며, 오악의 대표로 여겨졌다.

시(祡)의 고문체인데, 수(隋)의 생략된 모습으로 구성되었다. 독음은 사(仕)와 개(皆)의 반절이다.

33

禷: 禷: 제사 이름 류: 示-총24획: liú

原文

禷: 以事類祭天神. 从示類聲. 力遂切.

飜譯

'구체적인 사안에 따라서 하늘의 신에게 제사지내는 것(以事類祭天神)'을 말한다.[41] 시(示)가 의미부이고 류(類)가 소리부이다. 독음은 력(力)과 수(遂)의 반절이다.

34

祪: 祪: 제천 사당 궤: 示-총11획: guǐ

原文

祪: 祔、祪, 祖也. 从示危聲. 過委切.

飜譯

'부(祔)와 궤(祪)는 모두 신주를 옮겨 합사하는 것(祖)'을 말한다.[42] 시(示)가 의미부이고 위(危)가 소리부이다. 독음은 과(過)와 위(委)의 반절이다.

---

41) 주준성의 『통훈정성』에 의하면, "[일상적인 일이 아니라] 특별한 일이 있을 때 신에게 그 내용을 아뢰고 제사 드리는 것을 말한다."라고 했다.

42) 『주례·소종백』에 의하면, "신주를 옮기는 것을 조(祖)라고 한다"라고 했다. 부(祔)는 새로 죽은 사람의 신주를 조묘(祖廟)에다 옮기는 것을 말하고, 궤(祪)는 조묘(祖廟)에 설치된 신주를 폐하여 태묘(太廟)로 옮기는 것을 말한다. 『설문』에서도 부(祔)에 대해 "뒤에 죽은 자를 먼저 죽은 조상에게 합치는 것(後死者合食於先祖)"을 말한다고 했다.

35

祔: 祔: **합사할 부**: 示-총10획: fù

(原文)

祔: 後死者合食於先祖. 从示付聲. 符遇切.

(飜譯)

'뒤에 죽은 사람의 신주를 선조의 사당에 갖다 붙여 합사하는 것'을 말한다. 시(示)가 의미부이고 부(付)가 소리부이다. 독음은 부(符)와 우(遇)의 반절이다.

36

祖: 祖: **조상 조**: 示-총10획: zǔ

(原文)

祖: 始廟也. 从示且聲. 則古切.

(飜譯)

'시조의 사당'을 말한다.[43] 시(示)가 의미부이고 차(且)가 소리부이다.[44] 독음은 즉(則)과 고(古)의 반절이다.

---

43) 『단주』에서 이렇게 말했다. "시(始)는 두 가지 뜻을 모두 갖고 있다. 새로 만들어진 사당(新廟)도 시(始)이고, 먼 조상을 모신 사당(遠廟)도 시(始)가 된다. 그래서 부(祔)와 궤(祪) 모두 조(祖)라고 하는 것이다. 「석고(釋詁)」에서 '조(祖)는 시(始)와 같아 시작하다는 뜻이다'라고 했다.

44) 고문자에서 甲骨文 金文 祖陶文 簡牘文 등으로 썼다. 示(보일 시)가 의미부고 且(할아비 조·또 차)가 소리부인데, 且는 남근을 형상한 것으로 자손을 이어지게 해주는 상징물이다. 처음에는 且로만 표기하였으나, 且가 '또'나 '장차'라는 추상적 의미로 가차되어 쓰이게 되자, 이후 제사를 통한 숭배 의식이 강화되면서 示가 더해져 오늘날의 글자로 만들어졌다. 제사의 대상이 되는 할아비(且)라는 뜻으로부터 祖上(조상), 先祖(선조), 始祖(시조), 祖國(조국), 鼻祖(비조) 등의 뜻이 나왔다.

37

祊: 祊: 사당문 제사 **팽**: 示-총17획: bēng

原文

祊: 門內祭, 先祖所以徬徨. 从示彭聲.『詩』曰: "祝祭于祊." 𥛱, 祊或从方. 補盲切.

繹譯

'문 안에서 지내는 제사를 말하는데, [문 안은] 선조의 영령이 돌아다니는 곳이다. 시(示)가 의미부이고 팽(彭)이 소리부이다.『시·소아초자(楚茨)』에서 "제사를 주관하는 사람은 문 안에서 제사를 드리고(祝祭于祊)"라고 노래했다. 팽(𥛱)은 팽(祊)의 혹체자인데 방(方)으로 구성되었다. 독음은 보(補)와 맹(盲)의 반절이다.

38

祰: 祰: 고유제 **고**: 示-총12획: gào

原文

祰: 告祭也. 从示从告聲. 苦浩切.

繹譯

'[천자나 제후가 출행할 때 조상에게 그 내용을 알리는] 고유제(告祭)'를 말한다. 시(示)가 의미부이고 고(告)가 소리부이다. 독음은 고(苦)와 호(浩)의 반절이다.

39

祏: 祏: 위패 **석**: 示-총10획: shí

原文

祏: 宗廟主也. 周禮有郊、宗、石室. 一曰大夫以石爲主. 从示从石, 石亦聲. 常隻切.

繹譯

'종묘에 모셔진 신주(宗廟主)'를 말한다. 주나라 때의 예제에 의하면, 교외에서 지내는 제사인 교(郊), 종묘에서 지내는 제사인 종(宗), 석실에 모셔진 신에게 지내는 제사(石室) 등이 있었다. 일설에는, '대부는 돌로 신주를 만들었기' 때문에 [석(石)으로 구성되었다]고도 한다. 시(示)가 의미부이고 석(石)도 의미부인데, 석(石)은 소리부도 겸한다.45) 독음은 상(常)과 척(隻)의 반절이다.

40

祧: 祕: 제사 이름 비: 示-총9획: bǐ

原文

祕: 以豚祧司命. 从示比聲. 漢律曰: "祠祕司命." 卑履切.

飜譯

'어린 돼지를 사용해 [사람의 생명을 관장하는] 사명 신(司命神)에게 지내는 제사'를 말한다. 시(示)가 의미부이고 비(比)가 소리부이다. 한나라 때의 법률에 의하면 "사명 신에게 소원을 이루어 달라고 빈다(祠祕司命)"라고 했다. 독음은 비(卑)와 리(履)의 반절이다.

41

祠: 祠: 사당 사: 示-총10획: cí

原文

---

45) 『단주』에서 이렇게 말했다. "허신이 『주례』에서 석실(石室)이 있다 했고, 대부는 돌(石)로써 신주로 만든다고 했는데, 이는 모두 석(石)이 의미부로, 석(祏)이 회의자라는 증거가 된다. 그러나 회의자라는 진정한 의미에 대해, 내 생각은 이렇다. 종묘(宗廟)는 본래 나무로 된 신주(木主)를 사용했는데, 석(祏)자가 석(石)을 의미부로 삼은 것은 아마도 돌(石)처럼 옮길 수 없음을 반영한 것일 것이다. 석실(石室)과는 또 다른 사안이다. 춘추 말기에 들어 대부들이 참칭을 하고 분에 넘치게 살긴 했지만, 신주(主)를 만들었는지는 알 수 없다. 그런데도 도리어 석(祏)이라 한 것은 주(主)에 반대되는 것을 말하고자 했을 뿐이지, 반드시 돌로 그것을 만들었다는 말은 아니다. 지우(摯虞, 250~300)의 『결의주(決疑注)』에서 '사당의 신주는 집 밖의 북쪽 담장 아래에 숨겨 놓았는데, 돌로 되었기 때문에 종석(宗祏)이리 하였다.(凡廟之主藏於戶外北牖下, 有石, 故名宗祏.)라고 하였다."

祠: 春祭曰祠. 品物少, 多文詞也. 从示司聲. 仲春之月, 祠不用犧牲, 用圭璧及
皮幣. 似茲切.

飜譯

'봄에 지내는 제사(春祭)를 사(祠)라고 한다. 제수품은 적지만 의식에 필요한 글은 많기 때문[에 사(祠)라고 부른]다.46) 시(示)가 의미부이고 사(司)가 소리부이다. 음력 2월에는 제사에 희생을 사용하지 않고 규벽(圭璧)이라는 옥과 가죽(皮)과 비단(幣) 등을 사용한다. 독음은 사(似)와 자(茲)의 반절이다.

42

礿: 礿: **봄 제사 약**: 示-총8획: yuè

原文

礿: 夏祭也. 从示勺聲. 以灼切.

飜譯

'여름에 지내는 제사(夏祭)'를 말한다.47) 시(示)가 의미부이고 작(勺)이 소리부이다. 독음은 이(以)와 작(灼)의 반절이다.

43

禘: 禘: **종묘 제사 이름 체**: 示-총14획: dì

原文

禘: 諦祭也. 从示帝聲. 『周禮』曰: "五歲一禘." 特計切.

---

46) 사(祠)와 사(詞)는 독음도 같고 같은 근원을 가진다.
47) 이 해설은 『예기·왕제』와 차이를 보이는데, 『예기·왕제』에 의하면, "천자나 제후가 종묘에서 지내는 제사 중, 봄 제사를 약(礿), 여름 제사를 체(禘), 가을 제사를 상(嘗), 겨울 제사를 증(烝)이라 구분해 부른다."라고 했다. 그러나 정현의 주석에서 이는 "아마도 하나라와 은나라 때의 제사 이름일 것이다. 주나라 때에는 봄 제사를 사(祀), 여름 제사를 약(礿)이라 했다."라고 했다. 그리고 '글이 많다(多文詞)'라고 한 것은 사(詞)가 사(辭)와 같고 이들은 사(祠)와 독음이 같기 때문에 이렇게 풀이한 것으로 보인다.

翻譯

'큰 제사(禘祭)'를 말한다.[48] 시(示)가 의미부이고 제(帝)가 소리부이다. 『주례』에서 "오년에 한 번씩 체(禘) 제사를 지낸다."라고 하였다. 독음은 특(特)과 계(計)의 반절이다.

44

祫: 祫: **합사할 협**: 示-총11획: xiá

原文

祫: 大合祭先祖親疏遠近也. 从示、合. 周禮曰: "三歲一祫." 侯夾切.

翻譯

'친소나 원근에 관계없이 모든 선조를 다 모아 함께 지내는 제사'를 말한다. 시(示)와 합(合)이 모두 의미부이다. 주나라 때의 예제에 의하면 "삼 년에 한 번 협(祫) 제사를 지낸다."라고 했다. 독음은 후(侯)와 협(夾)의 반절이다.

45

祼: 祼: **강신제 관**: 示-총13획: guàn

原文

祼: 灌祭也. 从示果聲. 古玩切.

翻譯

'술을 뿌리며 지내는 제사(灌祭)'를 말한다.[49] (示)가 의미부이고 과(果)가 소리부이

---

48) 주준성의 『통훈정성』에서 이렇게 말했다. "한나라 학자들에 의하면 체(禘) 제사에는 세 가지가 있었다. 하나는, 교외에서 지내는 '체'제사로, 하늘에게 지낸 제사이며, 왕이 지내는 큰 제사이다. 두 번째는 은제(殷際·큰 제사) 때의 '체'제사로 천자나 제후가 종묘에서 지내는 제사를 말한다. 세 번째는 시제(時祭) 때의 '체'제사로, 종묘에서 사계절마다 계절에 맞추어 지내는 제사를 말한다.

49) 『서·낙고』에서 "왕께서 태실로 들어가 관(祼)제사를 올렸다"라고 했는데, 이에 대해 공영달은 다음과 같이 주석했다. "관(祼)은 물을 뿌린다는 뜻의 관(灌)과 같다. 왕은 규찬(圭瓚·옛날 종

다. 독음은 고(古)와 완(玩)의 반절이다.

46

蕞 : 蕞: 사례할 체: 示-총17획: cuì

原文

蕞: 數祭也. 从示毳聲. 讀若春麥爲蕞之蕞. 此芮切.

譯

'자주 지내는 제사(數祭)'를 말한다. 시(示)가 의미부이고 취(毳)가 소리부이다. '보리를 찧는다'라는 뜻의 취(蕞)와 같이 읽는다. 독음은 차(此)와 예(芮)의 반절이다.

47

祝 : 祝: 빌 축: 示-총10획: zhù

原文

祝: 祭主贊詞者. 从示从人口. 一曰从兌省. 『易』曰: "兌爲口爲巫." 之六切.

譯

'제주로서 제사를 지낼 때 신에게 말씀을 고하는 자(祭主贊詞者)'를 말한다. 시(示)가 의미부이고, 또 인(人)과 구(口)도 모두 의미부이다.50) 달리 태(兌)의 생략된 모습으로 구성되었다고도 한다. 『역·설괘전(說卦傳)』에서 "태(兌)괘는 입(口)을 뜻하고, 무당(巫)을 뜻한다."라고 했다.51) 독음은 지(之)와 륙(六)의 반절이다.

묘 등에서 제사를 드릴 때 쓰던 옥으로 만든 술잔)에다 울창주를 따라 시동(尸童·옛날에 제사를 지낼 때 신위 대신 앉히던 아이)에게 술을 올리고, 시동을 이를 받아 땅에 뿌린다. 제사에 올렸던 술이라 마시지는 않는데, 이 때문에 관(祼)제사라고 한다.

50) 고문자에서 甲骨文 金文 簡牘文 등으로 썼다. 示(보일 시)와 兄(맏 형)으로 구성되어, 제사를 주관하는 사람이 제단(示) 앞에서 입을 벌린 채 꿇어앉아(兄) 축원하는 모습을 그렸다. 제사 때 축도를 올리는 사람이 원래 뜻이며, 이로부터 巫祝(무축), 박수(남자 무당), 祝禱(축도)하다, 축송하다, 慶祝(경축)하다, 祝文(축문) 등의 뜻이 나왔다.

48

禶: 禶: 예방할 류: 示-총17획: liù

(原文)

禶: 祝禶也. 从示畾聲. 力救切.

(飜譯)

'주문을 외우다(祝禶)'라는 뜻이다.52) 시(示)가 의미부이고 류(畾)가 소리부이다. 독음은 력(力)과 구(救)의 반절이다.

49

祓: 祓: 푸닥거리할 불: 示-총10획: fú

(原文)

祓: 除惡祭也. 从示犮聲. 敷勿切.

(飜譯)

'나쁜 것을 떨쳐버리는 제사(除惡祭)'를 말한다. 시(示)가 의미부이고 발(犮)이 소리부이다. 독음은 부(敷)와 물(勿)의 반절이다.

50

祈: 祈: 빌 기: 示-총9획: qí

---

51) 원문을 보면, "태괘(兌卦)는 못(澤)을 뜻하고, 소녀(少女)를 뜻하고, 무당(巫)을 뜻하고, 입(口)과 혀(舌)를 뜻하고, 무너지고 부러지는 것(毁折)을 뜻하고, 붙었다가 다시 떨어지는 것(附決)을 뜻한다. 그것을 땅에 비유하자면, 군센 것과 짠 것(剛鹵)을 뜻하며, 첩(妾)을 뜻하고, 양(羊)을 뜻한다."라고 했다.

52) 『단주』에서 혜동(惠棟)의 말을 인용해 이렇게 말했다. "『소문』에 의하면, 황제(黃帝)가 '옛날에는 병을 다스릴 때, 주문을 외워(祝由) 멈추게 했다."라고 했는데, 축류(祝禶)는 여기서 말하는 주문을 외우다는 뜻의 축유(祝由)와 같다.

原文

祈: 求福也. 从示斤聲. 渠稀切.

飜譯

'신에게 복을 빌다(求福)'라는 뜻이다. 시(示)가 의미부이고 근(斤)이 소리부이다.[53]
독음은 거(渠)와 희(稀)의 반절이다.

51

禱: 빌 도: 示-총19획: dǎo

原文

禱: 告事求福也. 从示壽聲. 禂, 禱或省. 𥛱, 籀文禱. 都浩切.

飜譯

'구체적인 사안을 신에게 알리며 복을 빌다(告事求福)'라는 뜻이다. 시(示)가 의미부
이고 수(壽)가 소리부이다. 도(禂)는 도(禱)의 혹체자인데, 도(禱)의 생략된 모습을
따랐다. 도(𥛱)는 도(禱)의 주문체이다. 독음은 도(都)와 호(浩)의 반절이다.

52

禜: 재앙 막는 제사 영: 示-총15획: yíng

原文

禜: 設緜蕝[54]爲營, 以禳風雨、雪霜、水旱、癘疫於日月星辰山川也. 从示, 榮
省聲. 一曰禜、衞, 使災不生.『禮記』曰: "雩, 禜. 祭水旱." 爲命切.

---

53) 고문자에서 ![그림] ![그림] ![그림] ![그림] ![그림]金文 ![그림]陶文 ![그림]簡牘文 ![그림]古璽文 등으로 썼다. 원래는
畢(홀 단)과 斤(도끼 근)의 결합으로 이루어져 사냥도구인 뜰채(畢)와 도끼(斤)를 놓고 순조로
운 사냥을 비는 모습을 그렸다. 이후 示(보일 시)와 斤의 결합으로 변해, 도끼(斤)를 놓고 사
냥의 성공을 빌다(示)는 의미를 더욱 강조했다.
54) 면절(緜蕝)은 달리 면찰(綿纗)로 적기도 한다. 면(緜)은 비단 줄로 칭칭 감아 묶는 것을 말하
고, 절(蕝)은 그곳임을 알리기 위해 띠를 묶어 세워놓는 것을 말한다.

翻譯

'띠를 비단 실로 감고 묶어 세워서 영역으로 삼고, 거기서 비나 바람, 눈이나 이슬, 홍수나 가뭄, 역병 등을 물리치게 해달라고 일월성신에게 비는 제사'를 말한다. 시(示)가 의미부이고, 영(熒)의 생략된 모습이 소리부이다. 달리 영(熒)은 지키다(衛)는 뜻과 같은데, 재앙이 생기지 않도록 한다는 뜻이라고도 한다. 『예기·제법(祭法)』에서 "우(雩)는 바로 영(熒) 제사를 말하는데, 가뭄이 들지 않게 해달라고 비는 제사를 말한다."라고 했다. 독음은 위(爲)와 명(命)의 반절이다.

53

禳: 禳: 제사 이름 양: 示-총22획: ráng

原文

禳: 磔禳祀, 除癘殃也. 古者燧人禜子所造. 从示襄聲. 汝羊切.

翻譯

'희생을 갈기갈기 찢어 제수로 올려 역병이 없어지기는 비는 제사(磔禳祀, 除癘殃.)'55)를 말한다.56) 먼 옛날, 수인씨(燧人氏)57)가 그의 자손들을 위해 만들었던 제사이다. 시(示)가 의미부이고 양(襄)이 소리부이다. 독음은 여(汝)와 양(羊)의 반절이다.

---

55) 『계전』과 『구두』 등에서는 양(禳)을 '떨쳐내다'는 뜻의 양(攘)이 되어야 한다고 했다.

56) 『단주』에서 이렇게 말했다. "각 판본에서는 려앙(癘殃)이라 적었는데 이는 잘못이며, 려앙(厲殃)이 되어야 한다. 려(厲)는 귀신의 흉한 재앙을 말한다. 『예기·월령(月令)』에서 '3월이면 나라에 푸닥거리를 명하여 아홉 문하에서 양(禳)제사를 올리게 하고, 그로써 봄의 기운을 다하게 하였다.(三月, 命國難, 九門磔禳, 以畢春氣.)'라고 했는데, 『주』에서 '이 달에는 태양이 운행하면서 묘(昴)성을 지나게 되는데, 묘성에는 대릉(大陵·星官名)이 있어 시신의 기운이 쌓여 있는데, 이 기운이 기울어지면 려귀(厲鬼)가 따라서 나오게 된다. 그리하여 방상시(方相氏)에게 명하여 악귀를 몰아내게 한다. 또 갈기갈기 찢은 희생(磔牲)으로써 사방의 신에게 제사를 드린다. 그렇게 함으로써 그 쟁앙을 종식시킨다.'라고 했다."

57) 수인씨(燧人氏)는 중국 고대 전설상의 삼황(三皇) 중의 한 인물로, 불과 음식의 조리법을 전했다고 한다. 훗날 그 지위를 높여서 수황(燧皇)이라고도 불렀다.

54

襘: 襘: 푸닥거리 회: 示-총18획: guì

原文

襘: 會福祭也. 从示从會, 會亦聲. 『周禮』曰: "襘之祝號." 古外切.

譯譯

'함께 모여서 재앙을 없애 달라고 지내는 제사(會福祭)'를 말한다. 시(示)가 의미부이고 회(會)도 의미부인데, 회(會)는 소리부도 겸한다. 『주례·춘관저축(詛祝)』에서 "[저축(詛祝)이라는 관직은] 회(襘) 제사를 지낼 때, 축문을 읽는 일을 담당한다."라고 했다.58) 독음은 고(古)와 외(外)의 반절이다.

55

禪: 禪: 봉선 선: 示-총17획: shàn

原文

禪: 祭天也. 从示單聲. 時戰切.

譯譯

'하늘에 지내는 제사(祭天)'를 말한다. 시(示)가 의미부이고 단(單)이 소리부이다.59) 독음은 시(時)와 전(戰)의 반절이다.

56

禦: 禦: 막을 어: 示-총16획: yù

---

58) 『주례주』에서 "재앙을 없애달라고 지제는 제사를 회(襘)제사라고 한다."라고 했다.

59) 고문자에서 簡牘文 汗簡 등으로 썼다. 소전체처럼 示(보일 시)가 의미부고 單(홑 단)이 소리부로, 땅을 편평하게 하여(單) 산천의 신에게 지내는 제사를 말한다. 이후 불교가 들어오면서 '선(Zen)'을 뜻하는 산스크리트어의 'dhyānā'의 대역어로 쓰였다. 간화자에서는 單을 간단하게 줄인 禅으로 쓴다.

原文

禦: 祀也. 从示御聲. 魚舉切.

飜譯

'[재앙을 막는] 제사'를 말한다. 시(示)가 의미부이고 어(御)가 소리부이다.[60] 독음은 어(魚)와 거(舉)의 반절이다.

57

禍: 祜: **제사 활·괄**: 示–총11획: huó, kuò

原文

禍: 祀也. 从示昏聲. 古末切.

飜譯

'[재앙을 없애버리는] 제사(祀)'를 말한다. 시(示)가 의미부이고 괄(昏)이 소리부이다.[61] 독음은 고(古)와 말(末)의 반절이다.

---

60) 示(보일 시)가 의미부고 御(어거할 어)가 소리부로, 제사(示)를 지내 재앙을 막다(御)는 뜻이다. 이로부터 제어하다, 금지하다, 저항하다 등의 뜻이 나왔다. 달리 御와 같이 쓰여 어떤 물건을 바치다(進獻·진헌)는 뜻으로도 쓰이며, 간화자에서는 御에 통합되었다. 이는 御(어거할 어)에서 분화했는데, 御는 고문자에서 [갑골문 자형들] 甲骨文 [금문 자형들] 金文 [고도문 자형] 古陶文 [간독문 자형들] 簡牘文 등으로 썼다. 자형에서처럼 실(幺·요)로 만든 채찍을 들고 앉은 사람(卩·절)의 모습을 그려, 길에서 마차를 모는 모습을 형상화했다. 이후 길을 뜻하는 彳(조금 걸을 척)이 더해졌고, 幺(작을 요)가 소리부인 午(일곱째 지지 오)로 바뀌어 지금의 형체가 되었으며, 간혹 攴(칠 복)을 더하여 채찍질하는 모습을 강조하기도 했다. 수레를 몰다는 뜻에서 制御(제어)하다, 방어하다, 다스리다는 뜻까지 생겼으며, 임금과 관련된 것을 지칭하는 데도 쓰였다. 또 제사 이름으로 쓰였는데, 이때에는 示(보일 시)를 더한 禦(막을 어)로 분화했으나, 간화자에서는 御로 다시 돌아갔다.

61) 이후 소리부인 괄(昏)이 설(舌)로 변해 지금의 자형이 되었다. 그러나 청나라 왕옥수(王玉樹)의 『설문념자(說文拈字)』에서는 "오늘날 세속에서는 괄(祜)로 쓰지만 이는 잘못된 것이다."라고 한 바 있다.

58

禖: 禖: 매제 **매**: 示-총14획: méi

原文

禖: 祭也. 从示某聲. 莫梧切.

飜譯

'[아이를 낳게 해 달라고 비는] 제사(祭)'를 말한다.[62] 시(示)가 의미부이고 모(某)가 소리부이다. 독음은 막(莫)과 배(梧)의 반절이다.

59

禑: 禑: 제기 **서**: 示-총14획: xǔ

原文

禑: 祭具也. 从示胥聲. 私呂切.

飜譯

'제사에 쓰는 도구(祭具)'를 말한다.[63] 시(示)가 의미부이고 서(胥)가 소리부이다. 독음은 사(私)와 려(呂)의 반절이다.

60

祳: 祳: 사제 고기 **신**: 示-총12획: chěn

---

62) 『옥편』(示부수)에서 "매(禖)는 아이를 낳게 해달라고 비는 제사를 말한다"라고 했다. 또 『예기·월령』에서 "이 달(음력 2월)이 되면, 제비도 날아오는데, 제비가 날아오는 날, 대뢰(太牢, 소, 양, 돼지 등을 한꺼번에 사용하는 큰 제사)의 형식으로써 고매신(高禖神)께 제사를 드린다."라고 하였다.

63) 전통적으로 '제사에 쓰는 물품'이라고 해석해 왔다. 예컨대, 왕균의 『구두』에서 "제구(祭具)는 제수를 뜻하는 제품(祭品)과 같은 뜻이다"라고 했다. 또 『산해경』에서 "서(糈)제사에는 찹쌀(稌米)을 쓴다"라고 했는데, 『주』에서 "서(糈)는 제사에 쓰는 쌀을 말한다."라고 했다. 그러나 양수달(楊樹達)은 "제사에 쓰는 물건을 가리키는 것이 서(糈)이고, 신에게 제사지낼 때 쓰는 도구를 가리키는 것이 서(禑)이다"라고 하여, 제사에 쓰는 물품이 아니라 도구임을 주장했다(『積微居讀書記·說文求是』).

原文

祳: 社肉, 盛以蜃, 故謂之祳. 天子所以親遺同姓. 从示辰聲. 『春秋傳』曰: "石尚
　　來歸祳." 時忍切.

飜譯

'토지 신에게 제사드릴 때 쓴 고기(社肉)'를 말하는데, 조개껍데기(蜃)에다 담아 쓰
기 때문에 신(祳)이라 부른다. 천자는 이를 동성(同姓) 친지들에게 나누어주는 선물
로 쓴다. 시(示)가 의미부이고 진(辰)이 소리부이다. 『춘추전』(정공 14년, B.C. 496)의
경문)에서 "[천자께서 사자인] 석상(石尚)을 통해 토지 신에게 제사드릴 때 썼던 고기
(祳)를 보내오셨다."라고 했다. 독음은 시(時)와 인(忍)의 반절이다.

61

禊: 禊: **풍류 이름 개**: 示-총12획: gāi

原文

禊: 宗廟奏禊樂. 从示戒聲. 古哀切.

飜譯

'종묘에서 연주하는 음악(宗廟奏禊樂)'을 말한다.64) 시(示)가 의미부이고 계(戒)가
소리부이다. 독음은 고(古)와 애(哀)의 반절이다.

62

禡: 禡: **마제 마**: 示-총15획: mà

原文

禡: 師行所止, 恐有慢其神, 下而祀之曰禡. 从示馬聲. 『周禮』曰: "禡於所征之

---

64) 『주례·춘관·생사(笙師)』에 "이로써 개악(禊樂)을 가르쳤다"라고 했는데, 이에 대해 정현은 이
렇게 주석했다. "개악(禊樂)은 개하(禊夏)의 음악이다. 선님이 뒤에서 돌아갈 때 개하(禊夏)의
음악을 연주한다. 개(禊)라고 이름 붙인 것은 (취해서 돌아갈 때 조심하라는) 경계(戒)의 의미
를 반영한 것이다. 개하(禊夏)는 옛날 음악인 '구하(九夏)'의 하나이다.

地.” 莫駕切.

飜譯

‘군대가 행군할 때 잠시 머무는 곳에서, 그곳의 신에게 오만함을 느끼게 할까 두려워 해, 말에서 내려 지내는 제사’를 마(禡)라고 한다.65) 시(示)가 의미부이고 마(馬)가 소리부이다.66) 『주례·왕제(王制)』에서 “정벌한 땅에서 마(禡) 제사를 지냈다”라고 했다. 독음은 막(莫)과 가(駕)의 반절이다.

63

禂: 禂: 빌 도: 示-총13획: dǎo

原文

禂: 禱牲馬祭也. 从示周聲.『詩』曰: “旣禡旣禂.” 騗, 或从馬, 壽省聲. 都皓切.

飜譯

‘희생에 쓴 말을 위해 지내는 제사(禱牲馬祭)’를 말한다.67) 시(示)가 의미부이고 주(周)가 소리부이다. 『시·소아길일(吉日)』에서 “이미 마(禡) 제사도 지냈고, 또 도(禂) 제사도 드리네(旣禡旣禂).”라고 노래했다. 도(騗)는 도(禂)의 혹체자인데, 마(馬)가 의미부이고 수(壽)의 생략된 모습이 소리부이다. 독음은 도(都)와 호(皓)의 반절이다.

---

65) 『설문금석』에 의하면, 마(禡) 제사에는 세 가지 해설이 있다고 한다. (1)여러 신에게 지내는 제사(群神祭)로, 『시경·대아·황의(皇矣)』에서 노래한 “유 제사 지내고 마 제사 지내네(是類是禡)”에 대한 『전소(傳疏)』의 해석이 그것이며, (2)군법 창시자에게 지내는 제사로, 앞의 『시경』 문구에 대한 『집전(集傳)』의 해석이 그러하며, (3)말을 관장하는 신에 대한 제사로, 『한서·외척서전』의 응소(應劭) 주석의 주장이 그러하다.

66) 서개의 『계전』에서는 ‘마(禡)제사’를 독음이 같은 매(罵)와 연결시켜, 욕(罵)을 퍼부으며 저주하며 지내는 제사(禡)로 풀이했다.

67) 『주례·춘관·전축(甸祝)』에서 “도생도마(禂牲禂馬)”라고 했는데, 두자춘(杜子春)은 이에 대해 “도(禂)는 빌다는 뜻의 도(禱)와 같다. 말이 무병하기를, 또 사냥에서 짐승을 많이 잡을 수 있기를 빈다는 뜻이다.”라고 했다.

64

社: 社: **토지의 신 사**: 示-총8획: shè

原文

社: 地主也. 从示、土. 『春秋傳』曰: "共工之子句龍爲社神." 周禮: "二十五家爲
社, 各樹其土所宜之木." 𥛓, 古文社. 常者切.

飜譯

'땅을 주관하는 신(地主)'을 말한다. 시(示)와 토(土)가 모두 의미부이다.[68] 『춘추전』
(『좌전』 소공 29년, B.C. 513)에서 "공공(共工)의 아들인 구룡(句龍)이 땅을 관장하는
신이 되었다."라고 했다.[69] 주나라 때의 예제에 의하면, "25가(家)를 하나의 사(社)
로 삼았는데, 각기 그 땅에 알맞은 나무를 심었다." 사(𥛓)는 사(社)의 고문체이다.
상(常)과 자(者)의 반절이다.

65

禓: 禓: **길 제사 양**: 示-총14획: yáng

---

68) 고문자에서는 甲骨文 金文 帛書文 簡牘文 汗簡
등으로 썼다. 土(흙 토)와 示(보일 시)로 구성되어, 숭배(示) 대상으로 삼는 토지(土) 신을 말
하며, 이로부터 토지 신을 모시는 제단이라는 뜻도 나왔다. 또 『설문』의 해석처럼 25家(가)를
지칭하는 지역 단위로 쓰였고, 이 때문에 어떤 단체나 社會(사회)를 지칭하게 되었다. 농업 사
회를 살았던 중국에서 토지의 중요성 탓에 곡식 신을 뜻하는 稷(기장 직)과 결합하여 '국가'
를 상징하기도 했다. 달리 祏로 쓰기도 하는데, 토지 신(土)과 강 신(水·수)에게 제사를 드림을
강조했다.

69) 공공(共工)은 달리 공공씨(共工氏)라고도 부르는데, 중국 고대신화에 등장하는 물의 신으로
홍수를 관장했다. 『열자(列子)』에 의하면 공공씨는 평소 불의 신인 축융(祝融)과 불화하였는
데, 둘이 세상이 놀랄만한 커다란 전쟁을 일으켰으나, 결국 공공씨가 분노하여 건드렸다가 망
하고 말았다고 한다. 또 일설에 의하면 공공 씨는 헌원(軒轅)의 후예인 황제(黃帝) 때의 부락
이름으로, 환두(驩兜), 삼묘(三苗), 곤(鯀) 등과 함께 4대 원흉으로 알려졌다. 구룡(句龍)은 공
공의 아들인데, 『좌전』(소공 29년)에 의하면 "공공 씨에게 구룡(句龍)과 후토(后土)라는 아들
이 있었다."라고 했고, 『국어(國語)·노어(魯語)(상)에서는 "공공 씨는 구주(九州)를 통일했으며,
그의 아들로 후토(后土)가 있었는데, 구주의 땅을 다스릴 능력이 있었고, 그 때문에 토지 신으
로 모셔졌다.

原文

禓: 道上祭. 从示易聲. 與章切.

飜譯

'길에서 지내는 제사(道上祭)'를 말한다. 시(示)가 의미부이고 양(易)이 소리부이다. 독음은 여(與)와 장(章)의 반절이다.

66

禓: 禓: 요기 침: 示-총12획: jìn

原文

禓: 精氣感祥. 从示, 侵省聲. 『春秋傳』曰: "見赤黑之禓." 子林切.

飜譯

'음양의 정기가 감응하여 길흉을 드러내는 기운(精氣感祥)'을 말한다. 시(示)가 의미부이고, 침(侵)의 생략된 모습이 소리부이다. 『춘추전』(『좌전』 소공 15년, B.C. 527)에서 "붉고 검은 요상한 기운을 보았다(見赤黑之禓)."라고 했다.[70] 독음은 자(子)와 림(林)의 반절이다.

67

禍: 禍: 재화 화: 示-총14획: huò

原文

禍: 害也, 神不福也. 从示咼聲. 胡果切.

飜譯

'해를 입히다(害)'라는 뜻이다. 또 '신이 복을 내리지 않다(神不福)'라는 뜻이다. 시(示)가 의미부이고 괘(咼)가 소리부이다.[71] 독음은 호(胡)와 과(果)의 반절이다.

---

70) 『좌전』(소공 25년)의 기록으로, 원문은 "내가 붉고 검은 기운을 보았는데, 상스러운 것이 아니라 죽은 사람의 요상한 기운이었다."라고 되었다.

68

祟: 祟: 빌미 수: 示-총10획: suì

(原文)

祟: 神禍也. 从示从出. 禮, 籒文祟从禼省. 雖遂切.

(飜譯)

'신이 내리는 재앙(神禍)'을 말한다. 시(示)가 의미부이고 출(出)도 의미부이다. 수(禮)는 수(祟)의 주문체인데, 도(禼)의 생략된 모습으로 구성되었다. 독음은 수(雖)와 수(遂)의 반절이다.

69

祅: 祅: 재앙 요: 示-총13획: yú, yāo

(原文)

祅: 地反物爲祅也. 从示芺聲. 於喬切.

(飜譯)

'땅이 만물의 속성과 반목하기 때문에 요상한 일(祅)이 일어나는 법이다.[72] 시(示)가 의미부이고 요(芺)가 소리부이다. 독음은 어(於)와 교(喬)의 반절이다.

70

祘: 祘: 셀 산: 示-총10획: suàn

---

71) 고문자에서는 　甲骨文 　金文 　簡牘文 등으로 썼다. 示(보일 시)가 의미부고 禹(咼·뼈 발라낼 과)가 소리부로, 제사(示)를 지낼 때 썼던 점복용 뼈(咼)로써 '재앙'의 의미를 그렸는데, 재앙이 닥쳐올까 신에게 도움을 청하며 점을 쳤던 때문으로 보인다. 재앙으로부터 해, 과실 등의 뜻이 나왔다. 간화자에서는 咼를 呙로 줄여 祸로 쓴다.

72) 『좌전』(선공) 15년, B.C. 594)에 나오는 말이다. "종백이 말했다. 하늘이 때와 반목하면 재앙이 일어나고, 땅이 사물과 반목하면 요상한 일이 일어나며, 백성들이 민란이 일어나는데, 민란이 일어나면 재앙이 생겨는 법이다.(伯宗曰: 天反時爲災, 地反物爲妖, 民反德爲亂, 亂則妖災生.)"

原文

祘: 明視以筭之. 从二示. 『逸周書』曰: "士分民之祘. 均分以祘之也." 讀若筭. 蘇貫切.

飜譯

'분명하게 보고 계산하다(明視以筭之)'라는 뜻이다. 두 개의 시(示)로 구성되었다. 『일주서』에서 "사인(士人)이 백성들의 세금(祘)을 규정에 따라 나누었는데, 균분하게 나누어 분명하게 계산하도록(祘) 했다."라고 했다. 산(筭)과 같이 읽는다. 독음은 소(蘇)와 관(貫)의 반절이다.

71

禁: 禁: 금할 금: 示-총13획: jìn

原文

禁: 吉凶之忌也. 从示林聲. 居蔭切.

飜譯

'길흉에 관련된 금기'를 말한다. 시(示)가 의미부이고 임(林)이 소리부이다.[73] 독음은 거(居)와 음(蔭)의 반절이다.

72

禫 : 禫: 담제 담: 示-총17획: tǎn

原文

禫 : 除服祭也. 从示覃聲. 徒感切.

---

73) 林(수풀 림)과 示(보일 시)로 구성되어, 숲(林)에 대한 제사(示)를 형상화했다. 숲은 산신이 사는 곳이라 하여 제사의 대상이 되기도 했겠지만, 이 글자가 秦(진)나라 때의 죽간에서부터 나타나고 당시의 산림 보호에 관한 법률을 참고한다면, 산림의 남벌이나 숲 속에 사는 짐승들의 남획을 '禁止(금지)'하기 위해 산림(林)을 신성시하였던(示) 전통을 반영한 글자일 가능성이 크다. 이로부터 禁止하다는 일반적인 의미로 확장되었고, 禁書(금서)나 禁錮(금고) 등과 같은 어휘를 만들게 되었다.

'[상복을 입은 지 27개월 후] 상복을 벗을 때 지내는 제사(除服祭)'를 말한다.74) 시(示)가 의미부이고 담(覃)이 소리부이다. 독음은 도(徒)와 감(感)의 반절이다.

73

禰： 禰: 아비 사당 녜·니: 示－총19획: nǐ

原文

禰: 親廟也. 從示爾聲. 一本云古文禰也. 泥米切.

翻譯

'선조의 사당(親廟)'을 말한다. 시(示)가 의미부이고 이(爾)가 소리부이다. 어떤 판본에서는 녜(禰)의 고문체라고 했다. 독음은 니(泥)와 미(米)의 반절이다. [신부]

74

祧： 祧: 조묘 조: 示－총11획: tiāo

原文

祧: 遷廟也. 從示兆聲. 他彫切.

翻譯

'[먼 조상을] 옮겨 합사하다(遷廟)'라는 뜻이다.75) 시(示)가 의미부이고 조(兆)가 소리부이다. 독음은 타(他)와 조(彫)의 반절이다. [신부]

---

74) 『의례·사우례(士虞禮)』에서 "중월(中月)이 되면 담(禫) 제사를 지낸다"라고 했는데, 『주』에서 "중(中)은 사이라는 뜻의 간(間)과 같다"라고 했다. 담(禫) 제사는 대상(大祥·부모가 죽은 뒤 2주년이 될 때의 제사) 사이의 한 달로, 대체로 27번째 달을 말한다. 정현은 25개월까지가 대상(大祥)에 해당하고, 그 다음 한 달을 쉬고, 27개월째 되는 시점에 담(禫) 제사를 지낸다고 했다.
75) 먼 조상(遠祖)의 신위를 조묘(祖廟)로 옮겨 함께 제사지내는 것(合祀)을 것을 말한다.

75

祆： 祆: 하늘 천: 示-총9획: xiān

原文

祆: 胡神也. 从示天聲. 火千切.

飜譯

'서북방 이민족이 섬기는 신(胡神)'을 말한다. 시(示)가 의미부이고 천(天)이 소리부
이다. 독음은 화(火)와 천(千)의 반절이다. [신부]

76

祚： 祚: 복 조: 示-총10획: zuò

原文

祚: 福也. 从示乍聲. 徂故切.

飜譯

'복(福)'을 말한다. 시(示)가 의미부이고 사(乍)가 소리부이다. 독음은 조(徂)와 고
(故)의 반절이다. [신부]

제4부수
004 ■ 삼(三)부수

77

三: 三: 석 삼: 一-총3획: sān

原文

三: 天地人之道也. 从三數. 凡三之屬皆从三. 弎, 古文三从弋. 穌甘切.

釋譯

'하늘(天)과 땅(地)과 사람(人)의 세 가지 도'를 뜻한다. 세 개의 가로획으로 구성되었다. 삼(三)부수에 귀속된 글자들은 모두 삼(三)을 의미부로 삼는다. 삼(弎)은 삼(三)의 고문체인데, 익(弋)으로 구성되었다. 독음은 소(穌)와 감(甘)의 반절이다.

제5부수
005 ▪ 왕(王)부수

78

王: 王: 임금 왕: 玉-총4획: wáng

原文

王: 天下所歸往也. 董仲舒曰: "古之造文者, 三畫而連其中謂之王. 三者, 天, 地, 人也, 而參通之者王也." 孔子曰: "一貫三爲王. 凡王之屬皆从王."(李陽冰 曰: "中畫近上. 王者, 則天之義.") 𠙻, 古文王. 雨方切.

飜譯

'온 천하 사람들이 모두 돌아가 귀의하는 곳(天下所歸往)'을 말한다. 동중서(董仲舒) 는 이렇게 말했다.76)77) "옛날, 글자를 만든 사람들이 삼 획에다 세로로 가운데를 이

---

76) 동중서(B.C. 179~B.C. 104)는 서한 때의 저명한 사상가이자 정치가로 유가 사상을 한나라 때 의 통치철학으로 자리 잡게 한 인물이다. 금문(今文) 경학의 대가로, 『춘추공양전(春秋公羊傳) 』에 특히 뛰어났으며, 한나라 경제(景帝) 때 박사가 되어 『공양춘추(公羊春秋)』를 강의했다. 무제(武帝) 원광(元光) 원년(B.C. 134)에 무제에게 "천인감응(天人感應)"과 "대일통(大一統)" 등의 학설과 "백가들의 사상을 물리치고 유가 사상만을 존숭해야 한다"라는 주청을 올려, 유 학이 한나라의 통치사상이 되도록 하였다. 그의 유가사상은 종법(宗法) 사상을 중심으로 하고 이에다 음양오행설(陰陽五行說)을 더하여, 신권(神權)과 군권(君權)과 부권(父權)과 부권(夫權) 을 하나로 묶는 제제신학(帝制神學) 체계를 구축하였으며, 천인감응(天人感應)과 삼강오륜 등 의 이론을 구축했다.

77) 『설문』에는 글자를 해석함에 노자나 공자를 비롯하여 당시의 저명한 학자(通人)들의 학설을 인용한 경우가 보이는데, 총 42명에 이른다. 구체적으로는 천로(天老), 이윤(伊尹), 초나라 장 왕(莊王), 사광(師曠), 노자(老子), 공자(孔子), 묵자(墨子), 맹자(孟子), 여불위(呂不韋), 한비 (韓非), 한나라 문제(文帝), 회남왕(淮南王), 사마상여(司馬相如), 동중서(董仲舒), 구양교(歐陽 喬), 경방(京房), 유향(劉向), 양웅(揚雄), 상흠(桑欽), 송굉(宋宏), 원례(爰禮), 유흠(劉歆), 가시 중(賈侍中), 반고(班固), 두림(杜林), 위굉(衛宏), 서순(徐巡), 왕육(王育), 장림(張林), 부의(傅 毅), 장철(張徹), 윤동(尹彤), 녹안(逯安), 장도(莊都), 황호(黃顥), 담장(譚長), 주성(周盛), 관부 (官溥), 녕엄(甯嚴), 사농(司農), 봉(復) 등과 박사(아마도 당시의 금문 상서박사)라고 통칭한 것이 그들이다. 蔡信發(蔡信發), 2010, 110~114쪽 참조.

어서 '왕'자를 만들었다. 삼(三)은 하늘(天)과 땅(地)과 사람(人)을 뜻하는데, 그것들을 꿰뚫는 자가 왕(王)이라는 뜻이다." 공자(孔子)도 이렇게 말했다. "하나로써 셋을 꿰뚫게 한 것이 왕(王)자이다. 왕(王)부수에 귀속된 글자들은 모두 왕(王)이 의미부이다." [이양빙(李陽冰)은 이렇게 말했습니다. "중간의 획이 위쪽으로 가까이 붙어 있는 것은, 왕(王)이라는 존재는 하늘에 가까운 사람이기 때문이다."]78) 왕(玉)은 왕(王)의 고문체이다. 독음은 우(雨)와 방(方)의 반절이다.

79

閏: 閏: 윤달 윤: 門-총12획: rùn

原文

閏: 餘分之月, 五歲再閏, 告朔之禮, 天子居宗廟, 閏月居門中. 从王在門中. 『周禮』曰: "閏月, 王居門中, 終月也." 如順切.

譯

'남아서 나누지 못한 시간을 합쳐 만든 달(餘分之月)'을 말한다. 5년마다 윤달이 두 번 드는데79), 그 첫날에 고삭(告朔) 의식을 거행한다.80) 천자는 종묘(宗廟)에서 거

---

78) 고문자에서 [甲骨文] [金文] [古陶文] [簡牘文] [貨幣文] 등으로 썼다. 『설문해자』에서는 三(석 삼)과 丨(뚫을 곤)으로 구성되어 "하늘(天)과 땅(地)과 사람(人)을 의미하는 三을 하나로 꿰뚫은(丨) 존재가 王이다."라고 했다. 그러나 갑골문에 의하면 王은 그런 모습이 아니며, 어떤 신분을 상징하는 모자를 형상한 것으로 보이는데, 혹자는 도끼를 그린 것으로 해석하기도 한다. 다른 사람과 구별해 주는 모자나 생살권의 의미하는 도끼는 권위와 권력의 상징이었을 것이며, 그래서 '왕'이라는 뜻이 생겼고, '크다', '위대하다' 등의 뜻도 가지게 되었다. 그럼에도 『설문』에서는 단순히 권위를 상징하는 모자나 도끼를 그린 王자를 두고 이러한 철학적 의미를 부여해 왕권에 더없이 신성한 의미를 부여하였으며, 이를 통해 왕권 숭배 사상을 만들어 주었던 것이다. 물론 이러한 해설이 공자부터 전해져 오던 설이라 허신이 의도적으로 왜곡한 독창적인 해설이라 볼 수는 없지만, 한자의 자형 해설을 통해 당시 최고 권력자에게 정당성이 부여된 것만은 사실이다. 『설문』 곳곳에는 이렇듯 한자에 대한 정치적 해석이 담겨 있으며, 이를 당시의 저술 환경과 연계하여 주의 깊게 읽어야 한다.

79) 고대 중국에서는 지구가 태양을 한 바퀴 도는데 걸리는 시간인 1년을 365.25일로 계산했고, 달이 지구를 한 바퀴 도는데 걸리는 시간을 12번(12개월)으로 나누어 배치하고자 큰 달을 30일, 작은 달을 29일로 설정하였다. 그렇게 되면 1년이 354일이 되고, 매년 11.25일이 남게 된

처하는데, 윤달(閏月)이 되면 [정실(正室)의] 문(門) 안에 자리한다. [윤(閏)자는] 왕(王)이 문(門) 속에 자리한 모습을 그렸다. 『주례·춘관·대사(大史)』에서 "윤달(閏月)이 되면, 왕(王)은 정실(正室)의 문(門) 안에서 거처하는데, 그달이 끝날 때까지 그렇게 한다."라고 했다. 독음은 여(如)와 순(順)의 반절이다.

80

皇: 皇: 임금 황: 白−총9획: huáng

原文

皇: 大也. 从自. 自, 始也. 始皇者, 三皇, 大君也. 自, 讀若鼻, 今俗以始生子爲鼻子. 胡光切.

譯

'위대하다(大)'라는 뜻이다. 자(自)가 의미부인데[81], 자(自)는 시작(始)을 뜻한다.[82]

다. 이 자투리를 모으면 4년에 45일이 되고, 5년이면 56.25일이 된다. 그래서 할 수 없이 4년마다 윤달을 설정하여 29일을 소비하고, 5년째 되는 해에는 윤달을 두 번 넣어 나머지를 소비하게 된다(그렇게 되면 1.75일이 모자란다. 이는 이후 다시 조정을 거친다).

80) 고삭(告朔)의 고(告)는 알리다는 뜻이고, 삭(朔)은 음력 초하루를 말한다. 매년 연말이 되면, 천자는 다음해에 윤달을 둘 것인지를 포함한 새 달력을 제후들에게 나누어주고, 이튿날 새해 초하루에 '고삭' 반포 의식을 거행한다. 제후들은 받은 새로운 달력을 조상의 종묘에다 보관해 두고, 매월 초하루가 될 때마다 양 한 마리를 잡아 제사를 드리는 의식을 행하는데, 이를 '고삭 의식'이라 한다.

81) 『단주』에서는 『운회(韻會)』에 근거하여 왕(王)자를 보충하여 "从自王"라고 했다.

82) 고문자에서 金文 古陶文 簡牘文 古璽文 등으로 썼다. 지금은 白(흰 백)이 의미부고 王(임금 왕)이 소리부로, 황제를 말하는데, 왕(王) 중에서도 우두머리(白)라는 뜻을 담았다. 그러나 금문 등 고대 자형은 이와 다르고, 『설문』의 소전체에서는 설명처럼 지금의 白이 自로 되었다. 금문의 자형에 대해서는 혹자는 해가 땅 위로 솟아오르는 모습을 그렸다고도 하지만, 왕관(王)에다 윗부분에 화려한 장식이 더해진 것으로, 王보다 더욱 화려함을 강조한 것으로 보이며, 이 때문에 王보다 한 단계 위의 지위인 황제를 지칭하는 개념으로 쓰이게 된 것으로 보인다. 『설문해자』에서는 自(스스로 자)와 王의 결합으로 이루어져, 왕(王)이 秦(진) 始皇(시황)에서부터 시작된다(自)는 뜻에서 '皇帝(황제)'라는 뜻이 나온 것으로 풀이했다. 이후 크다, 위대하다, 아름답다, 휘황찬란하다 등의 뜻이 나왔다. 이후 찬란하게 빛남을 말할 때에는 火(불 화)를 더해 煌(빛날 황)으로 분화했다.

처음으로 세상을 다스렸던 사람들이 삼황(三皇)[83]인데, 모두 위대한 임금들이었다. 자(自)는 코를 뜻하는 비(鼻)와 독음이 같은데, 오늘날 민간에서는 '첫아이'를 '비자(鼻子)'라고 부른다. 독음은 호(胡)와 광(光)의 반절이다.

---

[83] 『단주』에서 『상서대전(尙書大傳)』을 인용하여 수인씨(燧人)가 수황(燧皇), 복희씨(伏羲)가 희황(羲皇), 신농씨(神農)가 농황(農皇)이라고 했다. 그러나 『백호통(白虎通)』에서는 이의 순서가 복희(伏羲), 신농(神農), 수인(燧人)으로 바뀌기도 했다.

제6부수
006 ■ 옥(玉)부수

81

王: 玉: 옥 옥: 玉-총5획: yù

原文

王: 石之美. 有五德: 潤澤以溫, 仁之方也；䚡理自外, 可以知中, 義之方也；其
聲舒揚, 專以遠聞, 智之方也；不橈而折, 勇之方也；銳廉而不技, 絜之方也.
象三玉之連. 丨, 其貫也. 凡玉之屬皆从玉. (陽冰曰: "三畫正均如貫玉也.") 禹, 古文
玉. 魚欲切.

飜譯

'아름다운 돌'을 말한다. 옥은 다섯 가지 덕(德)을 갖추었는데, 윤기가 흘러 온화한
것은 인(仁)의 덕이요, 무늬가 밖으로 흘러나와 속을 알 수 있게 하는 것은 의(義)의
덕이요, 소리가 낭랑하여 멀리서도 들을 수 있는 것은 지(智)의 덕이요, 끊길지언정
굽혀지지 않는 것은 용(勇)의 덕이요, 날카로우면서도 남을 해치지 않는 것은 결(潔)
의 덕이다. 옥(玉) 세 개가 연결된 모습을 그렸는데, 세로 획(丨)은 그것을 관통하여
꿴 실을 뜻한다. 옥(玉)부수에 귀속된 글자들은 모두 옥(玉)을 의미부로 삼는다.[84]

---

84) 옥(玉)은 갑골문에서 등으로 적어, 여러 개의 옥을 실로 꿴 모습을 그렸고, 이후
'왕(王)'자와 모습이 비슷해지자 오른쪽에 점을 남겨 구분했을 뿐이다. 그런데도 『설문해자』에
서는 옥을 최고의 덕목을 갖춘 물체로 인식하고 이에 설명처럼 고귀한 가치를 부여했다. 그래
서 옥은 진(珍)에서처럼 단순한 보석을 넘어서 더없이 보배로운 길상(吉祥)의 상징이 되었는
데, 그것은 현(現)에서처럼 옥이 가진 맑은소리와 영롱하고 아름다운 무늬 때문일 것이다. 이
때문에 옥은 몸에 걸치는 장신구는 물론 신분의 상징이자 권위를 대신하는 도장(璽)의 재료로
쓰였으며, 때로는 노리개로, 심지어 시신의 구멍을 막는 마개로도 쓰였다. 더 나아가 옥은 중
요사의 예물로도 사용되었다. 『순자』의 말처럼, 사자를 파견할 때에는 홀옥[珪]을, 나랏일을
자문하러 갈 때에는 둥근 옥[璧]을, 경대부를 청해올 때에는 도리옥[瑗]을, 군신관계를 끊을
때에는 패옥[玦]을, 유배당한 신하를 다시 부를 때에는 환옥[環]을 사용함으로써, 각각의 상징

[이양빙은 "옥(玉)을 꿰어 놓은 것처럼 세 획이 균등하다."라고 했습니다.] 옥(禹)은 옥(玉)의 고문체이다. 독음은 어(魚)와 욕(欲)의 반절이다.

82

瓈: 璙: 옥 료: 玉-총16획: liáo

原文

瓈: 玉也. 从玉尞聲. 洛簫切.

譯

'옥(玉)'을 말한다. 옥(玉)이 의미부이고 료(尞)가 소리부이다. 독음은 락(洛)과 소(簫)의 반절이다.

83

瓘: 瓘: 옥 이름 관: 玉-총22획: guàn

原文

瓘: 玉也. 从玉雚聲. 『春秋傳』曰: "瓘斝." 工玩切.

譯

'옥(玉)'을 말한다. 옥(玉)이 의미부이고 관(雚)이 소리부이다. 『춘추전』(『좌전』 소공 17년, B.C. 525)에서 "관(瓘)이라는 옥으로 만든 술잔(斝)[85]"이라는 말이 있다.[86] 독

을 나타냈다. 허신에 의해 고급 돌인 옥이 인간이 갖추어야 할 모든 덕을 가진 완성체로 비유되었고, 이를 통해 유가사상에서 지향하는 인간이 가져야 할 도덕과 행동 규범과 자연스레 연결되었다. 그래서 사람이라면 옥을 항상 곁에 두고 아끼고 숭상하면서, 옥이 가진 인(仁), 의(義), 지(智), 용(勇), 결(潔)의 오덕(五德)을 갖추어야 했다.

85) 가(斝)는 술잔을 지칭하는데, '작(爵)'에서 파생한 기물이다. 작(爵)은 가장 대표적인 술잔으로, 그 형태는 주둥이[流], 꼬리[尾], 두 개의 기둥[柱], 세 개의 발을 기본으로 하고 있다. 이는 그 모습이 마치 참새를 닮았다고 해서 '작(爵)'(참새라는 뜻의 '雀'과 독음이 같다)이라는 이름이 붙여진 것으로 보인다. 가(斝)는 작(爵)과 비교하여 그림에서처럼 두 기둥이 있지만 주둥이와 꼬리가 없는 것이 특징이고, 각(角)은 두 기둥이 없고 주둥이와 꼬리의 구분이 없이 앞뒤 모두 꼬리로 되어 있다.

음은 공(工)과 완(玩)의 반절이다.

84

璥: 璥: 경옥 경: 玉-총17획: jǐng

原文

璥: 玉也. 从玉敬聲. 居領切.

飜譯

'옥(玉)'을 말한다. 옥(玉)이 의미부이고 경(敬)이 소리부이다. 독음은 거(居)와 령(領)의 반절이다.

85

琠: 琠: 귀막이 전: 玉-총12획: tiǎn

原文

琠: 玉也. 从玉典聲. 多殄切.

飜譯

'옥(玉)'을 말한다. 옥(玉)이 의미부이고 전(典)이 소리부이다. 독음은 다(多)와 진(殄)의 반절이다.

86

璅: 璅: 옥 이름 유 : 玉-총22획: náo

原文

璅: 玉也. 从玉夒聲. 讀若柔. 耳由切.

---

86) 전체 문장은 이렇다. "우리가 관이라는 옥으로 만든 술잔과 옥으로 만든 국자를 이용해 신령에게 제사를 드리면 정나라에는 틀림없이 화재가 나지 않을 것입니다"라고 했다.

譯

'옥(玉)'을 말한다. 옥(玉)이 의미부이고 노(夒)가 소리부이다. 유(柔)와 같이 읽는다.
독음은 이(耳)와 유(由)의 반절이다.

87

瓈: 聲: 옥 이름 력: 玉-총18획: lì

原文

瓈: 玉也. 从玉麿聲. 讀若鬲. 郎擊切.

譯

'옥(玉)'을 말한다. 옥(玉)이 의미부이고 격(麿)이 소리부이다. 격(鬲)과 같이 읽는다.
독음은 랑(郎)과 격(擊)의 반절이다.

88

璠: 璠: 번여 옥 번: 玉-총16획: fán

原文

璠: 璵璠. 魯之寶玉. 从玉番聲. 孔子曰: "美哉璵璠. 遠而望之, 奐若也; 近而視
之, 瑟若也. 一則理勝, 二則孚勝." 附袁切.

譯

'번여(璵璠)라는 옥'을 말하는데, 노(魯)나라에서 나는 보배로운 옥이다. 옥(玉)이 의
미부이고 번(番)이 소리부이다. 공자가 이렇게 말했다. "아름답도다. 번여 옥이여! 번
여 옥을 멀리서 바라보노라면 휘황하고, 가까이서 보면 거문고 소리처럼 우아하구
나. 하나는 무늬가 뛰어나기 때문이고, 다른 하나는 색깔이 뛰어나기 때문이다."87)
독음은 부(附)와 원(袁)의 반절이다.

---

87) 『제논어(齊論語)·문옥편(問玉篇)』의 말이다.

89

璵: 璵: 옥 여: 玉-총18획: yú

原文

璵: 璵璠也. 从玉與聲. 以諸切.

飜譯

'번여(璵璠)라는 옥'을 말한다. 옥(玉)이 의미부이고 여(與)가 소리부이다. 독음은 이(以)와 제(諸)의 반절이다.

90

瑾: 瑾: 아름다운 옥 근: 玉-총15획: jǐn

原文

瑾: 瑾瑜, 美玉也. 从玉堇聲. 居隱切.

飜譯

'근유(瑾瑜)라는 옥'을 말하는데, 좋은 옥에 속한다. 옥(玉)이 의미부이고 근(堇)이 소리부이다. 독음은 거(居)와 은(隱)의 반절이다.

91

瑜: 瑜: 아름다운 옥 유: 玉-총13획: yú

原文

瑜: 瑾瑜, 美玉也. 从玉俞聲. 羊朱切.

飜譯

'근유(瑾瑜)라는 옥'을 말하는데, 좋은 옥에 속한다. 옥(玉)이 의미부이고 유(俞)가 소리부이다. 독음은 양(羊)과 주(朱)의 반절이다.

92

玒: 玒: 옥 이름 강: 玉-총7획: hóng

原文

玒: 玉也. 从玉工聲. 戶工切.

飜譯

'옥(玉)'을 말한다. 옥(玉)이 의미부이고 공(工)이 소리부이다. 독음은 호(戶)와 공(工)의 반절이다.

93

䃜: 䃜: 옥 이름 래: 玉-총13획: lái

原文

䃜: 䃜瓄, 玉也. 从玉來聲. 落哀切.

飜譯

'내독(䃜瓄)이라는 옥'을 말한다. 옥(玉)이 의미부이고 내(來)가 소리부이다. 독음은 락(落)과 애(哀)의 반절이다.

94

瓊: 瓊: 옥 경: 玉-총19획: qióng

原文

瓊: 赤玉也. 从玉夐聲. 璚, 瓊或从矞. 璚, 瓊或从巂. 琁, 瓊或从旋省. 渠營切.

飜譯

'붉은 옥(赤玉)'을 말한다. 옥(玉)이 의미부이고 형(夐)이 소리부이다. 경(璚)은 경(瓊)의 혹체자인데, 율(矞)로 구성되었다. 경(璚)도 경(瓊)의 혹체자인데, 휴(巂)로 구성되었다. 경(琁)도 경(瓊)의 혹체자인데, 선(旋)의 생략된 모습으로 구성되었다. 독음은 거(渠)와 영(營)의 반절이다.

95

珦: 珦: 옥 이름 향: 玉-총10획: xiàng

原文

珦: 玉也. 从玉向聲. 許亮切.

飜譯

'옥(玉)'을 말한다. 옥(玉)이 의미부이고 향(向)이 소리부이다. 독음은 허(許)와 량(亮)의 반절이다.

96

瓎: 瓎: 옥 이름 랄: 玉-총13획: là

原文

瓎: 玉也. 从玉剌聲. 盧達切.

飜譯

'옥(玉)'을 말한다. 옥(玉)이 의미부이고 날(剌)이 소리부이다. 독음은 로(盧)와 달(達)의 반절이다.

97

珣: 珣: 옥 이름 순: 玉-총10획: xún

原文

珣: 醫無閭珣玗琪, 『周書』所謂夷玉也. 从玉旬聲. 一曰器, 讀若宣. 相倫切.

飜譯

'의무려(醫無閭)[88]에서 나는 순우기(珣玗琪)라는 옥'을 말한다. 『서·주서(周書)·고명

---

88) 의무려(醫無閭)는 오늘날 요녕성 서부에 있는 대릉하(大凌河) 동쪽 지역을 말하는데, 중국 동북 지역 삼대 옥 생산지의 하나이다.

(顧命)』에서는 동쪽 이민족의 옥이라고 했다. 옥(玉)이 의미부이고 순(旬)이 소리부이다. 달리 '기물 이름'을 말하기도 하는데, 이때에는 선(宣)과 같이 읽는다. 독음은 상(相)과 륜(倫)의 반절이다.

98

瓐: 瓐: 아름다운 옥 로: 玉-총16획: lù

原文

瓐: 玉也. 从玉路聲. 洛故切.

飜譯

'옥(玉)'을 말한다. 옥(玉)이 의미부이고 노(路)가 소리부이다. 독음은 락(洛)과 고(故)의 반절이다.

99

瓚: 瓚: 제기 찬: 玉-총23획: zàn

原文

瓚: 三玉二石也. 从玉贊聲. 『禮』: "天子用全, 純玉也; 上公用駹, 四玉一石; 侯用瓚; 伯用埒, 玉石半相埒也." 徂贊切.

飜譯

'성분의 60퍼센트는 옥이고 40퍼센트는 돌로 된 옥(三玉二石)'을 말한다. 옥(玉)이 의미부이고 찬(贊)이 소리부이다. 『주례·고공기·옥인(玉人)』[89]에서 이렇게 말했다. "천자는 전(全)이라는 옥으로 장식을 하는데, 100퍼센트 순수한 옥으로 만들었다. 상공(上公)들은 방(駹)이라는 옥을 사용하는데, 성분의 80퍼센트가 옥이고 20퍼센트가 돌로 되었다. 제후들은 [60퍼센트는 옥이고 40퍼센트가 돌 성분인] 찬(瓚)이라는 옥을 사용하고, 백(伯)은 날(埒)이라는 옥을 사용하는데, [날(埒)은] 옥과 돌이 반반씩 섞였

---

89) 『주례·고공기·옥인(玉人)』에 나오는 말이다.

다.” 독음은 조(徂)와 찬(贊)의 반절이다.

100

璑: 瑛: 옥빛 영: 玉-총13획: yīng

原文

瑛: 玉光也. 从玉英聲. 於京切.

飜譯

‘옥의 광채(玉光)’를 말한다. 옥(玉)이 의미부이고 영(英)이 소리부이다. 독음은 어(於)와 경(京)의 반절이다.

101

璑: 璑: 세 가지 광채 나는 옥 무: 玉-총16획: wú

原文

璑: 三采玉也. 从玉無聲. 武扶切.

飜譯

‘세 가지 광채가 나는 옥(三采玉)’을 말한다. 옥(玉)이 의미부이고 무(無)가 소리부이다. 독음은 무(武)와 부(扶)의 반절이다.

102

瑜: 琇: 질 낮은 옥 후: 玉-총10획: xiù

原文

琇: 朽玉也. 从玉有聲. 讀若畜牧之畜. 許救切.

飜譯

‘잘 부스러지는 옥(朽玉)’을 말한다. 옥(玉)이 의미부이고 유(有)가 소리부이다. ‘축목(畜牧)’이라고 할 때의 축(畜)과 같이 읽는다. 독음은 허(許)와 구(救)의 반절이다.

103

璿: 璿: 아름다운 옥 선: 玉-총18획: xuán

原文

璿: 美玉也. 从玉睿聲.『春秋傳』曰: "璿弁玉纓." 璇, 古文璿. 瓗, 籀文璿. 似沿
切.

飜譯

'아름다운 옥(美玉)'을 말한다. 옥(玉)이 의미부이고 예(睿)가 소리부이다.『춘추전』
(『좌전』 희공 28년, B.C. 632)에서 "유(璿)라는 옥으로 장식한 고깔(弁)과 옥으로 장식
한 갓끈(纓)"이라고 했다. 선(璇)은 선(璿)의 고문체이고, 선(瓗)은 주문체이다. 사
(似)와 연(沿)의 반절이다.

104

球: 球: 공 구: 玉-총11획: qiú

原文

球: 玉聲也. 从玉求聲. 璆, 球或从翏. 巨鳩切.

飜譯

'옥이 부딪히는 소리(玉聲)'를 말한다. 옥(玉)이 의미부이고 구(求)가 소리부이다. 구
(璆)는 구(球)의 혹체자인데, 료(翏)로 구성되었다. 독음은 거(巨)와 구(鳩)의 반절이다.

105

琳: 琳: 아름다운 옥 림: 玉-총12획: lín

原文

琳: 美玉也. 从玉林聲. 力尋切.

〔譯〕

'아름다운 옥(美玉)'을 말한다. 옥(玉)이 의미부이고 임(林)이 소리부이다. 독음은 력(力)과 심(尋)의 반절이다.

106

璧: 璧: 둥근 옥 벽: 玉-총18획: bì

〔原文〕

璧: 瑞玉圜也. 从玉辟聲. 比激切.

〔譯〕

'둥근(圜) 모양으로 된 상서로운 옥(瑞玉)을 말한다. 옥(玉)이 의미부이고 벽(辟)이 소리부이다.[90] 독음은 비(比)와 격(激)의 반절이다.

107

瑗: 瑗: 도리옥 원: 玉-총13획: yuàn

〔原文〕

瑗: 大孔璧. 人君上除陛以相引. 从玉爰聲. 『爾雅』曰: "好倍肉謂之瑗, 肉倍好謂之璧." 王眷切.

---

90) 고문자에서는 ![글자]金文 ![글자]石刻古文 등으로 썼다. 玉(옥 옥)이 의미부고 辟(임금 벽)이 소리부로, 중간을 둥글게 잘라낸(辟) 아름다운 玉(옥)을 말하는데, 이는 옛날 임금(辟)의 권위를 나타내는 상징물로 쓰이기도 했다. 벽(辟)은 고문자에서 ![글자]甲骨文 ![글자]金文 ![글자]簡牘文 ![글자]古璽文 ![글자]石刻古文 등으로 써, 辛(매울 신)과 尸(주검 시)와 口(입 구)로 구성되었는데, 辛은 형벌 칼을, 尸는 사람을, 口는 떨어져 나온 살점을 상징하여, 형벌 칼(辛)로 살점을 도려 낸 모습을 형상했다. 이로부터 갈라내다, 배척하다, 배제하다 등의 뜻이 생겼고, 최고 실력자인 '임금'이라는 뜻도 갖게 되었는데, 임금은 사형(大辟·대벽)과 같은 최고 형벌의 결정권을 가졌기 때문이다. 현대 중국에서는 闢(열 벽)의 간화자로도 쓰인다.

飜譯

'큰 구멍이 있는 벽옥(璧)'을 말한다. 임금이 계단을 오를 때 이 옥으로 인도한다. 옥(玉)이 의미부이고 원(爰)이 소리부이다. 『이아석기(釋器)』에서 "가운데 구멍의 직경이 변 너비의 두 배가 되는 것을 원(瑗), 변의 너비가 가운데 난 구멍 직경의 두 배가 되는 것을 벽(璧)이라 한다."라고 했다.[91] 독음은 왕(王)과 권(眷)의 반절이다.

108

璱 : 環: 고리 환: 玉-총17획: huán

原文

瑗: 璧也. 肉好若一謂之環. 从玉瞏聲. 戶關切.

飜譯

'벽(璧)과 같은 옥'을 말한다. 안쪽 구멍의 직경이 변의 너비와 같은 것을 환(環)이라 한다. 옥(玉)이 의미부이고 경(瞏)이 소리부이다. 독음은 호(戶)와 관(關)의 반절이다.

109

璜 : 璜: 서옥 황: 玉-총16획: huáng

原文

璜: 半璧也. 从玉黃聲. 戶光切.

飜譯

'벽(璧)을 반쪽 낸 옥'을 말한다. 옥(玉)이 의미부이고 황(黃)이 소리부이다. 독음은 호(戶)와 광(光)의 반절이다.

---

91) 육(肉)은 바깥 변의 너비를 말하고, 호(好)는 가운데 구멍의 두께를 말한다. 그리고 "가운데 구멍의 직경과 변의 너비가 같은 것을 환(環)이라 한다.

110

瑞: 琮: 옥홀 종: 玉-총12획: cóng

（原文）

琮: 瑞玉. 大八寸, 似車釭. 从玉宗聲. 藏宗切.

（飜譯）

'서옥(瑞玉)'을 말한다. 직경이 8치(寸)이며, [원통 모양으로 되어] 수레의 바퀴통을 닮았다. 옥(玉)이 의미부이고 종(宗)이 소리부이다. 독음은 장(藏)과 종(宗)의 반절이다.

111

瑎: 琥: 호박 호: 玉-총12획: hǔ

（原文）

琥: 發兵瑞玉, 爲虎文. 从玉从虎, 虎亦聲.『春秋傳』曰: "賜子家雙琥." 呼古切.

（飜譯）

'병력을 발동할 때 사용하는 서옥(發兵瑞玉)'으로 호랑이 무늬가 들었다. 옥(玉)이 의미부이고 호(虎)도 의미부인데, 호(虎)는 소리부도 겸한다.『춘추전』(『좌전』 소공 32년, B.C. 510)에서 "[소공께서] 자가(子家)에게 쌍으로 된 호랑이 모양의 옥(琥)을 하사하셨다."라고 했다. 독음은 호(呼)와 고(古)의 반절이다.

112

瓏: 瓏: 옥 소리 롱: 玉-총20획: lóng

（原文）

瓏: 禱旱玉. 龍文. 从玉从龍, 龍亦聲. 力鍾切.

（飜譯）

'가뭄이 그치기를 빌 때 사용하는 옥(禱旱玉)'을 말하는데, 용(龍) 무늬가 들었다. 옥(玉)이 의미부이고 용(龍)도 의미부인데, 용(龍)은 소리부도 겸한다. 독음은 력(力)

과 종(鍾)의 반절이다.

113

琬: 琬: 홀 완: 玉-총12획: wǎn

原文

琬: 圭有琬者. 从玉宛聲. 於阮切.

飜譯

'끝을 동그랗게 깎은 홀(圭有琬者)'을 말한다. 옥(玉)이 의미부이고 완(宛)이 소리부이다. 독음은 어(於)와 완(阮)의 반절이다.

114

璋: 璋: 반쪽 홀 장: 玉-총15획: zhāng

原文

璋: 剡上爲圭, 半圭爲璋. 从玉章聲. 『禮』: 六幣: 圭以馬, 璋以皮, 璧以帛, 琮以錦, 琥以繡, 璜以黼. 諸良切.

飜譯

'끝이 뾰족하게 된 홀(剡上爲圭)'을 말하는데, 규(圭)를 절반으로 나누면 장(璋)이 된다. 옥(玉)이 의미부이고 장(章)이 소리부이다. 『주례·추관소행인(小行人)』에서 이렇게 말했다. "여섯 가지 폐백이 있는데, 규(圭)는 말(馬)과 짝으로 하고, 장(璋)은 가죽(皮)과 짝으로 하고, 벽(璧)은 흰 비단(帛)과 짝으로 하고, 종(琮)은 물들인 비단(錦)과 짝으로 하고, 호(琥)는 수놓은 비단(繡)과 짝으로 하고, 황(璜)은 바느질한 비단(黼)과 짝으로 한다.92) 독음은 제(諸)와 량(良)의 반절이다.

---

92) 『주례·추관 소행인(小行人)』의 말이다

115

琰: 琰: **옥 갈 염**: 玉-총12획: yǎn

原文

琰: 璧上起美色也. 从玉炎聲. 以冉切.

飜譯

'벽옥에서 나는 아름다운 색깔(璧上起美色)'을 말한다. 옥(玉)이 의미부이고 염(炎)이 소리부이다. 독음은 이(以)와 염(冉)의 반절이다.

116

玠: 玠: **큰 홀 개**: 玉-총8획: jiè

原文

玠: 大圭也. 从玉介聲. 『周書』曰: "稱奉介圭." 古拜切.

飜譯

'큰 홀(大圭)'을 말한다. 옥(玉)이 의미부이고 개(介)가 소리부이다. 『서·주서·고명(顧命)』에서 "[빈(賓)은] 큰 옥을 받드시오(稱奉介圭)라고 소리한다."라고 했다. 독음은 고(古)와 배(拜)의 반절이다.

117

瑒: 瑒: **옥잔 창**: 玉-총13획: chàng, yáng

原文

瑒: 圭. 尺二寸, 有瓚, 以祠宗廟者也. 从玉易聲. 丑亮切.

飜譯

'홀(圭)'을 말한다. 길이가 1자(尺) 2치(寸)이고, 끝이 국자 모양으로 되었는데, 종묘에 제사를 드릴 때 사용하도록 고안되었다. 옥(玉)이 의미부이고 양(易)이 소리부이다. 독음은 축(丑)과 량(亮)의 반절이다.

118

瓛: 瓛: 옥홀 환: 玉-총24획: huán

原文

瓛: 桓圭. 公所執. 从玉獻聲. 胡官切.

譯

'환규(桓圭)라는 옥홀'을 말한다. 삼공(三公)이 가지고 다닌다.[93] 옥(玉)이 의미부이고 헌(獻)이 소리부이다. 독음은 호(胡)와 관(官)의 반절이다.

119

珽: 珽: 옥홀 정: 玉-총11획: tǐng

原文

珽: 大圭. 長三尺, 抒上, 終葵首. 从玉廷聲. 他鼎切.

譯

'큰 옥홀(大圭)'을 말하는데, 길이가 3자(尺)이고 위쪽 끝이 북(杼)모양으로 되었고, 머리에 몽치(終葵)[94]를 장착했다. 옥(玉)이 의미부이고 정(廷)이 소리부이다. 독음은 타(他)와 정(鼎)의 반절이다.

---

93) 삼공(三公)은 고대 중국에서 직위가 가장 높았던 관직을 합하여 부르는 이름이다. 진(秦)나라 때 정식 관직으로 설치되었던 것으로 알려졌으며, 진(秦)나라 이후로는 대부분 이름만 있는 관직이름이었다. 그전 주(周)나라 때 이미 이러한 명칭이 존재했는데, 서한 때의 금문(今文) 경학가들은 『상서대전(尚書大傳)』과 『예기(禮記)』 등에 근거해 사마(司馬), 사도(司徒), 사공(司空) 등을, 고문(古文) 경학가들은 『주례(周禮)』에 근거해 태사(太師), 태부(太傅), 태보(太保) 등을 지칭하는 것이라 여겼다.

94) 종계(終葵)는 몽치(椎)를 말한다. 『설문』에서 추(椎)를 풀이하면서 "제나라에서는 몽치(椎)를 종계(終葵)라고 한다."라고 했다.

120

瑁: 瑁: 서옥 모: 玉-총13획: mào

原文

瑁: 諸侯執圭朝天子, 天子執玉以冒之, 似犂冠. 『周禮』曰: "天子執瑁四寸." 从
玉冒, 冒亦聲. 珇, 古文省. 莫報切.

諺譯

제후들이 홀을 가지고 천자를 조회하게 되는데, 마치 보습에다 덮개를 씌우는 것처
럼 천자는 서옥(瑁)을 갖고서 홀의 윗부분을 덮어준다.[95] 『주례·고공기·옥인(玉人)』
에서 "천자가 대옥(瑁玉)을 잡는데, 너비가 4치(寸)이다."라고 했다. 옥(玉)과 모(冒)
가 모두 의미부인데, 모(冒)는 소리부도 겸한다. 모(珇)는 모(瑁)의 고문체인데, 모
(瑁)의 생략된 모습이다. 독음은 막(莫)과 보(報)의 반절이다.

121

璬: 璬: 패옥 교: 玉-총17획: jiǎo

原文

璬: 玉佩. 从玉敫聲. 古了切.

諺譯

'패옥(玉佩)'을 말한다. 옥(玉)이 의미부이고 교(敫)가 소리부이다. 고(古)와 료(了)의
반절이다.

122

珩: 珩: 노리개 형: 玉-총10획: héng

---

95) 『예기·옥인(玉人)』에서 "천자는 4치가 되는 대옥을 잡고서 조회에서 제후들을 알현한다(天子
執冒四寸以朝諸侯)"라고 했는데, 옥(玉)의 이름을 모(冒)라고 한 것은 덕(德)이 온 천하는 '덮
을' 수 있게 한다는 의미이라고 했다.

原文

珩: 佩上玉也. 所以節行止也. 从玉行聲. 戶庚切.

飜譯

'패옥에서 가장 윗부분에 자리하는 옥(佩上玉)'을 말한다. [행(行)이 들어간 것은] 행동 거지를 절제 있게 하라는 뜻이다. 옥(玉)이 의미부이고 행(行)이 소리부이다. 독음은 호(戶)와 경(庚)의 반절이다.

123

玦: 玦: 패옥 결: 玉-총8획: jué

原文

玦: 玉佩也. 从玉夬聲. 古穴切.

飜譯

'[둥근 모양이면서 한쪽이 끊어진] 패옥'을 말한다. 옥(玉)이 의미부이고 쾌(夬)가 소리부이다. 독음은 고(古)와 혈(穴)의 반절이다.

124

瑞: 瑞: 상서 서: 玉-총13획: ruì

原文

瑞: 以玉爲信也. 从玉, 耑. 是僞切.

飜譯

'옥으로 만들어 신표로 삼다(以玉爲信)'라는 뜻이다. 옥(玉)과 단(耑)이 모두 의미부이다.96) 독음은 시(是)와 위(僞)의 반절이다.

---

96) '성(聲)'자가 빠진 것으로 보인다. 혜림의 『일체경음의』에서 『설문』의 이 부분을 3번 인용하였는데, 모두 "옥(玉)이 의미부이고 단(耑)이 소리부이다(从玉, 耑聲)."이라 하였다. 『단주』에서도 "옥(玉)이 의미부이고 단(耑)이 소리부이다(从王, 耑聲)."이라 하였다. 서(瑞)는 『당운』에서 시(是)와 위(僞)의 반절, 『집운(集韻)』과 『운회(韻會)』에서 수(樹)와 위(僞)의 반절, 『정운(正

125

珥: 珥: 귀고리 이: 玉-총10획: ěr

原文

珥: 瑱也. 从玉, 耳, 耳亦聲. 仍吏切.

譒譯

'귀막이 옥(瑱)'을 말한다. 옥(玉)과 이(耳)가 모두 의미부인데, 이(耳)는 소리부도 겸한다. 독음은 잉(仍)과 리(吏)의 반절이다.

126

瑱: 瑱: 귀막이 옥 전: 玉-총14획: tiàn

原文

瑱: 以玉充耳也. 从玉眞聲.『詩』曰: "玉之瑱兮." 顛, 瑱或从耳. 他甸切.

譒譯

'옥으로 귀를 막다(以玉充耳)'라는 뜻이다. 옥(玉)이 의미부이고 진(眞)이 소리부이다.『시·용풍·군자해로(君子偕老)』에서 "옥으로 귀막이 옥을 만든다네(玉之瑱兮)."라고 노래했다. 전(顛)은 전(瑱)의 혹체자인데, 이(耳)로 구성되기도 한다. 독음은 타(他)와 전(甸)의 반절이다.

韻)』에서 수(殊)와 위(僞)의 반절이라 했고, 단(耑)은『광운』과『집운』에서 다(多)와 관(官)의 반절이라 했다. 하구영(『한자고음수책』1986)의 재구음에 의하면, 이들 중고음은 서(瑞)가 '선(禪)모 치(寘)운 합구 삼등 거성 지(止)섭자'로 /zǐwe/으로 재구되며, 단(耑)은 '단(端)모 환(桓)운 합구 일등 평성 산(山)섭자'로 /tuan/으로 재구된다. 또 상고음은 서(瑞)가 '선(禪)모 가(歌)운자'로 /zǐwɑ/로 재구되며, 단(耑)은 '단(端)모 문(文)모자'로 /tuàn/으로 재구되어, 두 글자 간의 독음 차이가 커 단(耑)이 서(瑞)자의 소리부로 사용되었다고 보기 어렵다. 그러나 단옥재의『고운17부』에 의하면, "단(耑)은 제14부에 있고, 단(瑞), 췌(揣), 천(圌) 자 등은 제15부에 전입(轉入)되었다. 또 서(瑞)는『당운』에서 말한 시(是)와 위(僞)의 반절음은 제16부에 들어있다."라고 하였는데, 그의 말대로라면 고음에서는 사로 통용 가능하여 소리부로 볼 수 있다.

127

璙: 琫: 칼집 장식 봉: 玉-총12획: běng

原文

琫: 佩刀上飾. 天子以玉, 諸矦以金. 从玉奉聲. 邊孔切.

飜譯

'칼의 윗부분에 장식하는 패옥(佩刀上飾)'을 말한다. 천자는 옥으로 장식하고, 제후는 청동(金)97)으로 장식한다. 옥(玉)이 의미부이고 봉(奉)이 소리부이다. 독음은 변(邊)과 공(孔)의 반절이다.

128

珌: 珌: 칼 장식 옥 필: 玉-총9획: bì

原文

珌: 佩刀下飾. 天子以玉. 从玉必聲. 卑吉切.

飜譯

'칼의 아랫부분에 장식하는 패옥(佩刀下飾)'을 말한다. 천자는 옥으로 장식한다. 옥(玉)이 의미부이고 필(必)이 소리부이다. 독음은 비(卑)와 길(吉)의 반절이다.

129

璏: 璏: 칼등을 옥으로 꾸밀 체: 玉-총16획: zhì

原文

璏: 劍鼻玉也. 从玉彘聲. 直例切.

飜譯

'검의 비옥(劍鼻玉) 즉 검을 허리띠에 고정할 수 있도록 칼에 채우는 장식용 옥'을

---

97) 금(金)은 청동기를 제작하는 거푸집을 그렸으며, 청동이 원래 뜻이고 이후 금속은 물론 황금까지 지칭하게 되었다. 여기서는 원래 뜻인 '청동'을 지칭한다.

말한다.98) 옥(玉)이 의미부이고 체(彘)가 소리부이다. 독음은 직(直)과 례(例)의 반절이다.

130

瑵: 瑵: 수레 꼭지 조: 玉-총14획: zhǎo

原文

瑵: 車蓋玉瑵. 从玉蚤聲. 側絞切.

飜譯

'수레 덮개에 사용하는 수레 꼭지 옥(車蓋玉瑵)'을 말한다. 옥(玉)이 의미부이고 조(蚤)가 소리부이다. 독음은 측(側)과 교(絞)의 반절이다.

131

瑑: 瑑: 홀에 아로새길 전: 玉-총13획: zhuàn

原文

瑑: 圭璧上起兆瑑也. 从玉, 篆省聲.『周禮』曰: "瑑圭璧." 直戀切.

飜譯

'홀 옥이나 벽옥에다 문양이 두드러지도록 아로새기는 것(圭璧上起兆瑑)'을 말한다. 옥(玉)이 의미부이고, 전(篆)의 생략된 모습이 소리부이다.『주례·춘관전서(典瑞)』에서 "홀 옥과 벽옥에다 무늬를 아로새기네(瑑圭璧)."라고 했다. 독음은 직(直)과 련(戀)의 반절이다.

---

98) 옛날의 보검의 옥 장식은 보통 네 가지로 구성되었는데, 검체(劍璏)와 검격(劍格), 검수(劍首), 검필(劍珌)이 그것이다. 검수(劍首)는 손잡이 끝부분의 장식을, 검격(劍格)은 손잡이와 칼날이 시작되는 사이의 장식을, 검체(劍璏)는 허리띠에 고정하여 몸에 찰 수 있도록 칼의 몸체가 끼워지도록 한 장식을, 검필(劍珌)은 칼끝을 보호하도록 끼우는 장식을 말한다. 옥으로 만든 이들 장식 세트는 귀족의 신분을 드러내도록 해 주었기에, 귀족들끼리 나누는 귀중한 예물이기도 했다. 주로 춘추전국 시대 때부터 유행하기 시작하여 한나라 때 극성했다가 이후 점차 쇠락했다.

132

珇: 珇: 서옥 머리 두두룩할 조: 玉-총9획: zǔ

原文

珇: 琮玉之瑑. 从玉且聲. 則古切.

飜譯

'종옥이 윗부분에 새긴 부조(琮玉之瑑)'를 말한다. 옥(玉)이 의미부이고 차(且)가 소리부이다. 독음은 즉(則)과 고(古)의 반절이다.

133

璂: 璂: 고깔 꾸미개 옥 기: 王-총18획: qí

原文

璂: 弁飾, 往往冒玉也. 从玉綦聲. 璂, 璂或从基. 渠之切.

飜譯

'고깔의 장식(弁飾)'을 말하는데, 눈에 띠도록 옥(冒)을 덮는데 사용한다.[99] 옥(玉)이 의미부이고 기(綦)가 소리부이다. 기(璂)는 기(璂)의 혹체자인데, 기(基)로 구성되었다. 독음은 거(渠)와 지(之)의 반절이다.

134

璪: 璪: 면류관 드림 옥 조: 玉-총17획: zǎo

原文

璪: 玉飾. 如水藻之文. 从玉粲聲.『虞書』曰: "璪火黺米." 子皓切.

---

99)『단주』에서 왕왕(往往)은 역력(歷歷)인데, 정현은 "이곳을 눈에 띠게 한다(皪皪而處是也)"라는 뜻이라고 했다.

飜譯

'옥 장식(玉飾)'을 말한다. [글자에 소(喿)가 들어간 것은] 그것이 물풀(水藻)의 무늬처럼 되었기 때문이다. 옥(玉)이 의미부이고 소(喿)가 소리부이다. 『서·우서(虞書)·고요모(皐陶謨)』에서 "물풀과 불과 글자 도안 등을 [천자의 제례 복 하의에] 수로 놓는다(璪火黺米)"라고 하였다.[100] 독음은 자(子)와 호(皓)의 반절이다.

135

鎏: 瑬: **면류관 옥 장식 류**: 玉-총15획: liú

原文

瑬: 垂玉也. 冕飾. 从玉流聲. 力求切.

飜譯

'[제왕의 의식용 모자의 앞뒤로] 늘어뜨려진 옥(垂玉)'을 말한다. 면류관에 하는 장식이다. 옥(玉)이 의미부이고 류(流)가 소리부이다. 독음은 력(力)과 구(求)의 반절이다.

136

璹: 璹: **옥 그릇 숙**: 玉-총18획: shú

原文

璹: 玉器也. 从玉𠷎聲. 讀若淑. 殊六切.

飜譯

'옥으로 만든 그릇(玉器)'을 말한다. 옥(玉)이 의미부이고 주(𠷎)가 소리부이다. 숙(淑)과 같이 읽는다. 독음은 수(殊)와 륙(六)의 반절이다.

137

璽: 瓃: **옥그릇 뢰**: 玉-총19획: léi

100) 분미(黺米)는 옛날에 임금의 옷에 순서에 따라 수(黼)를 놓던 글의 한 가지를 말한다.

原文

瓃: 玉器也. 从玉畾聲. 魯回切.

繙譯

'옥으로 만든 그릇(玉器)'을 말한다. 옥(玉)이 의미부이고 뢰(畾)가 소리부이다. 독음
은 로(魯)와 회(回)의 반절이다.

138

瑳: 瑳: 깨끗할 차: 玉-총14획: cuō

原文

瑳: 玉色鮮白. 从玉差聲. 七何切.

繙譯

'옥의 색깔이 매우 희다(玉色鮮白)'는 뜻이다. 옥(玉)이 의미부이고 차(差)가 소리부
이다. 독음은 칠(七)과 하(何)의 반절이다.

139

玼: 玼: 흉 자옥빛 깨끗할 체: 玉-총9획: cǐ

原文

玼: 玉色鮮也. 从玉此聲. 『詩』曰: "新臺有玼." 千禮切.

繙譯

'옥의 색깔이 선명함(玉色鮮)'을 말한다. 옥(玉)이 의미부이고 차(此)가 소리부이다.
『시·패풍·신대(新臺)』에서 "새로 만든 누대가 저렇게 선명하구나(新臺有玼)"라고 노
래했다. 천(千)과 례(禮)의 반절이다.

140

瑟: 瑟: 푸른 구슬 슬: 玉-총17획: sè

原文

瑲: 玉英華相帶如瑟弦. 从玉瑟聲.『詩』曰: "瑟彼玉瓚." 所櫛切.

飜譯

'옥의 무늬가 금슬의 현처럼 서로 연결되어 있음(玉英華相帶如瑟弦)'을 말한다. 옥(玉)이 의미부이고 슬(瑟)이 소리부이다.『시·대아한록(旱麓)』에서 "산뜻하구나, 옥돌잔이여!(瑟彼玉瓚)"라고 노래했다. 독음은 소(所)와 즐(櫛)의 반절이다.

141

瓅: 瓅: 옥 무늬 률: 玉-총14획: lì

原文

瓅: 玉英華羅列秩秩. 从玉桌聲.『逸論語』曰: "玉粲之瓅兮. 其瓅猛也." 力質切.

飜譯

'옥의 무늬가 질서정연하게 나 있음(玉英華羅列秩秩)'을 말한다. 옥(玉)이 의미부이고 율(桌)이 소리부이다.『일논어(逸論語)』101)에서 "옥이 아름답고도 선명하구나, 그 옥의 질서정연한 무늬여!"라고 노래했다. 독음은 력(力)과 질(質)의 반절이다.

142

瑩: 瑩: 밝을 영: 玉-총15획: yíng

原文

瑩: 玉色. 从玉, 熒省聲. 一曰石之次玉者.『逸論語』曰: "如玉之瑩." 烏定切.

飜譯

'옥의 색깔(玉色)'을 말한다. 옥(玉)이 의미부이고, 형(熒)의 생략된 모습이 소리부이다. 달리 옥에 버금가는 돌을 말한다고도 한다.『일논어(逸論語)』에서 "옥과 같은

---

101)『일논어(逸論語)』는 정식 책이름이라기보다는 고대 문헌에서 지금의『논어』에 보이지 않는 글, 즉 지금의 판본에 나오지 않는『논어』의 말을 통칭하는 개념으로 보아야 할 것이다.

영롱함이여!(如玉之瑩)"라고 노래했다. 독음은 오(烏)와 정(定)의 반절이다.

143

璊: 璊: **붉은 옥 문**: 玉-총15획: mén

(原文)

璊: 玉經色也. 从玉㒼聲. 禾之赤苗謂之虋, 言璊, 玉色如之. 㻲, 璊或从允. 莫
奔切.

(飜譯)

'옥이 붉은 색을 띠다(玉經色)'는 뜻이다. 옥(玉)이 의미부이고 만(㒼)이 소리부이다.
붉은색을 띠는 벼의 싹을 문(虋)이라 한다. 붉은 색을 띠는 옥도 문(璊)이라 하는데,
옥의 색깔이 붉은색을 띠는 벼의 싹과 같기 때문이다.[102] 문(㻲)은 문(璊)의 혹체자
인데, 윤(允)으로 구성되었다. 막(莫)과 분(奔)의 반절이다.

144

瑕: 瑕: **티 하**: 玉-총13획: xiá

(原文)

瑕: 玉小赤也. 从玉叚聲. 乎加切.

(飜譯)

'옥에 작은 붉은 반점이 있음(玉小赤)'을 말한다.[103] 옥(玉)이 의미부이고 가(叚)가

---

102) 『단주』에서는 "禾之赤苗謂之虋"을 "禾之赤苗謂之穮(붉은색을 띠는 벼의 싹을 문(穮)이라
한다)"이 되어야 한다고 하면서 이렇게 말했다. "각 판본에서는 목(木)으로 구성된 만(橫)으로
적었는데, 지금 『모시석문(毛詩釋文)』의 송나라 판본에 근거하여 문(穮)으로 고친다. 문(穮)은
바로 초(艸)부수 문(虋)자의 혹체자이다.(各本从木作橫. 今依毛詩釋文宋槧. 穮卽艸部虋字之
或體.)"
103) 왕념손의 『광아소증』에서 "하(瑕)는 붉은 색의 돌을 말한다. 붉은 색을 띠는 구름을 하(霞)라
하고, 붉은 색을 띠는 옥을 하(瑕)라 하고, 붉은 색을 띠는 말을 하(騢)라고 하는데, 같은 의미
를 그려낸 것이다."라고 했다. 또 계복의 『의증』에서는 "옥은 순결해야 하는데, 작은 붉은 점은
티(瑕疵)가 된다."라고 했다. 이 때문에 붉은 색을 띠는 옥에서 티(瑕疵)라는 뜻이 나왔다.

소리부이다.104) 독음은 호(乎)와 가(加)의 반절이다.

145

珿: 琢: 쫄 탁: 玉-총12획: zhuó

原文

珿: 治玉也. 从玉豖聲. 竹角切.

飜譯

'옥을 다듬다(治玉)'라는 뜻이다. 옥(玉)이 의미부이고 축(豖)이 소리부이다. 독음은 죽(竹)과 각(角)의 반절이다.

146

琱: 琱: 옥 다듬을 조: 玉-총12획: diāo

原文

琱: 治玉也. 一曰石似玉. 从玉周聲. 都寮切.

飜譯

'옥을 다듬다(治玉)'라는 뜻이다. 달리 옥처럼 생긴 돌을 말한다고도 한다. 옥(玉)이 의미부이고 주(周)가 소리부이다.105) 독음은 도(都)와 료(寮)의 반절이다.

147

理: 理: 다스릴 리: 玉-총11획: lǐ

---

104) 고문자에서 珡珡珡珡古璽文 𤫩石刻古文 등으로 썼다. 玉(옥 옥)이 의미부고 叚(빌가)가 소리부로, 옥(玉)의 반점이나 갈라진 흔적을 말하며, 이로부터 '티'라는 뜻이 나왔고, 사물이 결점이나 사람의 흠을 비유한다. 또 붉은색(叚)의 옥돌(玉)을 말하기도 한다.

105) 고문자에서는 彫(새길 조)와 같이 썼는데, 彫를 고문자에서 𢳆 𢶡古陶文 𤇾簡牘文 등으로 썼다.

原文

理: 治玉也. 从玉里聲. 良止切.

飜譯

'옥을 다듬다(治玉)'라는 뜻이다.106) 옥(玉)이 의미부이고 리(里)가 소리부이다.107) 독음은 량(良)과 지(止)의 반절이다.

148

珍: 珍: 보배 진: 玉-총9획: zhēn

原文

珍: 寶也. 从玉㐱聲. 陟鄰切.

飜譯

'보배(寶)'를 말한다. 옥(玉)이 의미부이고 진(㐱)이 소리부이다.108) 독음은 척(陟)과 린(鄰)의 반절이다.

149

---

106) 주준성의 『통훈정성』에서는 "옥의 무늬 결을 따라 쪼갠다."라고 했다. 彫는 彡(터럭 삼)이 의미부고 周(두루 주)가 소리부로, 조밀하고(周) 화려하게(彡) 무늬를 새기다는 뜻이며, 이로부터 회칠하다(塗飾·도식), 채색으로 장식하다의 뜻도 나왔다. 또 凋(시들 조)나 琱(옥 다듬을 조)와 통용되기도 하였는데, 간화자에서는 凋에 통합되었다.

107) 고문자에서 理古陶文 ㊉簡牘文 등으로 썼다. 玉(옥 옥)이 의미부이고 里(마을 리)가 소리부로, 원래 玉(옥 옥)에 난 무닛결을 뜻했고 玉을 다듬을 때는 무닛결을 따라 쪼아야 옥이 깨지지 않는다는 뜻에서 '다스리다'의 뜻이 나왔다. 또 옥의 무닛결처럼 짜인 것이라는 의미에서 하늘이나 세상의 '理致(이치)', 事理(사리), 道理(도리), 본성 등의 뜻이 나왔다.

108) 고문자에서 甲骨文 珎古陶文 玨古璽文 등으로 썼다. 귀중한 조개 화폐가 궤짝 속에 든 모습이다. 소전체에 들면서 지금처럼 玉(옥 옥)이 의미부고 㐱(숱 많을 진)이 소리부로 바뀌었다. 玉(옥)과 같은 귀중한 보배를 말하며, 이로부터 진귀한 음식, 귀중하다, 珍貴(진귀)하다의 뜻이 나왔고, 인재나 미덕의 비유로도 쓰였다. 달리 진(珎), 진(鉁), 진(鑫) 등으로 쓰기도 한다.

玩: 玩: 희롱할 완: 玉-총8획: wán

原文

玩: 弄也. 从玉元聲. 貦, 玩或从貝. 五換切.

飜譯

'옥을 갖고 놀다(弄)'라는 뜻이다. 옥(玉)이 의미부이고 원(元)이 소리부이다.[109] 완(貦)은 완(玩)의 혹체자인데, 패(貝)로 구성되었다. 독음은 오(五)와 환(換)의 반절이다.

150

玲: 玲: 옥 소리 령: 玉-총9획: líng

原文

玲: 玉聲. 从玉令聲. 郞丁切.

飜譯

'옥이 부딪치는 소리(玉聲)'를 말한다. 옥(玉)이 의미부이고 영(令)이 소리부이다. 독음은 랑(郞)과 정(丁)의 반절이다.

151

瑲: 瑲: 옥 소리 창·장: 玉-총14획: qiāng

原文

瑲: 玉聲也. 从玉倉聲.『詩』曰: "鎗革有瑲." 七羊切.

飜譯

---

109)『설문』의 해설처럼, 玉(옥 옥)이 의미부고 元(으뜸 원)이 소리부로, 옥(玉)을 갖고 놀다는 뜻에서부터 감상하다, 감상용 볼거리, 희롱하다, 유희 등의 뜻이 나왔다. 소전체에서는 달리 玉 대신 習(익힐 습)이 들어간 翫으로 쓰기도 하는데, 오랫동안 반복되어(習) 습관이 되었음을 형상화했다.

'옥이 부딪치는 소리(玉聲)'를 말한다. 옥(玉)이 의미부이고 창(倉)이 소리부이다. 『시·주송·재견(載見)』에서 "말의 고삐 가죽 장식에서 옥 소리 낭낭하네(鞗革有瑲)."라고 노래했다. 칠(七)과 양(羊)의 반절이다.

152

玎: 玎: 옥 소리 정: 玉-총6획: dīng

原文

玎: 玉聲也. 从玉丁聲. 齊太公子伋謚曰玎公. 當經切.

飜譯

'옥의 소리(玉聲)'를 말한다. 옥(玉)이 의미부이고 정(丁)이 소리부이다. 제(齊)나라 태공[즉 여상, 여망]의 아들 급(伋)의 시호가 정공(玎公)이었다.[110] 독음은 당(當)과 경(經)의 반절이다.

153

琤: 琤: 옥 소리 쟁: 玉-총12획: chēng

原文

琤: 玉聲也. 从玉爭聲. 楚耕切.

飜譯

'옥이 부딪치는 소리(玉聲)'를 말한다. 옥(玉)이 의미부이고 쟁(爭)이 소리부이다. 독음은 초(楚)와 경(耕)의 반절이다.

---

110) 정공(丁公)이라고도 하는데 제(齊)나라 정공 여급(呂伋, ?~B.C. 약 975)은 제나라의 시조 강태공 여상(呂尚)의 장자로, 여(呂)나라 출신으로 여(呂)씨이며 강(姜)성이며, 이름이 급(伋)이다. 제나라의 2대 임금이기도 하며, B.C. 1014~B.C. 975까지 재위에 있었다. 그의 다섯째 아들인 제(齊) 을공(乙公) 여득(呂得)에게 왕위를 물려 주었으며, 최(崔)성과 정(丁)성의 시조이기도 하다.

154

瑣: 瑣: 자질구레할 쇄: 玉-총14획: suǒ

原文

瑣: 玉聲也. 从玉貨聲. 蘇果切.

飜譯

'옥이 부딪치는 소리(玉聲)'를 말한다. 옥(玉)이 의미부이고 쇄(貨)가 소리부이다. 독음은 소(蘇)와 과(果)의 반절이다.

155

瑝: 瑝: 옥 소리 황: 玉-총13획: huáng

原文

瑝: 玉聲也. 从玉皇聲. 乎光切.

飜譯

'옥이 부딪치는 소리(玉聲)'를 말한다. 옥(玉)이 의미부이고 황(皇)이 소리부이다. 독음은 호(乎)와 광(光)의 반절이다.

156

瑀: 瑀: 패옥 우: 玉-총13획: yǔ

原文

瑀: 石之似玉者. 从玉禹聲. 王矩切.

飜譯

'옥과 비슷한 좋은 돌(石之似玉者)'을 말한다. 옥(玉)이 의미부이고 우(禹)가 소리부이다. 독음은 왕(王)과 구(矩)의 반절이다.

157

珤： 珤: 옥돌 방: 玉-총8획: bàng

原文

珤: 石之次玉者. 以爲系璧. 从玉丰聲. 讀若『詩』曰: "瓜瓞菶菶". 一曰若盦蚌.
補蠓切.

譯

'옥에 버금가는 좋은 돌(石之次玉者)'을 말하는데, 벽옥에 매달아 쓰는데 사용한다.
옥(玉)이 의미부이고 봉(丰)이 소리부이다. 『시·대아생민(生民)』에서 노래한 "과질봉
봉(瓜瓞菶菶: 외넝쿨도 죽죽 자랐다네)"의 '봉(菶)'과 같이 읽는다. 달리 '합방(盦蚌·대
합조개)'이라고 할 때의 방(蚌)과 같이 읽는다고도 한다. 독음은 보(補)와 몽(蠓)의
반절이다.

158

玪： 玪: 옥 이름 감: 玉-총8획: jiān

原文

玪: 玪䃍, 石之次玉者. 从玉今聲. 古函切.

譯

'감륵(玪䃍)이라는 옥돌'을 말하는데, 옥에 버금가는 좋은 돌이다. 옥(玉)이 의미부이
고 금(今)이 소리부이다. 독음은 고(古)와 함(函)의 반절이다.

159

䃍： 䃍: 옥 이름 록: 玉-총16획: lè

原文

䃍: 玪䃍也. 从玉勒聲. 盧則切.

譯

'감륵(玲玏)이라는 옥돌'을 말한다. 옥(玉)이 의미부이고 늑(勒)이 소리부이다. 독음은 로(盧)와 즉(則)의 반절이다.

160

琚 琚: 패옥 거: 玉-총12획: jū

原文

琚: 瓊琚. 从玉居聲. 『詩』曰: "報之以瓊琚." 九魚切.

譯

'경거(瓊琚)라는 패옥'을 말한다.111) 옥(玉)이 의미부이고 거(居)가 소리부이다. 『시·위풍·목과(木瓜)』에서 "아름다운 패옥으로 보답하나니(報之以瓊琚)."라고 노래했다. 구(九)와 어(魚)의 반절이다.

161

璓 璓: 옥돌 수: 玉-총15획: xiù

原文

璓: 石之次玉者. 从玉莠聲. 『詩』曰: "充耳璓瑩." 息救切.

譯

'옥에 버금가는 좋은 돌(石之次玉者)'을 말한다. 옥(玉)이 의미부이고 수(莠)가 소리부이다. 『시·위풍·기오(淇奧)』에서 "귀막이는 아름다운 옥돌이요(充耳璓瑩)."라고 노래했다. 독음은 식(息)과 구(救)의 반절이다.

---

111) 거(琚)는 형(珩·세트를 이룬 패옥에서 윗부분의 옥)과 황(璜·세트를 이룬 패옥에서 왼쪽과 오른쪽 마지막 부분의 옥) 사이에 매다는 장식용 옥을 말한다.

162

玖: 玖: 옥돌 구: 玉-총7획: jiǔ

原文

玖: 石之次玉黑色者. 从玉久聲.『詩』曰: "貽我佩玖." 讀若芑. 或曰若人句脊之
   句. 舉友切.

飜譯

'옥에 버금가는 좋은 검은 색 돌(石之次玉黑色者)'을 말한다. 옥(玉)이 의미부이고
구(久)가 소리부이다. 『시·왕풍·구중유마(丘中有麻)』에서 "당신은 우리에게 허리에
차는 옥처럼의 선정을 베풀어 주셨다네(貽我佩玖)."라고 노래했다. 기(芑)와 같이 읽
는다. 혹은 구척(句脊: 곱사등이)을 말할 때의 구(句)와 같이 읽는다고도 한다. 독음
은 거(舉)와 우(友)의 반절이다.

163

珆: 珆: 옥 이름 이·기: 玉-총11획: yí

原文

珆: 石之似玉者. 从玉臣聲. 讀若貽. 與之切.

飜譯

'옥과 비슷한 좋은 돌(石之似玉者)'을 말한다. 옥(玉)이 의미부이고 이(臣)가 소리부
이다. 이(貽)와 같이 읽는다. 독음은 여(與)와 지(之)의 반절이다.

164

珢: 珢: 옥돌 은: 玉-총10획: yín

原文

珢: 石之似玉者. 从玉艮聲. 語巾切.

譯

'옥과 비슷한 좋은 돌(石之似玉者)'을 말한다. 옥(玉)이 의미부이고 간(艮)이 소리부이다. 독음은 어(語)와 건(巾)의 반절이다.

165

瑘: 瑘: 옥돌 예: 玉-총10획: yì

原文

瑘: 石之似玉者. 从玉曳聲. 余制切.

譯

'옥과 비슷한 좋은 돌(石之似玉者)'을 말한다. 옥(玉)이 의미부이고 예(曳)가 소리부이다. 독음은 여(余)와 제(制)의 반절이다.

166

璅: 璅: 옥돌 소: 玉-총15획: suǒ

原文

璅: 石之似玉者. 从玉巢聲. 子浩切.

譯

'옥과 비슷한 좋은 돌(石之似玉者)'을 말한다. 옥(玉)이 의미부이고 소(巢)가 소리부이다. 독음은 자(子)와 호(浩)의 반절이다.

167

璡: 璡: 옥돌 진: 玉-총16획: jīn

原文

璡: 石之似玉者. 从玉進聲. 讀若津. 將鄰切.

‘옥과 비슷한 좋은 돌(石之似玉者)’을 말한다. 옥(玉)이 의미부이고 진(進)이 소리부
이다. 진(津)과 같이 읽는다. 독음은 장(將)과 린(鄰)의 반절이다.

168

瓅: 瓅: 옥돌 잠심: 玉-총16획: zēn

原文

瓅: 石之似玉者. 从玉朁聲. 側岑切.

飜譯

‘옥과 비슷한 좋은 돌(石之似玉者)’을 말한다. 옥(玉)이 의미부이고 참(朁)이 소리부
이다. 독음은 측(側)과 잠(岑)의 반절이다.

169

瓗: 瓗: 옥 같은 돌 총: 玉-총15획: cōng

原文

瓗: 石之似玉者. 从玉悤聲. 讀若蔥. 倉紅切.

飜譯

‘옥과 비슷한 좋은 돌(石之似玉者)’을 말한다. 옥(玉)이 의미부이고 총(悤)이 소리부
이다. 총(蔥)과 같이 읽는다. 독음은 창(倉)과 홍(紅)의 반절이다.

170

璏: 璏: 옥돌 호: 玉-총17획: hào

原文

璏: 石之似玉者. 从玉號聲. 讀若鎬. 平到切.

飜譯

'옥과 비슷한 좋은 돌(石之似玉者)'을 말한다. 옥(玉)이 의미부이고 호(號)가 소리부
이다. 호(鎬)와 같이 읽는다. 독음은 호(乎)와 도(到)의 반절이다.

171

瑕: 瑕: 옥돌 할: 玉-총18획: xiá

原文

瑕: 石之似玉者. 从玉䍐聲. 讀若曷. 胡捌切.

飜譯

'옥과 비슷한 좋은 돌(石之似玉者)'을 말한다. 옥(玉)이 의미부이고 할(䍐)이 소리부
이다. 갈(曷)과 같이 읽는다. 독음은 호(胡)와 팔(捌)의 반절이다.

172

瑌: 瑌: 옥돌 완: 玉-총14획: wàn

原文

瑌: 石之似玉者. 从玉耍聲. 烏貫切.

飜譯

'옥과 비슷한 좋은 돌(石之似玉者)'을 말한다. 옥(玉)이 의미부이고 왈(耍)이 소리부
이다. 독음은 조(烏)와 관(貫)의 반절이다.

173

瓗: 瓗: 옥돌 섭: 玉-총21획: xièè

原文

瓗: 石之次玉者. 从玉燮聲. 穌叶切.

飜譯

'옥과 비슷한 좋은 돌(石之似玉者)'을 말한다. 옥(玉)이 의미부이고 섭(燮)이 소리부이다. 독음은 소(穌)와 협(叶)의 반절이다.

174

珣: 珣: 옥돌 구: 玉-총9획: gǒu

原文

珣: 石之次玉者. 从玉句聲. 讀若苟. 古厚切.

飜譯

'옥과 비슷한 좋은 돌(石之似玉者)'을 말한다. 옥(玉)이 의미부이고 구(句)가 소리부이다. 구(苟)와 같이 읽는다. 독음은 고(古)와 후(厚)의 반절이다.

175

瑒: 瑒: 옥돌 언: 玉-총11획: yán

原文

瑒: 石之似玉者. 从玉言聲. 語軒切.

飜譯

'옥과 비슷한 좋은 돌(石之似玉者)'을 말한다. 옥(玉)이 의미부이고 언(言)이 소리부이다. 독음은 어(語)와 헌(軒)의 반절이다.

176

璶: 璶: 옥돌 신: 玉-총18획: jìn

原文

璶: 石之似玉者. 从玉盡聲. 徐刃切.

譯譯

'옥과 비슷한 좋은 돌(石之似玉者)'을 말한다. 옥(玉)이 의미부이고 진(盡)이 소리부이다. 독음은 서(徐)와 인(刃)의 반절이다.

177

瑈 : 瑈: 옥돌 유: 玉-총12획: wéi

原文

瑈: 石之似玉者. 从玉隹聲. 讀若維. 以追切.

譯譯

'옥과 비슷한 좋은 돌(石之似玉者)'을 말한다. 옥(玉)이 의미부이고 추(隹)가 소리부이다. 유(維)와 같이 읽는다. 독음은 이(以)와 추(追)의 반절이다.

178

瑦 : 瑦: 옥돌 오: 玉-총14획: wǔ

原文

瑦: 石之似玉者. 从玉烏聲. 安古切.

譯譯

'옥과 비슷한 좋은 돌(石之似玉者)'을 말한다. 옥(玉)이 의미부이고 오(烏)가 소리부이다. 독음은 안(安)과 고(古)의 반절이다.

179

瑂 : 瑂: 옥돌 미: 玉-총13획: méi

原文

瑂: 石之似玉者. 从玉眉聲. 讀若眉. 武悲切.

飜譯

'옥과 비슷한 좋은 돌(石之似玉者)'을 말한다. 옥(玉)이 의미부이고 미(眉)가 소리부이다. 미(眉)와 같이 읽는다. 독음은 무(武)와 비(悲)의 반절이다.

180

瑢: 瑢: 옥돌 등: 玉-총16획: dēng

原文

瑢: 石之似玉者. 从玉登聲. 都騰切.

飜譯

'옥과 비슷한 좋은 돌(石之似玉者)'을 말한다. 옥(玉)이 의미부이고 등(登)이 소리부이다. 독음은 도(都)와 등(騰)의 반절이다.

181

玗: 玗: 옥과 비슷한 돌 사: 玉-총6획: sī

原文

玗: 石之似玉者. 从玉厶聲. 讀與私同. 息夷切.

飜譯

'옥과 비슷한 좋은 돌(石之似玉者)'을 말한다. 옥(玉)이 의미부이고 사(厶)가 소리부이다. 사(私)와 똑같이 읽는다. 독음은 식(息)과 이(夷)의 반절이다.

182

玗: 玗: 옥돌 우: 玉-총7획: yú

原文

玗: 石之似玉者. 从玉于聲. 羽俱切.

飜譯

'옥과 비슷한 좋은 돌(石之似玉者)'을 말한다. 옥(玉)이 의미부이고 우(于)가 소리부이다. 독음은 우(羽)와 구(俱)의 반절이다.

183

瑁 : 玟: 옥 몰: 玉-총8획: mò

原文

瑁: 玉屬. 从玉叟聲. 讀若沒. 莫悖切.

飜譯

'옥에 속하는 부류이다(玉屬). 옥(玉)이 의미부이고 몰(叟)이 소리부이다. 몰(沒)과 같이 읽는다. 독음은 막(莫)과 패(悖)의 반절이다.

184

瑎 : 瑎: 검은 옥돌 해: 玉-총13획: xié

原文

瑎: 黑石似玉者. 从玉皆聲. 讀若諧. 戶皆切.

飜譯

'옥과 비슷한 검은색 돌(黑石似玉者)'을 말한다. 옥(玉)이 의미부이고 개(皆)가 소리부이다. 해(諧)와 같이 읽는다. 독음은 호(戶)와 개(皆)의 반절이다.

185

碧 : 碧: 푸를 벽: 石-총14획: bì

原文

碧: 石之青美者. 从玉, 石, 白聲. 兵尺切.

翻譯

'푸르고 아름다운 옥돌(石之青美者)'을 말한다. 옥(玉)과 석(石)이 의미부이고, 백(白)이 소리부이다.112) 독음은 병(兵)과 척(尺)의 반절이다.

186

瑻: 琨: 옥돌 곤: 玉-총12획: kūn

原文

瑻: 石之美者. 从玉昆聲. 『虞書』曰: "楊州貢瑤琨." 瑻, 琨或从貫. 古渾切.

翻譯

'아름다운 옥돌(石之美者)'을 말한다. 옥(玉)이 의미부이고 곤(昆)이 소리부이다. 『서·우서(虞書)·우공(禹貢)』에서 "양주(楊州) 지역에서는 요옥(瑤玉)과 곤석(琨石)을 공물로 바쳤다."라고 했다. 곤(瑻)은 곤(琨)의 혹체자인데, 관(貫)으로 구성되었다. 독음은 고(古)와 혼(渾)의 반절이다.

187

珉: 珉: 옥돌 민: 玉-총9획: mín

原文

珉: 石之美者. 从玉民聲. 武巾切.

翻譯

'아름다운 옥돌(石之美者)'을 말한다. 옥(玉)이 의미부이고 민(民)이 소리부이다. 독음은 무(武)와 건(巾)의 반절이다.

---

112) 고문자에서 瑻陶文 瑻古璽文 등으로 썼다. 玉(옥 옥)과 石(돌 석)이 의미부고 白(흰 백)이 소리부로, 청록색을 띠는 옥(玉)이나 돌(石)을 말하며, 그런 색깔을 지칭한다.

188

瑤: 瑤: 아름다운 옥 요: 玉-총14획: yáo

原文

瑤: 玉之美者. 从玉䍃聲.『詩』曰: "報之以瓊瑤." 余招切.

飜譯

'아름다운 옥(玉之美者)'을 말한다. 옥(玉)이 의미부이고 요(䍃)가 소리부이다.『시·위풍·목과(木瓜)』에서 "아름다운 패옥으로 보답하니(報之以瓊瑤)."라고 노래했다. 독음은 여(余)와 초(招)의 반절이다.

189

珠: 珠: 구슬 주: 玉-총10획: zhū

原文

珠: 蚌之陰精. 从玉朱聲.『春秋國語』曰: "珠以禦火灾"是也. 章俱切.

飜譯

'조개의 정기가 만들어 내는 구슬(蚌之陰精)'을 말한다. 옥(玉)이 의미부이고 주(朱)가 소리부이다.[113]『춘추국어(春秋國語)·초어(楚語)』에서 "진주는 화재를 막아준다(珠以禦火灾)"라고 했는데, 이를 두고 한 말이다. 독음은 장(章)과 구(俱)의 반절이다.

190

玓: 玓: 빛날 적: 玉-총7획: dì

---

113) 고문자에서 𤣩古陶文 珠 珠 珠 珠珠珠 珠 珠古幣文 珠簡牘文 珠汗簡 등으로 썼다. 玉(옥 옥)이 의미부고 朱(붉을 주)가 소리부로, 구슬이나 구슬처럼 생긴 물체를 말한다.『설문해자』에서는 "조개가 가진 음기의 정수에 의해 만들어 지는 것"이라고 한 것으로 보아 '진주'가 원래 뜻으로 보이며, 진주를 옅은 붉은색(朱)을 띠는 옥(玉)의 일종으로 보았음을 알 수 있다.

原文

玓: 玓瓅, 明珠色. 从玉勺聲. 都歷切.

飜譯

'적력(玓瓅) 즉 구슬의 색이 반짝거림'을 말한다. 옥(玉)이 의미부이고 작(勺)이 소리부이다. 독음은 도(都)와 력(歷)의 반절이다.

191

瓅: 瓅: 옥빛 력: 玉-총19획: lì

原文

瓅: 玓瓅. 从玉樂聲. 郎擊切.

飜譯

'적력(玓瓅) 즉 구슬의 색이 반짝거림'을 말한다. 옥(玉)이 의미부이고 낙(樂)이 소리부이다. 독음은 랑(郎)과 격(擊)의 반절이다.

192

玭: 玭: 구슬 이름 빈: 玉-총8획: pín

原文

玭: 珠也. 从玉比聲. 宋弘云: "淮水中出玭珠." 玭, 珠之有聲. 蠙, 『夏書』玭从虫、賓. 步因切.

飜譯

'구슬(珠)'을 뜻한다. 옥(玉)이 의미부이고 비(比)가 소리부이다. 송홍(宋弘)은 "회수(淮水) 지역에서 비주(玭珠)라는 옥구슬이 난다."라고 했다.[114] 비(玭)는 이름난 옥

---

114) 송홍(宋弘)을 『단주』에서는 송굉(宋宏)으로 고쳤고, 이 이야기는 복생(伏生)의 『상서(尙書)』에 나오는 말이라고 하면서 이렇게 말했다 "송굉의 자는 중자(仲子)인데, 환담(桓譚)과 벽모장(辟牟長) 같은 사람을 능력으로 천거했다. 『복생상서(伏生尙書)』에 의하면 서주(徐州)의 공납물로 회이빈주기어(淮夷玭珠臮魚)라는 것이 있다고 했고, 중자(仲子)는 회수(淮水)에서 이어란

구슬이다. 빈(玭)은 빈(蠙)으로도 쓰는데 「하서(夏書)」에서 충(虫)과 빈(賓)으로 구성되었다. 독음은 보(步)와 인(因)의 반절이다.

193

瓈: 瓈: 굴 려(玉-총10획: lì

原文

瓈: 蜃屬. 从玉劦聲. 禮: "佩刀, 士瓈珕而珧玭." 郎計切.

繙譯

'조개류'에 속한다. 옥(玉)이 의미부이고 협(劦)이 소리부이다. 예법에 의하면[115], "장식용으로 차는 칼의 경우, 선비는 조개껍데기로 칼집의 윗부분을 장식한다(士瓈珕而珧玭)."라고 했다.[116] 독음은 랑(郎)과 계(計)의 반절이다.

194

珧: 珧: 강요주 요: 玉-총10획: yáo

조개(玭珠)가 난다고 했는데, 정현의 『고문상서(古文尙書)』 설과 부합한다. 송홍(宋弘, ?~40)은 경조(京兆) 장안(長安, 지금의 섬서성 서안) 사람이며, 서한에서 소부(少府)를 맡았던 송상(宋尙)의 아들이다. 동한 초기에 높은 관직을 맡았다. 사람이 정직하고 청렴하였으며 황제에게도 직언을 서슴지 않았다. 적미군(赤眉軍)이 장안에 침입하였을 때는 죽은척하여 목숨을 구했다. 광무제(光武帝) 유수(劉秀)가 즉위한 후 태중대부(太中大夫)를 거쳐 당시 삼공(三公)의 하나였던 대사공(大司空)을 역임했고, 선평후(宣平侯)에 봉해졌으며, 청렴하고 고아한 성품으로 이름을 날렸다. 광무제의 면전에서도 간언을 아끼지 않았으며, 광무제의 누이 호양(湖陽) 공주의 재가에 대해서도 '빈천지교를 잊어서는 아니 되며, 조강지처를 내쳐서는 아니 된다.(貧賤之交不可忘, 糟糠之妻不下堂.)'를 말로 거절했다고 한다. 이후 현능(賢能)으로 조정에 추천한 자가 30여명이나 되었으며 그중에서는 재상에 오른 자도 있었다고 한다.

115) 『단주』에서는 『운회(韻會)』에서 인용한 『설문』에 근거하여 기(記)를 더한 『예기(禮記)』가 되어야 한다고 했다. 토(土)부수에서도 "『禮記』曰天子赤墀"이라는 말이 나오는데, 금분 『설문』에서는 기(記)자가 빠졌다고 했다.

116) 『시·소아 첨피낙의(瞻彼洛矣)』에 "비봉유필(韠琫有珌)"이라는 말이 있는데, 『시전(詩傳)』에서 "천자는 옥으로 칼집 끝을 장식한다(天子玉琫而珧珌)"라고 했다.

原文

珧: 蜃甲也. 所以飾物也. 从玉兆聲.『禮』云: "佩刀, 天子玉瑧而珧珌." 余昭切.

飜譯

'조개의 껍데기(蜃甲)'를 말하는데, 장식물로 사용한다. 옥(玉)이 의미부이고 조(兆)가 소리부이다.『예기』에 의하면, "장식용으로 차는 칼의 경우, 천자는 옥으로 칼집의 윗부분을 장식한다(佩刀, 天子玉瑧而珧珌.)"라고 한다. 독음은 여(余)와 소(昭)의 반절이다.

195

玟: 玟: 옥돌 민: 玉-총8획: mín

原文

玟: 火齊, 玫瑰也. 一曰石之美者. 从玉文聲. 莫桮切.

飜譯

'불로 구워낸 구슬(火齊)[117]로, 매괴(玫瑰)'를 말한다.[118] 일설에는 아름다운 옥돌(石之美者)을 말한다고도 한다. 옥(玉)이 의미부이고 문(文)이 소리부이다. 독음은 막(莫)과 배(桮)의 반절이다.

196

瑰: 瑰: 구슬 이름 괴: 玉-총14획: guī

原文

---

117) 서호의『단주전』에 의하면, "화제(火齊)는 약물과 불을 사용해 만들어낸다"고 하였고, 장순휘의『설문약주』에서는 이렇게 말했다. "화제(火齊)라는 방법은 중국의 고유한 방법이 아니라 외지에서 들어온 것으로, 오늘날 말하는 굽기에 의한 방법(燒料)이다. 구워서 만들어 낸 구슬을 매괴(玫瑰)라고 했는데, 이는 이후에 나온 뜻이다. 옥돌이 매괴(玫瑰)의 본래 뜻일 것이다.

118)『단주』에서는 매괴(玫瑰)를 민괴(玟瑰)로 고쳤는데,『운회(韻會)』에서 인용한『설문』에 근거했으며,「자허부(子虛賦)」의 진작(晉灼) 주석, 여정(呂靜)의『운집(韻集)』도 마찬가지이라고 했다.

瑰: 玫瑰. 从玉鬼聲. 一曰圓好. 公回切.

飜譯

'매괴(玫瑰)라는 옥구돌'을 말한다. 옥(玉)이 의미부이고 귀(鬼)가 소리부이다. 일설에는 둥글고 좋은 옥을 말한다고도 한다. 독음은 공(公)과 회(回)의 반절이다.

197

璣: 璣: 구슬 기: 玉-총16획: jī

原文

璣: 珠不圓也. 从玉幾聲. 居衣切.

飜譯

'둥글지 않은 구슬(珠不圓)'을 말한다. 옥(玉)이 의미부이고 기(幾)가 소리부이다. 독음은 거(居)와 의(衣)의 반절이다.

198

琅: 琅: 옥 이름 랑: 玉-총11획: láng

原文

琅: 琅玕, 似珠者. 从玉良聲. 魯當切.

飜譯

'낭간(琅玕)이라는 옥'을 말하는데, 옥구슬과 비슷하다. 옥(玉)이 의미부이고 양(良)이 소리부이다. 독음은 로(魯)와 당(當)의 반절이다.

199

玕: 玕: 옥돌 간: 玉-총7획: gān

原文

玕: 琅玕也. 从玉干聲. 『禹貢』: "雝州球琳琅玕." 㺦, 古文玕. 古寒切.

翻譯

'낭간(琅玕)이라는 옥'을 말한다. 옥(玉)이 의미부이고 간(干)이 소리부이다. 『서·상서·우공(禹貢)』에서 "옹주(雍州) 지방에서는 구슬(球)과 임석(琳石)과 낭간(琅玕)을 공물로 바쳤다."라고 했다. 간(玕)은 간(玕)의 고문체이다. 독음은 고(古)와 한(寒)의 반절이다.

200

珊: 珊: 산호 산: 玉-총9획: shān

原文

珊: 珊瑚, 色赤, 生於海, 或生於山. 从玉, 刪省聲. 穌干切.

翻譯

'산호(珊瑚)'를 말하는데, 붉은 색이며, 바다에서 나기도 하지만, 산에서 나기도 한다. 옥(玉)이 의미부이고, 산(刪)의 생략된 모습이 소리부이다. 독음은 소(穌)와 간(干)의 반절이다.

201

瑚: 瑚: 산호 호: 玉-총13획: hú

原文

瑚: 珊瑚也. 从玉胡聲. 戶吳切.

翻譯

'산호(珊瑚)'를 말한다. 옥(玉)이 의미부이고 호(胡)가 소리부이다. 독음은 호(戶)와 오(吳)의 반절이다.

202

瑠: 瑠: 금강석 류: 玉-총11획: liú

原文

珋: 石之有光, 璧珋也. 出西胡中. 从玉卯聲. 力求切.

飜譯

'빛이 나는 돌(石之有光)로, 벽류(璧珋)[119]'를 말한다. 서역에서 생산된다. 옥(玉)이
의미부이고 유(卯)가 소리부이다. 독음은 력(力)과 구(求)의 반절이다.

---

119) 벽류(璧珋)는 벽유리(璧琉璃)를 말한다. 이에 대해서 나상배의 논증이 매우 상세하다. 이를
인용하면 다음과 같다. "단옥재는 이에 대해 다음과 같이 주석을 달았다. 벽류라는 것은 바로
벽유리를 말한다. 『한서‧지리지』에서 '황지국(黃支國)이……해시(海市)의 맑은 구슬과 유리를
보내왔다'고 했으며, 『서역전』에서는 '계빈국(罽賓國)에서 벽유리가 난다'라고 했다. '벽유리'라
는 세 글자로 된 명칭은 서(북)쪽 이민족의 언어로서, '순우기(珣玗琪)' 등이 동이족의 언어임
과 같은 이치이다. 한나라 때의 「무량사당벽화(武梁祠堂壁畵)」에는 벽유리가 있는데, '왕이 몸
을 숨기고 비석을 지나간 즉 모습이 나타났다[王者不隱碑過則至]'는 말이 기록되어 있다. 오
(吳)나라의 『선국산비(禪國山碑)』에는 상서로운 징조들에 대해 기록해 놓았는데, 여기에도 벽
유리에 대한 언급이 보인다. 불경에서는 '벽유리'를 '폐유리(吠瑠璃)'라고 하는데 이는 '폐(吠)'
와 '벽(璧)'의 음이 서로 비슷하기 때문이다. 『서역전』에다 맹강(孟康)이 주석을 달면서 '벽유
리는 옥과 같이 푸른색을 띤다'고 했다. 현행 통용본 『한서주』에서는 '벽(璧)'자가 실려 있지
않음으로 해서 독자들이 '벽(璧)'과 '유리'를 두 가지의 서로 다른 물건인 것으로 잘못 인식하
게 되었다. 지금 사람들은 이를 줄여서 '유리(流璃)'라 하는데 달리 '유리(琉璃)'라 표기하기도
하며, 옛사람들은 이를 줄여서 '벽류(璧珋)'라 했다. 이는 '류(珋)'와 '류(流)'‧'류(琉)'의 독음
이 서로 같기 때문이다. 양웅(楊雄, B.C. 53~18)의 『우렵부(羽獵賦)』에서는 '야광 빛이 나는 유
리(流離)를 쪼고 있네.'라는 표현이 보이는데, 이 역시 '벽유리'를 줄여 쓴 경우이다."
"한나라 이전의 벽유리라는 어휘에 관한 기록에 대해 단옥재의 기록은 대단히 상세하다. 그러
나 애석하게도 그는 '서북쪽의 이민족 언어'라고만 했을 뿐 그것의 정확한 어원이 어디인지에
대해서는 밝히지 않았다. 필자의 생각으로는 이 단어의 대역음에 근거해 그 어원을 다음과 같
은 두 가지로 나눌 수 있다고 생각한다. 하나는 옛날의 번역어인 '벽유리(璧流離)'나 '폐유리
(吠琉璃)'와 같은 계통이고, 다른 하나는 새로운 번역어인 '비두리(毗頭黎)'나 '필두리(鞸頭
利)'와 같은 경우이다. 전자의 경우는 산스크리트 속어(Prakrit)에서의 'veḷūriya'에서 왔으며, 후
자의 경우는 산스크리트어 표준어(Sanskrit)에서의 'vaiḍūrya'에서 왔다. 이들의 원래 '푸른색의
보물'이라는 뜻이었는데, 이후 '색깔이 있는 유리'의 통칭으로 사용되게 되었으며, 희랍어의
'Βιρυλλοδ'와 라틴어의 'beryllos', 페르시아어와 아랍어에서의 'billaur', 영어에서의 'beryl' 등
은 모두 같은 어원에서 나온 어휘들이다. 단옥재가 인용했던 수많은 역사적 증거들로부터, '유
리'를 비롯해 이를 표현하는 어휘들이 한나라 때에 이미 인도로부터 중앙아시아를 거쳐 중국
으로 수입되었음을 알 수 있다."(나상배, 『언어와 문화』, 제4장 차용어)

203

琀: 琀: 빈함옥 함: 玉-총11획: hán

原文

琀: 送死口中玉也. 从玉从含, 含亦聲. 胡紺切.

飜譯

‘죽은 사람의 입 속에 넣는 옥(送死口中玉)’을 말한다. 옥(玉)이 의미부이고, 함(含)도 의미부인데, 함(含)은 소리부도 겸한다. 독음은 호(胡)와 감(紺)의 반절이다.

204

璓: 璓: 옥 이름 유: 玉-총19획: yǒu

原文

璓: 遺玉也. 从玉歐聲. 以周切.

飜譯

‘죽은 사람에게 주는 옥(遺玉)’을 말한다. 옥(玉)이 의미부이고 유(歐)가 소리부이다. 독음은 이(以)와 주(周)의 반절이다.

205

璗: 璗: 황금 탕: 玉-총17획: dàng

原文

璗: 金之美者. 與玉同色. 从玉湯聲.『禮』:“佩刀, 諸矦璗琫而璆珌.” 徒朗切.

飜譯

‘훌륭한 질 좋은 청동(金之美者)’을 말한다. 옥(玉)과 같은 색을 띤다. 옥(玉)이 의미부이고 탕(湯)이 소리부이다. 예법에 의하면, “장식용으로 차는 칼의 경우, 제후는 청동(璗)으로 칼집의 윗부분을 장식한다(佩刀, 諸矦璗琫而璆珌).”라고 한다. 독음은 도(徒)와 랑(朗)의 반절이다.

206

靈: 靈: 신령 령: 玉-총22획: líng

原文

靈: 靈巫. 以玉事神. 从玉霝聲. 靈, 靈或从巫. 郎丁切.

飜譯

'신령스런 무당'을 말하는데[120], 그들은 신을 모실 때 옥을 사용한다. 옥(玉)이 의미부이고 영(霝)이 소리부이다.[121] 령(靈)은 령(靈)의 혹체자인데, 무(巫)로 구성되었다. 독음은 랑(郎)과 정(丁)의 반절이다.

207

珈: 珈: 머리꾸미개 가: 玉-총9획: jiā

原文

珈: 婦人首飾. 从玉加聲.『詩』曰: "副笄六珈." 古牙切.

飜譯

'부녀자들의 머리를 꾸미는 장식물(婦人首飾)'을 말한다. 옥(玉)이 의미부이고 가

---

120) 『단주』에서는 "靈巫"를 "巫也"로 고치면서 이렇게 말했다. "각 판본에서는 무(巫)자 앞에 영(靈)자가 더 있는데, 이는 삭제되지 않은 소전체의 중복자이다. 허신의 『설문』은 소전체로 된 표제자 다음에 이를 예서체로 다시 한 번 더 필사했다(篆文之下以複寫其字). 후신들이 자 삭제했으나 가끔 그러지 않은 경우가 있다. 그리고 무(巫)자 다음에는 야(也)자가 빠졌다."

121) 고문자에서 霝霝金文 靈古陶文 靈靈簡牘文 靈石刻古文 靈靈古璽文 등으로 썼다. 巫(무당 무)가 의미부이고 霝(비올 령)이 소리부로, 입을 모아 비가 내리기를 기원하는 기우제(霝)가 무당(巫)에 의해 치러지는 모습이다. 『설문해자』에서는 원래 玉(옥 옥)과 霝으로 구성되어, 주술 도구인 玉을 갖고서 비 내리기를 비는 행위를 구체화했다. 이후 신을 내리는 무당이나 신령, 영혼 등의 뜻이 생겨나게 되었으며, 무당의 주술행위에 의해 靈驗(영험)이나 효험이 나타나기도 했기에 영험(靈驗)을 뜻하게 되었다. 간화자에서는 霝을 단단하게 줄이고 巫를 火(불 화)로 바꾼 灵으로 쓰는데, 火는 불을 지펴 기우제를 지내던 이후의 관습이 반영된 것으로 보인다.

(加)가 소리부이다. 『시·용풍군자해로(君子偕老)』에서 "쪽에 꽂은 비녀엔 구슬이 여섯이고(副笄六珈)"라고 노래했다. 독음은 고(古)와 아(牙)의 반절이다. [신부]

208

璩: 璩: 옥고리 거: 玉-총17획: qú

原文

璩: 環屬. 从玉豦聲. 見『山海經』. 彊魚切.

飜譯

'고리처럼 생긴 옥의 일종(環屬)'이다. 옥(玉)이 의미부이고 거(豦)가 소리부이다. 『산해경(山海經)』에 보인다. 독음은 강(彊)과 어(魚)의 반절이다. [신부]

209

琖: 琖: 옥잔 잔: 玉-총12획: zhǎn

原文

琖: 玉爵也. 夏曰琖, 殷曰斝, 周曰爵. 从玉戔聲. 或从皿. 阻限切.

飜譯

'옥으로 만든 술잔(玉爵)'을 말한다. 하나라 때에는 잔(琖), 은(殷)나라 때에는 가(斝), 주나라 때에는 작(爵)이라 불렀다. 옥(玉)이 의미부이고 전(戔)이 소리부이다. 간혹 명(皿)으로 구성되기도 한다. 독음은 조(阻)와 한(限)의 반절이다. [신부]

210

琛: 琛: 보배 침: 玉-총12획: chēn

原文

琛: 寶也. 从玉, 深省聲. 丑林切.

飜譯

'보배(寶)'를 말한다. 옥(玉)이 의미부이고, 심(深)의 생략된 모습이 소리부이다. 독음은 축(丑)과 림(林)의 반절이다. [신부]

211

璫: 璫: 귀고리 옥 당: 玉-총17획: dāng

原文

璫: 華飾也. 从玉當聲. 都郞切.

飜譯

'화려한 장식(華飾)'을 말한다. 옥(玉)이 의미부이고 당(當)이 소리부이다. 독음은 도(都)와 랑(郞)의 반절이다. [신부]

212

琲: 琲: 구슬꿰미 배: 玉-총12획: bèi

原文

琲: 珠五百枚也. 从玉非聲. 普乃切.

飜譯

'구슬 5백 개(珠五百枚)'를 말한다. 옥(玉)이 의미부이고 비(非)가 소리부이다. 독음은 보(普)와 내(乃)의 반절이다. [신부]

213

珂: 珂: 흰 옥돌 가: 玉-총9획: kē

原文

珂: 玉也. 从玉可聲. 苦何切.

飜譯

'옥(玉)'을 말한다. 옥(玉)이 의미부이고 가(可)가 소리부이다. 독음은 고(苦)와 하

(何)의 반절이다. [신부]

214

玘: 玘: 패옥 기: 玉-총7획: qǐ

原文

玘: 玉也. 从玉己聲. 去里切.

譯譯

'옥(玉)'을 말한다. 옥(玉)이 의미부이고 기(己)가 소리부이다. 독음은 거(去)와 리
(里)의 반절이다. [신부]

215

珝: 珝: 옥 이름 후: 玉-총10획: xù

原文

珝: 玉也. 从玉羽聲. 況主切.

譯譯

'옥(玉)'을 말한다. 옥(玉)이 의미부이고 우(羽)가 소리부이다. 독음은 황(況)과 주
(主)의 반절이다. [신부]

216

璀: 璀: 옥빛 찬란할 최: 玉-총15획: cuǐ

原文

璀: 璀璨, 玉光也. 从玉崔聲. 七罪切.

譯譯

'찬란함(璀璨)'을 말하는데, 옥이 빛남을 말한다. 옥(玉)이 의미부이고 최(崔)가 소리
부이다. 독음은 칠(七)과 죄(罪)의 반절이다. [신부]

217

璨: 璨: 빛날 찬: 玉-총17획: càn

原文

璨: 玉光也. 从玉粲聲. 倉案切.

飜譯

'옥의 광채(玉光)'를 말한다. 옥(玉)이 의미부이고 찬(粲)이 소리부이다. 독음은 창(倉)과 안(案)의 반절이다. [신부]

218

璹: 璹: 옥 이름 숙: 玉-총12획: chù

原文

璹: 玉也. 从玉叔聲. 昌六切.

飜譯

'옥(玉)'을 말한다. 옥(玉)이 의미부이고 숙(叔)이 소리부이다. 독음은 창(昌)과 륙(六)의 반절이다. [신부]

219

瑄: 瑄: 도리옥 선: 玉-총13획: xuān

原文

瑄: 璧六寸也. 从玉宣聲. 須緣切.

飜譯

'지름이 6치 되는 벽옥(璧六寸)'을 말한다. 옥(玉)이 의미부이고 선(宣)이 소리부이다. 독음은 수(須)와 연(緣)의 반절이다. [신부]

220

珙: 珙: 큰 옥 공: 玉-총10획: gǒng

珙: 玉也. 从玉共聲. 拘竦切.

'옥(玉)'을 말한다. 옥(玉)이 의미부이고 공(共)이 소리부이다. 독음은 구(拘)와 송(竦)의 반절이다. [신부]

제
1
권

제7부수
007 ▪ 각(珏)부수

221

珏: 珏: 쌍옥 각: 玉-총8획: jué

原文

珏: 二玉相合爲一珏. 凡珏之屬皆从珏. 瓛, 珏或从殼. 古岳切.

譯

'옥 두 개가 서로 합쳐지면 각(珏)이 된다(二玉相合爲一珏).' 각(珏)부수에 귀속된 글자들은 모두 각(珏)이 의미부이다. 각(瓛)은 각(珏)의 혹체자인데, 각(殼)으로 구성 되었다. 독음은 고(古)와 악(岳)의 반절이다.

222

班: 班: 나눌 반: 玉-총10획: bān

原文

班: 分瑞玉. 从珏从刀. 布還切.

譯

'서옥을 둘로 나누다(分瑞玉)'라는 뜻이다. 각(珏)이 의미부이고, 도(刀)도 의미부이 다.122) 독음은 포(布)와 환(還)의 반절이다.

---

122) 고문자에서 班珏玉班金文 班班古璽文 班汗簡 등으로 썼다. 刀(칼 도)와 珏(쌍옥 각) 으로 구성되어, 증표로 쓰려고 옥(玉)을 칼(刀)로 쪼개어 나눔을 말했고, 이후 나누어진 부류 나 그룹을 뜻하게 되었다.

223

珏: 輹: 수레난간 사이 가죽상자 복: 車-총15획: fú

原文

輹: 車笭閒皮篋. 古者使奉玉以藏之. 从車, 珏. 讀與服同. 房六切.

飜譯

'수레 난간에 설치된 가죽으로 된 상자(車笭閒皮篋)'를 말한다. 옛날, 사신으로 나갈 때 가져가는 옥을 거기에다 보관했다. 거(車)가 의미부이고, 각(珏)도 의미부이다. 복(服)과 똑같이 읽는다. 독음은 방(房)과 륙(六)의 반절이다.

제 1 권

제8부수
008 ▪ 기(气)부수

224

气: 气: 기운 기: 气-총4획: qì

原文

气: 雲气也. 象形. 凡气之屬皆从气. 去旣切.

飜譯

'운기(雲气) 즉 엷게 흐르는 구름'을 뜻한다. 상형이다.123) 기(气)부수에 귀속된 글자들은 모두 기(气)가 의미부이다. 독음은 거(去)와 기(旣)의 반절이다.

225

氛: 氛: 기운 분: 气-총8획: fēn

原文

---

123) 고문자에서 ☰☰☰☰甲骨文 ☰늑늑金文 늑🜨 🜨簡牘文 🜨石篆 등으로 썼다. 갑골문에서 세 가닥의 구름 띠가 하늘에 퍼져 있는 모습을 그렸다. 갑골문의 자형이 三(석 삼)과 닮아 금문에서는 아래위 획을 조금씩 구부려 三과 구분했다. 气는 이후 소리부인 米(쌀 미)가 더해져 氣(기운 기)가 되었다. 이 때문에 气가 밥 지을 때 피어오르는 蒸氣(증기)를 그렸으며, 이후 의미를 정확하게 하려고 米가 더해졌다고 보기도 한다. 하지만, 갑골문이 만들어졌던 中原(중원) 지역의 대평원에서는 해가 뜨고 질 때 얇은 층을 이룬 구름이 온 하늘을 뒤덮은 모습을 쉽게 볼 수 있다. 낮에는 그런 현상이 잘 나타나지 않지만, 아침저녁으로는 습한 공기 때문에 자주 만들어진다. 气가 밥 지을 때 나는 蒸氣라면 갑골문처럼 가로로 그리지는 않았을 것이다. 그래서 雲氣(운기·엷게 흐르는 구름)가 氣의 원래 뜻이다. 구름의 변화가 大氣(대기)의 상태를 가장 잘 말해 주기에 天氣(천기·날씨)나 氣運(기운)이라는 말이 나왔다. 천체를 흐르는 기운, 그것이 바로 동양학에서 말하는 氣라 할 수 있다. 현대에 들어서는 서양에서 들어 온 화학 원소 중 기체로 된 이름을 표기하는데도 쓰인다. 현대 중국의 간화자에서 다시 원래의 气로 되돌아갔다.

氛: 祥气也. 从气分聲. 雰, 氛或从雨. 符分切.

'상서로운 기운(祥气)'을 말한다. 기(气)가 의미부이고 분(分)이 소리부이다. 분(雰)은 분(氛)의 혹체자인데, 우(雨)로 구성되었다.독음은 부(符)와 분(分)의 반절이다.

제
1
권

제9부수
009 ■ 사(士)부수

226

士: 士: 선비 사: 士-총3획: shì

原文

士: 事也. 數始於一, 終於十. 从一从十. 孔子曰: "推十合一爲士. 凡士之屬皆从士." 鉏里切.

譯

'사(事)와 같아서[124] 일을 맡아서 하다'라는 뜻이다. 숫자는 일(一)에서 시작해 십(十)에서 끝난다. 일(一)이 의미부이고 십(十)도 의미부이다. 공자(孔子)는 "열 가지의 많은 일을 유추해 하나로 귀납할 수 있는 사람이 사(士)이다(推十合一爲士)."라고 했다.[125] 사(士)부수에 귀속된 글자들은 모두 사(士)가 의미부이다. 서(鉏)와 리(里)의 반절이다.

---

124) 사(士)를 독음이 같은 사(事)를 가져와 설명했는데, 이러한 방식을 성훈(聲訓) 혹은 음훈(音訓)이라 함은 이미 '003_천(天)'자의 해설에서 밝힌바 있다. 사(士)를 사(事)로 풀이한 것은 『시경』에 대한 『모전』의 해설에서도 보인다. 예컨대, 『시경·빈풍(豳風)·동산(東山)』과 『주송(周頌)·경지(敬之)』와 『주송·환(桓)』의 사(士)를 모씨는 사(事)와 같다고 해설하였다. 사(士)를 사(事)로 해석한 것은 사(士)와 사(仕)가 같다고 보았기 때문인데, 이는 고대 사회에서 관직에 나아가 벼슬살이 하는 것(仕)이 사대부들(士)의 주요 임무이자 본업(事)으로 보았음을 웅변해 주고 있다.

125) 고문자에서 ![甲骨文]士_{甲骨文} ![金文]士士士士_{金文} ![古陶文]士_{古陶文} ![古幣文]士士_{古幣文} ![古璽文]士_{古璽文} ![簡牘文]士士士_{簡牘文} ![漢印]士_{漢印} ![汗簡]朿切_{汗簡} 등으로 썼다. 이의 자형을 두고 어떤 사람은 도끼처럼 생긴 도구를, 어떤 사람은 단정히 앉은 법관의 모습을 그렸다고도 한다. 하지만 牛(소 우)와 士가 결합된 牡(수컷 모)가 소와 생식기를 그린 것을 보면 士는 남성의 생식기임이 분명하다. 이로부터 남성을 지칭하게 되었고, 다시 남성에 대한 미칭으로 쓰여 지식인은 물론 경대부와 서민 사이의 계층을 지칭하였다. 현대에 들어서는 학위, 군대의 하급관리, 군인 등을 지칭하였다.

227

壻 : 壻: 사위 서: 土-총12획: xù

（原文）

壻: 夫也. 从士胥聲. 『詩』曰: "女也不爽, 士貳其行." 士者, 夫也. 讀與細同. 壻,
壻或从女. 穌計切.

（飜譯）

'남편(夫)'을 말한다. 사(士)가 의미부이고 서(胥)가 소리부이다. 『시·위풍·맹(氓)』에서
"여자로서 잘못이 없는데도, 남자인 그대는 처음과 행동이 달라졌네.(女也不爽, 士貳
其行.)"라고 노래했는데, 사(士)는 남편(夫)을 뜻한다. 세(細)와 똑같이 읽는다. 서(壻)
는 서(壻)의 혹체자인데, 녀(女)로 구성되었다. 독음은 소(穌)와 계(計)의 반절이다.

228

壯 : 壯: 씩씩할 장: 土-총7획: zhuàng

（原文）

壯: 大也. 从士爿聲. 側亮切.

（飜譯）

'크다(大)'라는 뜻이다. 사(士)가 의미부이고 장(爿)이 소리부이다.[126] 독음은 측(側)
과 량(亮)의 반절이다.

---

126) 고문자에서 壯金文 壯壯古陶文 壯壯簡牘文 壯古璽文 壯汗簡 등으로 썼다.
士(선비 사)가 의미부고 爿(나무 조각 장)이 소리부로, 나무토막(爿)처럼 강인한 '남성(士)'을
말하며, 이로부터 强壯(강장·굳세고 씩씩함)하다, 성대하다, 튼튼하다, 용맹하다, 불만하다 등의
뜻이 나왔다. 달리 세 개의 士로 구성된 壵로 쓰기도 한다. 간화자에서는 爿을 간단하게 줄여
壮으로 쓴다.

229

塼: 塼: 춤 너풀거려 출 준: 士-총15획: cūn

原文

塼: 舞也. 从士尊聲.『詩』曰: "塼塼舞我." 慈損切.

飜譯

'춤을 추다(舞)'라는 뜻이다. 사(士)가 의미부이고 준(尊)이 소리부이다.『시·소아벌목(伐木)』에서 "덩실덩실 춤추며(塼塼舞我)"라고 노래했다. 독음은 자(慈)와 손(損)의 반절이다.

제10부수

010 ■ 곤(丨)부수

230

丨: 丨: 뚫을 곤: 丨-총1획: gǔn

原文

丨: 上下通也. 引而上行讀若囟, 引而下行讀若退. 凡丨之屬皆从丨. 古本切.

飜譯

'아래위로 관통한다(上下通)'라는 뜻이다. [붓을] 끌어올려 위로 가게 할 때에는 신(囟)과 같이 읽고, 끌어내려 아래로 가게 할 때에는 퇴(退)와 같이 읽는다.127) 곤(丨)부수에 귀속된 글자들은 모두 곤(丨)이 의미부이다. 독음은 고(古)와 본(本)의 반절이다.

231

中: 中: 가운데 중: 丨-총4획: zhōng

原文

中: 内也. 从口. 丨, 上下通. 𠁦, 古文中. 𠁧, 籒文中. 陟弓切.

飜譯

'안으로 들어가게 하다(内)'라는 뜻이다. 구(口)가 의미부이다. 곤(丨)은 아래 위를 관통하게 한다는 뜻이다.128) 중(𠁦)은 중(中)의 고문체이다. 중(𠁧)은 중(中)의 주문

127) 丨은 세로획으로, 『說文解字(설문해자)』의 해석처럼 "위아래로 관통한 것"을 말한다. 현대 한자에서 단독으로 쓰이는 경우는 없으나, 한자를 구성하는 중요한 획이어서 214부수의 하나로 확정되었다. 丨으로 구성된 글자들은 모두 '관통하다'는 뜻이 있다. 예컨대 中(가운데 중)은 어떤 지역에다 깃대를 꽂아 놓은 모습이고, 串(곶 곶·꿸 천)은 어떤 물건을 꼬챙이로 꿰어 놓은 모습을 했다.

체이다. 독음은 척(陟)과 궁(弓)의 반절이다.

232

屮: 扵: 깃대 천: 方-총7획: chǎn, chuáng

原文

屮: 旌旗杠皃. 从丨从扵, 扵亦聲. 丑善切.

飜譯

'깃대의 모습(旌旗杠皃)'을 말한다. 곤(丨)이 의미부이고, 언(扵)도 의미부인데, 언(扵)은 소리부도 겸한다. 독음은 축(丑)과 선(善)의 반절이다.

---

128) 고문자에서 甲骨文 金文 古陶文 古幣文 盟書 簡牘文 古璽文 등으로 썼다. 갑골문에서 볼 수 있듯이 바람에 나부끼는 깃발을 그렸다. 자신의 씨족임을 표시하기 위해 깃발에다 상징 부호(토템)를 그려 넣었다는 『주례·司常(사상)』의 기록을 볼 때 이는 아마도 씨족 표지 깃발이었던 것으로 보인다. 옛날 집단 사이에 중대사가 있으면 넓은 터에 먼저 깃발(中)을 세우고 이를 중심으로 민중들을 집합시켰다. 민중들은 사방 각지로부터 몰려들었을 터이고 그들 사이로 깃발이 꽂힌 곳이 '中央(중앙)'이자 '中心(중심)'이었다. 이로부터 中에는 '중앙'이라는 뜻이 생겨났고 다시 모든 것의 중앙이라는 뜻으로 확대되었다. 여기서 다시 '마침맞은'이라는 뜻을 갖게 되었는데, 마침맞다는 것은 어느 한 쪽으로도 치우치지 않고 가장 적절하다는 뜻이다. 이로부터 的中(적중)하다, 정확하다의 뜻도 나왔다.

완역설문해자

제1권
(하)

제11부수
011 ■ 철(屮)부수

233

屮: 屮: 싹 날 철: 屮-총3획: chè

原文

屮: 艸木初生也. 象丨出形, 有枝莖也. 古文或以爲艸字. 讀若徹. 凡屮之屬皆
从屮. 尹彤說. 丑列切.

飜譯

'초목의 싹이 처음으로 생겨나다(艸木初生)'라는 뜻이다. 땅위로 곧게 올라와 솟아
날 때, 가지와 줄기가 있는 모습을 그렸다. 고문체에서는 간혹 이를 초(艸)자로 사용
하기도 한다. 철(徹)과 같이 읽는다. 철(屮)부수에 귀속된 글자는 모두 철(屮)이 의미
부이다. 윤동(尹彤)129)의 해설이다. 독음은 축(丑)과 렬(列)의 반절이다.

234

屯: 屯: 진칠 둔: 屮-총4획: zhūn

原文

屯: 難也. 象艸木之初生. 屯然而難. 从屮貫一. 一, 地也. 尾曲. 『易』曰: "屯,
剛柔始交而難生." 陟倫切.

飜譯

'어렵다(難)'라는 뜻이다. 초목이 처음 생겨나는 모습을 그렸는데, 구불구불한 모양

---

129) 윤동(尹彤)에 대한 상세한 자료를 찾을 수 없다. 다만 서계의 『설문계전』에서 이렇게 말했
다. "윤동은 당시의 문자학자일텐데, 『설문』에서 말한 '당시 학자들의 학설을 널리 수집했다'
라는 말을 반영한 것이다."

으로 그 힘든 모습을 그려냈다. 떡잎(屮)이 가로획[一]을 꿰뚫은 모습을 그렸다. 가로획[一]은 땅(地)을 뜻한다. 꼬리가 구부려졌다.[130] [이로써 힘들게 대지를 뚫고 나오는 싹의 모습을 강조했다.][131] 『역·단전(彖傳)』에서 "둔(屯)괘는 강하고 부드러움이 처음 교차하여 어려움이 새겨나는 모습을 상징한다(剛柔始交而難生)."라고 하였다. 독음은 척(陟)과 륜(倫)의 반절이다.

235

屯: 每: 매양 매: 毋-총7획: měi

原文

每: 艸盛上出也. 从屮母聲. 武罪切.

飜譯

'초목이 무성하게 자라난 모습(艸盛上出)'을 말한다. 철(屮)이 의미부이고 모(母)가 소리부이다.[132] 독음은 무(武)와 죄(罪)의 반절이다.

---

130) 『단주에서는 "屯然而難. 从屮貫一. 一, 地也."를 『구경자양(九經字樣)』과 『중경음의(衆經音義)』에서 인용한 『설문』에 근거해 "从屮貫一屈曲之也. 一, 地也."로 고친다고 했다.

131) 고문자에서 [甲骨文] [金文] [古幣文] [簡牘文] [古璽文] 등으로 썼다. 屮(떡잎 날 철)과 가로획(一)으로 구성되어, 싹(屮)이 단단한 지면(一)을 힘겹게 뚫고 올라오는 모습을 그렸다. 이로부터 '단단하다'와 '힘겹다'는 뜻이 생겼다. 대평원의 황토 지대를 살았던 고대 중국인들이 봄이 되어 새싹이 땅을 비집고 돋아나는 모습을 쉽게 관찰할 수 있었던 곳은 경사진 언덕이나 구릉이었을 것인데, 경사진 언덕은 평지보다 햇빛이 잘 비치기 때문이었다. 그래서 屯에 '언덕'이라는 뜻이 들게 되었고, 산지가 잘 발달하지 않았던 중원 지역에서 군대가 진을 치고 지형 지물로 이용했던 곳도 '언덕'이었다. 이로부터 다시 군대의 진을 치다는 뜻도 나왔다.

132) 자형을 보면 『설문』의 해설을 따르기가 어렵다. 아마도 이후의 모습에 근거한 해석한 파생 의미일 것이다. 매(每)는 고문자에서 [甲骨文] [金文] [古陶文] [簡牘文] [說文小篆] 등으로 써, 비녀를 하나 꽂은 성인 여성의 모습을 그렸다. 이로부터 어미(母)를 뜻했고, 每樣(매양: 언제나)의 뜻이 나왔음이 분명해 보인다. 어머니라면 그 누구라도 언제나 자식에 대한 변함없는 마음을 가진 존재이기에 '매양'이라는 뜻이 나왔을 것으로 추정하기도 한다.

236

毒: 毒: 독 독: 屮-총8획: dú

原文

毒: 厚也. 害人之艸, 往往而生. 从屮从毒. 薟, 古文毒从刀、菖. 徒沃切.

飜譯

'두텁다(厚)'는 뜻이다. 사람을 해치는 풀인데, 또렷하게 자라난다(往往而生).[133] 철(屮)이 의미부이고 독(毒)도 의미부이다.[134][135] 독(薟)은 독(毒)의 고문체인데, 도(刀)와 복(菖)으로 구성되었다. 독음은 도(徒)와 옥(沃)의 반절이다.

237

芬: 芬: 싹트면서 향기로울 분: 屮-총7획: fēn

原文

芬: 艸初生, 其香分布. 从屮从分, 分亦聲. 芬, 芬或从艸. 撫文切.

飜譯

'초목이 처음 생겨날 때 그 향기가 온데 퍼지는 것(艸初生, 其香分布)'을 말한다. 철

---

133) 왕왕(往往)을 『단주』에서는 '력력(歷歷)'과 같다고 했다.

134) 독(毒)을 해석하면서 해석 대상자인 독(毒)이 의미부라고 한 것은 오류이다. 그래서 서개의 『계전』에서는 "애(毒)가 소리부이다(毒聲)"라고 고쳤다. 독(毒)의 옛날 독음은 대(代)와 같았음을 고려할 때, 애(毒)가 독음을 나타낼 수 있었음을 보여준다.

135) 이의 자원에 대해서는 설이 분분하나, 자형을 보면 毒古陶文 毒簡牘文 毒說文小篆 薟說文古文로 써, 毒(음란할 애)에 비녀를 뜻하는 가로획(一)이 하나 더 더해진 모습임이 분명하다. 머리에 비녀를 여럿 꽂아 화려하게 장식한 여인(母·모)에서부터 '농염하다'는 뜻을 그렸고, 그러한 여자는 남자를 파멸로 이끄는 '독' 같은 존재라는 뜻에서 '독'의 의미가 나왔다. 비녀를 꽂지 않은 모습이면 母(모)이고, 하나를 꽂은 모습이면 每(매양 매)이고, 둘 꽂은 모습이면 毒이며, 여럿 꽂은 모습이 毒으로 표현되었다. 『설문해자』에서는 "屮(떡잎 날 철)과 毒로 구성되어, 독초를 말한다."라고 했다.

(屮)이 의미부이고 분(分)도 의미부인데, 분(分)은 소리부도 겸한다. 분(艿)은 분(芬)의 혹체자인데, 초(艸)로 구성되었다. 독음은 무(撫)와 문(文)의 반절이다.

238

光: 岦: 버섯 록: 屮-총7획: lù

原文

光: 菌岦, 地蕈. 叢生田中. 从屮六聲. 蓂, 籀文岦从三岦. 力竹切.

飜譯

'버섯(菌岦)'을 말하는데, 지심(地蕈)[땅버섯]이라고도 부른다.[136]' 들판에서 떨기로 자라난다. 철(屮)이 의미부이고 육(六)이 소리부이다. 록(蓂)의 주문체인데 세 개의 록(岦)으로 구성되었다. 독음은 력(力)과 죽(竹)의 반절이다.

239

熏: 熏: 연기 낄 훈: 火-총14획: xūn

原文

熏: 火煙上出也. 从屮从黑. 屮黑, 熏黑也. 許云切.

飜譯

'그을음이 위로 올라가 나가다(火煙上出)'라는 뜻이다. 철(屮)이 의미부이고 흑(黑)도 의미부이다.[137]' '철흑(屮黑)'은 '그을려 검게 되다(熏黑)'라는 뜻이다. 허(許)와 운

---

136) 『이아주』에 의하면, "중규(中馗)를 지심(地蕈)이라고 했다. 일산(日傘)과 비슷하고 지금 강동(江東)에서는 토균(土菌)이라고 부른다. 달리 규주(馗廚)라고도 하는데 먹을 수 있다. 크고 작은 것의 명칭이 다르다." 또 『이아소』에서는 이렇게 말했다. "이상은 버섯의 크기에 따른 구분이다. 큰 것을 중규(中馗)라 하고, 작은 것을 균(菌)이라 한다. 지심(地蕈)은 곧 세속에서 지균(地菌)이라고 하는 것이다."

137) 고문자에서 東 熏 東 金文 등으로 썼다. 『설문해자』에서 屮(싹틀 철)과 黑(검을 흑)으로 구성되어 "검은(黑) 연기가 위로 올라감(屮)을 말한다"라고 했는데, 자형이 변해 지금처럼 熏으로 되었다. 그러나 금문에서는 무엇인가를 포대기에 싸서(東) 연기에 쐬는 모습을 그렸고,

---

(云)의 반절이다.

이로부터 '훈제'의 뜻이 나온 것으로 추정된다. 이후 의미를 더 강화하기 위해 火(불 화)를 더한 燻(연기 낄 훈)을 만들었다. 혹자는 "양쪽 끝을 실로 묶은 주머니로, 주머니 속에 여러 가지 물건이 든 모습이다. 이는 향을 넣은 주머니 즉 향낭(香囊)인데, 향기로운 꽃잎을 말려 넣어 옷에 향기가 스며들게 하는데 쓰였으며, 또 가지고 다니면서 어디에서나 향기를 풍길 수 있게 했다."고 풀이하기도 한다.(허진웅, 2021)

제12부수
012 ■ 초(艸)부수

240

艸: 艸: 풀 초: 艸-총6획: cǎo

原文

艸: 百芔也. 从二屮. 凡艸之屬皆从艸. 倉老切.

飜譯

'갖가지 풀(百芔)'에 대한 총칭이다. 두 개의 철(屮)로 구성되었다. 초(艸)부수에 귀속된 글자는 모두 초(艸)가 의미부이다.[138] 독음은 창(倉)과 로(老)의 반절이다.

241

茻: 莊: 풀 성할 장: 艸-총11획: zhuāng

原文

茻: 上諱. 茻, 古文莊. 側羊切.

飜譯

'임금의 이름'이다.[139] 장(茻)은 장(莊)의 고문체이다. 독음은 측(側)과 양(羊)의 반

---

138) 고문자에서 ＼＼ ＼＼ ＼＼ ＼＼ ＼＼ 古陶文 ＼ 簡牘文 艸 說文小篆 등으로 써, 屮(싹 날 철)이 둘 모인 모습인데, 屮은 떡잎을 피운 '싹'의 모습이다. 屮이 셋 모이면 卉(풀 훼)가 되고 넷 모이면 茻(풀 우거질 망)이 되어, 屮의 숫자가 많을수록 정도가 강화되었다. 艸(풀 초)의 경우, 금문부터는 소리부인 早(일찍 조)를 더해 草(풀 초)로 분화해, 단독으로 쓰일 때에는 草, 다른 글자와 결합할 때에는 艸(++)로 썼다. 풀은 식물의 대표이기 때문에, 艸는 풀의 총칭은 물론 풀의 구체적 명칭, 나아가 식물의 특정 부위를 지칭한다. 草는 또 부드러운 식물이라는 뜻으로부터 여성을 지칭하게 되었으며, 이리저리 눕는 풀의 속성으로부터 대강대강 하다, 거칠다, 草稿(초고), 起草(기초)하다 등의 뜻이 나왔다. 원래는 艸로 썼으나 소리부인 早를 더해 형성구조로 변화했는데, 빨리(早) 자라는 식물(艸)이라는 의미를 담았다.

절이다.

242

麻: 蓏: **열매 라**: 艸-총14획: luǒ

原文

麻: 在木曰果, 在地曰蓏. 从艸从𤓰. 郎果切.

翻譯

'[열매를 말하는데] 나무에 달렸으면 과(果)라 하고, 땅에 있으면 라(蓏)라 한다.[140] 초(艸)가 의미부이고 유(𤓰)도 의미부이다. 독음은 랑(郎)과 과(果)의 반절이다.

243

芝: 芝: **지초 지**: 艸-총8획: zhī

原文

芝: 神艸也. 从艸从之. 止而切.

翻譯

'신령스런 풀(神艸)'을 말한다.[141] 초(艸)가 의미부이고 지(之)도 의미부이다. 독음은 지(止)와 이(而)의 반절이다.

---

139) 한나라 명제(明帝)의 이름이다. 한나라 명제(明帝) 유장(劉莊, 28~75)은 처음 이름이 유양(劉陽)이고 광무제(光武帝) 유수(劉秀)의 넷째 아들로, 동한(東漢)의 제2대 임금이며, 57년~75년까지 재위했다.

140) 『단주』에서는 『제민요술(齊民要術)』에서 인용한 『설문』에 근거해 "在地曰蓏"를 "在艸曰蓏(풀에서 열리는 것을 라(蓏)라 한다)"로 고쳤다.

141) 『단주』에서는 "神艸也"를 "神芝也(영지를 말한다)"로 고쳤으며, 『이아·석초(釋艸)』에서 "수지(茵芝)를 말한다"라고 했다. 『논형(論衡)』에서는 "흙의 기운이 조화롭기에 영지가 생겨난다(土氣和, 故芝艸生.)"라고 했다.

244

𦿗 : 蔰: 상서풀이름 삽: 艸－총12획: shà

原文

𦿗 : 蔰莆, 瑞艸也. 堯時生於庖廚, 扇暑而涼. 从艸圭聲. 士洽切.

譯

'삽보(蔰莆)를 말하는데, 일종의 상서로운 풀(瑞艸)이다.' 요(堯) 임금 때 부엌에서 자라나더니 [저절로 움직여] 부채질로 더위를 식혀 음식물을 보관하게 해주었다고 한다.[142] 초(艸)가 의미부이고 섭(圭)이 소리부이다. 독음은 사(士)와 흡(洽)의 반절이다.

245

甫 : 莆: 서초 보·부, 부들 포: 艸－총11획: fǔ

原文

莆 : 蔰莆也. 从艸甫聲. 方矩切.

譯

'상서로운 식물인 삽보(蔰莆)'를 말한다. 초(艸)가 의미부이고 보(甫)가 소리부이다. 독음은 방(方)과 구(矩)의 반절이다.

246

虋 : 虋: 차조 문: 艸－총29획: mén

原文

虋 : 赤苗, 嘉穀也. 从艸釁聲. 莫奔切.

---

142) '삽보'는 상서로운 식물이며, 요임금의 효성이 지극했던 탓에 날씨가 무더워지자 잎이 문짝보다 큰 삽보가 부엌에서 저절로 자라나 부채질을 하여 더위를 식혀주어 음식을 상하지 않게 해주었다는 『백호통(白虎通)』의 전설을 반영하였다. 『논형(論衡)』에서는 달리 삽포(蔰脯)라 쓰기도 했다.

翻譯

'줄기가 붉은 색을 띠는 벼(赤苗)인데, 상서로운 곡식(嘉穀)의 하나이다.' 초(艸)가 의미부이고 흔(釁)이 소리부이다. 독음은 막(莫)과 분(奔)의 반절이다.

247

荅: 荅: 좀 콩 답: 艸-총10획: dá

原文

荅: 小尗也. 从艸合聲. 都合切.

翻譯

'알이 잔 콩(小尗)[좀 콩]'을 말한다. 초(艸)가 의미부이고 합(合)이 소리부이다. 독음은 도(都)와 합(合)의 반절이다.

248

萁: 萁: 콩깍지 기: 艸-총12획: qí

原文

萁: 豆莖也. 从艸其聲. 渠之切.

翻譯

'콩의 줄기(豆莖)'를 말한다. 초(艸)가 의미부이고 기(其)가 소리부이다. 독음은 거(渠)와 지(之)의 반절이다.

249

藿: 藿: 콩 곽: 艸-총26획: huò

原文

藿: 尗之少也. 从艸靃聲. 虛郭切.

'어린 콩(尗之少)'을 말한다.143) 초(艸)가 의미부이고 학(霍)이 소리부이다. 독음은 허(虛)와 곽(郭)의 반절이다.

250

揪: 莥: 돌 콩 뉴: 艸-총11획: niǔ

原文

揪: 鹿藿之實名也. 从艸狃聲. 敕久切.

飜譯

'여우 콩(鹿藿)144)의 열매 즉 야생 녹두'를 말한다. 초(艸)가 의미부이고 뉴(狃)가 소리부이다. 독음은 칙(敕)과 구(久)의 반절이다.

251

蔀: 蔀: 쭉정이 랑: 艸-총13획: láng

原文

蔀: 禾粟之采, 生而不成者, 謂之董蔀. 从艸郎聲. 稂, 蔀或从禾. 魯當切.

飜譯

'여물지 않은 벼(禾)나 조(粟)의 이삭(采)을 동랑(董蔀)이라 한다.' 초(艸)가 의미부이고 랑(郎)이 소리부이다. 랑(稂)은 랑(蔀)의 혹체자인데, 화(禾)로 구성되었다. 독음은 로(魯)와 당(當)의 반절이다.

---

143) 『단주』에서는 이렇게 말했다. "『모씨전(毛詩傳)』에서 곽(藿)은 어린 싹(苗)과 같은 뜻이라고 했는데, 옳은 말이다. 이선(李善)의 『문선주』에서는 『설문』을 인용하면서 콩의 잎(豆之葉)이라고 했는데, 「사상례(士喪禮)」의 주석과 합치된다."

144) 『이아·석초(釋草)』의 곽박 주석에서 "오늘날의 녹두(鹿豆)를 말하는데, 잎은 대두(大豆)와 비슷하고, 뿌리는 노랗고 향기가 나며, 줄기로 자란다."라고 한다고 했으며, 주준성의 『설문통훈정성』에서는 "달리 야생 녹두(野綠豆)라고 부른다"라고 했다.

252

莠： 莠: 강아지풀 유: 艸-총11획: yǒu

原文

莠： 禾粟下生莠. 从艸秀聲. 讀若酉. 与久切.

飜譯

'조(禾粟) 아래에서 자라는 [조 비슷한] 것을 수(莠), 즉 강아지풀이라 한다.'[145] 초(艸)가 의미부이고 수(秀)가 소리부이다. 유(酉)와 같이 읽는다. 독음은 여(与)와 구(久)의 반절이다.

253

菔： 菔: 피할·삼씨 비: 艸-총12획: fèi

原文

菔： 枲實也. 从艸肥聲. 藣, 菔或从麻、賁. 房未切.

飜譯

'모시풀의 열매(枲實)'를 말한다. 초(艸)가 의미부이고 비(肥)가 소리부이다. 비(藣)는 비(菔)의 혹체자인데, 마(麻)와 분(賁)으로 구성되었다. 독음은 방(房)과 미(未)의 반절이다.

254

芓： 芓: 암삼 자: 艸-총7획: zī

原文

---

145) 『단주』에서는 "禾粟下"는 "禾粟閒(조 사이에서)"와 같은 뜻이라고 했다. 또 화속(禾粟)은 오늘날 말하는 조(小米)이고, 유(莠)는 오늘날 말하는 강아지풀(狗尾艸)이라고 했다.

茡 : 麻母也. 从艸子聲. 一曰芋卽枲也. 疾吏切.

(飜譯)
'암삼(麻母)'을 말한다. 초(艸)가 의미부이고 자(子)가 소리부이다. 일설에는 자(芋)가 모시풀(枲)을 말한다고도 한다. 독음은 질(疾)과 리(吏)의 반절이다.

255

萛 : 萛: 연교 이: 艸-총15획: yì

(原文)
萛 : 芋也. 从艸異聲. 羊吏切.

(飜譯)
'자(芋)와 같아 암삼'을 말한다. 초(艸)가 의미부이고 이(異)가 소리부이다. 독음은 양(羊)과 리(吏)의 반절이다.

256

蘇 : 蘇: 차조기 소: 艸-총20획: sū

(原文)
蘇 : 桂荏也. 从艸穌聲. 素孤切.

(飜譯)
'계임(桂荏) 즉 차조기'를 말한다. 초(艸)가 의미부이고 소(穌)가 소리부이다.146) 독

---

146) 고문자에서 金文 古陶文 古璽文 說文小篆 등으로 써, 艸(풀 초)가 의미부고 穌(긁어모을 소)가 소리부로, 꿀 풀과 일년생 재배초에 속하는 식물(艸)의 일종인 '차조기'를 말한다. 이후 蘇生(소생)하다는 뜻으로 가차되었으며, 다시 更(갱) 태어나다(生)는 뜻은 甦(깨어날 소)를 만들어 분화했다. 또 江蘇(강소)성이나 蘇州(소주)의 간칭으로도 쓰인다. 간화자에서는 소리부인 穌를 办(辦의 간화자)으로 간단히 줄여 苏로 쓴다.

음은 소(素)와 고(孤)의 반절이다.

257

荏: 荏: 들깨 **임**: 艸-총10획: rěn

原文

荏: 桂荏, 蘇. 从艸任聲. 如甚切.

飜譯

'계임(桂荏), 즉 차조기(蘇)'를 말한다. 초(艸)가 의미부이고 임(任)이 소리부이다. 독음은 여(如)와 심(甚)의 반절이다.

258

芙: 芙: 돌피 **질**: 艸-총9획: dié

原文

芙: 菜也. 从艸矢聲. 失匕切.

飜譯

'채소의 일종(菜)'이다. 초(艸)가 의미부이고 시(矢)가 소리부이다. 독음은 실(失)과 비(匕)의 반절이다.

259

葘: 葘: 물고사리 **기**: 艸-총14획: qǐ

原文

葘: 菜之美者. 雲夢之葘. 从艸豈聲. 驅喜切.

飜譯

'맛이 좋은 채소'를 말한다. 운몽(雲夢)[147]에서 나는 물고사리(葘)를 말한다. 초(艸)

가 의미부이고 기(豈)가 소리부이다. 독음은 구(驅)와 희(喜)의 반절이다.

260

漤: 葵: 해바라기 규: 艸-총13획: kuí

原文

漤: 菜也. 从艸癸聲. 彊惟切.

譯

'채소의 일종(菜)[아욱]'이다. 초(艸)가 의미부이고 계(癸)가 소리부이다. 독음은 강(彊)과 유(惟)의 반절이다.

261

薑: 薑: 생강 강: 艸-총20획: jiāng

原文

薑: 禦溼之菜也. 从艸彊聲. 居良切.

譯

'습기를 막아주는 채소(禦溼之菜)[생강]'를 말한다.[148) 초(艸)가 의미부이고 강(彊)이

---

147) 운몽(雲夢)은 초나라에 있던 옛 늪지 이름인데, 지금의 호북성 효감시(孝感市)로 무한(武漢)시 광역권의 주요 부분이다. 서위(西魏) 대통(大統) 16년(550)에 운몽현(雲夢縣)이 설치되었다. 1975년 12월, 운몽현 수호지(睡虎地)의 진(秦)나라 무덤에서 진나라 당시의 법률에 관한 대량의 죽간이 발견되어 유명해졌다. 총 1155매에 이르고, 잔편도 80매에 이르는데, 대체로 『진율십팔종(秦律十八種)』, 『효율(效律)』, 『진율잡초(秦律雜抄)』, 『법률답문(法律答問)』, 『봉진식(封診式)』, 『편년기(編年記)』, 『어서(語書)』, 『위리지도(爲吏之道)』『일서(日書)』갑종과 을종 등이 포함되었다.

148) 생강(生薑, Zingiber officinale Roscoe)을 말하는데, 이는 생강과의 여러해살이풀로, 높이는 30~50cm이며, 잎은 두 줄로 어긋나고 피침 모양이다. 우리나라에서는 꽃이 피지 않으나 열대 지방에서는 8월경에 길이 20cm 정도의 꽃줄기 끝에서 잎집에 싸인 꽃이 수상(穗狀) 화서로 핀다. 뿌리는 맵고 향기가 좋아서 향신료와 건위제로 쓰인다. 열대 아시아가 원산지로 세계 각지에서 재배한다. 현대 중국어에서는 달리 생강(生姜)으로 쓰며, 달리 강근(薑根), 백날운(百辣雲), 구장지(勾裝指), 인지신(因地辛), 염량소자(炎涼小子), 서생강(鮮生薑), 밀자강(蜜炙薑)

소리부이다. 독음은 거(居)와 량(良)의 반절이다.

262

蓼: 蓼: 여뀌 료: 艸-총15획: liǎo

原文

蓼: 辛菜, 薔虞也. 从艸翏聲. 盧鳥切.

飜譯

'매운 맛이 나는 채소(辛菜)'로, 장우(薔虞)[여뀌]를 말한다.[149] 초(艸)가 의미부이고 료(翏)가 소리부이다. 독음은 로(盧)와 조(鳥)의 반절이다.

263

葅: 葅: 푸성귀 조: 艸-총14획: zǔ

原文

葅: 菜也. 从艸祖聲. 則古切.

飜譯

'채소의 일종(菜)[삼백초]'이다.[150] 초(艸)가 의미부이고 조(祖)가 소리부이다. 독음은

등으로 부른다. 뿌리, 잎, 껍질 등은 모두 약재로 쓰인다.(『표준국어대사전』, 『바이두백과』)

149) 여뀌는 마디풀과의 한해살이풀로, 높이는 40~80cm이며 잎은 어긋나고 피침 모양이다. 6~9월에 꽃잎의 끝이 붉은색을 띠는 연녹색 꽃이 수상(穗狀) 화서로 피고 열매는 수과(瘦果)이다. 잎과 줄기는 짓이겨 물에 풀어서 고기를 잡는 데 쓴다. 잎은 매운맛이 나며 조미료로 쓰이기도 한다. 한국, 일본, 북미, 유럽 등지에 분포한다.(『표준국어대사전』)

150) 『단주』에서 이렇게 말했다. "『광아(廣雅)』에서 조(葅)는 삼백초(蕺)를 말한다고 했다. 최표(崔豹)의 『고금주(古今注)』에서 형주와 양주 사람들(荊楊人)은 조(葅)를 즙(蕺)이라 한다고 했다. 「촉도부(蜀都賦)」의 주석에서 조(葅)는 토가(土茄)라고도 하는데, 잎이 땅을 덮고 자라며, 뿌리는 식용하며, 기근이 들면 식량 대용으로 쓴다고 했다. 『풍토기(風土記)』에서는 삽(蕺)은 향채(香菜)인데, 뿌리는 모근(茅根)을 닮았으며, 촉(蜀)사람들이 말하는 조향(葅香)이 그것이라고 했다. 단공로(段公路)의 『북호록(北戶錄)』에서도 삽(蕺)은 진(秦) 지역 사람들이 조자(葅子)이라고 했다."

즉(則)과 고(古)의 반절이다.

264

蘧: 蘧: 채소이름 거: 艸-총17획: qú

原文

蘧: 菜也. 似蘇者. 从艸豦聲. 彊魚切.

譯

'채소의 일종(菜)'이다. 차조기(蘇)와 비슷하게 생겼다. 초(艸)가 의미부이고 거(豦)가 소리부이다. 독음은 강(彊)과 어(魚)의 반절이다.

265

薇: 薇: 고비 미: 艸-총17획: wēi

原文

薇: 菜也. 似藿. 从艸微聲. 薇, 籀文薇省. 無非切.

譯

'채소의 일종(菜)'이다. 어린 콩(藿)과 비슷하다. 초(艸)가 의미부이고 미(微)가 소리부이다. 미(薇)는 미(薇)의 주문체인데, [彳이] 생략된 모습이다. 독음은 무(無)와 비(非)의 반절이다.

266

蓶: 蓶: 푸성귀 유: 艸-총15획: wéi

原文

蓶: 菜也. 从艸唯聲. 以水切.

譯

'채소의 일종(菜)'이다. 초(艸)가 의미부이고 유(唯)가 소리부이다.151) 독음은 이(以)와 수(水)의 반절이다.

267

𦬊: 菦: 천연 쑥 근: 艸-총12획: qín

原文

𦬊: 菜, 類蒿. 从艸近聲.『周禮』有"菦菹". 巨巾切.

飜譯

'채소의 일종(菜)'인데, 쑥(蒿)과 비슷하다.152) 초(艸)가 의미부이고 근(近)이 소리부이다. 『주례·천관해인(醢人)』에 "근저(菦菹·쑥 절임)"라는 말이 보인다. 독음은 거(巨)와 건(巾)의 반절이다.

268

𧃲: 蘘: 향유 양: 艸-총28획: niàng

原文

𧃲: 菜也. 从艸釀聲. 女亮切.

飜譯

'채소의 일종(菜)'이다.153) 초(艸)가 의미부이고 양(釀)이 소리부이다. 독음은 녀(女)

---

151) 『단주』에서 이렇게 말했다. "『제민요술(齊民要術)』에서 유채(蓷菜)의 유(薙)의 독음은 유(唯)인데, 검은 부추(烏韭)와 비슷하면서 약간 누렇다고 했다."

152) 『단주』에서는 이를 '미나리'의 일종으로 보았으며, 이렇게 말했다. "『시경』과 『예기』에서 모두 근(芹)으로 적었다. 『소아전(小雅箋)』에서 '근(芹)은 채소(菜)이다. 절임(菹)할 수 있다.'라고 했다. 『노송전(魯頌箋)』에서는 '근(芹)은 수채(水菜)이다'라고 했고,「이아·삭초(釋艸)」를 비롯해 『주례주』에서는 '근(芹)은 초규(楚葵)이다'라고 했다. 내 생각에는 오늘날 사람들이 식용하는 근채(芹菜)를 말한다. 오늘날 보이는 『설문』 판본에서는 애(艾)와 장(葦)자 설명에 또 근(芹)자가 출현하며, 초규(楚葵)로 뜻풀이를 했다."

153) 『단주』에서 이렇게 말했다. "『방언(方言)』에서 소(蘇, 차조기)를 원강과 상강(沅湘)의 남쪽 지역에서는 할(薝)이라고도 부르는데, 그 작은 것을 양유(釀菜)라고 한다고 했다. 그러나 허신

와 량(亮)의 반절이다.

269

𦬅: 莧: 비름 현·패모 한: 艸-총11획: xiàn

原文

𦬅: 莧菜也. 从艸見聲. 侯澗切.

飜譯

'현채(莧菜) 즉 비름'을 말한다. 초(艸)가 의미부이고 견(見)이 소리부이다. 독음은 후(侯)와 간(澗)의 반절이다.

270

芋: 芋: 토란 우: 艸-총7획: yù

原文

芋: 大葉實根, 駭人, 故謂之芋也. 从艸亏聲. 王遇切.

飜譯

'토란'을 말한다. 사람을 놀라게 할 정도의 커다란 잎에 통실한 알뿌리를 가졌고, 그래서 우(芋)라고 한다. 초(艸)가 의미부이고 우(亏)가 소리부이다. 독음은 왕(王)과 우(遇)의 반절이다.

271

莒: 莒: 감자 거: 艸-총11획: jǔ

原文

이 말한 것이 꼭 이것인지는 분명하지 않다. 『제민요술(齊民要術)』에서는 장저(藏菹, 채소를 담그다)라고 할 때의 양(釀)이라고 했는데, 독음은 인(人)과 장(丈)의 반절이다. 『내칙주(內則注)』에서 말한 채양(菜釀)은 초(艸)로 구성되지 않았다."

萬: 齊謂芌爲莒. 从艸呂聲. 居許切.

(번역)

'제(齊) 지역에서는 토란(芌)을 거(莒)라고 부른다.'[154] 초(艸)가 의미부이고 려(呂)가 소리부이다. 독음은 거(居)와 허(許)의 반절이다.

272

蘧: 蘧: 풀이름 거: 艸-총21획: qú

(原文)

蘧: 蘧麥也. 从艸遽聲. 彊魚切.

(번역)

'거맥(蘧麥) 즉 귀리'를 말한다. 초(艸)가 의미부이고 거(遽)가 소리부이다. 독음은 강(彊)과 어(魚)의 반절이다.

273

菊: 菊: 국화 국: 艸-총12획: jú

(原文)

菊: 大菊, 蘧麥. 从艸匊聲. 居六切.

(번역)

'대국(大菊)'을 말하는데, 달리 거맥(蘧麥·귀리)이라고도 한다. 초(艸)가 의미부이고 국(匊)이 소리부이다. 독음은 거(居)와 륙(六)의 반절이다.

274

葷: 葷: 매운 채소 훈: 艸-총13획: hūn

---

154) 『방언·별국방언(別國方言)』에 나오는 말이다.

原文

葷： 臭菜也. 从艸軍聲. 許云切.

譯

'향기가 강한 채소(臭菜)[훈채]'를 말한다. 초(艸)가 의미부이고 군(軍)이 소리부이다.
독음은 허(許)와 운(云)의 반절이다.

275

蘘： 蘘: 양하 양: 艸-총21획: ráng

原文

蘘： 蘘荷也. 一名菖蒩. 从艸襄聲. 汝羊切.

譯

'양하(蘘荷), 즉 생강과에 속하는 여러해살이 풀'을 말한다. 달리 복조(菖蒩)라고도
한다. 초(艸)가 의미부이고 양(襄)이 소리부이다. 독음은 여(汝)와 양(羊)의 반절이다.

276

菁： 菁: 우거질 청·부추꽃 정: 艸-총12획: jīng

原文

菁： 韭華也. 从艸青聲. 子盈切.

譯

'부추의 꽃(韭華)'을 말한다. 초(艸)가 의미부이고 청(青)이 소리부이다. 독음은 자
(子)와 영(盈)의 반절이다.

277

蘆： 蘆: 갈대 로: 艸-총20획: lú

原文

薗: 蘆菔也. 一曰薺根. 从艸盧聲. 落乎切.

飜譯

'로복(蘆菔) 즉 무'를 말한다.[155] 달리 제근(薺根)이라고도 한다. 초(艸)가 의미부이고 로(盧)가 소리부이다. 독음은 락(落)과 호(乎)의 반절이다.

278

菔: 菔: 무 복: 艸-총12획: fú

原文

菔: 蘆菔. 似蕪菁, 實如小未者. 从艸服聲. 蒲北切.

飜譯

'로복(蘆菔) 즉 냉이'를 말한다. 무청(蕪菁)과 비슷하나, 뿌리가 작은 콩만 하다. 초(艸)가 의미부이고 복(服)이 소리부이다. 독음은 포(蒲)와 북(北)의 반절이다.

279

苹: 苹: 개구리밥 평: 艸-총9획: píng

---

155) 지역에 따라서는 무수·무시라고도 부르며, 한자어로는 라복(蘿蔔)이라고 한다. 1년생 또는 2년생 초본식물로 크기는 20~100㎝에 달한다. 뿌리는 원형·원통형·세장형 등 여러 종류가 있고 뿌리의 빛깔도 흰색·검정색·붉은색 등 다양하다. 원산지는 지중해 연안으로 알려져 있으며 실크로드를 통하여 중국에 전래되었다고 한다. 『이아(爾雅)』에서도 라복(蘿蔔)을 로복(蘆菔)이라 표기하고 있다. 진(晉)나라 곽박(郭璞)의 『이아주』에서는 "자색 꽃에 큰 뿌리를 가졌는데(紫華, 大根) 세속에서는 박돌(雹突)이라 부른다"라고 했다. 630년경에 만들어진 북위(北魏) 가사협(賈思勰)의 『제민요술(齊民要術)』에서도 이미 무(蘿蔔)의 재배 방식이 기록되어 있다. 당나라 소공(蘇恭)의 『본초(本草)』에서도 무(萊菔)의 양용 가치에 대해 "음식을 소화시키며, 가래를 제거해 주고, 살을 지우고 건강하게 만든다(消穀, 去痰癖, 肥健人.)"라고 했다. 송나라 소송(蘇頌)의 『본초도경(本草圖經)』에서는 무(萊菔)를 "남북 지역에 모두 존재하는데……특히 북방지역에서 많이 심는다."라고 하여 당시 중국 전체에서 보편적으로 재배되었음을 보여주고 있다.

原文

萍: 苹也. 無根, 浮水而生者. 从艸平聲. 符兵切.

繼譯

'평(苹)과 같아 개구리밥'을 말한다. 뿌리가 없어 물위로 떠다니면서 살아간다. 초(艸)가 의미부이고 평(平)이 소리부이다. 독음은 부(符)와 병(兵)의 반절이다.

280

茞: 茞: 풀이름 신: 艸-총10획: chén

原文

茞: 艸也. 从艸臣聲. 積鄰切.

繼譯

'풀의 일종(艸)'이다. 초(艸)가 의미부이고 신(臣)이 소리부이다. 독음은 진(積)과 린(鄰)의 반절이다.

281

薲: 薲: 네가래 빈: 艸-총18획: pín

原文

薲: 大萍也. 从艸賓聲. 符眞切.

繼譯

'커다란 부평초(大萍)'를 말한다. 초(艸)가 의미부이고 빈(賓)이 소리부이다. 독음은 부(符)와 진(眞)의 반절이다.

282

藍: 藍: 쪽 람: 艸-총18획: lán

原文

藍: 染青艸也. 从艸監聲. 魯甘切.

飜譯

'푸르게 염색하는 풀(染青艸) 즉 쪽'을 말한다. 초(艸)가 의미부이고 감(監)이 소리부
이다. 독음은 로(魯)와 감(甘)의 반절이다.

283

蕿: 蕿: 원추리 훤: 艸-총20획: xuān

原文

蕿: 令人忘憂艸也. 从艸憲聲. 『詩』曰: "安得蕿艸?" 蕿, 或从煖. 蕿, 或从宣.
況袁切.

飜譯

'[근심을 잊어버리게 해준다는] 망우초(忘憂艸)'를 말한다. 초(艸)가 의미부이고 헌(憲)
이 소리부이다. 『시·위풍·백혜(伯兮)』에서 "어떻게 망우초를 얻을까?(安得蕿艸?)"라고
노래했다. 훤(蕿)은 훤(蕿)의 혹체자인데, 난(煖)으로 구성되었다. 난(蕿)도 훤(蕿)의
혹체자인데, 선(宣)으로 구성되었다. 독음은 황(況)과 원(袁)의 반절이다.

284

藭: 藭: 궁궁이 궁: 艸-총12획: qiōng

原文

藭: 營藭, 香艸也. 从艸宮聲. 藭, 司馬相如說, 藭或从弓. 去弓切.

飜譯

'궁궁이(營藭)'를 말하는데, 향기 나는 풀(香艸)의 일종이다. 초(艸)가 의미부이고 궁
(宮)이 소리부이다. 궁(藭)은 사마상여(司馬相如)의 설에 의하면, 궁(藭)의 혹체자인
데, 궁(弓)으로 구성되었다. 독음은 거(去)와 궁(弓)의 반절이다.

285

蕾: 藭: 궁궁이 궁: 艸-총19획: qióng

原文

藭: 营藭也. 从艸窮聲. 渠弓切.

譯

'궁궁이(营藭)'를 말한다. 초(艸)가 의미부이고 궁(窮)이 소리부이다. 독음은 거(渠)와 궁(弓)의 반절이다.

286

蘭: 蘭: 난초 란 난: 艸-총21획: lán

原文

蘭: 香艸也. 从艸闌聲. 落干切.

譯

'향기 나는 풀(香艸)'의 일종이다. 초(艸)가 의미부이고 란(闌)이 소리부이다. 독음은 락(落)과 간(干)의 반절이다.

287

蔪: 蔪: 띠 간: 艸-총13획: jiān

原文

蔪: 艸, 出吳林山. 从艸姦聲. 古顔切.

譯

'풀의 일종(艸)'으로, 오(吳) 지역의 숲에서 난다. 초(艸)가 의미부이고 간(姦)이 소리부이다. 독음은 고(古)와 안(顔)의 반절이다.

288

薞: 薞: 큰 준·생강 유·고을 이름 사: 艸-총13획: suī

原文

薞: 蘁屬. 可以香口. 从艸俊聲. 息遺切.

繹譯

'생강(蘁)의 일종'이다. 입 안을 향기롭게 해 줄 수 있다. 초(艸)가 의미부이고 준(俊)이 소리부이다. 독음은 식(息)과 유(遺)의 반절이다.

289

芄: 芄: 왕골 환: 艸-총7획: wán

原文

芄: 芄蘭, 莞也. 从艸丸聲. 『詩』曰: "芄蘭之枝." 胡官切.

繹譯

'환란(芄蘭) 즉 왕골(莞)'을 말한다. 초(艸)가 의미부이고 환(丸)이 소리부이다. 『시·위풍·환란(芄蘭)』에서 "환란의 넝쿨 가지여(芄蘭之枝)"라고 노래했다. 독음은 호(胡)와 관(官)의 반절이다.

290

蘦: 蘦: 백지 효: 艸-총25획: xiāo

原文

蘦: 楚謂之蘺, 晉謂之蘦, 齊謂之茝. 从艸囂聲. 許嬌切.

繹譯

'[백지(白芷)를] 초(楚) 지역에서는 리(蘺)라 하고, 진(晉) 지역에서는 효(蘦)라 하며,

제(齊) 지역에서는 채(茝)라 한다.'156) 초(艸)가 의미부이고 효(囂)가 소리부이다. 독음은 허(許)와 교(嬌)의 반절이다.

291

䕻: 蘺: 천궁 리: 艸-총23획: lí

原文

蘺: 江蘺, 蘼蕪. 从艸離聲. 呂之切.

飜譯

'강리(江蘺)를 말하는데, 미무(蘼蕪)를 말한다.' 초(艸)가 의미부이고 리(離)가 소리부이다. 독음은 려(呂)와 지(之)의 반절이다.

292

茝: 茝: 구리때 채: 艸-총10획: chén

原文

茝: 䕻也. 从艸臣聲. 昌改切.

飜譯

'채(䕻)'를 말한다. 초(艸)가 의미부이고 이(臣)가 소리부이다. 독음은 창(昌)과 개

---

156) 『단주』에서는 이렇게 보충했다. "이는 같은 사물에 대한 방언 지역의 이칭들이다. 채(茝)를 『본초경(本艸經)』에서는 백지(白芷)라 했다. 채(茝)와 지(芷)는 같은 글자이다.……『비창(埤蒼)』에서 제(齊) 지역에서 말하는 채(茝)는 달리 효(䕻)라고도 한다고 했다. 내 생각은 이렇다. 굴원(屈原)의 부(賦)에 채(茝)도 있고 지(芷)도 있고 또 약(葯)도 등장하는데, 왕일의 주석에서 약(葯)은 백지(白芷)를 말한다고 했다. 『광아(廣雅)』에서 백지(白芷)의 잎을 약(葯)이라 한다고 했다. 『설문』에는 약(葯)자가 실려 있지 않다. 효(䕻)나 약(約)의 성부는 모두 제2부에 속해 있다. 그래서 효(䕻)와 약(葯)은 같은 글자가 아닐까 생각한다. 그러나 초(楚) 지역에서는 이를 리(蘺)라 한다고 했고, 또 바로 이어지는 표제자가 리(蘺)자이고 '강리(江蘺)를 말하는데, 미무(蘼蕪)를 말한다.'라고 했다. 그렇다면 채(茝), 강리(江蘺), 미무(蘼蕪)가 같은 식물이라는 말인데, 그 이유를 잘 모르겠다. 『이소(離騷)』에서 '扈江蘺於辟芷兮(강리와 지초를 어깨에 들쳐 메네)'라고 노래한 것을 보면, 이들은 같은 식물이 이남이 분명하다."

(改)의 반절이다.

293

蘪: 蘪: 천궁 미: 艸-총21획: mí

原文

蘪: 蘪蕪也. 从艸麋聲. 靡爲切.

譯

'미무(蘪蕪)'를 말한다. 초(艸)가 의미부이고 미(麋)가 소리부이다. 독음은 미(靡)와 위(爲)의 반절이다.

294

薰: 薰: 향 풀 훈: 艸-총18획: xūn

原文

薰: 香艸也. 从艸熏聲. 許云切.

譯

'향기를 내는 풀(香艸)'을 말한다. 초(艸)가 의미부이고 훈(熏)이 소리부이다. 독음은 허(許)와 운(云)의 반절이다.

295

薄: 薄: 땅버들 독: 艸-총16획: dú

原文

薄: 水藊菥. 从艸从水, 毒聲. 讀若督. 徒沃切.

譯

'물가에 자라는 편축(水藊菥)[마디풀]'을 말한다.[157] 초(艸)가 의미부이고 수(水)도 의미부이고, 독(毒)이 소리부이다. 독(督)과 같이 읽는다. 독음은 도(徒)와 옥(沃)의 반절이다.

296

萹: 萹: **마디풀 편**: 艸-총13획: biān

原文

萹: 萹茿也. 从艸扁聲. 方沔切.

譯

'편축(萹茿) 즉 마디풀'을 말한다. 초(艸)가 의미부이고 편(扁)이 소리부이다. 독음은 방(方)과 면(沔)의 반절이다.

297

茿: 茿: **능수버들 축**: 艸-총10획: zhú

原文

茿: 萹茿也. 从艸, 筑省聲. 陟玉切.

譯

'편축(萹茿) 즉 마디풀'을 말한다. 초(艸)가 의미부이고, 축(筑)의 생략된 모습이 소리부이다. 독음은 척(陟)과 옥(玉)의 반절이다.

---

157) 편축(萹茿)은 마디풀을 말하는데, 달리 편축(萹蓄), 편죽(扁竹), 축변(畜辯), 편만(萹蔓), 편축(扁蓄), 지편축(地萹蓄), 편죽(編竹), 노변초(路邊草), 분절초(粉節草)라고도 하는데, 한해살이풀로 가늘고 긴 줄기는 비스듬히 눕거나 곧게 서고 가지를 치면서 30cm 안팎의 높이로 자란다. 짤막한 잎자루를 가진 잎은 마디마다 서로 어긋나게 자리하며, 교외의 길가에 많이 자란다. 초여름에 담홍색이나 백색의 작은 꽃을 피우고, 가을이 되면 열매를 맺으며, 어린잎은 약재로 쓰인다.

298

䕯: 䕯: 향풀 걸: 艸－총17획: qiè

原文

䕯: 芞輿也. 从艸楬聲. 去謁切.

飜譯

'걸여(芞輿) 즉 향풀'을 말한다. 초(艸)가 의미부이고 갈(楬)이 소리부이다. 독음은 거(去)와 알(謁)의 반절이다.

299

芞: 芞: 향초 이름 걸: 艸－총7획: qì

原文

芞: 芞輿也. 从艸气聲. 去訖切.

飜譯

'걸여(芞輿) 즉 향풀'을 말한다.[158] 초(艸)가 의미부이고 기(气)가 소리부이다. 독음은 거(去)와 흘(訖)의 반절이다.

300

莓: 莓: 딸기 매: 艸－총9획: méi

原文

莓: 馬莓也. 从艸母聲. 武皇切.

飜譯

---

158) 걸(芞)과 같다. 『집운(集韻)』에서는 독음이 걸(乞)인데 향초(香草)를 말한다고 했다. 『이아·석초(釋草)』에서는 걸거(藒車) 혹은 걸여(芞輿)를 말한다고 했는데, 『이아소』에서는 일명 걸거(藒車)라고도 하며 달리 걸여(芞輿)라고도 한다고 했다.

'마매(馬苺) 즉 산딸기'를 말한다.159) 초(艸)가 의미부이고 모(母)가 소리부이다. 독음은 무(武)와 죄(辠)의 반절이다.

301

萺: 萪: 달래 각: 艸-총10획: gé

原文

萺: 艸也. 从艸各聲. 古額切.

飜譯

'풀이름(艸)'을 말한다.160) 초(艸)가 의미부이고 각(各)이 소리부이다. 독음은 고(古)와 액(額)의 반절이다.

302

苷: 苷: 감초 감: 艸-총9획: gān

原文

苷: 甘艸也. 从艸从甘. 古三切.

飜譯

'감초(甘艸)'를 말한다. 초(艸)가 의미부이고 감(甘)도 의미부이다. 독음은 고(古)와 삼(三)의 반절이다.

---

159) 왕균의 『설문구두』에서는 "이름에 마(馬)자가 붙으면 보통 그것이 크다는 것을 나타낸다. 그래서 [마매(馬苺)는] 전(蔜)보다 큰 것을 말한다."라고 했다.

160) 『이아·석초(釋草)』에서는 각(萪)을 산총(山蔥) 즉 산 마늘이라 했다. 『이아주』에서 각총(萪蔥)은 가는 줄기에 큰 잎을 가졌다고 했으며, 『이아소』에서는 산에서 나는 마늘을 각(萪)이라 한다고 했다. 『본초주(本草註)』에서도 각총(萪蔥)은 야생 마늘(野蔥)을 말하는데, 불교에서는 각총(萪蔥)은 다섯가지 훈채(五葷)의 하나로 여긴다고 했다.

303

𦬊 : 苧: 상수리 서·방동사니 저: 艸-총8획: zhù

(原文)

𦬊 : 艸也. 从艸予聲. 可以爲繩. 直呂切.

(飜譯)

‘풀이름(艸)으로 방동사니’를 말한다. 초(艸)가 의미부이고 여(予)가 소리부이다. 노끈을 만드는데 사용된다. 독음은 직(直)과 려(呂)의 반절이다.

304

藎 : 藎: 조개풀 신: 艸-총18획: jìn

(原文)

藎 : 艸也. 从艸盡聲. 徐刃切.

(飜譯)

‘풀이름(艸)으로 조개풀’을 말한다. 초(艸)가 의미부이고 진(盡)이 소리부이다. 독음은 서(徐)와 인(刃)의 반절이다.

305

蒁 : 蒁: 봉아술 술: 艸-총13획: shù

(原文)

蒁 : 艸也. 从艸述聲. 食聿切.

(飜譯)

‘풀이름(艸)으로 봉아술[생강과의 여러해살이 풀]’을 말한다. 초(艸)가 의미부이고 술(述)이 소리부이다. 독음은 식(食)과 율(聿)의 반절이다.

306

茖: 茻: 풀이름 인: 艸-총11획: rěn

(原文)

茻: 茻冬艸. 从艸忍聲. 而軫切.

(飜譯)

'인동초(茻冬艸)'를 말한다. 초(艸)가 의미부이고 인(忍)이 소리부이다. 독음은 이(而)와 진(軫)의 반절이다.

307

萇: 萇: 나무 이름 장: 艸-총12획: cháng

(原文)

萇: 萇楚, 銚弋. 一名羊桃. 从艸長聲. 直良切.

(飜譯)

'장초(萇楚), 즉 도익(銚弋)'을 말한다.[161] 달리 양도(羊桃)라고도 한다.[162] 초(艸)가 의미부이고 장(長)이 소리부이다. 독음은 직(直)과 량(良)의 반절이다.

308

薊: 薊: 삽주 계: 艸-총17획: jì

---

161) 『단주』에서는 도익(銚弋)을 요익(銚弋)으로 고쳤으며, 『시·회풍(檜風)』, 『이아·석초(釋艸)』, 『모전(毛傳)』 등에 보인다고 했다.
162) 오늘날의 참다래(Actinidia chinensis Planch)를 말한다. 참다래는 선진시기의 『시경·국풍·회풍(檜風)』에서부터 기록이 나오는데, "진펄의 양도는, 가지가 아름답기도 한데.(隰有萇楚, 猗儺其枝.)"라고 노래했는데, 『설문』에서처럼 장초(萇楚)라고 표현했다. 이후 미후도(獼猴桃)라고도 불렀는데, 이시진(李時珍)의 『본초강목(本草綱目)』에서는 이를 설명하면서 "모양은 배처럼, 색깔은 복숭아처럼 생겼는데, 원숭이가 먹기를 좋아해 이런 이름들이 생겼다.(其形如梨, 其色如桃, 而獼猴喜食, 故有諸名.)"라고 했다. 지금은 키위를 부르는 이름이기도 하다. 중국의 남방에서 나는 양도(陽桃, Averrhoa carambola L.)와 혼동하지 않도록 해야 한다.

原文

薊: 芙也. 从艸劍聲. 古詣切.

飜譯

'엉겅퀴(芙)'를 말한다. 초(艸)가 의미부이고 결(劍)이 소리부이다. 독음은 고(古)와 예(詣)의 반절이다.

309

董: 董: 풀이름 리: 艸-총11획: chù

原文

董: 艸也. 从艸里聲. 讀若釐. 里之切.

飜譯

'풀이름(艸)으로 취나물(羊蹄菜)'을 말한다. 초(艸)가 의미부이고 리(里)가 소리부이다. 리(釐)와 같이 읽는다. 독음은 리(里)와 지(之)의 반절이다.

310

藋: 藋: 파랑명아주 조: 艸-총18획: zhuó

原文

藋: 釐艸也. 一曰拜商藋. 从艸翟聲. 徒弔切.

飜譯

'리초(釐艸) 즉 파랑명아주'를 말한다. 달리 배상조(拜商藋)라고도 한다.[163] 초(艸)가

---

163) 『단주』에서는 이렇게 보충했다. "『이아·석초(釋艸)』에서는 상(商)을 상(薗)으로 적었다. 『설문』에서 '일왈(一曰)'이라고 한 것은 두 가지 경우가 있다. 하나는 다른 해설을 함께 수록한 것이고(兼採別說), 다른 하나는 같은 사물에 대한 이칭이다(同物二名). 여기서 말한 일왈(一曰)이 어느 경우에 속하는지 알 수 없다. 근초(董艸)는 삭조(蒴藋)가 아닐까 생각한다. 배상조(拜商藋)는 오늘날 말하는 회조(灰藋)이다. 회조(灰藋)는 려(藜)와 비슷하다. 『좌전(左傳)』에 '斬之蓬蒿藜藋(봉호와 여조를 베다)'라는 말이 나온다. 이도(李燾)의 판본에서는 상(商)을 시

의미부이고 적(翟)이 소리부이다. 독음은 도(徒)와 조(弔)의 반절이다.

311

芨: 芨: 말오줌나무 급: 艸-총8획: jī

原文

芨: 堇艸也. 从艸及聲. 讀若急. 居立切.

繙譯

'근초(堇艸)'를 말한다. 초(艸)가 의미부이고 급(及)이 소리부이다. 급(急)과 같이 읽는다. 독음은 거(居)와 립(立)의 반절이다.

312

薦: 薦: 질경이 전: 艸-총13획: jiàn

原文

薦: 山莓也. 从艸荐聲. 子賤切.

繙譯

'산매(山莓) 즉 산딸기'를 말한다.[164] 초(艸)가 의미부이고 전(荐)이 소리부이다. 독

(菑)로 적었다. 송(宋) 마사(麻沙) 대서본(大徐本)에서도 시(菑)로 적었다. 허신이 근거한 『이아』는 아마도 금본(今本)과는 달랐던 것으로 보인다."

[164] 전(薦)을 현대 옥편에서는 '거전' 즉 질경이로 풀이하고 있으나 『설문』에서는 '산딸기'로 풀이하고 있다. 그러나 『이아석초』에서는 "전(薦)은 왕세(王蒂)를 말한다고 했는데 『주』에서 '왕추는 명아주 비슷한데, 나무는 빗자루를 만드는데 쓰이며, 강동지역에서는 낙추라 부른다.(王蒂似藜, 其樹可爲掃蒂, 江東呼爲落帚.)"라고 하여, '답싸리(빗자루나무)'를 지칭하였다. 그러나 『집운(集韻)』에서 "재(才)와 선(先)의 반절로, 전(前)으로 읽는다. 거전(車薦)은 약초이다(藥草)."라고 하여, 거전 즉 '질경이'를 지칭하는 개념으로 변했으며, 『본초강목』에서는 거전 즉 질경이로만 풀이했다. 그러나 『강희자전』에서는 『설문』과 『이아』의 해석을 각각의 의미항목으로 모두 나열하였으며, 『중화대자전』에서도 (1)『설문』의 뜻처럼 '산매' 즉 산딸기로 지금 말하는 목매를 말하며 그 열매는 록매와 비슷하나 더 크며 식용한다고 했다. (2)『이아』의 해석처럼 왕세(王蒂)를 말하는데, 명아주를 닮았으며, 줄기는 빗자루를 만드는데 쓰며, 강동 지역에서는 락추(落帚)라고 부른다고 했다. 그렇다면 『설문』처럼 산딸기, 『이아』처럼 '답싸리', 『집운

음은 자(子)와 천(賤)의 반절이다.

313

藞: 藞: 독초이름 무: 艸-총16획 : mòu

제 1 권

原文

藞: 毒艸也. 从艸婺聲. 莫候切.

飜譯

'독초(毒艸)'를 말한다. 초(艸)가 의미부이고 무(婺)가 소리부이다. 독음은 막(莫)과 후(候)의 반절이다.

314

藞: 藞: 취어초 모: 艸-총15획: mào

原文

藞: 卷耳也. 从艸務聲. 亡考切.

飜譯

'권이(卷耳) 즉 도꼬마리[165]'를 말한다.[166] 초(艸)가 의미부이고 무(務)가 소리부이

』처럼 '질경이'를 말하는 등 한 이름에 여러 개념이 혼재되어 있는 셈이어서 시대와 지역에 따른 구분이 필요하다. '답싸리'의 씨는 약용으로 쓰이는데, 우리 한의학에서는 달리 지부자(地膚子), 낙추자(落帚子), 독추(獨帚), 백지초(白地草), 소추(掃帚), 압설초(鴨舌草), 연의초(涎衣草), 왕추(王帚), 왕세(王蒨), 익명(益明), 죽추자(竹帚子), 지규(地葵), 지맥(地麥), 천두자(千頭子), 천심기녀(千心妓女) 등의 이름으로 불린다.(『한의학대사전』)

165) 도꼬마리 즉 창이(蒼耳)를 말한다.

166) 『단주』에서는 "卷耳也"를 "毒艸也(독초를 말한다)"로 고쳤다. 그리고 이렇게 말했다. "서개의 소서본에서는 모(藞)자가 없는데 장차립(張次立)에 서현의 대서본에 근거해 보충했다. 『후한서·유성공전(劉聖公傳)』에 '戰於藞鄕(모향에서 전추를 벌였다)'라는 말이 나오는데 『한서주』에서 모(藞)의 독음은 막(莫)과 로(老)의 반절이라고 했다. 『자림(字林)』에서 독초를 말하는데(毒艸也) 이 때문에 지명이 되었다고 했다. 『광운(廣韵)』에서 모(藞)는 독초를 말한다(毒艸). 또 지명으로도 쓰인다고 했다. 이렇게 본다면 독초(毒艸)를 나타내는 글자(藞)는 력(力)으로 구성되었지 녀(女)로 구성된 것이 아님이 분명하다."

다. 독음은 망(亡)과 고(考)의 반절이다.

315

薓: 蔘: **인삼 삼**: 艸-총16획: cān

原文

薓: 人薓, 藥艸, 出上黨. 从艸浸聲. 山林切.

飜譯

'인삼(人薓)을 말하는데, 약초(藥艸)이며, 상당(上黨) 지역[167]에서 난다.' 초(艸)가 의미부이고 침(浸)이 소리부이다. 독음은 산(山)과 림(林)의 반절이다.

316

虌: 虌: **순채 란**: 艸-총27획: luán

原文

虌: 鳧葵也. 从艸戀聲. 洛官切.

飜譯

'부규(鳧葵) 즉 순채'를 말한다. 초(艸)가 의미부이고 련(戀)이 소리부이다. 독음은 락(洛)과 관(官)의 반절이다.

317

藶: 蔖: **강아지풀 려**: 艸-총12획: lì

原文

---

167) 지금의 산서성(山西省) 장치(長治)시 지역이다. 이전에는 지주(冀州)에 속했고, 서주 때에는 여후국(黎侯國)에 속했다. 춘추 때에는 진(晉)에 속했으나, 전국시기(B.C. 453)에 한(韓), 조(趙), 위(魏)가 진(晉)에서 나누어지면서 한(韓)에 귀속되었다가 '장평대전(長平大戰)'(B.C. 259) 이후 진(秦)에 귀속되었다. 진시황 26년(B.C. 221)에 상당군(上黨郡)에 설치되었다.

蔄: 艸也. 可以染留黃. 从艸戾聲. 郞計切.

飜譯

'풀이름(艸)으로 강아지풀'을 말한다. 흑황색(留黃)으로 물을 들일 수 있다. 초(艸)가 의미부이고 려(戾)가 소리부이다. 독음은 랑(郞)과 계(計)의 반절이다.

318

蕁: 蕎: 당아욱 교: 艸-총10획: qiáo

原文

蕁: 蚍衃也. 从艸收聲. 渠遙切.

飜譯

'비부(蚍衃) 즉 당아욱'을 말한다. 초(艸)가 의미부이고 수(收)가 소리부이다. 독음은 거(渠)와 요(遙)의 반절이다.

319

蓖: 蓖: 피마자 피: 艸-총11획: pí

原文

蓖: 蒿也. 从艸毗聲. 房脂切.

飜譯

'쑥(蒿)'을 말한다. 초(艸)가 의미부이고 비(毗)가 소리부이다. 독음은 방(房)과 지(脂)의 반절이다.

320

薁: 蔿: 풀이름 우: 艸-총13획: yāo

原文

蔙: 艸也. 从艸禹聲. 王矩切.

(飜譯)

'풀이름(艸)으로 우초(萬草)'를 말한다. 초(艸)가 의미부이고 우(禹)가 소리부이다. 독음은 왕(王)과 구(矩)의 반절이다.

321

薐: 薐: 벨 이·삘기 제: 艸—총10획: yí

(原文)

薐: 艸也. 从艸夷聲. 杜兮切.

(飜譯)

'풀이름(艸)으로 삘기'를 말한다. 초(艸)가 의미부이고 이(夷)가 소리부이다. 독음은 두(杜)와 혜(兮)의 반절이다.

322

薛: 薛: 쑥 설: 艸—총17획: xuē

(原文)

薛: 艸也. 从艸辥聲. 私列切.

(飜譯)

'풀이름(艸)으로 쑥'을 말한다. 초(艸)가 의미부이고 설(辥)이 소리부이다. 독음은 사(私)와 렬(列)의 반절이다.

323

苦: 苦: 쓸 고: 艸—총9획: kǔ

(原文)

蕌：大苦, 苓也. 从艸古聲. 康杜切.

譯

'대고(大苦) 즉 령(苓)'을 말한다.[168) 초(艸)가 의미부이고 고(古)가 소리부이다. 독음은 강(康)과 두(杜)의 반절이다.

324

蒿：菩: 향풀 보·모리수 배: 艸-총12획: pú

原文

菩: 艸也. 从艸音聲. 步乃切.

譯

'풀이름(艸)으로 모사(茅沙)풀'을 말한다.[169) 초(艸)가 의미부이고 부(音)가 소리부이다. 독음은 보(步)와 내(乃)의 반절이다.

325

薏：薏: 율무 의: 艸-총14획: yì

---

168) 『단주』에서 이렇게 보충했다. "『이아·석초(釋艸)』에서 령(苓)을 령(蘦)이라 적었는데, 손염(孫炎)의 주석에서 '오늘날 감초(甘艸)를 말한다'고 했다. 내 생각은 이렇다. 『설문』에서 감(苷)자에 대해 '감초(甘艸)를 말한다'고 했다. 만약 감초(甘艸)의 다른 이름이 대고(大苦)이고 령(苓)이라고 한다면 어떻게 같은 부류인데 함께 나열하지 않고 나누어서 다른 곳에다 배치했단 말인가? 게다가 여기서 '대고(大苦)를 말하는데 령(苓)을 말한다'라고 했는데, 백 수십 글자나 차이 나는데서 령(蘦)자가 나오고 대고(大苦)를 말한다고 했단 말이나?……그렇다면 대고(大苦)는 어떤 식물일까? 심괄(沈括)의 『몽계필담(筆談)』에 그 답이 있다. 『이아(爾雅)』의 '령(蘦)은 대고(大苦)를 말한다'에 대한 주석에서 '만연생(蔓延生)으로, 잎은 허청(荷靑)과 비슷하고 줄기는 붉다(莖赤).'라고 했는데, 이는 바로 황약(黃藥)을 말한다. 그 맛이 극히 쓰기 때문에 대고(大苦)라 했을 것이다." 단옥재의 말대로, 감초(甘艸)는 맛이 달기에, 대고(大苦)는 황약(黃藥, 혹은 황약자, 쓴감자마)로 보는 것이 옳을 것이다.

169) 향풀의 일종인데, 『주례·하관(夏官)·대노(大馭)』의 주석에서 "以菩芻棘柏爲神主(菩와 芻와 棘와 柏으로 神主를 만든다)"라고 했고, 『단주』에서는 "곽박(郭樸)이 단 『목천자전(穆天子傳)』의 주석에서 부(蒩)는 오늘날의 배(菩)자라고 했지만, 『설문』에서는 배(菩)와 부(蒩)를 각기 다른 이름으로 보았다."고 했다.

原文

𦾶: 薏苢. 从艸音聲. 一曰蓄英. 於力切.

繙譯

'억이(薏苢) 즉 율무'를 말한다. 초(艸)가 의미부이고 억(音)이 소리부이다. 일설에는 억영(蓄英)을 말한다고도 한다. 독음은 어(於)와 력(力)의 반절이다.

326

茅: 茅: 띠 모: 艸-총9획: máo

原文

茅: 菅也. 从艸矛聲. 莫交切.

繙譯

'관(菅) 즉 골풀'을 말한다. 초(艸)가 의미부이고 모(矛)가 소리부이다. 독음은 막(莫)과 교(交)의 반절이다.

327

菅: 菅: 골풀 관: 艸-총12획: jiān

原文

菅: 茅也. 从艸官聲. 古顏切.

繙譯

'모(茅) 즉 골풀'을 말한다. 초(艸)가 의미부이고 관(官)이 소리부이다. 독음은 고(古)와 안(顏)의 반절이다.

328

蘄: 蘄: 풀이름 기: 艸-총20획: qí

原文

蘄: 艸也. 从艸斬聲. 江夏有蘄春亭. 渠支切.

譯

'풀이름(艸)으로 궁궁이의 싹(蘪蕪)'을 말한다. 초(艸)가 의미부이고 기(斬)가 소리부이다. 강하(江夏)군에 기춘정(蘄春亭)이 있다. 독음은 거(渠)와 지(支)의 반절이다.

329

莞: 莞 왕골 완: 艸-총11획: guān

原文

莞: 艸也. 可以作席. 从艸完聲. 胡官切.

譯

'풀이름(艸)으로 왕골'을 말한다. 자리를 짜는데 쓰인다. 초(艸)가 의미부이고 완(完)이 소리부이다. 독음은 호(胡)와 관(官)의 반절이다.

330

藺: 藺 골풀 린: 艸-총20획: lìn

原文

藺: 莞屬. 从艸閵聲. 良刃切.

譯

'왕골의 일종(莞屬)이다.' 초(艸)가 의미부이고 린(閵)이 소리부이다. 독음은 량(良)과 인(刃)의 반절이다.

331

蒢: 蒢 까마종이 제: 艸-총14획: chú

原文

蒢: 黃蒢, 職也. 从艸除聲. 直魚切.

飜譯

'황제(黃蒢) 즉 까마종이'를 말하는데, 달리 직(職)이라 하기도 한다. 초(艸)가 의미부이고 제(除)가 소리부이다. 독음은 직(直)과 어(魚)의 반절이다.

332

蒲: 蒲: 부들 포: 艸-총14획: pú

原文

蒲: 水艸也. 可以作席. 从艸浦聲. 薄胡切.

飜譯

'수초(水艸) 이름으로 부들'을 말한다. 자리를 짜는데 쓰인다. 초(艸)가 의미부이고 포(浦)가 소리부이다. 독음은 박(薄)과 호(胡)의 반절이다.

333

蒻: 蒻: 부들 약: 艸-총14획: ruò

原文

蒻: 蒲子. 可以爲平席. 从艸弱聲. 而灼切.

飜譯

'포자(蒲子) 즉 연한 부들'을 말한다. 자리를 짜는데 쓰인다. 초(艸)가 의미부이고 약(弱)이 소리부이다. 독음은 이(而)와 작(灼)의 반절이다.

334

蔘: 蔘: 부들싹 심: 艸-총15획: shēn

原文

藫: 蒲蒻之類也. 从艸深聲. 式箴切.

飜譯

'포약(蒲蒻) 즉 연한 부들의 일종'을 말한다. 초(艹)가 의미부이고 심(深)이 소리부이다. 독음은 식(式)과 잠(箴)의 반절이다.

335

藬: 藬: 익모초 퇴: 艹-총15획: tuī

原文

藬: 萑也. 从艸推聲.『詩』曰: "中谷有藬." 他回切.

飜譯

'익모초(萑)'를 말한다. 초(艹)가 의미부이고 추(推)가 소리부이다. 『시·왕풍·중곡유퇴(中谷有藬)』에서 "골짜기에 익모초 있는데(中谷有藬)"라고 노래했다. 독음은 타(他)와 회(回)의 반절이다.

336

萑: 萑: 풀 많을 추: 艹-총12획: zhuī

原文

萑: 艸多皃. 从艸隹聲. 職追切.

飜譯

'풀이 많은 모양(艸多皃)'을 말한다. 초(艹)가 의미부이고 추(隹)가 소리부이다. 독음은 직(職)과 추(追)의 반절이다.

337

𦺇: 䔇: 딸기 규: 艸-총10획: guī

（原文）

𦺇: 缺盆也. 从艸圭聲. 苦圭切.

（譯文）

'결분(缺盆) 즉 복분자'를 말한다. 초(艸)가 의미부이고 규(圭)가 소리부이다. 독음은 고(苦)와 규(圭)의 반절이다.

338

莙: 莙: 버들말즘 군: 艸-총11획: jūn

（原文）

莙: 井藻也. 从艸君聲. 讀若威. 渠殞切.

（譯文）

'정조(井藻) 즉 버들말즘[가랫과의 여러해살이 수초]'을 말한다.[170] 초(艸)가 의미부이고 군(君)이 소리부이다. 위(威)와 같이 읽는다.[171] 독음은 거(渠)와 운(殞)의 반절이다.

---

170) 『단주』에서 이렇게 말했다. "우조(牛藻)를 말한다. 『이아·석초(釋艸)』에 보인다. 내 생각은 이렇다. 조(藻, 말) 중 큰 것을 우조(牛藻)라 한다. 풀 중에서 큰 것은 보통 우(牛)나 마(馬)를 붙였다. 곽박에 의하면, 강동(江東) 지역에서는 이를 마조(馬藻)라 부른다고 했다. 육기(陸機)이 해설에 의하면, 조(藻)는 두 가지가 있는데, 하나는 잎은 계소(雞蘇) 같이 생겼고 줄기는 대통(箸) 같이 생겼으며, 길이는 4~5척에 이른다. 다른 하나는 채고(釵股)처럼 크고, 잎은 쑥(蓬)처럼 생겼는데, 취조(聚藻)라 부르는 종류이다. 부풍(扶風) 지역 사람들은 이를 조(藻)라고 부른다. 취(聚)는 발어사(로 별 뜻이 없다. 우조(牛藻)는 잎이 계소(雞蘇)처럼 생긴 종을 말할 것이다. 그러나 구분하여 말하자면 차이가 있고, 뭉뚱그려 말하자면 둘 모두를 조(藻)라 할 수 있다."

171) 위(威)와 같이 읽는다고 하여 '군'과 독음상의 차이가 커 보이는데, 『단주』에서는 이렇게 말했다. "내 생각은 이렇다. "군(莙)은 고운에서 제13부에 속한다. 군(君)이 소리부라고 해 놓고 위(威)와 같이 읽는다고 했다. 이는 고운 제13부에서 제15부로 전입된 것을 말한다. 장창(張敞)은 이를 외(緄)로 읽었는데, 외(緄)는 외(隈)로 읽는다. 『설문음은(說文音隱)』에서 제시한 독음은 오(塢)와 괴(瑰)의 반절이다. 『자림(字林)』에서 군(莙)의 독음 또한 거(巨)와 외(畏)의 반절이다. 이들이 모두 이런 예이다."

339

莞: 莞: 왕골 환: 艹-총14획: guān

原文

莞: 夫蘺也. 从艸睆聲. 胡官切.

飜譯

‘부리(夫蘺)[왕골]’를 말한다.172) 초(艹)가 의미부이고 환(睆)이 소리부이다. 독음은 호(胡)와 관(官)의 반절이다.

340

藶: 藶: 산마늘 력 역: 艹-총14획: lì

原文

藶: 夫蘺上也. 从艸鬲聲. 力的切.

飜譯

‘부리의 줄기(夫蘺上)’를 말한다. 초(艹)가 의미부이고 력(鬲)이 소리부이다. 독음은 력(力)과 적(的)의 반절이다.

341

苢: 苢: 질경이 이: 艹-총9획: yǐ

原文

---

172) 달리 부리(夫蘺)라고도 하는데 풀이름이다. 다년생 초본이며, 여름에 황갈색의 작은 꽃을 피운다. 소택(沼澤)의 얕은 물에서 자라며, 가을에는 그 줄기를 채취해 베를 짠다. 그래서 세속에서는 자리풀(席子草)이라 부른다. 『한서·동방삭전(東方朔傳)』에서 “완포(莞蒲)로 자리를 짠다”고 했는데, 당(唐) 안사고(顏師古)의 주석에서 “완(莞)은 부리(夫蘺)를 말하는데, 오늘날 말하는 총포(蔥蒲)라고 했다.”

𦯒: 茉苢. 一名馬舄. 其實如李, 令人宜子. 从艸目聲.『周書』所說. 羊止切.

(譯)

'부이(茉苢) 즉 질경이'를 말한다. 일명 마석(馬舄)이라고도 한다. 열매는 오얏(李)처럼 생겼는데, 아이를 잘 배게 한다(令人宜子). 초(艸)가 의미부이고 이(目)가 소리부이다. 이는 『주서(周書)』[즉 『급총주서(汲冢周書)·왕회해(王會解)』]에서 보이는 해설이다. 독음은 양(羊)과 지(止)의 반절이다.

342

𦽏: 𦽏: 지모 담: 艸-총16획: xún, qián

(原文)

𦽏: 茺藩也. 从艸尋聲. 䕑, 𦽏或从爻. 徒含切.

(譯)

'침번초(茺藩)'를 말한다.[173] 초(艸)가 의미부이고 심(尋)이 소리부이다. 담(䕑)은 담(𦽏)의 혹체자인데, 효(爻)로 구성되었다. 독음은 도(徒)와 함(含)의 반절이다.

343

藭: 藭: 풀이름 격: 艸-총18획: jī

(原文)

---

173) 지모(知母)로 잘 알려진 침번(茺藩)은 백합과의 지모(Anemarrhena asphodeloides Bunge)의 뿌리줄기를 말한다. 오래된 뿌리 옆에 새롭게 자라는 뿌리의 모양이 마치 개미나 등에의 모양과 같아서 지모(蚳母)라고 하였다. 이 약은 약간 특이한 냄새가 있는 점액성으로 맛은 쓰고 달며 성질은 차다. 지모는 열을 내리고 갈증과 가슴이 답답하고 팔다리를 가만히 두지 못하는 증상에 쓰이며 해수, 마른기침, 뼛골이 쑤시고 조열이 나며 식은땀이 나는 증상에 진액을 생성하여 치료하는 효과가 있다. 다른 이름으로 고심(苦心), 구봉(韭逢), 기모(芪母), 녹열(鹿列), 동근(東根), 수릉(水凌), 수삼(水參), 아종초(兒踵草), 아초(兒草), 야료(野蓼), 여뇌(女雷), 여뢰(女雷), 여리(女理), 연모(連母), 지삼(地參), 창지(昌支), 화모(貨母), 지모(蚳母), 제모(蝭母) 등이 있다.(두산백과)

蕛 : 艸也. 从艸鬲聲. 古歷切.

飜譯
'풀이름(艸)'이다. 초(艸)가 의미부이고 격(鬲)이 소리부이다. 독음은 고(古)와 력(歷)의 반절이다.

344

蓲 : 蓲: 물억새 구: 艸-총15획: qiū

原文

蓲 : 艸也. 从艸區聲. 去鳩切.

飜譯
'풀이름(艸)으로 물억새'를 말한다. 초(艸)가 의미부이고 구(區)가 소리부이다. 독음은 거(去)와 구(鳩)의 반절이다.

345

茵 : 茵: 풀이름 고: 艸-총12획: gù

原文

茵 : 艸也. 从艸固聲. 古慕切.

飜譯
'풀이름(艸)'이다. 초(艸)가 의미부이고 고(固)가 소리부이다. 독음은 고(古)와 모(慕)의 반절이다.

346

藓 : 藓: 볏줄기 간: 艸-총18획: gàn

原文

: 艸也. 从艸榦聲. 古案切.

原文

'풀이름(艸)으로 간초(䕬草)'를 말한다. 초(艸)가 의미부이고 간(榦)이 소리부이다. 독음은 고(古)와 안(案)의 반절이다.

347

 : 藷: 사탕수수 저: 艸-총20획: zhū

原文

 : 藷蔗也. 从艸諸聲. 章魚切.

飜譯

'저자(藷蔗) 즉 사탕수수'를 말한다.174) 초(艸)가 의미부이고 저(諸)가 소리부이다. 독음은 장(章)과 어(魚)의 반절이다.

348

 : 蔗: 사탕수수 자: 艸-총15획: zhè

原文

 : 藷蔗也. 从艸庶聲. 之夜切.

飜譯

'저자(藷蔗) 즉 사탕수수'를 말한다. 초(艸)가 의미부이고 서(庶)가 소리부이다. 독음은 지(之)와 야(夜)의 반절이다.

---

174) 『단주』에서는 이렇게 말했다. "달리 제자(諸蔗)로 적기도 하고, 도자(都蔗)로 적기도 하는데, 저(藷)와 자(蔗)는 첩운 관계에 있다. 달리 간자(竿蔗)로 적기도 하고, 간자(干蔗)로 적기도 하는데, 그 모습을 형상한 이름이다. 또 달리 감저(甘蔗)라고도 하는데, 그 맛을 두고 한 말이다. 달리 한저(邯睹)라고도 한다. 복건(服虔)의 『통속문(通俗文)』에서 형주(荊州) 지역에서는 간저(竿蔗)라고 한다고 했다."

349

蘺: 蘪: 새끼 꼬는 풀 녕: 艸-총19획: níng

原文

蘪: 羘蘪, 可以作縻綆. 从艸㜕聲. 女庚切.

飜譯

'장영(羘蘪)'을 말하는데, 새끼(縻綆)를 꼬는데 쓰인다. 초(艸)가 의미부이고 영(㜕)이 소리부이다. 독음은 녀(女)와 경(庚)의 반절이다.

350

蘺: 蘺: 풀이름 사: 艸-총19획: sì

原文

蘺: 艸也. 从艸賜聲. 斯義切.

飜譯

'풀이름(艸)으로 사초(蘺草)'를 말한다. 초(艸)가 의미부이고 사(賜)가 소리부이다. 독음은 사(斯)와 의(義)의 반절이다.

351

苁: 苁: 풀 중: 艸-총6획: zhōng

原文

苁: 艸也. 从艸中聲. 陟宮切.

飜譯

'풀이름(艸)으로 중초(苁草)'를 말한다. 초(艸)가 의미부이고 중(中)이 소리부이다. 독음은 척(陟)과 궁(宮)의 반절이다.

352

𦼫 : 𦼫: 하눌타리 부: 艸−총13획: fù

原文

𦼫 : 王𦼫也. 从艸負聲. 房九切.

譯

'왕부(王𦼫) 즉 하눌타리'를 말한다. 초(艸)가 의미부이고 부(負)가 소리부이다. 독음은 방(房)과 구(九)의 반절이다.

353

芺 : 芺: 엉겅퀴 요: 艸−총8획: ǎo

原文

芺 : 艸也. 味苦, 江南食以下气. 从艸夭聲. 烏皓切.

譯

'풀이름(艸)으로 엉겅퀴'를 말한다. 맛이 쓴데(味苦), 강남(江南) 지역에서는 기운을 평정시키는데 복용한다(食以下气). 초(艸)가 의미부이고 요(夭)가 소리부이다. 독음은 오(烏)와 호(皓)의 반절이다.

354

茲 : 茲: 풀 현: 艸−총10획: xián

原文

茲 : 艸也. 从艸弦聲. 胡田切.

譯

'풀이름(艸)으로 현초(茲草)'를 말한다. 초(艸)가 의미부이고 현(弦)이 소리부이다. 독음은 호(胡)와 전(田)의 반절이다.

355

蕥: 蕥: 풀이름 유: 艸-총23획: yòu

原文

蕥: 艸也. 从艸圉聲. 圉, 籒文圂. 于救切.

繙譯

'풀이름(艸)으로 유초(蕥草)'를 말한다.[175] 초(艸)가 의미부이고 유(圉)가 소리부이다. 유(圉)는 유(圂)의 주문(籒文)체이다. 독음은 우(于)와 구(救)의 반절이다.

356

葍: 葍: 풀이름 부: 艸-총11획: fú

原文

葍: 艸也. 从艸孚聲. 芳無切.

繙譯

'풀이름(艸)으로 갈대청[갈대 줄기의 얇고 흰 막]'을 말한다. 초(艸)가 의미부이고 부(孚)가 소리부이다. 독음은 방(芳)과 무(無)의 반절이다.

357

蕒: 蕒: 쥐참외 인: 艸-총15획: yín

原文

蕒: 兎瓜也. 从艸寅聲. 翼眞切.

繙譯

'토고(兎瓜) 즉 쥐참외'를 말한다. 초(艸)가 의미부이고 인(寅)이 소리부이다. 독음은

---

175) 유(蕥)는 달리 유(蕳)로도 쓴다.

익(翼)과 진(眞)의 반절이다.

358

羋: 萍: 하여금 병: 艸-총10획: píng

原文

羋: 馬帚也. 从艸并聲. 薄經切.

繙譯

'마소추초(馬掃帚草) 즉 싸리나무'를 말한다.176) 초(艸)가 의미부이고 병(并)이 소리부이다. 독음은 박(薄)과 경(經)의 반절이다.

359

蕕: 蕕: 누린내풀 유: 艸-총16획: yóu

原文

蕕: 水邊艸也. 从艸猶聲. 以周切.

繙譯

'물가에 자라는 풀이름(水邊艸)으로 누린내풀'을 말한다. 초(艸)가 의미부이고 유(猶)가 소리부이다. 독음은 이(以)와 주(周)의 반절이다.

360

萎: 萎: 풀이름 안: 艸-총10획: àn

原文

萎: 艸也. 从艸安聲. 烏旰切.

---

176) 마소추(馬掃帚)는 콩과 호지자(胡枝子) 속 식물로 싸리나무(Lespedeza formosa (Vogel) Koehne)를 말한다. 달리 여실(荔實), 마린자(馬藺子), 마련자(馬楝子), 마해(馬薢), 마추(馬帚), 철소추(鐵掃帚), 극초(劇草), 한포(旱蒲), 시수(豕首), 삼견(三堅) 등으로 불린다.(『바이두백과』)

翻譯

'풀이름(艸)으로 안초(萋草)'를 말한다. 초(艸)가 의미부이고 안(安)이 소리부이다. 독음은 오(烏)와 간(肝)의 반절이다.

361

蘷 : 蘷: 고비 기: 艸-총18획: qí

原文

蘷 : 蘷, 月爾也. 从艸蘷聲. 渠之切.

翻譯

'기(蘷)¹⁷⁷)와 같아 월이초(月爾草: 고비)'를 말한다. 초(艸)가 의미부이고 기(蘷)가 소리부이다. 독음은 거(渠)와 지(之)의 반절이다.

362

荍 : 蕎: 희나물 희: 艸-총11획: xī

原文

荍 : 兔葵也. 从艸, 稀省聲. 香衣切.

翻譯

'토규(兔葵) 즉 희나물'을 말한다. 초(艸)가 의미부이고, 희(稀)의 생략된 모습이 소

---

177) 서호의 『단주전』에 의하면 '기(蘷)'는 삭제되어야 옳다고 했다. 『단주』에서는 "각 판본에서는 '蘷月爾也'로 되었는데, 지금 『이아음의(爾雅音義)』에 근거해 '(蘷)土夫也'로 고친다."라고 했다. 그리고 이렇게 보충했다. "금본 『이아 석초(釋艸)』를 보면 토(芏)는 부왕(夫王)을 말한다고 했는데, 곽박의 주석에서 토초(芏艸)는 해변에서 자란다고 했다. 또 기(蘷)는 월이(月爾)를 말한다고 한 것에 대해 곽박의 주석에서는 '이는 자기(紫蘷)를 말하는데, 고사리(蕨)와 비슷해 식용할 수 있다.'라고 했다. 육덕명(陸德明)은 '기(蘷)는 기(蘷)로도 적는데, 자기채(紫蘷菜)를 말한다. 『설문』에서 기(蘷)는 토부를 말한다(土夫也).'라고 했다. 그가 근거한 『설문』은 분명 『이아』와는 다르게 이를 지칭하고 있다. 그렇지 않다면 어떻게 이렇게 지칭했겠는가? 금본 『설문』은 아마도 『이아』의 곽박 주석본에 근거해 곽박의 주석을 고친 것일 것이다. 다만 허신이 읽었던 『이아』기 어떤 것이었는지를 지금 알 수 없을 뿐이다."

리부이다. 독음은 향(香)과 의(衣)의 반절이다.

363

薨: 薨: 대싸리 몽: 艸-총16획 : mèng

原文

薨: 灌渝. 从艸夢聲. 讀若萌. 莫中切.

譯

'관투(灌渝)'를 말한다.178) 초(艸)가 의미부이고 몽(夢)이 소리부이다. 맹(萌)과 같이 읽는다. 독음은 막(莫)과 중(中)의 반절이다.

364

蕧: 蕧: 금불초 복: 艸-총16획: fù

原文

蕧: 盜庚也. 从艸復聲. 房六切.

譯

'도경(盜庚) 즉 금불초'를 말한다.179) 초(艸)가 의미부이고 복(復)이 소리부이다. 독

---

178) 『단주』에서 이렇게 말했다. "지금의 『이아·석초(釋艸)』에서 가(葭)는 갈대(蘆)를 말하고, 담(菼)은 완(薍)과 같은데, 그 싹을 권(蘿)이라 한다고 했다. 곽박은 이에 대해 오늘날 강동(江東) 지역에서는 로순(蘆筍, 갈대의 순)을 권(蘿)이라 하는데, 독음은 견(繾)과 권(綣)의 반절이다. 이어지는 문장에서 유(蒲), 순(芛), 황(葟), 화(華)는 영(榮)과 같다고 했다. 곽박은 이를 따로 독립된 조항으로 두었다. 허신이 근거했던 『이아』의 '몽(夢)은 관유(灌渝)를 말한다'는 구절은 오늘날의 판본과 너무 차이가 난다. 그래서 지금 그 독음도 알 수가 없다."

179) 도경(盜庚)은 식물명으로 선복화(旋覆花)를 말한다. 『이아·석초(釋草)』에서 "복(蕧)은 도경(盜庚)을 말한다"고 했는데, 곽박(郭璞)의 주석에서 "선복(旋蕧)은 국화와 비슷하다"고 했다. 명(明) 이시진(李時珍)은 『본초강목(本草綱目)』(초(草)(4)·선복화(旋覆花)의 '석명(釋名)'에서 "금비초(金沸草), 금전화(金錢花), 적적금(滴滴金), 도경(盜庚), 하국(夏菊), 대감(戴椹) 등으로 부른다……개국(蓋庚)은 금(金)을 말하는데, 여름에 노란 꽃이 피고, 금의 기운을 훔쳤기 때문에 그런 이름이 붙여졌다.(夏開黃花, 盜竊金氣也.)라고 했다."

음은 방(房)과 륙(六)의 반절이다.

365

苓: 苓: **도꼬마리 령**: 艸-**총9획**: líng

原文

苓: 卷耳也. 从艸令聲. 郎丁切.

飜譯

'권이(卷耳) 즉 도꼬마리'를 말한다. 초(艸)가 의미부이고 령(令)이 소리부이다. 독음은 랑(郎)과 정(丁)의 반절이다.

366

蘒: 蘒: **풀 감**: 艸-**총28획**: gàn

原文

蘒: 艸也. 从艸贛聲. 一曰薏苢. 古送切.

飜譯

'풀이름(艸)'이다. 초(艸)가 의미부이고 감(贛)이 소리부이다. 일설에는 억이(薏苢) 즉 율무를 말한다고도 한다. 독음은 고(古)와 송(送)의 반절이다.

367

藑: 藑: **메 경**: 艸-**총18획**: qióng

原文

藑: 茅, 葍也. 一名蕣. 从艸夐聲. 渠營切.

飜譯

'모(茅), 즉 메꽃(葍)'을 말한다.[180] 달리 순(蕣)이라고도 한다. 초(艸)가 의미부이고 형(夐)이 소리부이다. 독음은 거(渠)와 영(營)의 반절이다.

368

萹: 萹: 메꽃 부: 艸-총16획: fù

原文

萹: 萹也. 从艸富聲. 方布切.

飜譯

'메꽃(萹)'을 말한다. 초(艸)가 의미부이고 부(富)가 소리부이다. 독음은 방(方)과 포(布)의 반절이다.

369

萹: 萹: 메꽃 복: 艸-총13획: fú

原文

萹: 萹也. 从艸畐聲. 方六切.

飜譯

'메꽃(萹)'을 말한다. 초(艸)가 의미부이고 복(畐)이 소리부이다. 독음은 방(方)과 륙(六)의 반절이다.

370

蓨: 蓨: 기쁠 수: 艸-총15획: tiáo

原文

蓨: 苗也.181) 从艸脩聲. 徒聊切.

---

180) 『단주』에서는 "蔓茅, 萹也."가 되어야 한다고 하면서 각 판본에는 없는 경(蔓)자를 보충해 넣었다. 그리고 이는 사람들이 잘 몰라 삭제해 버린 결과인데, '巂周, 燕也.'에서 오늘날 판본에서 유(嶲)자가 삭제된 것과 같은 것이라고 했다.

翻譯

'적(苖) 즉 참소리 쟁이'를 말한다.[182] 초(艸)가 의미부이고 수(脩)가 소리부이다. 독음은 도(徒)와 료(聊)의 반절이다.

371

苖 : 苖: 참소리쟁이 적: 艸-총9획: dí

原文

苖 : 蓨也. 从艸由聲. 徒歷切.

翻譯

'수(蓨) 즉 참소리 쟁이'를 말한다. 초(艸)가 의미부이고 유(由)가 소리부이다. 독음은 도(徒)와 력(歷)의 반절이다.

372

募 : 募: 풀이름 양: 艸-총11획: tāng, dàng

原文

募 : 艸. 枝枝相值, 葉葉相當. 从艸昜聲. 楮羊切.

翻譯

'풀이름(艸)으로 마미초(馬尾草: 쇠뜨기)[183]'를 말한다.[184] 가지는 [무성하여] 서로 맞

---

181) 묘(苗)는 적(苖)의 오자이다.
182) 『단주』에서 이렇게 말했다. "『이아·석초(釋艸)』에서 적(苖)은 수(蓨)를 말한다고 했고, 『관자(管子)』에서는 검은 점토 흙(黑埴)에는 평(苹)과 수(蓨)라는 풀이 자리기에 적당하다고 했다."
183) 쇠뜨기는 속새과의 속새속에 속하는 다년생 초본 식물로 전 세계에 1속 25종이 있다. 우리 나라에는 1속 8종이 분포하는데 쇠뜨기, 개 쇠뜨기, 물 쇠뜨기, 능수쇠뜨기(솔 쇠뜨기), 좀속 새, 물속대, 속새, 개속새 등이 자라고 있다. 우리나라 전역의 산과 들, 시냇가, 논두렁이나 밭 둑 양지바른 곳에 아주 흔하게 자라는 여러해살이 양치식물이다. 햇빛이 잘 드는 풀밭에서 자 라는 여러해살이풀로서 흑갈색의 땅속줄기가 옆으로 길게 뻗어 나간다. 생식줄기(포자체)는 이 른 봄에 나와 끝에 뱀 대가리 같은 포자낭이삭을 만들고, 마디에는 비늘 같은 잎이 돌려나 있 다. 영양줄기는 뒤늦게 나오고 높이 30~40cm정도 되며 속이 비어있고 겉에는 능선이 있으며

닿고(枝枝相値), 잎은 [풍성하여] 서로 부딪힌다(葉葉相當). 초(艸)가 의미부이고 양(昜)이 소리부이다. 독음은 저(楮)와 양(羊)의 반절이다.

373

薁: 薁: 앵두나무 욱: 艸-총17획: yù

原文

薁: 嬰薁也. 从艸奧聲. 於六切.

繙譯

'영욱(嬰薁) 즉 까마귀머루'를 말한다.[185] 초(艸)가 의미부이고 오(奧)가 소리부이다. 독음은 어(於)와 륙(六)의 반절이다.

374

葴: 葴: 쪽풀 침·짐: 艸-총13획: zhēn

原文

葴: 馬藍也. 从艸咸聲. 職深切.

마디에는 작은 가지와 비늘 같은 잎이 돌려나 있다.(스마트과학관--우리나라 야생화, 국립중앙과학관)

184) 『단주에서 이렇게 말했다. "『옥편(玉篇)』의 양(蘬)에서 인용한 『설문(說文)』에서는 바로 양 축(蘬蓫), 마미(馬尾), 상육(蔏陸)을 말하는데, 탕(蘬)은 양(蘬)과 같다고 했다. 『본초경(本艸經) 』에서는 상육(商陸)은 달리 양(蘬)이라고 하며, 그 뿌리는 달리 야호(夜呼)라고도 한다고 했다. 도은거(陶隱居)는 그 꽃을 양(蘬)이라 한다고 했다. 그렇다면 중첩해서 부르면 축양(蓫蘬)이 되고, 단독으로 부르면 양(蘬)이 되는데, 혹자는 그 꽃을 말한다고 했고, 혹자는 그 줄기와 잎을 말한다고 했다."

185) 영욱(嬰薁)은 영욱(蘡薁)으로도 쓰는데, 산포도(山葡萄)를 말한다. 포도과 식물인 머루(Vitis amurensis Rup.)의 익은 열매이다. 우리나라의 각지 산골짜기의 나무숲에서 자란다. 가을에 익은 열매를 따서 그대로 또는 말려 쓴다. 약리 실험에서 소염 작용, 이뇨 작용, 항암 작용이 밝혀졌다. 식욕 부진, 변비, 열이 나면서 갈증이 있는데, 늑막염, 만성 기관지염, 기관지 천식, 피부암 등에 쓴다. 비타민 C가 들어 있으므로 괴혈병의 예방과 치료에도 쓰고 야맹증에도 쓴다. 생것을 그대로 먹거나 말려 가루 내서 먹는다.(『한의학대사전』)

翻譯

'마람(馬藍)186)'을 말한다. 초(艸)가 의미부이고 함(咸)이 소리부이다. 독음은 직(職)과 심(深)의 반절이다.

375

䕞 : 䕞: 기름새 로: 艸—총17획: lŭ

原文

䕞 : 艸也. 可以束. 从艸魯聲. 蕗, 䕞或从鹵. 郎古切.

翻譯

'풀이름(艸)으로 기름새187)'를 말한다. 물건을 묶는데 쓰인다. 초(艸)가 의미부이고 로(魯)가 소리부이다. 로(蕗)는 로(䕞)의 혹체자인데, 로(鹵)로 구성되었다. 독음은 랑(郎)과 고(古)의 반절이다.

376

蕆 : 蕆: 풀이름 괴: 艸—총11획: kuăi

---

186) 마람(라틴생약명은 Baphicacanthus cusia Bremek)은 뿌리줄기와 뿌리로 원기둥 모양이고 대부분 구부러졌으며 가지가 많이 갈린다. 길이 10~20cm, 지름 0.1~0.5cm이다. 바깥 면은 회갈색이고 마디부분은 부풀어있다. 질은 단단하고 취약하며 절단하기 쉽다. 절단면은 평탄하지 않고 가운데는 회백색의 수부가 있거나 또는 없다. 약간의 냄새가 있고 맛은 담담하다.(『한약재감별도감』)

187) 산지에서 자란다. 높이 60~90cm이며 원주형이고 기름기가 있다. 잎은 길이 40~60cm, 나비 1~1.5cm로서 양끝이 좁으며 밑 부분이 잎자루같이 된다. 잎집은 길고 잎혀는 2~4mm로서 뒷면에 털이 있다. 8~9월에 꽃이 피고 원추꽃차례로 달린다. 꽃 이삭은 길이 20~30cm로서 가지는 길이가 3~5cm이고 돌려나며 각 마디에 작은 이삭이 달리고 길이 5mm 정도이다. 호영(護潁: 화본과 식물의 꽃을 감싸는 포 중 안쪽에 있는 것)은 막질(膜質:얇은 종이처럼 반투명한 것)이고 내영(內潁: 화본과 식물의 꽃을 감싸는 포 중 안쪽에 있는 것)은 끝이 2개로 갈라지는데, 그 사이에서 1.5cm 정도의 자주색 까락이 자란다. 큰 기름새를 닮았으나 꽃 이삭이 엉성하고 작은 이삭이 축 늘어진다. 작은 이삭에는 자루가 있으며 마디로부터 잘 떨어진다. 9~10월에 열매가 익는다. 번식은 종자와 땅속줄기로 잘 된다. 야생목초로 적합한 식물이다. 한국·일본·중국·인도·대만 등지에 분포한다.(『두산백과』)

原文

蒯: 艸也. 从艸欮聲. 苦怪切.

飜譯

'풀이름(艸)으로 괴초(蒯草) 즉 황모(黃茅)'를 말한다. 초(艸)가 의미부이고 괴(欮)가 소리부이다. 독음은 고(苦)와 괴(怪)의 반절이다.

377

蔞: 蔞: 쑥 루: 艸-총15획: lóu

原文

蔞: 艸也. 可以亨魚. 从艸婁聲. 力朱切.

飜譯

'풀이름(艸)으로 쑥'을 말한다. 생선을 삶을 때 [비린내 제거용으로] 쓰인다. 초(艸)가 의미부이고 루(婁)가 소리부이다. 독음은 력(力)과 주(朱)의 반절이다.

378

蠱: 蠱: 등나무 덩굴 류: 艸-총19획: lěi

原文

蠱: 艸也. 从艸畾聲. 『詩』曰: "莫莫葛蠱." 一曰秬鬯也. 力軌切.

飜譯

'풀이름(艸)으로 등나무 덩굴'을 말한다. 초(艸)가 의미부이고 뢰(畾)가 소리부이다. 『시·대아한록(旱麓)』에서 "무성한 칡덩굴이여(莫莫葛蠱)"라고 노래했다. 일설에는 '찰기장으로 만든 울창주(秬鬯)'를 말한다고도 한다. 독음은 력(力)과 궤(軌)의 반절이다.

379

蒝: 蒝: 풀이름 원: 艸-총15획: yuán

原文

蒝: 棘蒝也. 从艸冤聲. 於元切.

飜譯

'극원초(棘蒝草)'를 말한다.[188) 초(艸)가 의미부이고 원(冤)이 소리부이다. 독음은 어(於)와 원(元)의 반절이다.

380

茈: 茈: 지치 자: 艸-총9획: zǐ

原文

茈: 茈艸也. 从艸此聲. 將此切.

飜譯

'지초(茈艸)'를 말한다.[189) 초(艸)가 의미부이고 차(此)가 소리부이다. 독음은 장(將)

---

188) 극원(棘蒝)은 달리 원지(遠志), 요요(蔓繞)라고도 한다. 원지과 식물인 원지(Polygala tenuifolia Willd)의 뿌리를 말린 것이다. 우리나라 중부 이북의 낮은 산 양지쪽에서 자란다. 가을이나 봄에 뿌리를 캐 물에 씻은 다음 목질부를 뽑아 버리고 햇볕에 말린다. 맛은 쓰고 매우며 성질은 따뜻하다. 심경(心經)·신경(腎經)에 작용한다. 정신을 안정시키고 가래를 삭인다. 약리 실험에서 진정(鎭靜) 작용, 최면(催眠) 작용, 강심(强心) 작용, 거담(祛痰) 작용, 용혈(溶血) 작용 등이 밝혀졌다. 잘 놀라면서 가슴이 울렁거리는 데, 건망증, 가래가 있으면서 기침하는 데, 부스럼 등에 쓴다. 기관지염에도 쓴다. 하루 3~9g을 탕제·환제·산제·주제(酒劑) 형태로 만들어 먹는다. 외용약으로 쓸 때는 가루 내서 술에 우린 찌끼를 붙인다. 원지잎[소초(小草)]도 몽설(夢泄)에 쓴다.(『한의학대사전』)

189) 지초(茈艸)는 자단(紫丹)·자부(紫芙)라고도 한다. 지치과 식물인 지치(Lithospermum erythrorhizon Sieb. et Zucc.)의 뿌리를 말린 것이다. 우리나라 각지의 낮은 산 양지쪽에서 자란다. 가을이나 봄에 뿌리를 캐 물에 씻어 햇볕에 말린다. 맛은 쓰고 성질은 차다. 심포경(心包經)·간경(肝經)에 작용한다. 혈분(血分)에서 열사(熱邪)를 없애고 해독하며 발진을 순조롭게 한다. 또한 혈액 순환을 촉진하고 대변을 잘 나오게 하며 새살이 빨리 돋아나게 한다. 이전에는 자초를 홍역의 예방 치료에 주로 써 왔으나 지금은 홍역이 없으므로 피부 화농성 질병에 주로 쓴다. 또한 융모막상피종, 변비, 배뇨 장애, 화상, 동상, 습진, 자궁경부 미란 등에도 쓴

과 차(此)의 반절이다.

381

蓧: 蓧: 작을 묘: 艸–총18획: mò

原文

蓧: 芘艸也. 从艸蒘聲. 莫覺切.

飜譯

'지초(芘艸)'를 말한다. 초(艸)가 의미부이고 모(蒘)가 소리부이다. 독음은 막(莫)과 각(覺)의 반절이다.

382

葝: 葝: 바곳 즉약 이름 측: 艸–총13획: zé

原文

葝: 烏喙也. 从艸則聲. 阻力切.

飜譯

'오훼(烏喙) 즉 초오두[190]'를 말한다. 초(艸)가 의미부이고 즉(則)이 소리부이다. 독

다. 하루 6~12g을 달여 먹는다. 외용약으로 쓸 때는 가루 내서 기름이나 기초(약)제에 개어 바른다. 설사하는 데는 쓰지 않는다.(『한의학대사전』)

190) '초오'는 미나리아재비과의 놋젓가락나물(Aconitum ciliare Decaisne) 또는 동속 근연식물의 덩이뿌리를 사용해 만든 약재(한국)이다. 중국에서는 북오두(Aconitum kusnezoffii Reichb.: 北烏頭)를 말하며 일본에서는 공정생약으로 수재되지 않았다. 초오를 오두(烏頭)라고 하는 것은 모양이 까마귀 머리와 같다는 말이다. 또한 두 갈래로 나눠진 모양이 새 부리와 같아서 서로 잘 맞기 때문에 까마귀 입이란 뜻으로 오훼(烏喙)라고 하였다. 요동(遼東)의 변방 밖에서는 가을이 되면 초오두(草烏頭)의 즙을 내어 햇볕에 말려 독약을 만들어 짐승을 사냥할 때 사용했으므로 사망(射罔)이라고도 했다고 전해진다. 이 약은 냄새가 없고 혀를 마비시키며 맛은 몹시 맵고 쓰며 성질은 뜨겁고 독이 많다[辛苦熱大毒]. 초오는 두통, 복통, 종기, 반신불수, 인사불성, 구안와사에 쓰인다. 풍습 증으로 인한 마비증상이나 인사불성, 류머티즘성관절염, 신경통, 요통, 파상풍 등을 치료하며 배가 차가워서 생기는 복통 등에 응용된다. 약리작용으로 진통, 진정, 항염, 국부마비완화 작용이 있으며 다량 복용시 심장운동흥분작용이 보고되었다. 생

음은 조(阻)와 력(力)의 반절이다.

383

蒐: 蒐: 꼭두서니 **수**: 艸-총14획: sōu

原文

蒐: 茅蒐, 茹藘. 人血所生, 可以染絳. 从艸从鬼. 所鳩切.

국역

'모수(茅蒐) 즉 꼭두서니'를 말하는데, 여려(茹藘)라고도 부른다.[191] 사람의 피가 땅에 떨어져 자라난다고 하며[192], 붉은색 비단을 물들이는데 사용된다.(人血所生, 可以染絳.) 초(艸)가 의미부이고 귀(鬼)도 의미부이다. 독음은 소(所)와 구(鳩)의 반절이다.

384

茜: 茜: 꼭두서니 **천**: 艸-총10획: qiàn

原文

茜: 茅蒐也. 从艸西聲. 倉見切.

김새는 고르지 않은 원추형으로 위쪽에는 줄기 자국이 남아 있고 바깥 면은 회갈색 또는 흑갈색으로 쭈그러진 세로주름이 있다. 꺾은 면은 어두운 회색으로 다각형의 고리무늬 층으로 이루어져 있고 질은 단단하다. 다른 이름으로 토부자(土附子), 간급근(莨芨菫), 경자(耿子), 금아(金鴉), 독공(毒公), 독백초(獨白草), 사망(射罔), 오두(烏頭), 오훼(烏喙), 원앙국(鴛鴦菊), 죽절오두(竹節烏頭), 해독(奚毒), 초오두(草烏頭) 등이 있다. 그 싹을 간급근(莨芨菫)이라 하고, 끓인 즙을 사망(射罔)이라고 한다.(『두산백과』)

191) 『단주』에서 이렇게 말했다. "『시·정풍(鄭風)·여려재판(茹藘在阪)』, 『이아.석초(釋艸), 『모전(毛傳)』 등에서 모두 여려(茹藘)는 모수(茅蒐)를 말한다고 했다. 육기(陸璣)도 여려(茹藘)나 모수(茅蒐)는 꼭두서니풀(蒨艸)을 말하는데, 일명 지혈(地血)이라고도 한다고 했다. 제(齊) 지역 사람들은 이를 천(茜)이라 하며, 서주(徐州) 지역 사람들은 우만(牛蔓)이라 부른다. 오늘날 원예 종사자들은 이를 휴종시(畦種蒔)라 부르기도 한다. 그래서 『화식열전(貨殖傳)』에서 치천천석(巵茜千石)이라 했는데, 이를 천승지가(千乘之家)에 비유했던 것이다."

192) 사람의 피가 땅에 떨어져 자라난다고 한 것(人血所生者)은 수(蒐)자에 귀(鬼)가 들어가게 된 연유를 설명한 것이다.

飜譯

'모수(茅蒐) 즉 꼭두서니'를 말한다. 초(艸)가 의미부이고 서(西)가 소리부이다. 독음은 창(倉)과 견(見)의 반절이다.

385

䔮: 䔮: 제비꽃 사: 艸-총17획: sì

原文

䔮: 赤䔮也. 从艸、隸. 息利切.

飜譯

'적사(赤䔮)'를 말한다. 초(艸)와 사(隸)가 모두 의미부이다. 독음은 식(息)과 리(利)의 반절이다.

386

薜: 薜: 승검초 벽: 艸-총17획: bì

原文

薜: 牡贊也. 从艸辟聲. 蒲計切.

飜譯

'모찬(牡贊)193) 즉 당귀'를 말한다. 초(艸)가 의미부이고 벽(辟)이 소리부이다. 독음은 포(蒲)와 계(計)의 반절이다.

---

193) 벽(薜)은 당귀(當歸)를 말한다. 달리 벽려(薜荔), 벽라(薜蘿)라고도 하는데, 굴원(屈原)의 「이소(離騷)」에 '貫薜荔之落蘂'이라는 말이 나온다. 『이아·석초(釋草)』에서는 벽(薜)을 산기(山蘄)라고 했으며, 곽박의 주석에서 당귀(當歸)를 말한다고 했다. 벽(薜)은 또 산마(山麻)라고 한다. 상록 관목으로 넝쿨로 자라는 줄기를 가졌으며, 구슬 모양의 열매가 열린다. 가루로 만들어 사용하고 즙은 마실 수 있다.

387

藞 : 藞: 참억새 망: 艸-총12획: wáng

原文

藞 : 杜榮也. 从艸忘聲. 武方切.

飜譯

'두영초(杜榮)[망초]'를 말한다.194) 초(艸)가 의미부이고 망(忘)이 소리부이다. 독음은 무(武)와 방(方)의 반절이다.

388

苞 : 苞: 그령 포: 艸-총9획: bāo

原文

苞 : 艸也. 南陽以爲麤履. 从艸包聲. 布交切.

飜譯

'풀이름(艸)으로 그령'을 말한다.195) 남양(南陽) 지역에서는 짚신(麤履)을 만드는데 쓴다. 초(艸)가 의미부이고 포(包)가 소리부이다. 독음은 포(布)와 교(交)의 반절이다.

---

194) 『단주』에서 이렇게 말했다. "『이아·석초(釋艸)』에 보이는데 곽박의 주석에서 오늘날의 망초(芒艸)를 말하는데 띠풀(茅)과 비슷하며, 껍질은 새끼나 짚긴을 만드는데 사용된다고 했다." 망초(芒草, Miscanthus)는 화본과(禾本科)에 속하는 약 15~20종을 포함하는 다양한 망속(芒屬) 식물의 총칭이다. 아프리카와 아시아의 아열대 및 열대 지역이 원산지이다. 그중 하나인 중국망(中國芒, M. sinensis)은 일본과 한국을 포함한 온대 아시아에서 자란다. 중국망과 거망(巨芒, M. giganteus)과 같은 일부 키가 큰 망초는 매우 유망한 에너지 작물로 간주되며 주로 알코올과 같은 바이오 연료를 생산하는 에너지 작물로 사용된다.
195) 그령은 외떡잎식물 벼목 화본과의 여러해살이풀이다. 길가나 빈터 풀밭에서 자란다. 높이 30~80cm이다. 줄기는 편평하고 여러 개가 뭉쳐나서 큰 포기를 이룬다. 잎은 줄 모양이고 끝이 뾰족하며 매우 질기고 길이 20~40cm, 나비 2~6mm이다. 표면 밑 부분과 잎집 윗부분에 털이 있다. 포영은 바소꼴로 1맥이 있고 호영은 좁은 달걀 모양으로 내영보다 일찍 떨어지며 약간 길다. 열매는 영과로서 약간 편평한 타원형이다. 농가에서 가축의 사료로 이용하며 잎을 새끼 대용으로 쓴다. 한국·중국·히말라야 등지에 분포한다.(『두산백과』)

389

艾: 艾: 쑥 애: 艸-총6획: ài

原文

艾: 冰臺也. 从艸乂聲. 五蓋切.

飜譯

‘빙대초(冰臺草) 즉 쑥’을 말한다. 초(艸)가 의미부이고 예(乂)가 소리부이다. 독음은 오(五)와 개(蓋)의 반절이다.

390

葦: 葦: 풀이름 장: 艸-총15획: zhāng

原文

葦: 艸也. 从艸章聲. 諸良切.

飜譯

‘풀이름(艸)으로 장초(葦草)’를 말한다. 초(艸)가 의미부이고 장(章)이 소리부이다. 독음은 제(諸)와 량(良)의 반절이다.

391

芹: 芹: 미나리 근: 艸-총8획: qín

原文

芹: 楚葵也. 从艸斤聲. 巨巾切.

飜譯

‘초규(楚葵) 즉 미나리’를 말한다. 초(艸)가 의미부이고 근(斤)이 소리부이다. 독음은 거(巨)와 건(巾)의 반절이다.

392

藢: 藢: 여우오줌 풀 진: 艸-총18획: zhén

原文

藢: 豕首也. 从艸甄聲. 側鄰切.

譯

'시수초(豕首草)196)'를 말한다. 초(艸)가 의미부이고 견(甄)이 소리부이다. 독음은 측(側)과 린(鄰)의 반절이다.

제
1
권

393

蔦: 蔦: 담쟁이 조: 艸-총15획: niǎo

原文

蔦: 寄生也. 从艸鳥聲.『詩』曰: "蔦與女蘿." 樢, 蔦或从木. 都了切.

譯

'기생하는 풀(寄生草)'을 말한다. 초(艸)가 의미부이고 조(鳥)가 소리부이다.『시·소아·규변(頍弁)』에서 "겨우살이와 댕댕이 덩굴(蔦與女蘿)"이라고 노래했다. 조(樢)는 조(蔦)의 혹체자인데, 목(木)으로 구성되었다. 독음은 도(都)와 료(了)의 반절이다.

394

芸: 芸: 향초 이름 운: 艸-총8획: yún

原文

---

196) 국화과의 여러해살이풀로 뿌리, 잎, 열매를 다 양용할 수 있다. 높이는 60~100cm이며, 잎은 가장자리에 톱니가 있고 위로 올라갈수록 작아진다. 8~9월에 노란 꽃이 원줄기와 가지에 하나씩 아래를 향해 피고 열매는 수과(瘦果)이다. 꽃이 붙은 잎줄기와 뿌리는 배앓이나 회충 따위의 치료제로 쓰며 우리나라 중·북부에 분포한다. 비슷한 말로 담배풀, 여우오름, 여우오줌풀, 지숭(地菘), 천만청, 천명정(天名精), 추면(皺面) 등이 있다.

芸: 艸也. 似目宿. 从艸云聲.『淮南子』說: "芸艸可以死復生." 王分切.

'풀이름(艸)으로 운향초'를 말한다. 목숙(目宿)197)처럼 생겼다. 초(艸)가 의미부이고 운(云)이 소리부이다.『회남자(淮南子)』에서 "운향초는 죽은 사람을 되살아나게 할 수 있다(芸艸可以死復生)"라고 했다. 독음은 왕(王)과 분(分)의 반절이다.

395

薂: 薂: 풀이름 최·풀이 나는 모양 체: 艸-총16획: cè

原文

薂: 艸也. 从艸㝡聲. 麤最切.

飜譯

'풀이름(艸)으로 최초(薂草)'를 말한다. 초(艸)가 의미부이고 체(㝡)가 소리부이다. 독음은 추(麤)와 최(最)의 반절이다.

396

藋: 萋: 한삼덩굴 률: 艸-총13획: lù

197) 목숙(苜蓿), 목숙(牧宿), 목숙(木粟)이라고도 쓴다. 동전(東傳)된 사료용 식물. 목숙(苜蓿, 거여목, 개자리)은 원래 고대 그리스인들에게 남러시아의 캅카스 산맥 동남 일대에서 재배한 말의 사료라고 알려져 있었는데, 아랍에 전래된 후에는 아랍 준마의 주요 사료로 사용되었다. 목숙은 그리스어 'Medikai'의 음사이며, 학명은 'Medicago sativa'이다. 그러나 옛 대원(大宛, 현 우즈베키스탄의 페르가나)어의 'buksuk'의 음사란 일설도 있다. 목숙은 콩과에 속하는 월년초(越年草)로서 한국 속어에서는 거여목(계유목)이라고 일컬었다. 지금은 성하(盛夏)부터 가을에 걸쳐 누른빛 나비형의 꽃(접형화관(蝶形花冠))이 피는 잡초인데, 키는 30~60cm밖에 안 된다. 이시진(李時珍)의『본초강목(本草綱目)』(권27「목숙(苜蓿)」조)에 의하면, 목숙은 햇볕에 쬐면 광채가 나며 잎이 바람에 흔들려 쉬쉬 소리를 내므로 일명 처풍(悽風), 회풍(懷風) 혹은 광풍(光風)이라고도 부른다. 그밖에 금화채(金花菜), 초두(草頭), 반기두(盤歧頭), 연지초(連枝草)라는 속칭도 갖고 있다.(정수일,『실크로드 사전』)

蘲: 艸也. 从艸律聲. 呂戌切.

[飜譯]

'풀이름(艸)으로 한삼덩굴'을 말한다.198) 초(艸)가 의미부이고 율(律)이 소리부이다. 독음은 려(呂)와 술(戌)의 반절이다.

397

茦: 茦: **풀 가시 책**: 艸-총10획: cè

[原文]

茦: 萴也. 从艸朿聲. 楚革切.

[飜譯]

'풀의 가시(萴)'를 말한다. 초(艸)가 의미부이고 자(朿)가 소리부이다. 독음은 초(楚)와 혁(革)의 반절이다.

398

萡: 萡: **괄루 괄**: 艸-총10획: guā

[原文]

萡: 苦蔞, 果蓏也. 从艸昏聲. 古活切.

[飜譯]

'괄루(苦蔞)'를 말하는데, 달리 과라(果蓏)라고도 한다.199) 초(艸)가 의미부이고 괄

---

198) 『단주』에서 이렇게 말했다. "『당본초(唐本艸)』에서는 갈률만(葛葎蔓)이라 했고,『송본초(宋本艸)』에서는 갈륵만(葛勒蔓)이라고 했는데, 칡처럼 생겼는데 가시가 있다(似葛有刺)."

199) 괄루(苦蔞)는 달리 천원자(天圓子), 과라(果蓏)라고도 하는데, 박과 식물인 하눌타리 (Trichosanthes kirilowii Maxim)의 익은 열매를 말린 것이다. 하눌타리는 우리나라 중부 이남의 산과 들판, 밭둑에서 자란다. 가을에 열매가 누렇게 익을 때 따서 그늘에서 말린다. 맛은 달고 쓰며 성질은 차다. 폐경(肺經)·위경(胃經)·대장경(大腸經)에 작용한다. 폐(肺)를 촉촉하게 하여 가래를 삭이며 단단한 것을 흩어지게 하고 대변이 통하게 한다. 약리 실험에서 항암 작용이 밝혀졌다.(『한의학대사전』)

(昏)이 소리부이다. 독음은 고(古)와 활(活)의 반절이다.

399

𦼗: 葑: 순무 봉: 艸-총13획: fēng

原文

𦼗: 須從也. 从艸封聲. 府容切.

繙譯

'수종(須從) 즉 순무'를 말한다. 초(艸)가 의미부이고 봉(封)이 소리부이다. 독음은 부(府)와 용(容)의 반절이다.

400

薺: 薺: 냉이 제: 艸-총18획: jì, qí

原文

薺: 蒺棃也. 从艸齊聲. 『詩』曰: "牆有薺." 疾咨切.

繙譯

'질려(蒺棃)[남가새]'를 말한다.200) 초(艸)가 의미부이고 제(齊)가 소리부이다. 『시·용풍·장유자(牆有茨)』에서 "담장에 찔레가 났는데(牆有薺)"라고 노래했다. 독음은 질(疾)과 자(咨)의 반절이다.

---

200) 『단주』에서 이렇게 말했다. "오늘날 보는 『시·용풍(鄘風)』과 『시·소아(小雅)』에서는 모두 이를 자(茨)로 적었다. 『이아·석초(釋艸)』와 『전(傳)』 및 『전(箋)』에서는 모두 '자(茨)는 질려(蒺藜)를 말한다'라고 했다. 『역』에서도 '據于蒺藜(질려에 의한다)'라 했고, 도은거(陶隱居, 즉 陶弘景, 456~536)도 '씨에 자시가 있다(子有刺)'고 했다. 군대에서는 쇠를 녹여서 이를 만들어 적이 오는 길에다 깔아둔다(軍家鑄鐵作之.以布敵路). 달리 질려(蒺藜)라고도 한다." 남가새(蒺藜, Puncturevine)는 '질려자(蒺藜子)'라는 약명으로 『신농본초경(神農本草經)』에 상품으로 처음 수록되었다. 『중국약전(中國藥典)』(2015)에서는 이 종을 중약 질려의 법정기원식물 내원종으로 수록하였다. 이 종은 중국 각지에서 모두 생산되며, 장강유역 이북 지역의 생산량이 비교적 많다. 주요산지는 하남, 하북, 섬서 등이다.(『세계 약용식물 백과사전』)

401

薋: 薋: 풀가시 자: 艸-총12획: cì

原文

薋: 莢也. 从艸刺聲. 七賜切.

飜譯

'초목의 가시(莢)'를 말한다. 초(艸)가 의미부이고 자(刺)가 소리부이다. 독음은 칠(七)과 사(賜)의 반절이다.

402

董: 董: 황모 동: 艸-총16획: dǒng

原文

董: 鼎董也. 从艸童聲. 杜林曰: 藕根. 多動切.

飜譯

'정동초(鼎董草)'를 말한다.[201] 초(艸)가 의미부이고 동(童)이 소리부이다. 두림(杜林)은 연뿌리(藕根)를 말한다고 했다.[202] 독음은 다(多)와 동(動)의 반절이다.

403

藝: 藝: 풀 연접할 계: 艸-총23획: jì

原文

---

[201] 『이아·석초(釋草)』의 『소(疏)』에서 모양은 부들(蒲)과 비슷하나 가늘며, 짚신을 삼는데 쓰며, 새끼줄을 만들 수도 있다고 했다.

[202] 『단주』에서 이렇게 말했다. "『한서·예문지』에 두림(杜林)의 『창힐고찬(倉頡訓纂)』1편과 『창힐고(倉頡故)』1편이 실려 있는데 이 두 저작 중에 나오는 말일 것이다. 우(藕)는 다음에 나오는 것처럼 435_우(藕)가 되어야 할 것이다. 우근(藕根)은 하근(荷根)과 같다. 곽박(郭樸)에 의하면, 북방 사람들은 우(藕)를 하(荷)라 하고, 그 뿌리를 모호(母號)라 한다고 했다. 그렇다면 두림이 말한 우(藕)는 동(董)일 것이다."

蘮 : 狗毒也. 从艸繫聲. 古詣切.

（飜譯）

'구독(狗毒)'을 말한다.203) 초(艸)가 의미부이고 계(繫)가 소리부이다. 독음은 고(古)와 예(詣)의 반절이다.

404

蘮 : 薻: 닭의 장풀 수: 艸-총14획: sǎo

（原文）

蘮 : 艸也. 从艸嫂聲. 蘇老切.

（飜譯）

'풀이름(艸)으로 아장초(鵝腸草)'를 말한다. 초(艸)가 의미부이고 수(嫂)가 소리부이다. 독음은 소(蘇)와 로(老)의 반절이다.

405

芐 : 芐: 지황 하호: 艸-총7획: xià

（原文）

芐 : 地黃也. 从艸下聲. 『禮記』"鈃毛, 牛藿, 羊芐, 豕薇." 是. 侯古切.

（飜譯）

---

203) 낭독(狼毒)이라고도 하는데, 이는 독이 많은 식물이라는 데에서 유래한 이름이다. 학명은 Euphorbia fischeriana var. pilosa KITAGAWA이다. 키는 60cm 정도이며, 뿌리가 굵다. 밑 부분의 잎은 어긋나고, 윗부분의 잎은 5매 씩 돌려나며, 긴 타원상 피침형으로 끝은 뾰족하고 밑은 뭉툭하며 가장자리가 밋밋하다. 큰 것은 길이 8cm, 나비 3cm이나 가장 밑의 잎은 비늘처럼 되어 있다. 5~6월에 황색 꽃이 피며, 원줄기 끝에서 산형(傘形)으로 발달하는 꽃대 끝에 총포엽(總苞葉)이 3매씩 달려 있다. 우산처럼 퍼진 5개의 가지는 다시 2~3개로 갈라지고 그 포 위에 1개의 꽃 같은 작은 화서(花序)가 달린다. 과실은 편구형 모양의 삭과(蒴果)이다. 깊은 산 속에서 자라며, 우리나라 중부 이북에서 나고 만주, 동시베리아에 분포한다. 고무질을 함유하고 있으며 뿌리는 한방에서 이뇨약(利尿藥)으로 쓰인다.(『한국민족문화대백과』)

'지황(地黃)'을 말한다. 초(艸)가 의미부이고 하(下)가 소리부이다. 『의례·공식대부례 (公食大夫禮)』에서 "고깃국에는 채소를 넣는데, 소고기 국에는 곽향을, 양고기 국에 는 지황을, 돼지고기 국에는 고사리를 넣는다(鉶毛, 牛藿, 羊苄, 豕薇)."라고 했는데 이를 두고 한 말이다. 독음은 후(侯)와 고(古)의 반절이다.

406

蘞 : 蘞: 가회톱 렴: 艸-총17획: liǎn

原文

蘞 : 白蘞也. 从艸僉聲. 蘞, 蘞或从斂. 良冉切.

譯

'백렴초(白蘞草) 즉 가회톱'을 말한다.[204] 초(艸)가 의미부이고 첨(僉)이 소리부이다. 렴(蘞)은 렴(蘞)의 혹체자인데, 렴(斂)으로 구성되었다. 독음은 량(良)과 염(冉)의 반 절이다.

407

菳 : 菳: 풀이름 금: 艸-총12획: qín

原文

---

[204] 가회톱이라는 이름은 잎의 모양이 우상(羽狀)으로 갈라져서 톱과 같이 생긴 데서 유래되었 다. 달리 백렴(白斂)·백근(白根)·백초(白草)·염초(蘞草)·토핵(菟核)·곤륜(崑崙)이라 한다. 학명은 Ampelopsis japonica. MAKINO이다. 길이는 2m 이상 뻗으며 덩이뿌리[塊根]가 있다. 잎은 어 긋나며, 손바닥모양으로 완전히 다섯 개로 갈라지며, 가장자리의 것은 다시 세 개로 갈라진다. 화서는 취산화서(聚纖花序)로서 잎과 마주나며, 꽃은 7월에 연한 황색으로 핀다. 열매는 장과 (漿果: 살과 물이 많고 속에 씨가 있는 과실)로 처음에는 벽자색(碧紫色)이다가 9~10월에 백 색으로 익는다. 주로 황해도 이북에서 자라며 수직적으로는 1,000m 이하에서 자란다. 뿌리는 백렴이라 하여 한약재로 쓰인다. 소염·진통제, 또는 종기나 피부염·중이염 등 외과적인 염증치 료제나 끓는 물에 데었을 때 쓰인다. 동상으로 가렵고 통증이 있을 때는 같은 양의 황벽(黃 蘗)과 함께 가루로 만들어 붙인다. 소화기능이 약한 사람은 복용하지 않도록 한다.(『한국민족 문화대백과』)

芩: 黃芩也. 从艸金聲. 具今切.

'황금(黃芩)'을 말한다. 초(艸)가 의미부이고 금(金)이 소리부이다. 독음은 구(具)와 금(今)의 반절이다.

408

芩: 芩: 풀이름 금: 艸-총8획: qín

原文

芩: 艸也. 从艸今聲. 『詩』曰: "食野之芩." 巨今切.

譯譯
'풀이름(艸)으로 금초(芩草)'를 말한다. 초(艸)가 의미부이고 금(今)이 소리부이다. 『시·소아녹명(鹿鳴)에서 "들의 금풀 뜯고 있네(食野之芩)"라고 노래했다. 독음은 거(巨)와 금(今)의 반절이다.

409

藨: 藨: 쥐눈이콩 표: 艸-총19획: piāo

原文

藨: 鹿藿也. 从艸麃聲. 讀若剽. 一曰蔽屬. 平表切.

譯譯
'곡곽(鹿藿) 즉 쥐눈이콩'을 말한다. 초(艸)가 의미부이고 포(麃)가 소리부이다. 표(剽)와 같이 읽는다. 일설에는 괴(蔽: 황모)의 일종이라 한다. 독음은 평(平)과 표(表)의 반절이다.

410

薏: 薏: 청모 역: 艸-총22획: yì

原文

蘬: 綬也. 从艸鷊聲.『詩』曰"邛有旨鷊"是. 五狄切.

飜譯

'수초(綬草) 즉 청모(青茅)'를 말한다. 초(艸)가 의미부이고 격(鷊)이 소리부이다.『시·진풍·방유작소(防有鵲巢)』에서 "언덕에는 고운 잡초가 났네(邛有旨鷊)"라고 노래한 것이 바로 이것이다. 독음은 오(五)와 적(狄)의 반절이다.

411

蔆: 蔆: 마름 릉: 艸-총15획: líng

原文

蔆: 芰也. 从艸淩聲. 楚謂之芰, 秦謂之薢茩. 䕄, 司馬相如說: 蔆从遴. 力膺切.

飜譯

'마름(芰)'을 말한다. 초(艸)가 의미부이고 릉(淩)이 소리부이다. 초(楚) 지역에서는 기(芰)라 하고, 진(秦) 지역에서는 해구(薢茩)라고 한다. 릉(䕄)은 사마상여(司馬相如)의 설에 의하면, 릉(蔆)자인데, 린(遴)으로 구성되었다. 독음은 력(力)과 응(膺)의 반절이다.

412

芰: 芰: 세발 마름 기: 艸-총8획: jì

原文

芰: 蔆也. 从艸支聲. 茤, 杜林說: 芰从多. 奇記切.

飜譯

'마름(蔆)'을 말한다. 초(艸)가 의미부이고 지(支)가 소리부이다. 기(茤)는 두림(杜林)의 설에 의하면, 기(芰)자인데, 다(多)로 구성되었다. 독음은 기(奇)와 기(記)의 반절이다.

413

薢: 薢: **마름 해**: 艸-총17획: jiè

原文

薢: 薢茩也. 从艸解聲. 胡買切.

繙譯

'해구(薢茩)'를 말한다.[205] 초(艸)가 의미부이고 해(解)가 소리부이다. 독음은 호(胡)와 매(買)의 반절이다.

414

茩: 茩: **초결명 구**: 艸-총10획: gǒu

原文

茩: 薢茩也. 从艸后聲. 胡口切.

繙譯

'해구(薢茩)'를 말한다. 초(艸)가 의미부이고 후(后)가 소리부이다. 독음은 호(胡)와 구(口)의 반절이다.

415

芡: 芡: **가시연 검**: 艸-총8획: qiàn

原文

芡: 雞頭也. 从艸欠聲. 巨險切.

---

205) 식물이름으로 릉(菱)과 릉(菱)속에 속하며 일년생 초목이다 잎이 삼각형인데 잎자루가 길고 여름에 잎 사이로 꽃이 피며 견핵과를 맺는다.

'계두(雞頭) 즉 맨드라미'를 말한다. 초(艸)가 의미부이고 흠(欠)이 소리부이다. 독음은 거(巨)와 험(險)의 반절이다.

416

鞠: 鞠: 국화 국: 艸-총20획: jú

原文

鞠: 日精也. 以秋華. 从艸, 鞠省聲. 鞠, 鞠或省. 居六切.

飜譯
'일정(日精) 즉 국화'를 말한다. 가을에 꽃이 핀다. 초(艸)가 의미부이고, 국(鞠)의 생략된 모습이 소리부이다. 국(鞠)은 국(鞠)의 혹체자인데, 생략된 모습이다. 독음은 거(居)와 륙(六)의 반절이다.

417

蘥: 蘥: 귀리 약: 艸-총21획: yuè

原文

蘥: 爵麥也. 从艸龠聲. 以勺切.

飜譯
'작맥(爵麥) 즉 귀리'를 말한다. 초(艸)가 의미부이고 약(龠)이 소리부이다. 독음은 이(以)와 작(勺)의 반절이다.

418

蔌: 蔌: 띠 속: 艸-총19획: sù

原文

蘬: 牡茅也. 从艸遫聲. 遫, 籒文速. 桑谷切.

繛譯

'모모(牡茅) 즉 띠'를 말한다. 초(艸)가 의미부이고 속(遫)이 소리부인데, 속(遫)은 속(速)의 주문(籒文)체이다. 독음은 상(桑)과 곡(谷)의 반절이다.

419

䒸: 葹: 띠꽃 사: 艸-총9획: sī

原文

䒸: 茅秀也. 从艸私聲. 息夷切.

繛譯

'모수(茅秀) 즉 띠의 이삭'을 말한다. 초(艸)가 의미부이고 사(私)가 소리부이다. 독음은 식(息)과 이(夷)의 반절이다.

420

蒹: 蒹: 갈대 겸: 艸-총14획: jiān

原文

蒹: 蘿之未秀者. 从艸兼聲. 古恬切.

繛譯

'이삭이 아직 패지 않은 갈대(蘿之未秀者)'를 말한다. 초(艸)가 의미부이고 겸(兼)이 소리부이다. 독음은 고(古)와 념(恬)의 반절이다.

421

薍: 薍: 물억새 완·달래 뿌리 란: 艸-총17획: wàn

原文

蔥 : 菿也. 从艸亂聲. 八月蔥爲葦也. 五患切.

'물억새(菿)'를 말한다. 초(艸)가 의미부이고 난(亂)이 소리부이다. 8월이 되면 물억새(蔥)가 큰 갈대(葦)로 자란다. 독음은 오(五)와 환(患)의 반절이다.

422

菼 : 菿: 물억새 담: 艸-총12획: tǎn

菼 : 萑之初生. 一曰蔥. 一曰雛. 从艸剡聲. 菼, 菿或从炎. 土敢切.

'막 자라난 억새(萑之初生)'를 말한다. 달리 완(蔥)이라 하기도 하고, 또 달리 추(雛)라고도 한다. 초(艸)가 의미부이고 섬(剡)이 소리부이다. 담(菼)은 담(菿)의 혹체자인데, 염(炎)으로 구성되었다. 독음은 토(土)와 감(敢)의 반절이다.

423

蘸 : 蘸: 물억새 렴: 艸-총17획: lián

蘸 : 蒹也. 从艸廉聲. 力鹽切.

'물억새(蒹)'를 말한다. 초(艸)가 의미부이고 렴(廉)이 소리부이다. 독음은 력(力)과 염(鹽)의 반절이다.

424

蘈 : 蘈: 풀이름 번: 艸-총17획: fán

原文

蘋: 青蘋, 似莎者. 从艸煩聲. 附袁切.

飜譯

'청번(靑蘋)을 말하는데, 향부자(莎)와 비슷하다.' 초(艸)가 의미부이고 번(煩)이 소리부이다. 독음은 부(附)와 원(袁)의 반절이다.

425

茚: 茚: 창포 앙: 艸-총8획: áng

原文

茚: 昌蒲也. 从艸卬聲. 益州云. 五剛切.

飜譯

'창포(昌蒲)'를 말한다.206) 초(艸)가 의미부이고 앙(卬)이 소리부이다. 익주(益州) 지역에서 그렇게 부른다. 독음은 오(五)와 강(剛)의 반절이다.

426

蒳: 蒳: 명협풀 야ㆍ풀이름 사: 艸-총11획: yé

原文

蒳: 茚蒳也. 从艸邪聲. 以遮切.

飜譯

'앙야(茚蒳) 즉 창포'를 말한다. 초(艸)가 의미부이고 사(邪)가 소리부이다. 독음은 이(以)와 차(遮)의 반절이다.

---

206) 『단주』에서는 "昌蒲也" 앞에 책 전체의 통례에 따라 "茚蒳"를 보충해 넣었다. 그렇게 되면 "앙야(茚蒳)를 말하며, 창포(昌蒲)이다."가 된다.

427

芀: 芀: 갈대 이삭 초: 艸-총6획: tiáo

原文

芀: 葦華也. 从艸刀聲. 徒聊切.

飜譯

'갈대의 꽃(葦華)'을 말한다. 초(艸)가 의미부이고 도(刀)가 소리부이다. 독음은 도(徒)와 료(聊)의 반절이다.

428

莂: 莂: 갈대꽃 렬: 艸-총10획: liè

原文

莂: 芀也. 从艸劉聲. 良辥切.

飜譯

'갈대의 꽃(芀)'을 말한다. 초(艸)가 의미부이고 열(劉)이 소리부이다. 독음은 량(良)과 설(辥)의 반절이다.

429

萏: 萏: 연꽃봉우리 함: 艸-총14획: hàn

原文

萏: 菡萏也. 从艸函聲. 胡感切.

飜譯

'함담(菡萏) 즉 연꽃봉우리'를 말한다. 초(艸)가 의미부이고 함(函)이 소리부이다. 독음은 호(胡)와 감(感)의 반절이다.

430

菡: 菡: 연꽃봉오리 담: 艸-총18획: dàn

(原文)

菡: 菡萏. 芙蓉華未發爲菡萏, 已發爲芙蓉. 从艸圅聲. 徒感切.

(飜譯)

'함담(菡萏) 즉 연꽃봉우리'를 말한다. 연꽃(芙蓉華)이 아직 피지 않은 것을 함담(菡萏)이라 하고, 이미 핀 것을 부용(芙蓉)이라 한다. 초(艸)가 의미부이고 염(圅)이 소리부이다. 독음은 도(徒)와 감(感)의 반절이다.

431

蓮: 蓮: 연밥 련: 艸-총15획: lián

(原文)

蓮: 芙蕖之實也. 从艸連聲. 洛賢切.

(飜譯)

'연의 열매(芙蕖之實) 즉 연밥'을 말한다. 초(艸)가 의미부이고 련(連)이 소리부이다. 독음은 락(洛)과 현(賢)의 반절이다.

432

茄: 茄: 연 줄기 가: 艸-총9획: jiā

(原文)

茄: 芙蕖莖. 从艸加聲. 古牙切.

(飜譯)

'연의 줄기(芙蕖莖)'를 말한다. 초(艸)가 의미부이고 가(加)가 소리부이다. 독음은 고(古)와 아(牙)의 반절이다.

433

荷: 荷: **연 하**: 艹-총11획: hé

(原文)

荷: 芙蕖葉. 从艹何聲. 胡哥切.

(飜譯)

'연의 잎(芙蕖葉)'을 말한다. 초(艹)가 의미부이고 하(何)가 소리부이다. 독음은 호(胡)와 가(哥)의 반절이다.

434

蔤: 蔤: **연근 밀**: 艹-총15획: mì

(原文)

蔤: 芙蕖本. 从艹密聲. 美必切.

(飜譯)

'연의 밑동(芙蕖本)'을 말한다. 초(艹)가 의미부이고 밀(密)이 소리부이다. 독음은 미(美)와 필(必)의 반절이다.

435

藕: 藕: **연뿌리 우**: 艹-총16획: ǒu

(原文)

藕: 芙蕖根. 从艹、水, 禺聲. 五厚切.

(飜譯)

'연의 뿌리(芙蕖根)'를 말한다. 초(艹)와 수(水)가 의미부이고, 우(禺)가 소리부이다. 독음은 오(五)와 후(厚)의 반절이다.

436

蘢： 蘢: **개여뀌 롱:** 艸-총20획: lóng

原文

蘢: 天蘥也. 从艸龍聲. 盧紅切.

飜譯

'천약(天蘥) 즉 개여뀌'를 말한다. 초(艸)가 의미부이고 룡(龍)이 소리부이다. 독음은 로(盧)와 홍(紅)의 반절이다.

437

蓍： 蓍: **시초 시:** 艸-총14획: shī

原文

蓍: 蒿屬. 生十歲, 百莖.『易』以爲數. 天子蓍九尺, 諸侯七尺, 大夫五尺, 士三尺. 从艸耆聲. 式脂切.

飜譯

'쑥(蒿)의 일종[시초]이다.'[207] 10년 동안 자라며, 한 그루에 1백 개의 줄기가 난다.[208] 『주역(周易)』으로 점을 치는 사람들이 이를 갖고 셈을 한다. 천자(天子)는 9자 짜리 시초를 사용하고, 제후(諸侯)는 7자 짜리를 사용하고, 대부(大夫)는 5자 짜리를 사용하고, 사(士)는 3자 짜리를 사용한다. 초(艸)가 의미부이고 기(耆)가 소리부이다. 독음은 식(式)과 지(脂)의 반절이다.

---

207) 『단주』에서는 이렇게 말했다. "쑥(蒿)과 비슷하지만 쑥이 아니라는 말이다. 육기(陸機)에 의하면, 뢰소(藾蕭, 맑은 대 쑥)와 비슷한데 푸른색을 띤다고 했다."

208) 『단주』에서는 "生千歲三百莖(천년을 살며 삼백 개의 줄기가 생긴다)"로 바꾸었는데, 『이아 초목(艸木)』의 『소(疏)』와 『박물지(博物志)』에서 그렇게 되었다고 했다. 또 『상서대전(尙書大傳)』에 의하면, 시초(蓍)는 오래 살기(耆) 때문에 그것으로 점을 치는데, 백년에 한 가지에서 백 개의 줄기가 난다고 했다. 그러나 이 모두 과장으로 보이며 허신의 원 해석이 사실에 더 부합해 보인다.

438

菣 : 菣: **개사철쑥 간·견**: 艸–총12획: qiàn

原文

菣 : 香蒿也. 从艸臤聲. 蕎, 菣或从堅. 去刃切.

飜譯

'향호(香蒿) 즉 개사철쑥'을 말한다.[209] 초(艸)가 의미부이고 견(臤)이 소리부이다. 긴(蕎)은 긴(菣)의 혹체자인데, 견(堅)으로 구성되었다. 독음은 거(去)와 인(刃)의 반절이다.

439

莪 : 莪: **지칭개 아**: 艸–총11획: é

原文

莪 : 蘿莪, 蒿屬. 从艸我聲. 五何切.

飜譯

'나아(蘿莪)[210]를 말하는데, 쑥(蒿)의 일종이다.' 초(艸)가 의미부이고 아(我)가 소리

---

209) 달리 청호(靑蒿), 방궤(方潰), 세엽호(細葉蒿), 초청호(草靑蒿), 초호(草蒿), 초호자(草蒿子), 취호(臭蒿), 호자(蒿子), 긴(菣) 등으로 불린다. 한보승(韓保昇)이 『본초』에 의하면, 초호(草蒿)를 강동(江東) 사람들은 신호라고 부르는데 그 냄새가 너구리의 냄새와 비슷하기 때문이며, 북쪽 사람들은 청호(靑蒿)라고 한다. 『이아(爾雅)』에서는 호(蒿)를 긴(菣: 개사철 쑥)이라고 하였는데, 손염(孫炎)의 주석에서는 형(荊)과 초(楚) 지역에서는 호(蒿)를 긴(菣)이라고 한다고 하였다. 곽박(郭璞)의 주석에서는 당시의 사람들이 청호향(靑蒿香) 중에 익혀서 먹을 수 있는 것을 긴(菣)이라 한다고 하였는데 옳은 말이다. 또 이시진(李時珍)의 『본초강목』에 의하면, 안자(晏子)는 호(蒿)를 풀 중에 높은 것이라고 하였으며, 『이아』에서 호(蒿)에 대하여 언급한 것을 살펴보면, 오직 긴(菣)만이 홀로 호(蒿)라고 하였다. 이는 모든 쑥 잎의 뒤쪽은 흰색인데, 이 쑥 하나만이 홀로 푸른색이기 때문에 다른 쑥들과는 다르며 때문에 호(蒿)라고 한 것이다. (문화원형백과, 『한의학 및 한국고유의 한약재』, 2004)
210) 『단주』에서는 "蘿莪"를 "莪, 蘿也."가 되어야 한다고 했다.

부이다. 독음은 오(五)와 하(何)의 반절이다.

440

蘿: 蘿: **무 라**: 艸-총23획: luó

原文

蘿: 莪也. 从艸羅聲. 魯何切.

飜譯

'라아(蘿莪)'를 말한다. 초(艸)가 의미부이고 라(羅)가 소리부이다. 독음은 로(魯)와 하(何)의 반절이다.

441

菻: 菻: **쑥 름**: 艸-총12획: lǐn

原文

菻: 蒿屬. 从艸林聲. 力稔切.

飜譯

'쑥의 일종이다(蒿屬).' 초(艸)가 의미부이고 림(林)이 소리부이다. 독음은 력(力)과 임(稔)의 반절이다.

442

蔚: 蔚: **풀이름 울·성할 위**: 艸-총15획: wèi

原文

蔚: 牡蒿也. 从艸尉聲. 於胃切.

飜譯

'모호(牡蒿) 즉 제비쑥'을 말한다.211) 초(艸)가 의미부이고 위(尉)가 소리부이다. 독

음은 어(於)와 위(胃)의 반절이다.

443

蕭: 蕭: 맑은 대 쑥 소: 艸-총16획: xiāo

原文

蕭: 艾蒿也. 从艸肅聲. 蘇彫切.

飜譯

'애호(艾蒿) 즉 맑은 대 쑥'을 말한다. 초(艸)가 의미부이고 숙(肅)이 소리부이다. 독음은 소(蘇)와 조(彫)의 반절이다.

444

萩: 萩: 사철쑥 추: 艸-총13획: qiū

原文

萩: 蕭也. 从艸秋聲. 七由切.

飜譯

'맑은 대 쑥(蕭)'을 말한다. 초(艸)가 의미부이고 추(秋)가 소리부이다. 독음은 칠(七)과 유(由)의 반절이다.

---

211) 제비쑥(牡蒿)은 산야에서 흔히 자란다. 높이 30~90cm이다. 잎은 어긋나고 쐐기형 또는 달걀을 거꾸로 세운 모양으로 양쪽 가장자리가 밋밋하며 위 끝은 깊이 패어 들어간 모양으로 갈라지고 톱니가 있다. 중앙부에 달린 잎은 깃처럼 갈라지고, 상부에 달린 잎은 선형이며 가장자리가 밋밋하다. 꽃은 7~9월에 피고 두화는 달걀 모양의 구형 또는 타원형이며 원줄기 끝에서 두상꽃차례가 원추꽃차례를 형성한다. 총포는 털이 없고 포조각은 4줄로 배열하며 뒷면에 능선이 있고 안에는 암꽃과 양성화가 들어 있다. 열매는 수과로 털이 없다. 어린 순을 나물로 한다. 한국·일본·타이완·필리핀·중국 등지에 분포한다.(『두산백과』)

445

茢: 芍: **함박꽃 작**: 艸-총7획: sháo

原文

芍: 鳧茈也. 从艸勺聲. 胡了切.

譔譯

'부자(鳧茈) 즉 작약'을 말한다. 초(艸)가 의미부이고 작(勺)이 소리부이다. 독음은 호(胡)와 료(了)의 반절이다.

446

蘭: 蘭: **산딸기 전**: 艸-총14획: jiǎn

原文

蘭: 王彗也. 从艸瀚聲. 昨先切.

譔譯

'왕혜(王彗)'를 말한다.212) 초(艸)가 의미부이고 전(瀚)이 소리부이다. 독음은 작(昨)과 선(先)의 반절이다.

447

蔿: 蔿: **애기풀 위**: 艸-총16획: wěi

原文

蔿: 艸也. 从艸爲聲. 于鬼切.

譔譯

---

212) 『단주』에서는 『이아 석초(釋艸)』에서는 전(䕔)으로 적었는데, 곽박의 주석에서 려(藜)와 비슷하면서 빗자루로 쓸 수 있다고 했다. 또 사물 이름에 왕(王)자가 들어가면 '큰 것'을 말한다고도 했다.

'풀이름(艸)'이다. 초(艸)가 의미부이고 위(爲)가 소리부이다. 독음은 우(于)와 귀(鬼)의 반절이다.

448

茞 : 茞: 풀이름 침: 艸-총8획: chén

原文

茞 : 艸也. 从艸尤聲. 直深切.

飜譯

'풀이름(艸)으로 침초(茞草)'를 말한다.213) 초(艸)가 의미부이고 유(尤)가 소리부이다. 독음은 직(直)과 심(深)의 반절이다.

449

鞠 : 鞠: 국화 국: 艸-총21획: jú

原文

鞠 : 治牆也. 从艸鞠聲. 居六切.

飜譯

'치장초(治牆草) 즉 국화'를 말한다. 초(艸)가 의미부이고 국(鞠)이 소리부이다. 독음은 거(居)와 륙(六)의 반절이다.

450

薔 : 薔: 장미 장: 艸-총21획: qiáng

---

213) 『당운(唐韻)』에서는 침(茞)과 같다고 했는데, 침번(茞藩)은 본초식물로 뿌리와 줄기를 약으로 쓸 수 있으며, 달리 지모(知母)라고 한다. 『이아·석초(釋草)』에서도 심(蕁)은 침번(茞藩)이라고 한다 하였는데, 『소』에서 지모(知母)를 말한다고 했고, 곽박의 『주』에서는 산에서 나며, 잎은 부추와 비슷하다고 했다. 그렇게 보면 침(茞)과 지모는 달라 보인다. 『단주』에서도 침번(茞蕃)과는 다른 식물이라고 했다.

原文

薔: 蘠靡, 虋冬也. 从艸牆聲. 賤羊切.

飜譯

'장미(蘠靡)'를 말하는데, 달리 문동(虋冬)이라고도 한다.214) 초(艸)가 의미부이고 장(牆)이 소리부이다. 독음은 천(賤)과 양(羊)의 반절이다.

451

芪: 芪: 단너삼 기: 艸-총8획: qí

原文

芪: 芪母也. 从艸氏聲. 常之切.

飜譯

'기모(芪母) 즉 지모(知母)'를 말한다. 초(艸)가 의미부이고 씨(氏)가 소리부이다. 독음은 상(常)과 지(之)의 반절이다.

452

菀: 菀: 자완 완: 艸-총12획: wǎn

原文

---

214) 문동(虋冬)은 천문동(天門冬)이라고도 불리며, 대당문근(大當門根), 만세등(萬歲藤), 전극(顚棘), 전륵(顚勒), 천극(天棘), 천동(天冬)이라고도 한다. 이시진(李時珍)의 『본초강목』에 의하면, 풀이 무성한 것을 문(虋)이라고 하는데, 속세에서는 문(門)이라고 한다. 이 약초는 매우 무성하고 효능이 맥문동(麥門冬)과 같기 때문에 천문동(天門冬) 혹은 천극(天棘)이라고 한다. 『이아』에서는 모(髦)를 전극(顚棘)이라고 하였는데, 이 약재의 가느다란 잎이 모(髦)와 비슷하기 때문에 가느다란 가시가 있는 것 같으며 전(顚)과 천(天)은 독음이 서로 가깝기 때문에 천극(天棘)이라는 명칭이 생겼다. 『구황본초(救荒本草)』에 의하면 이 약재는 일반인들이 만세등(萬歲藤), 또는 사라수(娑羅樹)라고 부른다고 하였다. 그 모양과 폐의 질병을 치료하는 효능이 백부(百部)와 같기 때문에 도한 백부(百部)라고 부른다고 하였다. 장미(薔蘼)를 영실(營實)의 싹이라고 하고 『이아』에서는 문동(虋冬)을 지칭한다고 하였는데, 이것은 아마도 고서에서의 착간(錯簡) 때문일 것이다.(문화원형백과, 『한의학 및 한국고유의 한약재』, 2004)

: 茈菀, 出漢中房陵. 从艸宛聲. 於阮切.

飜譯

'자완(茈菀)을 말하는데, 한중(漢中)의 방릉(房陵)에서 난다.' 초(艸)가 의미부이고 완(宛)이 소리부이다. 독음은 어(於)와 완(阮)의 반절이다.

453

: 莔: **패모 맹**: 艸-**총11획**: **méng**

原文

: 貝母也. 从艸, 明省聲. 武庚切.

飜譯

'패모(貝母)'를 말한다. 초(艸)가 의미부이고, 명(明)의 생략된 모습이 소리부이다. 독음은 무(武)와 경(庚)의 반절이다.

454

: 茮: **삽주 뿌리 출**: 艸-**총7획**: **zhú**

原文

: 山薊也. 从艸朮聲. 直律切.

飜譯

'산계(山薊) 즉 산 삽주'를 말한다. 초(艸)가 의미부이고 출(朮)이 소리부이다. 독음은 직(直)과 률(律)의 반절이다.

455

: 蓂: **명협 명**: 艸-**총14획**: **míng**

原文

蓂: 析蓂, 大薺也. 从艸冥聲. 莫歷切.

(飜譯)

'석명(析蓂), 즉 대제(大薺)'를 말한다. 초(艸)가 의미부이고 명(冥)이 소리부이다. 독음은 막(莫)과 력(歷)의 반절이다.

456

 葆: 葆: 오미자 미: 艸-총12획: wèi

(原文)

葆: 荎藸也. 从艸味聲. 无沸切.

(飜譯)

'치저(荎藸) 즉 오미자'를 말한다. 초(艸)가 의미부이고 미(味)가 소리부이다. 독음은 무(无)와 비(沸)의 반절이다.

457

萯: 荎: 오미자 치: 艸-총10획: chí

(原文)

萯: 荎藸, 艸也. 从艸至聲. 直尼切.

(飜譯)

'치저(荎藸) 즉 오미자'를 말하는데, 풀이름(艸)이다. 초(艸)가 의미부이고 지(至)가 소리부이다. 독음은 직(直)과 니(尼)의 반절이다.

458

藸: 藸: 오미자 저: 艸-총20획: chú

(原文)

藸: 茎藸也. 从艸豬聲. 直魚切.

飜譯

'치저(茎藸) 즉 오미자'를 말한다. 초(艸)가 의미부이고 저(豬)가 소리부이다. 독음은 직(直)과 어(魚)의 반절이다.

459

蔥: 葛: 칡 갈: 艸-총13획: gé

原文

蔥: 絺綌艸也. 从艸曷聲. 古達切.

飜譯

'치격초(絺綌艸) 즉 칡'을 말한다. 초(艸)가 의미부이고 갈(曷)이 소리부이다. 독음은 고(古)와 달(達)의 반절이다.

460

蕄: 蔓: 덩굴 만: 艸-총15획: màn

原文

蕄: 葛屬. 从艸曼聲. 無販切.

飜譯

'칡(葛)'의 일종이다. 초(艸)가 의미부이고 만(曼)이 소리부이다. 독음은 무(無)와 판(販)의 반절이다.

461

睪: 槀: 풀이름 고: 艸-총14획: gāo

原文

藁: 葛屬. 白華. 从艸皋聲. 古勞切.

'칡(葛)'의 일종이다. 흰 꽃이 핀다(白華). 초(艸)가 의미부이고 고(皋)가 소리부이다. 독음은 고(古)와 로(勞)의 반절이다.

462

荇: 莕: 마름 풀 행: 艸-총11획: xìng

原文

莕: 菨餘也. 从艸杏聲. 荇, 莕或从行, 同. 何梗切.

飜譯

'접여(菨餘)'를 말한다.215) 초(艸)가 의미부이고 행(杏)이 소리부이다. 행(荇)은 행(莕)의 혹체자인데, 행(行)으로 구성되었으며, 같은 글자다. 독음은 하(何)와 경(梗)의 반절이다.

463

菨: 菨: 개연꽃 접: 艸-총12획: jiē

原文

菨: 菨餘也. 从艸妾聲. 子葉切.

飜譯

'접여(菨餘)'를 말한다. 초(艸)가 의미부이고 첩(妾)이 소리부이다. 독음은 자(子)와 엽(葉)의 반절이다.

---

215) 『단주』에서 이렇게 말했다. "『시경·주남(周南)』에 나오는 '참치행채(參差荇菜)'에 대해 『모전(毛傳)』에서 행(荇)은 접여(接余)를 말한다고 했고, 『이아·석초(釋艸)』에서 행(荇)을 행(莕)으로 적었다."

464

薰 : 薰: 향풀 곤: 艸-총19획: kūn

原文

薰: 艸也. 从艸囷聲. 古渾切.

飜譯

'풀이름(艸)이다.' 초(艸)가 의미부이고 곤(囷)이 소리부이다. 독음은 고(古)와 혼(渾)의 반절이다.

465

芫 : 芫: 팥꽃나무 원: 艸-총8획: yuán

原文

芫: 魚毒也. 从艸元聲. 愚袁切.

飜譯

'어독(魚毒)[고기를 죽이는 데 쓰는 독초]'을 말한다.216) 초(艸)가 의미부이고 원(元)이 소리부이다. 독음은 우(愚)와 원(袁)의 반절이다.

466

蘦 : 蘦: 감초 령: 艸-총21획: líng

原文

---

216) 어독(魚毒)은 다른 이름으로 두원(杜芫), 적원(赤芫), 거수(去水), 독어(毒魚), 두통화(頭痛花), 아초(兒草), 패화(敗華), 대황극(大黃戟), 촉상(蜀桑) 등이 있다. 이시진(李時珍)의 『본초강목』에 의하면, 원(芫)은 원래 원(杬)이었는데, 그 뜻이 자세하게 알려지지 않았다. 거수(去水)라는 명칭은 효능에 따라 명명한 것이고, 독어(毒魚)는 그 성(性)에 따라서 명명한 것이며, 대극(大戟)이라는 명칭은 모양이 유사하기 때문이다. 일반인들은 이 약초의 냄새가 고약하기 때문에 두통화(頭痛花)라고 부른다. 『산해경』에서는 수산(首山)에 원(芫)이라는 약초가 많다고 하였는데, 바로 이것이다.(문화원형백과, 『한의학 및 한국고유의 한약재』, 2004)

蘦: 大苦也. 从艸霝聲. 郎丁切.

'대고(大苦)'를 말한다. 초(艸)가 의미부이고 령(霝)이 소리부이다. 독음은 랑(郎)과 정(丁)의 반절이다.

467

 蕛: 돌피 제: 艸-총16획: tí

原文

蕛: 蕛英也. 从艸稊聲. 大兮切.

'제질(蕛英) 즉 돌피'를 말한다.217) 초(艸)가 의미부이고 제(稊)가 소리부이다. 독음은 대(大)와 혜(兮)의 반절이다.

468

莁: 英: 돌피 질: 艸-총9획: dié

原文

莁: 蕛英也. 从艸失聲. 徒結切.

'제질(蕛英) 즉 돌피'를 말한다. 초(艸)가 의미부이고 실(失)이 소리부이다. 독음은 도(徒)와 결(結)의 반절이다.

---

217) 『이아·석초(釋草)』에서 "제(蕛)는 질(英)을 말한다"라고 했는데, 곽박의 『주』에서 "제(蕛)는 패(稗, 피)와 비슷한데, 온 땅에 퍼져서 자라나는 잡초이다."라고 했다. 『광운(廣韻)』에서는 달리 제(稊)라고 쓰기도 한다고 했다.

469

苧: 苧: 구장 정: 艸-총6획: tīng

原文

苧: 芋藑, 胸也. 从艸丁聲. 天經切.

繙譯

'정형(芋藑)'을 말하는데, 구초(胸草)라고도 한다.[218] 초(艸)가 의미부이고 정(丁)이 소리부이다. 독음은 천(天)과 경(經)의 반절이다.

470

蔣: 蔣: 줄 장: 艸-총15획: jiǎng

原文

蔣: 苽蔣也. 从艸將聲. 子良切.

繙譯

'고(苽) 즉 줄 풀'을 말하는데, 장(蔣)이라고도 한다.[219] 초(艸)가 의미부이고 장(將)이 소리부이다. 독음은 자(子)와 량(良)의 반절이다.

471

苽: 苽: 줄 고: 艸-총9획: gū

原文

苽: 雕苽. 一名蔣. 从艸瓜聲. 古胡切.

---

218) 『단주』에서는 이렇게 말했다. "「이아 석초(釋艸)」에서 '胸芋藑'이라고 했는데, 허신이 형(藑)자 다음에서 구두점을 끊었는지(芋藑, 胸也), 아니면 정(芋)자 다음에서 구두점을 끊었는지(芋, 藑胸也) 알 수 없다. 후자처럼 했다면 오늘날 보는 『이아』와는 다르다."

219) 『단주』에서는 이렇게 말했다. "각 판본에서는 '瓜蔣也'라고 되었는데, 이는 '蔣瓜也'의 오류로 순서가 뒤바뀐 것이다. 지금 『어람(御覽)』에 근거하여 바로 잡는다." 그렇게 되면 '장고(蔣瓜, 蔣苽)를 말한다'가 된다.

譯

'조고(雕苽)'를 말하는데, 일명 장(蔣)이라고도 한다.220) 초(艸)가 의미부이고 고(瓜)가 소리부이다. 독음은 고(古)와 호(胡)의 반절이다.

472

𦷣 : 菁: 풀 육: 艸-총10획: yù

原文

𦷣 : 艸也. 从艸育聲. 余六切.

譯

'풀이름(艸)으로 육초(菁草)'를 말한다. 초(艸)가 의미부이고 육(育)이 소리부이다. 독음은 여(余)와 륙(六)의 반절이다.

473

蘿 : 蘿: 쇠꼬리 피: 艸-총19획: bǐ, bèi

原文

蘿 : 艸也. 从艸罷聲. 符羈切.

譯

'풀이름(艸)으로 피초(蘿草)'를 말한다. 초(艸)가 의미부이고 파(罷)가 소리부이다. 독음은 부(符)와 기(羈)의 반절이다.

---

220) 『단주』에는 『어람(御覽)』에 근거해 "雕苽"를 "雕胡"로 바꾸었다. 그리고 이렇게 말했다. "『
예기·식의(食醫)』와 「내칙(內則)」에서 모두 고식(瓜食)이라는 말이 있는데, 정현의 주석에서 고
(瓜)는 조호를 말한다(彫胡也)고 했다. 『광아(廣雅)』에서는 고(苽)는 장(蔣)을 말하는데, 그 열
매를 조호(彫胡)라고 한다고 했다. 그렇다면 부거(扶渠)의 열매를 연(蓮)이라고 한 것과 같아,
그 열매의 이름으로 꽃과 잎의 이름을 삼은 것이다. 조호(彫胡)는 매승(枚乘)의 「칠발(七發)」
에서 안호(安胡)라고 했는데, 그 잎을 고(瓜), 혹은 장(蔣)이라 하는데 세속에서는 교(茭)라고
한다고 했다. 또 그 중간의 줄기는 어린 아이의 팔과 같으며 식용가능하다. 그래서 고수(瓜手)
라 부른다. 그리고 그 뿌리는 봉(葑)이라 한다."。

474

𧂈: 蘫: 풀이름 연: 艸-총23획: rán

原文

蘫: 艸也. 从艸難聲. 如延切.

譯

'풀이름(艸)으로 연초(蘫草)'를 말한다. 초(艸)가 의미부이고 난(難)이 소리부이다. 독음은 여(如)와 연(延)의 반절이다.

475

莨: 莨: 수크령 랑: 艸-총11획: láng

原文

莨: 艸也. 从艸良聲. 魯當切.

譯

'풀이름(艸)으로 수크령'을 말한다.221) 초(艸)가 의미부이고 양(良)이 소리부이다. 독음은 로(魯)와 당(當)의 반절이다.

---

221) 『단주』에서 이렇게 말했다. "『한서음의(漢書音義)』에서 랑(莨)은 랑미초(莨尾艸)를 말한다고 했다. 『이아 석초(釋艸)』에서는 맹랑미(孟狼尾)라고 했는데, 랑(狼)과 랑(莨)은 독음이 같다. 랑미(狼尾)는 개의 꼬리처럼 생겨 거칠고 강하게 자란다는 뜻에서 붙여진 이름이다." 우리말로는 수크령, 길갱이라고도 한다. 양지쪽 길가에서 흔히 자란다. 높이 30~80cm이고 뿌리줄기에서 억센 뿌리가 사방으로 퍼진다. 잎은 길이 30~60cm, 나비 9~15mm이며 털이 다소 있다. 꽃은 8~9월에 피는데 꽃 이삭은 원기둥 모양이고 검은 자주색이다. 작은 가지에 1개의 양성화와 수꽃이 달린다. 작은 이삭은 바소꼴이고 길이 5mm 정도이며 밑 부분에 길이 2cm 정도의 자주색 털이 빽빽이 난다. 첫째 포영에는 맥이 없고 둘째 포영에는 3~5맥이 있다. 수술은 3개이다. 아시아의 온대에서 열대에 널리 분포한다. 작은이삭을 둘러싼 털의 색깔이 연한 것을 청수크령(for. viridescens), 붉은빛이 도는 것을 붉은수크령(for. erythrochaetum)이라고 한다.(『두산백과』)

476

蘷: 蘷: 풀이름 요: 艸－총13획: yāo

原文

蘷: 艸也. 从艸要聲.『詩』曰:"四月秀蘷." 劉向說: 此味苦, 苦蘷也. 於消切.

譯

'풀이름(艸)으로 요초(蘷草)'를 말한다. 초(艸)가 의미부이고 요(要)가 소리부이다.『시·빈풍·칠월(七月)』에서 "사월엔 아기 풀 이삭이 패고(四月秀蘷)"라고 노래했다. 유향(劉向)[222]에 의하면, 이 풀은 맛이 쓰기 때문에 고요(苦蘷)라고도 한다고 했다. 독음은 어(於)와 소(消)의 반절이다.

477

薖: 薖: 풀이름 과: 艸－총17획: kē

原文

薖: 艸也. 从艸過聲. 苦禾切.

譯

---

222) 유향(劉向, B.C. 77(?)~B.C. 6)은 전한 말기 패현(沛縣) 사람으로 본명은 갱생(更生)이고, 자는 자정(子政)이다. 초원왕(楚元王) 유교(劉交)의 4세손이고, 유흠(劉歆)의 아버지다.『춘추곡량(春秋穀梁)』을 공부했고, 음양휴구론(陰陽休咎論)으로 시정(時政)의 득실을 논하면서 여러 차례 외척이 권력을 잡는 일에 대해 경계했다. 선제(宣帝) 때 산기간대부급사중(散騎諫大夫給事中)에 올랐다. 원제(元帝) 때 산기종정급사중(散騎宗正給事中)에 발탁되었다. 이후 환관 홍공(弘恭)과 석현(石顯)이 전권을 휘두르는 것에 반대하면서 퇴진시키려고 했지만 참언을 받아 투옥되었다. 성제(成帝)가 즉위하자 임용되어 이름을 향(向)으로 바꾸었고, 광록대부(光祿大夫)를 거쳐 중루교위(中壘校尉)에 이르렀다. "인성은 선악을 낳지 않으며, 사물에 감(感)한 뒤에 움직인다."고 하여 종래의 성선설, 성악설을 모두 부정했는데, 성 자체에는 선악이 없으며, 외부의 자극이 있기 때문에 선악의 이동(異同)이 있게 된다고 주장했다. 궁중 도서의 교감에도 노력하여 해제서『별록(別錄)』을 만들어 중국 목록학의 비조로 간주된다. 춘추 전국 시대로부터 한나라 때 이르기까지 사람들의 언행을 분류하여『신서(新序)』와『설원(說苑)』을 편찬했다.『시경』과『서경』에 나타난 여인들 중 모범과 경계로 삼을 만한 사례를 모아『열녀전(列女傳)』을 저술했다. 그 밖의 저서에『홍범오행전(洪範五行傳)』이 있다.(『중국역대인명사전』, 2010)

'풀이름(艸)으로 과초(薖草)'를 말한다. 초(艸)가 의미부이고 과(過)가 소리부이다. 독음은 고(苦)와 화(禾)의 반절이다.

478

菌: 菌: 버섯 균: 艸-총12획: jùn

原文

菌: 地蕈也. 从艸囷聲. 渠殞切.

飜譯

'지심(地蕈) 즉 버섯'을 말한다. 초(艸)가 의미부이고 균(囷)이 소리부이다. 독음은 거(渠)와 운(殞)의 반절이다.

479

蕈: 蕈: 버섯 심: 艸-총16획: xùn

原文

蕈: 桑薁. 从艸覃聲. 慈衽切.

飜譯

'상연(桑薁) 즉 뽕나무에 나는 버섯'을 말한다.223) 초(艸)가 의미부이고 담(覃)이 소리부이다. 독음은 자(慈)와 임(衽)의 반절이다.

480

薁: 薁: 목이버섯 연: 艸-총13획: ruǎn

---

223) 『단주』에서 이렇게 말했다. "뽕나무에서 자라는 연(薁)을 심(蕈)이라 하고, 밭에서 자라는 버섯(蕈)을 균록(菌朶)이라 한다. 정사농(鄭司農, 鄭眾)의 『주례주』에서 심포(深蒲)를 달리 상이(桑耳)라고 한다고 했다."

原文

檽： 木耳也. 从艸㮕聲. 一曰薚茈. 而兖切.

飜譯

'목이버섯(木耳)'을 말한다. 초(艸)가 의미부이고 연(㮕)이 소리부이다. 달리 유자(薚茈)라고도 한다. 독음은 이(而)와 연(兖)의 반절이다.

481

葚： 葚: 오디 심: 艸-총13획: shèn

原文

葚： 桑實也. 从艸甚聲. 常衽切.

飜譯

'상실(桑實)[뽕나무의 열매인 오디]'을 말한다. 초(艸)가 의미부이고 심(甚)이 소리부이다. 독음은 상(常)과 임(衽)의 반절이다.

482

蒟： 蒟: 구장 구: 艸-총14획: jǔ

原文

蒟： 果也. 从艸竘聲. 俱羽切.

飜譯

'나무의 열매(果)[구기자]'를 말한다.224) 초(艸)가 의미부이고 구(竘)가 소리부이다. 독

---

224) 『단주』에서 이렇게 말했다. "『사기』와 『한서』에 구장(枸醬)이 등장한다. 좌사(左思)의 「촉도부(蜀都賦)」와 상거(常璩)의 『화양국지(華陽國志)』에서는 구(蒟)라 적었고, 『사기』에서도 구(蒟)라 적었다. 유규(劉逵), 고미(顧微), 송기(宋祁) 같은 학자들의 의견을 종합할 때 이는 뷰류등(扶雷藤)이다. 잎은 빈낭(檳榔)처럼 식용할 수 있고 열매는 오디(桑葚)처럼 길다. 구(蒟)라 이름 한 것은 장(醬)으로 자을 수 있기 때문이다. 『파지(巴志)』에서 나무에는 여지(荔支)가 있고 넝쿨식물에는 신구(辛蒟)가 있다고 했다. 그렇다면 이는 나무를 타고 자라는 넝쿨식물이다.

음은 구(俱)와 우(羽)의 반절이다.

483

芘: 芘: 풀이름 비: 艸-총8획: pí

原文

芘: 艸也. 一曰芘茮木. 从艸比聲. 房脂切.

譯

'풀이름(艸)으로 비초(芘草)'를 말한다. 달리 비초목(芘茮木)이라고도 한다. 초(艸)가 의미부이고 비(比)가 소리부이다. 독음은 방(房)과 지(脂)의 반절이다.

484

蕣: 蕣: 무궁화 순: 艸-총16획: shùn

原文

蕣: 木菫, 朝華暮落者. 从艸舜聲. 『詩』曰: "顔如蕣華." 舒閏切.

譯

'목근(木菫) 즉 무궁화'를 말하는데, 아침에 꽃이 피면 저녁에 떨어진다(朝華暮落者). 초(艸)가 의미부이고 순(舜)이 소리부이다. 『시·정풍·유녀동거(有女同車)』에서 "얼굴이 무궁화 같네(顔如蕣華)"라고 노래했다. 독음은 서(舒)와 윤(閏)의 반절이다.

485

萸: 萸: 수유 유: 艸-총13획: yú

原文

그래서 구(蒟)자에 초(艸)가 의미부로 들어갔다. 달리 구(枸)자 적어 목(木)으로 구성되기도 했는데, 필시 같은 식물일 것이다."

: 茱萸也. 从艸臾聲. 羊朱切.

(번역)

'수유(茱萸)'를 말한다. 초(艸)가 의미부이고 유(臾)가 소리부이다. 독음은 양(羊)과 주(朱)의 반절이다.

486

茱 : 茱: 수유 수: 艸-총10획: zhū

(原文)

茱 : 茱萸, 茮屬. 从艸朱聲. 市朱切.

(번역)

'수유(茱萸)'를 말하는데, 후추(茮)의 일종이다. 초(艸)가 의미부이고 주(朱)가 소리부이다. 독음은 시(市)와 주(朱)의 반절이다.

487

茮 : 茮: 후추 초: 艸-총10획: jiāo

(原文)

茮 : 茮莍. 从艸尗聲. 子寮切.

(번역)

'초출(茮莍) 즉 후추'를 말한다. 초(艸)가 의미부이고 숙(尗)이 소리부이다. 독음은 자(子)와 료(寮)의 반절이다.

488

莍 : 莍: 차조 출: 艸-총11획: qiú

(原文)

茥: 茉橼實裏如表者. 从艸求聲. 巨鳩切.

(飜譯)

'후추(茉)나 수유(橼)와 같은 열매인데, 열매 안쪽이 털가죽처럼 되었다(實裏如表者).' 초(艸)가 의미부이고 구(求)가 소리부이다. 독음은 거(巨)와 구(鳩)의 반절이다.

489

荆: 荆: 가시나무 형: 艸-총12획: jīng

(原文)

荆: 楚木也. 从艸刑聲. 茻, 古文荆. 舉卿切.

(飜譯)

'초목(楚木) 즉 가시나무'를 말한다. 초(艸)가 의미부이고 형(刑)이 소리부이다. 형(茻)은 형(荆)의 고문체이다.[225] 독음은 거(舉)와 경(卿)의 반절이다.

490

蓎: 蓎: 이끼 태: 艸-총12획: tái

(原文)

蓎: 水衣. 从艸治聲. 徒哀切.

(飜譯)

'물가에 나는 이끼(水衣)'를 말한다.[226] 초(艸)가 의미부이고 치(治)가 소리부이다. 독음은 도(徒)와 애(哀)의 반절이다.

---

225) 고문자에서 荆金文 荆古陶文 茻古璽文 茻汗簡 등으로 썼다. 艸(풀 초)가 의미부고 刑(형벌 형)이 소리부로, 초목(艸)의 일종인 가시나무를 말하는데, 형벌(刑)을 집행할 때 쓰는 곤장으로 쓰였다. 이후 중국 남쪽의 楚(초)나라를 지칭하는 말로도 쓰였는데, 초나라가 荊山(형산) 일대에서 건국되었기 때문이다. 금문에서는 손발이 가시에 찔린 모습으로, 가시나무의 이미지를 형상화했다.

226) 『단주』에서는 『이아음의(爾雅音義)』에 근거해 청(青)자를 보충해 "水青衣也"로 고친다고 했다.

491

芽: 芽: 싹 아: 艸-총8획: yá

原文

芽: 萌芽也. 从艸牙聲. 五加切.

譯

'새로 움튼 싹(萌芽)'을 말한다. 초(艸)가 의미부이고 아(牙)가 소리부이다. 독음은 오(五)와 가(加)의 반절이다.

492

萌: 萌: 싹 맹: 艸-총12획: méng

原文

萌: 艸芽也. 从艸明聲. 武庚切.

譯

'풀의 싹(艸芽)'을 말한다. 초(艸)가 의미부이고 명(明)이 소리부이다. 독음은 무(武)와 경(庚)의 반절이다.

493

茁: 茁: 풀 처음 나는 모양 줄: 艸-총9획: zhuó

原文

茁: 艸初生出地皃. 从艸出聲.『詩』曰: "彼茁者葭." 鄒滑切.

譯

'풀이 땅위로 처음 나오는 모양(艸初生出地皃)'을 말한다. 초(艸)가 의미부이고 출(出)이 소리부이다.『시·소남·추우(騶虞)』에서 "저 싱싱한 갈대밭에(彼茁者葭)"라고 노래했다. 독음은 추(鄒)와 활(滑)의 반절이다.

494

莖: 莖: 줄기 경: 艹-총11획: jīng

原文

莖: 枝柱也. 从艸巠聲. 戶耕切.

飜譯

'초목의 줄기(枝柱)'를 말한다. 초(艸)가 의미부이고 경(巠)이 소리부이다. 독음은 호(戶)와 경(耕)의 반절이다.

495

莛: 莛: 줄기 정: 艹-총11획: tíng

原文

莛: 莖也. 从艸廷聲. 特丁切.

飜譯

'줄기(莖)'를 말한다. 초(艸)가 의미부이고 정(廷)이 소리부이다. 독음은 특(特)과 정(丁)의 반절이다.

496

葉: 葉: 잎 엽: 艹-총13획: yè

原文

葉: 艸木之葉也. 从艸枼聲. 与涉切.

飜譯

'초목의 잎(艸木之葉)'을 말한다. 초(艸)가 의미부이고 엽(枼)이 소리부이다.227) 독음

---

227) 고문자에서 枼金文 枼枼簡牘文 枼石刻古文 枼漢印 등으로 썼다. 艸(풀 초)가 의미

은 여(与)와 섭(涉)의 반절이다.

497

薊: 薊: 좀스러운 풀 계: 艸–총14획: jì

薊: 艸之小者. 从艸劌聲. 劌, 古文銳字. 讀若芮. 居例切.

'작은 풀(艸之小者)'을 말한다. 초(艸)가 의미부이고 체(劌)가 소리부이다. 체(劌)는
예(銳)의 고문체이다. 예(芮)와 같이 읽는다. 독음은 거(居)와 례(例)의 반절이다.

498

芣: 芣: 질경이 부: 艸–총8획: fú

芣: 華盛. 从艸不聲. 一曰芣苢. 縛牟切.

'꽃이 무성하게 핀 모양(華盛)'을 말한다.228) 초(艸)가 의미부이고 불(不)이 소리부이
다. 일설에는 질경이(芣苢)를 말한다고도 한다. 독음은 박(縛)과 모(牟)의 반절이다.

499

葩: 葩: 꽃 파: 艸–총13획: pā

부고 葉(나뭇잎 엽)이 소리부로, 초목(艸)에 달린 잎(葉)을 말하며, 잎처럼 얇게 생긴 것, 책
등의 페이지(쪽)를 지칭하기도 한다. 또 中葉(중엽)에서처럼 한 세대나 시기를 뜻하기도 한다.
간화자에서는 叶(화합할 협)에 통합되었다.
228) 『단주』에서는 이렇게 말했다. "『시(詩)』에서 '江漢浮浮', '雨雪浮浮'라고 했는데 모두 성한
모습을 말한다. 부(芣)와 부(浮)는 독음이 비슷하다."

原文

葩: 華也. 从艸皅聲. 普巴切.

飜譯

'꽃(華)'을 말한다. 초(艸)가 의미부이고 파(皅)가 소리부이다. 독음은 보(普)와 파(巴)의 반절이다.

500

笋: 笋: 죽순 순: 艸-총8획: sǔn

原文

笋: 艸之菫榮也. 从艸尹聲. 羊捶切.

飜譯

'풀의 꽃이 무성하게 핀 모양(艸之菫榮)'을 말한다. 초(艸)가 의미부이고 윤(尹)이 소리부이다. 독음은 양(羊)과 추(捶)의 반절이다.

501

虉: 虉: 노란 꽃 휴: 艸-총22획: huǎ

原文

虉: 黃華. 从艸巂聲. 讀若壞. 平瓦切.

飜譯

'황화(黃華) 즉 노란 꽃'을 말한다. 초(艸)가 의미부이고 규(巂)가 소리부이다. 괴(壞)와 같이 읽는다. 독음은 호(乎)와 와(瓦)의 반절이다.

502

藨: 藨: 능소화 표: 艸-총15획: biāo

原文

薁： 茗之黃華也. 从艸䑋聲. 一曰末也. 方小切.

譯

'능소화의 노란 꽃(茗之黃華)'을 말한다. 초(艸)가 의미부이고 표(䑋)가 소리부이다. 일설에는 '끝(末)'을 말한다고도 한다. 독음은 방(方)과 소(小)의 반절이다.

503

英： 英: 꽃부리 영: 艸-총9획: yīng

原文

英： 艸榮而不實者. 一曰黃英. 从艸央聲. 於京切.

譯

'꽃만 무성하게 피고 열매를 맺지 못하는 것(艸榮而不實者)'을 말한다. 달리 황영(黃英)을 말한다고도 한다. 초(艸)가 의미부이고 앙(央)이 소리부이다.229) 독음은 어(於)와 경(京)의 반절이다.

504

薾： 薾: 번성할 이: 艸-총18획: ěr

原文

薾： 華盛. 从艸爾聲.『詩』曰: "彼薾惟何?" 兒氏切.

譯

'꽃이 무성하게 피다(華盛)'라는 뜻이다. 초(艸)가 의미부이고 이(爾)가 소리부이다.

---

229) 고문자에서 𦼷 𦻏 簡牘文 𡙇 古璽文 등으로 썼다. 艸(풀 초)가 의미부고 央(가운데 앙)이 소리부로, 원래는 식물의 꽃을 의미했다. 이후 꽃이란 식물(艸)에서 가장 중요하고 핵심적인 (央) 부분이라는 인식에서 뛰어난 사람(英才·영재), 아름다운 문장의 비유로도 쓰였고, 정수, 광채 등의 뜻도 나왔다. 또 英國(영국)을 지칭하기도 한다.

『시·소아채미(采薇)』에서 "저기 환한 게 무엇일까?(彼薾惟何?)"라고 노래했다. 독음은 아(兒)와 씨(氏)의 반절이다.

505

萋: 萋: 풀 성하게 우거진 모양 처: 艸-총12획: qī

原文

萋: 艸盛. 从艸妻聲.『詩』曰: "萋萋萋萋." 七稽切.

飜譯

'풀이 무성하다(艸盛)'라는 뜻이다. 초(艸)가 의미부이고 처(妻)가 소리부이다. 『시·대아권아(卷阿)』에서 "오동나무 무성하고(萋萋萋萋)"라고 노래했다. 독음은 칠(七)과 계(稽)의 반절이다.

506

菶: 菶: 풀 무성할 봉: 艸-총12획: běng

原文

菶: 艸盛. 从艸奉聲. 補蠓切.

飜譯

'풀이 무성하다(艸盛)'라는 뜻이다. 초(艸)가 의미부이고 봉(奉)이 소리부이다. 독음은 보(補)와 몽(蠓)의 반절이다.

507

薿: 薿: 우거질 의: 艸-총18획: nǐ

原文

薿: 茂也. 从艸疑聲.『詩』曰: "黍稷薿薿." 魚己切.

飜譯

'무성하다(茂)'라는 뜻이다. 초(艸)가 의미부이고 의(疑)가 소리부이다. 『시·소아보전 (甫田)』에서 "메기장 찰기장 무성하네(黍稷薿薿)"라고 노래했다. 독음은 어(魚)와 기 (己)의 반절이다.

508

蕤: 蕤: 드리워질 유: 艸-총16획: ruí

原文

蕤: 艸木華垂皃. 从艸甤聲. 儒隹切.

飜譯

'초목의 꽃이 드리워진 모습(艸木華垂皃)'을 말한다. 초(艸)가 의미부이고 유(甤)가 소리부이다. 독음은 유(儒)와 추(隹)의 반절이다.

509

葼: 葼: 가늘 종: 艸-총13획: zōng

原文

葼: 青齊沇冀謂木細枝曰葼. 从艸嵏聲. 子紅切.

飜譯

'청주(青州), 제주(齊州), 연주(沇州), 기주(冀州) 지역에서는 나무의 가는 가지(木細 枝)를 종(葼)이라 한다.' 초(艸)가 의미부이고 종(嵏)이 소리부이다. 독음은 자(子)와 홍(紅)의 반절이다.

510

蓩: 蓩: 시들 이: 艸-총15획: yí

原文

蓩: 艸萎蓩. 从艸移聲. 弋支切.

飜譯

'풀이 시들다(艸萎蓩)'는 뜻이다. 초(艸)가 의미부이고 이(移)가 소리부이다. 독음은
익(弋)과 지(支)의 반절이다.

511

蒝: 蒝: 줄기와 잎 퍼질 원: 艸-총14획: yuán

原文

蒝: 艸木形. 从艸原聲. 愚袁切.

飜譯

'초목의 [잎이 퍼진] 모양(艸木形)'을 말한다.230) 초(艸)가 의미부이고 원(原)이 소리
부이다. 독음은 우(愚)와 원(袁)의 반절이다.

512

荚: 荚: 풀 열매 협: 艸-총12획: jiá

原文

荚: 艸實. 从艸夾聲. 古叶切.

飜譯

'풀의 열매(艸實)'를 말한다. 초(艸)가 의미부이고 협(夾)이 소리부이다. 독음은 고
(古)와 협(叶)의 반절이다.

513

芒: 芒: 까끄라기 망: 艸-총5획: máng

---

230) 『집운』에서는 초목의 모양(草木貌) 외에도 달리 풀이름(草名)이라고도 했다.

原文

芒 : 艸耑. 从艸亾聲. 武方切.

飜譯

'풀의 끝부분(艸耑)'을 말한다. 초(艸)가 의미부이고 망(亾)이 소리부이다. 독음은 무(武)와 방(方)의 반절이다.

514

蕼 : 蕼: 꼭지 수·쪽이삭 우: 艸-총16획: wéi

原文

蕼 : 藍蓼秀. 从艸, 隨省聲. 羊捶切.

飜譯

'쪽(藍)이나 여뀌(蓼) 등의 이삭(秀)'을 말한다. 초(艸)가 의미부이고, 수(隨)의 생략된 모습이 소리부이다. 독음은 양(羊)과 추(捶)의 반절이다.

515

蔕 : 蔕: 가시 체: 艸-총15획: dì

原文

蔕 : 瓜當也. 从艸帶聲. 都計切.

飜譯

'오이의 표면에 난 잔 가시(瓜當)'를 말한다. 초(艸)가 의미부이고 대(帶)가 소리부이다. 독음은 도(都)와 계(計)의 반절이다.

516

荄 : 荄: 풀뿌리 해: 艸-총10획: gāi

原文

荄: 艸根也. 从艸亥聲. 古哀切.

飜譯

'풀의 뿌리(艸根)'를 말한다. 초(艸)가 의미부이고 해(亥)가 소리부이다. 독음은 고(古)와 애(哀)의 반절이다.

517

均: 荺: 연뿌리 윤: 艸-총11획: yǔn

原文

荺: 茇也. 茅根也. 从艸均聲. 于敏切.

飜譯

'풀의 뿌리(茇)'를 말한다. '띠 풀의 뿌리(茅根)'를 말하기도 한다. 초(艸)가 의미부이고 균(均)이 소리부이다. 독음은 우(于)와 민(敏)의 반절이다.

518

茇: 茇: 풀뿌리 발: 艸-총9획: bá

原文

茇: 艸根也. 从艸犮聲. 春艸根枯, 引之而發土爲撥, 故謂之茇. 一曰艸之白華爲茇. 北末切.

飜譯

'풀의 뿌리(艸根)'를 말한다. 초(艸)가 의미부이고 발(犮)이 소리부이다. 봄이 되어 풀의 뿌리가 말라버리면(春艸根枯), 이를 뽑아 제거하고 흙을 뒤집어 갈무리하는데(引之而發土爲撥), 이 때문에 발(茇)이라고 한다. 달리 풀의 흰 꽃(艸之白華)을 발(茇)이라 하기도 한다. 독음은 북(北)과 말(末)의 반절이다.

519

茷: 芃: 풀 무성할 봉: 艸-총7획: péng

原文

茷: 艸盛也. 从艸凡聲. 『詩』曰: "芃芃黍苗." 房戎切.

飜譯

'풀이 무성함(艸盛)'을 말한다. 초(艸)가 의미부이고 범(凡)이 소리부이다. 『시·소아 어조지습(魚藻之什)』에서 "무성한 기장 싹(芃芃黍苗)"이라고 노래했다. 독음은 방(房)과 융(戎)의 반절이다.

520

蔥: 蒪: 꽃잎을 깔: 艸-총14획: fū

原文

蔥: 華葉布. 从艸傅聲. 讀若傅. 方遇切.

飜譯

'꽃잎이 펴지다(華葉布)'라는 뜻이다. 초(艸)가 의미부이고 부(傅)가 소리부이다. 부(傅)와 같이 읽는다. 독음은 방(方)과 우(遇)의 반절이다.

521

蓻: 蓻: 풀 나지 않을 집: 艸-총15획: jí, nié

原文

蓻: 艸木不生也. 一曰茅芽. 从艸執聲. 姉入切.

飜譯

'초목이 나지 않다(艸木不生)'라는 뜻이다. 달리 띠 풀의 싹(茅芽)을 말한다고도 한다. 초(艸)가 의미부이고 집(執)이 소리부이다. 독음은 자(姉)와 입(入)의 반절이다.

522

蒑: 蒑: 풀이 더부룩한 모양 은·의: 艸-총11획: yín

原文

蒑: 艸多皃. 从艸狺聲. 江夏平春有蒑亭. 語斤切.

飜譯

'풀이 많은 모양(艸多皃)'을 말한다. 초(艸)가 의미부이고 은(狺)이 소리부이다. 강하(江夏)군의 평춘(平春)에 은정(蒑亭)이 있다.[231] 독음은 어(語)와 근(斤)의 반절이다.

523

茂: 茂: 우거질 무: 艸-총9획: mào

原文

茂: 艸豐盛. 从艸戊聲. 莫候切.

飜譯

'풀이 우거지고 무성하다(艸豐盛)'라는 뜻이다.[232] 초(艸)가 의미부이고 무(戊)가 소리부이다. 독음은 막(莫)과 후(候)의 반절이다.

524

蒨: 蒨: 풀 무성할 창: 艸-총16획: chàng

原文

蒨: 艸茂也. 从艸暢聲. 丑亮切.

---

231) 서호의 『단주전』에서 "강하군 악(鄂)현 평춘후국(平春侯國)을 말한다."라고 했다. 지금의 호북성 무창현과 대야(大冶)현 등이 이곳이다.
232) 『단주』에서는 『운회』에 근거해 목(木)을 더해 "艸木盛皃"로 고친다고 했다.

(飜譯)

'풀이 무성하다(艸茂)'라는 뜻이다. 초(艸)가 의미부이고 창(暢)이 소리부이다. 독음은 축(丑)과 량(亮)의 반절이다.

525

蔭: 蔭: 그늘 음: 艸-총15획: yìn

(原文)

蔭: 艸陰地. 从艸陰聲. 於禁切.

(飜譯)

'초목으로 덮여 가려진 땅(艸陰地)'을 말한다. 초(艸)가 의미부이고 음(陰)이 소리부이다. 독음은 어(於)와 금(禁)의 반절이다.

526

蓲: 蓲: 버금 추: 艸-총15획: chòu

(原文)

蓲: 艸皃. 从艸造聲. 初救切.

(飜譯)

'풀이 떨기로 난 모양(艸皃)'을 말한다. 초(艸)가 의미부이고 조(造)가 소리부이다. 독음은 초(初)와 구(救)의 반절이다.

527

茲: 茲: 무성할 자: 艸-총10획: zī

(原文)

茲: 艸木多益. 从艸, 茲省聲. 子之切.

🔁譯

'초목이 많고 무성하다(艸木多益)'라는 뜻이다.233) 초(艸)가 의미부이고, 자(玆)의 생략된 모습이 소리부이다. 독음은 자(子)와 지(之)의 반절이다.

528

薙 : 薙: 초목이 말라 죽을 적: 艸-총12획: dí

原文

薙 : 艸旱盡也. 从艸狄聲.『詩』曰: "薙薙山川." 徒歷切.

🔁譯

'풀이 말라죽다(艸旱盡)'라는 뜻이다. 초(艸)가 의미부이고 숙(狄)이 소리부이다.『시·대아운한(雲漢)』에서 "산과 냇물이 바짝 말랐네(薙薙山川)"라고 노래했다. 독음은 도(徒)와 력(歷)의 반절이다.

529

薂 : 薂: 풀 모양 호·고: 艸-총18획: hè, hào

原文

薂 : 艸皃. 从艸歊聲.『周禮』曰: "轂弊不薂." 許嬌切.

---

233) 고문자에서 🔣甲骨文 🔣金文 🔣簡牘文 🔣 🔣 🔣 🔣🔣🔣 🔣🔣🔣🔣 🔣古幣文 🔣古璽文 🔣石刻古文 등으로 썼다. 두 개의 玄(검을 현)으로 구성되어, '검다(玄)'는 뜻을 말했으나, 이후 '이곳'이라는 의미로 가차되어 쓰였다. 그러자 원래 뜻은 다시 水(물 수)를 더해 滋(불을 자)로 분화했다. 滋의 경우, 갑골문에서는 물(水)에 실타래(玄)를 담가 놓은 모습인데, 染色(염색)한 실타래를 물에 씻는 모습으로 추정된다. 염색한 실타래를 냇물에 담그면 색깔이 주위로 퍼져 나가 물이 검고 혼탁해 지기에, 滋에 '불어나다'는 뜻이, 玆에는 '검다'는 뜻이 생겼다. 따라서 玄(검을 현)과 玄이 둘 모인 玆나, 玆에 水가 더해진 滋는 모두 같은 어원을 가지는 글자들이다. 그래서 소전체의 자(🔣)를 허신은 "초(艸)가 의미부이고, 자(玆)의 생략된 모습이 소리부이다."라고 했으나, "두 개의 실 묶음"(허진웅, 2021)으로 보는 것이 더 나을 것이다.

蘿譯

'풀의 [말라비틀어진] 모양(艸皃)'을 말한다. 초(艸)가 의미부이고 효(歊)가 소리부이다. 『주례·고공기·윤인(輪人)』에서 "[수레의 바퀴통을 만드는 재료를 불로써 음 부분은 굽고 양 부분을 가지런히 하면 바퀴통이 만들어져도] 바퀴통을 싸는 가죽이 폭 올라오지는 않는다(轂檠不藃)"라고 했다. 독음은 허(許)와 교(嬌)의 반절이다.

530

蘮 : 蔇: 풀 많을 기: 艸-총15획: jì

原文

蘮 : 艸多皃. 从艸旣聲. 居味切.

蘿譯

'풀이 많은 모양(艸多皃)'을 말한다. 초(艸)가 의미부이고 기(旣)가 소리부이다. 독음은 거(居)와 미(味)의 반절이다.

531

薋 : 薋: 풀 더부룩할 자: 艸-총17획: cí

原文

薋 : 艸多皃. 从艸資聲. 疾茲切.

蘿譯

'풀이 많은 모양(艸多皃)'을 말한다. 초(艸)가 의미부이고 자(資)가 소리부이다. 독음은 질(疾)과 자(茲)의 반절이다.

532

蓁 : 蓁: 우거질 진: 艸-총14획: zhēn

原文

蓁: 艸盛皃. 从艸秦聲. 側詵切.

飜譯

'풀이 무성한 모양(艸盛皃)'을 말한다. 초(艸)가 의미부이고 진(秦)이 소리부이다. 독음은 측(側)과 선(詵)의 반절이다.

533

蒵: 蒵: 모진 풀 소: 艸-총11획: sháo, xiāo

原文

蒵: 惡艸皃. 从艸肖聲. 所交切.

飜譯

'해로운 풀이 무성한 모양(惡艸皃)'을 말한다. 초(艸)가 의미부이고 초(肖)가 소리부이다. 독음은 소(所)와 교(交)의 반절이다.

534

芮: 芮: 풀 뾰족뾰족 날 예: 艸-총8획: ruì

原文

芮: 芮芮, 艸生皃. 从艸内聲. 讀若汭. 而銳切.

飜譯

'예예(芮芮)는 풀이 날 때의 모양(艸生皃)'을 말한다. 초(艸)가 의미부이고 내(內)가 소리부이다. 예(汭)와 같이 읽는다. 독음은 이(而)와 예(銳)의 반절이다.

535

茬: 茬: 풀 모양 치: 艸-총10획: chá

原文

茬: 艸皃. 从艸在聲. 濟北有茬平縣. 仕甾切.

繙譯

'풀의 모양(艸皃)'을 말한다. 초(艸)가 의미부이고 재(在)가 소리부이다. 제수(濟水) 북쪽에 치평현(茬平縣)이 있다. 독음은 사(仕)와 치(甾)의 반절이다.

536

薈: 薈: 무성할 회: 艸-총17획: huì

原文

薈: 艸多皃. 从艸會聲. 『詩』曰: "薈兮蔚兮." 烏外切.

繙譯

'풀이 많은 모양(艸多皃)'을 말한다. 초(艸)가 의미부이고 회(會)가 소리부이다. 『시·조풍·후인(候人)』에서 "뭉게뭉게 구름 일더니(薈兮蔚兮)"라고 노래했다. 독음은 오(烏)와 외(外)의 반절이다.

537

莪: 莪: 잔풀이 더부룩하게 날 무·모: 艸-총13획: mào

原文

莪: 細草叢生也. 从艸秋聲. 莫候切.

繙譯

'가느다란 풀이 떨기로 나다(細草叢生)'라는 뜻이다. 초(艸)가 의미부이고 무(秋)가 소리부이다. 독음은 막(莫)과 후(候)의 반절이다.

538

芼: 芼: 풀 우거질 모: 艸-총8획: mào

原文

芼: 艸覆蔓. 从艸毛聲.『詩』曰: "左右芼之." 莫抱切.

飜譯

'풀이 뒤덮어 우거짐(艸覆蔓)'을 말한다. 초(艸)가 의미부이고 모(毛)가 소리부이다. 『시·주남·관저(關雎)』에서 "여기저기서 뜯고 있네(左右芼之)."라고 노래했다. 독음은 막(莫)과 포(抱)의 반절이다.

539

蒼: 蒼: 푸를 창: 艸-총14획: cāng

原文

蒼: 艸色也. 从艸倉聲. 七岡切.

飜譯

'풀 색깔(艸色)'을 말한다. 초(艸)가 의미부이고 창(倉)이 소리부이다. 독음은 칠(七)과 강(岡)의 반절이다.

540

葻: 葻: 풀 바람에 흔들리는 모양 람: 艸-총13획: lán

原文

葻: 艸得風皃. 从艸、風. 讀若婪. 盧含切.

飜譯

'풀이 바람에 흔들리는 모양(艸得風皃)'을 말한다. 초(艸)와 풍(風)이 모두 의미부이다. 람(婪)과 같이 읽는다. 독음은 로(盧)와 함(舍)의 반절이다.

541

茭: 萃: 모일 췌: 艸-총12획: cuì

原文

茭: 艸皃. 从艸卒聲. 讀若瘁. 秦醉切.

飜譯

'풀이 [모여 있는] 모습(艸皃)'을 말한다. 초(艸)가 의미부이고 졸(卒)이 소리부이다. 췌(瘁)와 같이 읽는다. 독음은 진(秦)과 취(醉)의 반절이다.

542

蒔: 蒔: 모종낼 시: 艸-총14획: shì

原文

蒔: 更別種. 从艸時聲. 時吏切.

飜譯

'다른 곳으로 옮겨 심다(更別種)'라는 뜻이다. 초(艸)가 의미부이고 시(時)가 소리부이다. 독음은 시(時)와 리(吏)의 반절이다.

543

苗: 苗: 모 묘: 艸-총9획: miáo

原文

苗: 艸生於田者. 从艸从田. 武鑣切.

飜譯

'모, 즉 옮겨심기 위하여 논에서 키운 벼의 싹(艸生於田者)'을 말한다. 초(艸)가 의미부이고 전(田)도 의미부이다.234) 독음은 무(武)와 표(鑣)의 반절이다.

544

茄: 苛: 매울 가: 艸-총9획: kē

原文

苛: 小艸也. 从艸可聲. 乎哥切.

飜譯

'작은 풀(小艸)'을 말한다. 초(艸)가 의미부이고 가(可)가 소리부이다. 독음은 호(乎)와 가(哥)의 반절이다.

545

蕪: 蕪: 거칠어질 무: 艸-총16획: wú

原文

蕪: 薉也. 从艸無聲. 武扶切.

飜譯

'거칠다(薉)'라는 뜻이다. 초(艸)가 의미부이고 무(無)가 소리부이다. 독음은 무(武)와 부(扶)의 반절이다.

546

薉: 薉: 거친 풀 예: 艸-총17획: wèi

原文

薉: 蕪也. 从艸歲聲. 於癈切.

飜譯

234) 고문자에서 苗 簡牘文 등으로 썼다. 艸(풀 초)와 田(밭 전)으로 이루어져, 논밭(田)에서 자라나는 어린 싹(艸)을 말한다. 이로부터 후손이나 후대라는 뜻도 나왔다.

제1권(하) 239

'거칠다(蕪)'라는 뜻이다. 초(艸)가 의미부이고 세(歲)가 소리부이다. 독음은 어(於)와
폐(癈)의 반절이다.

547

荒 : 荒: **거칠 황**: 艸-총10획: huāng

原文

荒 : 蕪也. 从艸㐬聲. 一曰艸淹地也. 呼光切.

飜譯

'거칠다(蕪)'라는 뜻이다. 초(艸)가 의미부이고 황(㐬)이 소리부이다. 달리 '잡초가 우
거진 땅(艸淹地)'을 말한다고도 한다. 독음은 호(呼)와 광(光)의 반절이다.

548

薴 : 薴: **풀 얽힌 모양 녕**: 艸-총14획: níng

原文

薴 : 艸亂也. 从艸寍聲. 杜林說: 艸薴薴皃. 女庚切.

飜譯

'풀이 헝클어져 어지러운 것(艸亂)'을 말한다. 초(艸)가 의미부이고 녕(寍)이 소리부
이다. 두림(杜林)의 해설에 의하면 '풀이 뒤엉켜 어지러운 모양(艸薴薴皃)'을 말한
다. 독음은 녀(女)와 경(庚)의 반절이다.

549

葶 : 葶: **풀 어지러운 모양 쟁**: 艸-총10획: zhēng

原文

葶 : 葶薴皃. 从艸爭聲. 側莖切.

飜譯

'풀이 뒤엉켜 어지러운 모양(萋薿兒)'을 말한다. 초(艸)가 의미부이고 쟁(爭)이 소리부이다. 독음은 측(側)과 경(莖)의 반절이다.

550

蕗: 落: 떨어질 락: 艸-총13획: luò

原文

蕗: 凡艸曰零, 木曰落. 从艸洛聲. 盧各切.

飜譯

'풀잎이 떨어지는 것을 령(零)이라 하고, 나뭇잎이 떨어지는 것을 락(落)이라 한다.' 초(艸)가 의미부이고 락(洛)이 소리부이다. 독음은 로(盧)와 각(各)의 반절이다.

551

蔽: 蔽: 덮을 폐: 艸-총16획: bì

原文

蔽: 蔽蔽, 小艸也. 从艸敝聲. 必袂切.

飜譯

'폐폐(蔽蔽)는 작은 풀(小艸)'을 말한다. 초(艸)가 의미부이고 폐(敝)가 소리부이다. 독음은 필(必)과 몌(袂)의 반절이다.

552

蘀: 蘀: 낙엽 탁: 艸-총20획: tuò

原文

蘀: 艸木凡皮葉落陊地爲蘀. 从艸擇聲. 『詩』曰: "十月隕蘀." 它各切.

'초목의 껍질과 잎이 땅에 떨어지는 것(艸木凡皮葉落陊地)'을 탁(蘀)이라 한다. 초(艸)가 의미부이고 택(擇)이 소리부이다. 『시·빈풍·시월(十月)』에서 "시월 달엔 낙엽이 지네(十月隕蘀)"라고 노래했다. 독음은 타(它)와 각(各)의 반절이다.

553

蘊: 蘊: 붕어마름 온: 艸-총16획: wēn

原文

蘊: 積也. 从艸溫聲.『春秋傳』曰: "蘊利生孽." 於粉切.

飜譯

'쌓이다(積)'라는 뜻이다. 초(艸)가 의미부이고 온(溫)이 소리부이다. 『춘추전』(『좌전』 소공 10년, B.C. 532)에서 "이익만 쌓게 되면 재앙이 생기는 법이다(蘊利生孽)"라고 했다. 독음은 어(於)와 분(粉)의 반절이다.

554

蔫: 蔫: 시들 언: 艸-총15획: niān

原文

蔫: 菸也. 从艸焉聲. 於乾切.

飜譯

'시들다(菸)'라는 뜻이다. 초(艸)가 의미부이고 언(焉)이 소리부이다. 독음은 어(於)와 건(乾)의 반절이다.

555

菸: 菸: 향초 어: 艸-총12획: yù

原文

薴: 鬱也. 从艸於聲. 一曰殟也. 央居切.

飜譯

'시들다(鬱)'라는 뜻이다.[235] 초(艸)가 의미부이고 어(於)가 소리부이다. 달리 '병들어 고사하다(殟)'라는 뜻이라고도 한다. 독음은 앙(央)과 거(居)의 반절이다.

556

薬: 薬: 풀 얽힌 모양 영: 艸-총16획: qióng

原文

薬: 艸旋皃也. 从艸榮聲.『詩』曰: "葛藟薬之." 於營切.

飜譯

'풀이 엉킨 모양(艸旋皃)'을 말한다. 초(艸)가 의미부이고 영(榮)이 소리부이다.『시·주남·규목(樛木)』에서 "칡넝쿨이 얽혀 있네(葛藟薬之)"라고 노래했다. 독음은 어(於)와 영(營)의 반절이다.

557

蔡: 蔡: 거북 채: 艸-총15획: cài

原文

蔡: 艸也. 从艸祭聲. 蒼大切.

---

235)『단주』에서 각 판본에서는 울(鬱)로 적었는데 이는 오류라고 하면서 울(鬱)로 적어야 한다고 했다. 그리고 이렇게 말했다. "언(蔫), 어(於), 울(鬱) 세 글자는 쌍성 관계에 있다. 울(鬱)은 양울(釀鬱: 울창주를 빚다)을 말한다.『시·왕풍(王風)』에서 '中谷有蓷, 暵其乾矣.(골짜기에 익모초가 있는데, 가뭄에 말라 있네.)'라 노래했는데,『모전』에서 한(暵)은 시든 모양(菸皃)을 말한다도 했는데, 땅에 자라야 하는 풀이 계곡 속에 나서 물에 손상을 입었음을 말한다.(陸艸生於谷中, 傷於水.) 내 생각에, 한(暵)은 언(蔫)자의 가차자일 것이다. 그래서 한기건(暵其乾: 햇빛에 미들고)이라 했는데 또다시 한기습(暵其湆: 습함에 시들고)이라 했던 것이다. 건(乾)과 습(湆)은 서로를 보충해 준다."

飜譯

'풀이름(艸)으로 채초(蔡草)'를 말한다.236) 초(艸)가 의미부이고 제(祭)가 소리부이다.
독음은 창(蒼)과 대(大)의 반절이다.

558

薠 : 茷: **무성할 폐·발**: 艸-총10획: fá

原文

薠 : 艸葉多. 从艸伐聲. 『春秋傳』曰: "晉欒茷." 符發切.

飜譯

'풀의 잎이 많다(艸葉多)'라는 뜻이다. 초(艸)가 의미부이고 벌(伐)이 소리부이다. 『
춘추전』(『좌전』 성공 10년, B.C. 581)에서 "진(晉)나라의 대부 적발(欒茷)"이라고 했다.
독음은 부(符)와 발(發)의 반절이다.

559

菜 : 菜: **나물 채**: 艸-총12획: cài

原文

菜 : 艸之可食者. 从艸采聲. 蒼代切.

飜譯

'먹을 수 있는 풀(艸之可食者)'을 말한다. 초(艸)가 의미부이고 채(采)가 소리부이다.
독음은 창(蒼)과 대(代)의 반절이다.

---

236) 『단주』에서는 "艸丰也(풀이 어지럽다)"가 되어야 한다고 했다. 그는 이렇게 말했다. "개(丰)
자는 원래 없었으나 지금 보충해 넣는다. 제4편에서 개(丰)는 초채(艸蔡)를 말한다고 했는데,
여기서는 채(蔡)는 초개(艸丰)를 말한다고 했으니, 이는 전주에 해당한다. 풀이 어지럽게 자라
나는 모습을 말한다. 개(丰)와 채(蔡)는 첩운 관계이다.……여기서는 개(丰)자가 들어 있지 않
다. 그렇게 되면 채(蔡)가 풀이름(艸名)이 되어야 하는데, 그렇다면 (풀이름이 열거된 앞부분
의) 범위를 넘어와 여기에 나열되어서는 아니 된다."

560

茒: 茒: 풀 많을 이: 艸-총10획: ér

原文

茒: 艸多葉兒. 从艸而聲. 沛城父有楊茒亭. 如之切.

飜譯

'풀의 잎이 많은 모양(艸多葉兒)'을 말한다. 초(艸)가 의미부이고 이(而)가 소리부이다. 패(沛)군의 성보(城父)현[237]에 양이정(楊茒亭)이 있다. 독음은 여(如)와 지(之)의 반절이다.

561

芝: 芝: 풀이 물 위에 뜬 모양 범: 艸-총9획: fàn

原文

芝: 艸浮水中兒. 从艸乏聲. 匹凡切.

飜譯

'풀이 물 위에 뜬 모양(艸浮水中兒)'을 말한다. 초(艸)가 의미부이고 핍(乏)이 소리부이다. 독음은 필(匹)과 범(凡)의 반절이다.

562

薄: 薄: 엷을 박: 艸-총17획: bò

原文

薄: 林薄也. 一曰蠶薄. 从艸溥聲. 旁各切.

---

237) 성보진(城父鎭)은 지금의 안휘성 박주시(亳州市) 초성구(譙城區) 동남쪽 교외에 자리하여, 도심으로부터 약 33킬로미터 떨어져 있고, 남쪽으로는 장하(漳河), 북쪽으로는 외와수(偎渦水)와 접해 있다.

譯

'나무가 숲처럼 빽빽하다(林薄)'라는 뜻이다.238) 달리 잠박(蠶薄: 대나 나무로 만든 양 잠기구)을 말한다고도 한다. 초(艸)가 의미부이고 부(溥)가 소리부이다. 독음은 방(旁) 과 각(各)의 반절이다.

563

菀: 苑: 나라 동산 원: 艸-총9획: yuàn

原文

菀: 所以養禽獸也. 从艸夗聲. 於阮切.

譯

'짐승을 키우는 동산(所以養禽獸)'을 말한다. 초(艸)가 의미부이고 원(夗)이 소리부 이다. 독음은 어(於)와 완(阮)의 반절이다.

564

藪: 藪: 늪 수: 艸-총19획: sǒu

原文

藪: 大澤也. 从艸數聲. 九州之藪: 楊州具區, 荆州雲夢, 豫州甫田, 青州孟諸, 沇州大野, 雝州弦圃, 幽州奚養, 冀州楊紆, 并州昭餘祁是也. 蘇后切.

譯

'큰 늪(大澤)'을 말한다. 초(艸)가 의미부이고 수(數)가 소리부이다. 구주(九州)의 큰 늪을 보면, 양주(楊州)의 구구(具區), 형주(荆州)의 운몽(雲夢), 예주(豫州)의 보전(甫

---

238) 『단주』에서 이렇게 말했다. "「오도부(吳都賦)」에 '傾藪薄(늪과 숲에 있는 짐승을 몰아내다)' 라는 말이 있는데, 유량(劉良)의 주석에서 박(薄)은 '사람이 들어갈 수 없는 총림(不入之叢)'이 라고 했다. 내 생각은 이렇다. 숲의 나무들이 서로 빽빽하여 들어갈 수 없는 곳(林木相迫不可 入)을 박(薄)이라 한다. 이로부터 의미가 파생되어 서로를 밀치는 것(相迫)을 모두 박(薄)이라 하게 되었는데, '外薄四海(밖으로는 바다와 접해있다)', '日月薄蝕(달과 해가 월식이나 일식으 로 서로 그 빛을 가림)' 등이 그렇다."

田), 청주(青州)의 맹저(孟諸), 연주(沇州)의 대야(大野), 옹주(雝州)의 현포(弦圃), 유주(幽州)의 해양(奚養), 기주(冀州)의 양우(楊紆), 병주(并州)의 소여기(昭餘祁) 등이 있다. 독음은 소(蘇)와 후(后)의 반절이다.

565

𦾉 : 甾: 묵정밭 치: 艸-총12획: zī

原文

𦾉 : 不耕田也. 从艸、𤽄. 『易』曰: "不菑畬." 甾, 菑或省艸. 側詞切.

飜譯

'밭을 갈지 않는다(不耕田)[묵혀두다]'라는 뜻이다. 초(艸)와 치(𤽄)가 모두 의미부이다. 『역·무망괘(無妄卦)』(육이효)에서 "[갈고도 수확하지 아니하고] 묵정밭은 개간하려고도 하지 않는다.(不菑畬)"라고 했다. 치(甾)는 치(菑)의 혹체자인데, 초(艸)가 생략된 모습이다. 독음은 측(側)과 사(詞)의 반절이다.

566

蘨 : 蘨: 풀 더부룩한 모양 요: 艸-총20획: yáo

原文

蘨 : 艸盛皃. 从艸繇聲. 『夏書』曰: "厥艸惟蘨." 余招切.

飜譯

'풀이 무성한 모양(艸盛皃)'을 말한다. 초(艸)가 의미부이고 요(繇)가 소리부이다. 『서·하서(夏書)·우공(禹貢)』에서 "[흙은 검고 걸차며] 풀은 무성하고 [나무는 길게 자랐다](厥艸惟蘨)"라고 했다. 독음은 여(余)와 초(招)의 반절이다.

567

薙 : 薙: 깎을 치·풀 후려쳐 벨 체: 艸-총17획: tì

原文

薙: 除艸也.『明堂月令』曰: "季夏燒薙." 从艸雉聲. 他計切.

繇譯

'풀을 제거하다(除草)'라는 뜻이다. 『예기·명당월령(明堂月令)』에서 "여름 마지막 달인 6월에는 풀을 베고 태워버린다(季夏燒薙)"라고 했다. 초(艸)가 의미부이고 치(雉)가 소리부이다. 독음은 타(他)와 계(計)의 반절이다.

568

藂: 菜: 풀이 많은 모양 뢰: 艸-총10획: lèi

原文

藂: 耕多艸. 从艸、耒, 耒亦聲. 盧對切.

繇譯

'무성한 풀을 제거해 버리다(耕多艸)'라는 뜻이다. 초(艸)와 뢰(耒)가 모두 의미부인데, 뢰(耒)는 소리부도 겸한다. 독음은 로(盧)와 대(對)의 반절이다.

569

薮: 薮: 풀 큰 모양 착: 艸-총11획: zhì

原文

薮: 艸大也. 从艸致聲. 陟利切.

繇譯

'풀이 크게 자란 모양(艸大)'을 말한다. 초(艸)가 의미부이고 치(致)가 소리부이다. 독음은 척(陟)과 리(利)의 반절이다.

570

蕲: 蕲: 쌀 점: 艸-총15획: jiàn

原文

蕲: 艸相蕲苞也. 从艸斬聲.『書』曰: "艸木蕲苞." 欕, 蕲或从欜. 慈冉切.

飜譯

'풀이 서로 덮고 감싸 한 덩어리가 되다(艸相蕲苞)'라는 뜻이다. 초(艸)가 의미부이고 참(斬)이 소리부이다. 『서·하서·우공(禹貢)』에서 "[그곳의 흙은 붉고 차지고 걸차며] 풀과 나무는 서로 덮고 감싸 한 덩이가 되었네(艸木蕲苞)"라고 했다. 점(欕)은 점(蕲)의 혹체자인데, 참(欜)으로 구성되었다. 독음은 자(慈)와 염(冉)의 반절이다.

571

萠: 萠: 풀 우거질 불: 艸-총9획: fú

原文

萠: 道多艸, 不可行. 从艸弗聲. 分勿切.

飜譯

'길에 풀이 우거져 다닐 수가 없다(道多艸, 不可行)'라는 뜻이다. 초(艸)가 의미부이고 불(弗)이 소리부이다. 독음은 분(分)과 물(勿)의 반절이다.

572

苾: 苾: 향기로울 필: 艸-총9획: bì

原文

苾: 馨香也. 从艸必聲. 毗必切.

飜譯

'향기 나는 풀(馨香)'을 말한다. 초(艸)가 의미부이고 필(必)이 소리부이다. 독음은 비(毗)와 필(必)의 반절이다.

573

薛: 薛: 향 풀 설: 艸-총15획: shè

(原文)

薛: 香艸也. 从艸設聲. 識列切.

(飜譯)

'향기 나는 풀(香艸)'을 말한다. 초(艸)가 의미부이고 설(設)이 소리부이다. 독음은 식(識)과 렬(列)의 반절이다.

574

芳: 芳: 꽃다울 방: 艸-총8획: fāng

(原文)

芳: 香艸也. 从艸方聲. 敷方切.

(飜譯)

'향기 나는 풀(香艸)'을 말한다. 초(艸)가 의미부이고 방(方)이 소리부이다. 독음은 부(敷)와 방(方)의 반절이다.

575

蕡: 蕡: 들깨 분: 艸-총16획: fén

(原文)

蕡: 雜香艸. 从艸賁聲. 浮分切.

(飜譯)

'여러 향이 나는 풀(雜香艸)'을 말한다.239) 초(艸)가 의미부이고 분(賁)이 소리부이

---

239) 『단주』에서는 잡초향(襍艸香: 잡초의 향기)이 되어야 한다고 하면서 이것이 분(賁)의 원래 의미라고 했다.

다. 부(浮)와 분(分)의 반절이다.

576

藥: 藥: 약 약: 艸-총19획: yào

原文

藥: 治病艸. 从艸樂聲. 以勺切.

譯

'병을 낫게 하는 풀(治病艸)'을 말한다. 초(艸)가 의미부이고 락(樂)이 소리부이다. 독음은 이(以)와 작(勺)의 반절이다.

577

藶: 藶: 달라붙을 려·리: 艸-총23획: lì

原文

藶: 艸木相附藶土而生. 从艸麗聲. 『易』曰: "百穀艸木藶於地." 呂支切.

譯

'땅에 서로 들러붙어 자라는 초목(艸木相附藶土而生)'을 말한다. 초(艸)가 의미부이고 려(麗)가 소리부이다. 『역·리괘(離卦)』에서 "온갖 곡식과 초목이 땅에 들러붙어 있구나(百穀艸木藶於地)"라고 했다. 독음은 려(呂)와 지(支)의 반절이다.

578

蓆: 蓆: 자리 석: 艸-총14획: xí

原文

蓆: 廣多也. 从艸席聲. 祥易切.

譯

'넓고 많다(廣多)'라는 뜻이다. 초(艸)가 의미부이고 석(席)이 소리부이다. 독음은 상(祥)과 역(易)의 반절이다.

579

𦰩: 芟: 벨 삼: 艸-총8획: shān

原文

𦰩: 刈艸也. 从艸从殳. 所銜切.

飜譯

'풀을 베다(刈艸)'라는 뜻이다. 초(艸)가 의미부이고 수(殳)도 의미부이다. 독음은 소(所)와 함(銜)의 반절이다.

580

荐: 荐: 거듭할 천: 艸-총10획: jiàn

原文

荐: 薦蓆也. 从艸存聲. 在甸切.

飜譯

'풀로 짠 자리(薦蓆)'를 말한다. 초(艸)가 의미부이고 존(存)이 소리부이다. 독음은 재(在)와 전(甸)의 반절이다.

581

藉: 藉: 깔개 자: 艸-총18획: jiè

原文

藉: 祭藉也. 一曰艸不編, 狼藉. 从艸耤聲. 慈夜切.

飜譯

'제사 때 까는 자리(祭藉)'를 말한다. 또 '아직 짜지 않은 풀(艸不編)'을 낭자(狼藉)240)라고도 한다.241) 초(艸)가 의미부이고 적(耤)이 소리부이다. 독음은 자(慈)와 야(夜)의 반절이다.

582

菹: 葅: 띠 거적 조: 艸-총14획: zū

(原文)

菹: 茅藉也. 从艸租聲. 『禮』曰: "封諸侯以土, 葅以白茅." 子余切.

(飜譯)

'띠로 만든 거적(茅藉)'을 말한다. 초(艸)가 의미부이고 조(租)가 소리부이다. 예제(禮)에 의하면, "제후에게 다섯 가지의 흙을 내릴 때에 흰 띠로 만든 거적으로 싸서 하사한다(封諸侯以土, 葅以白茅)"라고 했다. 독음은 자(子)와 여(余)의 반절이다.

583

藐: 蕝: 띠 묶어 표할 절: 艸-총16획: jué

(原文)

蕝: 朝會束茅表位曰蕝. 从艸絕聲. 『春秋國語』曰: "致茅蕝, 表坐." 子說切.

(飜譯)

'조회 때 띠를 묶어 자리를 표시하는 것(朝會束茅表位)을 절(蕝)이라 한다.' 초(艸)가 의미부이고 절(絕)이 소리부이다. 『춘추국어(春秋國語)』에서 "띠로 만든 표지를

---

240) '여기저기 흩어져 어지럽다'는 뜻으로 쓰인다.
241) 『단주』에서 이렇게 말했다. "개(稭)자의 설명에서 '볏짚의 껍질을 제거하여, 하늘에 제사를 드릴 때 쓰는 자리로 삼는 짚고갱이를 말한다(禾稾去其皮, 祭天以爲席.)'라고 했는데, 이로부터 의미가 파생되어 '承藉(~에 기대다)', '蘊藉(함축성이 있다)' 등의 뜻이 들게 되었다. 또 '假藉(구실삼다, 핑계를 대다)'의 의미도 생기게 되었다. '달리 아직 짜지 않은 풀(艸不編)을 낭자(狼藉: 난잡하게 어질러지다)라고 한다.'라는 것은 또 다른 의미이다."

만들어 앉을 자리를 표시한다(致茅蕝, 表坐.)"라고 했다. 독음은 자(子)와 설(說)의
반절이다.

584

茨: 茨: 가시나무 자: 艸−총10획: cí

原文

茨: 以茅葦蓋屋. 从艸次聲. 疾茲切.

飜譯

'띠로 지붕을 이다(以茅葦蓋屋)'라는 뜻이다. 초(艸)가 의미부이고 차(次)가 소리부
이다. 독음은 질(疾)과 자(茲)의 반절이다.

585

葺: 葺: 기울 즙∙지붕 일 집: 艸−총13획: qì

原文

葺: 茨也. 从艸咠聲. 七入切.

飜譯

'띠로 지붕을 이다(茨)'라는 뜻이다. 초(艸)가 의미부이고 집(咠)이 소리부이다. 독음
은 칠(七)과 입(入)의 반절이다.

586

蓋: 蓋: 덮을 개: 艸−총13획: gě

原文

蓋: 苫也. 从艸盍聲. 古太切.

飜譯

'이엉(苫)'을 말한다. 초(艸)가 의미부이고 합(盍)이 소리부이다. 독음은 고(古)와 태(太)의 반절이다.

587

苫: 苫: 이엉 점: 艸-총9획: shān

原文

苫: 蓋也. 从艸占聲. 失廉切.

飜譯

'이엉(蓋)'을 말한다. 초(艸)가 의미부이고 점(占)이 소리부이다. 독음은 실(失)과 렴(廉)의 반절이다.

588

蔼: 蔼: 덮을 애: 艸-총16획: ài

原文

蔼: 蓋也. 从艸渴聲. 於蓋切.

飜譯

'이엉을 덮다(蓋)'라는 뜻이다. 초(艸)가 의미부이고 갈(渴)이 소리부이다. 독음은 어(於)와 개(蓋)의 반절이다.

589

蒆: 蒆: 쓸어버릴 굴·골: 艸-총12획: qū

原文

蒆: 刷也. 从艸屈聲. 區勿切.

飜譯

'문지르다, 닦다(刷)'라는 뜻이다. 초(艸)가 의미부이고 굴(屈)이 소리부이다. 독음은 구(區)와 물(勿)의 반절이다.

590

薠: 藩: 덮을 번: 艸-총19획: fán

(原文)

薠: 屛也. 从艸潘聲. 甫煩切.

(飜譯)

'덮어 가리다(屛)'라는 뜻이다. 초(艸)가 의미부이고 반(潘)이 소리부이다. 독음은 보(甫)와 번(煩)의 반절이다.

591

菹: 菹: 채소 절임 저: 艸-총12획: zū

(原文)

菹: 酢菜也. 从艸沮聲. 䔉, 或从皿. 䪢, 或从缶. 側魚切.

(飜譯)

'소금에 절인 채소(酢菜)'를 말한다. 초(艸)가 의미부이고 저(沮)가 소리부이다. 저(䔉)는 저(菹)의 혹체자인데, 명(皿)으로 구성되었다. 저(䪢)도 저(菹)의 혹체자인데, 부(缶)로 구성되었다. 독음은 측(側)과 어(魚)의 반절이다.

592

荃: 荃: 겨자 무침 전: 艸-총10획: quán

(原文)

荃: 芥脃也. 从艸全聲. 此緣切.

飜譯

'겨자에 무친 채소(芥脆)'를 말한다. 초(艸)가 의미부이고 전(全)이 소리부이다. 독음은 차(此)와 연(緣)의 반절이다.

593

蓲: 蓲: 부추 고: 艸-총16획: kù

原文

蓲: 韭鬱也. 从艸酤聲. 苦步切.

飜譯

'절인 부추(韭鬱)'를 말한다. 초(艸)가 의미부이고 고(酤)가 소리부이다. 독음은 고(苦)와 보(步)의 반절이다.

594

蘫: 蘫: 오이 김치 람: 艸-총21획: lán

原文

蘫: 瓜菹也. 从艸監聲. 魯甘切.

飜譯

'절인 오이(瓜菹)'를 말한다. 초(艸)가 의미부이고 감(監)이 소리부이다. 독음은 로(魯)와 감(甘)의 반절이다.

595

菭: 菭: 김치 지: 艸-총12획: zhī

原文

菭: 菹也. 从艸派聲. 虀, 菭或从皿. 皿, 器也. 直宜切.

翻譯

'절인 채소(菹)'를 말한다. 초(艸)가 의미부이고 지(沚)가 소리부이다. 지(蘁)는 지
(菹)의 혹체자인데, 명(皿)으로 구성되었다. 명(皿)은 기물을 말한다. 독음은 직(直)과
의(宜)의 반절이다.

596

藅: 藅: 말린 매실 료: 艸-총20획: lǎo

原文

藅: 乾梅之屬. 从艸橑聲.『周禮』曰:"饋食之籩, 其實乾藅." 後漢長沙王始煮艸
爲藅. 蘛, 藅或从潦. 盧皓切.

翻譯

'말린 매실의 일종이다(乾梅之屬).' 초(艸)가 의미부이고 료(橑)가 소리부이다.『주례
·천관변인(籩人)』에서 "제사 때 음식 올리는 굽 달린 그릇에 말린 매실이 담겼네(饋
食之籩, 其實乾藅)"라고 했다. 이후 한나라 때 장사왕(長沙王)이 처음으로 향초를
더하여 말린 매실을 만들었다(始煮艸爲藅). 료(蘛)는 료(藅)의 혹체자인데, 료(潦)로
구성되었다. 독음은 로(盧)와 호(皓)의 반절이다.

597

藙: 藙: 머귀나무 씨 기름 의: 艸-총25획: yì

原文

藙: 煎茱萸. 从艸顡聲. 漢津: 會稽獻藙一斗. 魚旣切.

翻譯

'달인 수유(煎茱萸)'를 말한다. 초(艸)가 의미부이고 의(顡)가 소리부이다. 한나라 때
의 법률(漢津)에 의하면, 회계(會稽)군에서는 매년 달인 수유 한 말(藙一斗)를 바쳐
야만 했다. 독음은 어(魚)와 기(旣)의 반절이다.

598

菑 : 菑: 나물로 국을 끓일 자: 艸-총14획: zǐ

（原文）

菑 : 羹菜也. 从艸宰聲. 阻史切.

（飜譯）

'국을 끓일 수 있는 나물(羹菜)'을 말한다. 초(艸)가 의미부이고 재(宰)가 소리부이다. 독음은 조(阻)와 사(史)의 반절이다.

제1권

599

若 : 若: 같을 약: 艸-총9획: ruò

（原文）

若 : 擇菜也. 从艸、右. 右, 手也. 一曰杜若, 香艸. 而灼切.

（飜譯）

'채소를 가리다(擇菜)'라는 뜻이다. 초(艸)와 우(右)가 모두 의미부인데, 우(右)는 손(手)을 말한다. 달리 두약(杜若: 향초 이름)을 말한다고도 하는데, 향초(香艸)의 일종이다. 독음은 이(而)와 작(灼)의 반절이다.

600

蓴 : 蓴: 순채 순: 艸-총15획: chún

（原文）

蓴 : 蒲叢也. 从艸專聲. 常倫切.

（飜譯）

'부들이 떨기로 나다(蒲叢)'라는 뜻이다. 초(艸)가 의미부이고 전(專)이 소리부이다. 독음은 상(常)과 륜(倫)의 반절이다.

601

茜: 茜: 기울 체: 艸-총8획: zhì

原文

茜: 以艸補缺. 从艸西聲. 讀若陸. 或以爲綴. 一曰約空也. 直例切.

飜譯

'풀로 떨어져나간 곳을 메우다(以艸補缺)'라는 뜻이다. 초(艸)가 의미부이고 첨(西)이 소리부이다. 육(陸)과 같이 읽는다. 혹은 '풀로 꿰매다(綴)'라는 뜻이라고도 하고, 또 일설에는 '빈 곳을 묶다(約空)'라는 뜻이라고도 한다. 독음은 직(直)과 례(例)의 반절이다.

602

薅: 蕇: 무성한 모양 준: 艸-총16획: zǔn

原文

薅: 叢艸也. 从艸尊聲. 慈損切.

飜譯

'떨기로 나는 풀(叢艸)'을 말한다. 초(艸)가 의미부이고 준(尊)이 소리부이다. 독음은 자(慈)와 손(損)의 반절이다.

603

莜: 莜: 김매는 연장 조: 艸-총11획: diào

原文

莜: 艸田器. 从艸, 條省聲. 『論語』曰: "以杖荷莜." 今作蓧. 徒弔切.

飜譯

'밭에서 풀을 매는 기구(艸田器)'를 말한다.242) 초(艸)가 의미부이고, 조(條)의 생략된 모습이 소리부이다. 『논어·미자(微子)』에서 "[자로가] 지팡이에 풀로 엮은 그릇을 걸머진 [노인을 만나게 되었다](以杖荷莜)"라고 했는데, 지금은 조(蓧)로 쓴다. 독음은 도(徒)와 조(弔)의 반절이다.

604

𦰧: 萆: 비해 비: 艸-총12획: pì

原文

𦰧: 雨衣. 一曰衰衣. 从艸卑聲. 一曰萆薢, 似烏韭. 扶歷切.

飜譯

'비옷(雨衣)'을 말한다. 달리 '최의(衰衣: 상복)'를 말한다고도 한다. 초(艸)가 의미부이고, 비(卑)가 소리부이다. 달리 비표(萆薢)를 말한다고도 하는데, 오구(烏韭)와 비슷하다.243) 독음은 부(扶)와 력(歷)의 반절이다.

605

𦱓: 蒔: 지모 시: 艸-총11획: chí

原文

𦱓: 艸也. 从艸是聲. 是支切.

飜譯

---

242) 『단주』에서 이렇게 말했다. "엣 판본에서는 '艸田器'로 적었는데, 지금 『운회(韵會)』에 근거해 '薅田器'로 고친다. 『논어소(論語疏)』에서는 운전기(芸田噐)로 적었으며, 『모전(毛傳)』에서 운(芸)은 풀을 제거하다(除艸)는 뜻이라고 했다. 공안국(孔安國)은 풀을 제거하는 것(除艸)을 운(芸)이라 하며, 그래서 이 글자가 초(艸)로 구성되었다고 했다."
243) 『단주』에서는 비표(萆薢)를 비력(萆歷)으로 고쳤다. 그리고 이렇게 말했다. "이는 앞의 의미들과는 다른 의미로, 풀이름을 말한다고 했다. 오비(烏韭)는 『본초(本艸)』에서 초(艸)부의 하품(下品)의 하(下)에 있는데, 석의(石衣)를 말한다고 했다." 석의는 녹조류(綠藻類)에 속(屬)하는 담수조의 총칭이다.

'풀이름(艸)으로 지모(知母)'를 말한다. 초(艸)가 의미부이고 시(是)가 소리부이다. 독음은 시(是)와 지(支)의 반절이다.

606

苴: 苴: 신바닥 창 저: 艸-총9획: jū

原文

苴: 履中艸. 从艸且聲. 子余切.

飜譯

'풀로 짠 신바닥(履中艸)'을 말한다. 초(艸)가 의미부이고 차(且)가 소리부이다. 독음은 자(子)와 여(余)의 반절이다.

607

麤: 麤: 짚신 추: 艸-총35획: cū

原文

麤: 艸履也. 从艸麤聲. 倉胡切.

飜譯

'풀로 짠 신(艸履)[짚신]'을 말한다. 초(艸)가 의미부이고 추(麤)가 소리부이다. 독음은 창(倉)과 호(胡)의 반절이다.

608

蕢: 蕢: 상할 괴: 艸-총16획: kuì

原文

蕢: 艸器也. 从艸貴聲. 臾, 古文蕢, 象形. 求位切.

飜譯

'풀로 짠 기물(艸器)[삼태기]'을 말한다. 초(艸)가 의미부이고 귀(貴)가 소리부이다.
괴(𠙽)는 괴(蕢)의 고문체인데, 상형이다. 독음은 구(求)와 위(位)의 반절이다.

609

薓 : 薓: 덮을 침: 艸-총9획: qīn

原文

薓 : 覆也. 从艸, 侵省聲. 七朕切.

飜譯

'덮다(覆)'라는 뜻이다. 초(艸)가 의미부이고, 침(侵)의 생략된 모습이 소리부이다. 독음은 칠(七)과 짐(朕)의 반절이다.

610

茵 : 茵: 자리 인: 艸-총10획: yīn

原文

茵 : 車重席. 从艸因聲. 鞇, 司馬相如說: 茵从革. 於眞切.

飜譯

'수레에 까는 덧 자리(車重席)'를 말한다. 초(艸)가 의미부이고 인(因)이 소리부이다.
인(鞇)은 사마상여(司馬相如)244)의 설에 의하면, 인(茵)인데 혁(革)으로 구성되었다.
독음은 어(於)와 진(眞)의 반절이다.

---

244) 사마상여(司馬相如, B.C. 179~B.C. 117)는 중국 전한(前漢) 때의 문인이다. 자는 장경(長卿)
으로, 사천(四川)성 출생이다. 부유한 집에서 태어나 경제(景帝) 때에 무기상사(武騎常仕)가
되었다가 관계에서 물러나 후량(後梁)에 가서 「자허부(子虛賦)」를 지어 이름을 떨쳤다. 무제
(武帝) 때는 중랑장(中郎將)이 되어 신(愼: 雲南)과 야랑(夜郎: 貴州)에 부임하였고 그 후 사
천의 무릉(茂陵)에서 살았다. 그의 사부(辭賦)는 화려하고 아름다운 것으로 유명, 후육조(後六
朝)의 문인들이 이를 많이 모방하였다.(『인명사전』 2002, 인명사전편찬위원회)

611

𦺅: 芻: 꼴 추: 艸-총10획: chú

原文

𦺅: 刈艸也. 象包束艸之形. 叉愚切.

飜譯

'벤 풀(刈艸)'을 말한다. 풀을 묶어둔 모습을 그렸다. 독음은 차(叉)와 우(愚)의 반절이다.

612

茭: 茭: 꼴 교: 艸-총10획: jiāo

原文

茭: 乾芻. 从艸交聲. 一曰牛蘄艸. 古肴切.

飜譯

'말린 꼴(乾芻)'을 말한다. 초(艸)가 의미부이고 교(交)가 소리부이다. 달리 '우기초(牛蘄艸)'를 말한다고도 한다.[245] 독음은 고(古)와 효(肴)의 반절이다.

613

芻: 芻: 짚북데기 초: 艸-총11획: bù

---

245) 우기(牛蘄)는 야채의 이름으로, 미나리(芹)와 비슷하며, 여린 것은 식용한다. 달리 마기(馬蘄)나 야회향(野茴香)이라고도 한다. 『이아·석초(釋草)』에서 "교(茭)는 우기(牛蘄)를 말한다"라고 했는데, 곽박(郭璞)의 『주』에서 "오늘날의 마기(馬蘄)를 말한다. 잎은 비녀처럼 날카롭다. 미나리(芹)와 비슷하며 식용한다."고 했다. 명나라 이시진(李時珍)의 『본초강목』의 마기(馬蘄)에 대한 해석에서 이렇게 말했다. "사물이 크면 이름에 모두 마(馬)자를 붙였다. 이 풀도 미나리와 비슷하지만 크기 때문에 그렇게 불렸다. 세속에서는 야회향(野茴香)이라 부르는데, 그 맛과 씨의 모양이 비슷하기 때문에 그렇게 부른다.……마기(馬蘄)는 미나리(芹)와 동류이나 다른 종류이며, 낮고 습한 곳에서는 어디서나 잘 볼 수 있다."

原文

莎 : 亂艸. 从艸步聲. 薄故切.

飜譯

'짐승에게 먹이는 잡풀(亂艸)'을 말한다. 초(艸)가 의미부이고 보(步)가 소리부이다.
독음은 박(薄)과 고(故)의 반절이다.

614

茹 : 茹: 먹을 여: 艸-총10획: rú

原文

茹 : 飤馬也. 从艸如聲. 人庶切.

飜譯

'말에게 먹이다(飤馬)'라는 뜻이다. 초(艸)가 의미부이고 여(如)가 소리부이다. 독음
은 인(人)과 서(庶)의 반절이다.

615

莝 : 莝: 여물 좌: 艸-총11획: cuò

原文

莝 : 斬芻. 从艸坐聲. 麤臥切.

飜譯

'잘게 썬 꼴(斬芻)'을 말한다. 초(艸)가 의미부이고 좌(坐)가 소리부이다. 독음은 추
(麤)와 와(臥)의 반절이다.

616

萎 : 萎: 마를 위: 艸-총12획: wěi

原文

䔾: 食牛也. 从艸委聲. 於偽切.

飜譯

'소에게 먹이다(食牛)'라는 뜻이다. 초(艸)가 의미부이고 위(委)가 소리부이다. 독음은 어(於)와 위(偽)의 반절이다.

617

薪: 薪: 말 사료 책: 艸-총14획: cè

原文

薪: 以穀萎馬, 置莝中. 从艸敕聲. 楚革切.

飜譯

'여물에다 섞어 말에게 먹이는 곡물(以穀萎馬, 置莝中)'을 말한다. 초(艸)가 의미부이고 책(敕)이 소리부이다. 독음은 초(楚)와 혁(革)의 반절이다.

618

茴: 茴: 잠박 곡: 艸-총10획: qū

原文

茴: 蠶薄也. 从艸曲聲. 丘玉切.

飜譯

'잠박(蠶薄) 즉 누에를 치는 데 쓰는 채반'을 말한다. 초(艸)가 의미부이고 곡(曲)이 소리부이다. 독음은 구(丘)와 옥(玉)의 반절이다.

619

蔟: 蔟: 누에섶 족: 艸-총15획: cù

原文

䕳: 行蠶蓐. 从艸族聲. 千木切.

飜譯

'누에섶(行蠶蓐) 즉 누에가 올라 고치를 짓게 차려 주는 물건'을 말한다. 초(艸)가 의미부이고 족(族)이 소리부이다. 독음은 천(千)과 목(木)의 반절이다.

620

苣: 苣: 상추·횃불 거: 艸-총9획: jù

原文

苣: 束葦燒. 从艸巨聲. 其呂切.

飜譯

'갈대를 묶어 태워 불을 밝히는 횃불(葦燒)'을 말한다. 초(艸)가 의미부이고 거(巨)가 소리부이다. 독음은 기(其)와 려(呂)의 반절이다.

621

蕘: 蕘: 풋나무 요: 艸-총16획: ráo

原文

蕘: 薪也. 从艸堯聲. 如昭切.

飜譯

'땔감(薪)'을 말한다. 초(艸)가 의미부이고 요(堯)가 소리부이다. 여(如)와 소(昭)의 반절이다.

622

薪: 薪: 섶나무 신: 艸-총17획: xīn

原文

薪 : 蕘也. 从艸新聲. 息鄰切.

飜譯

'땔감(蕘)'을 말한다. 초(艸)가 의미부이고 신(新)이 소리부이다. 독음은 식(息)과 린(鄰)의 반절이다.

623

蒸 蒸: 찔 증: 艸-총14획: zhēng

原文

蒸 : 折麻中榦也. 从艸烝聲. 蒸, 蒸或省火. 煑仍切.

飜譯

'삼가죽을 벗겨낸 속 줄기(折麻中榦)'를 말한다. 초(艸)가 의미부이고 증(烝)이 소리부이다. 증(蒸)은 증(蒸)의 혹체자인데, 화(火)가 생략된 모습이다. 독음은 자(煑)와 잉(仍)의 반절이다.

624

蕉 蕉: 파초 초: 艸-총16획: jiāo

原文

蕉 : 生枲也. 从艸焦聲. 卽消切.

飜譯

'삶지 않은 생 삼(生枲)'을 말한다. 초(艸)가 의미부이고 초(焦)가 소리부이다. 독음은 즉(卽)과 소(消)의 반절이다.

625

菌 菌: 똥 시: 艸-총11획: shǐ

原文

䒍: 糞也. 从艸, 胃省. 式視切.

飜譯

'분뇨(糞)'를 말한다. 초(艸)와 위(胃)의 생략된 모습이 모두 의미부이다. 독음은 식 (式)과 시(視)의 반절이다.

626

薶: 薶: 메울 매: 艸-총18획: mái

原文

薶: 瘞也. 从艸貍聲. 莫皆切.

飜譯

'땅에 파묻다(瘞)'라는 뜻이다. 초(艸)가 의미부이고 리(貍)가 소리부이다. 독음은 막 (莫)과 개(皆)의 반절이다.

627

蕧: 蕧: 인삼 삼: 艸-총13획: shēn

原文

蕧: 喪藉也. 从艸侵聲. 失廉切.

飜譯

'초상 때 깔고 자는 자리(喪藉)'를 말한다. 초(艸)가 의미부이고 침(侵)이 소리부이 다. 독음은 실(失)과 렴(廉)의 반절이다.

628

茄: 茄: 꺾을 절: 斤-총10획: zhé

原文

𣂚: 斷也. 从斤斷艸. 譚長說. 𣂚, 籀文折从艸在仌中, 仌寒故折. 𣂚, 篆文折从手. 食列切.

飜譯

'자르다(斷)'라는 뜻이다. 자귀(斤)로 풀(艸)을 자르는 모습을 그렸다.246) 담장(譚長)247)의 해설이다. 절(𣂚)은 절(折)의 주문체이다. 풀(艸)이 얼음(仌) 속에 있는 모습을 그렸다. 얼음(仌)이 얼면 차기 때문에 꺾인다(折). 절(𣂚)은 전서체로, 수(手)로 구성되었다. 독음은 식(食)과 렬(列)의 반절이다.

629

卉: 卉: 풀 훼: 十-총5획: huì

原文

卉: 艸之總名也. 从艸、屮. 許偉切.

飜譯

'풀 전체를 부르는 이름(艸之總名)'이다. 초(艸)와 철(屮)이 모두 의미부이다.248) 독음은 허(許)와 위(偉)의 반절이다.

---

246) 고문자에서 (甲骨文) (金文) (簡牘文) (帛書) (印璽文) 등으로 썼다. 手(손 수)와 斤(도끼 근)으로 구성되어, 손(手)으로 도끼(斤)를 들고 나무 등을 절단함을 말한다. 원래는 𣂚로 써, 도끼(斤)로 잘라 놓은 풀이나 나뭇가지를 그렸다. 이로부터 절단하다, 꺾다, 반전, 굴복하다, 挫折(좌절)하다, 夭折(요절)하다 등의 뜻이 나왔다.

247) 『설문』에는 글자를 해석함에 노자나 공자를 비롯하여 당시의 저명한 학자(通人)들의 학설을 인용한 경우가 보이는데, 총 42명에 이른다. 담장(譚長)도 그중의 한 사람이나, 상세한 생평에 대해서는 알려져 있지 않다.

248) 고문자에서 (帛書) 등으로 썼는데, 세 개의 屮(싹틀 철)로 구성되어, 풀(艸)이 여럿 돋아남을 그렸다.

630

茮: 茮: 나라 끝 구: 艸-총6획: jiāo

原文

茮: 遠荒也. 从艸九聲.『詩』曰: "至于茮野." 巨鳩切.

飜譯

'멀리 있는 거친 땅(遠荒)'을 말한다. 초(艸)가 의미부이고 구(九)가 소리부이다. 『시·소아소명(小明)』에서 "멀고 황량한 땅에 이르렀네(至于茮野)"라고 노래했다. 독음은 거(巨)와 구(鳩)의 반절이다.

631

蒜: 蒜: 달래 산: 艸-총14획: suàn

原文

蒜: 葷菜. 从艸祘聲. 蘇貫切.

飜譯

'훈채(葷菜)'를 말한다. 초(艸)가 의미부이고 산(祘)이 소리부이다. 독음은 소(蘇)와 관(貫)의 반절이다.

632

芥: 芥: 겨자 개: 艸-총8획: jiè

原文

芥: 菜也. 从艸介聲. 古拜切.

飜譯

'채소이름(菜)으로 겨자'를 말한다. 초(艸)가 의미부이고 개(介)가 소리부이다. 독음은 고(古)와 배(拜)의 반절이다.

633

葱: 蔥: 파 총: 艸-총15획: cōng

（原文）

蔥: 菜也. 从艸恩聲. 倉紅切.

（譯譯）

'채소이름(菜)으로 파'를 말한다. 초(艸)가 의미부이고 총(恩)이 소리부이다. 독음은 창(倉)과 홍(紅)의 반절이다.

634

蓲: 蓲: 산부추 육앵두나무 욱: 艸-총14획: yù

（原文）

蓲: 艸也. 从艸雀聲. 『詩』曰: "食鬱及蓲." 余六切.

（譯譯）

'풀이름(艸)으로 산부추'를 말한다. 초(艸)가 의미부이고 각(雀)이 소리부이다. 『시·빈풍·칠월(七月)』에서 "울금과 산부추를 먹네(食鬱及蓲)"라고 노래했다.[249] 독음은 여(余)와 륙(六)의 반절이다.

635

蕇: 蕇: 산겨자 전: 艸-총16획: diǎn

---

249) '食鬱及蓲'은 오늘날 『시』에는 보이지 않는다. 『시·칠월』에서 '六月食鬱及薁(유월엔 돌배와 머루 따먹고)'로 되어 있다. 『단주』에서 이렇게 말했다. "송나라 장우석(掌禹錫, 992~1068)과 소송(蘇頌, 1020~1101) 등은 모두 『한시(韓詩)』의 「유월(六月)」 시에서 '食鬱及蓲'이라 했다고 한 것을 보면 허신이 『모시』를 위주로 삼았지만 삼가시(三家詩)를 버리지 않았음을 알 수 있다고 했다."

原文

葷: 亭歷也. 从艸單聲. 多殄切.

飜譯

'정력(亭歷)[산겨자]'을 말한다.250) 초(艸)가 의미부이고 단(單)이 소리부이다. 독음은 다(多)와 진(殄)의 반절이다.

636

葋: 苟: 진실로 구: 艸-총9획: gǒu

原文

葋: 艸也. 从艸句聲. 古厚切.

飜譯

'풀이름(艸)으로 구초(苟草)'를 말한다.251) 초(艸)가 의미부이고 구(句)가 소리부이다. 독음은 고(古)와 후(厚)의 반절이다.

637

蕨: 蕨: 고사리 궐: 艸-총16획: jué

原文

蕨: 鼈也. 从艸厥聲. 居月切.

飜譯

---

250) 『이아·석초』에서 "전(葷)은 정력(亭歷)이다"라고 했고, 『주』에서 "열매와 잎이 모두 다 겨자(芥)와 비슷하다."라고 했다. 『광아(廣雅)』에서는 "달리 구제(狗薺)라고 한다"라고 했다. 『소(疏)』에서는 전(葷)은 일명 정력(亭歷)이라고 한다고 했고, 『본초(本草)』에서는 "달리 정력(丁歷)이라 한다"라고 하였는데, 달리 태실(太室)이나 대적(大適)이라고 한다.
251) 『단주』에서 이렇게 말했다. "공안국의 『논어주』에서 구(苟)는 진실하다(誠)는 뜻이라고 했고, 정현의 『의례·연례(燕禮)』에서는 구(苟)는 구차하다(且), 가령(假)이라는 뜻이라고 했는데, 이들은 모두 가차의미이다."

'별(鼈)과 같아 처음 자라날 때 자라 발 같이 생긴 채소[고사리]'를 말한다. 초(艸)가 의미부이고 궐(厥)이 소리부이다. 독음은 거(居)와 월(月)의 반절이다.

638

莎: 莎: 향부자 사: 艸—총11획: suō

原文

莎: 鎬侯也. 从艸沙聲. 蘇禾切.

飜譯

'호후(鎬侯) 즉 사초(莎草)'를 말한다.252) 초(艸)가 의미부이고 사(沙)가 소리부이다. 독음은 소(蘇)와 화(禾)의 반절이다.

639

萍: 萍: 부평초 평: 艸—총13획: píng

原文

萍: 苹也. 从艸洴聲. 薄經切.

飜譯

'부평초(苹)'를 말한다. 초(艸)가 의미부이고 병(洴)이 소리부이다. 독음은 박(薄)과 경(經)의 반절이다.

640

菫: 菫: 오랑캐꽃 근: 艸—총15획: jǐn

---

252) 사초(莎草)는 외떡잎식물 벼목 사초과 사초속 식물의 총칭으로, 여러해살이풀로 땅속줄기가 있다. 열대에서 한대까지, 건조한 바위틈에서 습지에 이르기까지 널리 분포하지만 특히 온대지 방 이상의 습지에서 자란다. 줄기는 세모지며 속이 차 있다. 잎은 주로 뿌리에서 돋는다. 밑동의 잎집은 대부분 갈색이거나 자줏빛을 띤 갈색이다. 세계에 1,500~2,000종이 있으며 한국에는 140종 정도가 자란다.(『두산백과』)

原文

蕅: 艸也. 根如薺, 葉如細栁, 蒸食之甘. 从艸菫聲. 居隱切.

飜譯

'풀이름(艸)으로 오랑캐꽃[제비꽃]'을 말한다. 뿌리는 냉이(薺)처럼 생겼고, 잎은 가는 버들(細栁)처럼 생겼으며, 쪄서 먹으면 단 맛이 난다(蒸食之甘). 초(艸)가 의미부이고 근(菫)이 소리부이다. 독음은 거(居)와 은(隱)의 반절이다.

641

菲: 菲: 엷을 비: 艸-총12획: fěi

原文

菲: 芴也. 从艸非聲. 芳尾切.

飜譯

'순무(芴)'를 말한다. 초(艸)가 의미부이고 비(非)가 소리부이다. 독음은 방(芳)과 미(尾)의 반절이다.

642

芴: 芴: 황홀할 홀·순무 물: 艸-총8획: wù

原文

芴: 菲也. 从艸勿聲. 文弗切.

飜譯

'순무(菲)'를 말한다. 초(艸)가 의미부이고 물(勿)이 소리부이다. 독음은 문(文)과 불(弗)의 반절이다.

643

蘻: 蘻: 풀이름 한: 艸-총24획: hàn

原文

蘻: 艸也. 从艸鶼聲. 呼旰切.

飜譯

'풀이름(艸)으로 한초(蘻草)'를 말한다. 초(艸)가 의미부이고 한(鶼)이 소리부이다. 독음은 호(呼)와 간(旰)의 반절이다.

644

萑: 萑: 익모초 추: 艸-총14획: huán

原文

萑: 薍也. 从艸隹聲. 胡官切.

飜譯

'완(薍) 즉 어린 물억새'를 말한다. 초(艸)가 의미부이고 추(隹)가 소리부이다. 독음은 호(胡)와 관(官)의 반절이다.

645

葦: 葦: 갈대 위: 艸-총13획: wěi

原文

葦: 大葭也. 从艸韋聲. 于鬼切.

飜譯

'다 자란 갈대(大葭)'를 말한다. 초(艸)가 의미부이고 위(韋)가 소리부이다. 독음은 우(于)와 귀(鬼)의 반절이다.

646

葭 : 葭: 갈대 가: 艸-총13획: jiā

原文

葭 : 葦之未秀者. 从艸叚聲. 古牙切.

飜譯

'이삭이 패기 전의 갈대(葦之未秀者)'를 말한다. 초(艸)가 의미부이고 가(叚)가 소리부이다. 독음은 고(古)와 아(牙)의 반절이다.

647

萊 : 萊: 명아주 래: 艸-총12획: lái

原文

萊 : 蔓華也. 从艸來聲. 洛哀切.

飜譯

'명아주의 꽃(蔓華)'을 말한다. 초(艸)가 의미부이고 래(來)가 소리부이다. 독음은 락(洛)과 애(哀)의 반절이다.

648

荔 : 荔: 타래붓꽃 려: 艸-총10획: lì

原文

荔 : 艸也. 似蒲而小, 根可作𢃐. 从艸劦聲. 郎計切.

飜譯

'풀이름(艸)으로 타래붓꽃'을 말한다. 부들처럼 생겼지만 작고, 뿌리는 솔(𢃐)로 쓸 수 있다. 초(艸)가 의미부이고 협(劦)이 소리부이다. 독음은 랑(郎)과 계(計)의 반절이다.

649

蒙 : 蒙: 입을 몽: 艸-총14획: méng

（原文）

蒙: 王女也. 从艸冡聲. 莫紅切.

（飜譯）

‘커다란 여라(王女), 즉 큰 무’를 말한다.253) 초(艸)가 의미부이고 몽(冡)이 소리부이다. 독음은 막(莫)과 홍(紅)의 반절이다.

650

藻 : 藻: 조류 조: 艸-총18획: zǎo

（原文）

藻: 水艸也. 从艸从水, 巢聲.『詩』曰: “于以采藻?” 藻, 藻或从澡. 子皓切.

（飜譯）

‘수초(水艸)이다.’ 초(艸)가 의미부이고 수(水)도 의미부이며, 소(巢)가 소리부이다.『시·소남채빈(采蘋)』에서 “개구리밥 뜨으러(于以采藻)”라고 노래했다. 조(藻)는 조(藻)의 혹체자인데, 조(澡)로 구성되었다. 독음은 자(子)와 호(皓)의 반절이다.

651

菉 : 菉: 조개풀 록: 艸-총12획: lù

（原文）

菉: 王芻也. 从艸录聲.『詩』曰: “菉竹猗猗.” 力玉切.

---

253)『단주』에서 이렇게 말했다. “왕(王)은 간혹 옥(玉)으로 적기도 하는데 잘못이다.『이아·석초(釋艸)』에서 몽(蒙)은 왕녀(王女)를 말한다고 했고, 또 당몽(唐蒙)은 여라(女蘿)를 말하고, 여라(女蘿)는 토사(兎絲)를 말한다고 했는데, 손염(孫炎)은 이 세 가지가 별칭이라고 했다.”

飜譯
'왕추(王蒭) 왕골'을 말한다. 초(艸)가 의미부이고 록(录)이 소리부이다. 『시·위풍기오(淇奧)』에서 "왕골과 마디풀 우거졌네(菉竹猗猗)"라고 노래했다. 독음은 력(力)과 옥(玉)의 반절이다.

652

藘 : 蓸: 풀 조: 艸-총15획: cáo

原文

藘 : 艸也. 从艸曹聲. 昨牢切.

飜譯

'풀이름(艸)으로 조초(蓸草)'를 말한다. 초(艸)가 의미부이고 조(曹)가 소리부이다. 독음은 작(昨)과 뢰(牢)의 반절이다.

653

蕕 : 蕕: 풀이름 유: 艸-총12획: yóu

原文

蕕 : 艸也. 从艸卤聲. 以周切.

飜譯

'풀이름(艸)으로 유초(蕕草)'를 말한다. 초(艸)가 의미부이고 유(卤)가 소리부이다. 독음은 이(以)와 주(周)의 반절이다.

654

藞 : 藞: 풀이름 초: 艸-총12획: qiáo

原文

蕕：艸也. 从艸沼聲. 昨焦切.

飜譯

'풀이름(艸)으로 초초(蕰草)'를 말한다. 초(艸)가 의미부이고 소(沼)가 소리부이다. 독음은 작(昨)과 초(焦)의 반절이다.

655

菩： 菩： 풀이름 오·들깨 어： 艸-총11획: wú

原文

菩： 艸也. 从艸吾聲.『楚詞』有菩蕭艸. 吾乎切.

飜譯

'풀이름(艸)으로 오초(菩草)'를 말한다. 초(艸)가 의미부이고 오(吾)가 소리부이다.『초사(楚詞)』에 '오소초(菩蕭艸)'가 나온다.254) 독음은 오(吾)와 호(乎)의 반절이다.

656

范： 范： 풀이름 범： 艸-총9획: fàn

原文

范： 艸也. 从艸氾聲. 房戔切.

飜譯

---

254)『단주』에서 이렇게 말했다. "『광운(廣韵)』에서 쑥(艾)과 비슷하다고 했고, 곽박의『방언주』에서는 이렇게 말했다. '오늘날 강동 지역 사람들은 들깨(荏)를 오(菩)라 부르는데, 독음은 어(魚)이고 초(艸)가 의미부이고 오(吾)가 소리부이며, 오(五)와 호(乎)의 반절이다. 오(五)부수에서 䎃로 적었는데,『초사(楚詞)』에 오소(菩蕭)라는 말이 있다.' 내 생각에는 이렇다.『초사』에 오소(菩蕭)라는 말이 보이지 않는다. 오직 송옥(宋玉)의「구변(九辨)」에서 '白露旣下百艸兮, 奄離披此梧楸.(흰 이슬 이미 온갖 풀에 내리니, 급작스레 이 오추를 처지게 만드네.)'라고 한 것이 보인다. 여기서 말한 오추(梧楸)가 아마도 허신이 말한 오소(菩蕭)가 아닐까 싶다." 그러나 주희(朱熹)의『초사집주』에서는 "오동(梧桐)과 추재(楸梓)로 이들은 모두 일찍 시드는 나무들이다."라고 했다.

'풀이름(艸)으로 범초(范草)'를 말한다. 초(艸)가 의미부이고 범(氾)이 소리부이다. 독음은 방(房)과 멈(乏)의 반절이다.

657

艿: 艿: **풀이름 잉**: 艸—총6획: nǎi

原文

艿: 艸也. 从艸乃聲. 如乘切.

飜譯

'풀이름(艸)으로 잉초(艿草)'를 말한다.[255] 초(艸)가 의미부이고 내(乃)가 소리부이다. 독음은 여(如)와 승(乘)의 반절이다.

658

蒆: 蒆: **꼭두서니 혈**: 艸—총10획: xuè

原文

蒆: 艸也. 从艸血聲. 呼決切.

飜譯

'풀이름(艸)으로 꼭두서니'를 말한다. 초(艸)가 의미부이고 혈(血)이 소리부이다. 독음은 호(呼)와 결(決)의 반절이다.

---

255) 『단주』에서는 이렇게 말했다. "허신은 잉(艿)을 풀이름이라 했다. 그러나 『광운(廣韵)』에서는 오래된 풀뿌리를 제거하지 않아 새싹이 다시 나 서로 거듭 연결된 것을 말한다고 했다. 소위 소화잉(燒火艿)을 말한 것인데, 이는 또 다른 뜻일 것이다. 그러나 이 글자도 여전히 잉(艿)으로 적는다. 예컨대 『열자(列子)』에서 '조(趙)나라 양자(襄子)가 중산(中山)과 자잉(藉艿)의 번림(燔林)에서 사냥을 했다'라고 했는데, 이것이 바로 그 예이다. 지금의 『옥편』에서도 '옛 풀을 베지 않았는데 새 풀이 다시 난 것을 잉(艿)이라고 한다'라고 했다. 『설문』에 근거한다면, 손강(孫強)과 진팽년(陳彭年) 등의 해설은 오류라 하겠다."

659

葡 : 葡: 포도 도: 艸-총12획: táo

原文

葡 : 艸也. 从艸匐聲. 徒刀切.

飜譯

'풀이름(艸)으로 포도'를 말한다. 초(艸)가 의미부이고 도(匐)가 소리부이다. 독음은 도(徒)와 도(刀)의 반절이다.

660

芑 : 芑: 흰 차조 기: 艸-총7획: qǐ

原文

芑 : 白苗嘉穀. 从艸己聲. 驅里切.

飜譯

'흰 줄기를 가진 좋은 곡식(白苗嘉穀)'이다. 초(艸)가 의미부이고 기(己)가 소리부이다. 독음은 구(驅)와 리(里)의 반절이다.

661

藚 : 藚: 택사 속: 艸-총19획: xù

原文

藚 : 水舃也. 从艸賣聲.『詩』曰: "言采其藚." 似足切.

飜譯

'수석(水舃)'을 말한다.256) 초(艸)가 의미부이고 매(賣)가 소리부이다.『시·위풍·분저여(汾沮洳)』에서 "소귀나물을 뜯네(言采其藚)"라고 노래했다. 독음은 사(似)와 족

---

256) '소귀나물'은 달리 수석(水舃)이나 우순(牛脣)이라고도 하며, 마디풀로 된 식물이다.

(足)의 반절이다.

662

薓: 薓: 겨우살이 동: 艸-총9획: dōng

原文

薓: 艸也. 从艸冬聲. 都宗切.

飜譯

'풀이름(艸)으로 겨우살이'를 말한다. 초(艸)가 의미부이고 동(冬)이 소리부이다. 독음은 도(都)와 종(宗)의 반절이다.

663

薔: 薔: 장미 장·물여뀌 색: 艸-총17획: qiáng

原文

薔: 薔虞, 蓼. 从艸嗇聲. 所力切.

飜譯

'장우(薔虞)'를 말하는데, '여뀌(蓼)의 일종'이다. 초(艸)가 의미부이고 장(嗇)이 소리부이다. 독음은 소(所)와 력(力)의 반절이다.

664

苕: 苕: 능소화 초: 艸-총9획: tiáo

原文

苕: 艸也. 从艸召聲. 徒聊切.

飜譯

'풀이름(艸)으로 능소화'를 말한다. 초(艸)가 의미부이고 소(召)가 소리부이다. 독음은 도(徒)와 료(聊)의 반절이다.

665

𦷾: 薾: 풀 무: 艸-총15획: mào

原文

薾: 艸也. 从艸楙聲. 莫厚切.

譯

'풀이름(艸)으로 무초(薾草)'를 말한다. 초(艸)가 의미부이고 무(楙)가 소리부이다. 독음은 막(莫)과 후(厚)의 반절이다.

666

𦸼: 薑: 풀이름 모: 艸-총13획: mào

原文

薑: 艸也. 从艸冒聲. 莫報切.

譯

'풀이름(艸)으로 모초(薑草)'를 말한다. 초(艸)가 의미부이고 모(冒)가 소리부이다. 독음은 막(莫)과 보(報)의 반절이다.

667

茆: 茆: 순채 묘: 艸-총9획: mǎo

原文

茆: 鳬葵也. 从艸卯聲. 『詩』曰: "言采其茆." 力久切.

譯

'부규(鳬葵)'를 말한다. 초(艸)가 의미부이고 묘(卯)가 소리부이다. 『시·노송·반수(泮

水)』에서 "순 나물을 뜯네(言采其茆)"라고 노래했다.[257] 독음은 력(力)과 구(久)의 반절이다.

668

茶 : 茶: 씀바귀 도: 艸-총11획: tú

原文

茶 : 苦茶也. 从艸余聲. 同都切.

譯譯

'고도(苦茶) 즉 씀바귀'를 말한다. 초(艸)가 의미부이고 여(余)가 소리부이다. 독음은 동(同)과 도(都)의 반절이다.

669

蘩 : 蘩: 산 흰 쑥 번: 艸-총16획: fán

原文

蘩 : 白蒿也. 从艸繁聲. 附袁切.

譯譯

'백호(白蒿) 즉 흰 쑥'을 말한다. 초(艸)가 의미부이고 번(繁)이 소리부이다. 독음은 부(附)와 원(袁)의 반절이다.

---

257) 『강희자전』에서 이렇게 말했다. "『시·노송(魯頌)』에 '思樂泮水, 薄采其茆.(즐거운 반궁의 물에서, 순채 나물 뜯네.)'라 했는데, 육기(陸璣)의 『소(疏)』에서 묘(茆)는 행채(荇菜)와 비슷하며, 잎이 손바닥만큼 크고, 붉은색을 띠며 둥글고 살찌다. 손에 닿으면 미끌미끌하여 멈출 수가 없고, 줄기는 비수의 자루만 하다. 잎은 생식할 수 있고, 죽으로 끓여 먹을 수도 있는데, 부드럽고 맛있다. 강남 지역 사람들은 이를 순채(蓴菜)라 하며, 달리 수규(水葵)라고도 한다. 호수나 소택이면 어디나 있다."

670

蒿 : 蒿: 쑥 호: 艹-총14획: hāo

原文

蒿: 菣也. 从艸高聲. 呼毛切.

飜譯

'긴(菣), 즉 청호(青蒿)'를 말한다. 초(艸)가 의미부이고 고(高)가 소리부이다. 호(呼)와 모(毛)의 반절이다.

671

蓬 : 蓬: 쑥 봉: 艹-총15획: péng

原文

蓬: 蒿也. 从艸逢聲. 䕁, 籀文蓬省. 薄紅切.

飜譯

'쑥(蒿)'을 말한다. 초(艸)가 의미부이고 봉(逢)이 소리부이다. 봉(䕁)은 봉(蓬)의 주문체인데, 생략된 모습이다. 독음은 박(薄)과 홍(紅)의 반절이다.

672

藜 : 藜: 나라 이름 려: 艹-총19획: lí

原文

藜: 艸也. 从艸黎聲. 郎奚切.

飜譯

'풀이름(艸)으로 여호(藜蒿)'를 말한다. 초(艸)가 의미부이고 려(黎)가 소리부이다. 독음은 랑(郎)과 해(奚)의 반절이다.

673

薽: 薽: 털 여뀌 귀·냉이 씨 규: 艸-총21획: kuī

原文

薽: 薺實也. 从艸歸聲. 驅歸切.

飜譯

'냉이의 씨(薺實)'를 말한다. 초(艸)가 의미부이고 귀(歸)가 소리부이다. 독음은 구(驅)와 귀(歸)의 반절이다.

674

葆: 葆: 풀 더부룩할 보: 艸-총13획: bǎo

原文

葆: 艸盛皃. 从艸保聲. 博襃切.

飜譯

'풀이 더부룩한 모양(艸盛皃)'을 말한다. 초(艸)가 의미부이고 보(保)가 소리부이다. 독음은 박(博)과 포(襃)의 반절이다.

675

蕃: 蕃: 우거질 번: 艸-총16획: fán

原文

蕃: 艸茂也. 从艸番聲. 甫煩切.

飜譯

'풀이 무성한 모양(艸茂)'을 말한다. 초(艸)가 의미부이고 번(番)이 소리부이다. 보(甫)와 번(煩)의 반절이다.

676

茸: 茸: 무성할 용: 艸-총10획: róng

원문

茸: 艸茸茸皃. 从艸, 聰省聲. 而容切.

번역

'풀이 처음 올라오는 모양(艸茸茸皃)'을 말한다. 초(艸)가 의미부이고, 총(聰)의 생략된 모습이 소리부이다. 독음은 이(而)와 용(容)의 반절이다.

677

薄: 薄: 풀이 우거진 모양 전: 艸-총13획: jīng

원문

薄: 艸皃. 从艸津聲. 子僊切.

번역

'풀이 무성한 모양(艸皃)'을 말한다. 초(艸)가 의미부이고 진(津)이 소리부이다. 자(子)와 선(僊)의 반절이다.

678

叢: 叢: 떨기 총: 艸-총22획: cóng

원문

叢: 艸叢生皃. 从艸叢聲. 徂紅切.

번역

'풀이 무더기로 나는 모양(艸叢生皃)'을 말한다. 초(艸)가 의미부이고 총(叢)이 소리부이다. 독음은 조(徂)와 홍(紅)의 반절이다.

679

艸 : 草: 풀 초·상수리 조: 艸−총10획: cǎo

제1권

原文

艸 : 草斗, 櫟實也. 一曰象斗子. 从艸早聲. 自保切.

飜譯

'조두(草斗), 즉 도토리(櫟實)'를 말한다. 달리 상두자(象斗子)라고도 한다.258) 초(艸)가 의미부이고 조(早)가 소리부이다. 독음은 자(自)와 보(保)의 반절이다.

680

菆 : 菆: 겨릅대 추: 艸−총12획: zōu

原文

菆 : 麻蒸也. 从艸取聲. 一曰蓐也. 側鳩切.

飜譯

'삼을 삶다(麻蒸)'라는 뜻이다. 초(艸)가 의미부이고 취(取)가 소리부이다. 달리 '깔개(蓐)'를 말한다고도 한다. 독음은 측(側)과 구(鳩)의 반절이다.

---

258) 『단주』에서는 상두자(象斗子)를 상두(象斗)로 고쳤다. 그리고 이렇게 말했다. "목(木)부수에서 허(栩)는 상수리나무(柔)를 말하는데, 검은 것(早)을 양(樣)이라 한다고 했다. 또 저(柔)는 상수리나무(栩)를 말한다고 했다, 또 양(樣)은 상수리나무 열매(栩實)를 말한다고 했다. 이렇게 본다면 여기서 말한 력(櫟)은 바로 허(栩)이다. 육기(陸璣)도 허(栩)는 지금의 작력(柞櫟)을 말한다고 했다. 서주(徐州) 사람들은 력(櫟)을 저(杼)라고 하며 간혹 허(栩)라고도 하며, 그 열매를 조(早), 혹은 조두(早斗)라고 한다. 그 껍질은 즙을 내 검은색으로 염색할 수 있다(染早). 지금 수도였던 낙양(京洛) 및 하내(河内) 지역에서는 주로 저즙(杼汁)이라 하며, 간혹 상두(橡斗)라고도 한다. 내 생각에 조두(草斗: 도토리)를 나타내는 글자를 속체에서는 조(早)로 적기도 하고 또 조(皂)로 적기도 하는데, 육서(六書)로는 설명이 되지 않는다. 상두(象斗)를 나타내는 글자는 당연히 목(木)으로 구성된 양(樣)으로 적어야 할 것인데, 속체에서는 상(橡)으로 적고 있다."

681

蓄: 蓄: 쌓을 축: 艸-총14획: xù

(原文)

蓄: 積也. 从艸畜聲. 丑六切.

(飜譯)

'쌓다(積)'라는 뜻이다. 초(艸)가 의미부이고 축(畜)이 소리부이다. 독음은 축(丑)과 륙(六)의 반절이다.

682

萅: 萅: 봄 춘: 艸-총12획: chūn

(原文)

萅: 推也. 从艸从日, 艸春時生也; 屯聲. 昌純切.

(飜譯)

'밀어내다(推)'라는 뜻이다. 초(艸)가 의미부이고 일(日)도 의미부인데, 풀(艸)은 봄날 (春時)에 자라난다는 의미를 담았다. 둔(屯)이 소리부이다.259) 독음은 창(昌)과 준 (純)의 반절이다.

---

259) 고문자에서 甲骨文 金文 簡牘文 帛書 古璽文 漢印 石刻古文 汗簡 등으로 썼다. 원래는 茻(풀 우거질 망)과 日(날 일)이 의미부이고 屯(진 칠 둔)이 소리부로, 따스한 햇살(日) 아래 땅을 비집고 돋아나는(屯) 풀(茻)을 그려 놓고 그러한 때가 '봄'임을 그렸는데, 예서에 들면서 지금의 형태로 바뀌었다. 달리 茻 대신 艸(풀 초)가 들어간 萅으로 쓰기도 한다. 봄이 원래 뜻이며, 만물이 자라나는 계절이므로 욕정이나 춘정의 뜻이 나왔다. 또 봄부터 다음 봄까지의 시간인 한 해를 뜻하기도 하며, 동쪽을 상징하며, 술을 지칭하기도 한다.

683

薻: 薻: 풀 많은 모양 고: 艸-총10획: gū

原文

薻: 艸多皃. 从艸狐聲. 江夏平春有薻亭. 古狐切.

繙譯

'풀이 많은 모양(艸多皃)'을 말한다. 초(艸)가 의미부이고 호(狐)가 소리부이다. 강하(江夏)군의 평춘(平春)에 고정(薻亭)이 있다. 독음은 고(古)와 호(狐)의 반절이다.

684

蓟: 蓟: 초목 거꾸러질 도: 艸-총12획: dào

原文

蓟: 艸木倒. 从艸到聲. 都盜切.

繙譯

'초목이 거꾸러지다(艸木倒)'라는 뜻이다. 초(艸)가 의미부이고 도(到)가 소리부이다. 독음은 도(都)와 도(盜)의 반절이다.

685

芙: 芙: 부용 부: 艸-총8획: fú

原文

芙: 芙蓉也. 从艸夫聲. 方無切.

繙譯

'부용(芙蓉)'을 말한다. 초(艸)가 의미부이고 부(夫)가 소리부이다. 독음은 방(方)과 무(無)의 반절이다. [신부]

686

蓉: 蓉: 연꽃 용: 艸-총14획: róng

原文

蓉: 芙蓉也. 从艸容聲. 余封切.

飜譯

'부용(芙蓉)'을 말한다. 초(艸)가 의미부이고 용(容)이 소리부이다. 독음은 여(余)와 봉(封)의 반절이다. [신부]

687

蔿: 蔿: 애기 풀 원·위: 艸-총18획: wěi

原文

蔿: 艸也. 『左氏傳』: "楚大夫蔿子馮." 从艸遠聲. 韋委切.

飜譯

'풀이름(艸)으로 애기 풀'을 말한다. 『좌씨전』에서 "초나라 대부 위자풍(楚大夫蔿子馮)"이라고 했다.[260] 초(艸)가 의미부이고 원(遠)이 소리부이다. 독음은 위(韋)와 위(委)의 반절이다. [신부]

688

荀: 荀: 풀이름 순: 艸-총10획: xún

---

260) 기록에 의하면, B.C. 552년 한여름 때, 초(楚)나라의 영윤(令尹)이었던 자경(子庚)이 병으로 죽자 초나라 강왕(康王)이 매우 마음 아파했으며, 나라의 질서를 빨리 회복하고자 재덕을 두루 갖춘 위자풍(蔿子馮)으로 자경(子庚)의 지위를 이어 영윤에 임명했다. 일개 평민에서 갑자기 제이인자로 발탁된 위자풍은 친구 숙신예(申叔豫)와 이 일을 의논했고, 그는 이런 혼란 시기에 조정에 나가지 말라고 건의했고, 위자풍은 얼음을 깔고 병에 시달리는 것처럼 위장해 초왕의 부름을 물리쳤다. 할 수 없이 자남(子南)이 영윤이 되었고, 과연 그는 정치적 모함을 받아 죽고 말았다. 다시 초왕의 부름을 받은 위자풍은 하는 수 없이 신숙예와 함께 관직에 나가 그의 도움을 받으며 국정을 잘 수행했다고 한다.

原文

筍: 艸也. 从艸旬聲. 相倫切.

飜譯

'풀이름(艸)을 말한다. 초(艸)가 의미부이고 순(旬)이 소리부이다. 독음은 상(相)과 륜(倫)의 반절이다. [신부]

689

莋: 莋: 풀 먹을 작: 艸-총11획: zuó

原文

莋: 越嶲縣名, 見『史記』. 从艸作聲. 在各切.

飜譯

'월수현(越嶲縣)261)에 있는 지명'이다. 『사기(史記)』에 보인다. 초(艸)가 의미부이고 작(作)이 소리부이다. 독음은 재(在)와 각(各)의 반절이다. [신부]

690

蓀: 蓀: 향 풀이름 손: 艸-총14획: sūn

原文

蓀: 香艸也. 从艸孫聲. 思渾切.

飜譯

---

261) 월수(越嶲)는 고대 지명으로, 월수군(越嶲郡), 월수군(越雟郡)으로고 적는다. 한나라 무제(武帝) 원정(元鼎) 6년(B.C. 111)에 공도국(邛都國)을 개척하면서 설치하였다. 치소는 공도현(邛都縣, 지금의 사천성 西昌 동남쪽)에 있었으며, 오늘날의 운남성 여강(麗江)과 수강(綏江) 사이의 금사강(金沙江) 동쪽지역, 서쪽의 상운(祥雲) 대요(大姚) 이북 지역, 사천성 목리(木里), 석면(石棉), 감락(甘洛), 뇌파(雷波) 이남 지역 등을 관할했다. 서한 후기 때에는 익주자사부(益州刺史部)에 귀속되었고, 왕망(王莽) 때에는 월휴(越嶲)를 집휴(集嶲)로 바꾸었으며, 양(梁)나라 때에는 휴주(嶲州)가 설치되었다. 수당 때에는 월휴군(越嶲郡)이라는 옛 이름을 회복했으며, 당나라 말에는 남조(南詔)에 편입되었다.

'향초 이름(香艸)이다.' 초(艸)가 의미부이고 손(孫)이 소리부이다. 독음은 사(思)와 혼(渾)의 반절이다. [신부]

691

蔬: 蔬: 푸성귀 소: 艸-총15획: shū

原文

蔬: 菜也. 从艸疏聲. 所菹切.

譯

'채소(菜)'를 말한다. 초(艸)가 의미부이고 소(疏)가 소리부이다. 독음은 소(所)와 저(菹)의 반절이다. [신부]

692

芊: 芊: 풀 무성할 천: 艸-총7획: qiān

原文

芊: 艸盛也. 从艸千聲. 倉先切.

譯

'풀이 무성하다(艸盛)'라는 뜻이다. 초(艸)가 의미부이고 천(千)이 소리부이다. 독음은 창(倉)과 선(先)의 반절이다. [신부]

693

茗: 茗: 차 싹 명: 艸-총10획: míng

原文

茗: 茶芽也. 从艸名聲. 莫迥切.

譯

'차의 싹(茶芽)'을 말한다. 초(艸)가 의미부이고 명(名)이 소리부이다. 독음은 막(莫)과 형(迥)의 반절이다. [신부]

694

薌: 薌: 곡식 냄새 향: 艸-총17획: xiāng

原文

薌: 穀气也. 从艸鄉聲. 許良切.

飜譯

'곡식의 냄새(穀气)'를 말한다. 초(艸)가 의미부이고 향(鄉)이 소리부이다. 독음은 허(許)와 량(良)의 반절이다. [신부]

695

藏: 藏: 감출 장: 艸-총18획: cáng

原文

藏: 匿也. 昨郎切.

飜譯

'감추다(匿)'라는 뜻이다. 독음은 작(昨)과 랑(郎)의 반절이다. [신부]

696

蕆: 蕆: 경계할 천: 艸-총16획: chǎn

原文

蕆: 『左氏傳』: "以蕆陳事." 杜預注云: 蕆, 敕也. 从艸未詳. 丑善切.

飜譯

『좌씨전』에서 "진(陳)나라의 일을 풀고자 합니다(以蕆陳事)."라고 했는데, 두예(杜

預)의 주석에서 "천(薦)은 정리하다(敕)는 뜻이다"라고 했다.262) 초(艸)가 의미부인데, 왜 그런 뜻인지 알 수가 없다(未詳). 독음은 축(丑)과 선(善)의 반절이다. [신부]

697

蘸: 蘸: 담글 **잠**: 艸-총23획: zhàn

原文

蘸: 以物没水也. 此蓋俗語. 从艸未詳. 斬陷切.

蘸譯

'물체를 물에 담그다(以物没水)'라는 뜻이다. 이는 아마 속어인 듯하다. 초(艸)가 의미부인데, 왜 그런지는 알 수 없다(未詳). 독음은 참(斬)과 함(陷)의 반절이다. [신부]

---

262) 『좌전(左傳)』 문공(文公) 17년(B.C. 610) 조에 보인다. "우리 임금(정나라 임금)께서 다시 (晉 靈公을) 찾아뵙고 알현하여 그전 진(陳)나라의 일을 해결하고자 합니다.(寡君又朝, 以薦陳事.)"라고 했다. 천(薦)에 대해, 『방언』에서는 풀다(解)는 뜻이라고 했고, 『운회(韻會)』에서는 방비하다(備)는 뜻이라고 했다.

제13부수

013 ■ 욕(蓐)부수

698

蓐 : 蓐: 요 욕: 艸-총14획: rù

原文

蓐 : 陳艸復生也. 从艸辱聲. 一曰蔟也. 凡蓐之屬皆从蓐. 薅, 籒文蓐从茻. 而蜀切.

繙譯

'묵은 풀에 다시 싹이 나다(陳艸復生)'라는 뜻이다. 초(艸)가 의미부이고 욕(辱)이 소리부이다. 일설에는 '누에섶(蔟·족)'을 말한다고도 한다. 욕(蓐)부수에 귀속된 글자는 모두 욕(蓐)이 의미부이다. 욕(薅)은 욕(蓐)의 주문체인데, 망(茻)으로 구성되었다. 독음은 이(而)와 촉(蜀)의 반절이다. [신부]

699

薅 : 薅: 김맬 호: 艸-총17획: hāo

原文

薅 : 拔去田艸也. 从蓐, 好省聲. 薅, 籒文薅省. 茠, 薅或从休. 呼毛切.

繙譯

'밭의 잡초를 제거하다(拔去田艸)'라는 뜻이다. 욕(蓐)이 의미부이고, 호(好)의 생략된 모습이 소리부이다. 호(薅)는 호(薅)의 주문체인데 생략된 모습이다. 호(茠)는 호(薅)의 혹체자인데, 휴(休)로 구성되었다.263) 독음은 호(呼)와 모(毛)의 반절이다. [신부]

---

263) 『단주』에서는 여기에 "詩曰: 旣茠荼蓼.(씀바귀와 여뀌 이미 김을 맸고.)"라는 말을 보충해 넣었으며, 이는 『시경·주송(周頌)』의 글로 오늘날의 시경에서는 욕(薅)으로 적었다고 했다.

제14부수
014 ▪ 망(茻)부수

700

茻 : 茻: 잡풀 우거질 **망**: 艸-총11획: wāng

原文

茻: 眾艸也. 从四屮. 凡茻之屬皆从茻. 讀與冈同. 模朗切.

飜譯

'풀이 많음(眾艸)'을 말한다. 네 개의 철(屮)로 구성되었다. 망(茻)부수에 귀속된 글자는 모두 망(茻)이 의미부이다. 망(冈)과 같이 읽는다. 독음은 모(模)와 랑(朗)의 반절이다. [신부]

701

莫 : 莫: 없을 **막**·저물 **모**·고요할 **맥**: 艸-총11획: mò

原文

莫: 日且冥也. 从日在茻中. 莫故切.

飜譯

'해가 막 지려고 할 때(日且冥)'를 말한다. 해(日)가 풀숲(茻) 속에 있는 모습을 그렸다.264) 독음은 막(莫)과 고(故)의 반절이다. [신부]

---

264) 고문자에서 甲骨文 金文 古陶文 簡牘文 帛書 古璽文 등으로 그렸다. 茻(풀 우거질 망)과 日(날 일)로 구성되어, 풀숲(茻) 사이로 해(日·일)가 넘어가는 모습을 그렸고 이로부터 '저물다'는 뜻을 그렸다. 그래서 해가 저무는 '저녁'이 원래 뜻이다. 이후 莫이 '…하지 마라'는 부정사로 쓰이게 되자, 원래 뜻은 다시 日을 더해 暮(저물 모)로 분화했다.

702

茻 : 莽: 우거질 망: 艹-총12획: mǎng

原文

茻 : 南昌謂犬善逐菟艸中爲莽. 从犬从茻, 茻亦聲. 謀朗切.

繙譯

'남창(南昌) 지역에서는 풀숲에서 토끼를 잘 쫓는 개(犬善逐菟艸中)를 망(莽)이라 한다.' 견(犬)이 의미부이고 망(茻)도 의미부인데, 망(茻)은 소리부도 겸한다.265) 독음은 모(謀)와 랑(朗)의 반절이다. [신부]

703

葬 : 葬: 장사지낼 장: 艹-총13획: zàng

原文

葬 : 藏也. 从死在茻中; 一其中, 所以薦之. 『易』曰: "古之葬者, 厚衣之以薪." 則浪切.

繙譯

'장(藏)과 같아 감추다'라는 뜻이다. 시체(死)가 풀숲(茻) 속에 있는 모습을 그렸다.266) 가로획[一]이 그 속에 들었는데, 시신을 떠받치는 자리를 말한다. 『역·계사』에

---

265) 고문자에서 莽簡牘文 𤛱𤜕古璽文 등으로 썼다. 犬(개 견)이 의미부이고 茻(풀 우거질 망)이 소리부로, 우거진 풀숲(茻) 사이로 사냥개(犬)가 짐승을 잡으러 분주히 다니는 모습을 그렸는데, 아랫부분의 艸가 廾(두 손으로 받들 공)으로 변해 지금의 자형이 되었다. '풀이 우거지다'가 원래 뜻이다. 고대 한자에서는 茻이 森(나무 빽빽할 삼), 林(수풀 림), 艸(풀 초) 등으로 표현되기도 하는데 의미는 같다.

266) 고문자에서는 𨒪𦵖𡇊𡇥甲骨文 𦵳金文 등을 써, 시신을 관속에 넣었거나 침상위에 눕혀 놓은 모습을 그렸고, 이후 葬葬簡牘文 𧃒𦵷石刻古文 葬說文小篆 등으로 변했다. 즉 死(죽을 사)와 茻(풀 우거질 망)으로 구성되어, 풀숲(茻)에 시체(死)를 내버린 '숲장'의 장

서 "옛날에 장사를 치를 때에는 풀로 두텁게 시신을 덮어주었다(古之葬者, 厚衣之 以薪)"라고 했다. 독음은 즉(則)과 랑(浪)의 반절이다. [신부]

례 풍속을 그렸는데, 艸(풀 초)와 死와 廾(두 손으로 받들 공)으로 구성되어 지금의 자형이 되었다. 이후 埋葬(매장), 火葬(화장), 水葬(수장), 天葬(천장), 鳥葬(조장), 風葬(풍장), 樹木葬(수목장) 등을 포함한 일반적인 '장례'의 의미로 쓰였다. 달리 廾 대신 土(흙 토)가 들어간 塟으로 쓰기도 하는데, '숲장'에서 흙속에 묻는 매장으로 장례법이 바뀌었음을 반영한다. 한국 속자에서는 入(들 입)과 土가 상하구조인 圶으로 써, 흙(土)속으로 들어감(入)을 상징화했다.

완역 설문해자

제2권
(상)

제15부수

015 ▪ 소(小)부수

704

小: 小: 작을 소: 小-총3획: xiǎo

原文

小: 物之微也. 从八, 丨見而分之. 凡小之屬皆从小. 私兆切.

飜譯

'작은 물체(物之微)'를 말한다. [나누다는 뜻의] 팔(八)이 의미부인데, [아래위로 관통함을 그린] 곤(丨)으로써 그것이 나누어졌음을 드러내 보였다(丨見而分之). 소(小)부수에 귀속된 글자는 모두 소(小)가 의미부이다.[1] 독음은 사(私)와 조(兆)의 반절이다.

705

少: 少: 적을 소: 小-총4획: shǎo

原文

少: 不多也. 从小丿聲. 書沼切.

---

1) 고문자에서 ⼩ ⼩ ⼩ 甲骨文 ⼋ ⼩ 金文 ⼩ 古陶文 ⼩ ⼩ ⼩ 古幣文 [图] ⼩ 簡牘文 등으로 썼다. 갑골문에서 작은 점을 셋 그렸다. 셋은 많음의 상징이고, 작은 점은 모래알로 보인다. 『설문해자』에서는 小를 두고 갈라짐을 뜻하는 八(여덟 팔)과 이를 구분 지어주는 세로획(丨·곤)으로 구성되었다고 했으나, 이는 소전체에 근거한 해석이다. 갑골문에 의하면 작은 모래알을 여럿 그렸으며, 이후 小가 '작다'는 보편적 개념을 나타내게 되자, '모래알'은 水(물 수)를 더한 沙(모래 사)로 구분해 표현했다. 왕균은 『설문구두』에서 소(小)를 구성하는 곤(丨)은 '보이다'는 뜻을 가진다고 하였는데, 철(屮)을 구성하는 곤(丨)이 바로 풀이 땅을 뚫고 올라와 위로 자라나는 줄기를 상징하는 것과 같다. 처음 생겨날 때에는 작지만 그것이 자라면 눈에 보일 정도로 커지고, 그러면 다시 나눌 수 있게 된다는 뜻이다.

飜譯

'많지 않다(不多)[적다]'라는 뜻이다. 소(小)가 의미부이고 별(丿)이 소리부이다.[2] 독음은 서(書)와 소(沼)의 반절이다.

706

屮 : 尐: 적을 절: 小-총4획: jī

原文

尐: 少也. 从小乀聲. 讀若輟. 子結切.

飜譯

'적다(少)'라는 뜻이다. 소(小)가 의미부이고 불(乀)이 소리부이다. 철(輟)과 같이 읽는다. 독음은 자(子)와 결(結)의 반절이다.

---

2) 별(丿)의 독음에 대해, 서개(徐鍇)의 『설문계전(說文繫傳)』에서 '요(夭)이다'라고 했다. 『광운(廣韻)』에서는 '보(普)와 멸(蔑)의 반절'이라 했고, 『집운(集韻)』에서는 '필(匹)과 멸(蔑)의 반절로, 별(瞥)로 읽는다.'라고 했다. 그러나 『집운』의 이독음에 의하면, '어(於)와 조(兆)의 반절로, 요(殀)로 읽는다.'라고 했고, 『광운』에서도 '여(餘)와 제(制)의 반절로, 예(曳)로 읽으며, 뜻은 이르다(至), 땅이 이르다(至地)는 뜻이다.'라고 하였다.

제16부수
016 ▪ 팔(八)부수

707

八： 八: 여덟 팔: 八-총2획: bā

原文

八: 別也. 象分別相背之形. 凡八之屬皆从八. 博拔切.

飜譯

'나누다(別)'라는 뜻이다. 나누어져 서로 반대로 놓인 모습을 그렸다. 팔(八)부수에 귀속된 글자는 모두 팔(八)이 의미부이다.3) 독음은 박(博)과 발(拔)의 반절이다.

708

分： 分: 나눌 분: 刀-총4획: fēn

原文

分: 別也. 从八从刀, 刀以分別物也. 甫文切.

飜譯

'나누다(別)'라는 뜻이다. 팔(八)이 의미부이고 도(刀)도 의미부인데, 칼로 물체를 나누다는 뜻이다.4) 독음은 보(甫)와 문(文)의 반절이다.

---

3) 고문자에서 （甲骨文） （金文） （古陶文） （古幣文） 八 簡牘文 등으로 썼다. 갑골문에서부터 어떤 물체가 두 쪽으로 대칭되게 나누어진 모습이다. 지금은 '여덟'이라는 숫자로 쓰이지만, "나누다"는 뜻으로 풀이한 『설문해자』의 말처럼 "어떤 물체가 두 쪽으로 대칭되게 나누어진 모습을 그렸다"라는 것이 정설이다.

4) 고문자에서 （甲骨文） （金文） （古陶文） （古幣文） 등으로

709

尒: 尒: 너 이: 小-총5획: ěr

原文

尒: 詞之必然也. 从入丨八. 八象气之分散. 兒氏切.

飜譯

'필연을 나타내는 문법소(詞之必然)'이다. 입(入)과 곤(丨)과 팔(八)이 모두 의미부이다. 여기서 팔(八)은 기운이 분산됨을 그렸다.⁵⁾ 독음은 아(兒)와 씨(氏)의 반절이다.

710

曾: 曾: 일찍 증: 曰-총12획: zēng

原文

曾: 詞之舒也. 从八从曰, 囧聲. 昨稜切.

小 小 小 簡牘文 小 帛書 등으로 썼다. 刀(칼 도)와 八(여덟 팔)로 구성되어, 칼(刀)로 무엇인가를 대칭되게(八) '나누어' 놓은 모습이며, 이로부터 '갈라지다' 등의 뜻이 나왔다.

5) 고문자에서 爾 爾 爾 金文 爾 簡牘文 尒 石刻古文 등으로 썼다. 금문에서부터 등장함에도 자원은 잘 밝혀져 있지 않지만, 爾는 누에가 실을 토해 고치를 만드는 모습으로 추정되며, 글자를 구성하는 冖(덮을 멱)은 어떤 테두리를, 爻(효 효)는 실이 교차한 모습을, 나머지 윗부분은 실을 토해 내는 누에의 모습으로 해석될 수 있다. 누에는 성충이 되면서 몸무게가 태어날 때의 1만 배로 증가하며, 누에 한 마리가 토해내는 실의 길이가 무려 1천5백 미터에 이르는 신비한 존재이다. 하지만 누에는 온도를 단계별로 정밀하게 조절해야 하는 환경에 대단히 민감한 벌레이기에 항상 방안에서 곁에 두고 조심스레 관리해야만 했다. 누에가 실을 토해 가득하고 촘촘한 고치를 만들어 간다는 뜻에서 爾에는 '가득하다', '성대하다'의 뜻이 담겼고, 언제나 곁에 두고 보살펴야 한다는 뜻에서 '가깝다'는 뜻이 생겼다. 그래서 爾(尒)는 나에게 가장 '가까운' 존재인 당신의 뜻으로 쓰였고, 이때에는 人(사람 인)을 더한 儞(你·너 이)로 구분하기도 했다. 그것은 누에가 실을 토해 고치를 만들지만 내가 그 실을 교차시켜 옷감을 만들 때 가능하다. 이인칭 대명사 '당신'은 누에와 같은 남이지만 나의 기술과 엉켜 이렇게 실이 될 때 비로소 나에게 남이 아닌 이인칭이 될 수 있으며, 그때 '당신'은 나와 가까운 가장 가까운 존재로 변한다. 간화자에서는 초서체로 간단하게 줄인 尔로 쓴다.

翻譯

'말이 펼쳐지는 것을 나타내는 문법소(詞之舒)'이다.6) 팔(八)이 의미부이고 왈(曰)도 의미부이며, 창(囧)7)이 소리부이다.8) 독음은 작(昨)과 릉(稜)의 반절이다.

711

尙 : 尙: 오히려 상: 小—총8획: shàng

原文

尙: 曾也. 庶幾也. 从八向聲. 時亮切.

---

6) 『단주』에서 이렇게 말했다. "왈(曰)부수에서 참(朁)은 일찍이(曾)라는 뜻이라고 했다. 『시』에서 말한 '朁不畏明(밝음을 두려워하지 않네)'이나 '胡朁莫懲(어찌하여 정신을 차리지 못하는가?)'에 대해 모형과 정현 모두 참(朁)은 일찍이(曾)라는 뜻이라고 했다. 그러나 내 생각에 증(曾)이 이에(乃)라는 뜻으로 쓰인 경우도 있다. 『시』의 '曾是不意(생각치도 못할 정도로 쉬울 것이다)', '曾是在位(벼슬 차지하고)', '曾是在服(나랏일을 하고 있었네)', '曾是莫聽(그것을 거들떠보지도 않아서)', 『논어』의 '曾是以爲孝乎(이것을 효라고 여긴단 말인가?)', '曾謂泰山不如林放乎(태산이 임방보다 못하단 말인가?)', 『맹자』의 '爾何曾比予於管仲(당신은 어찌 나를 관중에 비긴단 말이오?)' 등은 모두 내(乃)로 해석해야만 어기와 맞아떨어진다. 그래서 조기의 『맹자주』에서 '하증(何曾)'은 하내(何乃, 어찌)'라고 한 것은 옳다. 이 때문에 참(朁)을 갖고서 증(曾, 일찍이)으로 뜻풀이했던 것이다. 그래서 '朁不畏明'은 '乃不畏明'이다. 황간(皇侃)의 『논어소(論語疏)』에서 증(曾)은 상(嘗: 일찍이)과 같다고 했지만, '嘗是以爲孝乎'는 결코 어감에 맞지 않다. 아마도 증(曾)자의 옛날 뜻은 내(乃)로, 독음은 자(子)와 등(登)의 반절이었는데, 이후 이를 증경(曾經, 일찍이)의 의미로 사용했으며 독음도 재(才)와 등(登)의 반절로 읽었던 것으로 보인다. 이는 오늘날의 의미와 오늘날의 독음이지 옛날의 의미와 옛날의 독음은 아니다. 증조(曾祖)나 증손(曾孫)은 더하여 누적되다는 의미를 취한 것이다. 그렇다면 증(曾)과 층(層) 모두로 읽을 수 있다."

7) 창(窓)의 고문체이다. 또 『구경자양(九經字樣)』에서는 이렇게 말했다. "증(曾)을 구성하는 창(囧)은 창(窻)의 고문체이다. 아랫부분이 왈(曰)로 구성되었고 윗부분은 팔(八)로 구성되어, 기류가 분산되는 것을 그렸다. 경전에서는 이를 그대로 사용하였으나 예서체에서는 줄여 증(曾)으로 쓴다."

8) 고문자에서 ⚇甲骨文 ⚇金文 ⚇古陶文 등으로 썼다. 甑(시루 증)의 원래 글자로, 김이 솟아나는 시루를 그렸으며, 그릇을 포개 놓은 시루의 특징으로부터 '중첩되다', 더하다 등의 뜻이 나왔다. 이후 '일찍'이라는 뜻으로 가차되었고, 그러자 원래 뜻은 질그릇이란 의미를 강조해 瓦(기와 와)를 더한 甑(시루 증)으로 분화했다. 현대 옥편에서는 曾의 의미와 관계없이 曰(가로 왈) 부수에 귀속되었다.

🔊譯

'더하다(曾)'라는 뜻이다.9) '어지간하다(庶幾)[거의]'라는 뜻이다. 팔(八)이 의미부이고 향(向)이 소리부이다.10) 독음은 시(時)와 량(亮)의 반절이다.

712

㒸: 㒸: 드디어 수: 八−총9획: suì

原文

㒸: 从意也. 从八豕聲. 徐醉切.

🔊譯

'뜻을 따르다(从意)'라는 뜻이다.11) 팔(八)이 의미부이고 시(豕)가 소리부이다. 독음은 서(徐)와 취(醉)의 반절이다.

713

詹: 詹: 이를 첨: 言−총13획: zhān

---

9) 서호의 『단주전』에서 이렇게 말했다. "상(尚)은 上(위 상)을 말하는데, 더하다(加)는 뜻이다. 증(曾)은 重(중첩하다)과 같은데, 이 또한 더하다(加)는 뜻이다. 그래서 상(尚)을 曾(더하다)으로 풀이한다."

10) 고문자에서 金文 古陶文 古幣文 盟書 簡牘文 帛書 古璽文 등으로 썼다. 八(여덟 팔)이 의미부이고 向(향할 향)이 소리부인데, 八은 '갈라짐'을 뜻하고 向은 집에 창을 그려 창이 난 '방향'을 말하여, 창을 통해 위로 퍼져 나가는 연기 등을 형상화했다. 그래서 向의 원래 뜻은 '위'이며 옛날에는 上(윗 상)과도 통용되었으며, '위'는 높은 지위를 뜻하기에 崇尚(숭상)이나 尚賢(상현·어진 사람을 섬김) 등과 같이 '받들다'는 뜻도 나왔다. 현행 옥편에서는 小(작을 소)와 의미적 관련이 없는데도 小부수에 귀속시켰다.

11) 고대한자에서 金文 등과 같이 썼는데, "금문에서 볼 수 있듯이 원래는 돼지가 화살을 맞았고 화살로 다친 멧돼지가 급히 도망가는 모습을 그렸다. 이후에는 돼지의 머리가 위쪽으로 이동하여 좌우 두 개의 비스듬한 획으로 분리되었다."(허진웅, 2021) 수(㒸)의 원래 글자인데, 서호의 『단주전』에서 "수(㒸)는 어떤 원인이 있어 그것을 실행함을 말하는데, 지금은 遂(이를·마침내 수)를 쓴다."라고 했다.

原文

詹: 多言也. 从言从八从厃. 職廉切.

飜譯

'말이 많다(多言)'라는 뜻이다. 언(言)이 의미부이고 팔(八)도 의미부이며 첨(厃)도 의미부이다. 독음은 직(職)과 렴(廉)의 반절이다.

714

介: 介: 끼일 개: 人-총4획: jiè

原文

介: 畫也. 从八从人. 人各有介. 古拜切.

飜譯

'구획선을 긋다(畫)'라는 뜻이다. 팔(八)이 의미부이고 인(人)도 의미부이다. 사람은 각자 자신만의 경계를 지켜야 한다는 뜻이다.[12] 독음은 고(古)와 배(拜)의 반절이다.

715

仌: 仌: 이별 별: 八-총4획: bié

原文

仌: 分也. 从重八. 八, 別也. 亦聲. 『孝經說』曰: "故上下有別." 兵列切.

飜譯

'나누다(分)'라는 뜻이다. 팔(八)이 둘 중복된 모습이다. 팔(八)은 나누다(別)는 뜻이며, 소리부도 겸한다. 『효경설(孝經說)』에서 "그런 까닭에 상하 간에는 구별이 있어

---

12) 고문자에서 ⿱, ⿱, ⿱, ⿱, ⿱, ⿱甲骨文 ⿱⿱簡牘文 등으로 썼다. 갑골문에서 人(사람 인)과 여러 점으로 구성되었는데, 여러 점은 갑옷을 뜻해, 갑옷을 입은 사람(人)을 그렸다. 갑옷을 '끼워 입다'는 뜻으로부터 '끼다'는 뜻이 생겼으며, 이로부터 사이에 끼어들다, 介入(개입)하다, 紹介(소개)하다, 틈, 간극 등을 의미하게 되었다.

야 한다(故上下有別)"라고 했다. 독음은 병(兵)과 렬(列)의 반절이다.

716

⚹: 公: **공변될 공**: 八－총4획: gōng

（原文）

⚹: 平分也. 从八从厶. 八猶背也. 韓非曰：背厶爲公. 古紅切.

（飜譯）

'공평하게 나누다(平分)'는 뜻이다. 팔(八)이 의미부이고 사(厶)도 의미부이다. 팔(八)은 배치되다는 뜻의 배(背)와 같다. 한비자는 사(厶)와 배치되는 개념이 공(公)이라고 했다.13) 독음은 고(古)와 홍(紅)의 반절이다.

717

⚹: 必: **반드시 필**: 心－총5획: bì

（原文）

⚹: 分極也. 从八、弋, 弋亦聲. 卑吉切.

（飜譯）

'나눔의 표준(分極)'14)을 말한다. 팔(八)이 의미부이고 익(弋)도 위미부인데, 익(弋)

---

13) 고문자에서 （갑골문 자형들）甲骨文　（금문 자형들）金文　（고도문 자형들）古陶文　（자형）
（고폐문 자형들）古幣文　（간독문 자형들）簡牘文　（고새문 자형들）古璽文　（고새문）古璽　（석각고문）石刻古文 등으로 썼다. 厶(사사 사, 私의 원래 글자)와 八(여덟 팔)로 구성되어, 공변됨을 말하는데, 사사로움(厶)에 반대되는(八) 개념을 公으로 보았다. 즉 그런 사적인 테두리나 영역을 없애버리거나 그러한 사적인 개념에 배치된다(八)는 개념을 그렸다. 그래서 公에는 公的(공적)이라는 뜻과 公平(공평), 公共(공공)이라는 뜻이 생겼고, 다시 '公開的(공개적)인', '公式(공식)적'이라는 뜻도 생겼는데, 공적인 일은 반드시 은밀하지 않은 공개적인 방법에 의해서 진행되어야 하기 때문이다. 또 고대의 작위 이름으로 쓰였고, 할아버지뻘의 남성이나 시아버지를 부르는 호칭으로도 쓰였다.

14) 『단주』에서 "극(極)은 준(準·준거)과 같다.……표지를 세워 분할의 표준으로 삼는다. 그래서

은 소리부도 겸한다.[15] 독음은 비(卑)와 길(吉)의 반절이다.

718

余: 余: 나 여: 人−총7획: yú

原文

余: 語之舒也. 从八, 舍省聲. 余, 二余也. 讀與余同. 以諸切.

飜譯

'느긋한 어기를 나타내는 말(語之舒)'이다. 팔(八)이 의미부이고, 사(舍)의 생략된 모습이 소리부이다.[16] 여(余)는 두 개의 여(余)로 구성되었다. 여(余)와 똑같이 읽는다. 독음은 이(以)와 제(諸)의 반절이다.

분극(分極)이라 했다."라고 했다.

15) 고문자에서 ᛌᛌ金文 ᛂ古陶文 ᛂᛌᛌ簡牘文 ᛂ漢印 등으로 썼다. 『설문해자』에서는 八(여덟 팔)이 의미부고 弋(주살 익)이 소리부로, 기준을 나누다(八)는 뜻이라고 했다. 하지만, 금문을 보면 꼭 그렇지도 않고, 금문 당시에 이미 '반드시'라는 뜻으로만 쓰여 그것이 무엇을 그렸는지 분명하지 않다. 그러나 금문에 의하면 戈(창 과)가 의미부고 八이 소리부로, 갈라진(八) 틈 사이로 낫창(戈)을 끼우는 모습을 그린 것으로 추정되며, 이로부터 무기의 자루라는 뜻이 나온 것으로 보인다. 낫창 같은 무기는 반드시 자루에 끼워야만 사용할 수 있기에, '반드시'라는 뜻이 나왔을 것이다. 이 때문에 곽말약은 必이 柲(자루 비)의 원래 글자인 것으로 추정했다. 혹자는 "가로획으로 기구의 손잡이가 있는 곳을 가리켜, 대표적인 지사자이다."라고 풀이하기도 했다.(허진웅, 2021)

16) 고문자에서 ᛂᛂᛂᛂ甲骨文 ᛂᛂᛂ金文 ᛂᛂ古陶文 ᛂᛂ古幣文 ᛂ盟書 ᛂ ᛂᛂᛂ簡牘文 ᛂ古璽文 ᛂᛂ石刻古文 등으로 썼다. 갑골문에서 임시로 만들어진 기둥과 지붕이 갖추어진 객사(舍·사)를 그렸는데, 아랫부분에 기단이 갖추어지면 舍가 된다. 혹자는 余를 "각종 표지를 지칭하는데, 특사들이 갖고 다니던 표지일 수도 있고, 관리들이 자신의 직책을 나타내는 표지판이기도 하다."라고 하였으며, 여기서 파생한 舍를 "구덩이에 표지판 하나가 꽂힌 모습이다. 상인들은 매일 집으로 돌아가 휴식을 취할 수가 없고, 외국에서 온 사절도 임시로 살 곳이 있어야 하므로, 여행자가 투숙할 수 있는 곳임을 나타내는 표지로 사용되었다."고 보기도 한다.(허진웅, 2021) 이후 일인칭 대명사로 가차되어 '나'나 '우리'라는 뜻으로 쓰였다. 현대 중국에서는 餘(남을 여)의 간화자로도 쓰인다.

제17부수
017 ■ 변(釆)부수

719

釆 : 釆 **분별할 변**: 釆-총7획: biàn

原文

釆: 辨別也. 象獸指爪分別也. 凡釆之屬皆从釆. 讀若辨. 𠂠, 古文釆. 蒲莧切.

譯

'분별하다(辨別)'라는 뜻이다. 짐승의 발자국이 서로 구분되는 것을 형상했다.17) 변(釆)부수에 귀속된 글자는 모두 변(釆)이 의미부이다. 변(辨)과 같이 읽는다. 변(𠂠)은 변(釆)의 고문체이다. 독음은 포(蒲)와 현(莧)의 반절이다.

720

番 : 番 **갈마들 번**: 田-총12획: fān

原文

番: 獸足謂之番. 从釆; 田, 象其掌. 𤲃, 番或从足从煩. 𥸨, 古文番. 附袁切.

譯

'짐승의 발(獸足)'을 번(番)이라 한다. 변(釆)이 의미부이고, 전(田)은 그 발바닥을 형상한 것이다.18) 번(𤲃)은 번(番)의 혹체자인데, 족(足)도 의미부이고 번(煩)도 의미부

---

17) 변(釆)은 '짐승의 발자국'을 그렸다. 어떤 짐승의 발자국인지를 알려면 자세히 살피고 분별해야하기에 따져가며 '분별하다'는 뜻이 나왔다. 이후 의미를 구체화하기 위해 田(밭 전)을 더한 番(순서 번)으로 논밭(田·전)에 남은 짐승의 발자국을 그렸다. 하지만, 番마저도 '순서' 등을 뜻하게 되자 다시 足(발 족)을 더한 蹯(짐승발자국 번)을 만들었다. 釆에서 파생된 悉(모두 실)은 마음(心·심)을 써 가며 '남김없이' 자세히 살핌을 말하며, 이로부터 '모두'의 뜻이 나왔다. 또 釋(풀 석)은 자세히 살펴서(釆) 적합한 것을 선택해(睪) '풀어냄'을 말한다.

이다. 번(𤳊)도 번(番)의 고문체이다. 독음은 부(附)와 원(袁)의 반절이다.

721

寀: 宷: 살필 심: 宀-총10획: shěn

原文

宷: 悉也. 知宷諦也. 从宀从采. 徐鍇曰: "宀, 覆也. 采, 別也. 包覆而深別之. 宷, 悉也." 𡧛, 篆文宷从番. 式荏切.

飜譯

'자세히 살피다(悉)'라는 뜻이다. 자세하게 살펴서 알다는 뜻이다. 면(宀)이 의미부이고 변(采)도 의미부이다. 신 서개(徐鍇)[19]는 이렇게 생각합니다. "면(宀)은 덮다(覆)는 뜻이다. 변(采)은 분별하다(別)는 뜻이다. 덮어 씌워서 깊이 있게 분별한다는 뜻이다. 심(宷)은 자세히 살피다(悉)는 뜻이다." 심(𡧛)은 심(宷)의 전서체인데, 번(番)으로 구성되었다. 독음은 식(式)과 임(荏)의 반절이다.

722

悉: 悉: 다 실: 心-총11획: xī

---

18) 고문자에서 金文 簡牘文 古璽文 등으로 썼다. 田(밭 전)이 의미부이고 采(분별할 변)이 소리부로, 원래 들(田)에 생긴 짐승이나 새의 발자국(采)을 그려, 그 발자국을 '자세히' 살펴 분별한다는 뜻을 표현했다. 이후 순서, 當番(당번) 등의 뜻으로 가차되었다. 그러자 원래 뜻은 足을 더한 蹯(짐승발자국 번)으로 분화했다.

19) 서개(920~974)는 후량(後梁) 말제(末帝) 정명(貞明) 6년(920)에서 태어나 송 태조(太祖) 개보(開寶) 7년(974)까지 살았던 『설문해자』의 중요한 교감학자로 자는 초금(楚金)이다. 허신의 「설문해자」가 전해지다가 당나라 말에 이르러 이양빙(李陽氷, 생졸 미상)에 의해 크게 수정되어 원래의 모습을 잃어버리자, 서현(徐鉉, 자 鼎臣, 917~992)과 서개(徐鍇) 형제는 『설문해자』의 교감을 통해 원모습의 복원에 노력했는데, 형인 서현이 교정한 '교정(校訂)『설문해자』 30권 본(本)'을 대서본(大徐本), 동생 서개가 교정한 '『설문계전(說文繫傳)』 40권 본'을 소서본(小徐本)이라 한다. 둘 다 『설문해자』의 교정에 뛰어난 공을 세웠으며, 대서본은 간단명료하면서도 타당한 교감이 장점이고, 소서본은 여러 논증들을 두루 인용했다는 장점을 가진다. 특히 오늘날 통용되는 판본은 대서본에 근거를 두고 있다.

原文

悉: 詳盡也. 从心从釆. ⊗, 古文悉. 息七切.

飜譯

'상세하고 곡진하다(詳盡)'라는 뜻이다. 심(心)이 의미부이고 변(釆)도 의미부이다. 실(⊗)은 실(悉)의 고문체이다. 독음은 식(息)과 칠(七)의 반절이다.

723

釋: 釋: 풀 석: 釆-총20획: shì

原文

釋: 解也. 从釆；釆, 取其分別物也. 从睪聲. 賞職切.

飜譯

'해석하다(解)'라는 뜻이다. 변(釆)이 의미부인데, 변(釆)은 사물의 차이점을 구분한 것을 채택함(取其分別物)을 말한다. 역(睪)으로 구성되었는데 소리부이다.[20] 독음은 상(賞)과 직(職)의 반절이다.

---

20) 문맥이 조금 이상하다. '从睪聲'은 '睪亦聲(睪 또한 소리부이다)'이 되어야 옳다. 묘기의 『계전교감기』에서도 '睪聲'은 '亦聲'이 되어야 옳다고 하였다.

제18부수
018 ■ 반(半)부수

724

半 : 半: 반 반: 十–총5획: bàn

原文

半: 物中分也. 从八从牛. 牛爲物大, 可以分也. 凡半之屬皆从半. 博幔切.

飜譯

'사물의 가운데를 나누다(物中分)'라는 뜻이다. 팔(八)이 의미부이고 우(牛)도 의미부이다. 소(牛)는 몸집이 큰 동물이기에, 가운데를 갈라 나눌 수 있다는 뜻이다.21) 반(半)부수에 귀속된 글자는 모두 반(半)이 의미부이다. 독음은 박(博)과 만(幔)의 반절이다.

725

胖 : 胖: 희생 반 쪽 반: 肉–총9획: pàng, pán

原文

胖: 半體肉也. 一曰廣肉. 从半从肉, 半亦聲. 普半切.

飜譯

'반으로 가른 희생에 쓸 고기(半體肉)'를 말한다. 일설에는 큰 고기(廣肉)를 말한다고도 한다. 반(半)이 의미부이고 육(肉)도 의미부인데, 반(半)은 소리부도 겸한다. 독

제2권

---

21) 고문자에서 半金文 半半古幣文 半簡牘文 半古璽文 등으로 썼다. 牛(소 우)와 八(여덟 팔)로 구성되어, 소(牛)를 양쪽으로 나누어(八) 놓은 모습을 형상했으나 자형이 조금 변해 지금처럼 되었다. 양쪽으로 나누었다는 뜻에서 折半(절반), 반쪽의 의미가 나왔다. 이후 중도, 중간, 불완전하다, 적다 등의 뜻도 나왔다.

음은 보(普)와 반(半)의 반절이다.

726

: 叛: 배반할 반: 又-총9획: pàn

原文

叛: 半也. 从半反聲. 薄半切.

飜譯

'반(半)과 같아 나누다'라는 뜻이다. 반(半)이 의미부이고 반(反)이 소리부이다. 독음은 박(薄)과 반(半)의 반절이다.

제19부수
019 ■ 우(牛)부수

727

Ψ: 牛: 소 우: 牛-총4획: niú

原文

Ψ: 大牲也. 牛, 件也; 件, 事理也. 象角頭三、封尾之形. 凡牛之屬皆从牛. 語求切.

飜譯

'큰 희생(大牲)'을 말한다. 우(牛)는 물건이라는 뜻의 건(件)을 뜻한다. 건(件)은 이치를 갈무리 함(事理)을 말한다.[22] 두 뿔(角)과 머리(頭)의 세 부분과 불룩 솟은 등(封)과 꼬리(尾)를 그린 모습이다. 우(牛)부수에 귀속된 글자는 모두 우(牛)가 의미부이다.[23] 독음은 어(語)와 구(求)의 반절이다.

제 2 권

---

[22] 왕균의 『구두』에서는 이 부분("大牲也. 牛, 件也；件, 事理也.")은 후세 사람이 더한 것으로 문맥이 잘 맞지 않는다고 했다. 사(事)는 맡겨진 일을 해 낼 수 있다는 말이다. "여기서 단옥재는 리(理)를 무늬나 모양에 한정시키느라 우(牛)부수의 해설에서 허신이 말하고자 한 의미를 왜곡시키고 있다. 허신에게서 '소'라는 존재는 실천성(事)과 아울러 그 이치(理)를 드러내는 존재이다. 소는 살아서 묵묵히 밭을 갈며 일을 하다가 그 임무를 마치고 죽음에 이르러서는 그 몸을 골고루 나누어 다시 유용한 곳에 쓰이게 된다. 일할 때와 죽고 나서의 상태는 고정된 것이 아니며 그것은 나뉨(分)이라는 문자 형태로 연결되어 있다. 즉 바로 우(牛)로 구성된 반(半)자가 우(牛) 앞에 위치하는 이유도, 소라는 물건이 보여주는 나누어지는 이치가 현실적인 물건에서 가장 극명하게 표출되고 있기 때문이다. 따라서 이때의 이치란 완전한 물건이었다가 다시 나누어지고 또 그 이후의 변화를 내포하는 그 과정 전체를 말하는 것이지, 결코 소의 몸이 구성된 모양이나 구조만을 한정해서 말하는 것은 아니다."(염정삼, 2008, 46쪽). 단옥재도 이 부분을 우인들이 제멋대로 더한 것이라 하면서 "事也, 理也."로 고쳤다.

[23] 고문자에서 Ψ Ψ Ψ 甲骨文 Ψ 金文 Ψ Ψ 古陶文 Ψ Ψ 貨幣文 Ψ 盟書 Ψ Ψ Ψ Ψ Ψ 簡牘文 Ψ 古璽文 등으로 썼다. 소의 전체 모습으로도 보지만 자세히 관찰하면 사실은 소의 머리로 보인다. 갑골문과 금문을 비교해 볼 때, 위쪽은 크게 굽은 뿔을, 그 아래의 획은 두 귀를, 세로획은 머리를 간단하게 상징화한 것으로 볼 수 있다. 소는 犁(쟁

728

牡: 牡: 수컷 모: 牛-총7획: mǔ

原文

牡: 畜父也. 从牛土聲. 莫厚切.

譯

'가축의 수컷(畜父)'을 말한다. 우(牛)가 의미부이고 토(土)가 소리부이다.24) 독음은 막(莫)과 후(厚)의 반절이다.

729

犅: 犅: 수소 강: 牛-총12획: gāng

原文

犅: 特牛也. 从牛岡聲. 古郎切.

譯

'수소(特牛)'를 말한다. 우(牛)가 의미부이고 강(岡)이 소리부이다. 독음은 고(古)와 랑(郎)의 반절이다.

730

犆: 特: 수컷 특: 牛-총10획: tè

原文

犆: 朴特, 牛父也. 从牛寺聲. 徒得切.

기 려)에서처럼 정착 농경을 일찍 시작한 중국에서 농경의 주요 수단이었으며, 이 때문에 犧牲(희생)에서처럼 농사와 조상신에게 바치는 제물로 자주 사용되었다.
24) 『단주』에서 "혹자는 토(土)는 사(士)가 되어야 옳다고 하는데, 사(士)는 남성(夫)을 뜻한다. 독음도 각각 지(之)운과 우(尤)에 속해 매우 가깝다."라고 했다.

翻譯
'거세하지 않은 수소(朴特)'25)를 말하는데, 바로 수소(牛父)를 말한다. 우(牛)가 의미
부이고 사(寺)가 소리부이다. 독음은 도(徒)와 득(得)의 반절이다.

731

牝: 牝: 암컷 빈: 牛-총6획: pìn

原文

牝: 畜母也. 从牛匕聲.『易』曰: "畜牝牛, 吉." 毗忍切.

翻譯

'가축의 암컷(畜母)'을 말한다. 우(牛)가 의미부이고 비(匕)가 소리부이다. 『역』에서
"암소를 키우니 길하리라(畜牝牛, 吉.)"라고 했다. 독음은 비(毗)와 인(忍)의 반절이다.

732

犢: 犢: 송아지 독: 牛-총19획: dú

原文

犢: 牛子也. 从牛, 瀆省聲. 徒谷切.

翻譯

'송아지(牛子)'를 말한다. 우(牛)가 의미부이고, 독(瀆)의 생략된 부분이 소리부이다.
독음은 도(徒)와 곡(谷)의 반절이다.

733

牪: 牪: 두 살 난 소 패: 牛-총8획: pèi

---

25) 박(朴)은 박(樸)과 같은 글자이며 박(犢)과 통한다. 『광운』에서 "박(犢)은 거세하지 않은 수소
를 말한다"라고 하였다.

原文

牸: 二歲牛. 从牛市聲. 博蓋切.

飜譯

'두 살배기 소(二歲牛)'를 말한다. 우(牛)가 의미부이고 시(市)가 소리부이다. 독음은 박(博)과 개(蓋)의 반절이다.

734

㸂: 㸂: 세 살 된 소 삼: 牛-총15획: sān

原文

㸂: 三歲牛. 从牛參聲. 穌舍切.

飜譯

'세 살짜리 소(三歲牛)'를 말한다. 우(牛)가 의미부이고 삼(參)이 소리부이다. 독음은 소(穌)와 함(舍)의 반절이다.

735

牭: 牭: 네 살 난 소 사: 牛-총9획: sì

原文

牭: 四歲牛. 从牛从四, 四亦聲. 𤚔, 籒文牭从貳. 息利切.

飜譯

'네 살짜리 소(四歲牛)'를 말한다. 우(牛)가 의미부이고 사(四)도 의미부인데, 사(四)는 소리부도 겸한다. 사(𤚔)는 사(牭)의 주문체인데, 이(貳)로 구성되었다. 독음은 식(息)과 리(利)의 반절이다.

736

犗: 犗: 불깐 소 개: 牛-총14획: jiè

原文

犗: 騬牛也. 从牛害聲. 古拜切.

繙譯

'거세한 소(騬牛)'를 말한다. 우(牛)가 의미부이고 해(害)가 소리부이다. 독음은 고(古)와 배(拜)의 반절이다.

737

牻: 牻: 얼룩소 방: 牛-총11획: máng

原文

牻: 白黑雜毛牛. 从牛尨聲. 莫江切.

繙譯

'흰색과 검은 색 털이 뒤섞인 소(白黑雜毛牛)'를 말한다. 우(牛)가 의미부이고 방(尨)이 소리부이다. 독음은 막(莫)과 강(江)의 반절이다.

738

𤙕: 𤙕: 얼룩소 량: 牛-총12획: liáng

原文

𤙕: 牻牛也. 从牛京聲. 『春秋傳』曰: "牻𤙕." 呂張切.

繙譯

'얼룩소(牻牛)'를 말한다. 우(牛)가 의미부이고 경(京)이 소리부이다. 『춘추전』(『좌전』 민공 2년, B.C. 660)에 '방량(牻𤙕: 얼룩소)'이라는 말이 있다. 독음은 려(呂)와 장(張)의 반절이다.

739

犡: 犡: 등 흰 소 려·래: 牛-총19획: lì

原文

犡: 牛白脊也. 从牛厲聲. 洛帶切.

飜譯

'등이 흰 소(牛白脊)'를 말한다. 우(牛)가 의미부이고 려(厲)가 소리부이다. 독음은 락(洛)과 대(帶)의 반절이다.

740

捈: 捈: 칡소 도: 牛-총11획: tú

原文

捈: 黃牛虎文. 从牛余聲. 讀若塗. 同都切.

飜譯

'호랑이 무늬를 가진 황소(黃牛虎文)'를 말한다. 우(牛)가 의미부이고 여(余)가 소리부이다. 도(塗)와 같이 읽는다. 독음은 동(同)과 도(都)의 반절이다.

741

犖: 犖: 얼룩소 락: 牛-총14획: luò

原文

犖: 駁牛也. 从牛, 勞省聲. 呂角切.

飜譯

'색이 뒤섞인 소(駁牛)[얼룩소]'를 말한다. 우(牛)가 의미부이고, 로(勞)의 생략된 모습이 소리부이다. 독음은 려(呂)와 각(角)의 반절이다.

742

㸿: 㸿: 등이 흰 소 렬·얼룩소 랄: 牛-총11획: liè

原文

㸿: 牛白脊也. 从牛孚聲. 力輟切.

飜譯

'등이 흰 소('牛白脊')'를 말한다. 우(牛)가 의미부이고 률(孚)이 소리부이다. 독음은 력(力)과 철(輟)의 반절이다.

743

牠: 牠: 얼룩소 평: 牛-총9획: pēng

原文

牠: 从牛平聲. 普耕切.

飜譯

'반점이 별처럼 든 소(牛駁如星)'를 말한다. 우(牛)가 의미부이고 평(平)이 소리부이다. 독음은 보(普)와 경(耕)의 반절이다.

744

㸠: 㸠: 얼룩소 표: 牛-총19획: pāo, piǎo

原文

㸠: 牛黃白色. 从牛麃聲. 補嬌切.

飜譯

'누런색과 흰색이 뒤섞인 소(牛黃白色)'를 말한다. 우(牛)가 의미부이고 포(麃)가 소리부이다. 독음은 보(補)와 교(嬌)의 반절이다.

745

犉: 犉: 누르고 입술 검은 소 순: 牛-총12획: rún

原文

犉: 黃牛黑脣也. 从牛臺聲. 『詩』曰: "九十其犉." 如均切.

譯

'몸통은 누르고 입은 검은 소(黃牛黑脣)'를 말한다. 우(牛)가 의미부이고 순(臺)이 소리부이다. 『시·소아무양(無羊)』에서 "커다란 소가 아흔 마리나 되네(九十其犉)"라고 노래했다. 독음은 여(如)와 균(均)의 반절이다.

746

㸲: 㸲: 흰 소 악: 牛-총14획: yuè

原文

㸲: 白牛也. 从牛雀聲. 五角切.

譯

'흰 소(白牛)'를 말한다. 우(牛)가 의미부이고 각(雀)이 소리부이다. 독음은 오(五)와 각(角)의 반절이다.

747

犅: 犅: 등이 흰 소 강: 牛-총17획: jiāng

原文

犅: 牛長脊也. 从牛畺聲. 居良切.

譯

'등이 긴 소(牛長脊)'를 말한다. 우(牛)가 의미부이고 강(畺)이 소리부이다. 독음은 거(居)와 량(良)의 반절이다.

748

牥: 牥: 쇠 걸음 느린 모양 도: 牛-총9획: tāo

(原文)

牥: 牛徐行也. 从牛㕱聲. 讀若滔. 土刀切.

(飜譯)

'소가 천천히 가는 것(牛徐行)'을 말한다. 우(牛)가 의미부이고 도(㕱)가 소리부이다. 도(滔)와 같이 읽는다. 독음은 토(土)와 도(刀)의 반절이다.

749

犨: 犨: 소 헐떡거리는 소리 주: 牛-총20획: chōu

(原文)

犨: 牛息聲. 从牛雔聲. 一曰牛名. 赤周切.

(飜譯)

'소가 헐떡거리는 소리(牛息聲)'를 말한다. 우(牛)가 의미부이고 수(雔)가 소리부이다. 일설에는 소의 이름이라고도 한다. 독음은 적(赤)과 주(周)의 반절이다.

750

牟: 牟: 소 우는 소리 모: 牛-총6획: móu

(原文)

牟: 牛鳴也. 从牛, 象其聲气从口出. 莫浮切.

(飜譯)

'소의 울음소리(牛鳴)'를 말한다. 우(牛)가 의미부인데, 기운이 입으로부터 나오는 모습을 형상했다. 독음은 막(莫)과 부(浮)의 반절이다.

751

犙: 犙: 가축 산·암소 성: 牛-총15획: chǎn

原文

犙: 畜牷也. 从牛產聲. 所簡切.

譯

'소를 키우다(畜牷)'라는 뜻이다. 우(牛)가 의미부이고 산(產)이 소리부이다. 독음은 소(所)와 간(簡)의 반절이다.

752

牲: 牲: 희생 생: 牛-총9획: shēng

原文

牲: 牛完全. 从牛生聲. 所庚切.

譯

'[희생에 쓸] 온전한 소(牛完全)'를 말한다. 우(牛)가 의미부이고 생(生)이 소리부이다. 독음은 소(所)와 경(庚)의 반절이다.

753

牷: 牷: 희생 전: 牛-총10획: quán

原文

牷: 牛純色. 从牛全聲. 疾緣切.

譯

'[뒤섞이지 않고] 순일한 색의 소(牛純色)'를 말한다. 우(牛)가 의미부이고 전(全)이 소리부이다. 독음은 질(疾)과 연(緣)의 반절이다.

754

牽: 牽: **끌 견**: 牛-총11획: qiān

(原文)

牽: 引前也. 从牛, 象引牛之縻也. 玄聲. 苦堅切.

(飜譯)

'앞으로 끌고 가다(引前)'는 뜻이다. 우(牛)가 의미부이고, [冖은] 소를 끌고 가는 줄을 형상했으며, 현(玄)은 소리부이다. 독음은 고(苦)와 견(堅)의 반절이다.

755

牿: 牿: **우리 곡**: 牛-총11획: gù

(原文)

牿: 牛馬牢也. 从牛告聲.『周書』曰: "今惟牿牛馬." 古屋切.

(飜譯)

'소나 말의 우리(牛馬牢)'를 말한다. 우(牛)가 의미부이고 고(告)가 소리부이다.『주서』에서 "지금은 오직 우리에 갇힌 소나 말을 풀어야 할 때이다(今惟牿牛馬.)"라고 했다. 독음은 고(古)와 옥(屋)의 반절이다.

756

牢: 牢: **우리 뢰**: 牛-총7획: láo

(原文)

牢: 閑, 養牛馬圈也. 从牛, 冬省. 取其四周帀也. 魯刀切.

(飜譯)

'난간으로 만든 우리(閑)'26)를 말하는데, 소나 말을 키우는 곳을 말한다. 우(牛)와 동(冬)의 생략된 모습이 의미부이다. 사방이 둘러싸인 모습을 그렸다.27) 독음은 로(魯)와 도(刀)의 반절이다.

757

牺: 犓: 소 먹일 추: 牛-총14획: chú

原文

犓: 以芻莖養牛也. 从牛、芻, 芻亦聲.『春秋國語』曰:"犓豢幾何." 測愚切.

飜譯

'꼴을 먹여 소를 키우다(以芻莖養牛)'라는 뜻이다. 우(牛)와 추(芻)가 의미부인데, 추(芻)는 소리부도 겸한다. 『춘추국어(春秋國語)·초어(楚語)』에서 "꼴로 먹여 키우는 가축이 얼마나 되는가?(犓豢幾何)"라고 했다. 독음은 측(測)과 우(愚)의 반절이다.

758

犪: 犪: 길들일 요: 牛-총23획: rǎo

原文

犪: 牛柔謹也. 从牛夒聲. 而沼切.

飜譯

'소가 유순하여 잘 따르다(牛柔謹)'는 뜻이다. 우(牛)가 의미부이고 노(夒)가 소리부이다. 독음은 이(而)와 소(沼)의 반절이다.

---

26) 『설문』에서 한(閑)을 "난(闌), 즉 가로막다는 뜻이다"라고 했다.

27) 고문자에서 甲骨文 金文 古陶文 貨幣文 簡牘文 등으로 썼다. 宀(집 면)과 牛(소 우)로 이루어져, 소(牛)를 우리(宀)에 가두어 둔 모습을 그렸으며, 이로부터 우리를 지칭하였고, 집이나 감옥의 뜻까지 나왔다. 또 제사에 쓰고자 우리에 가두어 놓고 기른 희생을 지칭하기도 하였다. 또 그런 우리는 튼튼하게 만들어야 한다는 뜻에서 '단단하다'나 '견고하다'는 뜻도 나왔다.

759

犕: 犕: 말 안장 꾸밀 비: 牛-총15획: bèi

原文

犕: 『易』曰: "犕牛乘馬." 从牛葡聲. 平祕切.

飜譯

『역·계사(繫辭)』에서 "소로 수레를 몰고 말을 탄다(犕牛乘馬)"라고 했다. 우(牛)가 의미부이고 비(葡)가 소리부이다. 독음은 평(平)과 비(祕)의 반절이다.

760

犂: 犂: 밭 갈 례: 牛-총19획: lí

原文

犂: 耕也. 从牛黎聲. 郎奚切.

飜譯

'밭을 갈다(耕)'라는 뜻이다. 우(牛)가 의미부이고 여(黎)가 소리부이다. 독음은 랑(郎)과 해(奚)의 반절이다.

761

犕: 犕: 소 두 마리가 밭을 갈 비: 牛-총12획: fèi

原文

犕: 兩壁耕也. 从牛非聲. 一曰覆耕穜也. 讀若匪. 非尾切.

飜譯

'양편에서 마주보며 밭을 갈다(兩壁耕)'라는 뜻이다. 우(牛)가 의미부이고 비(非)가 소리부이다. 일설에는 두 번 밭을 간 후 파종함을 말한다고도 한다. 비(匪)와 같이

제 2 권

읽는다. 독음은 비(非)와 미(尾)의 반절이다.

762

犕: 犜: 소나 양이 새끼가 없을 도: 牛-총18획: táo

(原文)

犜: 牛羊無子也. 从牛舀聲. 讀若糗糧之糗. 徒刀切.

(飜譯)

'새끼를 낳지 못하는 소나 양(牛羊無子)'을 말한다. 우(牛)가 의미부이고 수(舀)가 소리부이다. 구량(糗糧: 볶은 쌀)이라고 할 때의 구(糗)와 같이 읽는다. 독음은 도(徒) 와 도(刀)의 반절이다.

763

牴: 牴: 닿을 저: 牛-총9획: dǐ

(原文)

牴: 觸也. 从牛氏聲. 都禮切.

(飜譯)

'부딪히다(觸)'라는 뜻이다. 우(牛)가 의미부이고 저(氏)가 소리부이다. 독음은 도(都) 와 례(禮)의 반절이다.

764

犕: 犚: 소 굽 위: 牛-총20획: wèi

(原文)

犚: 牛踶犚也. 从牛衞聲. 于歲切.

(飜譯)

'소가 발로 밟다(牛踶衛)'라는 뜻이다. 우(牛)가 의미부이고 위(衛)가 소리부이다. 독음은 우(于)와 세(歲)의 반절이다.

765

𤛎 : 𤛎: 소가 끌리지 않을 견: 牛−총12획: qiǎn

原文

𤛎 : 牛很不從引也. 从牛从臤, 臤亦聲. 一曰大皃. 讀若賢. 喫善切.

飜譯

'소가 따라가지 않으려 하다(牛很不從引)'는 뜻이다. 우(牛)가 의미부이고 견(臤)도 의미부인데, 견(臤)은 소리부도 겸한다. 일설에는 큰 모양(大皃)을 말한다고도 한다. 현(賢)과 같이 읽는다. 독음은 끽(喫)과 선(善)의 반절이다.

766

牼 : 牼: 정강이뼈 경: 牛−총11획: kēng

原文

牼 : 牛䣛下骨也. 从牛巠聲.『春秋傳』曰:"宋司馬牼字牛." 口莖切.

飜譯

'소의 정강이 뼈(牛䣛下骨)'를 말한다. 우(牛)가 의미부이고 경(巠)이 소리부이다.『춘추전』(『좌전』 애공 14년, B.C. 481)에서 "송(宋)나라 사마경(司馬牼)은 자(字)가 우(牛)이다"라고 했다. 독음은 구(口)와 경(莖)의 반절이다.

767

牜今 : 牞今: 쇠 혓병 금: 牛−총8획: jìn

原文

𤘘 : 牛舌病也. 从牛今聲. 巨禁切.

(飜譯)

'소의 혓병(牛舌病)'을 말한다. 우(牛)가 의미부이고 금(今)이 소리부이다. 독음은 거
(巨)와 금(禁)의 반절이다.

768

犀 : 犀: 무소 서: 牛-총12획: xī

(原文)

犀 : 南徼外牛. 一角在鼻, 一角在頂, 似豕. 从牛尾聲. 先稽切.

(飜譯)

'남쪽 국경 바깥 지역에서 나는 소(南徼外牛)'를 말한다. 뿔 하나는 코에 걸려있고,
다른 하나는 정수리에 있으며, 멧돼지를 닮았다. 우(牛)가 의미부이고 미(尾)가 소리
부이다.28) 독음은 선(先)과 계(稽)의 반절이다.

769

牣 : 牣: 찰 인: 牛-총7획: rèn

(原文)

牣 : 牣, 滿也. 从牛刃聲. 『詩』曰: "於牣魚躍." 而震切.

(飜譯)

'인(牣)29)은 가득 차다(滿)'라는 뜻이다. 우(牛)가 의미부이고 인(刃)이 소리부이다.

---

28) 고문자에서 𡰪甲骨文 𡰪簡牘文 등으로 썼다. 牛(소 우)가 의미부이고 尾(꼬리 미)가
소리부로, 커다란 외뿔을 가진 무소(牛)를 말하는데, 자형이 줄어 지금처럼 되었다. 무소는 강
인함의 상징이므로 견고하고 단단하다는 뜻도 나왔다. 갑골문에서는 兕(외뿔들소 시)나 𤉡(외뿔
들소 시)로 나타나는데, 이들이 상형자라면 犀는 형성구조로 분화한 글자이다. 兕나 𤉡를 고문
자에서는 𡰪𡰪𡰪𡰪𡰪甲骨文 𡰪簡牘文 𡰪說文小篆 𡰪說文古文 등으로 썼다.

『시·대아영대(靈臺)』에서 "아! 연못 가득 물고기 뛰어 노는구나!(於牣魚躍)"라고 노래했다. 독음은 이(而)와 진(震)의 반절이다.

770

物 ： 物: 만물 물: 牛-총8획: wù

原文

物 ： 萬物也. 牛爲大物; 天地之數, 起於牽牛, 故从牛. 勿聲. 文弗切.

飜譯

'만물(萬物)'을 말한다. 소는 [만물 중에서] 큰 짐승이고, 천지간의 모든 일은 소를 끄는데서 시작된다.30) 이 때문에 우(牛)를 의미부로 삼았다.31) 물(勿)은 소리부이다. 독음은 문(文)과 불(弗)의 반절이다.

771

犧 ： 犧: 희생 희: 牛-총17획: xī

---

29) 인(牣)은 필요 없이 더 들어간 글자로 보인다.

30) 장순휘(張舜徽, 1911~1992)의 『설문해자약주(說文解字約注)』의 해설을 따랐다. 그에 의하면, 수(數)는 일을 뜻하는 사(事)로 해석되어야 한다고 하면서, "사람에게는 먹는 것이 중요하고, 소는 경작으로 하는데 사용된다. 그래서 소를 끌어다 경작을 하는 것은 천지 만물만사의 근본이 된다."라고 했다. 그러나 『단주』에서는 이렇게 말했다. "대선생(戴先生, 戴震)의 「원상(原象)」에서 주(周)나라 사람들은 두수(斗宿)와 견우성(牽牛星)을 기수(紀首)로 삼았는데, 이를 이름 하여 성기(星紀)라 했다. 그러나 주나라 이전으로 올라가면 일월(日月)의 운행이 두수와 견우성에서 시작되지 않는다. 내 생각에 허신이 물(物)자에 우(牛)가 들어간 까닭의 설명은 이러한 의미를 확장하려 했던 것으로 보인다."라고 하였다.

31) 고문자에서 ![甲骨文 글자] 甲骨文 ![簡牘文 글자] 簡牘文 등으로 썼다. 소전체처럼 牛(소 우)가 의미부이고 勿(말 물)이 소리부인데, 勿이 갑골문에서 쟁기질 때 갈라지는 흙덩이를 그린 것으로 추정됨을 고려하면, 物은 소(牛)를 이용한 쟁기질(勿)의 모습을 그린 것으로 풀이할 수 있다. 그렇다면 쟁기질(物)에 쓸 색깔(色·색) 좋은 소(牛)를 '고르다'는 뜻이 바로 物色(물색)이다. 그리고 그러한 소는 색깔에 의해 구분되었기에 物에는 '여러 색깔의 소'라는 뜻, 다시 만물은 자신의 색깔을 가진다는 뜻에서 각기 萬物(만물)의 뜻이 나왔다. 또 자신 이외의 사람이나 事物(사물)을 지칭하기도 한다.

原文

犧: 宗廟之牲也. 从牛羲聲. 賈侍中說: 此非古字. 許羈切.

飜譯

'종묘의 제사에 쓰는 희생(宗廟之牲)'을 말한다. 우(牛)가 의미부이고 희(羲)가 소리부이다. 가시중(賈侍中)[32])께서는 이 글자는 고자가 아니라고 했다. 독음은 허(許)와 기(羈)의 반절이다.

772

犍: 犍: 불깐 소 건: 牛-총13획: jiān

原文

犍: 犗牛也. 从牛建聲. 亦郡名. 居言切.

飜譯

'거세한 소(犗牛)'를 말한다. 우(牛)가 의미부이고 건(建)이 소리부이다. 또한 군(郡)의 이름으로도 쓰인다. 독음은 거(居)와 언(言)의 반절이다. [신부]

773

犝: 犝: 송아지 동: 牛-총16획: tóng

原文

犝: 無角牛也. 从牛童聲. 古通用僮. 徒紅切.

飜譯

'아직 뿔이 나지 않은 소(無角牛)'를 말한다. 우(牛)가 의미부이고 동(童)이 소리부이다. 독음은 도(徒)와 홍(紅)의 반절이다. [신부]

---

32) 가규(賈逵, 30~101)를 말한다. 한나라 때의 저명한 고문경학자로, 섬서성 부풍(扶風) 사람인데, 자가 경백(景伯)이고 관작이 시중(侍中)이었다. 고문학파의 개창자 유흠(劉歆)을 계승한 중요한 인물인 가규에게서 허신이 경학을 배웠기에, 그를 존중해 이름을 직접 쓰지 않고 관작명을 사용했다.

제20부수

020 ■ 리(犛)부수

774

犛 : 犛: 야크 리: 牛-총15획: lí

原文

犛 : 西南夷長髦牛也. 从牛𠩺聲. 凡犛之屬皆从犛. 莫交切. (當作里之切.)

譯

'서남 이민족 지역에서 나는 털이 긴 소(西南夷長髦牛)'를 말한다.[33] 우(牛)가 의미부이고 리(𠩺)가 소리부이다. 리(犛)부수에 귀속된 글자는 모두 리(犛)가 의미부이다. 독음은 막(莫)과 교(交)의 반절이다. [리(里)와 지(之)의 반절이 되어야 옳다.]

---

[33] 『단주』에서 이렇게 말했다. "오늘날 사천(四川)의 아주부(雅州府) 청계현(淸谿縣)의 대상령(大相嶺) 바깥쪽에 모우(旄牛)라는 지명이 있는데, 거기서 모우(旄牛)가 생산된다. 청계현은 남쪽으로 녕원부(寧遠府)에, 서쪽으로는 타전로(打箭鑪)에 이르는데, 옛날 서남 이민족의 땅으로 여기에서 모우(旄牛)가 생산되었다. 곽박(郭樸)의 『산해경』에 대한 주석에서도 '등(背)과 무릎(厀)과 턱(胡)과 꼬리(尾) 모두에 긴 털이 나 있다. 작은 뿔(小角)을 가졌으며, 몸통은 순수 검은 색이다. 민간에서는 이를 요리해 먹기도 한다. 꼬리는 말려서 먼지 털이로도 쓸 수 있다.' [허신이] 털이 길다(長髦)라고 한 것은 턱(胡)과 꼬리(尾) 모두가 긴 털로 되었기 때문이다. 이 글자 다음에 귀속된 리(犛)자는 이의 꼬리만을 지칭하는 글자이다. 이 소를 리우(犛牛)라 하는데, 독음은 리(貍)와 같다. 초(楚) 지역 방언에 '파포(巴浦) 지방의 서리(犀犛)'라는 말이 있다. 「상림부(上林賦)」에서도 '용모모리(㺩旄獌犛)'라는 말이 있는데, 그것의 긴 꼬리를 말한 것이다. 그래서 『사기』의 「서남이전(西南夷傳)」에서도 이를 모우(犛牛)라 하였던 것이다. 또 그 꼬리를 리(犛)라 부른다. 그래서 『주례』의 「악사(樂師)」에 대한 주석에서 이를 리우(犛牛)라 하였던 것이다. 또 꼬리털(犛)은 깃대장식(飾旄)으로도 쓸 수 있다. 그래서 『예기주』와 『이아주』, 「북산해경주」, 「상림부주」, 『한서』 「서남이전」 등에서 모두 모우(旄牛)라 불렸던 것이다. 리(犛)와 모(髦)와 모(旄)는 모두 독음이 같다. 그래서 리(犛)를 모(毛)와 같이 읽는 것은 옳지 않다. 「상림부」에 의하면 모(旄)와 리(犛)는 다른 물체이다. 「중산경(中山經)」에서, 형산(荊山)에서 리우(犛牛)가 많이 난다고 했고, 이에 대해 곽박은 모(旄)는 소의 일종이라고 풀이했다."

775

氂: 氂: 꼬리 리: 毛-총15획: máo

原文

氂: 犛牛尾也. 从犛省, 从毛. 里之切. (當作莫交切.)

飜譯

'야크의 꼬리(犛牛尾)'를 말한다. 리(犛)의 생략된 모습이 의미부이고, 모(毛)도 의미부이다. 리(里)와 지(之)의 반절이다. [막(莫)과 교(交)의 반절이 되어야 옳다.]

776

氂: 氂: 땅 이름 태·털긴 소 리: 支-총19획: tài, lí

原文

氂: 彊曲毛, 可以箸起衣. 从犛省, 來聲. 厀, 古文氂省. 洛哀切.

飜譯

'질기고 굽은 털(彊曲毛)'을 말하는데, 옷을 지을 수 있다. 리(犛)의 생략된 모습이 의미부이고, 래(來)가 소리부이다. 리(厀)는 리(氂)의 고문체인데 생략된 모습이다. 독음은 락(洛)과 애(哀)의 반절이다.

제21부수

021 ■ 고(告)부수

777

告 : 告: 알릴 고: 口-총7획: gào

原文

告 : 牛觸人, 角箸橫木, 所以告人也. 从口从牛.『易』曰: "僮牛之告." 凡告之屬
皆从告. 古奧切.

飜譯

'소의 뿔이 사람에게 닿을까 염려하여 소의 뿔에다 가로로 나무를 대서 사람들에게
위험을 알린다(牛觸人, 角箸橫木, 所以告人.)'라는 뜻이다. 구(口)가 의미부이고 우
(牛)도 의미부이다.『역·대축(大畜)』(효사)에 "어린 소가 알려준다(僮牛之告)"라는 말
이 있다. 고(告)부수에 귀속된 글자는 모두 고(告)가 의미부이다.34) 독음은 고(古)와
오(奧)의 반절이다.

778

嚳 : 嚳: 고할 곡: 口-총20획: kù

原文

---

34) 고문자에서 甲骨文 金文 古陶文 簡牘文 등으로
썼다. 牛(소 우)와 口(입 구)로 이루어져, 희생 소(牛)를 바치고 기도하는(口) 모습에서 '알리
다'의 뜻을 그렸다. 이후 의미를 더욱 강조하기 위해 言(말씀 언)을 더하여 誥(고할 고)를 만
들기도 했다. 혹자는 口를 구덩이로 보고 "구덩이에 어떤 표시 팻말이 꽂힌 모습이며, 이로써
다른 사람이 구덩이에 빠지지 않도록 경고한" 것으로 해석하기도 한다.(허진웅, 2021) 그런가
하면 일본의 시라카와 시즈카(白川靜)는 口를 제사에 쓰는 기구로 보고 "작은 나뭇가지를 높
이 꽂은 신에게 기도를 드리는 기구"로 풀이하기도 했다.

嚳: 急告之甚也. 从告, 學省聲. 苦沃切.

'매우 심각함을 급하게 알리다(急告之甚)'라는 뜻이다. 고(告)가 의미부이고, 학(學)의 생략된 모습이 소리부이다. 독음은 고(苦)와 옥(沃)의 반절이다.

제22부수
022 ■ 구(口)부수

779

ㅂ: 口: 입 구: 口-총3획: kǒu

原文

ㅂ: 人所以言食也. 象形. 凡口之屬皆从口. 苦后切.

飜譯

'말을 하고 음식을 먹는 사람의 기관(人所以言食)' 즉 '입'을 말한다. 상형이다.[35] 구(口)부수에 귀속된 글자는 모두 구(口)가 의미부이다. 독음은 고(苦)와 후(后)의 반절이다.

780

嘄: 嘄: 부르짖을 교·주둥이 파: 口-총16획: jiào

原文

嘄: 吼也. 从口敫聲. 一曰嘄, 呼也. 古弔切.

飜譯

'부르짖다(吼)'라는 뜻이다.[36] 구(口)가 의미부이고 교(敫)가 소리부이다. 일설에, 교

---

35) 고문자에서 ㅂ甲骨文 ▢金文 ㅂ古陶文 ㅂㅂ古幣文 ▢簡牘文 ▢古璽文 ㅂ漢印 등으로 썼는데, 벌린 입을 사실적으로 그렸으며, 口(입 구)는 먹고 말하는 인간과 동물의 신체기관은 물론 집의 入口(입구)나 기물의 아가리까지 지칭하는 다양한 의미로 확장되었다. 口로 구성된 글자들은 다양하지만 대체로 味(맛 미)와 같이 '먹는' 행위, 占(점칠 점)과 같이 '말'을, 命(목숨 명)과 같이 명령과 권위의 상징, 器(그릇 기)처럼 집의 입구나 아가리를 말하기도 했다.

36) 『단주』에서는 후(吼)는 구(口)가 되어야 한다고 하면서 '입(口)을 말한다'라고 풀이했다. 그는 이를 다음과 같은 근거에서 찾았다. "『사기』와 『한서』의 「식화전(貨殖傳)」에 모두 '마제교천(馬蹄嘄千)'이라는 말이 나온다. 여기에 대해 서광(徐廣)은 교(嘄)가 말(馬)의 팔료(八髎: 엉덩이 뼈 양쪽의 4개의 구멍)를 말한다고 했다. 그러나 소안(小顏, 즉 顏師古)은 교(嘄)는 구(口)

(嗷)는 부르다(呼)는 뜻이라고도 한다. 독음은 고(古)와 조(弔)의 반절이다.

781

嚋: 嚋: **부리 주**: 口-총16획: zhòu

原文

嚋: 喙也. 从口蜀聲. 陟救切.

飜譯

'[새의] 부리(喙)'를 말한다. 구(口)가 의미부이고 촉(蜀)이 소리부이다. 독음은 척(陟)과 구(救)의 반절이다.

782

喙: 喙: **부리 훼**: 口-총12획: huì

原文

喙: 口也. 从口彖聲. 許穢切.

飜譯

'[짐승의] 주둥이(口)'를 말한다. 구(口)가 의미부이고 단(彖)이 소리부이다. 독음은 허(許)와 예(穢)의 반절이다.

783

吻: 吻: **입술 문**: 口-총7획: wěn

原文

吻: 口邊也. 从口勿聲. 脗, 吻或从肉从昏. 武粉切.

飜譯

를 말하며, 말의 굽(蹄)과 입(口)이 합쳐서 1천이니 이는 말 2백 필을 말한다고 했다."

'입 가(口邊)'를 말한다. 구(口)가 의미부이고 물(勿)이 소리부이다. 문(𦝳)은 문(吻)의 혹체자인데, 육(肉)도 의미부이고 혼(昏)도 의미부이다. 독음은 무(武)와 분(粉)의 반절이다.

784

嚨: 嚨: 목구멍 롱: 口-총19획: lóng

原文
嚨: 喉也. 从口龍聲. 盧紅切.

飜譯
'목구멍(喉)'을 말한다. 구(口)가 의미부이고 용(龍)이 소리부이다. 독음은 로(盧)와 홍(紅)의 반절이다.

제 2 권

785

喉: 喉: 목구멍 후: 口-총12획: hóu

原文
喉: 咽也. 从口侯聲. 乎鉤切.

飜譯
'아래쪽 목구멍(咽)'을 말한다. 구(口)가 의미부이고 후(侯)가 소리부이다. 독음은 호(乎)와 구(鉤)의 반절이다.

786

噲: 噲: 목구멍 쾌: 口-총16획: kuài

原文
噲: 咽也. 从口會聲. 讀若快. 一曰嚵, 噲也. 苦夬切.

譌譯

'목구멍(咽)'을 말한다. 구(口)가 의미부이고 회(會)가 소리부이다. 쾌(快)와 같이 읽는다. 일설에는 참(噲)이라고도 하는데, 아래쪽 목구멍(噲)을 뜻한다.[37] 독음은 고(苦)와 쾌(夬)의 반절이다.

787

吞: 吞: **삼킬 탄**: 口-총7획: tūn

原文

吞: 咽也. 从口天聲. 土根切.

譌譯

'목구멍(咽)'을 말한다. 구(口)가 의미부이고 천(天)이 소리부이다.[38] 독음은 토(土)와 근(根)의 반절이다.

788

咽: 咽: **목구멍 인**: 口-총9획: yān

原文

咽: 嗌也. 从口因聲. 烏前切.

譌譯

'목구멍(嗌)'을 말한다. 구(口)가 의미부이고 인(因)이 소리부이다. 독음은 오(烏)와 전(前)의 반절이다.

---

37) "一曰噲, 噲也."는 의미가 다소 어색하다. 그래서 『단주』에서는 이를 "一曰噲, 噲也.(일설에는 噲가 부리를 말한다고도 한다.)"로 고치고서는, 이는 쾌(噲)가 갖는 또 다른 의미(즉 '부리')를 언급한 것이라 했다.
38) 口(입 구)가 의미부고 天(하늘 천)이 소리부로, 씹지 않고 그대로(天) 입(口) 속으로 삼키는 것을 말하며, 이로부터 倂吞(병탄)의 뜻이 나왔다.

789

嗌: 嗌: 목구멍 익: 口-총13획: yì

原文

嗌: 咽也. 从口益聲. 益, 籀文嗌上象口, 下象頸脈理也. 伊昔切.

飜譯

'목구멍(咽)'을 말한다. 구(口)가 의미부이고 익(益)이 소리부이다. 익(益)은 주문체인데, 윗부분은 입[口]을, 아랫부분은 경맥(頸脈)의 결을 그렸다. 독음은 이(伊)와 석(昔)의 반절이다.

790

喗: 喗: 떠들 운: 口-총12획: yǔn

原文

喗: 大口也. 从口軍聲. 牛殞切.

飜譯

'큰 입(大口)'을 말한다. 구(口)가 의미부이고 군(軍)이 소리부이다. 독음은 우(牛)와 운(殞)의 반절이다.

791

哆: 哆: 클 치: 口-총9획: duō

原文

哆: 張口也. 从口多聲. 丁可切.

飜譯

'입을 크게 벌리다(張口)'라는 뜻이다. 구(口)가 의미부이고 다(多)가 소리부이다. 독음은 정(丁)과 가(可)의 반절이다.

792

呱: 呱: 울 고: 口-총8획: gū

原文

呱: 小兒嗁聲. 从口瓜聲. 『詩』曰: "后稷呱矣." 古乎切.

譯

'어린 아이의 울음 소리(小兒嗁聲)'를 말한다. 구(口)가 의미부이고 고(瓜)가 소리부이다. 『시·대아·생민(生民)』에서 "후직께서 어린아이처럼 우시네(后稷呱矣)"라고 노래했다. 독음은 고(古)와 호(乎)의 반절이다.

793

啾: 啾: 소리 추: 口-총12획: jiū

原文

啾: 小兒聲也. 从口秋聲. 卽由切.

譯

'어린 아이의 응얼거리는 소리(小兒聲)'를 말한다. 구(口)가 의미부이고 추(秋)가 소리부이다. 독음은 즉(卽)과 유(由)의 반절이다.

794

喤: 喤: 어린아이 울음 황: 口-총12획: huáng

原文

喤: 小兒聲. 从口皇聲. 『詩』曰: "其泣喤喤." 乎光切.

譯

'어린 아이의 응얼거리는 소리(小兒聲)'를 말한다. 구(口)가 의미부이고 황(皇)이 소리부이다. 『시·소아사간(斯干)』에서 "울음소리 쩡쩡 울리는 것으로 보아(其泣喤喤)" 라고 노래했다. 독음은 호(乎)와 광(光)의 반절이다.

795

㖓 : 㖓: 섧게 울 훤: 口-총9획: xuán

原文

㖓 : 朝鮮謂兒泣不止曰㖓. 从口, 宣省聲. 況晚切.

飜譯

'고조선에서는 어린 아이가 그치지 않고 계속 우는 것을 㖓(훤)이라 한다(朝鮮謂兒 泣不止曰㖓)'.39) 구(口)가 의미부이고, 선(宣)의 생략된 모습이 소리부이다. 독음은 황(況)과 만(晚)의 반절이다.

796

嗟 : 嗟: 어린아이 울 강: 口-총11획: qiàng

原文

嗟 : 秦晉謂兒泣不止曰嗟. 从口羌聲. 丘尚切.

飜譯

'진(秦)과 진(晉) 지역에서는 어린 아이가 그치지 않고 계속 우는 것을 嗟(강)이라 한다(秦晉謂兒泣不止曰嗟)'. 구(口)가 의미부이고 강(羌)이 소리부이다. 독음은 구 (丘)와 상(尚)의 반절이다.

---

39) 조선(朝鮮)은 고조선을 말한다. 『방언』에서 "훤(㖓)은 비통하게 우는 것을 말한다. 무릇 애절 하게 끊임없이 우는 것을 훤(㖓)이라 한다. 연(燕) 지역 외곽의 조선과 열수 사이 지역에서는 '어린 아이가 쉴 새 없이 끊임없이 우는 것을 훤(㖓)이라 한다."라고 했다.

797

哸: 哸: 울 도: 口-총9획: táo

原文

哸: 楚謂兒泣不止曰嗷哸. 从口兆聲. 徒刀切.

飜譯

'초(楚) 지역에서는 어린 아이가 그치지 않고 계속 우는 것을 교도(嗷哸)라고 한다 (嗷哸楚謂兒泣不止曰嗷哸).' 구(口)가 의미부이고 조(兆)가 소리부이다. 독음은 도 (徒)와 도(刀)의 반절이다.

798

喑: 喑: 훌쩍거릴 암·벙어리 음: 口-총12획: yīn

原文

喑: 宋齊謂兒泣不止曰喑. 从口音聲. 於今切.

飜譯

'송(宋)과 제(齊) 지역에서는 어린 아이가 그치지 않고 계속 우는 것을 암(喑)이라고 한다(宋齊謂兒泣不止曰喑)'. 구(口)가 의미부이고 음(音)이 소리부이다. 독음은 어 (於)와 금(今)의 반절이다.

799

嶷: 嶷: 고루할 의·어린아이가 영리할 억: 口-총17획: yì

原文

嶷: 小兒有知也. 从口疑聲. 『詩』曰: "克岐克嶷." 魚力切.

飜譯

'어린 아이인데도 철이 들었음(小兒有知)'을 말한다. 구(口)가 의미부이고 의(疑)가

소리부이다. 『시·대아생민(生民)』에서 "지능과 식별력이 뛰어났으며(克岐克嶷)"라고
노래했다.[40) 독음은 어(魚)와 력(力)의 반절이다.

800

咍: 咍: 어린아이 웃을 해: 口-총9획: hāi

(原文)

咍: 小兒笑也. 从口亥聲. 㤉, 古文咳从子. 戶來切.

(飜譯)

'어린 아이가 웃다(小兒笑)'는 뜻이다. 구(口)가 의미부이고 해(亥)가 소리부이다. 해
(㤉)는 해(咳)의 고문체인데, 자(子)로 구성되었다. 독음은 호(戶)와 래(來)의 반절이
다.

801

嗛: 嗛: 겸손할 겸: 口-총13획: xián

(原文)

嗛: 口有所銜也. 从口兼聲. 戶監切.

(飜譯)

'입속에 무엇인가를 머금고 있음(口有所銜)'을 말한다. 구(口)가 의미부이고 겸(兼)
이 소리부이다. 독음은 호(戶)와 감(監)의 반절이다.

802

咀: 咀: 씹을 저: 口-총8획: jǔ

---

40) 금본 『시경』에서는 "극기극억(克岐克嶷)"이라 적었다. 『모전』에서 "기(岐)는 세상일을 알다
(知意也)는 뜻이고, 억(嶷)은 분별력이 있다(識也)는 뜻이다."라고 풀이했다.

原文

咀: 含味也. 从口且聲. 慈呂切.

飜譯

'입속에 무엇인가를 머금고 맛을 음미하다(含味)'라는 뜻이다. 구(口)가 의미부이고 차(且)가 소리부이다. 독음은 자(慈)와 려(呂)의 반절이다.

803

啜: 啜: 마실 철: 口-총11획: chuò

原文

啜: 嘗也. 从口叕聲. 一曰喙也. 昌說切.

飜譯

'맛을 보다(嘗)'라는 뜻이다. 구(口)가 의미부이고 철(叕)이 소리부이다. 일설에는 '짐 승의 주둥이(喙)'를 말한다고도 한다. 독음은 창(昌)과 설(說)의 반절이다.

804

嚌: 嚌: 씹을 집: 口-총15획: jí

原文

嚌: 嚌也. 从口集聲. 讀若集. 子入切.

飜譯

'씹다(嚌)'라는 뜻이다. 구(口)가 의미부이고 집(集)이 소리부이다. 집(集)과 같이 읽 는다. 독음은 자(子)와 입(入)의 반절이다.

805

嚌: 嚌: 맛볼 제: 口-총17획: jì

原文

嚌: 嘗也. 从口齊聲. 『周書』曰: "大保受同祭嚌." 在詣切.

翻譯

'맛을 보다(嘗)'라는 뜻이다. 구(口)가 의미부이고 제(齊)가 소리부이다. 『주서』에서 "태보가 술잔을 받고, 제사를 드리고, 술맛을 보았다.(大保受同祭嚌)"라고 했다. 독음은 재(在)와 예(詣)의 반절이다.

806

嶣: 噍: 먹을 초: 口-총15획: jiào

原文

嶣: 齧也. 从口焦聲. 爵, 噍或从爵. 又, 才爵切. 才肖切.

翻譯

'씹어 먹다(齧)'라는 뜻이다. 구(口)가 의미부이고 초(焦)가 소리부이다. 초(爵)는 초(噍)의 혹체자인데, 작(爵)으로 구성되었다. 또 재(才)와 작(爵)의 반절이다. 독음은 재(才)와 초(肖)의 반절이다.

807

嚥: 吮: 빨 연: 口-총7획: shǔn

原文

吮: 欶也. 从口允聲. 徂沇切.

翻譯

'입으로 빨아들이다(欶)'라는 뜻이다. 구(口)가 의미부이고 윤(允)이 소리부이다. 독음은 조(徂)와 연(沇)의 반절이다.

808

嘩: 嘩: 조금 마실 설: 口-총14획: shuì

原文

嘩: 小歡也. 从口率聲. 讀若啐. 所劣切.

繙譯

'조금 마시다(小歡)'라는 뜻이다. 구(口)가 의미부이고 솔(率)이 소리부이다. 쇄(啐)와 같이 읽는다. 독음은 소(所)와 렬(劣)의 반절이다.

809

嚵: 嚵: 부리 참: 口-총20획: chán

原文

嚵: 小嘩也. 从口毚聲. 一曰喙也. 士咸切.

繙譯

'조금 마시다(小嘩)'라는 뜻이다. 구(口)가 의미부이고 참(毚)이 소리부이다. 일설에 '짐승의 주둥이(喙)'를 말한다고도 한다. 독음은 사(士)와 함(咸)의 반절이다.

810

噬: 噬: 씹을 서: 口-총16획: shì

原文

噬: 啗也. 喙也. 从口筮聲. 時制切.

繙譯

'씹어 먹다(啗)'라는 뜻이다. '짐승의 주둥이(喙)'를 말한다.⁴¹⁾ 구(口)가 의미부이고

---

41) 『설문금석』에서는 『광아 석고』의 "훼(喙)는 숨을 쉬다는 뜻이다(息也)"를 인용해, "숨을 쉬다 (息)"는 뜻으로 풀이했다.

서(筮)가 소리부이다. 독음은 시(時)와 제(制)의 반절이다.

811

啗: 啗: 먹일 담: 口-총11획: dàn

제2권

原文

啗: 食也. 从口臽聲. 讀與含同. 徒濫切.

飜譯

'음식을 먹다(食)'라는 뜻이다. 구(口)가 의미부이고 함(臽)이 소리부이다. 함(含)과 똑같이 읽는다. 독음은 도(徒)와 람(濫)의 반절이다.

812

嘰: 嘰: 쪽잘거릴 기: 口-총15획: jī

原文

嘰: 小食也. 从口幾聲. 居衣切.

飜譯

'음식을 다랍게 조금씩 먹다(小食)'라는 뜻이다. 구(口)가 의미부이고 기(幾)가 소리부이다. 독음은 거(居)와 의(衣)의 반절이다.

813

嚼: 嚼: 씹는 모양 박: 口-총13획: bó

原文

嚼: 嚼皃. 从口專聲. 補各切.

飜譯

'씹어 먹는 모양(嚼皃)'을 말한다. 구(口)가 의미부이고 부(專)가 소리부이다. 독음은 보(補)와 각(各)의 반절이다.

814

含: 含: 머금을 함: 口-총7획: hán

原文

含: 嗛也. 从口今聲. 胡男切.

飜譯

'머금다(嗛)'라는 뜻이다. 구(口)가 의미부이고 금(今)이 소리부이다.[42) 독음은 호(胡)와 남(男)의 반절이다.

815

哺: 哺: 먹을 포: 口-총10획: bǔ

原文

哺: 哺咀也. 从口甫聲. 薄故切.

飜譯

'씹어 먹다(哺咀)'라는 뜻이다. 구(口)가 의미부이고 보(甫)가 소리부이다. 독음은 박(薄)과 고(故)의 반절이다.

816

味: 味: 맛 미: 口-총8획: wèi

---

42) 고문자에서 含漢印 含含石刻古文 등으로 썼는데, 口(입 구)가 의미부고 今(이제 금)이 소리부로, 입(口) 속에 무엇인가를 머금은 모습을 그렸다. 머금은 채 내놓지 않는다는 뜻에서 包含(포함)에서처럼 포용하다는 뜻이, 含蓄(함축)에서처럼 감정을 표출하지 않다, 어떤 감정적 색채를 지니다는 뜻까지 나왔다.

原文

唭: 滋味也. 从口未聲. 無沸切.

飜譯

'맛(滋味)'을 말한다. 구(口)가 의미부이고 미(未)가 소리부이다. 독음은 무(無)와 비(沸)의 반절이다.

817

嚛: 嚛: 매울 학: 口-총18획: hù

原文

嚛: 食辛嚛也. 从口樂聲. 火沃切.

飜譯

'음식물의 매운맛(食辛嚛)'을 말한다. 구(口)가 의미부이고 락(樂)이 소리부이다. 독음은 화(火)와 옥(沃)의 반절이다.

818

窡: 窡: 입속에 꽉 차게 먹을 촬: 口-총16획: zhuó

原文

窡: 口滿食. 从口窡聲. 丁滑切.

飜譯

'입속에 음식물이 가득하다(口滿食)'라는 뜻이다. 구(口)가 의미부이고 촬(窡)이 소리부이다. 독음은 정(丁)과 활(滑)의 반절이다.

819

噫: 噫: 탄식할 희: 口-총16획: yī

原文

噫: 飽食息也. 从口意聲. 於介切.

譯譯

'배불리 먹어서 트림이 나다(飽食息)'라는 뜻이다. 구(口)가 의미부이고 의(意)가 소
리부이다. 독음은 어(於)와 개(介)의 반절이다.

820

嘽: 嘽: 헐떡일 탄: 口-총15획: tān

原文

嘽: 喘息也. 一曰喜也. 从口單聲. 『詩』曰: "嘽嘽駱馬." 他干切.

譯譯

'숨이 차서 헐떡거리다(喘息)'라는 뜻이다. 일설에는 '기뻐하다(喜)'라는 뜻이라고도
한다. 구(口)가 의미부이고 단(單)이 소리부이다. 『시·소아·사모(四牡)』에서 "갈기 검
은 흰말들 헐떡헐떡 하네(嘽嘽駱馬)"[43]라고 노래했다. 독음은 타(他)와 간(干)의 반
절이다.

821

唾: 唾: 침 타: 口-총11획: tuò

原文

唾: 口液也. 从口垂聲. 涶, 唾或从水. 湯臥切.

譯譯

'타액(口液)'을 말한다. 구(口)가 의미부이고 수(垂)가 소리부이다. 타(涶)는 타(唾)의
혹체자인데, 수(水)로 구성되었다. 독음은 탕(湯)과 와(臥)의 반절이다.

---

43) 『모전』에서 "락(駱)은 가리온 말, 즉 검은 갈기를 가진 흰 말이다."라고 했다.

822

𪙏 : 咦: 크게 부를 이: 口-총9획: yí

（原文）

咦 : 南陽謂大呼曰咦. 从口夷聲. 以之切.

（飜譯）

'남양(南陽) 지역에서는 숨을 크게 내쉬는 것을 이(咦)라고 한다(南陽謂大呼曰咦)'.44) 구(口)가 의미부이고 이(夷)가 소리부이다. 독음은 이(以)와 지(之)의 반절이다.

823

呬 : 呬: 쉴 희: 口-총8획: líng

（原文）

呬 : 東夷謂息爲呬. 从口四聲. 『詩』曰: "犬夷呬矣." 虛器切.

（飜譯）

'동이(東夷) 지역에서는 숨 쉬는 것(息)을 희(呬)라고 한다.' 구(口)가 의미부이고 사(四)가 소리부이다. 『시·대아면(縣)』에서 "견이들이 피곤해 숨을 헐떡거리누나(犬夷呬矣)"45)라고 노래했다. 독음은 허(虛)와 기(器)의 반절이다.

824

喘 : 喘: 헐떡거릴 천: 口-총12획: chuǎn

（原文）

喘 : 疾息也. 从口耑聲. 昌沇切.

---

44) 『단주』에서 "호(呼)는 밖으로 내쉬는 숨을 말하고(外息也), 대호(大呼)는 크게 내쉬는 숨을 말한다(大息也)."라고 하였다.
45) 견이(犬夷)는 견융(犬戎)으로, 서북방의 이민족을 지칭한다.

飜譯

'빠르게 숨을 내몰아 쉬다(疾息)'라는 뜻이다. 구(口)가 의미부이고 단(岀)이 소리부이다. 독음은 창(昌)과 연(沇)의 반절이다.

825

吁: 呼: 부를 호: 口-총8획: hū

原文

吁: 外息也. 从口乎聲. 荒烏切.

飜譯

'바깥으로 숨을 내쉬다(外息)'라는 뜻이다. 구(口)가 의미부이고 호(乎)가 소리부이다. 독음은 황(荒)과 오(烏)의 반절이다.

826

吸: 吸: 숨 들이쉴 흡: 口-총7획: xī

原文

吸: 内息也. 从口及聲. 許及切.

飜譯

'안으로 숨을 들이쉬다(内息)'라는 뜻이다. 구(口)가 의미부이고 급(及)이 소리부이다. 독음은 허(許)와 급(及)의 반절이다.

827

噓: 噓: 불 허: 口-총14획: xū

原文

噓: 吹也. 从口虛聲. 朽居切.

翻譯

'불다(吹)'라는 뜻이다. 구(口)가 의미부이고 허(虛)가 소리부이다. 독음은 후(朽)와 거(居)의 반절이다.

828

呿: 吹: 불 취: 口-총7획: chuī

原文

呿: 嘘也. 从口从欠. 昌垂切.

翻譯

'불다(嘘)'라는 뜻이다. 구(口)가 의미부이고 흠(欠)도 의미부이다. 독음은 창(昌)과 수(垂)의 반절이다.

829

喟: 喟: 한숨 위: 口-총12획: kuì

原文

喟: 大息也. 从口胃聲. 嘳, 喟或从貴. 丘貴切.

翻譯

'크게 탄식하다(大息)[한숨을 쉬다]'라는 뜻이다. 구(口)가 의미부이고 위(胃)가 소리부이다. 위(嘳)는 위(喟)의 혹체자인데, 귀(貴)로 구성되었다. 독음은 구(丘)와 귀(貴)의 반절이다.

830

嚉: 嚉: 느릿할 톤: 口-총11획: tūn

原文

嶦：口气也. 从口辜聲.『詩』曰："大車嶦嶦." 他昆切.

(飜譯)

'입기운(口气)'을 말한다. 구(口)가 의미부이고 순(辜)이 소리부이다. 『시·왕풍·대거(大車)』에서 "큰 수레가 덜컹덜컹 가는데(大車嶦嶦)"라고 노래했다. 독음은 타(他)와 곤(昆)의 반절이다.

831

嚔： 嚔: 재채기 체: 口-총18획: tì

(原文)

嚔：悟解气也. 从口疐聲.『詩』曰："願言則嚔." 都計切.

(飜譯)

'기류가 거꾸로 올라오다(悟解气)'라는 뜻이다.46) 구(口)가 의미부이고 체(疐)가 소리부이다. 『시·패풍·종풍(終風)』에서 "생각만 하면 가슴 메네(願言則嚔)"라고 노래했다. 독음은 도(都)와 계(計)의 반절이다.

832

嚍： 嚍: 쌍 사람 말 질: 口-총18획: zhì

(原文)

嚍：野人言之. 从口質聲. 之日切.

(飜譯)

'촌사람의 말투(野人言之)'를 말한다.47) 구(口)가 의미부이고 질(質)이 소리부이다.

---

46)『단주』에서 이렇게 말했다. "오해기(悟解气)라는 것은 흠(欠)자의 해석에서 입을 크게 벌리고 기가 갑자기 흩어지는 것을 말한다고 했는데 바로 그 뜻이다(張口气悟是也). 오(悟)는 각(覺)과 같은 뜻이고, 해(解)는 흩어지다(散)는 뜻이다.『통속문(通俗文)』에서 '장구운기(張口運气)를 흠거(欠欤: 재채기)라고 한다.'라고 했다."

독음은 지(之)와 일(日)의 반절이다.

833

唫: 唫: 입 다물 금: 口-총11획: jìn

原文

唫: 口急也. 从口金聲. 巨錦切.

翻譯

'급해서 말을 더듬다(口急)'라는 뜻이다. 구(口)가 의미부이고 금(金)이 소리부이다. 독음은 거(巨)와 금(錦)의 반절이다.

834

噤: 噤: 입 다물 금: 口-총16획: jìn

原文

噤: 口閉也. 从口禁聲. 巨禁切.

翻譯

'입을 다물다(口閉)'라는 뜻이다. 구(口)가 의미부이고 금(禁)이 소리부이다. 독음은 거(巨)와 금(禁)의 반절이다.

835

名: 名: 이름 명: 口-총6획: míng

原文

名: 自命也. 从口从夕. 夕者, 冥也. 冥不相見, 故以口自名. 武并切.

---

47) 『단주』에서 이렇게 말했다. "「논어(論語)」에서 '質勝文則野(실질이 정신적인 것을 이기면 거칠게 되는 법이다)'라고 했다. 이 글자는 회의(會意) 겸 형성(形聲)자이다."

飜譯

'스스로를 부르는 이름(自命)'을 말한다. 구(口)가 의미부이고 석(夕)도 의미부이다. 석(夕)은 어두워진 때(冥)를 말한다. 어두워지면 서로 보이지 않기 때문에 입으로 자신의 이름을 부른다.[48] 독음은 무(武)와 병(幷)의 반절이다.

836

吾: 吾: 나 오: 口-총7획: wú

原文

吾: 我, 自稱也. 从口五聲. 五乎切.

飜譯

'나(我)'를 말하는데, 스스로를 부르는 명칭이다(自稱). 구(口)가 의미부이고 오(五)가 소리부이다.[49] 독음은 오(五)와 호(乎)의 반절이다.

837

哲: 哲: 밝을 철: 口-총10획: zhé

原文

哲: 知也. 从口折聲. 悊, 哲或从心. 嚞, 古文哲从三吉. 陟列切.

---

48) 고문자에서 (닙비) (닙비)甲骨文 召召金文 邑古陶文 ㄹㄹㄹ召名召簡牘文 召石刻古文 召古璽文 등으로 썼다. 夕(저녁 석)과 口(입 구)로 이루어져, 캄캄한 밤(夕)에 입(口)으로 부르는 사람의 '이름'을 말하며, 이로부터 부르다, 姓名(성명), 이름을 붙이다, 시호 등의 뜻이 나왔다. 또 사물의 명칭이나 物目(물목)의 뜻도 나왔으며, 옛날에는 文字(문자)라는 뜻으로도 쓰였다.

49) 고문자에서 吾吾金文 吾簡牘文 䱷漢印 石刻古文 등으로 썼는데, 口(입 구)가 의미부고 五(다섯 오)가 소리부로, 입(口)으로 부르는 명칭으로, 일인칭 대명사인 '나'와 '우리'를 말한다.

翻譯

'잘 알다(知)'라는 뜻이다. 구(口)가 의미부이고 절(折)이 소리부이다.50) 철(㦬)은 철(哲)의 혹체자인데, 심(心)으로 구성되었다. 또 철(喆)은 철(哲)의 고문체인데, 세 개의 길(吉)로 구성되었다. 독음은 척(陟)과 렬(列)의 반절이다.

838

君: 君: 임금 군: 口-총7획: jūn

原文

君: 尊也. 从尹. 發號, 故从口. 𠁁, 古文象君坐形. 舉云切.

翻譯

'존귀한 존재(尊)'를 말한다. 윤(尹)이 의미부이다. 명령을 (입으로) 내리기에 구(口)가 의미부가 되었다.51) 군(𠁁)은 군(君)의 고문체인데, 임금이 앉아 있는 모습을 그렸다. 독음은 거(舉)와 운(云)의 반절이다.

839

命: 命: 목숨 명: 口-총8획: mìng

---

50) 고문자에서 ⿰ ⿰ ⿰ ⿰ ⿰ ⿰ ⿰ 𣏃金文 ⿰ ⿰ ⿰ ⿰ ⿰ ⿰古璽文 喆古四 등으로 썼는데, 口(입 구)가 의미부고 折(꺾을 절)이 소리부로, 명석하다는 뜻이다. 折은 판단하다는 뜻을 가져, 사고나 언사를 통해 정확한 판단을 할 수 있는 것, 혹은 그런 사람을 말하며, 이는 大智(대지)의 표현으로 인식되었다. 哲은 달리 折과 心(마음 심)이 상하로 결합한 구조로도 쓰는데 마음(心)이 명석함(折)을 말했다. 또 哲人의 언사나 행동은 극히 순조롭고 길하다는 뜻에서 吉(길할 길)이 셋 결합한 모습으로 쓰기도 했고, 하나를 줄여서 喆로 쓰기도 했다. 현대 중국에서는 喆(밝을 철)의 간화자로도 쓰인다.

51) 고문자에서 ⿰ ⿰ ⿰甲骨文 ⿰ ⿰ ⿰ ⿰ ⿰ ⿰金文 ⿰古陶文 ⿰ ⿰盟書 君簡牘 ⿰ ⿰古璽文 君漢印 ⿰石刻古文 등으로 썼는데, 口(입 구)가 의미부이고 尹(다스릴 윤)이 소리부로, 명령(口)을 내릴 수 있는 문서 관리자(尹)라는 뜻을 그렸고, 이로부터 '임금'과 통치자의 의미가 나왔고, 다시 상대방에 대한 존칭으로 쓰여 君子(군자)라는 의미가 나왔다.

原文

命: 使也. 从口从令. 眉病切.

飜譯

'시키는 것(使)'을 말한다. 구(口)가 의미부이고 령(令)도 의미부이다.52) 미(眉)와 병(病)의 반절이다.

840

訾: 咨: 물을 자: 口-총9획: zī

原文

訾: 謀事曰咨. 从口次聲. 即夷切.

飜譯

'어떤 일을 모의하는 것을 자(咨)라고 한다(謀事曰咨)'. 구(口)가 의미부이고 차(次)가 소리부이다.53) 독음은 즉(即)과 이(夷)의 반절이다.

841

召: 召: 부를 소: 口-총5획: zhào

---

52) 고문자에서 甲骨文 金文 古陶文 盟書 簡牘文 帛書 古璽文 등으로 썼는데, 口(입 구)가 의미부이고 令(우두머리 령)이 소리부인데, 令에서 口를 더해 분화한 글자이다. 모자를 쓰고 앉은 모습의 우두머리(令)의 입(口)에서 나오는 命令(명령)을 표현했고, 이로부터 '시키다'는 뜻이, 다시 하늘의 명령이 목숨이라는 뜻에서 '목숨'의 뜻이 나왔다.

53) 고문자에서 古幣文 漢印 등으로 썼는데, 口(입 구)가 의미부고 次(버금 차)가 소리부로, 어떤 일을 전문가에게 묻는다(諮問·자문)는 뜻인데, 침을 튀기듯(次) 열띠게 물어보는(口) 것을 말하며, 이후 의미의 강조를 위해 言(말씀 언)을 더한 諮(물을 자)가 만들어졌다. 또 감탄이나 탄식을 나타내는 말로도 쓰였으며, 옛날 동급기관에서의 일급 공문을 지칭하기도 하였다.

召: 評也. 从口刀聲. 直少切.

飜譯

'부르다(評)'라는 뜻이다. 구(口)가 의미부이고 도(刀)가 소리부이다.[54] 독음은 직(直)과 소(少)의 반절이다.

842

問: 問: 물을 문: 口-총11획: wèn

原文

問: 訊也. 从口門聲. 亡運切.

飜譯

'따져 묻다(訊)'라는 뜻이다. 구(口)가 의미부이고 문(門)이 소리부이다.[55] 독음은 망(亡)과 운(運)의 반절이다.

843

唯: 唯: 오직 유: 口-총11획: wéi

原文

---

54) 고문자에서 甲骨文 金文 古陶文 簡牘文 石刻古文 등으로 썼는데, 갑골문에서는 위쪽의 숟가락(匕)과 아래쪽의 입(口)으로 구성되어, 기물의 아가리(口)로부터 뜰 것(匕)으로 술을 뜨는 모습을 그렸으나, 숟가락이 刀(칼 도)로 변해 지금의 자형이 되었다. 손님을 접대하기 위해 술을 뜨다는 뜻으로부터 '초청하다'의 뜻이 나왔고, 이로부터 부르다, 초대하다, 초치하다 등의 뜻도 나왔다. 이후 부르는 행위를 더욱 강조하기 위해 手(손 수)를 더한 招(부를 초)가 만들어졌다.

55) 고문자에서 甲骨文 金文 등으로 썼는데, 口(입 구)가 의미부고 門(문 문)이 소리부로, 입(口)으로 묻는 것을 말하며, 이로부터 살피다, 힐문하다, 논란을 벌이다, 심문하다, 판결하다, 추구하다 등의 뜻이 나왔다. 간화자에서는 问으로 쓴다.

唯: 諾也. 从口隹聲. 以水切.

飜譯

'응대하는 소리(諾)'를 말한다. 구(口)가 의미부이고 추(隹)가 소리부이다. 독음은 이(以)와 수(水)의 반절이다.

844

 唱: **노래 창**: 口-총11획: chàng

原文

唱: 導也. 从口昌聲. 尺亮切.

飜譯

'이끌다(導)'라는 뜻이다. 구(口)가 의미부이고 창(昌)이 소리부이다.56) 독음은 척(尺)과 량(亮)의 반절이다.

845

 和: **화할 화**: 口-총8획: hé, hè, huó, huò

原文

龢: 相膺也. 从口禾聲. 戶戈切.

飜譯

'서로 응대하다(相膺)'라는 뜻이다. 구(口)가 의미부이고 화(禾)가 소리부이다.57) 독음은 호(戶)와 과(戈)의 반절이다.

---

56) 口(입 구)가 의미부고 昌(창성할 창)이 소리부로, 입(口)으로 노래를 부르다(昌)는 뜻이며, 이로부터 노래, 소리 높여 부르다, 이끌어 내다는 뜻도 나왔다.

57) 고문자에서 甲骨文 簡牘文 등으로 썼는데, 口(입 구)가 의미부고 禾(벼화)가 소리부로, 다관 피리를 말하는데, 조화롭다, 화합하다, 화목하다, 강화를 맺다, 섞다 등의 뜻이 나왔다. 원래는 龢(풍류 조화될 화)로 써 여러 개의 피리(龠·약)에서 나는 소리가 조화를 이루는 모습을 형상했으나, 다관 피리를 그린 龠을 口로 줄여 지금의 자형이 되었다.

846

哩: 咥: 깨물 질·웃음소리 희: 口-총9획: xī

原文

哩: 大笑也. 从口至聲.『詩』曰: "咥其笑矣." 許旣切.

飜譯

'크게 웃다(大笑)'라는 뜻이다. 구(口)가 의미부이고 지(至)가 소리부이다.『시·위풍·맹(氓)』에서 "나를 보고 허허 웃기만 했네(咥其笑矣)"라고 노래했다. 독음은 허(許)와 기(旣)의 반절이다.

847

啞: 啞: 벙어리 아: 口-총11획: yā, yǎ

原文

啞: 笑也. 从口亞聲.『易』曰: "笑言啞啞." 於革切.

飜譯

'웃다(笑)'라는 뜻이다. 구(口)가 의미부이고 아(亞)가 소리부이다.『역·진괘(震卦)』에서 "웃음소리 가득하구나(笑言啞啞)"라고 했다. 독음은 어(於)와 혁(革)의 반절이다.

848

噱: 噱: 크게 웃을 갹: 口-총16획: jué

原文

噱: 大笑也. 从口豦聲. 其虐切.

飜譯

'크게 웃다(大笑)'라는 뜻이다. 구(口)가 의미부이고 거(豦)가 소리부이다. 독음은 기

(其)와 학(虐)의 반절이다.

849

唏: 唏: 슬퍼할 희: 口-총10획: xī

<details>原文</details>

唏: 笑也. 从口, 稀省聲. 一曰哀痛不泣曰唏. 虛豈切.

<details>飜譯</details>

'웃다(笑)'라는 뜻이다. 구(口)가 의미부이고, 희(稀)의 생략된 모습이 소리부이다. 일설에는 '애통하지만 울지 않는 것(哀痛不泣)'을 희(唏)라고도 한다. 독음은 허(虛)와 기(豈)의 반절이다.

850

听: 听: 웃을 은: 口-총7획: yǐn

<details>原文</details>

听: 笑皃. 从口斤聲. 宜引切.

<details>飜譯</details>

'웃는 모습(笑皃)'을 말한다. 구(口)가 의미부이고 근(斤)이 소리부이다. 독음은 의(宜)와 인(引)의 반절이다.

851

呭: 呭: 수다스러울 예: 口-총8획: yì

<details>原文</details>

呭: 多言也. 从口世聲. 『詩』曰: "無然呭呭." 余制切.

<details>飜譯</details>

'말이 많다(多言)'라는 뜻이다. 구(口)가 의미부이고 세(世)가 소리부이다. 『시·대아 판(板)』에서 "그처럼 떠들고만 있지 말기를(無然呭呭)"이라고 노래했다. 독음은 여(余)와 제(制)의 반절이다.

852

嘄: 嘄: 부르짖을 규: 口-총18획: jiāo

原文

嘄: 聲嘄嘄也. 从口梟聲. 古堯切.

飜譯

'부르짖는 소리(聲嘄嘄)'를 말한다.58) 구(口)가 의미부이고 효(梟)가 소리부이다. 독음은 고(古)와 요(堯)의 반절이다.

853

咄: 咄: 꾸짖을 돌: 口-총8획: duō

原文

咄: 相謂也. 从口出聲. 當沒切.

飜譯

'서로에게 말을 하다(相謂)'59)는 뜻이다. 구(口)가 의미부이고 출(出)이 소리부이다. 독음은 당(當)과 몰(沒)의 반절이다.

---

58) 『단주』에서 이렇게 말했다. "『주례·대축(大祝)』의 주석에서 규(嘄)는 빌다(祈)는 뜻이라고 했는데, 재앙이나 변고가 생겨 신에게 복을 내려달라고 비는 것을 말한다."

59) 『단주』에서는 이렇게 말했다. "서로 힐난을 하고자 상대를 먼저 놀라게 하는 말을 말한다(欲相語而先驚之之詞). 어떤 일에 대해 돌차(咄嗟), 돌차(咄唶), 돌돌(咄咄)[모두 질타하고 비난하다는 뜻이다]한다고 하는 것은 모두 잠시 갑자기 서로 놀라다(猝乍相驚)는 뜻을 가져온 것이다. 『창힐편(倉頡篇)』에서 돌(咄)은 꾸짖다(啐)는 뜻이라고 했고, 『설문』에서 쵀(啐)는 놀라다(驚)는 뜻이라고 했다."

854

嗳: 唉: 그래 애: 口-총10획: āi

原文

嗳: 譍也. 从口矣聲. 讀若埃. 烏開切.

飜譯

‘응대함(譍)’을 말한다.[60] 구(口)가 의미부이고 의(矣)가 소리부이다. 애(埃)와 같이 읽는다. 독음은 오(烏)와 개(開)의 반절이다.

855

哉: 哉: 어조사 재: 口-총9획: zāi

原文

哉: 言之閒也. 从口𢦏聲. 祖才切.

飜譯

‘말 사이에서 잠시 쉬게 하는 문법소(言之閒)’를 말한다. 구(口)가 의미부이고 재(𢦏)가 소리부이다.[61] 독음은 조(祖)와 재(才)의 반절이다.

856

噂: 噂: 수군거릴 준: 口-총15획: zǔn

原文

噂: 聚語也. 从口尊聲. 『詩』曰: "噂沓背憎." 子損切.

---

60) 『단주』에 의하면, "『방언(方言)』에서 애(欸)는 그러하다(然)는 뜻인데, 남초(南楚) 지역에서는 그러하다고 하는 것을 애(欸)라고 하거나 혹은 의(譬)라고 한다고 했다."

61) 고문자에서 𢦏𢦏金文 𢦏𢦏簡牘文 등으로 썼는데, 口(입 구)가 의미부고 𢦏(다칠 재)가 소리부로, 말하는(口) 것을 잘라(𢦏) 중간에 쉬도록 하는 것을 말했는데, 이후 감탄이나 의문을 나타내는 어기사로 쓰였다.

翻譯
'여럿 모여서 수군거리는 말(聚語)'을 말한다. 구(口)가 의미부이고 존(尊)이 소리부이다. 『시·소아시월지교(十月之交)』에서 "모이면 말 많고 등지면 서로 미워하네(噂沓背憎)"라고 노래했다. 독음은 자(子)와 손(損)의 반절이다.

857

晜 : 聑: 참소할 집: 口-총9획: qī

原文

聑 : 聶語也. 从口从耳.『詩』曰: "聑聑幡幡." 七入切.

翻譯
'소곤거리는 말(聶語)'을 말한다. 구(口)가 의미부이고 이(耳)도 의미부이다. 『시·소아항백(巷伯)』에서 "조잘조잘 약삭빠른 말로(聑聑幡幡)"라고 노래했다. 독음은 칠(七)과 입(入)의 반절이다.

858

呷 : 呷: 마실 합: 口-총8획: xiā

原文

呷 : 吸呷也. 从口甲聲. 呼甲切.

翻譯
'많은 소리가 한데 뒤섞임(吸呷)'을 말한다. 구(口)가 의미부이고 갑(甲)이 소리부이다. 독음은 호(呼)와 갑(甲)의 반절이다.

859

嘒 : 嘒: 가냘플 혜: 口-총14획: huì

原文

嘒: 小聲也. 从口彗聲. 『詩』曰: "嘒彼小星." 嚖, 或从慧. 呼惠切.

飜譯

'작은 소리(小聲)'를 말한다. 구(口)가 의미부이고 혜(彗)가 소리부이다. 『시·소남·소성(小星)』에서 "반짝반짝 작은 별은(嘒彼小星)"이라고 노래했다. 혜(嚖)는 혹체자인데, 혜(慧)로 구성되었다. 독음은 호(呼)와 혜(惠)의 반절이다.

860

嘫: 嘫: 대답할 연: 口-총15획: rán

原文

嘫: 語聲也. 从口然聲. 如延切.

飜譯

'[그렇다고 응답하는] 말소리(語聲)'를 말한다. 구(口)가 의미부이고 연(然)이 소리부이다. 독음은 여(如)와 연(延)의 반절이다.

861

嗙: 嗙: 껄껄 웃을 봉: 口-총11획: fĕng

原文

嗙: 大笑也. 从口奉聲. 讀若『詩』曰"瓜瓞菶菶". 方蠓切.

飜譯

'크게 웃다(大笑)'라는 뜻이다. 구(口)가 의미부이고 봉(奉)이 소리부이다. 『시·대아·생민(生民)』에서 노래한 "과질봉봉(瓜瓞菶菶: 외 덩굴도 죽죽 자랐다네)"의 봉(菶)과 같이 읽는다. 독음은 방(方)과 몽(蠓)의 반절이다.

862

嗔: 嗔: 성낼 진: 口-총13획: chēn

原文

嗔: 盛气也. 从口眞聲.『詩』曰：“振旅嗔嗔.” 待年切.

飜譯

‘기운이 가득하다(盛气)’라는 뜻이다. 구(口)가 의미부이고 진(眞)이 소리부이다.『시·소아채기(采芑)』에서 “북소리 따라 군사들 사기가 충천하구나(振旅嗔嗔)”라고 노래했다. 독음은 대(待)와 년(年)의 반절이다.

863

嘌: 嘌: 빠를 표: 口-총14획: piào

原文

津: 疾也. 从口票聲.『詩』曰：“匪車嘌兮.” 撫招切.

飜譯

‘빠르다(疾)’라는 뜻이다. 구(口)가 의미부이고 표(票)가 소리부이다.『시·회풍·비풍(匪風)』에서 “수레 뒤흔들리며 따라가고 있네(匪車嘌兮)”라고 노래했다. 독음은 무(撫)와 초(招)의 반절이다.

864

嘑: 嘑: 부르짖을 호: 口-총14획: hū

原文

嘑: 唬也. 从口虖聲. 荒烏切.

飜譯

‘꾸짖음(唬)’을 말한다. 구(口)가 의미부이고 호(虖)가 소리부이다. 독음은 황(荒)과 오(烏)의 반절이다.

865

땰: 땰: 떠들 육: 口-총12획: yù

原文

땰: 音聲땰땰然. 从口昱聲. 余六切.

譯

'시끌벅적하게 소리가 많다(音聲땰땰然)'라는 뜻이다. 구(口)가 의미부이고 욱(昱)이 소리부이다. 독음은 여(余)와 륙(六)의 반절이다.

866

嘯: 嘯·휘파람 불 소: 口-총15획: xiāo

原文

嘯: 吹聲也. 从口肅聲. 歗, 籀文嘯从欠. 穌弔切.

譯

'휘파람부는 소리(吹聲)'를 말한다.[62] 구(口)가 의미부이고 숙(肅)이 소리부이다. 소(歗)는 소(嘯)의 주문체인데, 흠(欠)으로 구성되었다. 독음은 소(穌)와 조(弔)의 반절이다.

867

台: 台: 별 태·나 이: 口-총5획: tái, tāi

原文

台: 說也. 从口㠯聲. 與之切.

---

62) 『시경·소남(召南)』의 『전(箋)』에서 "소(嘯)는 입을 오그려 내는 소리는 말한다(蹙口而出聲也)"고 했다.

翻譯

'기뻐하다(說)'라는 뜻이다. 구(口)가 의미부이고 이(㠯)가 소리부이다.[63] 독음은 여(與)와 지(之)의 반절이다.

868

䚻: 䚻: 기꺼울 요: 口−총13획: yáo

原文

䚻: 喜也. 从口䚻聲. 余招切.

翻譯

'기뻐하다(喜)'라는 뜻이다. 구(口)가 의미부이고 요(䚻)가 소리부이다. 독음은 여(余)와 초(招)의 반절이다.

869

启: 启: 열 계: 口−총7획: qǐ

原文

启: 開也. 从戶从口. 康禮切.

翻譯

'열다(開)'라는 뜻이다. 호(戶)가 의미부이고 구(口)도 의미부이다. 독음은 강(康)과 례(禮)의 반절이다.

---

63) 고문자에서 ▨簡牘文 등으로 썼는데, 口(입 구)가 의미부고 以(써 이)가 소리부인데 자형이 조금 변해 지금처럼 되었다. 입(口)에서 웃음이 나오는 모습처럼, '기쁘다'가 원래 뜻으로, 독음은 怡(기쁠 이), 貽(끼칠 이), 飴(엿 이)에서처럼 '이'로 읽혔다. 하지만 '별이름'을 말할 때에는 '태'로 읽혔는데, 三台星(삼태성)은 옛날 핵심 권력을 장악했던 三公(삼공)을 상징하는 별이었다. 현대 중국에서는 臺(돈대 대), 檯(등대 대), 颱(태풍 태) 등의 간화자로도 쓰인다.

870

嗿: 嗿: 많을 탐: 口-총14획: tǎn

原文

嗿: 聲也. 从口貪聲. 『詩』曰: "有嗿其饁." 他感切.

譯

'[여럿이 음식을 먹는] 소리(聲)'를 말한다. 구(口)가 의미부이고 탐(貪)이 소리부이다. 『시·주송·대삼(戴芟)』에서 "맛있게 들밥을 먹네(有嗿其饁)"라고 노래했다. 독음은 타(他)와 감(感)의 반절이다.

871

咸: 咸: 다 함: 口-총9획: xián

原文

咸: 皆也. 悉也. 从口从戌. 戌, 悉也. 胡監切.

譯

'모두(皆)'라는 뜻이다. '남김없이 모두(悉)'를 말한다. 구(口)가 의미부이고 술(戌)도 의미부인데, 술(戌)은 모두(悉)를 뜻한다.64) 독음은 호(胡)와 감(監)의 반절이다.

872

呈: 呈: 드릴 정: 口-총7획: chéng

---

64) 고문자에서 갑골문 그림甲骨文 금문 그림金文 고도문 그림古陶文 간독문 그림簡牘文 고 새문 그림古璽文 석각고문 그림石刻古文 등으로 썼는데, 口(입 구)와 戌(개 술)로 구성되어, 무기(戌)를 들고 입(口)으로 '함성'을 지르는 모습을 그렸다. 喊聲(함성)은 '모두'가 함께 질러야 한다는 뜻에서 '모두'나 '함께'라는 뜻이 나왔다. 그러자 원래 뜻은 다시 口를 더한 喊(소리 함)으로 분화했다. 현대 중국에서는 鹹(짤 함)의 간화자로도 쓰인다.

原文

呈: 平也. 从口壬聲. 直貞切.

飜譯

'[공평한 말로] 평론하다(平)'라는 뜻이다.[65] 구(口)가 의미부이고 정(壬)이 소리부이다.[66] 독음은 직(直)과 정(貞)의 반절이다.

873

右: 오른쪽 우: 口-총5획: yòu

原文

右: 助也. 从口从又. 于救切.

飜譯

'돕다(助)'라는 뜻이다. 구(口)가 의미부이고 우(又)도 의미부이다.[67] 독음은 우(于)와 구(救)의 반절이다.

---

65) 『단주』에서 "오늘날의 의미는 보이다, 드러내다는 뜻이다(今義云示也, 見也.)"라고 했다.

66) 고문자에서 呈 呈盟書 呈古璽文 등으로 썼는데, 口(입 구)가 의미부고 壬(좋을 정)이 소리부로, 다른 사람에게 공경스럽게 드리다는 뜻인데, 발을 곧추세우고(壬) 공손하게 말하며(口) 남에게 건네 '주는' 모습을 담았다. 壬(아홉째 천간 임)과 壬은 원래 다른 글자였는데, 예서체에 들면서 통합되어 구분이 없어졌다. 呈 이외에 重(무거울 중), 廷(조정 정), 望(바랄 망), 淫(음란할 음), 徵(부를 징), 聽(들을 청) 등은 모두 壬(좋을 정)으로 구성된 글자들이다.

67) 고문자에서 甲骨文 金文 古陶文 簡牘文 古璽文 등으로 썼는데, 원래는 오른손을 그려 돕다는 뜻을 그렸다. 이후 오른손, 오른쪽, 돕다, 중시하다, 귀하다의 뜻이 나왔고, 다시 서쪽 즉 남쪽으로 보고 앉았을 때의 오른쪽을 지칭하게 되었다. 이후 그것이 오른쪽 손임을 더욱 명확하게 하려고 손의 왼쪽에 두 점을 첨가하였다가, 다시 口로 바꾸어 지금의 자형이 되었는데, 口는 입이나 기물의 아가리를 그렸다. 혹자는 이를 두고 오른손으로 입(口)에 밥을 떠 넣거나, 그릇(口)에서 음식을 덜어내는 모습을 그렸다고 풀이하기도 한다.

874

啻: 啻: 뿐 시: 口-총12획: chì

原文

啻: 語時不啻也. 从口帝聲. 一曰啻, 諟也. 讀若鞮. 施智切.

飜譯

'다만, 단지라는 뜻을 나타내는 말(語時不啻)'이다. 구(口)가 의미부이고 제(帝)가 소리부이다.68) 일설에, 시(啻)는 '자세히 살피다(諟)'는 뜻이라고도 한다.69) 제(鞮)와 같이 읽는다. 독음은 시(施)와 지(智)의 반절이다.

875

吉: 吉: 길할 길: 口-총6획: jí

原文

吉: 善也. 从士、口. 居質切.

飜譯

'훌륭하다(善)'라는 뜻이다. 사(士)와 구(口)가 의미부이다.70) 독음은 거(居)와 질(質)

---

68) 고문자에서 金文 古陶文 簡牘文 帛書 石刻古文 등으로 썼는데, 口(입 구)가 의미부이고 帝(임금 제)가 소리부로, '단지…뿐', '다만' 등의 부사 기능을 나타내는 말(口)로 쓰인다.

69) 『단주』에서 이렇게 말했다. "언(言)부수에서 시(諟)는 갈무리하다(理)는 뜻이라고 했는데, 시(諟)를 자세히 살피다(審諦)는 뜻으로 사용하기도 한다."

70) 고문자에서 甲骨文 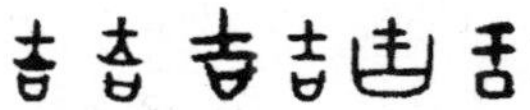金文 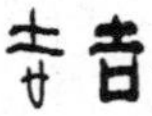古陶文 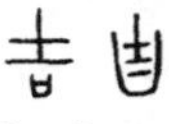古幣文 盟書 簡牘文 古璽文 등으로 썼다. 口(입 구)와 士(선비 사)로 구성되었는데, 이의 자원에 대해서는 의견이 분분하다. 혹자는 위가 화살촉 모양을 하였고 아래쪽은 그런 병기를 담는 그릇으로, 병기를 보관하는 그릇은 튼튼해야 하고 튼튼한 것은 '좋은 것'이라는 뜻에서 '길상'의 의미가 나왔다고 풀이하기도 한다. 또 윗부분은 제사를 지내는 사당을 그렸고 아랫부분은 거기로 들어가는 입구(口)로 보아, 사당에서 '좋은' 일이 일어나기를 비는 행위로부터 '길하다'는 뜻이 나왔다고도 한다. 하지만, 원시 시절 집의

의 반절이다.

876

周: 周: 두루 주: 口-총8획: zhōu

原文

周: 密也. 从用、口. 㞢, 古文周字从古文及. 職畱切.

飜譯

'빽빽하다(密)'라는 뜻이다. 용(用)과 구(口)가 의미부이다.[71] 주(㞢)는 주(周)의 고문체인데, 급(及)의 고문체로 구성되었다. 독음은 직(職)과 류(畱)의 반절이다.

877

唐: 唐: 당나라 당: 口-총10획: táng

原文

입구(口)에 설치한 남성 숭배물(士)로부터 '길함'과 吉祥(길상), 상서로움 등의 뜻이 나왔다는 것이 더욱 설득력이 있다. 좋다, 단단하다가 원래 뜻이고, 이로부터 훌륭하다, 길하다 등의 뜻이 나왔다. 혹자는 주형틀로 청동 무기를 만드는 모습에서 왔다고 하면서 "이미 다 갖추어진 주형틀이 깊은 구덩이에 설치된 모습이다. 구덩이에 넣으면 냉각 속도가 느려져 (청동기물을) 더욱 아름답게 주조할 수 있다. 이로부터 '훌륭하다', '좋다'는 뜻이 나왔다."로 풀이하기도 한다.(허진웅, 2021)

71) 고문자에서 ![甲骨文] 甲骨文 ![金文] 金文 ![古陶文] 古陶文 ![石刻古文] ![簡牘文] 簡牘文 ![古璽文] 古璽文 ![石刻古文] 石刻古文 등으로 썼다. 이의 자원은 아직 정확하게 밝혀지지 않은 상태이다. 어떤 이는 砂金(사금)을 채취하는 뜰채를 그렸다고 하며, 어떤 이는 물체에 稠密(조밀)하게 조각을 해 놓은 모습이라고도 한다. 하지만 稠(빽빽할 조)나 凋(시들 주) 등과의 관계를 고려해 볼 때 이는 밭(田·전)에다 곡식을 빼곡히 심어 놓은 모습을 그린 것으로 보인다. 곡식을 밭에 빼곡히 심어 놓은 것처럼 '稠密하다'가 周의 원래 뜻으로 추정된다. 이후 나라 이름으로 쓰이게 되자 원래 뜻을 나타낼 때에는 禾(벼 화)를 더한 稠로 분화함으로써 그것이 곡식(禾)임을 구체화했다. 곡식을 심는 곳은 도성의 중심에서 벗어난 주변이므로 '주위'라는 뜻도 갖게 되었다. 현대 중국에서는 週(돌 주)의 간화자로도 쓰인다.

啇: 大言也. 从口庚聲. 啺, 古文唐从口、昜. 徒郎切.

飜譯

'허풍(大言)'을 말한다. 구(口)가 의미부이고 경(庚)이 소리부이다.72) 당(啺)은 당(唐)의 고문체인데, 구(口)와 양(昜)으로 구성되었다. 독음은 도(徒)와 랑(郎)의 반절이다.

878

 疇: 꿩 이름 주: 口-총14획: chóu

原文

疇: 誰也. 从口、屛, 又聲. 屛, 古文疇. 直由切.

飜譯

'누구(誰)'라는 뜻이다. 구(口)와 주(屛)가 의미부이고, 우(又)가 소리부이다. 주(屛)는 주(疇)의 고문체이다. 독음은 직(直)과 유(由)의 반절이다.

879

嘾: 嘾: 가득 삼킬 담: 口-총15획: dàn

原文

嘾: 含深也. 从口覃聲. 徒感切.

飜譯

'입속 깊이 머금다(含深)'라는 뜻이다. 구(口)가 의미부이고 담(覃)이 소리부이다. 독음은 도(徒)와 감(感)의 반절이다.

---

72) 고문자에서 ![甲骨文] 甲骨文 ![金文] 金文 ![簡牘文] 簡牘文 ![古璽文] 古璽文 등으로 썼다. 口(입 구)가 의미부이고 庚(일곱째 천간 경)이 소리부로, 악기(庚) 소리처럼 '크게 말하다(口)'가 원래 뜻이며, 큰 소리는 빈말이자 공허하기 일쑤라는 뜻에서 '허풍'과 '공허', 荒唐(황당) 등의 뜻이 나왔다. 또 사람 이름으로 쓰여 상나라 제1대 왕(成湯·성탕)을 말했고, 나라 이름으로도 쓰여 중고 시대의 唐나라와 오대 때의 後唐(후당)을 지칭하기도 한다.

880

噎: 噎: 목멜 일·역: 口-총15획: yē

原文

噎: 飯窒也. 从口壹聲. 烏結切.

繙譯

‘음식이 목에 걸리다(飯窒)’라는 뜻이다. 구(口)가 의미부이고 일(壹)이 소리부이다.
독음은 오(烏)와 결(結)의 반절이다.

881

嗢: 嗢: 목멜 올: 口-총13획: wà

原文

嗢: 咽也. 从口𥁕聲. 烏沒切.

繙譯

‘목이 메다(咽)’라는 뜻이다. 구(口)가 의미부이고 온(𥁕)이 소리부이다. 독음은 오
(烏)와 몰(沒)의 반절이다.

882

哯: 哯: 아이 젖 토할 현: 口-총10획: xiàn

原文

哯: 不歐而吐也. 从口見聲. 胡典切.

繙譯

‘구역질을 하지 않은 채 토하다(不歐而吐)’라는 뜻이다.[73] 구(口)가 의미부이고 견

---

73) 『단주』에서 이렇게 말했다. “흠(欠)부수에서 구(歐)는 토하다(吐)는 뜻이라고 했는데, 구분 없

(見)이 소리부이다. 독음은 호(胡)와 전(典)의 반절이다.

883

吐: 吐: 토할 토: 口-총6획: tǔ

原文

吐: 寫也. 从口土聲. 他魯切.

飜譯

'[입으로] 쏟아내다(寫)'74)는 뜻이다. 구(口)가 의미부이고 토(土)가 소리부이다. 독음은 타(他)와 로(魯)의 반절이다.

884

噦: 噦: 딸꾹질할 얼·새소리 홰: 口-총16획: yuě

原文

噦: 气啎也. 从口歲聲. 於月切.

飜譯

'구역질 소리(气啎)'를 말한다. 구(口)가 의미부이고 세(歲)가 소리부이다. 독음은 어(於)와 월(月)의 반절이다.

885

咈: 咈: 어길 불: 口-총8획: fú

이 통칭해서 한 말이다. 여기에서는 '구역질 없이 토하는 것을 말한다(不歐而吐也)'고 했는데 이는 자세히 구분해서 한 말이다. 구(歐)는 가슴이나 목구멍(匈喉)에서 나는 구역질을 말하고, 토(吐)는 입으로 토해내는 것을 말한다. 가슴과 목구멍이 악화되지 않고서 토해내는 것이기에 이를 현(哯)이라 했던 것이다. 『유편』과 『운회』에서 '사정없이 내뱉는 것(不顧而唾)'이라고 풀이했는데 옳지 않다."
74) 『석명·석질병』에서 "양주(揚州)와 예주(豫州) 동쪽 지역에서는 사(瀉)를 토(吐)라고 한다."라고 하였는데, 여기서의 사(寫)는 사(瀉)와 같아 '토해내다, 입으로 쏟아내다'라는 뜻이다.

原文

咈 : 違也. 从口弗聲. 『周書』曰: "咈其耇長." 符弗切.

飜譯

'어긋나다(違)'는 뜻이다. 구(口)가 의미부이고 불(弗)이 소리부이다. 『주서』에서 "저 나이 든 어른의 뜻을 거스르는구나(咈其耇長)."라고 했다. 독음은 부(符)와 불(弗)의 반절이다.

886

嚘 : 嚘: 탄식할 우: 口-총18획: yōu

原文

嚘 : 語未定皃. 从口憂聲. 於求切.

飜譯

'말이 안정되지 않은 모습(語未定皃)'을 말한다. 구(口)가 의미부이고 우(憂)가 소리부이다. 독음은 어(於)와 구(求)의 반절이다.

887

吃 : 吃: 말 더듬을 흘: 口-총6획: chī

原文

吃 : 言蹇難也. 从口气聲. 居乙切.

飜譯

'말을 더듬다(言蹇難)'라는 뜻이다. 구(口)가 의미부이고 기(气)가 소리부이다. 독음은 거(居)와 을(乙)의 반절이다.

888

嗜: 嗜: 즐길 기: 口-총13획: shì

原文

嗜: 嗜欲, 喜之也. 从口耆聲. 常利切.

譯

'기욕(嗜欲)'이라는 뜻이며, '어떤 것을 좋아함(喜之)'을 말한다.[75] 구(口)가 의미부이고 기(耆)가 소리부이다. 독음은 상(常)과 리(利)의 반절이다.

889

啖: 啖: 먹을 담: 口-총11획: dàn

原文

啖: 噍啖也. 从口炎聲. 一曰啗. 徒敢切.

譯

'씹어서 먹다(噍啖)'라는 뜻이다. 구(口)가 의미부이고 염(炎)이 소리부이다. 일설에는 담(啗: 씹다)과 같다고도 한다. 독음은 도(徒)와 감(敢)의 반절이다.

890

哽: 哽: 목멜 경: 口-총10획: gěng

原文

哽: 語爲舌所介也. 从口更聲. 讀若井級綆. 古杏切.

譯

'말이 혀에 의해 꼬이다(語爲舌所介)'라는 뜻이다. 구(口)가 의미부이고 경(更)이 소리부이다. 정급경(井級綆·우물 속의 두레박 줄)이라고 할 때의 경(綆)과 같이 읽는다.

---

75) 『단주』에서는 『운회(韻會)』에 근거하여 "嗜欲, 喜之也."를 "喜欲之也"로 고쳤다.

독음은 고(古)와 행(杏)의 반절이다.

891

嘐: 嘐: 닭 울 교·큰소리 효: 口-총14획: xiāo

(原文)

嘐: 誇語也. 从口翏聲. 古肴切.

(飜譯)

'과장된 말(誇語)'을 말한다. 구(口)가 의미부이고 요(翏)가 소리부이다. 독음은 고(古)와 효(肴)의 반절이다.

892

嘲: 嘲: 비웃을 조: 口-총11획: zhāo

(原文)

嘲: 嘲, 嘐也. 从口周聲. 陟交切.

(飜譯)

'조(嘲)는 효(嘐)와 같아 큰소리치다'라는 뜻이다.[76] 구(口)가 의미부이고 주(周)가 소리부이다. 독음은 척(陟)과 교(交)의 반절이다.

893

哇: 哇: 음란한 소리 왜·토할 와: 口-총9획: wā

(原文)

哇: 諂聲也. 从口圭聲. 讀若醫. 於佳切.

---

76) 서호의 『단주전』에서 이렇게 끊어 읽지 않고 하나의 단어로 설명하면서 이렇게 말했했. "조효(嘲嘐)는 이어지는 연면어로, 표제자인 전서체를 다시 제시한 것이 아니다." 『유편』에서 "조효(嘲嘐)는 말이 많음을 말한다(語多)"라고 했다.

飜譯

'아첨이 서린 [음악] 소리(諂聲)'를 말한다.[77] 구(口)가 의미부이고 규(圭)가 소리부이다. 의(醫)와 같이 읽는다. 독음은 어(於)와 가(佳)의 반절이다.

894

喝: 홈: 말다툼할 알: 口-총9획: è

原文

喝: 語相訶歫也. 从口歫辛. 辛, 惡聲也. 讀若櫱. 五葛切.

飜譯

'서로 욕을 하며 다투다(語相訶歫)'라는 뜻이다. 구(口)와 거(歫)와 건(辛)이 의미부이다. 건(辛)은 나쁜 소리(惡聲)를 말한다. 얼(櫱)과 같이 읽는다. 독음은 오(五)와 갈(葛)의 반절이다.

895

咮: 哾: 말 많을 두: 口-총7획: dōu

原文

咮: 講哾, 多言也. 从口, 投省聲. 當侯切.

飜譯

'섭두(講哾)를 말하는데, 말이 많다(多言)'라는 뜻이다.[78] 구(口)가 의미부이고, 투(投)의 생략된 모습이 소리부이다. 독음은 당(當)과 후(侯)의 반절이다.

---

77) 『광운(廣韻)』에서는 "음란한 소리(淫聲)"라고 했고, 『단주』에서도 와(哇)를 "음란한 소리(淫哇)"로 풀이했다. 그러나 『양자(揚子)·법언(法言)』에서는 "或雅或鄭, 何也?(음악이 혹은 우아하고 혹은 음란한 것은 무엇 때문인가?) 중심을 잡고 바르면 우아하고(中正則雅), 아첨 끼가 많으면 음란하다(多哇則鄭)."라고 했다.

78) 언(言)부수에서 섭(講)은 말이 많음(多言)을 말한다고 했고, 섭두(講哾)를 『옥편』에서는 섭두(喢哾)로 썼다.

896

呩： 呩: 꾸짖을 저: 口-총8획: dǐ

原文

呩: 苛也. 从口氏聲. 都禮切.

飜譯

'꾸짖다(苛)'라는 뜻이다. 구(口)가 의미부이고 저(氏)가 소리부이다. 독음은 도(都)와 례(禮)의 반절이다.

897

呰： 呰: 구차할 자: 口-총8획: zǐ

原文

呰: 苛也. 从口此聲. 將此切.

飜譯

'꾸짖다(苛)'라는 뜻이다. 구(口)가 의미부이고 차(此)가 소리부이다. 독음은 장(將)과 차(此)의 반절이다.

898

嗻： 嗻: 말 많을 차: 口-총14획: zhè

原文

嗻: 遮也. 从口庶聲. 之夜切.

飜譯

'[다른 사람의 말] 가로막다(遮)'라는 뜻이다. 구(口)가 의미부이고 서(庶)가 소리부이다. 독음은 지(之)와 야(夜)의 반절이다.

899

呅: 呅: 망령되이 말할 겹: 口-총10획: jié

原文

呅: 妄語也. 从口夾聲. 讀若莢. 古叶切.

飜譯

'망령된 말(妄語)'을 말한다. 구(口)가 의미부이고 협(夾)이 소리부이다. 독음은 협(莢)과 같이 읽는다. 고(古)와 협(叶)의 반절이다.

900

嗑: 嗑: 말 많을 합: 口-총13획: kè

原文

嗑: 多言也. 从口盍聲. 讀若甲. 候榼切.

飜譯

'말이 많다(多言)'라는 뜻이다. 구(口)가 의미부이고 합(盍)이 소리부이다. 갑(甲)과 같이 읽는다. 독음은 후(候)와 합(榼)의 반절이다.

901

嗙: 嗙: 웃을 방: 口-총13획: pǎng

原文

嗙: 謌聲. 嗙喻也. 从口旁聲. 司馬相如說, 淮南宋蔡舞嗙喻也. 補盲切.

飜譯

'노래 소리(謌聲)'를 말한다. 또 '방유(嗙喻)라는 노래 이름'을 말한다.79) 구(口)가

---

79) 방유(嗙喻)는 옛날의 악곡 이름이다. 한나라 사마상여(司馬相如)의 『범장편(凡將篇)』에서 "淮南激楚舞嗙喻(회남과 송과 채 지역에서는 방유 곡을 춤으로 추었다)"라고 했다. 명나라 양신

의미부이고 방(旁)이 소리부이다. 사마상여(司馬相如)에 의하면, 회남(淮南), 송(宋), 채(蔡) 지역에서는 방유(嗙喻)라는 악곡에 맞춰 춤을 춘다고 한다. 독음은 보(補)와 맹(盲)의 반절이다.

902

嚖: 嚖: 열이 나서 떠들 홰: 口-총16획: huì

原文

嚖: 高气多言也. 从口, 薑省聲.『春秋傳』曰: "嚖言." 訶介切.

飜譯

'목소리를 높이고 말이 많음(高气多言)'을 말한다. 구(口)가 의미부이고, 채(薑)의 생략된 모습이 소리부이다. 『춘추전』(『좌전』 애공 24년, B.C. 471)에서 "황당한 말이구나(嚖言)"라고 했다. 독음은 가(訶)와 개(介)의 반절이다.

903

𠷡: 𠷡: 소리 높일 구: 口-총5획: qiú

原文

𠷡: 高气也. 从口九聲. 臨淮有𠷡猶縣. 巨鳩切.

飜譯

'목소리를 높이다(高气)'라는 뜻이다. 구(口)가 의미부이고 구(九)가 소리부이다. 회수(淮) 인근 지방에 구유현(𠷡猶縣)이 있다. 독음은 거(巨)와 구(鳩)의 반절이다.

904

嘮: 嘮: 떠들썩할 로: 口-총15획: láo, lào

(楊慎)의 『예림벌산(藝林伐山)·구유방유(嘔喻嗙喻)』에서 "사마상여의 『범장편』에서 '淮南激楚舞嗙喻.'라고 했는데 이는 고대의 악곡 이름이다. 달리 방유(嗙由)로도 읽는다."라고 했다.

原文

嘮: 嘮呶, 讙也. 从口勞聲. 敕交切.

飜譯

'로노(嘮呶)를 말하는데, 떠들썩하다(讙)는 뜻이다.' 구(口)가 의미부이고 로(勞)가 소리부이다. 독음은 칙(敕)과 교(交)의 반절이다.

905

呶: 呶: **지껄일 노**: 口-총8획: náo

原文

呶: 讙聲也. 从口奴聲. 『詩』曰: "載號載呶." 女交切.

飜譯

'시끌벅적한 소리(讙聲)'를 말한다. 구(口)가 의미부이고 노(奴)가 소리부이다. 『시·소 아빈지초연(賓之初筵)』에서 "소리치고 떠들고 하며(載號載呶)"라고 노래했다. 독음은 녀(女)와 교(交)의 반절이다.

906

叱: 叱: **꾸짖을 질**: 口-총5획: chì

原文

叱: 訶也. 从口七聲. 昌栗切.

飜譯

'꾸짖음(訶)'을 말한다. 구(口)가 의미부이고 칠(七)이 소리부이다. 독음은 창(昌)과 률(栗)의 반절이다.

907

噴: 噴: 뿜을 분: 口-총15획: pēn

原文

噴: 吒也. 从口賁聲. 一曰鼓鼻. 普魂切.

飜譯

'큰 소리로 꾸짖다(吒)'라는 뜻이다. 구(口)가 의미부이고 분(賁)이 소리부이다. 일설에는 '코를 벌름거리며 숨을 씩씩 내쉬다(鼓鼻)'[80]는 뜻이라고도 한다. 독음은 보(普)와 혼(魂)의 반절이다.

908

吒: 吒: 꾸짖을 타: 口-총6획: zhā

原文

吒: 噴也. 叱怒也. 从口乇聲. 陟駕切.

飜譯

'큰 소리로 꾸짖다(噴)'라는 뜻이다. '화를 내며 질책함(叱怒)'을 말한다. 구(口)가 의미부이고 탁(乇)이 소리부이다. 독음은 척(陟)과 가(駕)의 반절이다.

909

嘀: 嘀: 위태할 율: 口-총15획: yù

原文

嘀: 危也. 从口矞聲. 余律切.

---

80) 고비(鼓鼻)는 '코를 벌름거리며 숨을 씩씩 내쉬다'라는 뜻이다. 진(晉) 곽박(郭璞)의 『산해경도찬(山海經圖贊)·서(犀)』에서 "鼓鼻生風, 壯氣溢溢.([코뿔소는] 코를 벌름거리고 숨을 씩씩 내쉬며 바람을 일으키는데, 장한 기운이 넘쳐흐른다.)"라고 했다.

'위태롭다(危)'라는 뜻이다. 구(口)가 의미부이고 율(矞)이 소리부이다. 독음은 여(余)와 률(律)의 반절이다.

910

噈: 啐: 맛볼 채: 口-총11획: cuì

原文

噈: 驚也. 从口卒聲. 七外切.

飜譯

'놀라다(驚)'라는 뜻이다. 구(口)가 의미부이고 졸(卒)이 소리부이다. 독음은 칠(七)과 외(外)의 반절이다.

911

脣: 脣: 놀랄 진: 口-총10획: chún

原文

脣: 驚也. 从口辰聲. 側鄰切.

飜譯

'놀라다(驚)'라는 뜻이다. 구(口)가 의미부이고 진(辰)이 소리부이다. 독음은 측(側)과 린(鄰)의 반절이다.

912

吁: 吁: 탄식할 우: 口-총6획: xū

原文

吁: 驚也. 从口于聲. 況于切.

022_구(口) 부수

譯

'놀라다(驚)'라는 뜻이다. 구(口)가 의미부이고 우(于)가 소리부이다. 독음은 황(況)과 우(于)의 반절이다.

913

嘵: 嘵: 두려워할 효: 口-총15획: xiāo

原文

嘵: 懼也. 从口堯聲.『詩』曰: "唯予音之嘵嘵." 許么切.

譯

'두려워하다(懼)'라는 뜻이다. 구(口)가 의미부이고 요(堯)가 소리부이다.『시·빈풍·피효(鴟鴞)』에서 "나는 오직 짹짹 두려움에 우네(唯予音之嘵嘵)"라고 노래했다.[81] 독음은 허(許)와 요(么)의 반절이다.

914

嘖: 嘖: 외칠 책: 口-총14획: zé

原文

嘖: 大呼也. 从口責聲. 士革切.

譯

'큰 소리로 부르다(大呼)'라는 뜻이다. 구(口)가 의미부이고 책(責)이 소리부이다. 독음은 사(士)와 혁(革)의 반절이다.

---

81)『단주』에서 이렇게 말했다. "『시』에서 '予維音之嘵嘵'라고 했는데,『유편』과『운회』에서는 '予維音之嘵嘵'라고 했다.『설문』은 이것에 근거했을 것이다. 다만 오늘날의 판본에서는 '唯予音之嘵嘵'로 적었다."

제2권(상) **391**

915

嗷: 嗷: 시끄러울 오: 口-총14획: áo

原文

嗷: 眾口愁也. 从口敖聲.『詩』曰: “哀鳴嗷嗷.” 五牢切.

飜譯

‘여럿이 원망하는 소리(眾口愁)’를 말한다. 구(口)가 의미부이고 오(敖)가 소리부이다. 『시·소아·홍안(鴻雁)』에서 “끼룩끼룩 슬피 울부짖네(哀鳴嗷嗷)”라고 노래했다. 독음은 오(五)와 뢰(牢)의 반절이다.

916

唸: 唸: 신음할 점·념·전: 口-총11획: niàn

原文

唸: 㖞也. 从口念聲.『詩』曰: “民之方唸㖞.” 都見切.

飜譯

‘[끙끙거리며] 신음하다(㖞)’라는 뜻이다. 구(口)가 의미부이고 념(念)이 소리부이다. 『시·대아·판(板)』에서 “백성들은 지금 신음하고 있거늘(民之方唸㖞)”이라고 노래했다. 독음은 도(都)와 견(見)의 반절이다.

917

㖞: 㖞: 신음할 히: 口-총6획: xī

原文

㖞: 唸㖞, 呻也. 从口尸聲. 馨伊切.

飜譯

‘점히(唸㖞)’를 말하는데, 신음하다(呻)’라는 뜻이다. 구(口)가 의미부이고 시(尸)가 소리부이다. 독음은 형(馨)과 이(伊)의 반절이다.

918

嚴: 㘙: **신음할 암**: 口-총23획: yán

原文

㘙: 呻也. 从口嚴聲. 五銜切.

飜譯

'신음하다(呻)'라는 뜻이다. 구(口)가 의미부이고 엄(嚴)이 소리부이다. 독음은 오(五)와 함(銜)의 반절이다.

919

呻: 呻: **끙끙거릴 신**: 口-총8획: shēn

原文

呻: 吟也. 从口申聲. 失人切.

飜譯

'끙끙거림(吟)'을 말한다. 구(口)가 의미부이고 신(申)이 소리부이다. 독음은 실(失)과 인(人)의 반절이다.

920

吟: 吟: **읊을 음**: 口-총7획: yín

原文

吟: 呻也. 从口今聲. 訡, 或从言. 魚音切.

飜譯

'신음하다(呻)'라는 뜻이다. 구(口)가 의미부이고 금(今)이 소리부이다. 음(訡)은 음

(吟)의 혹체자인데, 언(言)으로 구성되었다. 독음은 어(魚)와 음(音)의 반절이다.

921

㗊: 嗞: 탄식할 자: 口—총13획: zī

原文

㗊: 嗟也. 从口兹聲. 子之切.

飜譯

'탄식하다(嗟)'라는 뜻이다. 구(口)가 의미부이고 자(兹)가 소리부이다. 독음은 자(子)와 지(之)의 반절이다.

922

嚨: 哤: 난잡할 방: 口—총10획: máng

原文

嚨: 哤異之言. 从口尨聲. 一曰雜語. 讀若尨. 莫江切.

飜譯

'중구난방, 즉 각각의 목소리가 다름(哤異之言)'을 말한다. 구(口)가 의미부이고 방(尨)이 소리부이다. 일설에는 '잡된 말(雜語)'을 말한다고도 한다. 방(尨)과 같이 읽는다. 독음은 막(莫)과 강(江)의 반절이다.

923

叫: 叫: 부르짖을 규: 口—총5획: jiào

原文

叫: 嘑也. 从口丩聲. 古弔切.

飜譯

'소리 내어 부르다(嘑)'라는 뜻이다. 구(口)가 의미부이고 구(丩)가 소리부이다. 독음은 고(古)와 조(弔)의 반절이다.

924

嘅: 嘅: 탄식할 개: 口-총14획: kǎi

原文

嘅: 嘆也. 从口旣聲. 『詩』曰: "嘅其嘆矣." 苦蓋切.

翻譯

'한탄하다(嘆)'라는 뜻이다. 구(口)가 의미부이고 기(旣)가 소리부이다. 『시·왕풍중곡유퇴(中谷有蓷)』에서 "깊은 한숨짓네(嘅其嘆矣)"라고 노래했다. 독음은 고(苦)와 개(蓋)의 반절이다.

925

唌: 唌: 참소리할 단: 口-총10획: xián

原文

唌: 語唌嘆也. 从口延聲. 夕連切.

翻譯

'탄식 섞인 말(語唌嘆)'을 말한다. 구(口)가 의미부이고 연(延)이 소리부이다. 독음은 석(夕)과 련(連)의 반절이다.

926

嘆: 嘆: 탄식할 탄: 口-총14획: tàn

原文

嘆: 吞歎也. 从口, 歎省聲. 一曰太息也. 他案切.

飜譯

'슬픔을 삼키면서 탄식하다(吞歎)'라는 뜻이다.[82] 구(口)가 의미부이고, 탄(歎)의 생략된 부분이 소리부이다. 일설에는 '크게 탄식함(太息)'을 말한다고도 한다. 독음은 타(他)와 안(案)의 반절이다.

927

喝: 꾸짖을 갈·목멜 애: 口-총12획: hē, hè

原文

喝: 澌也. 从口曷聲. 於介切.

飜譯

'기가 다하여 목소리가 갈라지다(澌)'라는 뜻이다. 구(口)가 의미부이고 갈(曷)이 소리부이다.[83] 독음은 어(於)와 개(介)의 반절이다.

928

哨: 망볼 초: 口-총10획: shào

原文

哨: 不容也. 从口肖聲. 才肖切.

飜譯

'[입이 작아] 들어가지 않다(不容)'라는 뜻이다.[84] 구(口)가 의미부이고 초(肖)가 소리

---

82) 서개의 『계전』에서 "할 말이 있으나 하지 못해 원망을 삼키면서 탄식함을 말한다."라고 하였다. 『단주』에서는 이렇게 말했다. "내 생각에, 탄(嘆)과 탄(歎)자는 오늘날 통용된다. 『모시(毛詩)』에서도 섞여 나온다. 그러나 『설문』에 의하면 의미가 다르다. 탄(歎)은 기쁨(喜)에 가까운 감탄이고, 탄(嘆)은 슬픔(哀)에 가까운 탄식이다. 그래서 탄(嘆)을 슬픔을 삼키면서 탄식하다(吞歎)로 풀이했는데, 탄식을 속으로 삼키면서 밖으로 내지 않음(吞其歎而不能發)을 말한다. 자세한 것은 흠(欠)부수를 참조하라."

83) 口(입 구)가 의미부이고 曷(어찌 갈)이 소리부로, 입(口)을 크게 벌려(曷) '꾸짖음'을 말하며, 이로부터 위협하다, 큰 소리로 부르다, 크게 소리 내어 읽거나 노래하다 등의 뜻이 나왔다.

부이다. 독음은 재(才)와 초(肖)의 반절이다.

929

吪: 움직일 **와**: 口-총7획: é

原文

吪: 動也. 从口化聲.『詩』曰: "尚寐無吪." 五禾切.

飜譯

'움직이다(動)'라는 뜻이다. 구(口)가 의미부이고 화(化)가 소리부이다.『시·왕풍·토원(兔爰)』에서 "아예 꼼짝 않고 잠이나 내내 들었으면(尚寐無吪)"이라고 노래했다. 독음은 오(五)와 화(禾)의 반절이다.

930

嚵: 깨물 **참**: 口-총15획: zǎn

原文

嚵: 嗛也. 从口朁聲. 子荅切.

飜譯

'입에 물다(嗛)'라는 뜻이다.[85] 구(口)가 의미부이고 잠(朁)이 소리부이다. 독음은 자(子)와 답(荅)의 반절이다.

931

吝: 吝: 아낄 **린**: 口-총7획: lìn

---

84)『운회』에서 서개의『계전』을 인용하여 "입에 들어가지 않음을 말한다(口不容也)"라고 했다.
85)『단주』에서 이렇게 말했다. "현응(玄應)이 인용한『설문』에서는 함(銜)으로 적었다. 겸(嗛)과 함(銜)은 독음과 의미가 모두 같다."라고 했다.

原文

吝: 恨惜也. 从口文聲. 『易』曰: "以往吝." 𠫤, 古文吝从彣. 良刃切.

飜譯

'아까워하다(恨惜)'라는 뜻이다. 구(口)가 의미부이고 문(文)이 소리부이다. 『역』(蒙卦)에서 "곧장 나아가면 후회하게 될 것이다(以往吝)"라고 했다.[86] 린(𠫤)은 린(吝)의 고문체인데, 문(彣)으로 구성되었다. 독음은 량(良)과 인(刃)의 반절이다.

932

各: 각각 각: 口-총6획: gè

原文

各: 異辭也. 从口、夊. 夊者, 有行而止之, 不相聽也. 古洛切.

飜譯

'다른 개체를 나타내는 말(異辭)'이다. 구(口)와 쇠(夊)가 의미부인데, 쇠(夊)는 '어떤 사람은 가고 어떤 사람은 멈추어, 각자 서로의 말을 듣지 않음(有行而止之, 不相聽.)'을 말한다.[87] 독음은 고(古)와 락(洛)의 반절이다.

---

86) 고문자에서 𠫤 𠫤 𠫤 甲骨文 吝 簡牘文 吝 帛書 등으로 썼다. 文(무늬 문)과 口(입 구)로 구성되어, 모름지기 아름다운(文) 말(口)이란 '아껴야' 한다는 뜻에서, '아끼다'의 뜻이, 다시 吝嗇(인색)하다는 뜻이 나왔는데, 고대 중국인들의 말과 음성에 대한 부정적 인식을 반영했다. 『설문해자』의 고문체에서는 𡥵으로 써, 아름다운 말임을 강조하기 위해 文 대신 彣(채색무늬 문)이 더 들어갔다.

87) 고문자에서 𠈏 𠈏 𠈏 𠈏 𠈏 𠈏 𠈏 甲骨文 各 各 各 各 金文 各 各 各 簡牘文 各 帛書 등으로 썼다. 口(입 구)와 夊(뒤져서 올 치)로 구성되어, 집의 입구(口)로 들어오는 발(夊)로써 집으로 '오다'는 의미를 형상화했다. 夊는 발을 그린 止(발 지)와 상대해서 만들어진 글자로, 止가 위쪽으로 올라가다나 앞쪽으로 가는 것을 나타내는 것에 반해 夊는 아래로 내려가는 것이나 앞쪽으로 오는 것을 그려낸 글자이다. 그래서 各은 이후 자신의 집단과 구별되는, 즉 바깥에서 들어오는 따로 분리된 이질적 집단을 지칭함으로써 '각자'나 '각각'과 같은 뜻이 생겼다. 그러자 원래의 '오다'는 뜻을 나타내려고 彳(조금 걸을 척)을 더하여 徦(이를 객)으로 분화했다.

933

否: 否: 아닐 부: 口-총7획: fǒu

原文

否: 不也. 从口从不. 方九切.

譯譯

'아니다(不)'라는 뜻이다. 구(口)가 의미부이고 부(不)도 의미부이다.[88] 독음은 방(方)과 구(九)의 반절이다.

934

唁: 唁: 위문할 언: 口-총10획: yàn

原文

唁: 弔生也. 从口言聲. 『詩』曰: "歸唁衞侯." 魚變切.

譯譯

'산사람에게 위문하다(弔生)'라는 뜻이다.[89] 구(口)가 의미부이고 언(言)이 소리부이다. 『시·용풍·재치(載馳)』에서 "달려가 [나라가 망한] 위나라 제후를 위문해야지(歸唁

---

88) 『단주』에서는 "구(口)와 부(不)로 구성되어, 회의이다. 부(不)는 소리부를 겸하지 않는다.(从口不. 會意. 不亦聲.)" 고문자에서 金文 등으로 썼는데, 口(입 구)가 의미부고 不(아닐 불)이 소리부로, 아니다(不)고 말하여(口) 否定(부정)함을 말하며, 부정사로 쓰인다. 또 괘의 이름으로 하늘과 땅이 서로 교류하지 않아, 아래위가 단절됨을 뜻한다.

89) 사람이 죽어 조문하는 것을 조(弔), 나라가 망해 산 사람에게 위문하는 것을 언(唁)이라고 한다. 『단주』에서 이렇게 말했다. "『시·용풍(庸風)』에서 '歸唁衞侯'라 했고, 『춘추(春秋)』에서 '齊侯唁公于野井(위나라 제후를 야정에서 위문했다)'이라 했는데, 『곡량전(穀梁傳)과 『모시(毛傳)』 모두 나라를 잃은 것에 대해 위문하는 것(弔失國)을 언(唁)이라 한다고 했다. 이것이 바로 산사람에게 위문을 한다(弔生者)는 말이다. 산사람에게 위문하는 것(弔生)을 언(唁)이라 하여 죽은 사람에게 위문하는 것(弔死)을 조(弔)라고 하는 것과 구별해두었다. 그러나 하휴(何休)의 『공양전』 주석에서는 망한 나라의 임금에게 위문하는 것(弔亡國)을 언(唁)이라 하고, 죽은 사람을 위문하는 것(弔死)을 조(弔)라 한다 했는데, 서로 참고할만하다."

衛侯)"라고 노래했다. 독음은 어(魚)와 변(變)의 반절이다.

935

哀: 哀: 슬플 애: 口-총9획: āi

原文

哀: 閔也. 从口衣聲. 烏開切.

飜譯

'가련하게 여기다(閔)'라는 뜻이다. 구(口)가 의미부이고 의(衣)가 소리부이다.[90] 독음은 오(烏)와 개(開)의 반절이다.

936

嗁: 嗁: 울 제: 口-총13획: tí

原文

嗁: 號也. 从口虒聲. 杜兮切.

飜譯

'비통하게 울부짖다(號)'라는 뜻이다.[91] 구(口)가 의미부이고 사(虒)가 소리부이다. 독음은 두(杜)와 혜(兮)의 반절이다.

---

90) 고문자에서 金文 簡牘文 등으로 썼다. 口(입 구)가 의미부고 衣(옷 의)가 소리부인데, 口는 슬퍼 哭(곡)하는 모습을, 衣는 그때 입는 '상복'을 상징하여 哀悼(애도)와 '슬픔'의 의미를 그려냈으며, 비통하다는 뜻도 나왔다.

91) 『단주』에서 이렇게 말했다. "각 판본에서 호(號)로 적었는데, 지금 호(号)로 바로 잡는다. 호(号)자의 설명에서 통곡하는 소리(痛聲)를 말한다고 했는데, 이것은 제호(嗁号)와 호호(嘷號)가 서로 다른 글자임을 말해준다. 호(号)는 통곡하는 소리(痛聲)를 말하고, 곡(哭)은 슬피 우는 소리(哀聲)를 말한다. 고통은 안에서 생긴다(痛在內). 애(哀)는 그 고통이 밖에서 형성된 것이다(形於外). 이것이 제(嗁)와 곡(哭)의 차이이다."

937

毃: 毃: 토할 학: 口-총13획: hù

原文

毃: 歐皃. 从口殼聲.『春秋傳』曰: "君將殼之." 許角切.

飜譯

'구역질하는 모습(歐皃)'을 말한다. 구(口)가 의미부이고 각(殼)이 소리부이다. 『춘추전』(『좌전』애공 25년, B.C. 470)에서 "그대는 이것 때문에 토해낼 것이오(君將殼之)"라고 했다. 독음은 허(許)와 각(角)의 반절이다.

938

咼: 咼: 입 비뚤어질 괘·와: 口-총9획: guō

原文

咼: 口戾不正也. 从口冎聲. 苦媧切.

飜譯

'입이 비뚤어져 바르지 않음(口戾不正)'을 말한다. 구(口)가 의미부이고 과(冎)가 소리부이다. 독음은 고(苦)와 왜(媧)의 반절이다.

939

嗖: 嗖: 고요할 적: 口-총11획: jì

原文

嗖: 嘆也. 从口叔聲. 前歷切.

飜譯

'고요하여 아무 소리가 없다(嘆)'라는 뜻이다. 구(口)가 의미부이고 숙(叔)이 소리부이다. 독음은 전(前)과 력(歷)의 반절이다.

940

嗼: 嗼: 고요할 막: 口-총14획: mò

原文

嗼: 啾嗼也. 从口莫聲. 莫各切.

繙譯

'고요하여 아무 소리가 없다(啾嗼)'라는 뜻이다. 구(口)가 의미부이고 막(莫)이 소리부이다. 독음은 막(莫)과 각(各)의 반절이다.

941

昏: 昏: 입 막을 괄: 口-총7획: guā

原文

昏: 塞口也. 从口, 昏省聲. 昏, 音厥.) 昏, 古文从甘. 古活切.

繙譯

'입을 막다(塞口)'라는 뜻이다. 구(口)가 의미부이고, 궐(昏)의 생략된 모습이 소리부이다. [궐(昏)의 독음은 궐(厥)이다.] 괄(昏)은 괄(昏)의 고문체인데, 감(甘)으로 구성되었다. 독음은 고(古)와 활(活)의 반절이다.

942

嗾: 嗾: 부추길 주·개 부를 촉: 口-총14획: sǒu

原文

嗾: 使犬聲. 从口族聲. 『春秋傳』曰: "公嗾夫獒." 穌奏切.

繙譯

'개를 부르는 소리(使犬聲)'를 말한다. 구(口)가 의미부이고 족(族)이 소리부이다. 『

춘추전』(『좌전』 선공 2년, B.C. 607)에서 "진(晉)나라 영공(靈公)이 큰 개를 풀어 [시미
명(提彌明)을] 물라고 했다. [이에 시미명이 맨손으로 개를 단숨에 때려 죽였다.](公嗾夫獒)"
라고 했다. 독음은 소(穌)와 주(奏)의 반절이다.

943

吠 : 吠: 짖을 폐: 口-총7획: fèi

原文

吠 : 犬鳴也. 从犬、口. 符廢切.

飜譯

'개가 짖음(犬鳴)'을 말한다. 견(犬)과 구(口)가 의미부이다.[92] 독음은 부(符)와 폐
(廢)의 반절이다.

944

咆 : 咆: 으르렁거릴 포: 口-총8획: páo

原文

咆 : 嘷也. 从口包聲. 薄交切.

飜譯

'으르렁거리다(嘷)'라는 뜻이다. 구(口)가 의미부이고 포(包)가 소리부이다. 독음은
박(薄)과 교(交)의 반절이다.

945

嘷 : 嘷: 짐승 소리 호: 口-총13획: háo

---

92) 口(입 구)와 犬(개 견)으로 구성되어, 개(犬)가 짖음(口)을 말하며, 이후 동물이나 새가 짖다
  는 뜻으로도 쓰였으며, 나쁜 말로 상대를 공격함의 비유로도 쓰였다.

原文

嘷: 咆也. 从口皋聲. 㺚, 譚長說：嘷从犬. 乎刀切.

飜譯

'으르렁거리다(咆)'라는 뜻이다. 구(口)가 의미부이고 고(皋)가 소리부이다. 호(㺚)는 담장(譚長)93)의 설에 의하면 호(嘷)자인데, 견(犬)으로 구성되었다. 독음은 호(乎)와 도(刀)의 반절이다.

946

喈: 喈: 새소리 개: 口-총12획: jiē

原文

喈: 鳥鳴聲. 从口皆聲. 一曰鳳皇鳴聲喈喈. 古諧切.

飜譯

'새가 우는 소리(鳥鳴聲)'를 말한다. 구(口)가 의미부이고 개(皆)가 소리부이다. 일설에는 '봉황이 깨깨 하고 우는 소리를 말한다(鳳皇鳴聲喈喈)'라고도 한다. 독음은 고(古)와 해(諧)의 반절이다.

947

哮: 哮: 으르렁거릴 효: 口-총10획: xiāo

原文

哮: 豕驚聲也. 从口孝聲. 許交切.

飜譯

'멧돼지가 놀라 내는 소리(豕驚聲)'를 말한다. 구(口)가 의미부이고 효(孝)가 소리부

---

93) 『설문』에는 글자를 해석함에 노자나 공자를 비롯하여 당시의 저명한 학자(通人)들의 학설을 인용한 경우가 보이는데, 총 42명에 이른다. 담장(譚長)도 그중의 한 사람이나, 상세한 생평에 대해서는 알려져 있지 않다.

이다. 독음은 허(許)와 교(交)의 반절이다.

948

喔: 喔: 닭소리 악: 口-총12획: wō

原文

喔: 雞聲也. 从口屋聲. 於角切.

飜譯

'닭이 짖는 소리(雞聲)'를 말한다. 구(口)가 의미부이고 옥(屋)이 소리부이다. 독음은 어(於)와 각(角)의 반절이다.

949

呃: 呃: 울 액: 口-총8획: è

原文

呃: 喔也. 从口厄聲. 烏格切.

飜譯

'닭이 짖는 소리(喔)'를 말한다. 구(口)가 의미부이고 액(厄)이 소리부이다. 독음은 조(烏)와 격(格)의 반절이다.

950

咮: 咮: 부리 주: 口-총9획: zhòu

原文

咮: 鳥口也. 从口朱聲. 章俱切.

飜譯

'새의 주둥이(鳥口)'를 말한다. 구(口)가 의미부이고 주(朱)가 소리부이다. 독음은 장

(章)과 구(俱)의 반절이다.

951

嚶: 嚶: 새소리 앵: 口-총20획: yīng

原文

嚶: 鳥鳴也. 从口嬰聲. 鳥莖切.

繙譯

'새가 울다(鳥鳴)'라는 뜻이다. 구(口)가 의미부이고 영(嬰)이 소리부이다. 독음은 조(鳥)와 경(莖)의 반절이다.

952

啄: 啄: 쫄 탁: 口-총11획: zhuó

原文

啄: 鳥食也. 从口豕聲. 竹角切.

繙譯

'새가 먹이를 [부리로 쪼아서] 먹다(鳥食)'라는 뜻이다. 구(口)가 의미부이고 탁(豕)이 소리부이다. 독음은 죽(竹)과 각(角)의 반절이다.

953

唬: 唬: 범이 울 호·효: 口-총11획: hǔ

原文

唬: 嗁聲也. 一曰虎聲. 从口从虎. 讀若暠. 呼訏切.

繙譯

'[짐승이] 울부짖는 소리(嗁聲)'를 말한다. 일설에는 호랑이가 우는 소리(虎聲)라고도 한다. 구(口)가 의미부이고 호(虎)도 의미부이다. 고(罵)와 같이 읽는다. 독음은 호(呼)와 우(訏)의 반절이다.

954

吻: 呦: 울 유: 口-총8획: yōu

原文

呦: 鹿鳴聲也. 从口幼聲. 貅, 呦或从欠. 伊虯切.

飜譯

'사슴이 우는 소리(鹿鳴聲)'를 말한다. 구(口)가 의미부이고 유(幼)가 소리부이다. 유(貅)는 유(呦)의 혹체자인데, 흠(欠)으로 구성되었다. 독음은 이(伊)와 규(虯)의 반절이다.

955

噳: 噳: 웃는 모양 우: 口-총16획: yū

原文

噳: 麌鹿羣口相聚皃. 从口虞聲. 『詩』曰: "麀鹿噳噳." 魚矩切.

飜譯

'사슴이 떼를 지어 한데 모인 모양(麌鹿羣口相聚皃)'을 말한다. 구(口)가 의미부이고 우(虞)가 소리부이다. 『시·대아한혁(韓奕)』에서 "암사슴 수사슴 우글우글하고(麀鹿噳噳)"라고 노래했다. 독음은 어(魚)와 구(矩)의 반절이다.

956

喁: 喁: 화답할 우숨 쉴 옹: 口-총12획: yóng

原文

嗋: 魚口上見. 从口禺聲. 魚容切.

飜譯

'물고기가 입을 수면 위로 내밀다(魚口上見)'라는 뜻이다. 구(口)가 의미부이고 우(禺)가 소리부이다. 독음은 어(魚)와 용(容)의 반절이다.

957

局: 局: 판 국: 尸-총7획: jú

原文

局: 促也. 从口在尺下, 復局之. 一曰博, 所以行棊. 象形. 渠綠切.

飜譯

'촉(促)과 같아 급박하다'라는 뜻이다.[94] 구(口)가 척(尺) 아래에 놓여, 어떤 국면으로 되돌아가게 하다는 뜻이다.[95] 일설에는, 육박(六博)을 말하는데, [규칙에 의해] 말을 움직여 하는 놀이이기 때문이다(所以行棊). 상형이다.[96][97] 독음은 거(渠)와 록

---

94) 인(人)부수 촉(促)자의 해설에서 "급박하다(迫)는 뜻이다"라고 하였다.

95) 『단주』에서 이렇게 설명했다. "촉(促)과 같은 뜻이라고 했는데, 첩운(疊韵)으로 뜻풀이한 것이다. 구(口)가 척(尺) 아래에 놓여 어떤 판으로 되돌아가게 한다고 했는데, 척(尺)은 규칙에 따라 일을 함(斥規榘事)을 말한다. [사람에게서 가장 자유로운 부위를 상징하는] 구(口)가 척(尺) 아래에 놓였다는 것은 말을 매우 신중히 하다라는 뜻이다." 서개의 『설문해자계전』에서 이렇게 풀이했다. "사람에게서 끝이 없는 부분이 바로 입(口)이다. 그래서 군자는 이치에 맞는 말만 하는 법이다. 그래서 구(口)가 척(尺) 아래에 놓이면 국(局)이 되는 것이다.(人之無涯者, 唯口耳. 故君子重無擇言, 故口在尺下, 則爲局.)" 참고할만한 해설이다.

96) 『단주』에서 이렇게 말했다. "박(博)은 박(簿)이 되어야 하는데, 박(簿)은 국희(局戲: 바둑이나 장기 같이 판 위에서 하는 놀이)를 말한다. 육저(六箸)와 십이기(十二棊)가 있다. 박(簿)에는 판(局)이 있고 12개의 말(棊)이 있다. 국(局)자는 그 모양을 그렸기 때문에 [상형이라 했다]. 이는 또 다른 의미이다."

97) 어원이 분명하지 않아 이견이 많다. 고문자에서 **局** 簡牘文 등으로 썼는데, 『설문해자』에서는 口(입 구)가 의미부이고 尺(자 척)이 소리부로, '재촉하다(促)'는 뜻이라고 풀이했다. 하지만, 간독문자를 보면 시(尸)가 의미부이고 구(句)가 소리부로 되었다. 시(尸)는 시신의 다리를 굽혀 묻던 '굴신장'을 반영해 '굽다'는 뜻이 있고, 구(句)에도 어떤 '물체'를 구부린다는 뜻이 있어, '굽다'는 뜻이 담기게 되었다. 어떤 물체를 굽힌다는 것은 본성을 변형시키는 것이고, 이 때문에 '局限(국한)하다'의 뜻이, 다시 국한된 '일부분'이라는 뜻이 나왔을 것이고, 다시 전

(綠)의 반절이다.

958

同: ᄉ: 산 속의 늪 연: 口-총5획: yǎn

原文

同: 山閒陷泥地. 从口, 从水敗皃. 讀若沇州之沇. 九州之渥地也, 故以沇名焉. ᐰ, 古文ᄉ. 以轉切.

飜譯

'산간에 있는 진흙으로 된 못(山閒陷泥地)'을 말한다. 구(口)가 의미부이고, 물에 의해 파괴된 모습(水敗皃)을 그렸다. 연주(沇州)라고 할 때의 연(沇)과 같이 읽는다. [연주는] 구주 중에서도 비옥한 땅이다(九州之渥地也).[98] 그래서 연(沇)이라는 이름을 붙였다. 연(ᐰ)은 연(ᄉ)의 고문체이다. 독음은 이(以)와 전(轉)의 반절이다.

959

哦: 哦: 옳을 아: 口-총10획: é

原文

哦: 吟也. 从口我聲. 五何切.

飜譯

체 조직이나 행정 기관의 일부 단위를 지칭하는 말로도 쓰였다. 이후 장기나 바둑놀이를 뜻하기도 했는데, 이로부터 '판'이나 '局面(국면)', '정세' 등의 뜻도 나왔다. 혹자는 "한 사람의 등이 꼽추처럼 굽었고 그 아래로 두 발이 그려진 모습이다. 꼽추는 등을 펴 몸을 일으켜도 상체가 비교적 짧게 보인다. 아래쪽의 구(口)는 척(尺)자와 구분하기 위해 더해진 공백을 메꾸는 기호로 볼 수 있다."라고 하여 짧게 보인다는 뜻에서 '제한되다'는 뜻이 나온 것으로 보기도 했다.(허진웅, 2021)

98) 연주(兗州)는 『상서·우공(禹貢)』에서 말한 9주(九州) 중의 하나이다. 대체로 고대 황하(옛길)와 제수(濟水) 사이 지역(지금의 산동성 서부, 하남성 동북부, 하북성 동남부)을 지칭했으며, 영역은 시대에 따라 고정되지 않고 여러 차례 변했다.

'끙끙거리며 신음하다(吟)'라는 뜻이다. 구(口)가 의미부이고 아(我)가 소리부이다. 독음은 오(五)와 하(何)의 반절이다. [신부]

960

嗃: 嗃: 엄할 학: 口-총13획: hè, xiāo

原文

嗃: 嗃嗃, 嚴酷皃. 从口高聲. 呼各切.

飜譯

'학학(嗃嗃)은 엄하게 꾸짖는 모양(嚴酷皃)'을 말한다. 구(口)가 의미부이고 고(高)가 소리부이다. 독음은 호(呼)와 각(各)의 반절이다. [신부]

961

售: 售: 팔 수: 口-총11획: shòu

原文

售: 賣去手也. 从口, 雔省聲. 『詩』曰: "賈用不售". 承臭切.

飜譯

'내다 팔다(賣去手)'라는 뜻이다. 구(口)가 의미부이고 수(雔)의 생략된 모습이 소리부이다. 『시·패풍·곡풍(谷風)』에서 "팔리지 않는 물건 같은 나지요(賈用不售)"라고 노래했다. 독음은 승(承)과 취(臭)의 반절이다. [신부]

962

噞: 噞: 입 벌름거릴 엄: 口-총16획: yàn

原文

噞: 噞喁, 魚口上見也. 从口僉聲. 魚檢切.

飜譯

'입을 벌럼거리다(噞喁)'라는 뜻인데, '물고기가 입을 물 밖으로 내어 입을 벌럼거림(魚口上見)'을 말한다. 구(口)가 의미부이고 첨(僉)이 소리부이다. 독음은 어(魚)와 검(檢)의 반절이다. [신부]

963

唳: 唳: 울 려: 口-총11획: lì

原文

唳: 鶴鳴也. 从口戾聲. 朗計切.

飜譯

'학의 울음소리(鶴鳴)'를 말한다. 구(口)가 의미부이고 여(戾)가 소리부이다. 독음은 랑(朗)와 계(計)의 반절이다. [신부]

964

喫: 喫: 마실 끽: 口-총12획: chī

原文

喫: 食也. 从口契聲. 苦擊切.

飜譯

'음식을 먹다(食)'라는 뜻이다. 구(口)가 의미부이고 계(契)가 소리부이다.99) 독음은 고(苦)와 격(擊)의 반절이다. [신부]

965

喚: 喚: 부를 환: 口-총12획: huàn

---

99) 口(입 구)가 의미부이고 契(맺을 계)가 소리부로, 입(口)으로 마시는 것을 말하며, 吃(말 더듬을 흘)과 같이 쓴다. 간화자에서는 吃(말 더듬을 흘)에 통합되었다.

原文

嚯: 評也. 从口奐聲. 古通用奐. 呼貫切.

飜譯

'소리를 질러 부르다(評)'는 뜻이다. 구(口)가 의미부이고 환(奐)이 소리부이다. 옛날에는 환(奐)과 통용되었다.100) 독음은 호(呼)와 관(貫)의 반절이다. [신부]

966

啗: 咍: 웃을 해: 口-총8획: hāi

原文

啗: 蚩笑也. 从口从台. 呼來切.

飜譯

'비웃다(蚩笑)'라는 뜻이다. 구(口)가 의미부이고 태(台)도 의미부이다. 독음은 호(呼)와 래(來)의 반절이다. [신부]

967

嘲: 嘲: 비웃을 조: 口-총15획: cháo

原文

嘲: 謔也. 从口朝聲. 『漢書』通用啁. 陟交切.

飜譯

'희롱하다(謔)'라는 뜻이다. 구(口)가 의미부이고 조(朝)가 소리부이다. 『한서(漢書)』에서는 조(啁: 비웃다)와 통용된다고 하였다. 독음은 척(陟)과 교(交)의 반절이다. [신부]

---

100) 口(입 구)가 의미부이고 奐(빛날 환)이 소리부로, 소리 내어(口) 부르다는 뜻이며, 이로부터 초청하다, 새나 짐승이 울다의 뜻도 나왔다.

968

呀: 呀: **입 벌릴 하**: 口-총7획: xiā

 原文

呀: 張口皃. 从口牙聲. 許加切.

 飜譯

'입을 크게 벌린 모습(張口皃)'을 말한다. 구(口)가 의미부이고 아(牙)가 소리부이다. 독음은 허(許)와 가(加)의 반절이다. [신부]

제23부수
023 ▪ 감(凵)부수

969

凵: 凵: **입 벌릴 감**: 凵-총2획: kǎn

原文

凵: 張口也. 象形. 凡凵之屬皆从凵. 口犯切.

繇譯

'입을 크게 벌린 모습(張口)'이다. 상형이다. 감(凵)부수에 귀속된 글자는 모두 감(凵)이 의미부이다.[101] 독음은 구(口)와 범(犯)의 반절이다.

---

101) 凵이 단독으로 쓰인 것은 소전체에서부터 등장하는데, 땅을 파 만든 구덩이의 모습을 그렸다. 고대 사회에서 구덩이는 동물, 특히 덩치가 큰 동물을 잡는 대단히 유효한 장치의 하나였다. 갑골문의 기록에 의하면, 함정을 파서 잡은 짐승으로는 주로 돼지(豕·시), 곰(熊·웅), 사슴(鹿·록), 사불상(麋·미), 호랑이(虎·호), 무소(兕·시) 등이 있으며, 후대의 문헌 기록에 의하면 코끼리(象·상)도 잡았다고 한다. 이러한 방법으로 잡은 짐승의 양도 많아 한 번은 사불상 7백 마리를 잡은 적도 있고, 또 사슴과 사불상을 합해 2백9마리를 잡은 적도 있다고 기록되어 있다. 현대 한자에서 出(날 출)은 부수를 알아보기가 매우 어려운 글자의 하나인데, 갑골문에서는 반 지하식으로 파서 만든 움집(凵)과 발(止·지, 趾의 원래 글자)을 그려, 집(凵)으로부터 나가는 동작을 그린 글자이다. 그리고 凹(오목할 요)는 움푹 들어간 모습을 사실적으로 그려, 볼록 튀어나온 모습을 그린 凸(볼록할 철)과 대칭을 이루며, 凷(흙덩이 괴)는 구덩이(凵)를 파면서 덜어낸 흙(土·토) 덩이를 말한다. 그런가 하면 函(함 함)과 凶(흉할 흉)은 凵과 의미적 연관을 하지 않은 글자들인데, 형체의 유사성 때문에 凵부수에 들었다.

제24부수
024 ■ 훤(吅)부수

970

吅: 吅: 부르짖을 **훤**: 口-총6획: xuān

原文

吅: 驚嘑也. 从二口. 凡吅之屬皆从吅. 讀若讙. 況袁切.

飜譯

'놀라 부르짖다(驚嘑)'라는 뜻이다. 두 개의 구(口)로 구성되었다. 훤(吅)부수에 귀속된 글자는 모두 훤(吅)이 의미부이다. 환(讙)과 같이 읽는다. 독음은 황(況)과 원(袁)의 반절이다.

971

䜵: 䜵: 어지러울 **녕**: 爻-총15획: níng

原文

䜵: 亂也. 从爻、工、交、吅. 一曰室䜵. 讀若讓. 𣁥, 籒文䜵. 女庚切.

飜譯

'다스리다(亂)'라는 뜻이다.[102] 효(爻)와 공(工)과 교(交)와 훤(吅)이 모두 의미부이

---

102) 주준성의 『정훈통성』에서 "란(亂)은 다스리다(治), 갈무리하다(理)는 뜻이다"라고 했다. 란(亂)은 원래 엉킨 실타래를 손으로 푸는 모습을 그려, 원래는 '뒤엉키다', '복잡하다', '어지럽다' 등의 뜻을 가졌다. 그러나 뒤엉킨 실타래라면 반드시 풀어야 하는 법, 그래서 '풀다', '다스리다', '갈무리하다' 등의 뜻이 나왔다. 언뜻 보면 대칭되는 두 가지 개념이 한 글자 속에 든 셈인데, 이런 현상을 중국에서는 '반훈(反訓)'이라 한다. 이는 止(가다, 멈추다), 落(떨어지다, 시작하다) 등도 마찬가지인데, 사물이나 현상을 부분이 아닌 전체적으로 보고, 대칭되는 양 끝을 함께 보려 했던 변증법적 사유의 결과이다.

다.103) 일설에는, '가득 채워 넣다(窒釀)'라는 뜻이라고도 한다.104) 양(襄)과 같이 읽는다. 녕(叕)은 녕(嚲)의 주문체이다. 독음은 녀(女)와 경(庚)의 반절이다.

972

嚴: 嚴: 엄할 엄: 口-총20획: yán

原文

嚴: 敎命急也. 从叩厰聲. 㜩, 古文. 語杴切.

繙譯

'감독하고 지시하는 명령이 다급함(敎命急)'을 말한다. 훤(叩)이 의미부이고 음(厰)이 소리부이다.105) 엄(㜩)은 고문체이다. 독음은 어(語)와 험(杴)의 반절이다.

973

咢: 咢: 놀랄 악: 口-총9획: è

原文

咢: 譁訟也. 从叩屰聲. 五各切.

繙譯

'여러 사람이 시끄럽게 소송을 벌임(譁訟)'을 말한다. 훤(叩)이 의미부이고 역(屰)이

---

103) 고문자에서 𝄃 𝄃 𝄃金文 등으로 적었는데, 허진웅은 이렇게 풀이했다. "금문의 자형에 의하면, 바구니를 머리 위에 이고 흙을 나르는 사람을 나무 막대기를 들고 감독하는 모습으로 보인다."(허진웅, 2021, 321쪽)

104) '질녕(窒釀)'을 『단주』에서는 "가득 채워 넣다는 뜻이다. 아마도 주한 때의 말로 보인다.(窒葢充塞之意. 周, 漢人語也.)"라고 했다.

105) 고문자에서 𝄃 𝄃 𝄃 𝄃 𝄃金文 𝄃 𝄃簡牘文 𝄃古璽文 등으로 썼는데, 敢(감히 감)과 두 개의 口(입 구)가 의미부이고 厂(기슭 엄)이 소리부로, 바위 언덕(厂)에서 광석 덩이(口)를 캐내는(敢) 모습을 그렸는데, 금문에서는 口가 세 개로 표현되기도 했다. 광석을 캐는 일은 대단히 위험하여 그 일에는 엄격한 규율이 요구되기에 '엄하다'는 뜻이 생겼다. 간화자에서는 전체 자형을 간단하게 줄인 严으로 쓴다.

소리부이다. 독음은 오(五)와 각(各)의 반절이다.

974

單: 單: 홀 단: 口-총12획: dān

（原文）

單: 大也. 从吅、甲, 吅亦聲. 闕. 都寒切.

（飜譯）

'크다(大)'라는 뜻이다. 훤(吅)과 필(甲)이 모두 의미부인데, 훤(吅)은 소리부도 겸한다. 왜 그런 뜻인지는 잘 알 수 없어 비워 둔다(闕).[106] 도(都)와 한(寒)의 반절이다.

975

𠴲: 𠴲: 닭 부르는 소리 주: 口-총12획: zhōu

（原文）

𠴲: 呼雞重言之. 从吅州聲. 讀若祝. 之六切.

（飜譯）

'닭을 부르는 소리로 '구구'라고 중복해 말한다(呼雞重言之).' 훤(吅)이 의미부이고 주(州)가 소리부이다. 축(祝)과 같이 읽는다. 독음은 지(之)와 륙(六)의 반절이다.

---

106) 고문자에서 ᔰᔰᔰᔰ甲骨文 ᔰᔰᔰᔰ金文 單簡牘文 單單古璽文 등으로 썼다. 옛날의 사냥도구를 그렸는데, 윗부분은 남아메리카 인디언들의 유용한 수렵 도구인 '볼라스(bolas)'와 같은 것을, 아랫부분은 커다란 뜰채를 그렸다는 설이 유력하다. 볼라스는 줄의 양끝에 쇠 구슬을 매달고 이를 던져 짐승의 뿔이나 발을 걸어 포획하는 데 쓰는 도구를 말하는데, 고대 중국에서는 쇠 대신 돌 구슬이 많이 사용되었다. 單은 이러한 사냥 도구는 물론 그러한 사냥 조직을 말했으며, 여기서 單位(단위)라는 뜻이 나왔다. 또 그러한 조직은 사냥을 위한 것이었지만 유사시에는 전쟁을 치르는 군사조직으로 전환되었다. 그래서 商(상)나라 때는 씨족으로 구성된 사회의 기층단위를 單이라 불렀다. 單이라는 조직은 單一(단일) 혈연으로 구성되었으며, 독립적으로 운용 가능한 기초 조직이었기에 '單獨(단독)'이라는 뜻이 생겼을 것이다. 간화자에서는 윗부분을 줄인 单으로 쓴다.

제25부수
025 ■ 곡(哭)부수

976

哭 : 哭: 울 곡: 口-총10획: kū

(原文)

哭 : 哀聲也. 从吅, 獄省聲. 凡哭之屬皆从哭. 苦屋切.

(飜譯)

'슬피 우는 소리(哀聲)'를 말한다. 훤(吅)이 의미부이고, 옥(獄)의 생략된 모습이 소리부이다.[107] 곡(哭)부수에 귀속된 글자는 모두 곡(哭)이 의미부이다. 독음은 고(苦)와 옥(屋)의 반절이다.

977

喪 : 喪: 죽을 상: 口-총12획: sàng

(原文)

喪 : 亾也. 从哭从亾. 會意. 亾亦聲. 息郎切.

(飜譯)

'망(亾)과 같아 없어지다'라는 뜻이다.[108] 곡(哭)이 의미부이고 망(亾)도 의미부이다.

---

107) 고문자에서 _(古陶文)古陶文 _(簡牘文)簡牘文 등으로 썼는데, 吅(부르짖을 훤)과 犬(개 견)으로 이루어져, 너무나 슬픈 나머지 인간의 이성을 상실한 채 짐승(犬)처럼 슬피 울부짖다(吅)는 뜻을 담았다. 『설문해자』에서는 "슬퍼하는 소리를 말한다. 吅이 의미부이고 犬은 獄(옥 옥)의 생략된 모습으로 소리부로 쓰였다."라고 했는데, 믿기 어렵다.

108) 망(亾)부수에서 "도망가다(逃)는 뜻이다"라고 하였는데, 『단주』에서는 이렇게 풀이했다. "도(逃)는 도망하다(亡)는 뜻이니, 이 두 글자는 전주(轉注)자이다. 망(亡)의 본래 의미는 도망하다(逃)는 뜻이다. 그런데 오늘날 사람들은 망(亡)을 죽다(死)는 뜻으로 이해하는데, 이는 잘못

회의이다. 망(亡)은 소리부도 겸한다.[109] 독음은 식(息)과 랑(郞)의 반절이다.

된 일이다. 여기서 파생되어 잃는 것(失)을 망(亡)이라 하며, 죽는 것(死)도 망(亡)이라 하게 되었다. 효자(孝子)로서 부모가 죽는다는 것을 차마 견디기 힘들어, 부모께서 단지 어디로 나가서 안 계신 것(出亡)으로 여길 따름이다. 그래서 상(喪)의 소전체가 곡(哭)과 망(亡)으로 구성되었던 것이다. 또 유무(有無)의 무(無)로 가차되기도 했는데, 쌍성(雙聲)에 의한 가차이다."

109) 고문자에서 <빠 뻐 뻐 뻐 뻐 뻐 뻐> 甲骨文 <뻐 뻐 뻐 뻐 뻐 뻐> 金文 <뻐> 簡牘文 <뻐> 石刻古文 등으로 썼는데, 원래는 亡(망할 망)이 의미부고 桑(뽕나무 상)이 소리부였으나, 소전체에 들면서 哭(울 곡)이 의미부고 亡이 소리부인 구조로 변했다. 죽은 사람(亡)을 위해 곡(哭)을 하는 모습으로, '죽다', '잃다', 상실하다 등의 뜻을 그렸다. 이후 吅(부르짖을 훤)과 衣(옷 의)로 구성된 지금의 자형으로 변했고, 간화자에서는 吅을 간단히 줄여 丧으로 쓴다.

제26부수
026 ■ 주(走)부수

978

走 : 走: 달릴 주: 走-총7획: zǒu

原文

走 : 趨也. 从夭、止. 夭止者, 屈也. 凡走之屬皆从走. 子苟切.

飜譯

'큰 걸음으로 달려가다(趨)'라는 뜻이다. 요(夭)와 지(止)가 의미부이다. 요(夭)와 지(止)로 구성된 것은 '[빨리 달려가는 바람에] 다리가 굽혀짐(屈)'을 말한다.110) 주(走)부수에 귀속된 글자는 모두 주(走)가 의미부이다. 독음은 자(子)와 구(苟)의 반절이다.

979

趨 : 趨: 달릴 추: 走-총17획: qū

原文

趨 : 走也. 从走芻聲. 七逾切.

飜譯

'빠른 걸음으로 달려가다(走)'라는 뜻이다. 주(走)가 의미부이고 추(芻)가 소리부이다.111) 독음은 칠(七)과 유(逾)의 반절이다.

---

110) 고문자에서 **（金文）** 金文 **（簡牘文）** 簡牘文 등으로 썼다. 갑골문에서 윗부분이 팔을 흔드는 사람의 모습이고 아랫부분은 발(止·지)을 그려 '빠른 걸음으로 달려가는 모습'을 형상화했다. 소전체에 들면서 윗부분이 머리가 꺾인 사람을 그린 夭(어릴 요)로 변했고, 예서에 들면서 土(흙 토)로 잘못 변해 지금처럼 되었다. 빠른 걸음으로 달려가다가 원래 뜻이며, 이로부터 달려가다, 걷다, 왕래하다, 어떤 길을 가다, 떠나다, 원래의 맛을 잃어버리다 등의 뜻이 나왔다.

980

訃: 赴: 나아갈 부: 走-총9획: fù

（原文）

訃: 趨也. 从走, 仆省聲. 芳遇切.

（飜譯）

'빠른 걸음으로 달려가다(趨)'라는 뜻이다. 주(走)가 의미부이고, 부(仆)의 생략된 모습이 소리부이다.112) 독음은 방(芳)과 우(遇)의 반절이다.

981

趣: 趣: 달릴 취: 走-총15획: qù

（原文）

趣: 疾也. 从走取聲. 七句切.

（飜譯）

'빨리 달려감(疾)'을 말한다. 주(走)가 의미부이고 취(取)가 소리부이다. 독음은 칠(七)과 구(句)의 반절이다.

제 2 권

---

111) 고문자에서 漢印 등으로 썼는데, 走(달릴 주)가 의미부고 芻(꼴 추)가 소리부로, 빠른 걸음으로(走) 달리다는 뜻이며, 이로부터 달려가다, 종종걸음 치다 등의 뜻이 나왔다. 간화자에서는 芻를 刍로 간단하게 줄인 趋로 쓴다.

112) 走(달릴 주)가 의미부이고 卜(점 복)이 소리부로, 점(卜)의 결과를 빠른 걸음으로 달려가(走) 알림을 말하며, 이로부터 알리다, 급하다, 달려가다 등의 뜻이 나왔다. 『설문해자』에서는 仆(엎드릴 부)의 생략된 모습이 소리부라고 했다.

982

超: 超: 넘을 초: 走-총12획: chāo

원문(原文)

超: 跳也. 从走召聲. 敕宵切.

번역(繙譯)

'뛰어 넘음(跳)'을 말한다. 주(走)가 의미부이고 소(召)가 소리부이다.[113] 독음은 칙(敕)과 소(宵)의 반절이다.

983

趫: 趫: 재빠를 교: 走-총19획: qiāo

원문(原文)

趫: 善緣木走之才. 从走喬聲. 讀若王子蹻. 去囂切.

번역(繙譯)

'높은 나무를 잘 타는 데 재주가 뛰어남(善緣木走之才)'을 말한다. 주(走)가 의미부이고 교(喬)가 소리부이다. 왕자 이름인 교(蹻)[114]와 같이 읽는다. 독음은 거(去)와 효(囂)의 반절이다.

984

赳: 赳: 헌걸찰 규: 走-총9획: jiū

원문(原文)

---

113) 『단주』에서는 이렇게 말했다. "도(跳)는 달리 뛰다(躍)는 뜻이다. 약(躍)은 빠르다(迅)는 뜻이고, 신(迅)은 질주하다(疾)는 뜻이다. 그렇다면 초(超)와 취(趨)는 같은 뜻이다."
114) 『단주』에서 "왕자 교(蹻)는 왕자(王子) 교(喬)를 말한 것으로 보이는데, 주(周)나라 영왕(靈王)의 태자인 진(晉)을 말한다. 또 왕교(王喬)라는 사람도 있는데, 촉(蜀) 무양(武陽)사람이다." 라고 했다.

: 輕勁有才力也. 从走니聲. 讀若鐈. 居黝切.

(飜譯)

'힘이 있고 씩씩하다(輕勁有才力)'는 뜻이다.115) 주(走)가 의미부이고 규(니)가 소리부이다. 교(鐈)와 같이 읽는다. 독음은 거(居)와 유(黝)의 반절이다.

985

趌 : 趌: 큰 나무에 기어오를 기: 走-총11획: qí

(原文)

趌 : 緣大木也. 一曰行皃. 从走支聲. 巨之切.

(飜譯)

'큰 나무에 올라가다(緣大木)'라는 뜻이다. 일설에는 '가는 모양(行皃)'을 말한다고 한다. 주(走)가 의미부이고 지(支)가 소리부이다. 독음은 거(巨)와 지(之)의 반절이다.

986

趮 : 趮: 조급할 조: 走-총20획: zào

(原文)

趮 : 疾也. 从走喿聲. 則到切.

(飜譯)

'빨리 가다(疾)'라는 뜻이다. 주(走)가 의미부이고 소(喿)가 소리부이다. 독음은 즉(則)과 도(到)의 반절이다.

987

趯 : 趯: 뛸 적·약: 走-총21획: yuè

---

115) 『시·주남(周南)』의 『전(傳)』에서 규규(赳赳)는 씩씩한 모습(武皃)을 말한다고 했다.

原文

趯: 踊也. 从走翟聲. 以灼切.

飜譯

'뛰어 오르다(踊)'라는 뜻이다. 주(走)가 의미부이고 적(翟)이 소리부이다. 독음은 이(以)와 작(灼)의 반절이다.

988

趚: 趣: 뛸 걸: 走-총19획: jué

原文

趚: 蹶也. 从走厥聲. 居月切.

飜譯

'뛰어 오르다(蹶)'라는 뜻이다. 주(走)가 의미부이고 궐(厥)이 소리부이다. 독음은 거(居)와 월(月)의 반절이다.

989

越: 越: 넘을 월: 走-총12획: yuè

原文

越: 度也. 从走戉聲. 王伐切.

飜譯

'건너다(度)'라는 뜻이다. 주(走)가 의미부이고 월(戉)이 소리부이다.116) 독음은 왕(王)과 벌(伐)의 반절이다.

---

116) 고문자에서 金文 古陶文 簡牘文 등으로 썼는데, 走(달릴 주)가 의미부고 戉(도끼 월)이 소리부로, 빠른 걸음으로(走) 건너감을 말하며, 이로부터 어떤 범위나 권한을 넘어나는 것을 말한다. 또 옛날 장강 하류에 있던 나라 이름으로도 쓰였다.

990

趁： 趁: 쫓을 진: 走-총12획: chèn

原文

趁： 趨也. 从走㐱聲. 讀若塵. 丑刃切.

飜譯

'쫓아가다(趨)'라는 뜻이다. 주(走)가 의미부이고 진(㐱)이 소리부이다. 진(塵)과 같이 읽는다. 독음은 축(丑)과 인(刃)의 반절이다.

991

遭： 遭: 향해 갈 전: 走-총20획: zhān

原文

遭： 趁也. 从走亶聲. 張連切.

飜譯

'쫓아가다(趁)'라는 뜻이다. 주(走)가 의미부이고 단(亶)이 소리부이다. 독음은 장(張)과 련(連)의 반절이다.

992

趞： 趞: 가볍고 힘찰 작·밟을 적·살살 걸을 척: 走-총15획: què

原文

趞： 趞趞也. 一曰行皃. 从走昔聲. 七雀切.

飜譯

'사뿐사뿐 걷다(趞趞)'라는 뜻이다.117) 일설에는 '걸어가는 모습(行皃)'을 말한다고도 한다. 주(走)가 의미부이고 척(昔)이 소리부이다. 독음은 칠(七)과 작(雀)의 반절이다.

---

117) 서개의 『계전』에서는 작작(趞趞)이 교작(趫趞)으로 되었다.

993

趬: 趬: 사뿐사뿐 걸을 교: 走-총19획: qiāo

原文

趬: 行輕皃. 一曰趬, 舉足也. 从走堯聲. 牽遙切.

譯

'가볍게 가는 모습(行輕皃)'을 말한다. 일설에 '교(趬)는 발을 높이 들고 걷는 것(舉足)'을 말한다고도 한다. 주(走)가 의미부이고 요(堯)가 소리부이다. 독음은 견(牽)과 요(遙)의 반절이다.

994

趹: 趹: 급히 달아날 현: 走-총15획: xián

原文

趹: 急走也. 从走弦聲. 胡田切.

譯

'급하게 걷다(急走)'라는 뜻이다. 주(走)가 의미부이고 현(弦)이 소리부이다. 독음은 호(胡)와 전(田)의 반절이다.

995

趑: 趑: 갑작스러울 자: 走-총12획: cī

原文

趑: 蒼卒也. 从走弟聲. 讀若資. 取私切.

譯

'경황이 갑작스레 걸어가다(蒼卒)'라는 뜻이다. 주(走)가 의미부이고 자(弟)가 소리부이다. 자(資)와 같이 읽는다. 독음은 취(取)와 사(私)의 반절이다.

996

趭: 趭: **사뿐사뿐 걸을 표**: 走-총18획: piāo

原文

趭: 輕行也. 从走票聲. 撫招切.

繙譯

'가볍게 걸어가다(輕行)'라는 뜻이다. 주(走)가 의미부이고 표(票)가 소리부이다. 독음은 무(撫)와 초(招)의 반절이다.

997

趛: 趛: **느릿느릿 가는 모양 긴**: 走-총15획: qǐn

原文

趛: 行皃. 从走臤聲. 讀若蓳. 弃忍切.

繙譯

'걸어가는 모습(行皃)'을 말한다. 주(走)가 의미부이고 견(臤)이 소리부이다. 긴(蓳)과 같이 읽는다. 독음은 기(弃)와 인(忍)의 반절이다.

998

趥: 趥: **타달거릴 추**: 走-총16획: qiū

原文

趥: 行皃. 从走酋聲. 千牛切.

繙譯

'걸어가는 모습(行皃)'을 말한다. 주(走)가 의미부이고 추(酋)가 소리부이다. 독음은 천(千)과 우(牛)의 반절이다.

999

趨: 趨: 다니는 모양 촉·뛸 속: 走-총20획: zhú

(原文)

趨: 行皃. 从走蜀聲. 讀若燭. 之欲切.

(飜譯)

'걸어가는 모습(行皃)'을 말한다. 주(走)가 의미부이고 촉(蜀)이 소리부이다. 촉(燭)과 같이 읽는다. 독음은 지(之)와 욕(欲)의 반절이다.

1000

趣: 趣: 가는 모양 장: 走-총13획: jiàng

(原文)

趣: 行皃. 从走匠聲. 讀若匠. 疾亮切.

(飜譯)

'걸어가는 모습(行皃)'을 말한다. 주(走)가 의미부이고 장(匠)이 소리부이다. 장(匠)과 같이 읽는다. 독음은 질(疾)과 량(亮)의 반절이다.

1001

趨: 趨: 달아날 선: 走-총21획: xún

(原文)

趨: 走皃. 从走叡聲. 讀若紃. 祥遵切.

(飜譯)

'걸어가는 모습(行皃)'을 말한다. 주(走)가 의미부이고 학(叡)이 소리부이다.118) 순

(緦)과 같이 읽는다. 독음은 상(祥)과 준(遵)의 반절이다.

1002

趫: 趫: 달릴 결: 走-총24획: jié

原文

趫: 走意. 从走薊聲. 讀若鬉結之結. 古屑切.

飜譯

'큰 걸음으로 달려가려고 하다(走意)'는 뜻이다. 주(走)가 의미부이고 계(薊)가 소리부이다. 좌결(鬉結: 쪽머리를 하다)이라고 할 때의 결(結)과 같이 읽는다. 독음은 고(古)와 설(屑)의 반절이다.

1003

趰: 趰: 급히 달아날 군: 走-총15획: qūn

原文

趰: 走意. 从走囷聲. 丘悆切.

飜譯

'큰 걸음으로 달려가려고 하다(走意)'는 뜻이다. 주(走)가 의미부이고 균(囷)이 소리부이다. 독음은 구(丘)와 분(悆)의 반절이다.

1004

趖: 趖: 빨리 달릴 좌: 走-총14획: zuò

---

118) 선(趨)에 대해 "학(叡)이 소리부이다"라고 했는데, 독음 차이가 심하다. 그래서 서현도 "학(叡)이 소리부라고 했는데 차이가 커서, 아마도 예(睿)가 아닐까 생각합니다."라고 지적한 바 있다. 그리고 『자휘(字彙)』에서는 이 글자를 선(趨)과 같다고 하는데, 그렇지 않다고 했다.

原文

趖: 走意. 从走坐聲. 蘇和切.

飜譯

'큰 걸음으로 달려가려고 하다(走意)'는 뜻이다. 주(走)가 의미부이고 좌(坐)가 소리부이다. 독음은 소(蘇)와 화(和)의 반절이다.

1005

趰: 趰: 달아나려 할 현: 走-총23획: xiàn

原文

趰: 走意. 从走憲聲. 許建切.

飜譯

'큰 걸음으로 달려가려고 하다(走意)'는 뜻이다. 주(走)가 의미부이고 헌(憲)이 소리부이다. 독음은 허(許)와 건(建)의 반절이다.

1006

趰: 趰: 달아나려 할 변: 走-총23획: biān

原文

趰: 走意. 从走舉聲. 布賢切.

飜譯

'큰 걸음으로 달려가려고 하다(走意)'는 뜻이다. 주(走)가 의미부이고 변(舉)이 소리부이다. 독음은 포(布)와 현(賢)의 반절이다.

1007

趩: 趩: 달릴 질: 走-총20획: zhí

原文

趩: 走也. 从走戠聲. 讀若『詩』"威儀秩秩". 直質切.

飜譯

'큰 걸음으로 달려가다(走)'라는 뜻이다. 주(走)가 의미부이고 철(戠)이 소리부이다. 『시·대아가락(假樂)』의 "위의질질(威儀秩秩: 위엄과 예의 빈틈없이 갖추고)"이라고 할 때의 질(秩)과 같이 읽는다. 독음은 직(直)과 질(質)의 반절이다.

1008

趭: 趭: 달리는 모양 유: 走-총13획: yòu

原文

趭: 走也. 从走有聲. 讀若又. 子救切. (當作于救切.)

飜譯

'큰 걸음으로 달려가다(走)'라는 뜻이다. 주(走)가 의미부이고 유(有)가 소리부이다. 우(又)와 같이 읽는다. 독음은 자(子)와 구(救)의 반절이다. [우(于)와 구(救)의 반절이 되어야 옳다.]

1009

趶: 趶: 가볍게 달아날 오: 走-총17획: wǔ

原文

趶: 走輕也. 从走烏聲. 讀若鄔. 安古切.

飜譯

'큰 걸음으로 경쾌하게 달려가다(走輕)'라는 뜻이다. 주(走)가 의미부이고 오(烏)가 소리부이다. 오(鄔)와 같이 읽는다. 독음은 안(安)과 고(古)의 반절이다.

1010

𧼝: 趡: 달아나며 돌아보는 모양 **구**: 走-총25획: qú

原文

𧼝: 走顧皃. 从走瞿聲. 讀若劬. 其俱切.

譯

'이리저리 살피면서 큰 걸음으로 달려가는 모습(走顧皃)'을 말한다. 주(走)가 의미부이고 구(瞿)가 소리부이다. 구(劬)와 같이 읽는다. 독음은 기(其)와 구(俱)의 반절이다.

1011

𧺆: 褰: 달아나는 모양 **건·헌**: 走-총17획: qiān

原文

𧺆: 走皃. 从走, 褰省聲. 九輦切.

譯

'큰 걸음으로 달려가는 모습(走皃)'을 말한다. 주(走)가 의미부이고, 건(褰)의 생략된 모습이 소리부이다. 독음은 구(九)와 련(輦)의 반절이다.

1012

赵: 赵: 의심하여 머뭇거리다가 떠나갈 **채·마음을 일으킬 차**: 走-총10획: cāi

原文

赵: 疑之, 等赵而去也. 从走才聲. 倉才切.

譯

'의심을 하여 주저주저하다가 겨우 떠나감(疑之, 等赵而去)'을 말한다. 주(走)가 의미부이고 재(才)가 소리부이다. 독음은 창(倉)과 재(才)의 반절이다.

1013

越: 越: 얕은 여울 건널 차: 走-총12획: cǐ

原文

越: 淺渡也. 从走此聲. 雌氏切.

翻譯

'얕은 물을 건너다(淺渡)'라는 뜻이다. 주(走)가 의미부이고 차(此)가 소리부이다. 독음은 자(雌)와 씨(氏)의 반절이다.

1014

趜: 趜: 혼자 갈 경: 走-총11획: qióng

原文

趜: 獨行也. 从走勻聲. 讀若煢. 渠營切.

翻譯

'혼자 가다(獨行)'라는 뜻이다. 주(走)가 의미부이고 균(勻)이 소리부이다. 경(煢)과 같이 읽는다. 독음은 거(渠)와 영(營)의 반절이다.

1015

趣: 趣: 편안히 걸을 여: 走-총21획: yú

原文

趣: 安行也. 从走與聲. 余呂切.

翻譯

'편안하게 가다(安行)'라는 뜻이다. 주(走)가 의미부이고 여(與)가 소리부이다. 독음은 여(余)와 려(呂)의 반절이다.

1016

起 ： 起: 일어날 기: 走-총10획: qǐ

(原文)

起 ： 能立也. 从走巳聲. 𨑓, 古文起从辵. 墟里切.

(飜譯)

'발을 딛고 설 수 있다(能立)'라는 뜻이다. 주(走)가 의미부이고 사(巳)가 소리부이다.119) 기(𨑓)는 기(起)의 고문체인데, 착(辵)으로 구성되었다. 독음은 허(墟)와 리(里)의 반절이다.

1017

趡 ： 趡: 달아나려다 망설일 해: 走-총14획: hái

(原文)

趡 ： 䏠意也. 从走里聲. 讀若小兒孩. 戶來切.

(飜譯)

'[떠나지 않고] 머물려 하다(䏠意)'는 뜻이다. 주(走)가 의미부이고 리(里)가 소리부이다. '어린애가 웃는다(小兒孩)'라고 할 때의 해(孩)와 같이 읽는다. 호(戶)와 래(來)의 반절이다.

1018

趨 ： 趨: 기운 없이 갈 흉: 走-총17획: xiòng

(原文)

---

119) 『옥편』에서 "사(巳)는 일어나다(起)는 뜻이다"라고 한 것으로 보아, 사(巳)에서 주(走)를 더해 분화한 것이 기(起)이고, 이는 아이(巳)가 일어서서 처음으로 걷는 것을 말한다.

趌: 行也. 从走臭聲. 香仲切.

（飜譯）

'가다(行)'라는 뜻이다. 주(走)가 의미부이고 취(臭)가 소리부이다. 독음은 향(香)과 중(仲)의 반절이다.

1019

趛: 趛: 머리 숙이고 빨리 갈 음: 走-총15획: yǐn

（原文）

趛: 低頭疾行也. 从走金聲. 牛錦切.

（飜譯）

'머리를 숙인 채 빨리 가다(低頭疾行)'라는 뜻이다. 주(走)가 의미부이고 금(金)이 소리부이다. 독음은 우(牛)와 금(錦)의 반절이다.

1020

趌: 趌: 성내어 달릴 길: 走-총13획: jié

（原文）

趌: 趌趌, 怒走也. 从走吉聲. 去吉切.

（飜譯）

'길갈(趌趌)'을 말하는데, 성이 나서 빨리 달려가다(怒走)'라는 뜻이다. 주(走)가 의미부이고 길(吉)이 소리부이다. 독음은 거(去)와 길(吉)의 반절이다.

1021

趨: 趨: 성내어 달릴 갈: 走-총16획: jié

（原文）

糶: 趙趨也. 从走曷聲. 居謁切.

(譯)
'성이 나서 빨리 달려가다(趙趨)'라는 뜻이다. 주(走)가 의미부이고 갈(曷)이 소리부이다. 독음은 거(居)와 알(謁)의 반절이다.

1022

趯: 趲: 빠를 훤: 走-총20획: xuān

(原文)
趯: 疾也. 从走瞏聲. 讀若讙. 況袁切.

(譯)
'빨리 달려가다(疾)'라는 뜻이다. 주(走)가 의미부이고 경(瞏)이 소리부이다. 환(讙)과 같이 읽는다. 독음은 황(況)과 원(袁)의 반절이다.

1023

趌: 趌: 곧장 갈 글: 走-총10획: jí

(原文)
趌: 直行也. 从走气聲. 魚訖切.

(譯)
'[두르지 않고] 곧바로 감(直行)'을 말한다. 주(走)가 의미부이고 기(气)가 소리부이다. 독음은 어(魚)와 흘(訖)의 반절이다.

1024

趯: 趯: 달려 나아가는 모양 익: 走-총25획: yì

(原文)

趮: 趨進趮如也. 从走翼聲. 與職切.

翻譯

'빠른 걸음으로 달려 나감에도 용모가 단정함(趨進趮如)'을 말한다. 주(走)가 의미부이고 익(翼)이 소리부이다. 독음은 여(與)와 직(職)의 반절이다.

1025

趹: 趹: 말 달려갈 결: 走-총11획: jué

原文

趹: 踶也. 从走, 決省聲. 古穴切.

翻譯

'발로 차다(踶)'라는 뜻이다. 주(走)가 의미부이고, 결(決)의 생략된 모습이 소리부이다. 독음은 고(古)와 혈(穴)의 반절이다.

1026

趩: 趩: 걷는 소리 칙: 走-총18획: chì

原文

趩: 行聲也. 一曰不行皃. 从走異聲. 讀若敕. 丑亦切.

翻譯

'걸어가는 소리(行聲)'를 말한다. 일설에는 '[주저하여] 나아가지 않는 모습(不行皃)'을 말한다고도 한다. 주(走)가 의미부이고 이(異)가 소리부이다. 칙(敕)과 같이 읽는다. 독음은 축(丑)과 역(亦)의 반절이다.

1027

趆: 趆: 빨리 달릴 저·제: 走-총12획: dī

原文

𧾷: 趨也. 从走氏聲. 都禮切.

譯譯

'빨리 달려가다(趨)'라는 뜻이다. 주(走)가 의미부이고 저(氏)가 소리부이다. 독음은 도(都)와 례(禮)의 반절이다.

1028

𧼂: 趍: 추창할 추·느릴 치: 走-총13획: chí

原文

𧼂: 趨趙, 久也. 从走多聲. 直离切.

譯譯

'느릿느릿 걷다(趨趙)'는 뜻인데 '시간이 오래 걸리다(久)'는 말이다. 주(走)가 의미부이고 다(多)가 소리부이다. 독음은 직(直)과 리(离)의 반절이다.

1029

趙: 趙: 나라 조: 走-총14획: zhào

原文

趙: 趨趙也. 从走肖聲. 治小切.

譯譯

'느릿느릿 걷다(趨趙)'라는 뜻이다. 주(走)가 의미부이고 초(肖)가 소리부이다. 독음은 치(治)와 소(小)의 반절이다.

1030

趁: 趂: 걷기 어려울 근: 走-총11획: qǐn

原文

趚: 行難也. 从走斤聲. 讀若菫. 丘菫切.

飜譯

'걷기가 어렵다(行難)'라는 뜻이다. 주(走)가 의미부이고 근(斤)이 소리부이다. 근(菫)
과 같이 읽는다. 독음은 구(丘)와 근(菫)의 반절이다.

1031

趫: 趫: 달아나려고 할 귤: 走-총22획: jú

原文

趫: 走意也. 从走矞聲. 讀若繘. 居聿切.

飜譯

'걸어 가려하다(走意)'는 뜻이다. 주(走)가 의미부이고 율(矞)이 소리부이다. 율(繘)과
같이 읽는다. 독음은 거(居)와 율(聿)의 반절이다.

1032

趠: 趠: 멀 탁: 走-총15획: chuo

原文

趠: 遠也. 从走卓聲. 敕角切.

飜譯

'멀리 가다(遠)'라는 뜻이다. 주(走)가 의미부이고 탁(卓)이 소리부이다. 독음은 칙
(敕)과 각(角)의 반절이다.

1033

趯: 趯: 가는 모양 약: 走-총24획: yuè

原文

䢅: 趠擂也. 从走龠聲. 以灼切.

飜譯

'멀리 가다(趠擂)'라는 뜻이다.[120) 주(走)가 의미부이고 약(龠)이 소리부이다. 독음은 이(以)와 작(灼)의 반절이다.

1034

躩: 趰: 뚜벅뚜벅 걸을 각: 走-총27획: jué

原文

躩: 大步也. 从走矍聲. 丘縛切.

飜譯

'큰 걸음으로 걷다(大步)'라는 뜻이다. 주(走)가 의미부이고 확(矍)이 소리부이다. 독음은 구(丘)와 박(縛)의 반절이다.

1035

趰: 趰: 뛰어날 체: 走-총16획: chì

原文

趰: 超特也. 从走契聲. 丑例切.

飜譯

'걸음걸이가 특별히 크다(超特)'라는 뜻이다. 주(走)가 의미부이고 계(契)가 소리부이다. 독음은 축(丑)과 례(例)의 반절이다.

---

120) 『단주』에서 이렇게 말했다. "탁약(趠擂)은 첩운자(疊韵字)이다. 『광운(廣韵)』에서 탁약(趠擂)은 가는 모양(行兒)을 말한다고 했고, 『방언(方言)』에서는 약(躃)은 가다는 뜻이다(行也)라고 했는데, 약(躃)은 바로 약(擂)자이다." 그리고 바로 앞에서 탁(趠)은 '멀리 가다(遠)'라고 했다.

1036

趡: 趡: 달릴 기·희: 走-총19획: jī

原文

趡: 走也. 从走幾聲. 居衣切.

譯

'달려가다(走)'라는 뜻이다. 주(走)가 의미부이고 기(幾)가 소리부이다. 독음은 거(居)와 의(衣)의 반절이다.

1037

趡: 趡: 달아날 불: 走-총15획: fú

原文

趡: 走也. 从走弗聲. 敷勿切.

譯

'달리다(走)'라는 뜻이다. 주(走)가 의미부이고 불(弗)이 소리부이다. 독음은 부(敷)와 물(勿)의 반절이다.

1038

趡: 趡: 미쳐 달아날 귤: 走-총19획: jú

原文

趡: 狂走也. 从走矞聲. 余律切.

譯

'미쳐 달아나다(狂走)'라는 뜻이다. 주(走)가 의미부이고 율(矞)이 소리부이다. 독음은 여(余)와 률(律)의 반절이다.

제 2 권

1039

趨: 趨: 느리게 걸을 문·만: 走-총18획: mán

原文

趨: 行遲也. 从走曼聲. 莫還切.

譯

'더디게 가다(行遲)'라는 뜻이다. 주(走)가 의미부이고 만(曼)이 소리부이다. 독음은 막(莫)과 환(還)의 반절이다.

1040

趉: 趉: 별안간 달아날 굴: 走-총12획: jué

原文

趉: 走也. 从走出聲. 讀若無尾之屈. 瞿勿切.

譯

'[갑자기] 달려가다(走)'라는 뜻이다. 주(走)가 의미부이고 출(出)이 소리부이다. "꼬리가 없는듯 보이게 하다(無尾)"는 뜻의 굴(屈)과 같이 읽는다.121) 독음은 구(瞿)와 물(勿)의 반절이다.

1041

趜: 趜: 궁구할 국: 走-총15획: jú

---

121) 『단주』에서 이렇게 말했다. "미(尾)부수에서 굴(屈)은 꼬리가 없는 듯하다(無尾也)는 뜻이라고 했다. 『회남자』에 대한 고유의 주석에서 굴(屈)은 '秋雞無尾屈(가을 닭은 꼬리를 없는 듯 아래로 내린다)'이라고 할 때의 굴(屈)과 같이 읽는다고 했다. 또 『방언(方言)』에서는 '[수레의 枸簍를 南楚 이남 지역에서는 篷 혹은] 융굴(隆屈)[이라 부른다]'라고 했는데, 곽박은 굴(屈)은 미(尾: 꼬리)와 같다고 했다." 또 『단주』의 굴(屈)에 대한 해설에서 "꼬리가 짧은 것(短尾)을 굴(屈)이라 한다.……이후 파생되어 짧은 것(短)을 부르는 말이 되었다. 예컨대, 산이 길지 않으면서 높은 것(山短高)을 굴(崛)이라 하는 것이 그렇다."

原文

趜: 窮也. 从走匊聲. 居六切.

飜譯

'끝까지 다하다(窮)'라는 뜻이다. 주(走)가 의미부이고 국(匊)이 소리부이다. 독음은 거(居)와 륙(六)의 반절이다.

1042

趑: 趑: 머뭇거릴 자: 走-총13획: zī

原文

趑: 趑趄, 行不進也. 从走次聲. 取私切.

飜譯

'자저(趑趄)를 말하는데, 머뭇거려 나아가지 못함(行不進)'을 말한다. 주(走)가 의미부이고 차(次)가 소리부이다. 독음은 취(取)와 사(私)의 반절이다.

1043

趄: 趄: 뒤뚝거릴 저: 走-총12획: jū

原文

趄: 趑趄也. 从走且聲. 七余切.

飜譯

'자저(趑趄)를 말하는데, 머뭇거려 나아가지 못함(行不進)'을 말한다. 주(走)가 의미부이고 차(且)가 소리부이다. 독음은 칠(七)과 여(余)의 반절이다.

1044

趨: 趨: 절며 걸을 건: 走-총17획: qiān

제
2
권

原文

𧼛: 蹇行𧼛𧼛也. 从走虔聲. 讀若愆. 去虔切.

飜譯

'절뚝거리며 걷다(蹇行𧼛𧼛)'라는 뜻이다. 주(走)가 의미부이고 건(虔)이 소리부이다. 건(愆)과 같이 읽는다. 독음은 거(去)와 건(虔)의 반절이다.

1045

趯: 趯: 허리 굽혀 가는 모양 권·관: 走-총25획: quán

原文

趯: 行趯趗也. 一曰行曲脊皃. 从走雚聲. 巨員切.

飜譯

'걸을 때 등이 구부정하다(行趯趗)'라는 뜻이다. 일설에는 '걸어갈 때 등이 굽은 모양(行曲脊皃)'을 말한다고도 한다. 주(走)가 의미부이고 관(雚)이 소리부이다. 독음은 거(巨)와 원(員)의 반절이다.

1046

趗: 趗: 국량이 좁을 록: 走-총15획: lù

原文

趗: 趯趗也. 从走录聲. 力玉切.

飜譯

'등을 구부정하게 하여 걷다(趯趗)'라는 뜻이다. 주(走)가 의미부이고 록(录)이 소리부이다. 독음은 력(力)과 옥(玉)의 반절이다.

1047

逡: 逡: 걸음이 빠른 모양 준·나아갈 추: 走-총14획: qūn

原文

趍: 行趍趍也. 从走㕙聲. 七倫切.

飜譯

'빠른 걸음으로 걸어가다(行趍趍)'라는 뜻이다. 주(走)가 의미부이고 준(㕙)이 소리부이다. 독음은 칠(七)과 륜(倫)의 반절이다.

1048

趚: 趚: 살살 걸을 적: 走-총13획: qì

原文

趚: 側行也. 从走束聲. 『詩』曰: "謂地蓋厚, 不敢不趚." 資昔切.

飜譯

'옆으로 비켜서 살살 걷다(側行)'라는 뜻이다. 주(走)가 의미부이고 자(束)가 소리부이다. 『시·소아정월(正月)』에서 "땅이 두텁다고들 하지만, 조심해 걷지 않을 수 없네(謂地蓋厚, 不敢不趚)"라고 노래했다. 독음은 자(資)와 석(昔)의 반절이다.

1049

跬: 跬: 반걸음 규: 走-총13획: kuǐ

原文

跬: 半步也. 从走圭聲. 讀若跬同. 丘弭切.

飜譯

'반걸음(半步)'을 말한다. 주(走)가 의미부이고 규(圭)가 소리부이다. 규(跬)와 똑같이 읽는다. 독음은 구(丘)와 미(弭)의 반절이다.

1050

龐: 趑: **경박할 치·제:** 走-총17획: chí

（原文）

龐: 趑驚, 輕薄也. 从走虒聲. 讀若池. 直离切.

（飜譯）

‘치즐(趑驚)’을 말하는데, ‘경박하다(輕薄)’라는 뜻이다. 주(走)가 의미부이고 사(虒)가 소리부이다. 지(池)와 같이 읽는다. 독음은 직(直)과 리(离)의 반절이다.

1051

龐: 趈: **넘어질 복·갑자기 부:** 走-총15획: bó

（原文）

龐: 僵也. 从走音聲. 讀若匐. 朋北切.

（飜譯）

‘넘어지다(僵)’라는 뜻이다. 주(走)가 의미부이고 부(音)가 소리부이다. 복(匐)과 같이 읽는다. 독음은 붕(朋)과 북(北)의 반절이다.

1052

趼: 趆: **성낼 차:** 走-총12획: chě

（原文）

趼: 距也. 从走, 庐省聲. 『漢令』曰：“趆張百人.” 車者切.

（飜譯）

‘벌리다(距)’라는 뜻이다. 주(走)가 의미부이고, 척(庐)의 생략된 모습이 소리부이다. 한나라 때의 법령(漢令)에 의하면, “쇠뇌를 발로 벌릴 수 있는 자가 1백 명이나 있었다(趆張百人)”라고 한다. 독음은 차(車)와 자(者)의 반절이다.

1053

𧼛: 𧼛: 뛸 력·삭·약: 走-총22획: lì

原文

𧼛: 動也. 从走樂聲. 讀若『春秋傳』曰“輔𧼛.” 郞擊切.

飜譯

'움직이다(動)'라는 뜻이다. 주(走)가 의미부이고 락(樂)이 소리부이다. 『춘추전』(『좌전』 양공 24년, B.C. 549)에서 말한 '보력(輔𧼛)'의 력(𧼛)과 같이 읽는다. 독음은 랑(郞)과 격(擊)의 반절이다.

1054

趡: 趡: 움직일 유: 走-총15획: cuǐ

原文

趡: 動也. 从走隹聲.『春秋傳』曰: “盟于趡”. 趡, 地名. 千水切.

飜譯

'움직이다(動)'라는 뜻이다. 주(走)가 의미부이고 추(隹)가 소리부이다. 『춘추전』(『좌전』 환공 17년, B.C. 695)에서 “유(趡) 땅에서 맹약을 맺었다”라고 했는데, 유(趡)는 지명이다. 독음은 천(千)과 수(水)의 반절이다.

1055

趄: 趄: 처소를 바꿀 원: 走-총13획: yuán

原文

趄: 趄田, 易居也. 从走亘聲. 羽元切.

飜譯

'경작지를 바꾸어가면서(趄田), 거처를 바꾸다(易居)'라는 뜻이다.[122] 주(走)가 의미부이고 선(㐱)이 소리부이다. 독음은 우(羽)와 원(元)의 반절이다.

1056

趜: 趜: 갑자기 달아날 전: 走−총17획: diān

原文

趜: 走頓也. 从走眞聲. 讀若顚. 都年切.

‘달려 나가 머리를 조아리다(走頓)’라는 뜻이다. 주(走)가 의미부이고 진(眞)이 소리부이다. 전(顚)과 같이 읽는다. 독음은 도(都)와 년(年)의 반절이다.

1057

踊: 踊: 뛸 용: 走−총14획: yǒng

原文

踊: 喪辟踊. 从走甬聲. 余隴切.

‘상을 당해 너무 슬퍼 팔딱팔딱 뛰다(喪辟踊)’라는 뜻이다. 주(走)가 의미부이고 용(甬)이 소리부이다. 독음은 여(余)와 롱(隴)의 반절이다.

---

122) 『주례(周禮)·대사도(大司徒)』에서 이렇게 말했다. "경작지를 바꾸지 않는 땅은 1가(家)에 100무(畮)를 주고, 경작지를 한번 바꾼 땅은 1가(家)에 200무(畮)를 주고, 경작지를 두 번 바꾼 땅은 1가(家)에 300무(畮)를 준다.(不易之地家百畮, 一易之地家二百畮, 再易之地家三百畮.)" 이에 대해 대정(大鄭, 鄭眾)은 "경작지를 바꾸지 않는 땅은 1년마다 곡식을 심는데 땅이 비옥하기 때문이다. 그래서 100무를 준다. 경작지를 한 번 바꾼 땅은 1년을 쉬고 곡식을 심는데 땅이 조악하기 때문이다. 그래서 200무를 준다. 경작지를 두 번 바꾼 땅은 2년을 쉬고 곡식을 심는다. 그래서 300무를 준다.(易之地歲種之, 地美, 故家百畮. 易之地休一歲乃復種, 地薄, 故家二百畮. 再易之地休二歲乃復種, 故家三百畮.)"

1058

趩: 趩: 벽제 필: 走-총18획: jiàn

原文

趩: 止行也. 一曰竈上祭名. 从走畢聲. 卑吉切.

飜譯

'[제왕의 출행 시 도로의 경비를 위해] 통행을 금지하다(止行)'라는 뜻이다. 일설에는 '부뚜막 위에서 지내는 제사 이름(竈上祭名)'을 말한다고도 한다. 주(走)가 의미부이고 필(畢)이 소리부이다. 독음은 비(卑)와 길(吉)의 반절이다.

1059

趲: 趲: 나아갈 잠: 走-총18획: jiàn

原文

趲: 進也. 从走斬聲. 藏監切.

飜譯

'나아가다(進)'라는 뜻이다. 주(走)가 의미부이고 참(斬)이 소리부이다. 독음은 장(藏)과 감(監)의 반절이다.

1060

趧: 趧: 오랑캐 춤 제: 走-총16획: tí

原文

趧: 趧䢏, 四夷之舞, 各自有曲. 从走是聲. 都兮切.

飜譯

'제루(趧䢏)'를 말하는데, 사방 이민족들의 춤 이름이며(四夷之舞)[123], 각기 고유한

---

123) 단옥재는 '춤 이름'이 아니라 '춤을 출 때 신는 신'으로 보았다. 그는 이렇게 말했다. "제루

곡조를 갖추고 있다(各自有曲).' 주(走)가 의미부이고 시(是)가 소리부이다. 독음은 도(都)와 혜(兮)의 반절이다.

1061

趒: 趒: 뛸 조: 走-총13획: tiáo

原文

趒: 雀行也. 从走兆聲. 徒遼切.

飜譯

'참새가 가듯 꼬리를 총총 뛰어가다(雀行)'라는 뜻이다. 주(走)가 의미부이고 조(兆)가 소리부이다. 독음은 도(徒)와 료(遼)의 반절이다.

1062

赶: 赶: 달릴 간: 走-총10획: qián

原文

赶: 舉尾走也. 从走干聲. 巨言切.

飜譯

'꼬리를 치켜세운 채 달려감(舉尾走)'을 말한다. 주(走)가 의미부이고 간(干)이 소리부이다. 독음은 거(巨)와 언(言)의 반절이다.

(趕婁)를 금본『주례(周禮)』에서는 제루씨(鞮鞻氏)로 적었으며,『주』에서 루(鞻)는 구(屨)와 같다. 제구(鞮屨)는 사방 이민족들이 춤을 출 때 신는 짚신을 말한다(四夷舞者屝也)."(『단주』)

제27부수
027 ▪ 지(止)부수

1063

止: 止: **발 지**: 止-총4획: zhǐ

原文

止: 下基也. 象艸木出有址, 故以止爲足. 凡止之屬皆从止. 諸市切.

飜譯

'아래쪽에 있는 터(下基)'를 말한다. 초목이 땅을 뚫고 자라날 때 땅에다 기초를 둔 모습을 그렸다. 그래서 지(止)가 발(足)이라는 뜻을 가진다. 지(止)부수에 귀속된 글자는 모두 지(止)가 의미부이다. 독음은 제(諸)와 시(市)의 반절이다.

1064

踵: 踵: **발꿈치 종**: 止-총13획: zhǒng

原文

踵: 跟也. 从止重聲. 之隴切.

飜譯

'발꿈치(跟)'를 말한다. 지(止)가 의미부이고 중(重)이 소리부이다. 독음은 지(之)와 롱(隴)의 반절이다.

1065

歭: 歭: **버틸 쟁**: 止-총12획: chēng

原文

峿: 岠也. 从止尚聲. 丑庚切.

'버티다(岠)'라는 뜻이다.124) 지(止)가 의미부이고 상(尚)이 소리부이다. 독음은 축(丑)과 경(庚)의 반절이다.

1066

峙: 峙: 머뭇거릴 치: 止-총10획: chí

原文

峙: 躇也. 从止寺聲. 直离切.

'머뭇거리다(躇)'라는 뜻이다. 지(止)가 의미부이고 사(寺)가 소리부이다. 독음은 직(直)과 리(离)의 반절이다.

1067

歫: 歫: 막을 거: 止-총9획: jù

原文

歫: 止也. 从止巨聲. 一曰搶也. 一曰超歫. 其呂切.

'멈추게 하다(止)'라는 뜻이다. 지(止)가 의미부이고 거(巨)가 소리부이다. 일설에는 '지탱하다(搶)'라는 뜻이라고도 한다.125) 또 일설에는 '뛰어 오르다(超歫)'라는 뜻이

---

124) 주준성의 『통훈정성』에서 "이는 탱(棠)으로 적기도 하는데, 탱(棠)은 지탱하다는 뜻의 탱(撐)과 같다."라고 하였다.

125) 『단주』에서는 창(搶)을 창(槍)으로 적었다. 창(槍)에 대한 『단주』에서 이렇게 말했다. "창(槍)은 버티다는 뜻이다(岠也). 지(止)부수에서 거(歫)는 그치게 하다는 뜻이다(止也)라고 하였으며, 일설에는 창(槍)을 말한다고도 했다. 내 생각에 창은 서로 마주보고 싸우다는 뜻을 담고 있기 때문이다(按槍有相迎鬪爭之意). 『통속문(通俗文)』에서 날카롭게 다듬은 나무로 도적에게 상해를 입히는 것(剡木傷盜)을 창(槍)이라 한다고 했는데, 지금 세속에서는 창(鎗)으로 쓴다."

라고도 한다. 독음은 기(其)와 려(呂)의 반절이다.

1068

歬: 前: 앞 전: 刀-총9획: qián

原文

歬: 不行而進謂之歬. 从止在舟上. 昨先切.

飜譯

'나아가지 않아도 앞으로 가는 것을 전(前)이라고 한다(不行而進謂之歬).' 지(止)가 배(舟)의 위에 놓인 모습을 그렸다.[126) 독음은 작(昨)과 선(先)의 반절이다.

1069

歷: 歷: 지낼 력: 止-총16획: lì

原文

歷: 過也. 从止厤聲. 郎擊切.

飜譯

'지나가다(過)'라는 뜻이다. 지(止)가 의미부이고 력(厤)이 소리부이다.[127) 독음은 랑

---

126) 고문자에서 ▨甲古文 ▨金文 ▨古陶文 ▨前▨簡牘文 ▨石刻古文 등으로 썼는데, 원래는 舟(배 주)와 止(발 지)로 이루어져, 배(舟)를 타고 발(止)이 앞으로 나가는 모습에서 '前進(전진)하다'는 뜻이 만들어졌으나 자형이 변해 지금처럼 되었다. 혹자는 舟를 배 모양의 나막신으로 보아 신을 신고 가는 모습을 그린 것으로 풀이하기도 한다. 앞으로 나아가다가 원래 뜻이며, 이로부터 공간적인 의미의 앞이, 다시 시간상의 이전과 추상적 의미의 '앞'까지 뜻하게 되었다.

127) 고문자에서 ▨▨甲骨文 ▨歷金文 등으로 썼는데, 止(발 지)가 의미부이고 厤(다스릴 력)이 소리부로, 다스려 온(厤) 흔적(止)을 말한다. 원래는 두 개의 秝(나무 성글 력)과 止로 구성되어 곡식(秝)이 제대로 자랐는지를 걸어가며(止) 확인하는 모습에서 '지나감'을 그렸다. 인간이 걸어온 이 흔적이 바로 과거이며, 지나간 과거를 다 모은 것이 바로 歷史(역사)이다. 간화자에서는 소리부인 厤을 力(힘 력)으로 대체한 历으로 쓴다.

(郎)과 격(擊)의 반절이다.

1070

峬: 峬: 다다를 숙: 止-총12획: chù

原文

峬: 至也. 从止叔聲. 昌六切.

飜譯

'이르다(至)'라는 뜻이다. 지(止)가 의미부이고 숙(叔)이 소리부이다. 독음은 창(昌)과 륙(六)의 반절이다.

1071

躄: 躄: 절름거릴 벽: 止-총17획: bì

原文

躄: 人不能行也. 从止辟聲. 必益切.

飜譯

'사람이 걷지 못하다(人不能行)'라는 뜻이다. 지(止)가 의미부이고 벽(辟)이 소리부이다. 독음은 필(必)과 익(益)의 반절이다.

1072

歸: 歸: 돌아갈 귀: 止-총18획: guī

原文

歸: 女嫁也. 从止, 从婦省, 自聲. 峬, 籀文省. 舉韋切.

飜譯

'여자가 시집가다(女嫁)'라는 뜻이다. 지(止)가 의미부이고, 부(婦)의 생략된 모습도 의미부이며, 사(自)가 소리부이다.128) 귀(歸)는 주문체인데, 생략된 모습이다. 독음은 거(舉)와 위(韋)의 반절이다.

1073

書: 疌: 빠를 첩: 止-총8획: jié

原文

疌: 疾也. 从止从又. 又, 手也. 屮聲. 疾葉切.

翻譯

'빠르다(疾)'라는 뜻이다. 지(止)가 의미부이고 우(又)도 의미부인데, 우(又)는 손(手)을 말한다. 철(屮)이 소리부이다. 독음은 질(疾)과 엽(葉)의 반절이다.

1074

書: 疌: 베틀 디딜판 섭: 止-총9획: niè

原文

疌: 機下足所履者. 从止从又, 入聲. 尼輒切.

翻譯

'베틀 아래 부분의 발을 디디는 판(機下足所履者)'을 말한다. 지(止)가 의미부이고 우(又)도 의미부이며, 입(入)이 소리부이다. 독음은 니(尼)와 첩(輒)의 반절이다.

---

128) 고문자에서 ▨▨▨▨▨甲骨文 ▨▨▨▨▨金文 ▨盟書 ▨▨簡牘文 ▨石刻古文 등으로 썼는데, 원래는 婦(며느리 부)의 생략된 모습과 自(사, 師의 원래 글자)로 구성되어, 출정했던 군대(自)가 돌아오고 시집갔던 딸(婦)이 친정집으로 돌아옴을 말하며, 이로부터 돌아오다, 歸還(귀환)하다, 돌려주다, 합치다 등의 뜻이 나왔다. 이후 동작을 강조하기 위해 止(발 지)가 더해져 지금의 자형이 되었다. 간화자에서는 초서체로 줄인 归로 쓴다.

1075

屮: 少: 밟을 달: 止-총3획: tà

原文

屮: 蹋也. 从反止. 讀若撻. 他達切.

飜譯

'발로 밟다(蹋)'라는 뜻이다. 지(止)의 뒤집은 모습으로 구성되었다. 달(撻)과 같이 읽는다. 독음은 타(他)와 달(達)의 반절이다.

1076

歮: 蹠: 껄끄러울 삽: 止-총14획: sè

原文

歮: 不滑也. 从四止. 色立切.

飜譯

'매끄럽지 않다(不滑)'라는 뜻이다. 네 개의 지(止)로 구성되었다. 독음은 색(色)과 립(立)의 반절이다.

제28부수

028 ■ 발(癶)부수

1077

癶: 癶: 등질 발: 癶-총5획: bō

原文

癶: 足剌癶也. 从止、少. 凡癶之屬皆从癶. 讀若撥. 北末切.

飜譯

'두 발이 서로 엇갈려 등지다(足剌癶)'라는 뜻이다. 지(止)와 달(少)이 모두 의미부이다. 발(癶)부수에 귀속된 글자는 모두 발(癶)이 의미부이다.[129] 발(撥)과 같이 읽는다. 독음은 북(北)과 말(末)의 반절이다.

1078

豋: 登: 오를 등: 癶-총12획: dēng

原文

豋: 上車也. 从癶、豆. 象登車形. 癵, 籒文登从収. 都滕切.

飜譯

'수레에 오르다(上車)'라는 뜻이다. 발(癶)과 두(豆)가 의미부이다. 수레에 오르는 모습을 그렸다.[130] 등(癵)은 등(登)의 주문체인데, 공(収)으로 구성되었다. 독음은 도

---

129) 발(止지)이 서로 반대 방향으로 놓인 모습을 그렸으며, 이 때문에 癶은 '등지다', '떨어지다', '멀어지다' 등의 뜻이 생겼다. 예컨대, 登(오를 등)은 그릇(豆두)에 담긴 음식이나 곡식을 신전으로 가져가(癶) '드리는' 모습을 그렸고, 發(쏠 발)은 활(弓)을 쏘아 멀리 나아가게(癹) 함을 뜻한다.

130) 고문자에서 甲骨文 金文 古陶文 簡牘文 등으로 썼다. 癶(등질 발)과 豆(콩 두)로 구성되어, 굽 높은 제기(豆)에 담긴 음식이나 곡식을 신전으로 가져가(癶) '드리는' 모습을 그렸으며, 이로부터 올리다, 오르다, 곡식이 익다,

(都)와 등(滕)의 반절이다.

1079

𤼜 : 癹: 짓밟을 발: 癶-총9획: bā

原文

𤼜 : 以足蹋夷艸. 从癶从殳.『春秋傳』曰:"癹夷蘊崇之." 普活切.

譯

'풀을 발로 짓밟아 뭉개다(以足蹋夷艸)'라는 뜻이다. 발(癶)이 의미부이고 수(殳)도 의미부이다. 『춘추전』(『좌전』 은공 6년, B.C. 717)에서 "풀을 발로 짓밟아 죽여 이를 쌓아두듯이 [그 뿌리를 절멸시켜 다시는 번식할 수 없게 만들어야 합니다](癹夷蘊崇之.)"라고 했다. 독음은 보(普)와 활(活)의 반절이다.

장부에 기록하다 등의 뜻이 생겼다. 이후 의미를 강조하기 廾(두 손으로 받들 공)이 더해져 공손하게 올림을 강조하기도 했으나 지금의 다시 원래의 자형으로 돌아갔다. 달리 昪이나 鼻으로 쓰기도 한다.

제29부수
029 ■ 보(步)부수

1080

步: 步: **걸음 보:** 止-총7획: bù

原文

步: 行也. 从止少相背. 凡步之屬皆从步. 薄故切.

飜譯

‘걸어가다(行)’라는 뜻이다. 지(止)와 달(少)이 서로 등진 모습을 그렸다.[131] 보(步)부수에 귀속된 글자는 모두 보(步)가 의미부이다. 독음은 박(薄)과 고(故)의 반절이다.

1081

歲: 歲: **해 세:** 止-총13획: suì

原文

歲: 木星也. 越曆二十八宿, 宣徧陰陽, 十二月一次. 从步戌聲. 律曆書名五星爲五步. 相銳切.

飜譯

‘목성(木星)’을 말한다. [목성은] 28수(宿)[132]를 모두 지나서, [12년에] 음양 12시진(時

---

131) 고문자에서 〔갑골문 자형〕 甲骨文 〔금문 자형〕 金文 〔백서 자형〕 帛書 〔간독 자형〕 簡牘文 등으로 썼는데, 갑골문에서 두 개의 止(발 지)로 구성되었는데, 오른발과 왼발(止)을 그려 걷는 모습을 그렸고, 이로부터 걸음, 밟다, 찾다, 일의 진행 순서 등의 뜻도 나왔다. 또 걸음걸이나 두 발 간의 거리를 말하며, 길이 단위로도 쓰여 5尺(척)을 말했다.

132) 28수(宿)는 동방(東方)의 창룡(蒼龍) 7수(七宿)(즉 角, 亢, 氐, 房, 心, 尾, 箕); 북방(北方) 현무(玄武) 7수(七宿)(즉 斗, 牛, 女, 虛, 危, 室, 壁); 서방(西方) 백호(白虎) 7수(七宿)(즉 奎, 婁, 胃, 昴, 畢, 觜, 參); 남방(南方) 주작(朱雀) 7수(七宿)(즉 井, 鬼, 柳, 星, 張, 翼, 軫)를 말

辰)을 한 바퀴 다 돌게 된다.[133] 12개월에 1개의 시진을 지나기 때문에, 이를 세(歲)라고 한다.[134] 보(步)가 의미부이고 술(戌)이 소리부이다.[135] 율력서(律曆書)에서는 오성(五星)[136]을 오보(五步)라 불렀다. 독음은 상(相)과 예(銳)의 반절이다.

한다.

133) 선편(宣徧)은 다시 되돌아 오다는 뜻이다. 서개의 『계전』에 의하면, "자(子)에서 사(巳)에 이르기까지의 6개 천간이 양(陽)에 속하고 오(午)에서 해(亥)에 이르는 6개 천간이 음(陰)에 속하며, 12진(辰)은 이를 말한다."라고 했다.

134) 12월에 1개의 시진을 가기 때문에 한 바퀴 돌려면 12년이 걸리며, 이것이 목성의 주기이다. 그래서 고대인들은 황도(黃道) 부근에 12개의 지점을 표시해 놓고 한 해의 주기를 살폈다. 이 때문에 목성(木星)을 세성(歲星)이라 불리게 되었다. 『이아·석천(釋天)』에 의하면, 고대 중국에서 '한 해'를 하(夏)나라 때에는 세(歲), 상(商)나라 때에는 사(祀), 주(周)나라 때에는 년(年)이라 달리 사용했다 한다.

135) 고문자에서 [甲骨文] [金文] [古陶文] [簡牘文] [古璽文] 등으로 썼다. 步(걸을 보)와 戌(다섯째 천간 무)로 구성되어, 날이 크고 둥근 낫(戌)으로 걸어가며(步) 곡식을 수확하는 모습을 그렸고 이로부터 베다, 자르다의 뜻이 나왔다. 하지만, 고대사회에서는 수확에서 다음 수확 때까지의 주기를 '1년'으로 인식했고 그 때문에 '한 해'와 '나이'의 뜻이 나왔다. 그러자 원래 뜻은 刀(칼 도)를 더하여 劌(벨·상처 낼 귀)로 분화했다. 이후 歲星(세성)에서와 같이 歲는 목성을 지칭하기도 했는데, 그것은 목성의 자전 주기가 약 12년이고 고대 중국에서는 날짜를 나타내는 데 사용했던 12간지와 맞아떨어졌기에 달리 '목성'을 지칭하게 되었다. 간화자에서는 山(뫼 산)과 夕(저녁 석)의 상하구조로 된 岁로 쓴다.

136) 율력서는 『한서·율력지』를 말한다. 오성(五星)에 대해 『단주』에서 "수(水)에 해당하는 것을 진성(辰星)이라 하고, 금(金)에 해당하는 것을 태백(太白)이라 하고, 화(火)에 해당하는 것을 형혹(熒惑)이라 하고, 목(木)에 해당하는 것을 세성(歲星)이라 하고, 토(土)에 해당하는 것을 전성(塡星)이라 한다."라고 했다.

제30부수
030 ▪ 차(此)부수

1082

屵 : 此: 이 차: 止-총6획: cǐ

原文

屵 : 止也. 从止从匕. 匕, 相比次也. 凡此之屬皆从此. 雌氏切.

譯

'그치다(止)'라는 뜻이다. 지(止)가 의미부이고 비(匕)도 의미부이다. 비(匕)는 '서로 나란히 하여 순서를 매기다(相比次)'라는 뜻이다.[137] 차(此)부수에 귀속된 글자는 모두 차(此)가 의미부이다. 독음은 자(雌)와 씨(氏)의 반절이다.

1083

齜 : 呰: 약할 자: 口-총11획: zǐ

原文

齜 : 窳也. 闕. 將此切.

譯

'약하다(窳)'라는 뜻이다. 왜 그런 뜻이 생겼는지 알 수 없다(闕). 독음은 장(將)과 차(此)의 반절이다.

1084

棻 : 棽: 알 추: 木-총12획: zuǐ

---

137) 『단주』에서 "이는 차(此)자가 비(匕)로 구성된 이유를 설명한 것이다. 서로 나란히 순서를 정하여 멈춘다는 뜻이다."라고 하였다.

原文

𪧀 : 識也. 从此束聲. 一曰藏也. 遵誄切.

飜譯

'기록하다(識)'라는 뜻이다. 차(此)가 의미부이고 자(束)가 소리부이다. 일설에는 '감추다(藏)'라는 뜻이라고도 한다. 독음은 준(遵)과 뢰(誄)의 반절이다.

1085

些 : 些: 적을 사: 二-총7획: suò

原文

些 : 語辭也. 見『楚辭』. 从此从二. 其義未詳. 蘇箇切.

飜譯

'어기사(語辭)'를 말한다. 『초사(楚辭)』에 보인다. 차(此)가 의미부이고 이(二)도 의미부이다. 그 의미에 대해서는 잘 알 수 없다.[138] 독음은 소(蘇)와 개(箇)의 반절이다. [신부]

---

138) 二(두 이)가 의미부고 此(이 차)가 소리부로, '몇몇', '조금', '다소' 등의 뜻인데, 二는 一(한 일)보다는 많지만 三(석 삼)보다는 적음을 뜻한다.

완역 설문해자

제2권
(하)

제31부수
031 ■ 정(正)부수

1086

正 : 正: 바를 정: 止-총5획: zhèng

原文

正 : 是也. 从止, 一以止. 凡正之屬皆从正. 正, 古文正从二. 二, 古上字. 正,
古文正从一、足. 足者亦止也. 之盛切.

飜譯

'옳다(是)'라는 뜻이다. 지(止)가 의미부인데, 가로획[一]이 지(止: 발) 위에 놓인 모
습을 그렸다.[139] 정(正)부수에 귀속된 글자는 모두 정(正)이 의미부이다.[140] 정(正)
은 정(正)의 고문체인데, 상(二)으로 구성되었다. 상(二)은 상(上)의 고문체이다. 정
(正)도 정(正)의 고문체인데, 일(一)과 족(足)으로 구성되었다. 족(足)도 지(止)와 같
은 뜻이다. 독음은 지(之)와 성(盛)의 반절이다.

---

139) 『단주』에서 이렇게 말했다. "강원(江沅)의 말에 의하면, 가로획[一]은 그것을 멈추게 하는
바이다(所以止之也). 예컨대 사(乍)는 망(亡)을 멈추게 하는 것(止)이고, 모(母)는 간사함(姦)을
멈추게 하는 것(止)인데, 모두 가로획[一]으로 그것을 멈추게 한다."

140) 고문자에서 ![甲骨文] 甲骨文 ![金文] 金文 ![古陶文] 古陶文 ![盟書] ![盟書] 盟
書 ![簡牘文] 簡牘文 ![古璽文] 古璽文 ![石刻古文] 石刻古文 등으로 썼다.
원래는 口(나라 국·에워쌀 위)과 止(발 지)로 구성되어, 성(口)을 정벌하러 가는(止) 모습을 그
렸는데, 이후 口이 가로획으로 변했다. 정벌은 언제나 정당하고 정의로울 때만 가능했기에 '정
의'의 뜻이 생겼고, 그러자 원래 뜻은 彳(조금 걸을 척)을 더한 征(칠 정)으로 분화했다. 이후
치우치지 않다, 바르다, 곧다, 정직하다, 正義(정의)롭다, 정확하다, 한가운데, 표준 등의 뜻이
나왔고, 표준이라는 뜻에서 첫 번째 달인 正月(정월)도 지칭하게 되었다.

1087

丣: 乏: 가난할 핍: 丿−총5획: fá

丣: 『春秋傳』曰: "反正爲乏." 房法切.

『춘추전』(『좌전』 선공 15년, B.C. 594)에서 "정(正)자를 [좌우] 반대로 뒤집으면 핍(乏)자가 된다."라고 했다. 독음은 방(房)과 법(法)의 반절이다.

제32부수
032 ■ 시(是)부수

1088

昰 : 是: 옳을 시: 日—총9획: shì

原文

昰: 直也. 从日、正. 凡是之屬皆从是. 昰, 籒文是从古文正. 承旨切.

飜譯

'바르다(直)'라는 뜻이다. 일(日)과 정(正)이 의미부이다.[141] 시(是)부수에 귀속된 글자는 모두 시(是)가 의미부이다.[142] 시(昰)는 시(是)의 주문체인데, 정(正)의 고문체로 구성되었다. 독음은 승(承)과 지(旨)의 반절이다.

1089

韙 : 韙: 바를 위: 韋—총18획: wěi

---

141) 『단주』에서 이렇게 말했다. "직(直)부수에서 '똑바로 보다(正見)'라는 뜻이라고 했다. ……열 개의 눈(十目)으로 어두운 곳을 밝히는 것을 직(直)이라 하는데, 햇빛(日)으로 옳음(正)의 기준을 삼는 것이 시(是)이다. 그래서 일(日)과 정(正)으로 구성된 회의자이다. 천하의 사물 중에서 해 보다 밝은 것은 없기 때문이다. 『좌전』에서 '정직함(正直)을 정(正)이라 하고, 굽은 것을 바르게 하는 것(正曲)을 직(直)이라 한다.'라고 했다. 「오경문자(五經文字)」에서는 이를 왈(曰)부수에 귀속시켰고, 당나라 때의 판본(唐本)에서도 왈(曰)로 구성되었다고 했는데, 아마 잘못된 것일 것이다."

142) 고문자에서 𠃧𠃧𠃧𠃧𠃧金文 𠃧古陶文 𠃧𠃧盟書 𠃧𠃧𠃧𠃧𠃧簡牘文 𠃧𠃧帛書 등으로 썼다. 원래 日(날 일)과 正(바를 정)으로 구성되어 해(日)가 한가운데(正) 위치할 때를 말했는데, 자형이 변해 지금처럼 되었다. 바로 해가 한가운데 위치하는 '이때'를 말하며, 이로부터 '곧바르다'의 뜻이, 다시 '옳다', 바르다, 치우치지 않다, 정확하다 등의 뜻이 나왔다. 전국문자에서는 日과 止(발 지)로 구성되어 해(日)가 머무는(止) 때임을 말했다.

原文

韙: 是也. 从是韋聲. 『春秋傳』曰: "犯五不韙." 愇, 籒文韙从心. 于鬼切.

譯

'옳다(是)'라는 뜻이다. 시(是)가 의미부이고 위(韋)가 소리부이다. 『춘추전』(『좌전』 은공 11년, B.C. 712)에서 "다섯 가지 옳지 못한 일을 범했다(犯五不韙)"라고 했다.[143] 위(愇)는 위(韙)의 주문체인데, 심(心)으로 구성되었다. 독음은 우(于)와 귀(鬼)의 반절이다.

1090

尟: 尟: 적을 선: 小-총13획: xiǎn

原文

尟: 是少也. 尟俱存也. 从是、少. 賈侍中說. 酥典切.

譯

'옳은 사람이 적다(是少)'라는 뜻인데[144], 선(尟)자에 의미가 모두 들어 있다. 시(是)와 소(少)가 의미부이다. 가시중(賈侍中)의 학설이다. 독음은 수(酥)와 전(典)의 반절이다.

---

143) 『좌전』에서 이렇게 말했다. "정(鄭)나라와 식(息)나라 사이에 말다툼이 있었다. 이에 식나라 제후가 정나라를 쳤다. 정나라 장공이 식나라 군사를 국경에서 맞아 싸우자 식나라 군사가 크게 패해 돌아갔다. 군자는 이로써 식나라가 곧 망할 것임을 알았다. 식나라는 덕을 헤아리지 않았고, 역량을 헤아리지 않았고, 친척을 친하게 여기지 않았고, 한 말을 사실에 비추어 따지지 않았고, 허물이 있는 자를 살피지 않았다. 이 다섯 가지 옳지 못한 일을 범하고 남의 나라를 쳤으니 군사를 잃게 되는 것은 당연하지 않은가?"

144) 『단주』에서 이렇게 말했다. "『역·계사』에서 '故君子之道鮮矣(그리하여 군자의 도가 드물게 되었다)'라고 했는데, 정현의 판본에서는 선(尟)으로 적고, 적다(少)는 뜻이라고 했다. 또 선(尟)은 미치지 못하다(不及)는 뜻으로도 쓰인다. 본래는 선(鮮)으로 적기도 했다. 또 『이아석고(釋詁)』에서 선(鮮)은 선(善)과 같은 뜻이라고도 했다. 본래는 간혹 선(尠)으로 적기도 했는데, 선(尠)은 선(尟)의 속체자이다."

제33부수
033 ■ 착(辵)부수

1091

辵: 辵: 쉬엄쉬엄 갈 착: 辵-총4획: chuò

原文

辵: 乍行乍止也. 从彳从止. 凡辵之屬皆从辵. 讀若『春秋公羊傳』曰"辵階而走".
丑略切.

繙譯

'잠시 가다가 잠시 멈추다가 하다(乍行乍止)'라는 뜻이다.145) 척(彳)과 지(止)가 의미부이다. 착(辵)부수에 귀속된 글자는 모두 착(辵)이 의미부이다. 『춘추공양전』(선공 2년, B.C. 607)의 "착계이주(辵階而走: 계급을 초월해 모두 함께 달려가다)"라고 할 때의 착(辵)과 같이 읽는다. 독음은 축(丑)과 략(略)의 반절이다.

1092

迹: 迹: 자취 적: 辵-총10획: jì

原文

迹: 步處也. 从辵亦聲. 蹟, 或从足、責. 𨊻, 籒文迹从朿. 資昔切.

繙譯

'걸어온 곳(步處)'을 말한다. 착(辵)이 의미부이고 역(亦)이 소리부이다. 적(蹟)은 혹

---

145) 『단주』에서 이렇게 말했다. "『의례·공식대부례(公食大夫禮)』의 주석에서 '계단을 차례로 밟지 않고 내려가는 것(不拾級而下)를 착(辵)이라 한다.'라고 했다. 정현이 이렇게 풀이한 의미는 다음과 같다. 계단을 차례로 밟지 않고 올라가는 것(不拾級而上)을 율계(栗階)라 하고, 달리 역계(歷階)라고 하기에, 계단을 차례로 밟지 않고 내려가는 것(不拾級而下)을 착계(辵階)라고 했던 것이다. 『광아(廣雅)』에서는 착(辵)을 달려가다(奔)라는 뜻이라고 풀이했다."

체자인데, 족(足)과 책(責)으로 구성되었다. 적(蹟)은 적(迹)의 주문체인데, 자(束)로 구성되었다. 독음은 자(資)와 석(昔)의 반절이다.

1093

䢓: 遗: 틀림없을 회: 辵-총18획: huì

原文

䢓: 無遗也. 从辵䨷聲. 讀若害. 胡蓋切.

飜譯

'어긋나지 않음(無遗)'을 말한다. 착(辵)이 의미부이고 할(䨷)이 소리부이다. 해(害)와 같이 읽는다. 독음은 호(胡)와 개(蓋)의 반절이다.

1094

䢦: 達: 군사를 거느릴 솔·장수 수: 辵-총15획: shuài

原文

䢦: 先道也. 从辵率聲. 疏密切.

飜譯

'앞서서 이끌다(先道)'라는 뜻이다. 착(辵)이 의미부이고 솔(率)이 소리부이다. 독음은 소(疏)와 밀(密)의 반절이다.

1095

邁: 邁: 갈 매: 辵-총17획: mài

原文

邁: 遠行也. 从辵, 蠆省聲. 䢋, 邁或不省. 莫話切.

飜譯

'멀리 가다(遠行)'라는 뜻이다. 착(辵)이 의미부이고, 채(薑)의 생략된 모습이 소리부이다. 매(邁)는 혹체자인데, 매(邁)의 생략되지 않은 모습으로 구성되었다. 독음은 막(莫)과 화(話)의 반절이다.

1096

訓 : 巡: 돌 순: 巛-총7획: xún

原文

訓 : 延行皃. 从辵川聲. 詳遵切.

飜譯

'길게 줄을 지어 가는 모습(延行皃)'을 말한다.146) 착(辵)이 의미부이고 천(川)이 소리부이다. 독음은 상(詳)과 준(遵)의 반절이다.

1097

邌 : 邌: 공손히 갈 구: 辵-총15획: jiù

原文

邌 : 恭謹行也. 从辵叚聲. 讀若九. 居又切.

飜譯

'[몸을 구부린 채] 공손하게 가다(恭謹行)'라는 뜻이다. 착(辵)이 의미부이고 궤(叚)가 소리부이다. 구(九)와 같이 읽는다. 독음은 거(居)와 우(又)의 반절이다.

1098

迲 : 迲: 무리 도: 辵-총7획: tú

---

146) 『단주』에서는 연행(延行)을 『유편』과 『운회』에 근거해 시행(視行)으로 고친다고 하면서 이렇게 말했다. "시행(視行)이라는 것은 시찰을 하면서 가다는 뜻이다(有所省視之行也). 천자가 제후를 찾아가는 것을 순수(巡狩)라고 하는데, 지켜야 할 바를 지키는지 가서 살피는 것이다(巡所守也)."

原文

註: 步行也. 从辵土聲. 同都切.

飜譯

'[탈 것을 타지 않고] 걸어가다(步行)'라는 뜻이다. 착(辵)이 의미부이고 토(土)가 소리부이다. 독음은 동(同)과 도(都)의 반절이다.

1099

邎: 邎: 빨리 갈 유: 辵-총22획: yóu

原文

邎: 行邎徑也. 从辵繇聲. 以周切.

飜譯

'빠른 지름길로 가다(行邎徑)'라는 뜻이다.147) 착(辵)이 의미부이고 요(繇)가 소리부이다. 독음은 이(以)와 주(周)의 반절이다.

1100

延: 延: 먼 곳으로 갈 정: 辵-총9획: zhēng

原文

延: 正、行也. 从辵正聲. 徰, 延或从彳. 諸盈切.

飜譯

'단정하다(正), 가다(行)'라는 뜻이다. 착(辵)이 의미부이고 정(正)이 소리부이다. 정(徰)은 정(延)의 혹체자인데, 척(彳)으로 구성되었다. 독음은 제(諸)와 영(盈)의 반절이다.

---

147) 『옥편』에서 "유(邎)는 빨리 걸어가다는 뜻이다(疾行也)."라고 했다.

1101

隨: 隨: 따를 수: 阜-총16획: suí

<original>原文</original>

隨: 从也. 从辵, 墮省聲. 旬爲切.

<translation>飜譯</translation>

'따라가다(从)'라는 뜻이다. 착(辵)이 의미부이고, 수(墮)의 생략된 모습이 소리부이다. 독음은 순(旬)과 위(爲)의 반절이다.

1102

迹: 迹: 다니는 모양 발: 辵-총8획: bó

<original>原文</original>

迹: 行皃. 从辵市聲. 蒲撥切.

<translation>飜譯</translation>

'걸어가는 모습(行皃)'을 말한다. 착(辵)이 의미부이고 불(市)이 소리부이다. 독음은 포(蒲)와 발(撥)의 반절이다.

1103

迋: 迋: 속일 광·갈 왕: 辵-총8획: wàng

<original>原文</original>

迋: 往也. 从辵王聲. 『春秋傳』曰: "子無我迋." 于放切.

<translation>飜譯</translation>

'가다(往)'라는 뜻이다. 착(辵)이 의미부이고 왕(王)이 소리부이다. 『춘추전』(『좌전』 소공 21년, B.C. 521)에서 "그대는 나에게 겁주지 마세요(子無我迋)"라고 했다.148) 독

---

148) 『단주』에서는 광(迋)이 '속이다'는 뜻으로 쓰인 것에 대해 이렇게 말했다. "『시·정풍(鄭風)』

음은 우(于)와 방(放)의 반절이다.

1104

逝: 逝: 갈 서: 辵-총11획: shì

（原文）

逝: 往也. 从辵折聲. 讀若誓. 時制切.

（飜譯）

'가다(往)'라는 뜻이다.149) 착(辵)이 의미부이고 절(折)이 소리부이다. 서(誓)와 같이 읽는다. 독음은 시(時)와 제(制)의 반절이다.

1105

徂: 退: 갈 조: 辵-총9획: cú

（原文）

徂: 往也. 从辵且聲. 退, 齊語. 徂, 退或从彳. 𢓊, 籀文从虍. 全徒切.

（飜譯）

'가다(往)'라는 뜻이다. 착(辵)이 의미부이고 차(且)가 소리부이다. 조(退)는 제(齊) 지역의 말이다. 조(徂)는 조(退)의 혹체자인데, 척(彳)으로 구성되었다. 조(𢓊)는 주문체인데, 차(虍)로 구성되었다. 독음은 전(全)과 도(徒)의 반절이다.

1106

述: 述: 지을 술: 辵-총9획: shù

에서 '無信人之言, 人實迋女.(남의 말을 듣지 마라, 남이란 정말 너를 속이는 것이니.)'라고 노래했는데, 『모전』에서 광(迋)은 광(誑)과 같아 속이다는 뜻이라고 했다. 『시전』에서도 광(迋)을 광(誑)의 가차로 보았다. 『좌전』에서 인용한 이 문구의 광(迋)도 바로 이와 같다. 광(迋)의 본래 뜻은 왕(往: 돌아가다)이었으나 경전에서는 광(誑: 속이다)으로 가차되어 사용되었다."
149) 『방언』에서 "서(逝)는 돌아가다(往)는 뜻인데, 진(秦)과 진(晉) 지역에서 쓰는 말이다."라고 했다.

原文

述: 循也. 从辵术聲. 遹, 籀文从秫. 食聿切.

飜譯

'쫓아가다(循)'라는 뜻이다. 착(辵)이 의미부이고 술(术)이 소리부이다.[150] 술(遹)은 주문체인데, 출(秫)로 구성되었다. 독음은 식(食)과 율(聿)의 반절이다.

1107

遵: 遵: 쫓을 준: 辵-총16획: zūn

原文

遵: 循也. 从辵尊聲. 將倫切.

飜譯

'쫓아가다(循)'라는 뜻이다. 착(辵)이 의미부이고 존(尊)이 소리부이다. 독음은 장(將)과 륜(倫)의 반절이다.

1108

適: 適: 갈 적: 辵-총15획: shì

原文

適: 之也. 从辵啻聲. 適, 宋魯語. 施隻切.

飜譯

'가다(之)'라는 뜻이다. 착(辵)이 의미부이고 시(啻)가 소리부이다.[151] 적(適)은 송

---

150) 고문자에서 簡牘文 古璽文 說文小篆 說文籀文 등으로 썼다. 辵(쉬엄쉬엄 갈 착)이 의미부고 朮(차조 출)이 소리부로, 길을 다니며(辵) 곡물(朮, 秫의 본래 글자)을 내다 팔고 떠벌리며 선전함을 말했고, 이후 記述(기술)하다, 敍述(서술)하다 등의 뜻이 나왔다.

151) 고문자에서 金文 簡牘文 石刻古文 등으로 썼는데, 소전체에서처럼 辵(쉬엄쉬엄 갈 착)이 의미부고 啇(밑동 적)이 소리부로, 어떤 곳으로 가다(辵)는 뜻이다. 이후

(宋)과 노(魯) 지역의 말이다. 독음은 시(施)와 척(隻)의 반절이다.

1109

䙐: 過: 지날 과: 辵-총13획: guò

原文

䙐: 度也. 从辵咼聲. 古禾切.

翻譯

'경과하다(度)'라는 뜻이다. 착(辵)이 의미부이고 괘(咼)가 소리부이다.152) 독음은 고(古)와 화(禾)의 반절이다.

1110

䚛: 遺: 다닐 관: 辵-총15획: guàn

原文

䚛: 習也. 从辵貫聲. 工患切.

翻譯

'습관이 되다(習)'라는 뜻이다. 착(辵)이 의미부이고 관(貫)이 소리부이다. 독음은 공(工)과 환(患)의 반절이다.

여자가 적당한 곳을 골라 시집가다는 뜻이 나왔고, 다시 적합하다, 적당하다 등의 뜻이 나왔다. 간화자에서는 适(빠를 괄)에 통합되었다.

152) 고문자에서 ⿰辶咼 ⿰辶咼 金文 ⿰辶咼 盟書 ⿰辶咼 ⿰辶咼 ⿰辶咼 ⿰辶咼 簡牘文 ⿰辶咼 古璽文 䙐 說文小篆 등으로 썼는데, 辵(쉬엄쉬엄 갈 착)이 의미부이고 咼(입 비뚤어질 괘)가 소리부로, 咼는 점복에 쓰이는 동물 뼈를 그린 冎(뼈 발라낼 과)에 물음을 뜻하는 口(입 구)가 더해진 모습이다. 갑골문에서 過는 '잘못'이나 '재앙' 등의 뜻으로 쓰였고, 이후 지나가다(辵), 지나치다, 넘어서다, 과거 등의 뜻이 나왔으며, 현대 한어에서는 과거 경험을 나타내는 조사로 쓰인다. 간화자에서는 소리부인 咼를 寸(마디 촌)으로 간단하게 줄인 过로 쓴다.

1111

䢱: 遭: 무례하고 방자할 독: 辵-총19획: dú, zhà

原文

䢱: 媟遭也. 从辵賣聲. 徒谷切.

譯

'모욕하다(媟遭)'라는 뜻이다.[153] 착(辵)이 의미부이고 육(賣)이 소리부이다. 독음은 도(徒)와 곡(谷)의 반절이다.

1112

進: 進: 나아갈 진: 辵-총12획: jìn

原文

進: 登也. 从辵, 閵省聲. 卽刃切.

譯

'나아가 [수레에] 올라타다(登)'라는 뜻이다. 착(辵)이 의미부이고, 인(閵)의 생략된 모습이 소리부이다.[154] 독음은 즉(卽)과 인(刃)의 반절이다.

---

153) 『단주』에서 이렇게 말했다. "설독(媟遭)을 여(女)부수에서는 설독(媟嬻)으로 적었고, 흑(黑)부수에서는 독(黷)으로 적었으며, 오늘날 경전에서는 독(瀆)으로 쓴다." 여(女)부수의 독(媟)자의 해설에서는 "[1음절로] 따로 분리하여 말하면 설(媟)도 되고 독(嬻)도 되지만, [2음절로] 연결하여 말하면 설독(媟嬻)이 된다. 『국어(國語)』에서 '진후(陳侯)가 하씨(夏氏)에게 음란한 짓을 하였으니, 이래서 성(姓)이 독(嬻)이 아니겠는가?'라고 했다. ……오늘날 사람들은 구독(溝瀆)의 독(瀆)자로 이를 대신해 쓴다. 그리하여 독(瀆)자가 유행하고 독(嬻)은 쓰이지 않게 되었다. 흑(黑)부수에 독(黷)자가 있는데, 허물을 꽉 쥐고 있다는 뜻이어서(握持垢也), 의미가 독(嬻)과는 다르다." 또 흑(黑)부수의 독(黷)자에 대해서는 이렇게 말했다. "허물이란 꽉 쥐고 있어야 할 것이 아니다. 그런데도 손아귀에 들어 있다면 이는 치욕이다. 그래서 옛날에는 치욕(辱)을 말할 때 모두 독(黷)자를 사용했다."

154) 고문자에서 ![甲骨文]甲骨文 ![金文][金文]金文 ![古陶文][古陶文]古陶文 ![簡牘文]簡牘文 ![帛書]帛書 등으로 썼다. 추(隹)(새 추)와 착(辵)(쉬엄쉬엄 갈 착)으로 구성되어, 나아가다는 뜻인데, 뒤로 가지 못하고 앞으로만 가는(辵) 새(隹)의 걸음을 말한다. 이로부터 출사하다, 승진하다, 추천하다, 발전하다 등의 뜻이 나

1113

造: 지을 조: 辵-총11획: zào

原文

造: 就也. 从辵告聲. 譚長說：造, 上士也. 艁, 古文造从舟. 七到切.

飜譯

'성취하다(就)'는 뜻이다. 착(辵)이 의미부이고 고(告)가 소리부이다.[155] 담장(譚長)[156]은 "조(造)는 사(士)의 지위에 오르다는 뜻이다"[157]라고 했다. 조(艁)는 조(造)의 고문체인데, 주(舟)로 구성되었다. 독음은 칠(七)과 도(到)의 반절이다.

왔다. 간화자에서는 雈를 井(우물 정)으로 간단하게 줄인 进으로 쓴다.

155) 고문자에서 金文 古陶文 簡牘文 說文小篆 說文古文 등으로 썼다. 辵(쉬엄쉬엄 갈 착)이 의미부고 告(알릴 고)가 소리부로, 어떤 곳으로 나아가(辵) 알린다(告)는 뜻을 그렸다. 금문 단계에서만 해도 지금의 자형(造)에 舟(배 주)나 宀(집 면), 혹은 金(쇠 금)이나 貝(조개 패) 등이 더해지기도 했는데, 소전체로 오면서 지금의 자형으로 통일되었다. 辵(쉬엄쉬엄 갈 착)이 가다는 행위를 나타내고, 告가 소(牛·우) 같은 희생물을 제단에 올려 어떤 상황을 신에게 알리는(口·구) 모습을 그린 것임을 고려하면, 進는 작업장(宀)에서 배(舟)나 청동 기물(金)이나 화폐(貝) 등을 만들었을 때 조상신에게 그의 완성을 알리는 모습을 그린 것으로 추정할 수 있다. 그래서 어떤 물건의 製造(제조)나 완성이 造의 원래 뜻이며, 이로부터 만들다, 제작하다, 성취, 깊이 알다 등의 뜻이 나왔다.

156) 담장(譚長)은 앞서 말한 것처럼 『설문』에서 인용한 저명한 학자(通人)들 중의 한 사람이나 상세한 생평에 대해서는 알려져 있지 않다.

157) 이는 고대 중국에서 인재를 선발하고 양성하던 제도의 하나로, 『예기·왕제(王制)』에 나오는 말이다. 내용은 이렇다. "향(鄕)에 명하여 수사(論秀)를 의논하여 사도(司徒)에게 추천하여 올려 보내는 것을 선사(選士)라고 하고, 사도(司徒)가 선사(選士) 중에서 우수한 자를 의논하여 태학을 올려 보내는 것을 준사(俊士)라 한다. 사도(司徒)에게 올려진 자는 자신이 있던 향(鄕)에서 세금을 면제하고, 태학에 올려진 자는 사도(司徒)에게서 세금을 면제 받는데, 이를 조사(造士)라고 한다." 『단주』에서도 "『예기』의 정현 주석에 의하면 조(造)는 이루다는 뜻이다(成也)라고 했는데, 예(禮)를 배워서 사(士)가 된다는 말이다. 그렇게 볼 때, 정현의 의미는 조(造)는 취(就)와 같다는 뜻이다."라고 했다.

1114

諭： 逾： 넘을 유： 辵-총13획： yú

原文

諭： 迻進也. 从辵俞聲. 『周書』曰：“無敢昏逾.” 羊朱切.

飜譯

'뛰어넘어 앞으로 나아가다(迻進)'라는 뜻이다. 착(辵)이 의미부이고 유(俞)가 소리부이다.[158] 『서·주서(周書)·고명(顧命)』에서 “[문왕과 무왕의 교훈을 이어받아 지킴에] 감히 소홀히 하거나 그르치지 않았소(無敢昏逾)”라고 했다. 독음은 양(羊)과 주(朱)의 반절이다.

1115

踏： 遝： 뒤섞일 답： 辵-총14획： tà

原文

踏： 迨也. 从辵㒫聲. 徒合切.

飜譯

'뒤쫓아 따라붙다(迨)'라는 뜻이다. 착(辵)이 의미부이고 답(㒫)이 소리부이다. 독음은 도(徒)와 합(合)의 반절이다.

1116

詥： 迨： 뒤쫓아 따라붙을 합： 辵-총10획： gé, hé, jiá

原文

詥： 遝也. 从辵合聲. 侯閤切.

---

158) 『설문』에 처음 보이는데, 辵(쉬엄쉬엄 갈 착)이 의미부고 俞(점점 유)가 소리부로, 앞으로 (俞) 나아감(辵)을 말하며, 이로부터 남을 뛰어넘어 남보다 낫다는 뜻도 생겼다. 달리 발동작을 강조해 辵 대신 足(발 족)이 들어간 踰(넘을 유)로 쓰기도 했다.

飜譯

'뒤쫓아 따라붙다(遝)'라는 뜻이다. 착(辵)이 의미부이고 합(合)이 소리부이다. 독음은 후(侯)와 합(閤)의 반절이다.

1117

𧽸: 迮: **닥칠 책**: 辵-총9획: zé

原文

𧽸: 迮迮, 起也. 从辵, 作省聲. 阻革切.

飜譯

'책책(迮迮)을 뜻하는데, 갑가지 일어나다(起)'라는 뜻이다. 착(辵)이 의미부이고, 작(作)의 생략된 모습이 소리부이다. 독음은 조(阻)와 혁(革)의 반절이다.

1118

䟒: 迠: **섞을 착**: 辵-총12획: cuò

原文

䟒: 迹道也. 从辵昔聲. 倉各切.

飜譯

'뒤섞이다(迹道)'라는 뜻이다. 착(辵)이 의미부이고 석(昔)이 소리부이다. 독음은 창(倉)과 각(各)의 반절이다.

1119

䠇: 遄: **빠를 천**: 辵-총13획: zhuán

原文

䠇: 往來數也. 从辵耑聲.『易』曰: "目事遄往." 市緣切.

飜譯

‘빠르게 왕래하다(往來數)’라는 뜻이다. 착(辵)이 의미부이고 단(耑)이 소리부이다. 『역』에서 "제사에 관한 일은 재빨리 치고 나가야 한다(目事遄往)"라고 했다. 독음은 시(市)와 연(緣)의 반절이다.

1120

遬: 速: 빠를 속: 辵-총11획: sù

原文

遬: 疾也. 从辵束聲. 遬, 籒文从欶. 䢦, 古文从欶从言. 桑谷切.

飜譯

‘빠르다(疾)’라는 뜻이다. 착(辵)이 의미부이고 속(束)이 소리부이다. 속(遬)은 주문체인데, 속(欶)으로 구성되었다. 속(䢦)은 고문체인데, 속(欶)도 의미부이고 언(言)도 의미부이다. 독음은 상(桑)과 곡(谷)의 반절이다.

1121

訊: 迅: 빠를 신: 辵-총7획: xùn

原文

訊: 疾也. 从辵卂聲. 息進切.

飜譯

‘빠르다(疾)’라는 뜻이다. 착(辵)이 의미부이고 신(卂)이 소리부이다. 독음은 식(息)과 진(進)의 반절이다.

1122

適: 适: 빠를 괄: 辵-총10획: kuò

原文

䢔: 疾也. 从辵昏聲. 讀與括同. 古活切.

飜譯

'빠르다(疾)'라는 뜻이다. 착(辵)이 의미부이고 괄(昏)이 소리부이다. 괄(括)과 똑같이 읽는다. 독음은 고(古)와 활(活)의 반절이다.

1123

逆: 逆: 거스를 역: 辵-총10획: nì

原文

逆: 迎也. 从辵屰聲. 關東曰逆, 關西曰迎. 宜戟切.

飜譯

'맞이하다(迎)'라는 뜻이다. 착(辵)이 의미부이고 역(屰)이 소리부이다.[159] 함곡관 동쪽 지역에서는 역(逆)이라 하고, 함곡관 서쪽 지역에서는 영(迎)이라 한다.[160] 독음은 의(宜)와 극(戟)의 반절이다.

1124

迎: 迎: 맞이할 영: 辵-총8획: yíng

---

159) 고문자에서 甲骨文 金文 古陶文 盟書 簡牘文 古璽文 逆 說文小篆 등으로 썼다. 辵(쉬엄쉬엄 갈 착)이 의미부고 屰(거스를 역)이 소리부로, 원래는 역으로 오는 사람(屰)을 맞이하다는 뜻이었는데, 이후 역(屰)으로 거슬러서 가다(辵), 거꾸로 가다, 거역하다, 반역 등의 뜻으로 쓰이게 되었다.

160) 『방언』에 나오는 말이다. "봉(逢)과 역(逆)은 맞이하다는 뜻이다(迎也). 함곡관으로부터 서쪽 지역에서는 어떤 곳에서는 영(迎)이라 하기도 하고 어떤 곳에서는 봉(逢)이라 하기도 한다. 함곡관으로부터 동쪽 지역에서는 영(逆)이라 한다(自關而西或曰迎, 或曰逢. 自關而東曰逆.)"라고 했다.

原文

迎: 逢也. 从辵卬聲. 語京切.

飜譯

'만나 맞이하다(逢)'라는 뜻이다. 착(辵)이 의미부이고 앙(卬)이 소리부이다.161) 독음은 어(語)와 경(京)의 반절이다.

1125

遼: 逐: 만날 교: 辵-총10획: jiāo

原文

遼: 會也. 从辵交聲. 古肴切.

飜譯

'만나다(會)'라는 뜻이다. 착(辵)이 의미부이고 교(交)가 소리부이다. 독음은 고(古)와 효(肴)의 반절이다.

1126

遇: 遇: 만날 우: 辵-총13획: yù

原文

遇: 逢也. 从辵禺聲. 牛具切.

飜譯

'만나다(逢)'라는 뜻이다. 착(辵)이 의미부이고 우(禺)가 소리부이다. 독음은 우(牛)와 구(具)의 반절이다.

---

161) 辵(쉬엄쉬엄 갈 착)이 의미부고 卬(나 앙)이 소리부로, 나아가서(辵) 상대를 올려다보듯(卬) '맞이함'을 말한다. 이로부터 迎接(영접)하다, 迎合(영합)하다, 향하다, 만나다, 천거하다 등의 뜻이 나왔다.

1127

辴 : 遭 : 만날 조: 辵-총15획: zāo

（原文）

辴 : 遇也. 从辵曹聲. 一曰邐行. 作曹切.

（飜譯）

'만나다(遇)'라는 뜻이다. 착(辵)이 의미부이고 조(曹)가 소리부이다. 일설에는 '짝을 지어 가다(邐行)'는 뜻이라고도 한다. 독음은 작(作)과 조(曹)의 반절이다.

1128

遘 : 遘 : 만날 구: 辵-총14획: gòu

（原文）

遘 : 遇也. 从辵冓聲. 古候切.

（飜譯）

'만나다(遇)'라는 뜻이다. 착(辵)이 의미부이고 구(冓)가 소리부이다.162) 독음은 고(古)와 후(候)의 반절이다.

1129

逢 : 逢 : 만날 봉: 辵-총11획: féng

（原文）

逢 : 遇也. 从辵, 峯省聲. 符容切.

（飜譯）

---

162) 고문자에서 𤯩 𤯩 𤯩 𤯩 𤯩 𤯩 𤯩 甲骨文 𤯩 𤯩 金文 遘 說文小篆 등으로 썼다. 辵(쉬엄쉬엄 갈 착)이 의미부이고 冓(짤 구)가 소리부로, 길을 가면서(辵) 서로 교차되어(冓) 만나는 것을 말한다.

'만나다(遇)'라는 뜻이다. 착(辵)이 의미부이고, 봉(夆)의 생략된 모습이 소리부이다. 독음은 부(符)와 용(容)의 반절이다.

1130

遻: 遌: 만날 악: 辵-총13획: è

原文

遌: 相遇驚也. 从辵从屰, 屰亦聲. 五各切.

飜譯

'서로 만나 놀라다(相遇驚)'라는 뜻이다. 착(辵)이 의미부이고 악(屰)도 의미부인데, 악(屰)은 소리부도 겸한다. 독음은 오(五)와 각(各)의 반절이다.

1131

迪: 迪: 나아갈 적: 辵-총9획: dí

原文

迪: 道也. 从辵由聲. 徒歷切.

飜譯

'이끌다(道)'라는 뜻이다.[163] 착(辵)이 의미부이고 유(由)가 소리부이다. 독음은 도(徒)와 력(歷)의 반절이다.

1132

遞: 遞: 갈마들 체: 辵-총14획: dì

原文

---

163) 『이아·석언(釋言)』에서 "道, 導也, 所以通導萬物也."라고 했는데, "도(導)와 같아 '이끌다'는 뜻이다. 만물을 두루 이끄는(導) 것을 말한다."는 말이다.

遞: 更易也. 从辵虒聲. 特計切.

(飜譯)

'갈마들다(更易)'라는 뜻이다. 착(辵)이 의미부이고 사(虒)가 소리부이다. 독음은 특(特)과 계(計)의 반절이다.

1133

通: 通: **통할 통**: 辵-총11획: tōng

(原文)

通: 達也. 从辵甬聲. 他紅切.

(飜譯)

'도달하다(達)'라는 뜻이다. 착(辵)이 의미부이고 용(甬)이 소리부이다.[164] 독음은 타(他)와 홍(紅)의 반절이다.

1134

迻: 迻: **옮길 사**: 辵-총8획: xǐ

(原文)

迻: 迻也. 从辵止聲. 迻, 徙或从彳. 屎, 古文徙. 斯氏切.

(飜譯)

'옮기다(迻)'라는 뜻이다. 착(辵)이 의미부이고 지(止)가 소리부이다. 사(迻)는 사(徙)의 혹체자인데, 척(彳)으로 구성되었다. 사(屎)는 사(徙)의 고문체이다. 독음은 사

---

164) 고문자에서 甲骨文 金文 古陶文 盟書 簡牘文 說文小篆 등으로 썼다. 辵(쉬엄쉬엄 갈 착)이 의미부고 甬(길 용)이 소리부로, 종(甬)으로 정책을 시행하듯 사방팔방으로 퍼져나감(辵)으로부터 '통용되다'의 뜻을 그렸다. 이로부터 도달하다, 通達(통달)하다, 通行(통행)하다, 流通(유통)되다, 왕래하다, 통하게 하다, 開通(개통)하다, 설치하다, 모두 다 알다, 보편적인 등의 뜻이 나왔다.

(斯)와 씨(氏)의 반절이다.

1135

䪤 : 迻 : 옮길 **이** : 辵-총10획 : yí

原文

䪤 : 遷徙也. 从辵多聲. 弋支切.

譯

'옮기다(遷徙)'라는 뜻이다. 착(辵)이 의미부이고 다(多)가 소리부이다. 독음은 익(弋)과 지(支)의 반절이다.

1136

𤲟 : 遷 : 옮길 **천** : 辵-총16획 : qiān

原文

𤲟 : 登也. 从辵䙴聲. 𢴤, 古文遷从手、西. 七然切.

譯

'위로 올리다(登)'라는 뜻이다. 착(辵)이 의미부이고 선(䙴)이 소리부이다.[165] 천(𢴤)

---

165) 고문자에서 ⿰ 金文 ⿰⿰ 石刻古文 ⿰䙴 𤲟說文小篆 𢴤 說文古文 등으로 썼다. 辵(쉬엄쉬엄 갈 착)이 의미부이고 䙴(오를 선)이 소리부로, 옮겨(䙴) 가다(辵), 옮기다, 바꾸다는 뜻이다. 금문에서 왼쪽은 얼금얼금한 광주리 같은 것을 네 손으로 마주 든(舁·여) 모습으로, 무거운 물건을 함께 들거나 집단 노동을 함께하는 모습을 그렸다. 여기에다 앉은 사람(卩·절)과 성곽(口·위)이 결합해 '사람이 거주하는 곳'을 그린 邑(고을 읍)이 더해진 것으로 보아 遷은 사람들이 새로 살 城(성)을 만드는 모습을 형상화한 것으로 보인다. 그래서 遷의 원래 뜻은 築城(축성)이다. 城을 쌓는 것은 새로운 삶터를 위해서이고 성이 만들어지면 그곳으로 옮겨가기 마련이다. 그래서 '옮기다'는 뜻도 생겼다. 소전체로 오면서 '옮기다'는 뜻을 강조하기 위해 辵(쉬엄쉬엄 갈 착)이 더해졌고, 자형의 균형을 위해 오른쪽에 있던 邑이 준 상태에서 䙴으로 통합되어 지금의 遷이 완성되었다. 간화자에서는 辵이 의미부이고 千(일천 천)이 소리부로 된 迁으로 쓴다.

은 천(遷)의 고문체인데, 수(手)와 서(西)로 구성되었다. 독음은 칠(七)과 연(然)의 반절이다.

1137

辧: 運: 돌 운: 辵-총13획: yùn

原文

辧: 迻徙也. 从辵軍聲. 王問切.

譯

'옮기다(迻徙)'라는 뜻이다. 착(辵)이 의미부이고 군(軍)이 소리부이다.166) 독음은 왕(王)과 문(問)의 반절이다.

1138

䡴: 遁: 달아날 둔: 辵-총13획: dùn

原文

䡴: 遷也. 一曰逃也. 从辵盾聲. 徒困切.

譯

'옮기다(遷)'라는 뜻이다. 일설에는 '도망하다(逃)'는 뜻이라고도 한다. 착(辵)이 의미부이고 순(盾)이 소리부이다. 독음은 도(徒)와 곤(困)의 반절이다.

1139

遜: 遜: 겸손할 손: 辵-총14획: xùn

---

166) 『설문』에서 처음 보이는데, 辵(쉬엄쉬엄 갈 착)이 의미부고 軍(군사 군)이 소리부로, 군대(軍)를 움직이는(辵) 것을 말한다. 이로부터 이동하다, 옮기다, 움직이다 등의 뜻이 나왔다. 간화자에서는 軍을 云(이를 운)으로 바꾼 运으로 쓴다.

原文

䢯: 遁也. 从辵孫聲. 蘇困切.

飜譯

'달아나다(遁)'라는 뜻이다. 착(辵)이 의미부이고 손(孫)이 소리부이다. 독음은 소(蘇)와 곤(困)의 반절이다.

1140

詞: 返: **돌아올 반**: 辵-총8획: fǎn

原文

詞: 還也. 从辵从反, 反亦聲. 『商書』曰: "祖甲返." 徆, 『春秋傳》返从彳. 扶版切.

飜譯

'돌아오다(還)'라는 뜻이다. 착(辵)이 의미부이고 반(反)도 의미부인데, 반(反)은 소리부도 겸한다. 『상서(商書)』에서 "조갑께서 돌아오셨다(祖甲返)"라고 했다. 반(返)을 『춘추전』에서는 반(徆) 등으로 썼는데, 척(彳)으로 구성되었다. 독음은 부(扶)와 판(版)의 반절이다.

1141

還: 還: **돌아올 환**: 辵-총17획: huán

原文

還: 復也. 从辵睘聲. 戶關切.

飜譯

'돌아오다(復)'라는 뜻이다. 착(辵)이 의미부이고 경(睘)이 소리부이다.[167] 독음은 호

---

167) 고문자에서는 ∰∰∰ 甲骨文 ∰∰ 金文 등으로 썼다. "도로(彳)와 눈썹이 표현된 눈(⨁), 그리고 쟁기(𠂤)로 구성되었다. 고대인들은 바깥세상으로 이동하는 경우가 드물었는데, 밖에서 객사한 대부분은 농민출신의 병사들이었다. 제사장은 객사한 이들의 영혼을 끌어 들이

(戶)와 관(關)의 반절이다.

1142

辿: 選: 가릴 선: 辵-총16획: xuǎn

原文

辿: 遣也. 从辵、巽, 巽遣之；巽亦聲. 一曰選, 擇也. 思沇切.

飜譯

'파견하다(遣)'라는 뜻이다. 착(辵)과 손(巽)이 모두 의미부인데, 뽑아서 보내다(巽遣)는 뜻이다. 손(巽)은 소리부도 겸한다. 일설에는 선(選)은 '가려 뽑다(擇)'라는 뜻이라고도 한다.168) 독음은 사(思)와 연(沇)의 반절이다.

1143

送: 送: 보낼 송: 辵-총10획: sòng

原文

送: 遣也. 从辵, 侹省. 𨘚, 籒文不省. 蘇弄切.

飜譯

'파견하다(遣)'라는 뜻이다. 착(辵)이 의미부이고, 잉(侹)의 생략된 모습도 의미부이다.169) 송(𨘚)은 주문체인데, 생략되지 않은 모습이다. 독음은 소(蘇)와 롱(弄)의 반

기 위해 그들이 사용했던 쟁기로 영혼을 불러들였으며, 그런 다음 시신을 묻었다. 이후 쟁기 대신 옷을 사용하게 되었다."(허진웅, 2021)

168) 『설문』에서 처음 보이는데, 辵(쉬엄쉬엄 갈 착)이 의미부고 巽(공손할 손괘 손)이 소리부로, 제사에 쓸 것을 뽑아 보내다는 뜻이다. 巽은 갑골문에서 꿇어앉은 두 사람의 모습을 그렸고, 辵은 구성원들 각자가 제사를 위해 마을이나 부족의 중심부로 물건을 보내는 것을 의미한다. 따라서 選은 제사상에 바치는 祭物(제물)처럼 구성원을 위해 희생할 사람을 뽑아(巽) 중앙으로 보낸다(辵)는 뜻이며, 이로부터 선발하다, 파견하다, 뽑다, 선거 등의 뜻이 나왔다. 간화자에서는 소리부 巽을 先(먼저 선)으로 바꾼 选으로 쓴다.

169) 고문자에서 金文 簡牘文 說文小篆 說文籒文 등으로 썼다. 원래 廾(두

절이다.

1144

遣: 遣: 보낼 견: 辵-총14획: qiǎn

原文

遣: 縱也. 从辵𠳋聲. 去衍切.

譯

'석방하다(縱)'라는 뜻이다.[170] 착(辵)이 의미부이고 견(𠳋)이 소리부이다.[171] 독음은 거(去)와 연(衍)의 반절이다.

1145

邐: 邐: 이어질 리: 辵-총23획: lí

原文

邐: 行邐邐也. 从辵麗聲. 力紙切.

譯

손 마주잡을 공)과 火(불 화)와 辵(쉬엄쉬엄 갈 착)으로 구성되어, 두 손(廾)으로 불(火)을 들고서 밤에 횃불을 밝히며 사람을 보내는(辵) 모습을 그렸고, 이로부터 보내다, 파견하다, 輸送(수송)하다, 送別(송별)하다 등의 뜻이 나왔다.

170) 『설문』에서 종(縱)에 대해 "느슨하게 하다. 달리 풀어주다는 뜻이라고도 한다.(緩也. 一曰舍也.)"라고 했는데, 『단주』에서 사(舍)는 사(捨)가 되어야 한다고 하면서 "각 판본에서 사(舍)라고 적었는데, 이는 세속에서 사(舍)와 사(捨)가 통용되기 때문이다. 지금 바로 잡는다. 사(捨)는 풀어주다(釋)는 뜻이다."라고 보충했다.

171) 고문자에서 [갑골문 자형들] 甲骨文 [금문 자형들] 金文 [간독문 자형들] 簡牘文 [설문소전 자형] 說文小篆 등으로 썼다. 금문에서 아랫부분은 自(사, 師의 원래 글자)이고 윗부분은 두 손(臼·구)으로 구성되었으며, 군사(自)를 석방하다, 派遣(파견)하다가 원래 뜻인데, 간혹 口(입구)가 더해지기도 하였다. 이후 소전체에서 의미를 더 분명하게 하고자 辵(쉬엄쉬엄 갈 착)을 더하여 지금의 遣이 되었다.

'줄을 지어 서로 이어지듯 가다(行邐邐)'라는 뜻이다. 착(辵)이 의미부이고 려(麗)가 소리부이다. 독음은 력(力)과 지(紙)의 반절이다.

1146

逮: 逮: 미칠 체: 辵-총12획: dài

原文

逮: 唐逮, 及也. 从辵隶聲. 徒耐切.

譯

'당체(唐逮), 즉 (~에) 미치다(及)'라는 뜻이다. 착(辵)이 의미부이고 대(隶)가 소리부이다.172) 독음은 도(徒)와 내(耐)의 반절이다.

1147

遲: 遲: 늦을 지: 辵-총16획: chí

原文

遲: 徐行也. 从辵犀聲. 『詩』曰: "行道遲遲." 迡, 遲或从尼. 遟, 籒文遲从屖. 直尼切.

譯

'천천히 가다(徐行)'라는 뜻이다. 착(辵)이 의미부이고 서(犀)가 소리부이다.173)『시·

---

172) 고문자에서 ![글자] 簡牘文 ![글자] 說文小篆 등으로 썼다. 辵(쉬엄쉬엄 갈 착)이 의미부고 隶(미칠 대.이)가 소리부로, 따라가서(辵) 대상물의 꼬리를 붙잡음(隶)을 형상화했고, 이로부터 목표물에 '미치다'와 逮捕(체포)하다는 뜻이 나왔다.

173) 고문자에서 ![글자] 甲骨文 ![글자] 金文 등으로 썼다. 辵(쉬엄쉬엄 갈 착)이 의미부고 犀(무소 서)가 소리부로, 무소(犀)처럼 느릿느릿한 걸음(辵)을 말하며, 이로부터 느리다, 둔하다, 늦다 등의 뜻이 나왔다. 그전 갑골문에서는 사람이 사람을 업고 가는(彳·척) 모습으로써 혼자 걸을 때보다 '더딘' 모습을 그렸다. 금문에 들면서 彳에 止(발 지)가 더해져 辵이 되었고, 소전체에서 사람을 업은 모습이 무소(犀)로 대체되어 지금처럼 되었다. 간화자에서는 소리부 犀를 尺(자 척)으로 간단히 고친 迟로 쓴다.

패풍·곡풍(谷風)』 등에서 "가는 길 차마 발걸음이 안 떨어지네(行道遲遲)"라고 노래했다. 지(迡)는 지(遲)의 혹체자인데, 인(𠔏)[174]으로 구성되었다. 지(遟)는 지(遲)의 주문체인데, 서(犀)로 구성되었다. 독음은 직(直)과 니(尼)의 반절이다.

1148

䟓: 邌: 천천히 갈 려: 辵-총19획: lí

原文

䟓: 徐也. 从辵黎聲. 郎奚切.

飜譯

'천천히 가다(徐)'라는 뜻이다. 착(辵)이 의미부이고 려(黎)가 소리부이다. 독음은 랑(郎)과 해(奚)의 반절이다.

1149

䟗: 遰: 떠날 체: 辵-총15획: dì

原文

䟗: 去也. 从辵帶聲. 特計切.

飜譯

'떠나다(去)'라는 뜻이다. 착(辵)이 의미부이고 대(帶)가 소리부이다. 독음은 특(特)과 계(計)의 반절이다.

1150

䢔: 遄: 다른 곳으로 가는 모양 연: 辵-총12획: yuān

原文

---

174) 『설문』과 『집운』에서는 인(仁)의 고문체라고 했는데, 『옥편』에서는 이(夷)의 고문체로 보았다.

趹: 行皃. 从辵矞聲. 烏玄切.

(飜譯)

'가는 모양(行皃)'을 말한다. 착(辵)이 의미부이고 연(矞)이 소리부이다. 독음은 오(烏)와 현(玄)의 반절이다.

1151

䠧: 邍: 머무를 주: 辵-총22획: zhù

(原文)

䠧: 不行也. 从辵䠂聲. 讀若住. 中句切.

(飜譯)

'가지 않다(不行)'라는 뜻이다. 착(辵)이 의미부이고 추(䠂)가 소리부이다. 왕(住)과 같이 읽는다.
 독음은 중(中)과 구(句)의 반절이다.

1152

逗: 逗: 머무를 두: 辵-총11획: dòu

(原文)

逗: 止也. 从辵豆聲. 田候切.

(飜譯)

'머물다(止)'라는 뜻이다. 착(辵)이 의미부이고 두(豆)가 소리부이다. 독음은 전(田)과 후(候)의 반절이다.

1153

迉: 迉: 구불구불 갈 격: 辵-총9획: qì

原文

譺: 曲行也. 从辵只聲. 綺戟切.

飜譯

'구불구불 가다(曲行)'라는 뜻이다. 착(辵)이 의미부이고 지(只)가 소리부이다. 독음은 기(綺)와 극(戟)의 반절이다.

1154

譺: 逶: 구불구불 갈 위: 辵-총12획: wēi

原文

譺: 逶迤, 衺去之皃. 从辵委聲. 蟡, 或从虫、爲. 於爲切.

飜譯

'위이(逶迤)를 말하는데, 비스듬히 가는 모양(衺去之皃)'을 말한다. 착(辵)이 의미부이고 위(委)가 소리부이다. 위(蟡)는 혹체자인데, 충(虫)과 위(爲)로 구성되었다. 독음은 어(於)와 위(爲)의 반절이다.

1155

迤: 迤: 비스듬할 이: 辵-총7획: yǐ

原文

迤: 衺行也. 从辵也聲.『夏書』曰:"東迤北, 會于匯." 移尔切.

飜譯

'비스듬히 가다(衺行)'라는 뜻이다. 착(辵)이 의미부이고 야(也)가 소리부이다.『하서(夏書)·우공(禹貢)』에서 "[장강은] 동쪽을 향해서 비스듬히 북쪽으로 흘러가, 회수와 만난다(東迤北, 會于匯)."라고 했다. 독음은 이(移)와 이(尔)의 반절이다.

1156

䢛: 遹: 비뚤 휼: 辵-총16획: yù

原文

䢛: 回避也. 从辵矞聲. 余律切.

譯

'돌아서 피해가다(回避)'라는 뜻이다. 착(辵)이 의미부이고 율(矞)이 소리부이다. 독음은 여(余)와 률(律)의 반절이다.

1157

避: 避: 피할 피: 辵-총17획: bì

原文

避: 回也. 从辵辟聲. 毗義切.

譯

'회피하다(回)'라는 뜻이다. 착(辵)이 의미부이고 벽(辟)이 소리부이다.175) 독음은 비(毗)와 의(義)의 반절이다.

1158

違: 違: 어길 위: 辵-총13획: wéi

原文

違: 離也. 从辵韋聲. 羽非切.

譯

---

175) 고문자에서 𧾷 𦆯 𦆵 簡牘文 避 說文小篆 등으로 썼다. 辵(쉬엄쉬엄 갈 착)이 의미부고 辟(임금 벽)이 소리부로, 갈라놓은(辟) 다른 영역으로의 옮겨 감(辵)을 말하며, 이로부터 '피하다'의 뜻이 나왔다.

'떠나가다(離)'라는 뜻이다. 착(辵)이 의미부이고 위(韋)가 소리부이다.176) 독음은 우(羽)와 비(非)의 반절이다.

1159

䢖: 遴: 어려워할 린: 辵-총16획: lìn

原文

䢖: 行難也. 从辵粦聲. 『易』曰: "以往遴." 㻸, 或从人. 良刃切.

飜譯

'가는 길이 험난하다(行難)'라는 뜻이다. 착(辵)이 의미부이고 린(粦)이 소리부이다. 『역·몽괘(蒙卦)』에서 "계속 나간다면 어려움을 만나게 될 것이다(以往遴)"라고 했다. 린(㻸)은 혹체자인데, 인(人)으로 구성되었다. 독음은 량(良)과 인(刃)의 반절이다.

1160

䞚: 逡: 뒷걸음질 칠 준: 辵-총11획: qūn

原文

䞚: 復也. 从辵夋聲. 七倫切.

飜譯

'왔다 갔다 하다(復)'라는 뜻이다. 착(辵)이 의미부이고 준(夋)이 소리부이다. 독음은 칠(七)과 륜(倫)의 반절이다.

---

176) 고문자에서 金文 古陶文 石刻古文 說文小篆 등으로 썼다. 辵(쉬엄쉬엄 갈 착)이 의미부고 韋(에워쌀·다룸가죽 위)가 소리부로, 성을 지키려(韋) 떠나다(辵)는 뜻에서 떠나다의 뜻이, 떠나는 것은 본질에서 벗어나는 것이므로 '벗어나다', '위반하다'는 뜻이 나왔다. 간화자에서는 韋를 韦로 줄인 违로 쓴다.

1161

趆: 趆: 놀랄 제·저: 辵-총9획: dǐ

原文

趆: 怒不進也. 从辵氐聲. 都禮切.

譯譯

'화가 나서 나가질 못하다(怒不進)'라는 뜻이다.177) 착(辵)이 의미부이고 저(氐)가 소리부이다. 독음은 도(都)와 례(禮)의 반절이다.

1162

達: 達: 통달할 달: 辵-총13획: dá

原文

達: 行不相遇也. 从辵羍聲.『詩』曰: "挑兮達兮." 㣙, 達或从大. 或曰迭. 徒葛切.

譯譯

'오가는 길에 서로 만나지 못하다(行不相遇)'라는 뜻이다. 착(辵)이 의미부이고 달(羍)이 소리부이다.178)『시·정풍·자금(子衿)』에서 "왔다 갔다 하며(挑兮達兮)"라고 노래했다. 달(㣙)은 달(達)의 혹체자인데, 대(大)로 구성되었다. 혹자는 갈마들다, 교대

---

177) 서현의 대서본에는 "一曰鶩也(달리 鶩라는 뜻이라고도 한다)"라는 말이 더 들어 있는데, 지(鷙)에 대해 마(馬)부수에서 "말이 무거운 모양(馬重皃)"을 말한다고 했다. 그래서 鶩는 "말이 무거워 나아가질 못하다"는 뜻으로 풀이할 수 있다.

178) 고문자에서 徝 㣚 甲骨文 徔 逵 金文 遑 𨕚 㣙 簡牘文 迯 古璽文 達 說文小篆 㣙 說文或體 등으로 썼다. 辵(쉬엄쉬엄 갈 착)이 의미부이고 羍(어린 양 달)이 소리부이나, 갑골문에서는 彳(조금 걸을 척)이 의미부이고 大(큰 대)가 소리부로, 사람(大)이 다니는(彳) '큰 길'을 말했는데 발을 뜻하는 止(발 지)가 더해져 의미를 분명하게 하기도 했다. 금문에 들면서 羊(양 양)이 더해져 羍로 되어 지금의 자형이 되었다. 막힘없이 뚫린 큰길은 어디든 통하고 이르게 하기에 '두루 통하다'는 뜻이 나왔고 이로부터 어떤 분야든 막힘없이 두루 아는 것을 말했고 또 그처럼 고급 지식과 높은 지위를 가진 사람을 지칭하기도 했다. 현대 중국의 간화자에서는 소리부인 羍 대신 大(큰 대)가 들어간 达로 써 다시 원래의 글자로 돌아갔다.

로 하다[迖]는 뜻이라고도 한다. 독음은 도(徒)와 갈(葛)의 반절이다.

1163

蹻: 逯: 갈 록: 辵-총12획: lù

原文

蹻: 行謹逯逯也. 从辵录聲. 盧谷切.

譯

'걸음걸이를 조신하게 하다(行謹逯逯)'라는 뜻이다. 착(辵)이 의미부이고 록(录)이 소리부이다. 독음은 로(盧)와 곡(谷)의 반절이다.

1164

詷: 迵: 지날 동: 辵-총10획: dòng

原文

詷: 迵, 迭也. 从辵同聲. 徒弄切.

譯

'동(迵)은 갈마들다(迭)'라는 뜻이다. 착(辵)이 의미부이고 동(同)이 소리부이다. 독음은 도(徒)와 롱(弄)의 반절이다.

1165

詄: 迭: 갈마들 질: 辵-총9획: dié

原文

詄: 更迭也. 从辵失聲. 一曰达. 徒結切.

譯

'갈마들다(更迭)'라는 뜻이다. 착(辵)이 의미부이고 실(失)이 소리부이다. 일설에는 통달하다(达)는 뜻이라고도 한다. 독음은 도(徒)와 결(結)의 반절이다.

1166

迷: 迷: 미혹할 미: 辵-총10획: mí

原文

迷: 或也. 从辵米聲. 莫兮切.

飜譯

'미혹되다(或)'라는 뜻이다.179) 착(辵)이 의미부이고 미(米)가 소리부이다. 독음은 막(莫)과 혜(兮)의 반절이다.

1167

連: 連: 잇달을 련: 辵-총11획: lián

原文

連: 員連也. 从辵从車. 力延切.

飜譯

'수레가 잇닿다(員連)'라는 뜻이다.180) 착(辵)이 의미부이고 거(車)도 의미부이다.181)

---

179) 『단주』에서 이렇게 말했다. "『이아·석언(釋言)』에 보인다. 혹(惑)으로 되었는데, 송본(宋本)에서 혹(或)으로 적었다. 심(心)부수에서 '혹(惑)은 혼란스럽다는 뜻이다(亂也)'라고 했다."

180) 『단주』에서는 부거(負車: 짐을 끄는 손수레)가 되어야 한다고 하면서, 각 판본에서 운련(負連)으로 된 것을 바로잡는다고 했다. 그러면서 이렇게 설명했다. "련(連)은 고문체로, 련(輦)과 같다. 『주례·지관』의 향사(鄕師)에 대한 설명에 '국련(輂輦)'이 나오는데 고서에서는 련(輦)을 연(連)으로 적었다. 대정(大鄭: 정현)은 이를 련(輦)으로 읽었다. '건거(巾車: 장막을 친 수레)와 연거(連車: 끊임없이 이어지는 수레)'라고 할 때도 원래는 연거(輦車)로 적었다.……부거(負車)는 사람이 수레를 끌고 갈 때 수레가 뒤에 놓여 사람이 짊어진 것처럼 보이기 때문에 그렇게 이름 붙인 것이다. 그래서 착(辵)과 거(車)가 합쳐진 회의자이다. 이는 연(輦)자가 반(扶)과 거(車)가 결합한 회의인 것과 같은 이치이다. 사람과 수레가 연이어져 끊지 않는다는 뜻에서 '연속(連屬)'이라는 뜻이 나왔다. 이(耳)부수에서 '연(聯)은 연결되다는 뜻이다(連也). 『대재주(大宰注)』에서도 고서에서는 연(連)자를 련(聯)으로 적었다.'라고 했다. 그렇다면 련(聯)과 연(連)은 고금자(古今字)이고, 연(連)과 련(輦)도 고금자(古今字)이다. 연(連)이 련(聯)으로 가

독음은 력(力)과 연(延)의 반절이다.

1168

䟵: 逑: 짝 구: 辵-총11획: qiú

原文

逑: 斂聚也. 从辵求聲. 『虞書』曰: "旁逑孱功." 又曰: "怨匹曰逑." 巨鳩切.

飜譯

'수렴하여 한데 모으다(斂聚)'라는 뜻이다. 착(辵)이 의미부이고 구(求)가 소리부이다. 『우서(虞書)』에서 "광범위하게 [민심을] 수렴하여 이미 공을 세웠다(旁逑孱功)." 라고 했다. 또 "그리워하는 짝(怨匹)을 구(逑)라고 한다."라고도 한다. 독음은 거(巨)와 구(鳩)의 반절이다.

1169

䢙: 退: 무너질 패: 辵-총11획: bài

原文

䢙: 數也. 从辵貝聲. 『周書』曰: "我興受其退." 薄邁切.

차되었으며, 그래서 련(輦)을 연(連)으로만 썼던 것이다. 그렇다면 대정(大鄭)은 응당 연(連)은 련(輦)자의 금문이라 해야 했음에도 련(輦)자로 읽는다고 한 것은 금자(今字)를 고자(古字)로 바꾸어 말한 것이 된다. 이는 학자라면 쉽게 알 수 있는 부분이다. 허신이 이 글자를 거(車)부수에 넣고 련(輦)의 고문체라 하지 않고서 이를 착(辵)부수에 넣었던 것은 소전체에서 연(連)과 련(輦)이 용법이 달랐기 때문이다. 그래서 연(聯)을 두고 '이어지다(連)는 뜻이다'(耳부수)라고 한 것은 오늘날의 뜻(今義)이요, 연(連)을 두고 '부거(負車)라는 뜻이다'(辵부수)라고 한 것은 옛날의 뜻(古義)을 말한 것이다."

181) 고문자에서 **𦕽**金文 **𫢳**簡牘文 **𨊧**古璽文 **𨋎**說文小篆 등으로 썼다. 車(수레 거·차)와 辵(쉬엄쉬엄 갈 착)으로 구성되어, 수레(車)들이 연이어 가는(辵) 모습으로부터 '잇닿다'는 뜻을 그렸고, 이로부터 連續(연속)되다, 연락하다, 연루되다, 관계되다 등의 뜻이 나왔다. 또 사람이 끄는 옛날의 수레(車)를 지칭하기도 했다. 간화자에서는 连으로 쓴다.

譯

'무너지다(斁)'라는 뜻이다. 착(辵)이 의미부이고 패(貝)가 소리부이다. 『서·주서(周書)·미자(微子)』에서 "[상나라에 지금 재난이 닥쳐왔으니] 우리 모두가 그 재앙을 받게 될 것입니다(我興受其退)"라고 했다. 독음은 박(薄)과 매(邁)의 반절이다.

1170

䢵: 逭: 꾀할 환: 辵-총12획: huàn

原文

䢵: 逃也. 从辵官聲. 爟, 逭或从雚从兆. 胡玩切.

譯

'도망가다(逃)'라는 뜻이다. 착(辵)이 의미부이고 관(官)이 소리부이다. 환(爟)은 환(逭)의 혹체자인데, 관(雚)도 의미부이고 조(兆)도 의미부이다. 독음은 호(胡)와 완(玩)의 반절이다.

1171

遯: 遯: 달아날 둔: 辵-총15획: dùn

原文

遯: 逃也. 从辵从豚. 徒困切.

譯

'도망가다(逃)'라는 뜻이다. 착(辵)이 의미부이고 돈(豚)도 의미부이다. 독음은 도(徒)와 곤(困)의 반절이다.

1172

逋: 逋: 달아날 포: 辵-총11획: bū

原文

逋: 亡也. 从辵甫聲. 䖋, 籒文逋从捕. 博孤切.

繙譯

'달아나다(亡)'라는 뜻이다. 착(辵)이 의미부이고 보(甫)가 소리부이다. 포(䖋)는 포(逋)의 주문체인데, 포(捕)로 구성되었다. 독음은 박(博)과 고(孤)의 반절이다.

1173

遺: 遺: 끼칠 유: 辵-총16획: yí

原文

遺: 亡也. 从辵貴聲. 以追切.

繙譯

'달아나다(亡)'라는 뜻이다. 착(辵)이 의미부이고 귀(貴)가 소리부이다.[182] 독음은 이(以)와 추(追)의 반절이다.

1174

遂: 遂: 이를 수: 辵-총13획: suì

原文

遂: 亡也. 从辵㒸聲. 鐩, 古文遂. 徐醉切.

繙譯

'달아나다(亡)'라는 뜻이다. 착(辵)이 의미부이고 수(㒸)가 소리부이다.[183] 수(鐩)는

---

182) 고문자에서 [金文글자들] 金文 [簡牘文글자들] 簡牘文 [說文글자] 說文小篆 등으로 썼다. 辵(쉬엄쉬엄 갈 착)이 의미부고 貴(귀할 귀)가 소리부로, 두 손에 삼태기를 들고 흙 속에서 뭔가를 건져내(貴) 다른 곳으로 옮기는(辵) 모습을 그렸다. 있던 것이 다른 곳으로 옮겨간다는 뜻에서 '없어지다', '잃어버리다'는 뜻이 생겼고, 그렇게 되지 않도록 해야 하는 것이 遺産(유산)이자 遺物(유물)이라는 뜻도 나왔다.

수(遂)의 고문체이다. 독음은 서(徐)와 취(醉)의 반절이다.

1175

逃: 逃: 달아날 도: 辵-총10획: táo

원문(原文)

逃: 亡也. 从辵兆聲. 徒刀切.

번역(飜譯)

'달아나다(亡)'라는 뜻이다. 착(辵)이 의미부이고 조(兆)가 소리부이다. 독음은 도(徒)와 도(刀)의 반절이다.

1176

追: 追: 쫓을 추: 辵-총10획: zhuī

원문(原文)

追: 逐也. 从辵自聲. 陟隹切.

번역(飜譯)

'[군대를 이끌고] 쫓아가다(逐)'라는 뜻이다. 착(辵)이 의미부이고 사(自)가 소리부이다.184) 독음은 척(陟)과 추(隹)의 반절이다.

---

183) 고문자에서 ☒甲骨文 ☒☒金文 ☒石刻古文 ☒說文小篆 ☒說文古文 등으로 썼다. 辵(쉬엄쉬엄 갈 착)이 의미부고 豕(드디어 수)가 소리부로, 달아나다(亡)는 뜻인데, 갑골문에서는 돼지(豕)를 뒤쫓는(辵) 모습의 逐(쫓을 축)과 같은 글자였다. 逐이 인간의 처지에서 보면 뒤쫓는 것이지만, 짐승의 처지에서 보면 달아남을 말한다. 달아나던 짐승은 끝내 잡히기 마련이라는 뜻에서, '드디어', '마침내' 등의 뜻까지 나왔다.

184) 고문자에서 ☒☒☒☒甲骨文 ☒☒☒☒金文 ☒☒☒簡牘文 ☒說文小篆 등으로 썼다. 辵(쉬엄쉬엄 갈 착)이 의미부고 自(사, 師의 본래 글자)가 소리부로, 군사(自)를 따라가(辵) 추격함을 말하며, 이로부터 뒤따라 잡다, 소급해 제거하다, 탐구하다 등의 뜻이 나왔다. 옛날에는 군대를 쫓는 것을 追, 짐승을 쫓는 것을 逐(쫓을 축)이라 구분해 불렀다.

1177

辭: 逐: 쫓을 축: 辵-총11획: zhú

原文

辭: 追也. 从辵, 从豚省. 直六切.

譯

'[짐승을] 뒤쫓아 가다(逐)'라는 뜻이다. 착(辵)이 의미부이고, 돈(豚)의 생략된 모습도
의미부이다.[185] 독음은 직(直)과 륙(六)의 반절이다.

1178

逎: 逎: 닥칠 주: 辵-총11획: qiú

原文

逎: 迫也. 从辵酉聲. 遒, 逎或从酋. 字秋切.

譯

'가까이 다가가다(迫)'라는 뜻이다. 착(辵)이 의미부이고 유(酉)가 소리부이다. 주(遒)
는 주(逎)의 혹체자인데, 추(酋)로 구성되었다. 독음은 자(字)와 추(秋)의 반절이다.

1179

近: 近: 가까울 근: 辵-총8획: jìn

原文

---

185) 고문자에서 甲骨文 金文 古陶文 簡牘文 說文
小篆 등으로 썼다. 豕(돼지 시)가 의미부고 辵(쉬엄쉬엄 갈 착)이 소리부로, 멧돼지(豕)를 쫓아
가는(辵) 사냥 법을 그렸고, 이로부터 짐승을 뒤쫓다, 몰아내다, 추구하다, 경쟁하다, 따르다
등의 뜻이 나왔다.

斦: 附也. 从辵斤聲. 岊, 古文近. 渠遴切.

（譯）
'가까이 들러붙다(附)'라는 뜻이다. 착(辵)이 의미부이고 근(斤)이 소리부이다. 근(岊)은 근(近)의 고문체이다. 독음은 거(渠)와 린(遴)의 반절이다.

1180

躐: 邋: 나부낄 랍: 辵-총19획: là

（原文）
躐: 擸也. 从辵巤聲. 良涉切.

（譯）
'부러뜨리다(擸)'라는 뜻이다. 착(辵)이 의미부이고 렵(巤)이 소리부이다. 독음은 량(良)과 섭(涉)의 반절이다.

1181

迫: 迫: 닥칠 박: 辵-총9획: pò

（原文）
迫: 近也. 从辵白聲. 博陌切.

（譯）
'가깝다(近)'라는 뜻이다. 착(辵)이 의미부이고 백(白)이 소리부이다. 독음은 박(博)과 맥(陌)의 반절이다.

1182

邇: 邇: 가까울 이: 辵-총16획: zhì

（原文）

： 近也. 从辵臸聲. 人質切.

譯解

'가깝다(近)'라는 뜻이다. 착(辵)이 의미부이고 진(臸)이 소리부이다. 독음은 인(人)과 질(質)의 반절이다.

1183

： 邇: **가까울 이**: 辵-총18획: **ěr**

原文

： 近也. 从辵爾聲. 迩, 古文邇. 兒氏切.

譯解

'가깝다(近)'라는 뜻이다. 착(辵)이 의미부이고 이(爾)가 소리부이다.[186] 이(迩)는 이(邇)의 고문체이다. 독음은 아(兒)와 씨(氏)의 반절이다.

1184

： 遏: **막을 알**: 辵-총13획: **è**

原文

： 微止也. 从辵曷聲. 讀若桑蟲之蝎. 烏割切.

譯解

'몰래 제지하다(微止)'라는 뜻이다.[187] 착(辵)이 의미부이고 갈(曷)이 소리부이다. 뽕나무 좀 벌레(桑蟲)를 뜻하는 갈(蝎)과 같이 읽는다. 독음은 오(烏)와 할(割)의 반절

186) 고문자에서 簡牘文 說文小篆 說文古文 등으로 썼다. 辵(쉬엄쉬엄 갈 착)이 의미부고 爾(너 이)가 소리부로, 가까운(爾) 거리(辵)를 말했고, 이로부터 가깝다는 뜻이 나왔다. 간화자에서는 爾를 尔로 줄인 迩로 쓴다.

187) 『단주』에서는 이렇게 말했다. "『이아·석고(釋詁)』에 보인다. 제지하다는 뜻이다(遏止也). 미(微)는 세밀하게 하다는 뜻이다(細密之意)."

이다.

1185

遮: 遮: **막을 차**: 辵-총15획: zhē

原文

遮: 遏也. 从辵庶聲. 止車切.

翻譯

'가로막다(遏)'라는 뜻이다. 착(辵)이 의미부이고 서(庶)가 소리부이다. 독음은 지(止)와 차(車)의 반절이다.

1186

遷: 遷: **가는 모양 선·연**: 辵-총17획: yàn

原文

遷: 遮遷也. 从辵羨聲. 于線切.

翻譯

'가로막다(遮遷)'라는 뜻이다. 착(辵)이 의미부이고 선(羨)이 소리부이다. 독음은 우(于)와 선(線)의 반절이다.

1187

迣: 迣: **막을 렬**: 辵-총9획: zhì

原文

迣: 迾也. 晉趙曰迣. 从辵世聲. 讀若真. 征例切.

翻譯

'렬(迾)과 같아 막다'라는 뜻이다. 진(晉)이나 조(趙)나라 지역에서는 렬(迣)이라고

한다. 착(辵)이 의미부이고 세(卋)가 소리부이다. 치(眞)와 같이 읽는다. 독음은 정
(征)과 례(例)의 반절이다.

1188

迾: 迾: **막을 렬**: 辵-총10획: liè

原文

迾: 遮也. 从辵劉聲. 良辥切.

譯

'막다(遮)'라는 뜻이다. 착(辵)이 의미부이고 렬(劉)이 소리부이다. 독음은 량(良)과
설(辥)의 반절이다.

1189

迂: 迂: **구할 간**: 辵-총7획: gān

原文

迂: 進也. 从辵干聲. 讀若干. 古寒切.

譯

'나아가다(進)'라는 뜻이다. 착(辵)이 의미부이고 간(干)이 소리부이다. 간(干)과 같이
읽는다. 독음은 고(古)와 한(寒)의 반절이다.

1190

過: 過: **허물 건**: 辵-총12획: qiān

原文

過: 過也. 从辵侃聲. 去虔切.

譯

'지나가다(過)'라는 뜻이다.[188] 착(辵)이 의미부이고 간(侃)이 소리부이다. 독음은 거(去)와 건(虔)의 반절이다.

1191

譴: 遱: 발걸음이 끊어지지 않을 루: 辵-총15획: lóu

原文

譴: 連遱也. 从辵婁聲. 洛侯切.

飜譯

'발걸음이 끊이질 않다(連遱)'라는 뜻이다. 착(辵)이 의미부이고 루(婁)가 소리부이다. 독음은 락(洛)과 후(侯)의 반절이다.

1192

誹: 𨑔: 다니는 모양 발: 辵-총8획: bó

原文

誹: 前頡也. 从辵市聲. 賈侍中說：一讀若枻, 又若郅. 北末切.

飜譯

'목을 곧추세우고 앞으로 나가다(前頡)'라는 뜻이다. 착(辵)이 의미부이고 시(市)가 소리부이다. 가시중(賈侍中)께서는 달리 합(枻)과 같이 읽는다고 했다. 또 질(郅)과 같이 읽는다. 독음은 북(北)과 말(末)의 반절이다.

1193

迦: 迦: 걷지 못하게 발을 속박할 가: 辵-총13획: jiā, jià

188) 『단주』에서는 이렇게 말했다. "본래 의미로서의 이 글자는 경과하다(經過)는 뜻의 과(過)이다. 심(心)부수에서 '건(愆), 색(蹇), 건(謇)'에는 과오가 있다고 할 때의 과(過)라고 했다. 그렇다면 과오라는 뜻은 파생의미(引伸)이다."

原文

遾：　迦互, 令不得行也. 从辵枷聲. 古牙切.

翻譯

'가호(迦互)[189]를 말하는데, 발을 묶어 가지 못하도록 하다(令不得行)'라는 뜻이다. 착(辵)이 의미부이고 가(枷)가 소리부이다. 독음은 고(古)와 아(牙)의 반절이다.

1194

越：　迹: 넘을 월: 辵-총9획: yuè

原文

越：　踰也. 从辵戉聲. 『易』曰："雜而不越." 王伐切.

翻譯

'넘어가다(踰)'라는 뜻이다. 착(辵)이 의미부이고 월(戉)이 소리부이다. 『역·계사(繫辭)』에서 "막 뒤섞여 있으되 [어떤 범위를] 넘어가지 않는다(雜而不越)."라고 했다. 독음은 왕(王)과 벌(伐)의 반절이다.

1195

逞：　逞: 굳셀 령: 辵-총11획: chěng

原文

逞：　通也. 从辵呈聲. 楚謂疾行爲逞.『春秋傳』曰："何所不逞欲." 丑郢切.

翻譯

'곧바로 나아가다(通)'라는 뜻이다. 착(辵)이 의미부이고 정(呈)이 소리부이다. 초(楚) 지역에서는 빨리 가는 것(疾行)을 정(逞)이라 한다. 『춘추전』(『좌전』 소공 14년, B.C. 528)에서 "어느 곳인들 욕망으로 곧장 나아가게 하지 않겠습니까?(何所不逞欲)"라고

---

189) 『단주』에서 "호(互)는 아(牙)가 되어야 한다고 하면서 『옥편』에 근거해 아(牙)로 바로잡았다.(牙各本作互, 今依玉篇正.)"라고 했다.

했다. 독음은 축(丑)과 영(郢)의 반절이다.

1196

遼: 遼: 멀 료: 辵-총16획: liáo

遼: 遠也. 从辵尞聲. 洛蕭切.

'멀다(遠)'라는 뜻이다. 착(辵)이 의미부이고 료(尞)가 소리부이다. 독음은 락(洛)과 소(蕭)의 반절이다.

1197

遠: 遠: 멀 원: 辵-총14획: yuǎn

遠: 遼也. 从辵袁聲. 𨕙, 古文遠. 雲阮切.

'요원하다(遼)'라는 뜻이다. 착(辵)이 의미부이고 원(袁)이 소리부이다.[190] 원(𨕙)은 원(遠)의 고문체이다. 독음은 운(雲)과 완(阮)의 반절이다.

1198

遰: 遰: 멀 적: 辵-총11획: tì

---

190) 고문자에서 〔金文 기호들〕金文 〔簡牘文 기호들〕簡牘文 〔石刻古文 기호〕石刻古文 〔說文小篆 기호〕說文小篆 〔說文古文 기호〕說文古文 등으로 썼다. 辵(쉬엄쉬엄 갈 착)이 의미부고 袁(옷 길 원)이 소리부로, 긴(袁) 거리를 가다(辵)는 뜻으로부터 멀다, 遠大(원대)하다, 深遠(심원)하다, 차이가 많이 나다, 사이가 멀다 등의 뜻이 나왔다. 간화자에서는 소리부 袁을 元(으뜸 원)으로 간단히 줄인 远으로 쓴다.

原文

逖: 遠也. 从辵狄聲. 逷, 古文逖. 他歷切.

飜譯

'멀다(遠)'라는 뜻이다. 착(辵)이 의미부이고 적(狄)이 소리부이다. 적(逷)은 적(逖)의 고문체이다. 독음은 타(他)와 력(歷)의 반절이다.

1199

迥: 迥: 멀 형: 辵-총9획: jiǒng

原文

迥: 遠也. 从辵冋聲. 戶穎切.

飜譯

'멀다(遠)'라는 뜻이다. 착(辵)이 의미부이고 경(冋)이 소리부이다. 독음은 호(戶)와 영(穎)의 반절이다.

1200

逴: 逴: 멀 탁: 辵-총12획: chuò

原文

逴: 遠也. 从辵卓聲. 一曰蹇也. 讀若棹苕之棹. 敕角切.

飜譯

'멀다(遠)'라는 뜻이다. 착(辵)이 의미부이고 탁(卓)이 소리부이다. 일설에는 '절다(蹇)'라는 뜻이라고도 한다. 도초(棹苕)[191]라고 할 때의 도(棹)와 같이 읽는다. 독음은 칙(敕)과 각(角)의 반절이다.

---

191) 도초(棹苕)가 무엇을 지칭하는지는 분명하지 않다. 『설문』에는 도(棹)자가 실려 있지 않다. 서현의 대서본에서 이미 이 말은 존재하지 않아 정확한 뜻을 알 수 없다고 했고, 『단주』와 『설문약주』에서도 그렇다고 했다.

1201

迂: 迂: 멀 우: 辵-총7획: yū

原文

迂: 避也. 从辵于聲. 憶俱切.

譯

'피해 가다(避)'라는 뜻이다. 착(辵)이 의미부이고 우(于)가 소리부이다. 독음은 억(憶)과 구(俱)의 반절이다.

1202

逮: 逮: 나아가 다할 전: 辵-총13획: jiān, jīn

原文

逮: 目進極也. 从辵聿聲. 子僊切.

譯

'스스로 나아가 이르다(目進極)'[192)는 뜻이다. 착(辵)이 의미부이고 진(聿)이 소리부이다. 독음은 자(子)와 선(僊)의 반절이다.

1203

邍: 邍: 넓은 들판 원: 辵-총20획: yuán

原文

邍: 高平之野, 人所登. 从辵、备、录. 闕. 愚袁切.

譯

---

192) 『단주』에서 목(目)은 자(自)의 오기라고 하면서 "自進極也."로 고쳤는데, 여기서는 이를 따랐다.

'높고 평평한 들로, 사람들이 올라가 (곡식을 키우)는 곳(高平之野, 人所登)'을 말한다. 착(辵)과 비(畐)와 록(彔)이 모두 의미부이다. 왜 그런지는 알 수 없어 비워 둔다(闕).[193] 독음은 우(愚)와 원(袁)의 반절이다.

1204

𧬛: 道: 길 도: 辵-총13획: dào

原文

𧬛: 所行道也. 从辵从𩠐. 一達謂之道. 𩠐, 古文道从𩠐、寸. 徒皓切.

譯

'걸어 다니는 길(所行道)'을 뜻한다. 착(辵)이 의미부이고 수(𩠐)도 의미부이다. 단번에 도달하는 길(一達)을 도(道)라고 한다.[194] 도(𩠐)는 도(道)의 고문체인데, 수(𩠐)와 촌(寸)으로 구성되었다. 독음은 도(徒)와 호(皓)의 반절이다.

1205

𨖷: 遽: 갑자기 거: 辵-총17획: jù

原文

𨖷: 傳也. 一曰窘也. 从辵豦聲. 其倨切.

譯

---

193) 『설문약주』에서는 왕균(王筠)의 「석고문」 자형에 근거한 해설에 기초하여 "又, 夂, 田이 의미부이고 象이 소리부인 구조로 보았으며, 彔은 象의 잘못된 표기라고 했다.

194) 고문자에서 𧗟 𧗟 𧗟 𧗟 𧗟 金文 𧬛 古陶文 𧗟 𧗟 𧗟 𧗟 盟書 𧗟 道 㣚 道 簡牘文 𧬛 說文小篆 𨑡 說文古文 등으로 썼다. 首(머리 수)와 辵(쉬엄쉬엄 갈 착)으로 구성되었는데, 首에 대해서는 의견이 분분하지만 사슴의 머리를 그린 것으로 보인다. 사슴의 머리(首)는 매년 자라나 떨어지는 뿔을 가졌기에 순환의 상징이기도 하다. 그래서 道는 그런 순환의 운행(辵) 즉 자연의 준엄한 법칙을 말했고, 그것은 인간이 따라야 할 '길'이었다. 이로부터 '道'라는 숭고한 개념이 담겼고, 이런 길(道)을 가도록 잡아(寸·촌) 이끄는 것이 導(이끌 도)이다.

'역마(傳)'를 말한다.[195] 일설에는 '급하다(窘)'라는 뜻이라고도 한다.[196] 착(辵)이 의미부이고 거(豦)가 소리부이다. 독음은 기(其)와 기(倨)의 반절이다.

1206

辺: 远: **발자국 항**: 辵-총8획: háng

原文

辺: 獸迹也. 从辵亢聲. 𨆌, 远或从足从更. 胡郎切.

飜譯

'짐승의 발자국(獸迹)'을 말한다. 착(辵)이 의미부이고 항(亢)이 소리부이다. 항(𨆌)은 항(远)의 혹체자인데, 족(足)과 갱(更)으로 구성되었다. 독음은 호(胡)와 랑(郎)의 반절이다.

1207

逓: 逓: **이를 적**: 辵-총8획: dì

原文

逓: 至也. 从辵弔聲. 都歷切.

飜譯

'이르다(至)'라는 뜻이다. 착(辵)이 의미부이고 조(弔)가 소리부이다. 독음은 도(都)와 력(歷)의 반절이다.

---

195) 『단주』에서 이렇게 말했다. 『이아 석언(釋言)』에서 "일(馹)이나 거(遽)는 전(傳: 역마)을 말한다."라고 했는데, 손염(孫炎)은 전거(傳車)는 역마(驛馬)를 말한다고 했다. 『좌전』 희공 33년 조에서 "파발을 보내 정나라에 알렸다(使遽告於鄭)"라고 했고, 소공 2년 조에서도 "역마를 타고서 도착했다(乘遽而至)"라고 했다.
196) 『옥편』에서는 거(遽)를 "급하다(急), 빠르다(疾), 갑자기(卒)라는 뜻이다."라고 했다.

1208

𨖹: 邊: 가 변: 辵-총19획: biān

原文

邊: 行垂崖也. 从辵臱聲. 布賢切.

飜譯

'멀리 떨어진 벼랑으로 가다(行垂崖)'[197]는 뜻이다. 착(辵)이 의미부이고 변(臱)이 소리부이다.[198] 독음은 포(布)와 현(賢)의 반절이다.

1209

邂: 邂: 만날 해: 辵-총17획: xiè

原文

邂: 邂逅, 不期而遇也. 从辵解聲. 胡懈切.

飜譯

'만나다(邂逅)는 뜻인데, 약속하지 않고 우연히 만나다(不期而遇)'라는 뜻이다. 착

---

197) 『단주』에서 이렇게 설명했다. "『이아·석고(釋詁)』에서 '변(邊)은 멀리 떨어진 곳을 말한다(邊, 垂也.)'라고 했다. 토(土)부수에서 '수(垂)는 멀리 떨어진 가장자리를 말한다(遠邊)'라고 했고, 엄(厂)부수에서는 '애(厓)는 산의 가장자리를 말한다(山邊也)'라고 했고, 알(厂)부수에서 '애(崖)는 높다란 벼랑을 말한다(高邊也)'라고 했다. 그래서 '멀리 떨어진 낭떠러지로 가는 것을 변(邊)이라 한다(行於垂崖曰邊)'라고 했던 것이다. 그래서 '멀리 떨어진 낭떠러지를 변(邊)이라 한다(因而垂崖謂之邊).' 그렇다면 변(邊)은 여기서 서로 뒤섞이면 안 된다(然則邊不當廁於此)."

198) 고문자에서 𢍰 金文 𨖵 簡牘文 𨖹 說文小篆 등으로 썼다. 辵(쉬엄쉬엄 갈 착)이 의미부고 臱(보이지 않을 면)이 소리부로, '가장자리'를 뜻하는데, 자원은 분명하지 않다. 그러나 辵은 어떤 곳으로의 이동을 의미하고, 臱은 시신의 해골만 따로 분리해 코(自)의 구멍(穴·혈)을 위로 향하게 하여 곁의 구석진 곳(方·방)에 안치해 두던 옛날의 髑髏棚(촉루붕)이라는 습속을 반영한 것으로 보인다. 그래서 邊은 시신의 해골만 분리해 구석진 곳으로 옮긴다(辵)는 뜻에서 '가'의 뜻, 다시 '변두리'의 의미가 나왔다. 한국 속자에서는 소리부인 臱을 刀(칼 도)로 간단하게 줄인 边(가 변)으로 쓰며, 간화자에서는 臱을 力(힘 력)으로 간단하게 줄여 边으로 쓴다.

(辵)이 의미부이고 해(解)가 소리부이다. 독음은 호(胡)와 해(懈)의 반절이다. [신부]

1210

詬: 逅: 만날 후: 辵-총10획: hòu

(原文)

詬: 邂逅也. 从辵后聲. 胡遘切.

(飜譯)

'만나다(邂逅)'라는 뜻이다. 착(辵)이 의미부이고 후(后)가 소리부이다. 독음은 호(胡)와 구(遘)의 반절이다. [신부]

1211

違: 遑: 허둥거릴 황: 辵-총13획: huáng

(原文)

遑: 急也. 从辵皇聲. 或从彳. 胡光切.

(飜譯)

'조급해하다(急)'라는 뜻이다. 착(辵)이 의미부이고 황(皇)이 소리부이다. 혹체에서는 척(彳)이 의미부이다. 독음은 호(胡)와 광(光)의 반절이다. [신부]

1212

逼: 逼: 닥칠 핍: 辵-총13획: bí

(原文)

逼: 近也. 从辵畐聲. 彼力切.

(飜譯)

'가깝다(近)'라는 뜻이다. 착(辵)이 의미부이고 복(畐)이 소리부이다. 독음은 피(彼)와

력(力)의 반절이다. [신부]

1213

𨗈 : 邈: 멀 막: 辵-총20획: miǎo

原文

邈: 遠也. 从辵䫄聲. 莫角切.

譯

'멀다(遠)'라는 뜻이다. 착(辵)이 의미부이고 모(䫄)가 소리부이다.199) 독음은 막(莫)과 각(角)의 반절이다. [신부]

1214

遐 : 遐: 멀 하: 辵-총13획: xiá

原文

遐: 遠也. 从辵叚聲. 胡加切.

譯

'멀다(遠)'라는 뜻이다. 착(辵)이 의미부이고 가(叚)가 소리부이다. 독음은 호(胡)와 가(加)의 반절이다. [신부]

1215

迄 : 迄: 이를 흘: 辵-총7획: qì

原文

迄: 至也. 从辵气聲. 許訖切.

譯

---

199) 막(邈)과 같은 글자이다.

'이르다(至)'라는 뜻이다. 착(辵)이 의미부이고 기(气)가 소리부이다. 독음은 허(許)와 흘(訖)의 반절이다. [신부]

1216

辨: 迸: 흩어져 달아날 병: 辵-총10획: bèng

原文

辨: 散走也. 从辵并聲. 北諍切.

飜譯

'흩어져 달아나다(散走)'라는 뜻이다. 착(辵)이 의미부이고 병(并)이 소리부이다. 독음은 북(北)과 쟁(諍)의 반절이다. [신부]

1217

透: 透: 통할 투: 辵-총11획: tòu

原文

透: 跳也. 過也. 从辵秀聲. 他候切.

飜譯

'뛰다(跳)'라는 뜻이다. '지나가다(過)'라는 뜻이다. 착(辵)이 의미부이고 수(秀)가 소리부이다. 독음은 타(他)와 후(候)의 반절이다. [신부]

1218

邏: 邏: 순행할 라: 辵-총23획: luó

原文

邏: 巡也. 从辵羅聲. 郞左切.

飜譯

'돌다(巡)'라는 뜻이다. 착(辵)이 의미부이고 라(羅)가 소리부이다. 독음은 랑(郞)과 좌(左)의 반절이다. [신부]

1219

迢: 迢: 멀 초: 辵-총9획: tiáo

原文

迢: 迢, 遰也. 从辵召聲. 徒聊切.

翻譯

'초(迢)는 멀다(遰)'라는 뜻이다. 착(辵)이 의미부이고 소(召)가 소리부이다. 독음은 도(徒)와 료(聊)의 반절이다. [신부]

1220

逍: 逍: 거닐 소: 辵-총11획: xiāo

原文

逍: 逍遥, 猶翱翔也. 从辵肖聲. 相邀切.

翻譯

'소요(逍遥)를 말하는데, 빙빙 선회하듯이 돌아다니다(翱翔)'라는 뜻이다. 착(辵)이 의미부이고 초(肖)가 소리부이다. 독음은 상(相)과 요(邀)의 반절이다. [신부]

1221

遥: 遥: 멀 요: 辵-총14획: yáo

原文

遥: 逍遥也. 又, 遠也. 从辵䍃聲. 余招切.

翻譯

'소요(逍遙) 즉 자유롭게 이리저리 슬슬 거닐며 돌아다님'을 뜻한다. 또 '멀다(遠)'는 뜻이다. 착(辵)이 의미부이고 요(䍃)가 소리부이다. 독음은 여(余)와 초(招)의 반절이다. [신부]

제34부수
034 ■ 척(彳)부수

1222

彳: 彳: **조금 걸을 척**: 彳-총3획: chì

原文

彳: 小步也. 象人脛三屬相連也. 凡彳之屬皆从彳. 丑亦切.

譯

'작은 걸음으로 걷다(小步)'라는 뜻이다. 허벅지와 무릎과 종아리의 셋이 연결된 사람의 다리 모양을 그렸다(象人脛三屬相連).200) 척(彳)부수에 속하는 글자는 모두 척(彳)이 의미부이다. 독음은 축(丑)과 역(亦)의 반절이다.

1223

德: 德: **덕 덕**: 彳-총15획: dé

原文

德: 升也. 从彳悳聲. 多則切.

譯

'올라가다(升)'라는 뜻이다. 척(彳)이 의미부이고 덕(悳)이 소리부이다.201) 독음은 다(多)와 칙(則)의 반절이다.

---

200) 단독으로 쓰인 용례는 『설문』에서 처음 보이는데, 彳은 사거리를 그린 行(갈 행)에서 오른쪽 부분을 생략한 모습으로 '길'을 그렸는데, 『설문해자』에서부터 '작은 걸음(小步·소보)'으로 풀이했다. 따라서 彳으로 구성된 글자들은 모두 '길'이나 '가는' 행위와 관련되어 있다. 예컨대, 彷(거닐 방), 循(좇을 순), 從(따를 종) 등은 '가다'는 의미가 있으며, 後(뒤 후)나 徑(지름길 경) 등은 '길'을 뜻한다.

201) 고문자에서 [甲骨文] 金文 [古陶]

1224

徑: 徑: **지름길 경**: 彳-총10획: jìng

原文

徑: 步道也. 从彳巠聲. 居正切.

飜譯

'걸어 다니는 지름길(步道)'을 말한다. 척(彳)이 의미부이고 경(巠)이 소리부이다. 독음은 거(居)와 정(正)의 반절이다.

1225

復: 復: **다시 부돌아올 복**: 彳-총12획: fù

原文

復: 往來也. 从彳复聲. 房六切.

飜譯

'갔다가 다시 오다(往來)'라는 뜻이다. 척(彳)이 의미부이고 복(复)이 소리부이다.202)

文 𢕫 𢓱 盟書 𢕒 簡牘文 등으로 썼다. 원래 彳(조금 걸을 척)이 의미부이고 直(곧을 직)이 소리부로, 길을 갈(彳) 때 곁눈질하지 않고 똑바로(直) 보다는 의미를 그렸는데, 이후 心(마음 심)이 더해져 지금의 자형이 되었다. 그렇게 되자 의미도 '똑바른(直) 마음(心)'이라는 도덕성을 강조하게 되었고, 도덕의 지향점이 德이라는 것을 형상적으로 보여주게 되었다. 달리 直과 心이 상하구조로 이루어진 悳(덕 덕)으로 쓰기도 한다. 이는 곧은(直) 마음(心)이 곧 '덕'이라는 의미를 더욱 직접적으로 담았다.

202) 고문자에서 𣨭 𣦽 𣦼 𣦻 甲骨文 𣦾 𣦿 𢓸 𢕛 𢕬 𢕰 金文 𢓍 𢓵 𢕐 盟書 𢕧 𢕺 簡牘文 𢕾 石刻古文 등으로 썼다. 彳(조금 걸을 척)이 의미부고 复(돌아올 복)이 소리부이다. 复은 갑골문에서 아래쪽은 발(夊·치)의 모양이고, 위쪽은 긴 네모꼴에 양쪽으로 모퉁이가 더해졌다. 여기서 발(夊)은 오가는 모습이고 나머지는 통로라고 해, 통로를 오가는 모습을 그린 것이라 풀이하기도 하지만 复은 청동을 제련할 때 쓰던 포대 모양의 대형 풀무를 발(夊)로 밟아 작동시키는 모습을 그렸다는 것이 더 적절해 보인다. 풀무는 공간을 움직여 공기를 내뿜게 하

독음은 방(房)과 륙(六)의 반절이다.

1226

徖: 徖: 다시 유: 彳-총12획: rǒu, niǔ

原文

徖: 復也. 从彳从柔, 柔亦聲. 人九切.

飜譯

'갔다가 다시 오다(復)'라는 뜻이다. 척(彳)이 의미부이고 유(柔)도 의미부인데, 유(柔)는 소리부도 겸한다. 독음은 인(人)과 구(九)의 반절이다.

1227

徎: 徎: 질러갈 정: 彳-총10획: chěng

原文

徎: 徑行也. 从彳呈聲. 丑郢切.

飜譯

'지름길로 가다(徑行)'라는 뜻이다. 척(彳)이 의미부이고 정(呈)이 소리부이다. 독음은 축(丑)과 영(郢)의 반절이다.

1228

徃: 往: 갈 왕: 彳-총8획: wǎng

는 장치이고, 밀었다 당기는 동작이 反復(반복)하는 특성이 있다. 그래서 复에는 오가다나 反復의 의미가 생겼고, 갔다가 원상태로 돌아온다는 回復(회복)의 의미도 생겼다. 그러자 彳을 더한 復을 만들어 '돌아오다'는 동작을 더욱 구체화했다. 이로부터 '다시'라는 뜻도 나왔다. 다만 '다시'를 뜻할 때에는 復活(부활)에서처럼 '부'로 읽힌다. 간화자에서는 复(돌아올 복)으로 쓴다.

原文

䢍: 之也. 从彳㞷聲. 𨒞, 古文从辵. 于兩切.

飜譯

'가다(之)'라는 뜻이다. 척(彳)이 의미부이고 왕(㞷)이 소리부이다. 왕(𨒞)은 고문체인데, 착(辵)으로 구성되었다. 독음은 우(于)와 량(兩)의 반절이다.

1229

戵: 忂: 가는 모양 구: 彳-총21획: qú

原文

忂: 行皃. 从彳瞿聲. 其俱切.

飜譯

'가는 모양(行皃)'을 말한다. 척(彳)이 의미부이고 구(瞿)가 소리부이다. 독음은 기(其)와 구(俱)의 반절이다.

1230

𢓊: 彼: 저 피: 彳-총8획: bǐ

原文

𢓊: 往, 有所加也. 从彳皮聲. 補委切.

飜譯

'가다(往)'는 뜻인데, '더해지는 것이 있음(有所加)'을 말한다.[203] 척(彳)이 의미부이고 피(皮)가 소리부이다. 독음은 보(補)와 위(委)의 반절이다.

---

203) 『설문약주』에서는 피(皮)로 구성된 글자들은 '더하다'는 의미를 가지는 경우가 많은데, "가서 다해지는 바가 있는 것을 피(彼)라 하고, 나에게 가져다주는 것을 피(貱), 머리칼에 덧대는 것을 피(髲), 잠옷에 길게 덧대진 것을 피(被)라 한다."고 했다. 이렇게 본다면, 겉을 뜻하는 피(皮)는 어떤 본체에 더해진 것을 말한다 할 수 있는데, 왕안석의 『자설』에 등장하는 파(波), 파(坡), 파(破) 등도 이런 관점에서 해석할 수 있다.

1231

徼: 徼: 구할 요: 彳-총16획: jiào

原文

徼: 循也. 从彳敫聲. 古堯切.

翻譯

'좇아가다(循)'라는 뜻이다. 척(彳)이 의미부이고 교(敫)가 소리부이다. 독음은 고(古)와 요(堯)의 반절이다.

1232

循: 循: 좇을 순: 彳-총12획: xún

原文

循: 行順也. 从彳盾聲. 詳遵切.

翻譯

'순서를 따라 가다(行順)'라는 뜻이다. 척(彳)이 의미부이고 순(盾)이 소리부이다. 독음은 상(詳)과 준(遵)의 반절이다.

1233

彶: 彶: 급히 갈 급: 彳-총7획: jí

原文

彶: 急行也. 从彳及聲. 居立切.

翻譯

'급하게 가다(急行)'라는 뜻이다. 척(彳)이 의미부이고 급(及)이 소리부이다. 독음은 거(居)와 립(立)의 반절이다.

1234

𢓓: 㴇: 여럿이 가는 모양 삽: 彳-총25획: sà

原文

𢓓: 行皃. 从彳㴇聲. 一曰此與駁同. 穌合切.

飜譯

'가는 모양(行皃)'을 말한다. 척(彳)이 의미부이고 삽(㴇)이 소리부이다. 일설에는 삽(駁)과 같다고도 한다.204) 독음은 소(穌)와 합(合)의 반절이다.

1235

微: 微: 작을 미: 彳-총13획: wēi

原文

微: 隱行也. 从彳散聲.『春秋傳』曰: "白公其徒微之." 無非切.

飜譯

'은밀하게 따라가다(隱行)'라는 뜻이다. 척(彳)이 의미부이고 미(散)가 소리부이다.205)『춘추전』(『좌전』애공 16년, B.C. 479)에서 "[백공이 산으로 달아나 목을 매고 죽자]

---

204) 삽(駁)을『설문』에서는 '가는 모양(行貌)'이라고 했지만,『광운(廣韻)』에서는 '여럿이 가는 모양(衆行貌)'이라고 했고, 또 '빨리 가는 모양(疾貌)'을 말한다고 했다.『단주』에서는 '말이 서로 뒤쫓으며 가다(馬行相及也)'는 뜻이라고 했다.

205) 고문자에서 🖋🖋甲骨文 🖋🖋🖋🖋🖋金文 🖋🖋簡牘文 微說文小篆 등으로 썼다. 원래 산발을 한 노인(長·장)과 攵(攴·칠 복)으로 이루어져 노인을 몽둥이로 때려죽이는 모습을 그렸는데, 이후 彳(조금 걸을 척)이 더해져 지금의 자형이 되었다. 원시 시절, 피를 통해 영혼이 육신으로부터 분리되는 것이 죽음이라 생각했던 탓에 피를 흘리지 않고 자연사한 것은 아직 죽지 못하고 있다고 생각했다. 또한 생산력이 부족했던 때라 노인은 어린이와 마찬가지로 구성원의 생존에 부담을 주는 존재였기에 노인에 대한 타살이 이루어졌을 것이다. 나이가든 노인에서 '미약함'의 뜻이 나왔고, 이후 彳이 더해져 이러한 행위가 길 등 공개적인 장소에서 행해졌음을 보여준다. 하지만, 사회의 발달로 이러한 습속은 숨겨진 곳에서 '몰래' '은밀하게' 진행되었다. 그리하여 미약하다, 작다, 쇠락하다, 숨다, 은밀하다, 몰래 등의 뜻이 나왔

백공을 따르는 무리들이 그의 시신을 산에다 몰래 감추어놓았다(白公其徒微之)"라고 했다. 독음은 무(無)와 비(非)의 반절이다.

1236

徥: 徥: 슬슬 걸을 시: 彳-총12획: shì

（原文）

徥: 徥徥, 行皃. 从彳是聲. 『爾雅』曰: "徥, 則也." 是支切.

（飜譯）

'시시(徥徥)는 걷는 모양(行皃)'을 말한다.[206] 척(彳)이 의미부이고 시(是)가 소리부이다. 『이아(爾雅)·석언(釋言)』에서 "시(徥)는 칙(則)과 같아 규칙을 말한다."라고 했다.[207] 독음은 시(是)와 지(支)의 반절이다.

제2권

1237

徐: 徐: 천천히 할 서: 彳-총10획: xú

（原文）

徐: 安行也. 从彳余聲. 似魚切.

（飜譯）

'편안하게 걸어가다(安行)'라는 뜻이다. 척(彳)이 의미부이고 여(余)가 소리부이다.[208] 독음은 사(似)와 어(魚)의 반절이다.

다. 또 단위로 쓰여 1백만 분의 일(micro)을 지칭하기도 한다.

206) 『방언(方言)』(第六)에서 "시(徥)는 가다는 뜻이다(用行也). 조선(朝鮮)과 열수(洌水) 사이 지역에서 간혹 시(徥)라고 한다."라고 했다. 곽박(郭璞)의 주석에서 "시(徥)는 함께 가는 모양(偕行貌)을 말한다."고 했다.

207) 금본 『이아』에서는 시(徥)가 시(是)로 되었다. 단옥재의 『단주』에서는 시(徥)가 시(是)의 가차자였을 것이라고 했다. 『이아소』에서는 "시(是)는 그르지 않음(不非)을 말하고, 칙(則)은 본받음(法效)을 말한다. 곽박은 '옳은 일은 본받을 수 있다(是事可法則)'라고 하였으니, 그러지 않은 일이라야 다른 사람들의 법칙이 될 수 있음을 말한 것이다."라고 했다.

1238

徳: 徳: 평탄히 갈 이: 彳-총9획: yí, tí

原文

徳: 行平易也. 从彳夷聲. 以脂切.

飜譯

'평탄하게 걸어가다(行平易)'라는 뜻이다. 척(彳)이 의미부이고 이(夷)가 소리부이다. 독음은 이(以)와 지(脂)의 반절이다.

1239

偋: 偋: 부릴 병: 彳-총17획: pīng

原文

偋: 使也. 从彳甹聲. 普丁切.

飜譯

'시키다(使)'라는 뜻이다. 척(彳)이 의미부이고 빙(甹)이 소리부이다. 독음은 보(普)와 정(丁)의 반절이다.

1240

徟: 徟: 부릴 봉: 彳-총10획: fēng, fèng

原文

徟: 使也. 从彳夆聲. 讀若蠭. 敷容切.

---

208) 고문자에서 _{金文} 徐_{簡牘文} 등으로 썼다. 彳(조금 걸을 척)이 의미부고 余(나 여)가 소리부로, 길(彳)에 설치된 임시 막사(舍·사)에서 편안하게 머물며 천천히 쉬어가는 것을 말하며, 이로부터 천천히, 느긋하다 등의 뜻이 나왔다. 또 옛날 九州(구주)의 하나를 말했으며, 나라와 성씨로도 쓰였다.

'시키다(使)'라는 뜻이다. 척(彳)이 의미부이고 봉(峯)이 소리부이다. 봉(螽)과 같이 읽는다. 독음은 부(敷)와 용(容)의 반절이다.

1241

徬: 徬: 자취 천: 彳-총11획: jiàn

原文

徬: 迹也. 从彳戔聲. 慈衍切.

翻譯

'자취를 밟다(迹)'라는 뜻이다. 척(彳)이 의미부이고 전(戔)이 소리부이다. 독음은 자(慈)와 연(衍)의 반절이다.

1242

徬: 徬: 시중들 방: 彳-총13획: bàng

原文

徬: 附行也. 从彳旁聲. 蒲浪切.

翻譯

'[수레 곁에] 들러붙어 가다(附行)'라는 뜻이다.[209] 척(彳)이 의미부이고 방(旁)이 소리부이다. 독음은 포(蒲)와 랑(浪)의 반절이다.

---

[209] 『주례·지관(地官)·사도(司徒)』에서 우인(牛人)이라는 직관에 대해, "나라에 쓸 공용 소를 키우는 일을 관장하는데,……회동(會同)이나 군려(軍旅)나 행역(行役) 때 병거(兵車)에 쓸 소(牛)와 견방(牽旁)을 제공한다."라고 했는데, 주석에서 "견방(牽徬)은 끌채 밖에서 소를 끄는 것을 말한다(轅外輓牛也)."라고 하면서 "사람이 그것을 끄는데, 앞에서 끌면 견(牽)이라 하고 옆에서 끌면 방(傍)이라 한다."라고 했다. 그렇게 본다면, 방(傍)은 사람의 곁을 말하고, 방(徬)은 곁에서 끌고 가는 것을 말한다.

1243

徯: 徯: 샛길 혜: 彳-총13획: xī

（原文）

徯: 待也. 从彳奚聲. 蹊, 徯或从足. 胡計切.

（飜譯）

'기다리다(待)'라는 뜻이다. 척(彳)이 의미부이고 해(奚)가 소리부이다. 혜(蹊)는 혜(徯)의 혹체자인데, 족(足)으로 구성되었다. 독음은 호(胡)와 계(計)의 반절이다.

1244

待: 待: 기다릴 대: 彳-총9획: dài

（原文）

待: 竢也. 从彳寺聲. 徒在切.

（飜譯）

'기다리다(竢)'라는 뜻이다. 척(彳)이 의미부이고 시(寺)가 소리부이다. 독음은 도(徒)와 재(在)의 반절이다.

1245

徟: 徟: 걷는 모양 적: 彳-총8획: dí

（原文）

徟: 行徟徟也. 从彳由聲. 徒歷切.

（飜譯）

'평이하게 걷다(行徟徟)'라는 뜻이다. 척(彳)이 의미부이고 유(由)가 소리부이다. 독음은 도(徒)와 력(歷)의 반절이다.

1246

徧: 徧: 두루 편: 彳-총12획: biàn, piàn

原文

徧: 帀也. 从彳扁聲. 比薦切.

飜譯

'한 바퀴를 빙 돌다(帀)'라는 뜻이다.210) 척(彳)이 의미부이고 편(扁)이 소리부이다. 독음은 비(比)와 천(薦)의 반절이다.

1247

徦: 徦: 이를 가: 彳-총12획: jiǎ

原文

徦: 至也. 从彳叚聲. 古雅切.

飜譯

'이르다(至)'라는 뜻이다. 척(彳)이 의미부이고 가(叚)가 소리부이다. 독음은 고(古)와 아(雅)의 반절이다.

1248

復: 復: 물러날 퇴: 彳-총10획: tuì

原文

復: 卻也. 一曰行遲也. 从彳从日从夊. 納, 復或从内. 退, 古文从辵. 他內切.

飜譯

'물러나다(卻)'라는 뜻이다. 일설에는 '걸음이 늦다(行遲)'라는 뜻이라고도 한다. 척(彳)이 의미부이고 일(日)도 의미부이고 쇠(夊)도 의미부이다. 퇴(納)는 퇴(復)의 혹

---

210) 서개의 소서본에서는 "帀行之"라고 했는데, "한 바퀴를 빙 두르며 가다"는 뜻이다.

체자인데, 내(內)로 구성되었다. 퇴(邇)는 고문체인데, 착(辵)으로 구성되었다. 독음
은 타(他)와 내(內)의 반절이다.

1249

後: 後: 뒤 후: 彳-총9획: hòu

（原文）

後: 遲也. 从彳、幺、夊者, 後也. 邇, 古文後从辵. 胡口切.

（飜譯）

'늦다(遲)'라는 뜻이다. 척(彳)과 요(幺)와 쇠(夊)가 의미부로 된 것은[211] '뒤처지다
(後)는 뜻을 나타내기 위함이다.[212] 후(邇)는 후(後)의 고문체인데, 착(辵)으로 구성
되었다. 독음은 호(胡)와 구(口)의 반절이다.

1250

㝻: 㝻: 왕래할 제: 彳-총14획: tí

（原文）

㝻: 久也. 从彳犀聲. 讀若遟. 杜兮切.

（飜譯）

'오래 가다(久)'라는 뜻이다. 척(彳)이 의미부이고 서(犀)가 소리부이다. 지(遟)와 같
이 읽는다. 독음은 두(杜)와 혜(兮)의 반절이다.

---

211) 『단주』에서는 "从彳幺夊. 幺夊者, 後也."가 되어야 한다고 했다, 그렇게 되면 "척(彳)과 요
(幺)와 쇠(夊)가 모두 의미부인데, 요(幺)와 치(夊)로 구성된 것은 뒤처지다(後)는 뜻을 나타내
기 위함이다."로 해석된다.

212) 고문자에서 後 金文 古陶文 後 盟書 簡牘文 石刻古
文 등으로 썼다. 彳(조금 걸을 척)과 幺(작을 요)와 夊(뒤져서 올 치)로 구성되어, 발의 뒤쪽
(夊)을 실(幺)로 묶은 모습으로써 남보다 뒤처져 길을 가다(彳)는 의미를 형상화했다. 이후 시
간, 공간, 순서상의 '뒤'를 말했고, 후계자, 후손을 뜻하기도 했다. 간화자에서는 后(임금 후)에
통합되었다.

1251

很: 很: 패려궂을 흔: 彳-총9획: hěn

原文

很: 不聽從也. 一曰行難也. 一曰盭也. 从彳皀聲. 胡懇切.

繙譯

'말을 듣지 않다(不聽從)'라는 뜻이다. 일설에는 '가기 어렵다(行難)'라는 뜻이라고도 한다. 또 일설에는 '어그러지다(盭)'라는 뜻이라고도 한다. 척(彳)이 의미부이고 간(皀)이 소리부이다. 독음은 호(胡)와 간(懇)의 반절이다.

1252

徸: 徸: 이을 종: 彳-총12획: zhǒng

原文

徸: 相迹也. 从彳重聲. 之隴切.

繙譯

'전후의 족적이 서로 이어지다(相迹)'라는 뜻이다. 척(彳)이 의미부이고 중(重)이 소리부이다. 독음은 지(之)와 롱(隴)의 반절이다.

1253

得: 得: 얻을 득: 彳-총11획: dé

原文

得: 行有所得也. 从彳㝵聲. 㝵, 古文省彳. 多則切.

繙譯

'가서 얻는 바가 있다(行有所得)'라는 뜻이다. 척(彳)이 의미부이고 득(㝵)이 소리부이다.213) 득(㝵)의 고문체인데, 척(彳)이 생략되었다. 독음은 다(多)와 칙(則)의 반절이다.

1254

徛: 徛: 징검다리 기: 彳-총11획: jì

原文

徛: 舉脛有渡也. 从彳奇聲. 去奇切.

飜譯

'다리를 들고 물을 건너다(舉脛有渡)'라는 뜻이다. 척(彳)이 의미부이고 기(奇)가 소리부이다. 독음은 거(去)와 기(奇)의 반절이다.

1255

徇: 徇: 조리 돌릴 순: 彳-총7획: xùn

原文

徇: 行示也. 从彳匀聲.『司馬法』: "斬以徇." 詞閏切.

飜譯

'돌아다니며 사람들에게 내보이다(行示)'라는 뜻이다. 척(彳)이 의미부이고 균(匀)이 소리부이다.『사마법(司馬法)』214)에서 "참수를 하여 돌아다니며 사람들에게 내보인

---

213) 고문자에서 甲骨文 金文 古陶文 簡牘文 帛書 石刻古文 등으로 썼다. 원래 貝(조개 패)와 寸(마디 촌)으로 이루어져 조개 화폐(貝)를 손(寸)으로 줍는 모습을 그렸는데, 이후 그러한 행위가 길거리에서 행해졌음을 강조하기 위해 彳(조금 걸을 척)을 더해 의미를 강화했고, 자형이 줄어 지금처럼 되었다. 줍다, 얻는다는 뜻으로부터 가능하다, 적합하다, 만족하다의 뜻이 나왔고, 현대 중국어에서는 괜찮다, 됐다 등의 뜻으로도 쓰인다.

214)『사마법』은 춘추시기의 병법서의 하나이다. 당나라 때의 이정(李靖)의 주장에 의하면,『사마법』은 강태공(薑太公)이 지었다고 했다. 이외에도 사마양저(司馬穰苴)가 쓴 병법서 중『사마

다(斬以徇)”라는 말이 있다. 독음은 사(詞)와 윤(閏)의 반절이다.

1256

律: 律: 법 률: 彳-총9획: lǜ

原文

律: 均布也. 从彳聿聲. 呂戌切.

譯

‘균등하게 시행하다(均布)’라는 뜻이다. 척(彳)이 의미부이고 율(聿)이 소리부이다.[215] 독음은 려(呂)와 술(戌)의 반절이다.

1257

御: 御: 어거할 어: 彳-총11획: yù

原文

御: 使馬也. 从彳从卸. 馭, 古文御从又从馬. 牛據切.

양저서(司馬穰苴書)』라는 것이 있는데, 이는 여기서 말하는 『사마법』과는 전혀 다른 책이다. 사마천의 『사기·태사공자서(太史公自序)』에서 “『사마법』이 만들어진지 이미 오래 되었으며, 강태공(姜太公), 손무(孫武), 오기(吳起), 왕자성보(王子成甫) 등이 계승하여 발전시켰다.”라고 한 것으로 보아, 『사마법』이 한 사람 손에서 나온 것은 아니다. 주나라 초기의 『사마법』은 강태공에 의해 만들어져 그 후 시대적 현실에 맞도록 여러 사람의 손을 거쳐 다시 수정되었는데, 그것이 지금 전해지는 『사마법』이다. 이는 현전하는 가장 오래된 병법서로 그 유명한 『손자병법』보다 더 오래 전의 것이다. 『사마법』이 세상에 나온 지 이미 2천여 년을 경과한 지라, 전수과정에서 많은 부분이 망실되어 현재는 5편만 전한다. 그러나 이 5편 속에는 은주로부터 춘추전국 시기에 이르는 일부 전쟁수행 원칙과 방법 등이 보존되어 포함되어 당시의 병법사상을 연구하는데 중요한 자료가 되고 있다.(바이두백과)

215) 고문자에서 (甲骨文) (簡牘文) 등으로 썼다. 彳(조금 걸을 척)이 의미부이고 聿(붓 율)이 소리부로, 길(彳)에서 붓(聿)으로 ‘법령’을 써 붙이는 모습이고, 이로부터 온 백성에게 고르게 펼치는 법령이라는 뜻이 생겼으며, 이로부터 규범, 기율 등의 뜻이 나왔다. 또 음악의 고저를 정하는 표준을 말하는데, 성음을 6律과 6呂(려)로 나누고 이를 12律이라 했다.

譯

'말을 부리다(使馬)'라는 뜻이다. 척(彳)이 의미부이고 어(卸)도 의미부이다.216) 어(𢒉)는 어(御)의 고문체인데, 우(又)도 의미부이고 마(馬)도 의미부이다. 독음은 우(牛)와 거(據)의 반절이다.

1258

𢔜 : 亍 : **자축거릴 촉**: 二-총3획: chù

原文

𢔜 : 步止也. 从反彳. 讀若畜. 丑玉切.

譯

'걸음을 멈추다(步止)'라는 뜻이다. 척(彳)을 뒤집은 모습이 의미부이다. 축(畜)과 같이 읽는다.217) 독음은 축(丑)과 옥(玉)의 반절이다.

---

216) 고문자에서 甲骨文 金文 古陶文 簡牘文 등으로 썼다. 원래 실(糸·요)로 만든 채찍을 들고 앉은 사람(卩·절)의 모습을 그려, 길에서 마차를 모는 모습을 형상화했다. 이후 길을 뜻하는 彳(조금 걸을 척)이 더해졌고, 糸(작을 요)가 소리부인 午(일곱째 지지 오)로 바뀌어 지금의 형체가 되었으며, 간혹 攴(칠 복)을 더하여 채찍질하는 모습을 강조하기도 했다. 수레를 몰다는 뜻에서 制御(제어)하다, 방어하다, 다스리다는 뜻까지 생겼으며, 임금과 관련된 것을 지칭하는 데도 쓰였다. 또 제사 이름으로 쓰였는데, 이때에는 示(보일 시)를 더한 禦(막을 어)로 분화했으나, 간화자에서는 御로 다시 돌아갔다.
217) 『설문약주』에서는 돼지의 발을 묶어서 가지 못하게 하는 것을 축(豕)이라 하는데, 이는 걸음을 멈추게 하다는 뜻의 촉(亍)과 같은 데서 근원한 글자일 것이라고 했다.

제35부수
035 ▪ 인(廴)부수

1259

廴 : 廴 : 길게 걸을 인: 廴-총3획: yǐn

（原文）

廴 : 長行也. 从彳引之. 凡廴之屬皆从廴. 余忍切.

（飜譯）

'멀리 가다(長行)'라는 뜻이다. 척(彳)을 길게 늘어트린 모습이 의미부이다.218) 인(廴)부수에 속하는 글자는 모두 인(廴)이 의미부이다. 독음은 여(余)와 인(忍)의 반절이다.

1260

廷 : 廷 : 조정 정: 廴-총7획: tíng

（原文）

廷 : 朝中也. 从廴壬聲. 特丁切.

（飜譯）

'궁궐 안(朝中)'을 말한다.219) 인(廴)이 의미부이고 정(壬)이 소리부이다.220) 독음은

---

218) 『단주』에서 이렇게 말했다. "『옥편』에서 '지금은 인(引)으로 쓴다.'라고 하였다. 이는 활을 당기다는 뜻의 인(引)자가 널리 유행한 이후로 인(廴)은 폐기되었음을 말해 준다. 인(廴)은 척(彳)자를 늘여서 만든 글자이다."

219) 서개의 소서본에서는 "궁궐 안의 길은 길게 뻗어 있다(朝中其道長遠也)."라고 했는데, 궁궐은 보통 3문(門) 3조(朝)로 구성되었는데, 외조(外朝), 치조(治朝), 연조(燕朝)가 3조(朝)이고 각각에 낸 문을 3문(門)이라 한다.

220) 고문자에서 𝌆 金文 𝌆 廷 廷 簡牘文 廷 說文小篆 등으로 썼다. 廴(길게 걸을 인)이 의미부고 壬(좋을 정)이 소리부로, 조정을 말하는데, 壬은 사람이 발을 돋우고 선 모습이다. 신하들이 발을 길게(廴) 돋우고 서서(壬) 뜰에 도열한 곳이라는 뜻에서 '朝廷(조

특(特)과 정(丁)의 반절이다.

1261

㢟: 延: 먼 곳으로 갈 정: 廴-총8획: zhēng

原文

㢟: 行也. 从廴正聲. 諸盈切.

譯

'가다(行)'라는 뜻이다.221) 인(廴)이 의미부이고 정(正)이 소리부이다. 독음은 제(諸)와 영(盈)의 반절이다.

1262

建: 建: 세울 건: 廴-총9획: jiàn

原文

建: 立朝律也. 从聿从廴. 居萬切.

譯

'조정의 법률을 만들다(立朝律)'라는 뜻이다. 율(聿)이 의미부이고 인(廴)도 의미부이다.222) 독음은 거(居)와 만(萬)의 반절이다.

　정)', 궁정의 의미가 나왔으며, 이로부터 관서, 사무실, 공평무사하다 등의 뜻도 나왔다.
221) 서개의 소서본에서는 "멀리 가다(長行)"라는 뜻이라고 했는데, 멀리 정벌하러 가다는 뜻으로 보인다.
222) 고문자에서 金文 古陶文 簡牘文 등으로 썼다. 聿(붓 율, 筆의 원래 글자)과 廴(길게 걸을 인)으로 구성되었는데, 聿은 붓을 그렸고 廴은 彳(조금 걸을 척)에서 아랫부분의 획을 확장시켜 만든 글자로 길이나 길을 가는 것을 뜻한다. 그래서 建은 길(廴)에서 손으로 붓(聿)을 잡고 무엇인가를 그리는 모습인데, 도로의 설계도이거나 길가에 세워질 건축물의 설계도를 그리는 모습일 것으로 추정된다. 설계도가 만들어져야 건물을 세울 수 있는 법, 그래서 建設(건설)하다는 뜻이 나왔고, 建築(건축) 등의 뜻도 생겼다. 이후 나라를 세워 경영할 수 있는 법률을 기초하다는 뜻도 나왔는데, 『설문』에서 말한 '조정의 법률을 만들다'는 바로 이를 두고 한 말로 보인다.

제36부수
036 ■ 천(辵)부수

1263

辵: 辵: **걸을 천**: 辵-총7획: chǎn

原文

辵: 安步辵辵也. 从彳从止. 凡辵之屬皆从辵. 丑連切.

飜譯

'천천히 느긋하게 걷다(安步辵辵)'라는 뜻이다.223) 인(彳)이 의미부이고 지(止)도 의미부이다. 천(辵)부수에 속하는 글자는 모두 천(辵)이 의미부이다. 독음은 축(丑)과 련(連)의 반절이다.

1264

延: 延: **끌 연**: 辵-총7획: yán

原文

延: 長行也. 从辵丿聲. 以然切.

飜譯

'멀리 가다(長行)'라는 뜻이다. 천(辵)이 의미부이고 별(丿)이 소리부이다.224) 독음은 이(以)와 연(然)의 반절이다.

---

223) 『단주』에서 이렇게 말했다. "발걸음을 길게 끌었다가 다시 멈추는 것을 말하는데, 이것이 느긋하게 걷다라는 뜻이다(引而復止, 是安步也)."

224) 고문자에서 金文 簡牘文 說文小篆 등으로 썼다. 갑골문에서 사방으로 난 길(彳·척, 行의 생략형)과 발(止·지)로 구성되어 먼 길(彳)을 가는(止) 모습을 형상화했는데, 止에 삐침 획(丿)이 더해져 지금의 자형이 되었다. '멀리가다'가 원래 뜻이고, 이로부터 延長(연장·길게 늘이다)의 뜻이 나왔다.

제37부수
037 ■ 행(行)부수

1265

行: **갈 행**: 行-총6획: xíng

原文

行: 人之步趨也. 从彳从亍. 凡行之屬皆从行. 戶庚切.

譯

'사람의 갖가지 걸음(人之步趨)'을 말한다.[225] 척(彳)이 의미부이고 촉(亍)도 의미부이다.[226] 행(行)부수에 속하는 글자는 모두 행(行)이 의미부이다. 독음은 호(戶)와 경(庚)의 반절이다.

---

225) 『단주』에서 이렇게 말했다. "보(步)는 걷다(行)라는 뜻이고, 추(趨)는 빠른 걸음으로 달리다(走)라는 뜻이다. 두 가지 중, 하나는 천천히 가는 것이고 하나는 빨리 가는 것인데, 이들 모두를 가다(行)라고 풀이한 것은 총괄해서 한 말이다. 『이아』에서 방 안(室中)에서 걷는 것을 시(時)라 하고, 당 위(堂上)에서 걷는 것을 행(行)이라 하고, 당 아래(堂下)에서 걷는 것을 보(步)라 하고, 문 밖(門外)에서 걷는 것을 추(趨)라 하고, 뜰 가운데(中庭)서 걷는 것을 주(走)라 하고, 큰 길(大路)에서 걷는 것을 분(奔)이라 한다고 하였는데, 이는 자세히 나누어 한 말이다. 이후 파생되어 순행하다(巡行), 줄지어 가다(行列), 일을 행하다(行事), 덕행(德行) 등의 뜻이 나왔다." 그러나 갑골문을 보면 원래 사거리를 그려, 길이 원래 뜻이고 이로부터 (사람이) 오가다는 뜻이 나왔다. 어원과 의미 파생에 관해서는 아래의 주석을 참조하라.

226) 고문자에서 甲骨文 金文 古陶文 盟書 簡牘文 帛書 등으로 썼다. 사거리를 그렸고, 길은 여러 사람이 모이고 오가는 곳이기에 '가다', 운행하다, 떠나다, 실행하다, 가능하다, 행위, 품행 등의 뜻이 생겼다. 사람들로 붐비는 길은 갖가지 물건을 사고팔며 새로운 정보를 주고받는, 교류와 소통의 장이기도 하다. 또 길을 함께 가는 것은 뜻을 같이하거나 또래들의 일이기에, 行에 '줄'이나 '行列(항렬)', 순서, 대오 등의 뜻이 나왔는데, 이때는 '항'으로 구분해 읽는다. 그래서 行은 '길'이나 사람이 붐비는 '사거리', '가다'는 뜻이 있으며, 한길은 갖가지 물건을 사고팔며 재주를 뽐내는 장소를 뜻하기도 하여 교역장소, 직업 등의 뜻도 나왔다.

1266

術: 術: 꾀 술: 行-총11획: shù

原文

術: 邑中道也. 从行术聲. 食聿切.

飜譯

'성 가운데로 난 길(邑中道)'을 말한다. 행(行)이 의미부이고 출(朮)이 소리부이다.[227] 독음은 식(食)과 율(聿)의 반절이다.

1267

街: 街: 거리 가: 行-총12획: jiē

原文

街: 四通道也. 从行圭聲. 古膎切.

飜譯

'사방으로 통하는 길(四通道)'을 말한다. 행(行)이 의미부이고 규(圭)가 소리부이다. 독음은 고(古)와 해(膎)의 반절이다.

1268

衢: 衢: 네거리 구: 行-총24획: qú

原文

衢: 四達謂之衢. 从行瞿聲. 其俱切.

---

227) 고문자에서 🔲🔲 簡牘文 등으로 썼다. 行(갈 행)이 의미부고 朮(차조 출)이 소리부로, 『설문해자』에서는 나라 안의 도로(行)라고 했다. 길(行)에서 농작물(朮, 秫의 원래 글자)을 사고파는 모습을 그린 것으로 추정되며, 물건을 사고팔 때 쌍방 모두 '꾀'와 '기술'이 필요했기에 '꾀'나 방법, 戰術(전술), 技術(기술) 등의 뜻이 나왔다. 간화자에서는 行을 생략한 채 朮에 통합되었다.

翻譯

'사방으로 트인 길(四達)을 구(衢)라고 한다.' 행(行)이 의미부이고 구(瞿)가 소리부이다. 독음은 기(其)와 구(俱)의 반절이다.

1269

衝: 衝: 거리 충: 行-총18획: chōng, chòng

原文

衝: 通道也. 从行童聲.『春秋傳』曰：“及衝, 以戈擊之.”昌容切.

翻譯

'사방팔방으로 난 길(通道)'을 말한다. 행(行)이 의미부이고 동(童)이 소리부이다.『춘추전』(『좌전』 소공 원년, B.C. 541)에서 “교차로에 이르자 [자남이] 창으로 맹렬하게 그 [즉 자석]를 공격했다(及衝, 以戈擊之)”라고 했다. 독음은 창(昌)과 용(容)의 반절이다.

1270

衕: 衕: 거리 동: 行-총12획: tóng

原文

衕: 通街也. 从行同聲. 徒弄切.

翻譯

'통행하는 거리(通街)'를 말한다. 행(行)이 의미부이고 동(同)이 소리부이다. 독음은 도(徒)와 롱(弄)의 반절이다.

1271

衟: 衟: 밟을 전: 行-총14획: jiàn

原文

衒: 迹也. 从行戔聲. 才綫切.

飜譯

'밟다(迹)'라는 뜻이다. 행(行)이 의미부이고 전(戔)이 소리부이다. 독음은 재(才)와 선(綫)의 반절이다.

1272

衙: 衙: 마을 아: 行-총13획: yá

原文

衙: 行皃. 从行吾聲. 魚舉切.

飜譯

'걸어가는 모습(行皃)'을 말한다. 행(行)이 의미부이고 오(吾)가 소리부이다. 독음은 어(魚)와 거(舉)의 반절이다.

1273

衎: 衎: 즐길 간: 行-총9획: kàn

原文

衎: 行喜皃. 从行干聲. 空旱切.

飜譯

'가면서 즐거워하는 모양(行喜皃)'을 말한다. 행(行)이 의미부이고 간(干)이 소리부이다. 독음은 공(空)과 한(旱)의 반절이다.

1274

衒: 衒: 스스로 팔 현: 行-총13획: xuàn

原文

衒: 行且賣也. 从行从言. 衒, 衕或从玄. 黃絢切.

飜譯

'돌아다니면서 물건을 파는 것(行且賣)'을 말한다.228) 행(行)이 의미부이고 언(言)도 의미부이다. 현(衒)은 현(衕)의 혹체자인데, 현(玄)으로 구성되었다. 독음은 황(黃)과 현(絢)의 반절이다.

1275

率: 衛: 거느릴 솔: 行-총17획: shuài

原文

衛: 將衛也. 从行率聲. 所律切.

飜譯

'이끌다(將衛)'라는 뜻이다. 행(行)이 의미부이고 솔(率)이 소리부이다. 독음은 소(所)와 률(律)의 반절이다.

1276

衛: 衛: 지킬 위: 行-총16획: wèi

原文

衛: 宿衛也. 从韋、帀, 从行. 行, 列衛也. 于歲切.

飜譯

'숙직하면서 궁을 [에워싸] 지키다(宿衛)'라는 뜻이다. 위(韋)와 잡(帀)이 의미부이고, 행(行)도 의미부이다. 행(行)은 다니면서 지키다(列衛)는 뜻이다.229) 독음은 우(于)와

---

228) 『단주』에서는 『주례(周禮)』의 "飾行儥慝(간사스런 장사치들이 겉모양을 그럴듯하게 꾸며 간악한 마음을 감추고, 부정한 물품을 팔다)"는 뜻으로 풀이했다.

229) 고문자에서 [甲骨文 금문자들] 甲骨文 [金文] 金文 [古陶文] 古陶文 [簡牘文] 簡牘文 [石刻古文] 石刻古文 등으로 썼다. 行(갈 행)이 의미부고 韋(에워쌀다룸가죽 위)가 소리부로, 성

세(歲)의 반절이다.

을 에워싸고(韋) 지키는 행위(行)를 말하며, 이로부터 지키다, 보위하다, 방어하다 등의 뜻이
나왔다. 간화자에서는 초서체로 간단히 줄인 卫로 쓴다.

제38부수

038 ▪ 치(齒)부수

1277

齒: 齒: 이 치: 齒-총15획: chǐ

原文

齒: 口斷骨也. 象口齒之形, 止聲. 凡齒之屬皆从齒. ◯, 古文齒字. 昌里切.

譯

'잇몸에 붙어 있는 뼈(口斷骨)'를 말한다. 입과 이빨의 모습을 그렸는데(象口齒之形), 지(止)가 소리부이다.230) 치(齒)부수에 속하는 글자는 모두 치(齒)가 의미부이다. 치(◯)는 치(齒)의 고문체이다. 독음은 창(昌)과 리(里)의 반절이다.

1278

齗: 齗: 잇몸 은: 齒-총19획: yín

原文

齗: 齒本也. 从齒斤聲. 語斤切.

---

230) 고문자에서 甲骨文 金文 古陶文 簡牘文 古璽文 등으로 썼다. 입속의 이를 그린 아랫부분에 소리부인 止(발 지)가 더해진 구조로, '이'를 그렸다. 갑골문에서 입속의 이빨을 사실적으로 그렸으며, 전국시대 때의 금문에서부터 소리부인 止(발 지)가 더해졌는데, 이후 자형이 조금 변해 지금처럼 되었다. 그래서 齒는 이빨의 통칭으로 쓰이며, 깨무는 도구를 말하기도 한다. 이후 齒輪(치륜)에서처럼 톱니나 써레의 이빨 등과 같이 이빨처럼 들쭉날쭉하게 생긴 것을 모두 齒로 표현했으며, 齡(나이 령)에서처럼 '나이'를 뜻하기도 한다. 간화자에서는 齒로 간단하게 줄여 쓴다. 『단주』에 의하면, 정현의 『주례주』에서 '사람은 이빨이 나면서부터 체격이 갖추어지는데, 남자는 8개월째, 여자는 6개월째 이빨이 난다.'라고 하였다.

譯

'이빨의 뿌리(齒本)'라는 뜻이다. 치(齒)가 의미부이고 근(斤)이 소리부이다. 독음은 어(語)와 근(斤)의 반절이다.

1279

齔: 齔: 이 갈 츤: 齒-총17획: chèn

原文

齔: 毀齒也. 男八月生齒, 八歲而齔. 女七月生齒, 七歲而齔. 从齒从七. 初菫切.

譯

'젖니가 빠지다(毀齒)'라는 뜻이다. 남자아이는 8개월이 되면 이빨이 나고, 8살이 되면 이빨을 간다. 여자아이는 7개월이 되면 이빨이 나고, 7살이 되면 이빨을 간다. 치(齒)가 의미부이고 칠(七)도 의미부이다. 독음은 초(初)와 근(菫)의 반절이다.

1280

齰: 齰: 이가 가지런할 책: 齒-총26획: zé

原文

齰: 齒相值也. 一曰齧也. 从齒責聲. 『春秋傳』曰: "皙齰." 齰, 齰或从乍. 士革切.

譯

'아래윗니가 가지런하다(齒相值)'라는 뜻이다. 일설에는 '물어뜯다(齧)'라는 뜻이라고도 한다. 치(齒)가 의미부이고 책(責)이 소리부이다. 『춘추전』(『좌전』 정공 9년, B.C. 501)에서 "피부색이 하얗고 이빨도 가지런했다(皙齰)"라고 했다. 책(齰)은 책(齰)의 혹체자인데, 사(乍)로 구성되었다. 독음은 사(士)와 혁(革)의 반절이다.

1281

齜: 齜: 이 갈 재: 齒-총20획: zī

原文

齜: 齒相齗也. 一曰開口見齒之皃. 从齒, 柴省聲. 讀若柴. 仕街切.

翻譯

'이빨을 갈다(齒相齗)'라는 뜻이다. 일설에는 '입을 벌렸을 때 이빨이 드러난 모양(開口見齒之皃)'을 말한다고도 한다. 치(齒)가 의미부이고, 시(柴)의 생략된 모습이 소리부이다. 시(柴)와 같이 읽는다. 독음은 사(仕)와 가(街)의 반절이다.

1282

齘: 齘: 이 갈 계: 齒-총19획: xiè

原文

齘: 齒相切也. 从齒介聲. 胡介切.

翻譯

'이를 갈다(齒相切)'라는 뜻이다. 치(齒)가 의미부이고 개(介)가 소리부이다. 독음은 호(胡)와 개(介)의 반절이다.

1283

齞: 齞: 이 드러나 보일 언: 齒-총20획: yàn

原文

齞: 口張齒見. 从齒只聲. 研繭切.

翻譯

'입을 벌렸을 때 이빨이 드러난 모양(口張齒見)'을 말한다. 치(齒)가 의미부이고 지(只)가 소리부이다. 독음은 연(研)과 견(繭)의 반절이다.

1284

齴: 齴: 이 어긋날 암: 齒−총25획: yàn

原文

齴: 齒差也. 从齒兼聲. 五銜切.

飜譯

'이가 고르지 않다(齒差)'라는 뜻이다. 치(齒)가 의미부이고 겸(兼)이 소리부이다. 독음은 오(五)와 함(銜)의 반절이다.

1285

齺: 齺: 이 부러질 추: 齒−총25획: zōu

原文

齺: 齒擋也. 一曰齰也. 一曰馬口中蘪也. 从齒芻聲. 側鳩切.

飜譯

'이가 부러지다(齒擋)'라는 뜻이다. 일설에는 '이로 물다(齰)'라는 뜻이라고도 한다. 일설에는 '말 입 속의 재갈(馬口中蘪)'을 말한다고도 한다.[231] 치(齒)가 의미부이고 추(芻)가 소리부이다. 독음은 측(側)과 구(鳩)의 반절이다.

1286

齵: 齵: 이 바르지 못할 우: 齒−총24획: yú

原文

齵: 齒不正也. 从齒禺聲. 五婁切.

---

231) 미(蘪)는 『옥편』에 근거할 때 궐(屪)이 되어야 옳다. 『단주』에서도 "一曰馬口中屪也"라고 했으며, "함(銜)은 말머리에 씌우는 굴레를 말하고(馬勒銜也), 궐(屪)은 곁마의 입속에 채우는 긴 재갈을 말한다(騑馬口長銜也)."라고 했다.

譯

'이빨이 가지런하지 않다(齒不正)'라는 뜻이다. 치(齒)가 의미부이고 우(禹)가 소리부이다. 독음은 오(五)와 루(婁)의 반절이다.

1287

齵: 齵: 이가 가지런하지 않을 차·아래윗니가 맞지 않을 저: 齒-총26획: jǔ, zhā

原文

齵: 齒齒也. 从齒盧聲. 側加切.

譯

'이빨이 가지런하지 않다(齒齒)'라는 뜻이다. 치(齒)가 의미부이고 차(盧)가 소리부이다. 독음은 측(側)과 가(加)의 반절이다.

1288

齱: 齱: 이 바르지 못할 주: 齒-총23획: zōu

原文

齱: 齵也. 从齒取聲. 側鳩切.

譯

'이빨이 가지런하지 않다(齵)'라는 뜻이다. 치(齒)가 의미부이고 취(取)가 소리부이다. 독음은 측(側)과 구(鳩)의 반절이다.

1289

齹: 齹: 이 고르지 못할 차: 齒-총25획: cī

原文

齹: 齒參差. 从齒差聲. 楚宜切.

譯
'이빨이 가지런하지 않아 들쭉날쭉하다(齒參差)'라는 뜻이다. 치(齒)가 의미부이고 차(差)가 소리부이다.232) 독음은 초(楚)와 의(宜)의 반절이다.

1290

齹: 籛: 이 어긋난 모양 **차**: 齒-총22획: cuó

原文

齹: 齒差跌皃. 从齒佐聲. 『春秋傳』曰: "鄭有子齹." 昨何切.

譯
'이빨이 어긋나 바르지 않은 모양(齒差跌皃)'을 말한다. 치(齒)가 의미부이고 좌(佐)가 소리부이다. 『춘추전』(『좌전』 소공 16년, B.C. 526)에서 "정(鄭)나라의 신하 중에 자차(子齹)라는 자가 있다"233)라고 했다. 독음은 작(昨)과 하(何)의 반절이다.

1291

齤: 齤: 옥니 **권**: 齒-총21획: quán

原文

齤: 缺齒也. 一曰曲齒. 从齒豢聲. 讀若權. 巨員切.

譯
'이가 빠지다(缺齒)'라는 뜻이다. 일설에는 '옥니(曲齒)'를 말한다고도 한다. 치(齒)가 의미부이고 권(豢)이 소리부이다. 권(權)과 같이 읽는다. 독음은 거(巨)와 원(員)의 반절이다.

---

232) 달리 상하구조로 된 차(齹)로 쓰기도 한다.
233) 서현의 대서본에서는 "『설문』에 좌(佐)자가 실려 있지 않으므로, 이 글자는 좌(左)로 구성되어야 할 것이며, 필사과정에서 생겨난 오류로 보인다."라고 하였다.

1292

齳: 齳: 이 빠질 운·씹을 곤: 齒－총24획: yǔn

原文

齳: 無齒也. 从齒軍聲. 魚吻切.

飜譯

'이가 빠져 없다(無齒)'라는 뜻이다. 치(齒)가 의미부이고 군(軍)이 소리부이다. 독음은 어(魚)와 문(吻)의 반절이다.

1293

齾: 齾: 이 빠질 알: 齒－총35획: yà

原文

齾: 缺齒也. 从齒獻聲. 五鎋切.

飜譯

'이가 빠지다(缺齒)'라는 뜻이다. 치(齒)가 의미부이고 헌(獻)이 소리부이다. 독음은 오(五)와 할(鎋)의 반절이다.

1294

齟: 齟: 잇몸이 부을 거: 齒－총20획: jù

原文

齟: 齗腫也. 从齒巨聲. 區主切.

飜譯

'잇몸이 부어오르다(齗腫)'라는 뜻이다. 치(齒)가 의미부이고 거(巨)가 소리부이다. 독음은 구(區)와 주(主)의 반절이다.

1295

齯: 齯: 다시 난 이 예: 齒-총23획: ní

原文

齯: 老人齒. 从齒兒聲. 五雞切.

飜譯

'[이가 다 빠지고 다시 난] 노인의 이빨(老人齒)'을 말한다. 치(齒)가 의미부이고 아(兒)가 소리부이다. 독음은 오(五)와 계(雞)의 반절이다.

1296

齮: 齮: 깨물 기·의: 齒-총23획: qī, qǐ

原文

齮: 齧也. 从齒奇聲. 魚綺切.

飜譯

'깨물다(齧)'라는 뜻이다. 치(齒)가 의미부이고 기(奇)가 소리부이다. 독음은 어(魚)와 기(綺)의 반절이다.

1297

齣: 齣: 깨물 슬: 齒-총20획: zhí

原文

齣: 齰齒也. 从齒出聲. 仕乙切.

飜譯

'이빨로 깨물다(齰齒)'라는 뜻이다. 치(齒)가 의미부이고 출(出)이 소리부이다. 독음은 사(仕)와 을(乙)의 반절이다.

1298

齰: 齰: 물 색: 齒-총23획: cuò, zé

(原文)

齰: 齧也. 从齒昔聲. 側革切.

(飜譯)

'깨물다(齧)'라는 뜻이다. 치(齒)가 의미부이고 석(昔)이 소리부이다. 독음은 측(側)과 혁(革)의 반절이다.

1299

齸: 齸: 입에 넣고 씹지 않을 함·이가 높은 모양 암: 齒-총24획: xián, jiān

(原文)

齸: 齧也. 从齒咸聲. 工咸切.

(飜譯)

'깨물다(齧)'라는 뜻이다. 치(齒)가 의미부이고 함(咸)이 소리부이다. 독음은 공(工)과 함(咸)의 반절이다.

1300

齦: 齦: 깨물 간·잇몸 은: 齒-총21획: kěn

(原文)

齦: 齧也. 从齒艮聲. 康很切.

(飜譯)

'깨물다(齧)'라는 뜻이다. 치(齒)가 의미부이고 간(艮)이 소리부이다. 독음은 강(康)과 흔(很)의 반절이다.

1301

齞: 齞: 이 드러난 모양 안: 齒-총18획: yǎn

原文

齞: 齒見皃. 从齒干聲. 五版切.

飜譯

'이빨이 드러난 모습(齒見皃)'을 말한다. 치(齒)가 의미부이고 간(干)이 소리부이다. 독음은 오(五)와 판(版)의 반절이다.

1302

齜: 齜: 씹을 졸: 齒-총23획: zú

原文

齜: 齜, 齚也. 从齒卒聲. 昨沒切.

飜譯

'졸(齜)은 깨물다(齚)'라는 뜻이다. 치(齒)가 의미부이고 졸(卒)이 소리부이다. 독음은 작(昨)과 몰(沒)의 반절이다.

1303

齺: 齺: 뼈 물어뜯는 소리 랄: 齒-총21획: là

原文

齺: 齒分骨聲. 从齒劉聲. 讀若剌. 慮達切.

飜譯

'이빨로 뼈를 씹어 부수는 소리(齒分骨聲)'를 말한다. 치(齒)가 의미부이고 렬(劉)이 소리부이다. 랄(剌)과 같이 읽는다. 독음은 려(慮)와 달(達)의 반절이다.

1304

齩: 齩: 깨물 교: 齒-총21획: yǎo

原文

齩: 齧骨也. 从齒交聲. 五巧切.

譯

'이로 뼈를 물어뜯다(齧骨)'라는 뜻이다.234) 치(齒)가 의미부이고 교(交)가 소리부이다. 독음은 오(五)와 교(巧)의 반절이다.

1305

齛: 齛: 이 갈릴 절: 齒-총25획: qiè

原文

齛: 齒差也. 从齒屑聲. 讀若切. 千結切.

譯

'이를 갈다(齒差)'라는 뜻이다. 치(齒)가 의미부이고 설(屑)이 소리부이다.235) 절(切)과 같이 읽는다. 독음은 천(千)과 결(結)의 반절이다.

1306

齸: 齸: 깨무는 소리 할: 齒-총21획: xiá

原文

齸: 齒堅聲. 从齒吉聲. 赫鎋切.

---

234) 『단주』에서는 "세속에서는 새가 울며 짹짹거리는 소리(鳥鳴之咬)를 교설(齩齧)이라 한다."라고 하였다. 『설문약주』에서는 『설문』에 교(咬)자가 실려 있지 않으므로, 새가 짹짹거리는 소리를 교교(咬咬)라 한 것은 한위(漢魏) 이후의 일일 것이며, 오늘날은 교(咬)로써 교(齩)를 대신했을 것이라고 했다.

235) 좌우구조가 바뀐 절(齛)로도 쓴다.

'이빨로 단단한 것을 깨물 때 나는 소리(齒堅聲)'를 말한다. 치(齒)가 의미부이고 길(吉)이 소리부이다. 독음은 혁(赫)과 할(鍺)의 반절이다.

1307

齯: 齯: 이를 갈 애: 齒-총25획: ái

原文

齯: 䶗牙也. 从齒豈聲. 五來切.

'이를 갈다(䶗牙)'라는 뜻이다. 치(齒)가 의미부이고 기(豈)가 소리부이다. 독음은 오(五)와 래(來)의 반절이다.

1308

齝: 齝: 새김질할 치: 齒-총20획: chī

原文

齝: 吐而噍也. 从齒台聲. 『爾雅』曰: "牛曰齝." 丑之切.

'토했다가 다시 씹다(吐而噍), 즉 되새김질을 하다'라는 뜻이다. 치(齒)가 의미부이고 태(台)가 소리부이다. 『이아석수(釋獸)』에서 "소의 되새김질을 치(齝)라 한다."라고 했다.[236] 독음은 축(丑)과 지(之)의 반절이다.

---

236) 이어지는 말에서 "양의 되새김질은 세(齥)라 하고, 사불상과 사슴의 되새김질은 익(齸)이라 하고, 새의 (목에 있는) 모이주머니는 소(嗉)라 하고, 원숭이나 다람쥐 따위의 (목구멍 속에 있는) 모이주머니는 겸(嗛)이라 한다."라고 했다.

1309

齕: 齕: 깨물 흘: 齒-총18획: hé

原文

齕: 齧也. 从齒气聲. 戶骨切.

飜譯

'깨물다(齧)'라는 뜻이다. 치(齒)가 의미부이고 기(气)가 소리부이다. 독음은 호(戶)와 골(骨)의 반절이다.

1310

齽: 齽: 이 드러난 모양 련: 齒-총32획: lián

原文

齽: 齒見皃. 从齒聯聲. 力延切.

飜譯

'이빨이 드러난 모습(齒見皃)'을 말한다. 치(齒)가 의미부이고 련(聯)이 소리부이다. 독음은 력(力)과 연(延)의 반절이다.

1311

齧: 齧: 물 설: 齒-총21획: niè

原文

齧: 噬也. 从齒㓞聲. 五結切.

飜譯

'씹다(噬)'라는 뜻이다. 치(齒)가 의미부이고 갈(㓞)이 소리부이다. 독음은 오(五)와 결(結)의 반절이다.

1312

齼: 齼: 이가 시릴 소: 齒-총23획: chǔ

原文

齼: 齒傷酢也. 从齒所聲. 讀若楚. 創擧切.

飜譯

'이가 상하여 시리다(齒傷酢)'라는 뜻이다. 치(齒)가 의미부이고 소(所)가 소리부이다. 초(楚)와 같이 읽는다. 독음은 창(創)과 거(擧)의 반절이다.

1313

齨: 齨: 노인의 이 구: 齒-총21획: jiù

原文

齨: 老人齒如臼也. 一曰馬八歲齒臼也. 从齒从臼, 臼亦聲. 其久切.

飜譯

'절구통 모양으로 오목하게 된 노인의 이(老人齒如臼)'를 말한다. 일설에는 '말이 여덟 살이 되면 이빨이 [닳아] 절구통 모양이 된다.(馬八歲齒臼)'라고도 한다.237) 치(齒)가 의미부이고 구(臼)도 의미부인데, 구(臼)는 소리부도 겸한다. 독음은 기(其)와 구(久)의 반절이다.

1314

齬: 齬: 어긋날 어: 齒-총22획: yǔ

原文

齬: 齒不相値也. 从齒吾聲. 魚擧切.

---

237) 『단주』에서 이렇게 말했다. "여덟 살짜리 말을 팔(馴)이라 하는데, 이빨이 (윗부분이 닳아 없어져) 절구모양으로 된다. 그래서 속명으로 구(齨)라고 하며, 달리 구(駒)로 쓰기도 한다.(馬八歲曰馴. 齒亦如臼, 俗名之齨, 亦作駒.)"

'이가 가지런하지 못하고 어긋나다(齒不相値)'라는 뜻이다. 치(齒)가 의미부이고 오(吾)가 소리부이다. 독음은 어(魚)와 거(擧)의 반절이다.

1315

齛: 齛: 양 새김질할 세: 齒-총20획: shì

原文

齛: 羊粻也. 从齒世聲. 私列切.

飜譯
'양이 되새김질 하다(羊粻)'라는 뜻이다.[238] 치(齒)가 의미부이고 세(世)가 소리부이다. 독음은 사(私)와 렬(列)의 반절이다.

1316

齸: 齸: 새김질할 익: 齒-총25획: yì

原文

齸: 鹿麋粻. 从齒益聲. 伊昔切.

飜譯
'사슴과 고라니가 되새김질 하다(鹿麋粻)'라는 뜻이다. 치(齒)가 의미부이고 익(益)이 소리부이다. 독음은 이(伊)와 석(昔)의 반절이다.

1317

齟: 齟: 이 단단할 질: 齒-총21획: zhì

---

238) 장(粻)의 경우 『설문』에 수록되지 않았는데, 서개의 소서본에서는 이렇게 말했다. "양식을 말한다. 『이아주』에서 '강동 지역에서는 치(齝: 되새김질을 하다)를 세(齛)라고 한다.' 이는 음식물을 뺨안에다 저장해 주었다가 천천히 씹어서 삼키는 것을 말한다."

原文

齜: 齒堅也. 从齒至聲. 陟栗切.

飜譯

'단단한 것을 씹다(齒堅)'라는 뜻이다.[239] 치(齒)가 의미부이고 지(至)가 소리부이다. 독음은 척(陟)과 률(栗)의 반절이다.

1318

齰: 齰: 뼈 씹는 소리 할: 齒-총25획: huá

原文

齰: 齰骨聲. 从齒从骨, 骨亦聲. 戶八切.

飜譯

'이빨로 뼈를 씹는 소리(齰骨聲)'를 말한다. 치(齒)가 의미부이고 골(骨)도 의미부인데, 골(骨)은 소리부도 겸한다. 독음은 호(戶)와 팔(八)의 반절이다.

1319

齪: 齪: 씹는 소리 괄: 齒-총21획: kuò, huá

原文

齪: 嚌聲. 从齒昏聲. 古活切.

飜譯

'씹는 소리(嚌聲)'를 말한다. 치(齒)가 의미부이고 괄(昏)이 소리부이다. 독음은 고(古)와 활(活)의 반절이다.

---

239) 『단주』에서 이렇게 말했다. "『옥편』에서 '단단한 것을 씹는 모양을 말한다(齰堅皃)'라고 했고, 『광운』에서 '씹는 소리를 말한다(齰聲)'라고 했다. 각 판본에서는 설(齰)을 치(齒)로 사용했는데, 아마도 오류로 보인다." 계복도 '齒堅'은 '齰堅'이 되어야 옳다고 했다.

1320

齺: 齺: 단단한 것을 씹을 박: 齒-총25획: bó

原文

齺: 噍堅也. 从齒, 博省聲. 補莫切.

飜譯

'단단한 것을 씹다(噍堅)'라는 뜻이다. 치(齒)가 의미부이고, 박(博)의 생략된 모습이 소리부이다. 독음은 보(補)와 막(莫)의 반절이다.

1321

齡: 齡: 나이 령: 齒-총20획: líng

原文

齡: 年也. 从齒令聲. 郎丁切.

飜譯

'나이(年)'를 말한다. 치(齒)가 의미부이고 령(令)이 소리부이다. 독음은 랑(郎)과 정 (丁)의 반절이다. [신부]

제39부수
039 ▪ 아(牙)부수

1322

鬌: 牙: 어금니 아: 牙-총4획: yá

原文

鬌: 牡齒也. 象上下相錯之形. 凡牙之屬皆从牙. 𤘕, 古文牙. 五加切.

繙譯

'어금니(牡齒)'를 말한다. 아래윗니가 서로 엇물린 모습을 그렸다. 아(牙)부수에 속하는 글자는 모두 아(牙)가 의미부이다.[240] 아(𤘕)는 아(牙)의 고문체이다. 독음은 오(五)와 가(加)의 반절이다.

1323

騎: 猗: 범어금니 기: 牙-총12획: qí

原文

騎: 武牙也. 从牙从奇, 奇亦聲. 去奇切.

繙譯

---

240) 고문자에서 ᚣ ᚣ ᚣ金文 ᚣ 𤘕古陶文 ᚣ𤘕簡牘文 등으로 썼다. 아래위의 어금니가 서로 맞물린 모양을 그렸는데, 자형이 변해 지금처럼 되었다. 어금니는 음식물을 씹어 으깨는 중요한 역할을 하기에 '이빨'을 통칭하게 되었으며, 이발처럼 생긴 것도 지칭하게 되었다. 『설문해자』의 고문체 등에서는 이것이 이빨임을 강조하기 위해 齒(이 치)가 더해지기도 했다. 이빨은 다른 공격도구가 없는 사람에게 손톱과 함께 중요한 공격도구이자 방어도구였다. 그런가 하면 우리말에서도 말을 잘하는 사람을 두고 '이빨이 세다'고 표현하는 것처럼, 이빨은 언변의 상징이었다. 牙가 중매쟁이를 뜻하게 된 것도, 말로 상대방을 연결해 결합시키는 역할을 하기 때문이다.

'범의 어금니(武牙)'를 말한다. 아(牙)가 의미부이고 기(奇)도 의미부인데, 기(奇)는
소리부도 겸한다. 독음은 거(去)와 기(奇)의 반절이다.

1324

 𤘻: 齲: 이 바르지 못할 우: 牙-총13획: qǔ

原文

 齲: 齒蠹也. 从牙禹聲. 齲, 齲或从齒. 區禹切.

飜譯

'벌레 먹은 이빨(齒蠹)'을 말한다. 아(牙)가 의미부이고 우(禹)가 소리부이다. 우(齲)
는 우(齲)의 혹체자인데, 치(齒)로 구성되었다. 독음은 구(區)와 우(禹)의 반절이다.

제40부수
040 ▪ 족(足)부수

1325

𤴥 : 足 : 발 족 : 足－총7획 : zú

原文

𤴥 : 人之足也. 在下. 从止、口. 凡足之屬皆从足. 即玉切.

譯

'사람의 발(人之足)'을 말한다. 신체의 아랫부분에 있다. 지(止)와 구(口) 모두 의미 부이다.[241] 족(足)부수에 속하는 글자는 모두 족(足)이 의미부이다. 독음은 즉(即)과 옥(玉)의 반절이다.

1326

蹏 : 蹏 : 굽 제 : 足－총17획 : tí

---

241) 고문자에서 甲骨文 金文 古陶文 簡牘文 등으로 썼다. 지금은 '발'의 뜻으로 쓰이지만, 갑골문에서는 '다리'를 형상화했다. 윗부분은 금문에서처럼 둥근 꼴이 변한 것으로 膝蓋骨(슬개골·무릎 앞 한가운데 있는 작은 접시 같은 뼈)을, 아랫부분은 발(止·지, 趾의 원래 글자)을 상징해, 『설문해자』의 해석처럼 "사람 몸의 아래에 있는 무릎 밑의 다리"를 말했다. 하지만 足은 이후 '발'까지 뜻하게 되었으며, 畵蛇添足(화사첨족·원래 없는 뱀의 발까지 쓸데없이 그려 넣음)이나 鼎足(정족·솥발)처럼 다른 동물이나 기물의 발을, 때로는 山足(산족·산기슭)처럼 山麓(산록)도 뜻하게 되었다. 그리고 다리는 몸을 지탱해 주는 기초였기에 充足(충족)이나 滿足(만족)처럼 '충실하다'는 뜻이, 다시 '충분하다'는 의미가 나왔다. 그러자 '다리'는 무릎 아래 다리 전체를 그렸던 또 다른 글자인 疋(발 소·필 발)에 의해 주로 표현되었다. 그래서 足으로 구성된 한자는 다리나 발, 이의 동작과 관련된 뜻을 갖는데, 발은 다른 공간으로 이동할 수 있는 움직임의 상징이었고 발에 의해 남은 발자국은 시간의 경과와 인간이 걸어온 길을 나타낸다.

原文

蹄： 足也. 从足虒聲. 杜兮切.

飜譯

'[짐승의] 발(足)'을 말한다. 족(足)이 의미부이고 사(虒)가 소리부이다.242) 독음은 두(杜)와 혜(兮)의 반절이다.

1327

跟： 跟: **발꿈치 근**: 足-총13획: gēn

原文

跟： 足踵也. 从足皀聲. 𧿘, 跟或从止. 古痕切.

飜譯

'발꿈치(足踵)'를 말한다. 족(足)이 의미부이고 간(皀)이 소리부이다. 근(𧿘)은 근(跟)의 혹체자인데, 지(止)로 구성되었다. 독음은 고(古)와 흔(痕)의 반절이다.

1328

踝： 踝: **복사뼈 과**: 足-총15획: huái

原文

踝： 足踝也. 从足果聲. 胡瓦切.

飜譯

'발의 복사뼈(足踝)'를 말한다. 족(足)이 의미부이고 과(果)가 소리부이다. 독음은 호(胡)와 와(瓦)의 반절이다.

---

242) 『단주』에서 "세속에서는 제(蹄)로 쓴다"라고 했는데, 이체자에서 사(虒)와 제(帝)는 자주 호환된다.

1329

跖： 跖： 발바닥 **척**： 足-총12획: zhí

原文

跖： 足下也. 从足石聲. 之石切.

飜譯

'발바닥(足下)'을 말한다. 족(足)이 의미부이고 석(石)이 소리부이다. 독음은 지(之)와 석(石)의 반절이다.

1330

踦： 踦： 절뚝발이 **기**： 足-총15획: qī

原文

踦： 一足也. 从足奇聲. 去奇切.

飜譯

'다리가 하나 뿐인 절름발이(一足)'를 말한다. 족(足)이 의미부이고 기(奇)가 소리부이다. 독음은 거(去)와 기(奇)의 반절이다.

1331

跪： 跪： 꿇어앉을 **궤**： 足-총13획: guì

原文

跪： 拜也. 从足危聲. 去委切.

飜譯

'무릎을 꿇고 절을 하다(拜)'라는 뜻이다. 족(足)이 의미부이고 위(危)가 소리부이다. 독음은 거(去)와 위(委)의 반절이다.

1332

跽: 跽: 꿇어앉을 기: 足-총14획: jì

原文

跽: 長跪也. 从足忌聲. 渠几切.

繙譯

'엉덩이는 닿지 않게 무릎만 꿇고 앉다(長跪)'라는 뜻이다.243) 족(足)이 의미부이고 기(忌)가 소리부이다. 독음은 거(渠)와 궤(几)의 반절이다.

1333

蹜: 蹙: 삼갈 축평평할 척: 足-총15획: cù

原文

蹜: 行平易也. 从足叔聲. 『詩』曰: "蹙蹙周道." 子六切.

繙譯

'길이 평탄하다(行平易)'라는 뜻이다. 족(足)이 의미부이고 숙(叔)이 소리부이다. 『시·소아소변(小弁)』에서 "평평한 한길에는(蹙蹙周道)"이라고 노래했다. 독음은 자(子)와 륙(六)의 반절이다.

1334

躣: 躍: 가는 모양 구: 足-총25획: qú

原文

躣: 行皃. 从足瞿聲. 其俱切.

---

243) 『단주』에서 이렇게 보충했다. "각 판본에서 장기(長跽)라 적었는데 이는 장기(長跽)이기에 바로 잡는다. 절과 연계가 되면 궤(跪)라 하고 연계되지 않으면 기(跽)라고 한다.(係於拜曰跪, 不係於拜曰跽.)"

'가는 모습(行皃)'을 말한다. 족(足)이 의미부이고 구(瞿)가 소리부이다. 독음은 기(其)와 구(俱)의 반절이다.

1335

𧻚: 蹐: **밟을 적**: 足-총15획: jí

原文
蹐: 長脛行也. 从足脊聲. 一曰踦蹐. 資昔切.

翻譯
'빨리 걸어가다(長脛行)'라는 뜻이다.[244] 족(足)이 의미부이고 석(脊)이 소리부이다. 일설에는 '황송해 하며 공경하는 모습(踦蹐)'을 말한다고도 한다.[245] 독음은 자(資)와 석(昔)의 반절이다.

1336

踽: 踽: **홀로 갈 우**: 足-총16획: jǔ

原文
踽: 疏行皃. 从足禹聲.『詩』曰:"獨行踽踽." 區主切.

翻譯
'홀로 외로이 가는 모양(疏行皃)'을 말한다. 족(足)이 의미부이고 우(禹)가 소리부이다.『시·당풍·체두(杕杜)』에서 "홀로 외로이 길을 가나니(獨行踽踽)"라고 노래했다. 독음은 구(區)와 주(主)의 반절이다.

---

244)『설문약주』에서 이렇게 말했다. "다리가 긴 사람은 보폭이 넓어 빨리 간다. 그래서 적(蹐)에 민첩하다는 뜻이 있다.『이아·석훈(釋訓)』에서도 적적(蹐蹐)을 민첩하다는 뜻으로 풀이했다. 곽박의『주』에서도 빠르고 민첩함을 말한다고 했다."
245)『광운』에서 "축적(踦蹐)은 공경하는 모습을 말한다(敬貌)"라고 했다. 또『논어·향당』의 "축적어아(踦蹐如也)"에 대해 정현의 주석에서 "踦蹐은 경외하다는 뜻이다."라고 했다.

1337

蹡: 蹡: 가는 모양 장: 足-총18획: qiāng

原文

蹡: 行皃. 从足將聲. 『詩』曰: "管磬蹡蹡." 七羊切.

飜譯

'가는 모양(行皃)'을 말한다. 족(足)이 의미부이고 장(將)이 소리부이다. 『시·주송·청묘지십·집경(執競)』에서 "피리 불고 석경 연주하니(管磬蹡蹡)"라고 노래했다.246) 독음은 칠(七)과 양(羊)의 반절이다.

1338

躖: 躖: 발자국 단: 足-총21획: duàn

原文

躖: 踐處也. 从足, 斷省聲. 徒管切.

飜譯

'밟았던 곳(踐處)'을 말한다. 족(足)이 의미부이고, 단(斷)의 생략된 모습이 소리부이다. 독음은 도(徒)와 관(管)의 반절이다.

1339

趴: 趴: 빨리 넘는 모양 부·엎드러질 복: 足-총9획: fù

原文

趴: 趣越皃. 从足卜聲. 芳遇切.

---

246) 『단주』에서 이렇게 말했다. 『시경·주송(周頌)』의 글이다. 금시(今詩)에서는 "경관장장(磬筦將將)"이라 적었는데 『모전』에서 "장장(將將)은 한데 모으다는 뜻이다(集也)"라고 했다.

翻譯

'재빨리 넘어 가는 모양(趣越皃)'을 말한다. 족(足)이 의미부이고 복(卜)이 소리부이다. 독음은 방(芳)과 우(遇)의 반절이다.

1340

踰: 踰: 넘을 유: 足-총16획: yú

原文

踰: 越也. 从足俞聲. 羊朱切.

翻譯

'넘어가다(越)'라는 뜻이다. 족(足)이 의미부이고 유(俞)가 소리부이다.247) 독음은 양(羊)과 주(朱)의 반절이다.

1341

跋: 跋: 달리는 모양 월: 足-총12획: yuè

原文

跋: 輕也. 从足戊聲. 王伐切.

翻譯

'발걸음이 가볍다(輕)'라는 뜻이다. 족(足)이 의미부이고 월(戊)이 소리부이다. 독음은 왕(王)과 벌(伐)의 반절이다.

---

247) 고문자에서 簡牘文 說文小篆 등으로 썼다. 足(발 족)이 의미부고 俞(점점 유)가 소리부로, 뛰어넘다는 뜻인데, 발(足)을 이용하여 뛰어 건너가다(俞)는 의미를 담았다. 이로부터 건너다, 초과하다, …보다 낫다 등의 뜻도 나왔다. 또 逾(건널 유)와도 같이 쓰며, 간화자에서는 逾(건널 유)에 통합되었다.

1342

蹻: 蹻: 발돋움할 교: 足-총19획: qiāo

原文

蹻: 舉足行高也. 从足喬聲. 『詩』曰: "小子蹻蹻." 居勺切.

飜譯

'발을 들고서 높은 곳을 걷다(舉足行高)'라는 뜻이다. 족(足)이 의미부이고 교(喬)가 소리부이다. 『시·대아판(板)』에서 "젊은 친구들은 교만하기만 하네(小子蹻蹻)"라고 노래했다. 독음은 거(居)와 작(勺)의 반절이다.

1343

傮: 傮: 빠를 숙: 足-총14획: shú

原文

傮: 疾也. 長也. 从足攸聲. 式竹切.

飜譯

'[걸음걸이가] 빠르다(疾)'라는 뜻이다. '(보폭이) 길다(長)'라는 뜻이다. 족(足)이 의미부이고 유(攸)가 소리부이다. 독음은 식(式)과 죽(竹)의 반절이다.

1344

蹌: 蹌: 추창할 창: 足-총17획: qiāng

原文

蹌: 動也. 从足倉聲. 七羊切.

飜譯

'달리다(動)'라는 뜻이다. 족(足)이 의미부이고 창(倉)이 소리부이다. 독음은 칠(七)과 양(羊)의 반절이다.

1345

踊: 踊: 뛸 용: 足-총14획: yǒng

原文

踊: 跳也. 从足甬聲. 余隴切.

飜譯

'뛰다(跳)'라는 뜻이다. 족(足)이 의미부이고 용(甬)이 소리부이다. 독음은 여(余)와 롱(隴)의 반절이다.

1346

躋: 躋: 오를 제: 足-총21획: jī

原文

躋: 登也. 从足齊聲.『商書』曰: "予顚躋." 祖雞切.

飜譯

'올라가다(登)'라는 뜻이다. 족(足)이 의미부이고 제(齊)가 소리부이다.『상서(商書)』(「미자(微子)」편)에서 "우리 상나라는 장차 몰락하고 말 것이다(予顚躋)"라고 했다. 독음은 조(祖)와 계(雞)의 반절이다.

1347

躍: 躍: 뛸 약: 足-총21획: yuè

原文

躍: 迅也. 从足翟聲. 以灼切.

飜譯

'빠르다(迅)'라는 뜻이다. 족(足)이 의미부이고 적(翟)이 소리부이다. 독음은 이(以)와 작(灼)의 반절이다.

1348

跧: 跧: 굽을 전: 足-총13획: quán

原文

跧: 蹴也. 一曰卑也, 絭也. 从足全聲. 莊緣切.

飜譯

'밟다(蹴)'라는 뜻이다. 일설에는 '낮추다(卑)'라는 뜻이라고도 하고, 또 '굽히다(絭)'라는 뜻이라고도 한다. 족(足)이 의미부이고 전(全)이 소리부이다. 독음은 장(莊)과 연(緣)의 반절이다.

1349

蹴: 蹴: 찰 축: 足-총19획: cù

原文

蹴: 躡也. 从足就聲. 七宿切.

飜譯

'밟다(躡)'라는 뜻이다.248) 족(足)이 의미부이고 취(就)가 소리부이다. 독음은 칠(七)과 숙(宿)의 반절이다.

1350

躡: 躡: 밟을 섭: 足-총25획: niè

---

248) 『설문약주』에서는 이렇게 말했다. "혜림의 『일체경음의』(권51, 蹴)에서 『설문』을 인용하여 '축(蹴)은 밟다(躡)는 뜻이다'라고 했다. 또 『옥편』과 『광아ㆍ석고』에서도 '축(蹴)은 밟다(躡)는 뜻이다'라고 했다. 『운회』에서는 소서본을 인용하여 '밟다는 뜻이다(躡也), 밟다(躡也)는 뜻이다, 쫓아가다는 뜻이다(逐也)'라고 했다."

原文

躡: 蹈也. 从足聶聲. 尼輒切.

飜譯

'밟다(蹈)'라는 뜻이다. 족(足)이 의미부이고 섭(聶)이 소리부이다. 독음은 니(尼)와 첩(輒)의 반절이다.

1351

跨: 跨: 타넘을 과: 足-총13획: kuà

原文

跨: 渡也. 从足夸聲. 苦化切.

飜譯

'건너가다(渡)'라는 뜻이다. 족(足)이 의미부이고 과(夸)가 소리부이다.249) 독음은 고(苦)와 화(化)의 반절이다.

1352

蹋: 蹋: 밟을 답: 足-총17획: tà

原文

蹋: 踐也. 从足昜聲. 徒盍切.

飜譯

'밟다(踐)'라는 뜻이다. 족(足)이 의미부이고 탑(昜)이 소리부이다. 독음은 도(徒)와 합(盍)의 반절이다.

---

249) 『설문』에서 처음 보이는데, 足(발 족)이 의미부이고 夸(자랑할 과)가 소리부로, 발(足)을 들어 높이(夸) '타고 넘어감'을 말하며, 이로부터 넘다, 능가하다, 건너다, 차지하다 등의 뜻이 나왔으며, 시간이나 지역이나 영역을 넘는 것도 지칭하게 되었다.

1353

跰: 跰: 밟을 보: 足-총14획: bó

原文

跰: 蹈也. 从足步聲. 旁各切.

飜譯

'밟다(蹈)'라는 뜻이다. 족(足)이 의미부이고 보(步)가 소리부이다. 독음은 방(旁)과 각(各)의 반절이다.

1354

蹈: 蹈: 밟을 도: 足-총17획: dǎo

原文

蹈: 踐也. 从足舀聲. 徒到切.

飜譯

'밟다(踐)'라는 뜻이다. 족(足)이 의미부이고 요(舀)가 소리부이다. 독음은 도(徒)와 도(到)의 반절이다.

1355

躔: 躔: 궤도 전: 足-총22획: chán

原文

躔: 踐也. 从足廛聲. 直連切.

飜譯

'밟다(踐)'라는 뜻이다. 족(足)이 의미부이고 전(廛)이 소리부이다. 독음은 직(直)과 련(連)의 반절이다.

1356

踐: 踐: 밟을 천: 足-총15획: jiàn

原文

踐: 履也. 从足戔聲. 慈衍切.

飜譯

'밟다(履)'라는 뜻이다. 족(足)이 의미부이고 전(戔)이 소리부이다.[250] 독음은 자(慈)와 연(衍)의 반절이다.

1357

踵: 踵: 발꿈치 종: 足-총16획: zhǒng

原文

踵: 追也. 从足重聲. 一曰往來皃. 之隴切.

飜譯

'뒤쫓아 가다(追)'라는 뜻이다. 족(足)이 의미부이고 중(重)이 소리부이다. 일설에는 '오가는 모습(往來皃)'을 말한다고도 한다. 독음은 지(之)와 롱(隴)의 반절이다.

1358

踔: 踔: 뛰어날 탁·달릴 초: 足-총15획: chuō

原文

踔: 踶也. 从足阜聲. 知教切.

飜譯

---

250) 고문자에서 ✖️帛書 踐簡牘文 ❁石刻古文 踐說文小篆 등으로 썼다. 足(발 족)이 의미부고 戔(쌓일 전)이 소리부로, 발(足)로 부스러지도록(戔) '밟다'는 뜻이며, 이로부터 유린하다, 달려가다 등의 뜻이 나왔다. 간화자에서는 戔을 戋으로 간단하게 줄인 践으로 쓴다.

'밟다(踶)'라는 뜻이다. 족(足)이 의미부이고 탁(阜)이 소리부이다. 독음은 지(知)와 교(教)의 반절이다.

1359

蹛: 蹛: 밟을 대: 足-총18획: dài

原文

蹛: 踶也. 从足帶聲. 當蓋切.

飜譯

'밟다(踶)'라는 뜻이다. 족(足)이 의미부이고 대(帶)가 소리부이다. 독음은 당(當)과 개(蓋)의 반절이다.

1360

蹩: 蹩: 절름발이 별: 足-총19획: bié

原文

蹩: 踶也. 从足敝聲. 一曰跛也. 蒲結切.

飜譯

'밟다(踶)'라는 뜻이다. 족(足)이 의미부이고 폐(敝)가 소리부이다. 일설에는 '절뚝거리다(跛)'라는 뜻이라고도 한다. 독음은 포(蒲)와 결(結)의 반절이다.

1361

踶: 踶: 찰 제: 足-총16획: dì

原文

踶: 躛也. 从足是聲. 特計切.

飜譯

'밟다(蹬)'라는 뜻이다. 족(足)이 의미부이고 시(是)가 소리부이다. 독음은 특(特)과 계(計)의 반절이다.

1362

蹇 : 蹇: **거짓 위**: 足-총23획: wèi

原文

蹇: 衞也. 从足衞聲. 于歲切.

飜譯

'[소가 발로 차] 자신을 지키다(衞)'라는 뜻이다. 족(足)이 의미부이고 위(衞)가 소리부이다. 독음은 우(于)와 세(歲)의 반절이다.

1363

蟄 : 蟄: **종종걸음 칠 첩·밟을 접**: 足-총18획: dié, shè

原文

蟄: 蟄足也. 从足執聲. 徒叶切.

飜譯

'발을 옭아매다(蟄足)'라는 뜻이다.251) 족(足)이 의미부이고 집(執)이 소리부이다. 독음은 도(徒)와 협(叶)의 반절이다.

1364

跃 : 跃: **설 시**: 足-총11획: shì

原文

跃: 尌也. 从足氏聲. 承旨切.

---

251) 계복의 『의증』에서 "첩(蟄)은 집(繁)이 되어야 한다"라고 했다.

飜譯

'서다(峙)'라는 뜻이다. 족(足)이 의미부이고 씨(氏)가 소리부이다. 독음은 승(承)과 지(旨)의 반절이다.

1365

躓: 躓: 머뭇거릴 척: 足-총18획: zhí

原文

躓: 住足也. 从足, 適省聲. 或曰躑躅. 賈侍中說: 足垢也. 直隻切.

飜譯

'발길을 멈추다(住足)'라는 뜻이다. 족(足)이 의미부이고, 적(適)의 생략된 모습이 소리부이다. 혹자는 '머뭇거리다(躑躅)'라는 뜻이라고도 한다. 가시중(賈侍中)께서는 '발에 낀 때(足垢)'를 말한다고 했다. 독음은 직(直)과 척(隻)의 반절이다.

1366

躅: 躅: 머뭇거릴 촉: 足-총20획: zhú

原文

躅: 躑躅也. 从足蜀聲. 直錄切.

飜譯

'머뭇거리다(躑躅)'라는 뜻이다. 족(足)이 의미부이고 촉(蜀)이 소리부이다. 독음은 직(直)과 록(錄)의 반절이다.

1367

踤: 踤: 찰 졸: 足-총15획: zú

原文

倅: 觸也. 从足卒聲. 一曰駭也. 一曰蒼踤. 昨沒切.

飜譯

'부딪히다(觸)'라는 뜻이다. 족(足)이 의미부이고 졸(卒)이 소리부이다. 일설에는 '놀라다(駭)'라는 뜻이라고도 한다. 일설에는 '창졸간에(蒼踤)'라는 뜻이라고도 한다. 독음은 작(昨)과 몰(沒)의 반절이다.

1368

蹶: 蹶: 넘어질 궐: 足-총19획: jué

原文

蹶: 僵也. 从足厥聲. 一曰跳也. 亦讀若橜. 蹷, 蹶或从闕. 居月切.

飜譯

'넘어지다(僵)'라는 뜻이다. 족(足)이 의미부이고 궐(厥)이 소리부이다. 일설에는 '뛰다(跳)'라는 뜻이라고도 한다. 또한 궐(橜)과 같이 읽기도 한다. 궐(蹷)은 궐(蹶)의 혹체자인데, 궐(闕)로 구성되었다. 독음은 거(居)와 월(月)의 반절이다.

1369

跳: 跳: 뛸 도: 足-총13획: tiào

原文

跳: 蹶也. 从足兆聲. 一曰躍也. 徒遼切.

飜譯

'뛰다(蹶)'라는 뜻이다.[252] 족(足)이 의미부이고 조(兆)가 소리부이다. 일설에는 '빠르다(躍)'라는 뜻이라고도 한다.[253] 독음은 도(徒)와 료(遼)의 반절이다.

---

252) 『단주』에서 "『방언(方言)』에 의하면 함곡관으로부터 서쪽의 진(秦)과 진(晉) 지역에서는 도(跳)라고 한다.(自關而西秦晉之閒曰跳)"라고 했다.
253) 『단주』에서 "약(躍)은 빠르다는 뜻이다(迅也)"라고 했다.

제 2 권

1370

𧿹: 䠴: 움직일 진: 足-총14획: zhèn

原文

𧿹: 動也. 从足辰聲. 側鄰切.

飜譯

'움직이다(動)'라는 뜻이다. 족(足)이 의미부이고 진(辰)이 소리부이다. 독음은 측(側)과 린(鄰)의 반절이다.

1371

躇: 躇: 머무를 저: 足-총18획: chú

原文

躇: 峙躇, 不前也. 从足屠聲. 直魚切.

飜譯

'치저(峙躇)'를 말하는데 '머뭇거려 앞으로 나아가지 못하다(不前)'라는 뜻이다. 족(足)이 의미부이고 도(屠)가 소리부이다. 독음은 직(直)과 어(魚)의 반절이다.

1372

跰: 跰: 급히 달릴 불: 足-총12획: fú, fèi

原文

跰: 跳也. 从足弗聲. 敷勿切.

飜譯

'뛰다(跳)'라는 뜻이다. 족(足)이 의미부이고 불(弗)이 소리부이다. 독음은 부(敷)와 물(勿)의 반절이다.

1373

蹠: 蹠: 밟을 척: 足-총18획: zhí

原文

蹠: 楚人謂跳躍曰蹠. 从足庶聲. 之石切.

譯

'초(楚) 지역 사람들은 뛰는 것(跳躍)을 척(蹠)이라고 한다. 족(足)이 의미부이고 서(庶)가 소리부이다. 독음은 지(之)와 석(石)의 반절이다.

1374

踏: 踏: 발로 긁어당길 탑: 足-총17획: tà

原文

踏: 跋也. 从足荅聲. 他合切.

譯

'뛰다(跋)'라는 뜻이다. 족(足)이 의미부이고 답(荅)이 소리부이다.254) 독음은 타(他)와 합(合)의 반절이다.

1375

蹓: 蹓: 뛸 요: 足-총17획: jiǎo, xiào, yáo

原文

蹓: 跳也. 从足䍃聲. 余招切.

---

254) 『단주』에서 이렇게 말했다. "내 생각에, 삽(跋)은 도(跳)가 되어야 옳다. 『방언(方言)』에서 탑(踏)은 뛰다(跳)는 뜻이며, 함곡관 서쪽 지역의 진(秦)과 진(晉) 사이에서는 탑(踏)을 도(跳)라고 한다고 했다."

翻譯

'뛰다(跳)'라는 뜻이다. 족(足)이 의미부이고 요(䠢)가 소리부이다. 독음은 여(余)와 초(招)의 반절이다.

1376

跲: 跋: 발가락으로 집을 삽: 足-총11획: sǎ

原文

跲: 進足有所擷取也. 从足及聲. 『爾雅』曰: "跋謂之擷." 穌合切.

翻譯

'발을 집어넣어 발가락으로 집어 당기다(進足有所擷取)'라는 뜻이다. 족(足)이 의미부이고 급(及)이 소리부이다. 『이아석기(釋器)』에서 "급(跋)은 힐(擷)과 같아 '옷깃을 끼워 넣다'라는 뜻이다"라고 했다.255) 독음은 소(穌)와 합(合)의 반절이다.

1377

跰: 跰: 팔자걸음으로 걸을 패: 足-총14획: bǎng, bèi, pèi

原文

跰: 步行獵跋也. 从足貝聲. 博蓋切.

翻譯

'갈팡질팡 엉망으로 다급하게 걷다(步行獵跋)'라는 뜻이다. 족(足)이 의미부이고 패(貝)가 소리부이다. 독음은 박(博)과 개(蓋)의 반절이다.

---

255) 금본 『이아』에서는 "扱衽謂之襭"로 되어 급(跋)이 급(扱)으로, 힐(擷)이 힐(襭)로 되었다. 『이아소』에서는 "허리띠에다 웃옷의 옷깃을 끼워 넣는 것을 말한다."라고 했다. 『단주』에서는 『설문』에 임(衽)자가 없어 금본 『이아』와 다른데, 『설문』의 의(衣)부수에서 한 설명과도 다르다고 하면서, 의(衣)부수에서 한 설명은 『모전(毛傳)』의 것을 사용했고, 여기서는 『이아』의 것을 사용했기 때문이라고 했다.

1378

躓: 躓: 넘어질 지: 足-총22획: zhì

原文

躓: 跲也. 从足質聲.『詩』曰:"載躓其尾." 陟利切.

飜譯

'넘어지다(跲)'라는 뜻이다. 족(足)이 의미부이고 질(質)이 소리부이다.『시·빈풍·낭발(狼跋)』에서 "뒤로 물러서려다 제 꼬리에 넘어지네(載躓其尾)"라고 노래했다.256) 독음은 척(陟)과 리(利)의 반절이다.

1379

跲: 跲: 넘어질 겁: 足-총13획: jiú, qiá

原文

跲: 躓也. 从足合聲. 居怯切.

飜譯

'넘어지다(躓)'라는 뜻이다. 족(足)이 의미부이고 합(合)이 소리부이다. 독음은 거(居)와 겁(怯)의 반절이다.

1380

跇: 跇: 넘을 예: 足-총12획: yì

原文

跇: 述也. 从足世聲. 丑例切.

飜譯

'뛰어넘다(述)'라는 뜻이다.257) 족(足)이 의미부이고 세(世)가 소리부이다. 독음은 축

---

256) 금본에서는 지(躓)가 치(疐)로 되었다.

(丑)과 례(例)의 반절이다.

1381

嶘: 蹎: 넘어질 전: 足-총17획: diān

原文

嶘: 跋也. 从足眞聲. 都年切.

飜譯

'넘어지다(跋)'라는 뜻이다. 족(足)이 의미부이고 진(眞)이 소리부이다. 독음은 도(都)와 년(年)의 반절이다.

1382

跋: 跋: 밟을 발: 足-총12획: bá

原文

跋: 蹎跋也. 从足发聲. 北末切.

飜譯

'넘어지다(蹎跋)'라는 뜻이다. 족(足)이 의미부이고 발(发)이 소리부이다. 독음은 북(北)과 말(末)의 반절이다.

1383

躤: 踖: 살금살금 걸을 척: 足-총17획: jí

原文

躤: 小步也. 从足昔聲. 『詩』曰：“不敢不踖.”資昔切.

飜譯

---

257)『단주』에서 이렇게 말했다. “술(述)은 월(遹)이 되어야 옳다. 글자를 잘못 쓴 것이다.”

'작은 걸음으로 가다(小步)'라는 뜻이다. 족(足)이 의미부이고 척(齊)이 소리부이다. 『시·소아정월(正月)』에서 "조심해 걷지 않을 수 없네(不敢不踏)"라고 노래했다. 독음은 자(資)와 석(昔)의 반절이다.

1384

跌: 跌: 넘어질 질: 足-총12획: diē

原文

跌: 踢也. 从足失聲. 一曰越也. 徒結切.

翻譯

'넘어지다(踢)'라는 뜻이다. 족(足)이 의미부이고 실(失)이 소리부이다. 일설에는 '넘다(越)'라는 뜻이라고도 한다. 독음은 도(徒)와 결(結)의 반절이다.

1385

踼: 踼: 넘어질 탕: 足-총16획: táng

原文

踼: 跌踼也. 从足易聲. 一曰搶也. 徒郎切.

翻譯

'넘어지다(跌踼)'라는 뜻이다. 족(足)이 의미부이고 양(易)이 소리부이다. 일설에는 '대들다(搶)'라는 뜻이라고도 한다. 독음은 도(徒)와 랑(郎)의 반절이다.

1386

蹲: 蹲: 웅크릴 준: 足-총19획: dūn

原文

蹲: 踞也. 从足尊聲. 徂尊切.

'웅크리고 앉다(踞)'라는 뜻이다.258) 족(足)이 의미부이고 존(尊)이 소리부이다. 독음은 조(徂)와 존(尊)의 반절이다.

1387

踞: 踞: 웅크릴 거: 足-총15획: jù

原文

踞: 蹲也. 从足居聲. 居御切.

譯

'웅크리고 앉다(蹲)'라는 뜻이다. 족(足)이 의미부이고 거(居)가 소리부이다. 독음은 거(居)와 어(御)의 반절이다.

1388

跨: 跨: 걸터앉을 과: 足-총17획: kuà

原文

跨: 踞也. 从足夸聲. 苦化切.

譯

'웅크리고 걸터앉다(踞)'라는 뜻이다. 족(足)이 의미부이고 과(夸)가 소리부이다. 독음은 고(苦)와 화(化)의 반절이다.

1389

躩: 躩: 바삐 갈 곽: 足-총27획: jué

---

258) 『단주』에서 이렇게 말했다. "시(尸)부수에서 거(居)는 웅크리고 앉다는 뜻이다(蹲也)라고 했으니, 이들은 전주의 관계에 있다. 각 판본에서 거(居)를 거(踞)로 적었는데, 속체라 바로 잡았다."

原文

�…: 足躩如也. 从足矍聲. 丘縛切.

飜譯

'발이 빠르다(足躩如)'라는 뜻이다. 족(足)이 의미부이고 확(矍)이 소리부이다. 독음은 구(丘)와 박(縛)의 반절이다.

1390

𨆪: 踣: 넘어질 북·복·부: 足-총15획: bó

原文

踣: 僵也. 从足音聲. 『春秋傳』曰: "晉人踣之." 蒲北切.

飜譯

'넘어지다(僵)'라는 뜻이다. 족(足)이 의미부이고 부(音)가 소리부이다. 『춘추전』(『좌전』 양공 14년, B.C. 559)에서 "진(晉)나라 사람들을 넘어뜨렸다"라고 했다. 독음은 포(蒲)와 북(北)의 반절이다.

1391

跛: 跛: 절뚝발이 파: 足-총12획: bǒ

原文

跛: 行不正也. 从足皮聲. 一曰足排之. 讀若彼. 布火切.

飜譯

'똑바르게 가지 못하다(行不正)'라는 뜻이다. 족(足)이 의미부이고 피(皮)가 소리부이다. 일설에는 '발로 밀쳐내다(足排之)'라는 뜻이라고도 한다. 피(彼)와 같이 읽는다. 독음은 포(布)와 화(火)의 반절이다.

1392

蹇: 蹇: 절 건: 足-총17획: jiǎn

原文

蹇: 跛也. 从足, 寒省聲. 九輦切.

飜譯

'절뚝거리며 걸어가다(跛)'라는 뜻이다. 족(足)이 의미부이고, 한(寒)의 생략된 모습이 소리부이다. 독음은 구(九)와 련(輦)의 반절이다.

1393

蹁: 蹁: 비틀거릴 편: 足-총16획: pián

原文

蹁: 足不正也. 从足扁聲. 一曰拖後足馬. 讀若苹. 或曰徧. 部田切.

飜譯

'발걸음이 바르지 못하다(足不正)'라는 뜻이다. 족(足)이 의미부이고 편(扁)이 소리부이다. 일설에는 '뒷발을 질질 끄는 말(拖後足馬)'을 말한다고도 한다. 평(苹)과 같이 읽는다. 혹자는 편(徧)과 같이 읽는다고도 한다. 독음은 부(部)와 전(田)의 반절이다.

1394

蹞: 蹞: 뜈 규: 足-총14획: kuí

原文

蹞: 脛肉也. 一曰曲脛也. 从足夅聲. 讀若逵. 渠追切.

飜譯

'종아리의 살(脛肉)'을 말한다. 일설에는 '굽은 정강이(曲脛)'를 말한다고도 한다. 족(足)이 의미부이고 귀(夅)가 소리부이다. 규(逵)와 같이 읽는다. 독음은 거(渠)와 추

(追)의 반절이다.

1395

踒: 踒: 헛디딜 위: 足-총15획: wō

原文

踒: 足跌也. 从足委聲. 烏過切.

飜譯

'발을 헛디뎌 넘어지다(足跌)'라는 뜻이다. 족(足)이 의미부이고 위(委)가 소리부이다. 독음은 오(烏)와 과(過)의 반절이다.

1396

跣: 跣: 맨발 선: 足-총13획: xiǎn

原文

跣: 足親地也. 从足先聲. 穌典切.

飜譯

'맨발로 직접 땅을 밟다(足親地)'라는 뜻이다. 족(足)이 의미부이고 선(先)이 소리부이다. 독음은 소(穌)와 전(典)의 반절이다.

1397

跔: 跔: 곱을 구: 足-총12획: jū

原文

跔: 天寒足跔也. 从足句聲. 其俱切.

飜譯

'날이 차서 발이 꼬부라져 펴지지 않다(天寒足跔)'라는 뜻이다. 족(足)이 의미부이고 구(句)가 소리부이다. 독음은 기(其)와 구(俱)의 반절이다.

1398

躑: 躑: **살갗이 얼어터질 곤**: 足-총15획: kǔn, tà

原文

躑: 瘃足也. 从足困聲. 苦本切.

繙譯

'발에 동상이 걸리다(瘃足)'라는 뜻이다. 족(足)이 의미부이고 균(困)이 소리부이다. 독음은 고(苦)와 본(本)의 반절이다.

1399

距: 距: **떨어질 거**: 足-총12획: jù

原文

距: 雞距也. 从足巨聲. 其呂切.

繙譯

'닭발처럼 사이가 떨어지다(雞距)'라는 뜻이다. 족(足)이 의미부이고 거(巨)가 소리부이다. 독음은 기(其)와 려(呂)의 반절이다.

1400

躧: 躧: **신 사**: 足-총26획: xǐ

原文

躧: 舞履也. 从足麗聲. 纚, 或从革. 所綺切.

繙譯

'춤출 때 신는 신(舞履)'을 말한다. 족(足)이 의미부이고 려(麗)가 소리부이다. 사

(韈)는 혹체자인데, 혁(革)으로 구성되었다. 독음은 소(所)와 기(綺)의 반절이다.

1401

䠙: 䠙: 발밑 하: 足-총16획: qiá, xiā

原文

䠙: 足所履也. 从足叚聲. 乎加切.

飜譯

'발에 신는 신(足所履)'을 말한다. 족(足)이 의미부이고 가(叚)가 소리부이다. 독음은 호(乎)와 가(加)의 반절이다.

1402

踓: 踓: 발꿈치 벨 비: 足-총15획: fèi

原文

踓: 跀也. 从足非聲. 讀若匪. 扶味切.

飜譯

'발꿈치를 베다(跀)'라는 뜻이다. 족(足)이 의미부이고 비(非)가 소리부이다. 비(匪)와 같이 읽는다. 독음은 부(扶)와 미(味)의 반절이다.

1403

跀: 跀: 발을 자를 월: 足-총11획: yuè

原文

跀: 斷足也. 从足月聲. 趴, 跀或从兀. 魚厥切.

飜譯

'발을 자르다(斷足)'라는 뜻이다. 족(足)이 의미부이고 월(月)이 소리부이다. 월(趴)

은 월(趼)의 혹체자인데, 올(兀)로 구성되었다. 독음은 어(魚)와 궐(厥)의 반절이다.

1404

跊: 趽: 다리 굽은 말 방: 足-총11획: fàng

原文

趽: 曲脛馬也. 从足方聲. 讀與彭同. 薄庚切.

譯

'정강이가 굽은 말(曲脛馬)'을 말한다. 족(足)이 의미부이고 방(方)이 소리부이다. 팽(彭)과 똑같이 읽는다. 독음은 박(薄)과 경(庚)의 반절이다.

1405

跊: 趹: 달릴 결: 足-총11획: jué

原文

趹: 馬行皃. 从足, 決省聲. 古穴切.

譯

'말이 달려가는 모습(馬行皃)'을 말한다. 족(足)이 의미부이고, 결(決)의 생략된 모습이 소리부이다. 독음은 고(古)와 혈(穴)의 반절이다.

1406

趼: 趼: 개똥벌레 견: 足-총11획: jiǎn, qiān

原文

趼: 獸足企也. 从足开聲. 五旬切.

譯

'짐승이 앞발을 들고 쳐다보다(獸足企)'라는 뜻이다. 족(足)이 의미부이고 견(开)이 소리부이다. 독음은 오(五)와 전(甸)의 반절이다.

1407

踚: 路: 길 로: 足-총13획: lù

(原文)

踚: 道也. 从足从各. 洛故切.

(飜譯)

'길(道)'을 말한다. 족(足)이 의미부이고 각(各)도 의미부이다.259) 독음은 락(洛)과 고(故)의 반절이다.

1408

躙: 躙: 짓밟을 린: 足-총19획: lìn

(原文)

躙: 轢也. 从足粦聲. 良忍切.

(飜譯)

'짓밟다(轢)'라는 뜻이다. 족(足)이 의미부이고 린(粦)이 소리부이다. 독음은 량(良)과 인(忍)의 반절이다.

1409

跂: 跂: 육발이 기: 足-총11획: qí

(原文)

---

259) 고문자에서 **路**金文 **路**簡牘文 **踚**說文小篆 등으로 썼다. 足(발 족)이 의미부이고 各(각 각)이 소리부로, 사람의 발(足)이 이르는(各·각) 곳, 즉 '길'을 말하며, 이후 생각이나 행위의 經路(경로)나 방향 등도 뜻하게 되었다.

跂: 足多指也. 从足支聲. 巨支切.

'발가락이 보통 보다 많은 육발이(足多指)'를 뜻이다. 족(足)이 의미부이고 지(支)가 소리부이다. 독음은 거(巨)와 지(支)의 반절이다.

1410

 躚: **춤추는 모양 선:** 足-총19획: xiān

原文

躚: 蹁躚, 旋行. 从足䙴聲. 穌前切.

翻譯

'편선(蹁躚)'을 말하는데, '돌면서 가다(旋行)'라는 뜻이다. 족(足)이 의미부이고 선(䙴)이 소리부이다. 독음은 소(穌)와 전(前)의 반절이다. [신부]

1411

蹭: 蹭: **비틀거릴 층:** 足-총19획: cóng, còng

原文

蹭: 蹭蹬, 失道也. 从足曾聲. 七鄧切.

翻譯

'층등(蹭蹬)'을 말하는데, '길을 잃다(失道)'라는 뜻이다. 족(足)이 의미부이고 증(曾)이 소리부이다. 독음은 칠(七)과 등(鄧)의 반절이다. [신부]

1412

蹬: 蹬: **비틀거릴 등:** 足-총19획: dèng

原文

蹬: 蹭蹬也. 从足登聲. 徒亘切.

飜譯

'길을 잃다(蹭蹬)'라는 뜻이다. 족(足)이 의미부이고 등(登)이 소리부이다. 독음은 도(徒)와 긍(亘)의 반절이다. [신부]

1413

蹉: 蹉: 넘어질 **차**: 足-총17획: cuō

原文

蹉: 蹉跎, 失時也. 从足差聲. 七何切.

飜譯

'차타(蹉跎)'를 말하는데, '때를 놓치다(失時)'라는 뜻이다. 족(足)이 의미부이고 차(差)가 소리부이다. 독음은 칠(七)과 하(何)의 반절이다. [신부]

1414

跎: 跎: 헛디딜 **타**: 足-총12획: tuó

原文

跎: 蹉跎也. 从足它聲. 徒何切.

飜譯

'때를 놓치다(蹉跎)'라는 뜻이다. 족(足)이 의미부이고 타(它)가 소리부이다. 독음은 도(徒)와 하(何)의 반절이다. [신부]

1415

蹙: 蹙: 대지를 **축**: 足-총18획: cù

原文

蹙: 迫也. 从足戚聲. 臣鉉等案 : 李善『文選注』通蹴字. 子六切.

飜譯

'다그치다(迫)'라는 뜻이다. 족(足)이 의미부이고 척(戚)이 소리부이다. 신(臣) 서현(鉉) 등의 생각은 이렇습니다. "이선(李善)의 『문선주(文選注)』에서는 취(蹴)자로 통용됩니다." 독음은 자(子)와 륙(六)의 반절이다. [신부]

1416

踸: 踸: 앙감질할 침: 足-총16획: chěn

原文

踸: 踸踔, 行無常皃. 从足甚聲. 丑甚切.

飜譯

'침탁(踸踔)'을 말하는데, '걸어가는 모습이 불안정한 모습(行無常皃)'을 말한다. 족(足)이 의미부이고 심(甚)이 소리부이다. 독음은 축(丑)과 심(甚)의 반절이다. [신부]

제41부수
041 ■ 소(疋)부수

1417

疋 : 疋: 필 필·발 소: 疋-총5획: shū

疋: 足也. 上象腓腸, 下从止. 『弟子職』曰: "問疋何止." 古文以爲『詩·大疋』字. 亦以爲足字. 或曰胥字. 一曰疋, 記也. 凡疋之屬皆从疋. 所菹切.

翻譯

'발(足)'을 말한다. 윗부분은 장딴지(腓腸)를 그렸고, 아랫부분은 지(止)로 구성되었다. 『관자제자직(弟子職)』에서 "발을 어느 쪽으로 놓을까요? 라고 묻는다(問疋何止)"라고 했다.[260] 고문체에서는 이를 『시·대아(大疋)』의 아(疋)자로 여겼다.[261] 또한 족(足)자로 보기도 한다. 혹자는 서(胥)자로 보기도 한다. 일설에는 '소(疋)는 기록하다(記)는 뜻이다'라고도 한다. 소(疋)부수에 속하는 글자는 모두 소(疋)가 의미부이다. 독음은 소(所)와 저(菹)의 반절이다.

1418

疏 : 疏: 격자창 소: 疋-총12획: shū, xū

---

[260] 『단주』에서 이렇게 말했다. 「제자직(弟子職)」은 『관자(管子)』의 편명이다. 『한서·예문지』에서는 효경(孝經) 11가에 속한다고 했지만, 단독으로 통행된지 오래되었다. '어디 쪽으로 발을 놓을까요?'라고 묻는다고 했는데, 이는 나이 든 윗사람의 잠자리를 보살필 때 발을 어떤 방향으로 할지를 묻는다는 말이다. 『예기·내칙』에서 '이불을 깔고 윗사람의 이부자리를 보살필 때, 발을 어느 쪽으로 할 것인지를 청하여 물었다(將衽, 長者奉席)'라고 하였다. 지(止)는 달리 지(趾)로 쓰기도 하는데, 발(足)이라는 뜻이다.

[261] 『단주』에서 이렇게 말했다. 아(雅)가 각 판본에서는 소(疋)로 되었는데, 이는 잘못이다. 이는 고문체에서 소(疋)를 아(雅)자로 빌려 쓴 것인데, 모두 고음(古音)에서 제5부(部)에 속해 있고, 뜻도 발(足)을 말하기 때문이다. 이는 형체가 비슷해 빌려 쓴 예로, 변례(變例)에 속한다.

原文

䆫: 門戶疏窓也. 从疋, 疋亦聲. 囱象䆫形. 讀若疏. 所菹切.

飜譯

'문에 소통이 되게 성기게 만든 격자창(門戶疏窓)'을 말한다. 소(疋)가 의미부인데, 소(疋)는 소리부도 겸한다. 창(囱)은 격자창(䆫)의 모습을 그렸다. 소(疏)와 같이 읽는다. 독음은 소(所)와 저(菹)의 반절이다.

1419

㼿: 疎: **통할 소**: 爻–총9획: shū

原文

㼿: 通也. 从爻从疋, 疋亦聲. 所菹切.

飜譯

'통하다(通)'라는 뜻이다. 효(爻)가 의미부이고 소(疋)도 의미부인데, 소(疋)는 소리부도 겸한다. 독음은 소(所)와 저(菹)의 반절이다.

1420

甜 : 品 : 물건 품 : 口-총9획: pǐn

(原文)

品 : 眾庶也. 从三口. 凡品之屬皆从品. 丕飲切.

(飜譯)

'많다(眾庶)'라는 뜻이다. 세 개의 구(口)로 구성되었다.262) 품(品)부수에 속하는 글자는 모두 품(品)이 의미부이다. 독음은 비(丕)와 음(飮)의 반절이다.

1421

甜 : 嵒 : 땅 이름 엽 : 口-총12획: yán

(原文)

嵒 : 多言也. 从品相連. 『春秋傳』曰: "次于嵒北." 讀與聶同. 尼輒切.

(飜譯)

'말이 많다(多言)'라는 뜻이다. 품(品)이 여럿 연결된 모습을 그렸다. 『춘추전』(희공 원년, B.C. 659)에서 "엽(嵒)의 북쪽 땅에 주둔했다"라고 했다. 섭(聶)과 똑같이 읽는다. 독음은 니(尼)와 첩(輒)의 반절이다.

---

262) 고문자에서 甜 甜甜甲骨文 甜嵒金文 多簡牘文 甜說文小篆 등으로 썼다. 세 개의 口(입 구)로 구성되었는데, 口는 기물의 아가리를 상징한다. 많이 모여 있는 기물(口)로부터 제사 등에 쓸 '用品(용품)'의 의미를 그렸으며, 이로부터 商品(상품)의 뜻이 나왔다. 또 人品(인품), 상품이나 사람의 성질, 上品(상품), 등급 등을 지칭하였고, 品茶(품차)에서처럼 자세히 살피다는 뜻도 나왔다.

1422

喿： 喿: 울 소: 口—총13획: sào

原文

喿： 鳥羣鳴也. 从品在木上. 穌到切.

譯

'새가 떼를 지어 울다(鳥羣鳴)'라는 뜻이다. 입 여럿(品)이 나무 위에 있는 모습을 그렸다. 독음은 소(穌)와 도(到)의 반절이다.

제43부수
043 ▪ 약(龠)부수

1423

龠 : 龠: 피리 약: 龠-총17획: yuè

原文

龠: 樂之竹管, 三孔, 以和眾聲也. 从品、侖. 侖, 理也. 凡龠之屬皆从龠. 以灼切.

譯譯

'대나무 관을 사용하여 만든 악기(樂之竹管)'를 말한다. 구멍이 여럿인데(三孔)[263], 이로써 여러 가지 소리를 조화시킨다(以和眾聲). 품(品)과 륜(侖)이 모두 의미부인데, 륜(侖)은 '조리(理)'를 뜻한다.[264] 약(龠)부수에 속하는 글자는 모두 약(龠)이 의미부이다. 독음은 이(以)와 작(灼)의 반절이다.

1424

龡 : 龡: 불 취: 龠-총25획: chuī

原文

龡: 龡, 音律管壎之樂也. 从龠炊聲. 昌垂切.

---

263) 삼(三)은 셋이라기보다는 허수로 '여럿'을 뜻한다. 그래서 『단주』의 말처럼, 『주례·생사(笙師)』, 『예기·소의(少儀)』, 『예기·명당위(明堂位)』의 정현 주석과 『이아』의 곽박 주석 등에서는 구멍이 셋이라고 하였지만(이도 여럿으로 풀이하는 것이 더 낫다), 유독 『모전』에서는 구멍이 여섯이라고 하였고, 『광아』에서는 구멍이 일곱이라고 했다고 했는데, 셋을 여럿으로 보아야 하는 이유이다.

264) 고문자에서 甲骨文 金文 簡牘文 등으로 썼다. 관이 여럿으로 된 多管(다관) 악기를 그렸는데, 갑골문에서는 대로 만든 피리를 실로 묶었고, 피리의 소리를 내는 혀(reed)까지 그려졌다. 위의 부분은 입으로 보기도 하고, 스(삼합 집)으로 보아 피리 여럿을 모아(스) 놓은 것을 상징하는 것으로 보기도 한다.

譯

'취(龡)는 음률(音律)을 만들어내는 관악기와 질그릇 악기(管壎之樂)'를 말한다. 약(龠)이 의미부이고 취(炊)가 소리부이다. 독음은 창(昌)과 수(垂)의 반절이다.

1425

龥: 龥: 피리 지: 龠-총27획: chí, shǐ

原文

龥: 管樂也. 从龠虒聲. 篪, 龥或从竹. 直离切.

譯

'관악기(管樂)'를 말한다. 약(龠)이 의미부이고 사(虒)가 소리부이다. 지(篪)는 지(龥)의 혹체자인데, 죽(竹)으로 구성되었다. 독음은 직(直)과 리(离)의 반절이다.

1426

龢: 龢: 풍류 조화될 화: 龠-총22획: huā

原文

龢: 調也. 从龠禾聲. 讀與和同. 戶戈切.

譯

'조절하다(調)'라는 뜻이다. 약(龠)이 의미부이고 화(禾)가 소리부이다. 화(和)와 똑같이 읽는다.[265] 독음은 호(戶)와 과(戈)의 반절이다.

---

265) 고문자에서 ⎔ 甲骨文 ⎔⎔⎔ 簡牘文 등으로 썼다. 龠(피리 약)이 의미부고 禾(벼화)가 소리부로, 다관 피리를 말하는데, 조화롭다, 화합하다, 화목하다, 강화를 맺다, 섞다 등의 뜻이 나왔다. 이후 龠이 口(입 구)로 줄여 和(화할 화)가 되었다.

1427

龤: 龤: 풍류 조화될 해: 龠-총26획: xié

原文

龤: 樂和龤也. 从龠皆聲. 『虞書』曰: "八音克龤." 戶皆切.

飜譯

'음악이 조화를 이루다(樂和龤)'라는 뜻이다. 약(龠)이 의미부이고 개(皆)가 소리부이다. 『우서(虞書)』(「요전(堯典)」)에서 "여덟 가지 악기의 소리가 조화를 이룰 수 있다(八音克龤)."라고 하였다. 독음은 호(戶)와 개(皆)의 반절이다.

제2권

제44부수
044 ■ 책(冊)부수

1428

冊: 冊: 책 책: □-총5획: cè

原文

冊: 符命也. 諸矦進受於王也. 象其札一長一短, 中有二編之形. 凡冊之屬皆从冊. 篇, 古文冊从竹. 楚革切.

飜譯

'명을 받는 부절(符命)'을 말한다. 제후(諸矦)들이 왕(王)으로부터 받는다. 하나는 길고 하나는 짧은 댓조각과 중간에 두 가닥의 줄로 이를 묶은 모습을 형상했다.266)267)

---

266) 고문자에서 ⸬⸬⸬ 甲骨文 ⸬⸬⸬ 金文 ⸬ 簡牘文 등으로 썼다. 갑골문에서 竹簡(죽간)을 실로 매어 놓은 모습을 그렸으며, 이로부터 책, 서적의 뜻이 나왔다. 종이가 나오기 전 대나무가 서사의 재료로 보편적으로 쓰였고, 이를 묶은 것이 옛날 '책'의 모습임을 말해준다. 지금은 종이가 보편화 되었고, 심지어는 종이가 없는 전자 '책'까지 등장했지만, 여전히 冊이라는 이름으로 이를 지칭하고 있다.

267) 『단주』에서 간책의 제도에 대하여 상세하게 기술해 놓았다. "채옹(蔡邕)의 『독단(獨斷)』에서 책(策)은 죽간(簡)을 말한다. 그 제도를 보면 긴 것은 1자(尺), 짧은 것은 그 절반인데, 길고 짧은 것을 하나씩 번갈아 아래 위 두 부분으로 묶어 아래를 붙여 나간다. 찰(札)은 서판(牒)을 말하는데, 달리 간(簡)이라고도 한다. 편(編)은 죽간을 차례지어 묶다(次簡)라는 뜻이다. 죽간을 차례지어 묶는다(次簡)라는 것은 길고 짧은 죽간을 서로 끼워 나란히 배열하고 이를 끈으로 가로로 묶는다는 말이다. 아래위로 각기 한 줄 뿐이어서 많은 글자를 쓸 수가 없다. 그래서 차례를 지어 순서대로 묶어야만 글자를 많이 쓸 수가 있다. 『의례·빙례(聘禮)』에서 1백 글자(百名) 이상은 서판(策)에다 쓴다고 한 것도 이 때문이다. 죽간 하나에 다 쓸 수 있으면 간(簡)에다 쓴다. 그러나 간(簡)은 한 줄밖에 없어서 1백 글자까지 쓸 수가 없다. 그러나 방(方)에다 쓴다면 여러 행을 합쳐서 쓸 수 있다. 1백 자 이상은 책(策)에다 쓴다고 했다. 그렇다면 방(方)이 바로 독(牘)이고, 독(牘)은 서판(書版)을 말한다. 간(簡)은 대(竹)로 만들고, 독(牘)은 나무로 만든다. 하나의 책(冊)에다 다 쓰지 못하면 책(冊)을 연결해 만들어 쓴다. 국사(國史)의 서책은 모두가 그러하다. 『예기』에 대한 정현의 주석에서 '책(策)은 간(簡)을 말한다'라고 하였는데, 이는 이 둘을 혼용하여 구분하지 않고 한 말일 따름이다. 책(冊)자는 다섯 개의 직선으로 구성되었는데,

---

책(冊)부수에 속하는 글자는 모두 책(冊)이 의미부이다. 책(䇲)은 책(冊)의 고문체인데, 죽(竹)으로 구성되었다. 독음은 초(楚)와 혁(革)의 반절이다.

1429

**:** 嗣: **이을 사**: 口-총13획: sì

原文

: 諸侯嗣國也. 从冊从口, 司聲. 孠, 古文嗣从子. 祥吏切.

飜譯

'제후가 임금 자리를 계승하다(諸侯嗣國)'라는 뜻이다. 책(冊)이 의미부이고 구(口)도 의미부이며, 사(司)가 소리부이다.268) 사(孠)는 사(嗣)의 고문체인데, 자(子)로 구성되었다. 독음은 상(祥)과 리(吏)의 반절이다.

이는 길고 짧은 죽간을 형상한 것이다. 그러나 [꼭 다섯 개로 구성되었다는 것이 아니라] 그 의미만 그렸을 뿐이다. 게다가 몇 개로 구성되었는지는 알 수 없다. 채옹이 '긴 것은 1자, 짧은 것은 그것의 절반이다'라고 한 것은 하나라 때의 제도가 그랬다는 것이다. 정현은 「구명결(鉤命決)」을 인용하여, '『역(易)』, 『시(詩)』, 『서(書)』, 『예(禮)』, 『악(樂)』, 『춘추(春秋)』의 책(策)은 모두 그 길이가 2자 4치(寸)이고, 『효경(孝經)』은 반으로 줄여서 1자 2치이고, 『논어(論語)』의 책(策)은 8치인데, 이는 1자 2치에 비하면 3분의 2나 줄었다'라고 하였다. 이는 옛날의 제도를 말한 것이다. 그러나 「빙례(聘禮)」와 『좌전·서(序)』의 『정의(正義)』에 인용된 정현의 말이 일치하지 않는다. 내가 이렇게 지금 교정하였지만, 옳은 것인지는 알 수 없다. 『상서』에 대한 정현의 주석에서 '30자가 1간(簡)에 드는 글자 수이다'라고 했는데, 『좌전』에 대한 복건의 주석에서는 '고문(古文)이나 전서(篆書)는 한 개의 간(簡)에 8자가 들어간다.'라고 하였다. 『한서·예문지』에서는 '유향(劉向)이 벽중고문(壁中古文)으로 『금문상서(今文尙書)』를 교정했는데, 고문(古文)은 1간(簡)에 25자가 든 것도 있고, 22자가 든 것도 있다.'라고 했는데, 죽간의 길이가 다르고 이 때문에 들어가는 글자 수도 다르다는 것을 알 수 있다."

268) 고문자에서 金文 石刻古文 說文小篆 說文古文 등으로 썼다. 口(입 구)와 冊(책 책)이 의미부고 司(맡을 사)가 소리부로, 명령서(冊)를 입(口)으로 읽어 내리며 일을 맡기다(司)는 뜻을 그렸다. 이후 '임금의 자리를 계승하다'는 뜻이 나왔고, 이로부터 계승하다, 계승자 등의 뜻으로 파생되었다.

1430

扁: 扁: 넓적할 편: 戶-총9획: biǎn

原文

扁: 署也. 从戶、冊. 戶冊者, 署門戶之文也. 方沔切.

譯

'편액에다 글씨를 쓰다(署)'라는 뜻이다.[269] 호(戶)와 책(冊)이 모두 의미부이다.[270] 호책(戶冊)은 진나라 때의 현판에 쓴 글씨체를 말한다.[271] 독음은 방(方)과 면(沔)의 반절이다.

---

269) 『단주』에서 "서(署)는 부서의 현판에 쓴 글씨체를 말한다(部署有所网屬也)"라고 했다.

270) 扁은 소전체에서 처음 보이는데, 戶(지게 호)와 冊(책 책)으로 구성되어, 문(戶) 위에 거는 가로로 된 글(冊), 즉 扁額(편액)을 말했는데, 이후 편액처럼 가로로 길고 납작한 것을 뜻하게 되었다.

271) 『단주』에서 이렇게 말했다. "서문호(署門戶)는 진나라 때의 8가지 서체 중 여섯 번째인 서서(署書)를 말한다(秦書八體, 六曰署書.) 그러나 소자량(蕭子良)에 의하면 서서(署書)는 한나라 고조(高祖) 6년 소하(蕭何)가 확정한 서체인데, 창룡궐(蒼龍闕)과 백호궐(白虎闕)의 제액에 사용했었다." 진(秦)나라 때에는 여덟 가지의 서체에 대해서 『설문·서』에서는 이렇게 기록했다. "첫째 대전(大篆)이라는 것이요, 둘째 소전(小篆)이라는 것이요, 셋째 각부(刻符)라는 것이요, 넷째 충서(蟲書)라는 것이요, 다섯째 모인(摹印)이라는 것이요, 여섯째 서서(署書)라는 것이요, 일곱째 수서(殳書)라는 것이요, 여덟째 예서(隸書)라는 것이다."

완역 설문해자

제3권
(상)

제45부수
045 ■ 집(㗊)부수

1431

㗊: 㗊: 여러 사람의 입 집·우레 뢰: 口-총12획: jí

(原文)

㗊: 眾口也. 从四口. 凡㗊之屬皆从㗊. 讀若戢. 又讀若呶. 阻立切.

(飜譯)

'입이 많다(眾口)'라는 뜻이다. 네 개의 구(口)로 구성되었다. 집(㗊)부수에 귀속된
글자는 모두 집(㗊)이 의미부이다. 집(戢)과 같이 읽는다. 또 노(呶)와 같이 읽는다.[1]
독음은 조(阻)와 립(立)의 반절이다.

1432

嚚: 嚚: 어리석을 은: 口-총18획: yín

(原文)

嚚: 語聲也. 从㗊臣聲. 𠯏, 古文嚚. 語巾切.

(飜譯)

'웅성웅성하는 소리(語聲)'를 말한다. 집(㗊)이 의미부이고 신(臣)이 소리부이다. 은
(𠯏)은 은(嚚)의 고문체이다. 독음은 어(語)와 건(巾)의 반절이다.

---

1) 서개의 대서본에서는 "一曰呶"로 되어 '독약(讀若)'이 빠졌다. 그렇게 되면 이는 독음에 관한
   설명이 아니라 의미에 관한 설명이 되어 "달리 시끄럽게 떠드는 소리라고도 한다(一曰呶)"로
   풀이된다. 『단주』에서도 『집운(集韵)』의 [하평성] 제5부 효(肴)운에 이 글자가 실려 있지 않다
   고 하여, 의미의 풀이로 보았다.

1433

𩒀 : 嚣: 들렐 효: 口-총21획: xiāo

原文

嚣: 聲也. 气出頭上. 从㗊从頁. 頁, 首也. 𩒀, 嚣或省. 許嬌切.

譯

'왁자지껄한 소리(聲)'를 말한다. 기운이 머리 위로 나오는 모습을 그렸다. 집(㗊)이 의미부이고 혈(頁)도 의미부이다. 혈(頁)은 머리(首)를 뜻한다. 효(𩒀)는 효(嚣)의 혹체자인데, 생략된 모습으로 구성되었다. 독음은 허(許)와 교(嬌)의 반절이다.

1434

㗊 : 㕯: 크게 부르짖을 교: 口-총14획: jiào

原文

㗊: 高聲也. 一曰大呼也. 从㗊니聲. 『春秋公羊傳』曰: "魯昭公叫然而哭." 古弔切.

譯

'큰 소리(高聲)'를 말한다. 일설에는 '크게 부르다(大呼)'라는 뜻이라고도 한다. 집(㗊)이 의미부이고 구(니)가 소리부이다. 『춘추공양전』(소공 25년, B.C. 517)에서 "노나라 소공이 큰 소리로 울기 시작했다(魯昭公叫然而哭)"라고 했다. 독음은 고(古)와 조(弔)의 반절이다.

1435

㗊 : 嚾: 큰 소리로 부를 환: 口-총24획: huàn

原文

嚾: 呼也. 从㗊莧聲. 讀若讙. 呼官切.

飜譯

'부르다(呼)'라는 뜻이다. 집(朤)이 의미부이고 환(萈)이 소리부이다. 환(讙)과 같이 읽는다. 독음은 호(呼)와 관(官)의 반절이다.

1436

器: 그릇 기: 口-총16획: qì

原文

器: 皿也. 象器之口, 犬所以守之. 去冀切.

飜譯

'그릇(皿)'을 말한다. [집(朤)은] 그릇의 아가리를 그렸고, 개가 그것들을 지키는 모습이다.2) 독음은 거(去)와 기(冀)의 반절이다.

---

2) 고문자에서 🔲 🔲 🔲 🔲 🔲 金文 🔲 🔲 古陶文 🔲 🔲 簡牘文 등으로 썼다. 소전에서처럼 犬(개 견)과 朤(여러 사람의 입 집)으로 구성되어, 장독 같은 여럿 놓인 기물(朤) 주위를 개(犬)가 어슬렁거리며 지키는 모습을 그렸다. 이로부터 '器物(기물)'이라는 뜻이 나왔고, 신체의 기관을 말하기도 한다. 옛날에는 관직이나 작위의 등급을 헤아리는 단위로도 쓰였으며, 이로부터 관직이나 작위를 뜻하기도 하였다. 또 구체적 사물을 뜻하여 형이상학적인 道(도)와 대칭되는 개념으로 쓰이기도 한다.

> 제46부수
>
> 046 ■ 설(舌)부수

1437

舌: 舌: 혀 설: 舌-총6획: shé

原文

舌: 在口, 所以言也, 別味也. 从干从口, 干亦聲. 凡舌之屬皆从舌. 食列切.

譯

'입 속에 있는 말을 하고 맛을 분별하는 기관(在口, 所以言也, 別味)'을 말한다. 간(干)이 의미부이고3) 구(口)도 의미부인데, 간(干)은 소리부도 겸한다.4) 설(舌)부수에 귀속된 글자는 모두 설(舌)이 의미부이다. 독음은 식(食)과 렬(列)의 반절이다.

---

3) 『단주』에서 "간(干)은 범하다(犯)라는 뜻인데, 말은 입을 거쳐서 나오고, 음식은 입을 거쳐서 들어간다(言犯口而出之, 食犯口而入之.)는 것을 말했다."라고 했다.

4) 고문자에서 甲骨文 古陶文 簡牘文 등으로 썼다. 아랫부분은 입(口·구)을, 윗부분은 길게 뻗어 두 갈래로 갈라진 어떤 것을 그렸다. 이는 "말을 하고 맛을 구분하는 기관"이라고 풀이한 『설문해자』의 해석을 참고하면 '혀'로 보인다. 하지만, 혀라면 끝이 둘로 갈라진 모습이 차라리 사람의 혀보다는 뱀의 혀를 닮았다고 해야 할 것이다. 그렇다면 말을 하는 기관과는 거리가 멀다. 게다가 뱀의 혀라면 가능하면 사람과 관계 지어 구체적 형태를 본뜨고 이미지를 그려내던 초기 한자의 보편적 형상 특징에도 위배된다. 한자에서 舌과 音(소리 음)과 言(말씀 언)은 형태나 의미에서 매우 밀접한 관계를 갖는다. 즉 갑골문에서 舌에 가로획을 더하면 音이 되고, 音에 다시 가로획을 더하면 言이 된다. 音은 舌에다 거기서 나오는 '소리'를 상징화하고자 가로획을 더했고, 그래서 音은 사람이 아닌 '악기의 소리'를 지칭한다. 또 音에다 다시 가로획을 더해 言을 만든 것은 악기의 소리와 사람의 '말'을 구분하고자 분화한 것이지만, 言의 옛날 용법에는 여전히 대나무로 만든 관악기라는 뜻이 담겨 있다. 따라서 舌은 위쪽이 대나무 줄기(干·간, 杆의 본래 글자)를, 아래는 대로 만든 악기의 혀(reed)를 그린 것으로 생각하는데, 소전체에서 舌이 干(방패 간)과 口로 구성된 것은 이를 반영한다. 그래서 舌은 피리처럼 생긴 관악기의 소리를 내는 '혀'가 원래 뜻이며, 이후 사람의 혀로 의미가 확대되었고, 다시 音을 만들어 악기 소리와 인간의 말을 구분한 것으로 추정할 수 있다. 현행 옥편의 舌부수에 귀속된 글자는 대부분 '혀'의 동작이나 기능과 관련되어 있는데, 이는 인간의 '혀'로 파생된 이후의 의미를 담은 글자들이다.

1438

𧮫 : 㖓: 들이 마실 탑: 舌-총14획: tà

原文

𧮫 : 歠也. 从舌沓聲. 他合切.

翻譯

'들이켜 마시다(歠)'라는 뜻이다. 설(舌)이 의미부이고 답(沓)이 소리부이다. 독음은 타(他)와 합(合)의 반절이다.

1439

䑛 : 䑛: 핥을 지: 舌-총14획: shì

原文

䑛 : 以舌取食也. 从舌易聲. 舓, 䑛或从也. 神旨切.

翻譯

'혀로 음식물을 맛보다(以舌取食)'라는 뜻이다. 설(舌)이 의미부이고 역(易)이 소리 부이다. 지(舓)는 지(䑛)의 혹체자인데, 야(也)로 구성되었다. 독음은 신(神)과 지(旨)의 반절이다.

제
3
권

제47부수

047 ■ 간(干)부수

1440

ᙀ : 干: 방패 간: 干-총3획: gān

原文

ᙀ : 犯也. 从反入, 从一. 凡干之屬皆从干. 古寒切.

飜譯

'범하다(犯)'라는 뜻이다. 입(入)을 거꾸로 한 모습이 의미부이고[5] 일(一)도 의미부이다.[6] 간(干)부수에 귀속된 글자는 모두 간(干)이 의미부이다. 독음은 고(古)와 한(寒)의 반절이다.

1441

ᙁ : ᙁ : 약간 심할 임: 干-총5획: rěn

---

[5] 『단주』에서 "입(入)을 거꾸로 한 모습으로 구성되었다고 한 것은 위로 침범하다(上犯)는 뜻이다"라고 하였다.

[6] 고문자에서 ᙀ ᙀ 甲骨文 ᙁ ᙁ ᙀ 金文 ᙀ 古陶文 ᙁᙀ 簡牘文 등으로 썼다. 갑골문에서 긴 대가 있는 끝이 갈라진 사냥도구의 모습을 그렸다. 그러나 어떤 학자는 윗부분이 돌구슬(石球.석구)을 맨 줄을 던져 짐승의 뿔이나 다리를 묶을 수 있도록 고안된 사냥 도구를 그렸고, 아랫부분은 큰 뜰채를 그린 單(홑 단)의 원래 글자라고 보기도 한다. 『설문해자』에서 '범하다(犯.범)'라고 풀이한 것으로 미루어 볼 때, 이는 짐승을 잡던 사냥도구에서 이후 적을 공격하는 무기로 변했음을 추정할 수 있다. 갑골문에는 방패처럼 보이는 자형도 보이는데, 이는 짐승을 잡을 때나 적을 공격할 때 초기 단계에서 방패 따로 무기 따로 존재했던 것이 아니라 방패와 무기의 기능이 하나로 통합되었기 때문일 것이다. 이것이 이후의 문헌에서 干을 '방패(盾.순)'라고 풀이하게 된 이유일 것이다. 干이 긴 대를 갖춘 사냥도구라는 점에서 '크다'나 '근간'의 뜻을 갖게 되었으며, 간지자로도 가차되었다. 현대 중국에서는 乾(하늘 건)과 幹(줄기 간)의 간화자로도 쓰인다.

原文

羊: 撠也. 从干. 入一爲干, 入二爲羊. 讀若能. 言稍甚也. 如審切.

翻譯

'찌르다(撠)'라는 뜻이다. 간(干)이 의미부이다. 입(入)과 일(一)이 합쳐지면 간(干)이 되고, 입(入)과 이(二)가 합쳐지면 임(羊)이 된다. 능(能)과 같이 읽는다. '다소 깊다(稍甚)'라는 뜻이다. 독음은 여(如)와 심(審)의 반절이다.

1442

屰: 屰: 거스를 역: 屮-총6획: nì

原文

屰: 不順也. 从干下屮. 屰之也. 魚戟切.

翻譯

'순조롭지 못하다(不順)'라는 뜻이다. 간(干)이 의미부이고, 아랫부분은 철(屮)로 구성되었다. [초목이 처음 자라날 때 윗부분이 막혀 있어] 자라는 것이 순조롭지 못하다는 뜻이다. 독음은 어(魚)와 극(戟)의 반절이다.

제48부수
048 ■ 갹(谷)부수

1443

谷: 谷: 입 둘레의 굽이 **갹**: 谷-총7획: jué

原文

谷: 口上阿也. 从口, 上象其理. 凡谷之屬皆从谷. 𠴕, 谷或如此. 𦞠, 或从肉从
豦. 其虐切.

飜譯

'입 윗부분의 살이 가운데가 솟아 불룩하게 언덕진 것(口上阿)'을 말한다. 구(口)가
의미부이며, 그 윗부분은 주름을 형상했다. 갹(谷)부수에 귀속된 글자는 모두 갹(谷)
이 의미부이다. 갹(𠴕)은 갹(谷)의 혹체자로 이렇게 쓴다. 갹(𦞠)도 혹체자로 육(肉)
도 의미부이고 거(豦)도 의미부이다. 독음은 기(其)와 학(虐)의 반절이다.

1444

西: 西: 핥을 **첨**: 一-총6획: tiàn

原文

西: 舌皃. 从谷省. 象形. 𠧧, 古文西. 讀若三年導服之導. 一曰竹上皮, 讀若沾.
一曰讀若誓, 弼字从此. 他念切.

飜譯

'혀로 (핥는) 모습(舌皃)'을 말한다. 갹(谷)의 생략된 모습이 의미부이다. 상형이다. 첨
(𠧧)은 첨(西)의 고문체이다. "삼년담복(三年導服)[7]이라고 할 때의 담(導)과 같이 읽

---

7) 도(導)를 여기서는 담(導)으로 읽는다. 상례에서 3년 동안 담복(導服)을 입는다는 말인데, 담복
(導服)은 담복(禫服)을 말한다. 담복(禫服)은 탈상한 후 담제(禫祭)를 지낼 때까지 입는 엷은

는다.8) 또 대나무 껍질을 말한다고도 하는데, 첨(沾)과 같이 읽는다. 또 서(誓)와 같이 읽기도 한다. 필(弼)자가 이 글자로 구성되었다. 독음은 타(他)와 념(念)의 반절이다.

옥색의 상복(喪服)을 말하는데, 달리 천담복(淺禫服)이라고 한다. 보통 담복(禫服)이라고 하나 여기서 담복(導服)이라 한 것은 고문경학의 전통을 따랐기 때문이다. 그리고 담복(導服)이 "흉한 것을 길한 것으로 이끌다(導)"는 의미 때문으로도 보인다. 상세한 것은 다음의 주석을 참조하라.

8) 『단주』에서 이렇게 말했다. "『의례.사우례(士虞禮)』의 주석에서 고문에서 담(禫)은 간혹 담(導)으로 쓰기도 한다. 『예기.단궁(檀弓)』과 「상대기(喪大記)」의 주석에서 모두 담(禫)은 간혹 도(道)로 적는다고 했다. 이는 금문『예(禮)』에서는 담(禫)으로 적고 고문『예』에서는 담(導)으로 적었다는 것을 말해준다. 정현은 금문(今文)을 따랐고 그래서 고문을 주석에다 넣어 놓았다. 그러나 허신은 고문을 따랐다. 그래서 여기의 설명을 비롯해 목(木)부와 혈(穴)부에서도 모두 삼년담복(三年導服)이라 썼으며, 시(示)부수에도 담(禫)자가 수록되지 않았다. 오늘날의 판본에서 담(禫)자가 수록된 것은 후인들이 더한 결과이다. 담복(導服)이라는 것은 흉한 것을 길한 것으로 이끌다(導凶之吉)는 뜻이다."

제49부수
049 ■ 지(只)부수

1445

只: 只: **다만 지**: 口-총5획: zhǐ

原文

只: 語巳詞也. 从口, 象气下引之形. 凡只之屬皆从只. 諸氏切.

飜譯

'어기가 끝났음을 나타내는 말(語巳詞)'이다.9) 구(口)가 의미부이며, [팔(八)은] 어기가 아래로 퍼지는 모습을 그렸다. 지(只)부수에 귀속된 글자는 모두 지(只)가 의미부이다. 독음은 제(諸)와 씨(氏)의 반절이다.

1446

甹只: 甹只: **소리 형**: 口-총12획: xīn

原文

甹只: 聲也. 从只甹聲. 讀若聲. 呼形切.

飜譯

'소리(聲)'를 말한다. 지(只)가 의미부이고 빙(甹)이 소리부이다. 성(聲)과 같이 읽는다. 독음은 호(呼)와 형(形)의 반절이다.

---

9) 『단주』에서 이렇게 말했다. "의(矣)나 지(只)는 모두 말이 그쳤음을 나타내는 어기사이다(語止之詞). 『시.용풍(庸風)』의 '母也天只, 不諒人只.(어머니는 하늘같으신 분, 저를 몰라주시나이까?)'의 지(只)가 바로 이 용법에 해당한다. 달리 시(是)로 가차되기도 하는데, 『시.소아』의 '樂只君子(훌륭하신 군자여)'의 전(箋)에서 지(只)는 시(是)라는 뜻이라고 했다. 또 『시.왕풍』의 '其樂只且(정말 즐겁네)'의 전(箋)에서는 '이것을 즐길 따름이다(其且樂此而已)'라고 풀이하여 [차(此)로 풀이]한 바 있다. 내 생각으로는, 여기서처럼 차(此)로 지(只)를 풀이한 것은 『시.소아』의 전(箋)의 풀이와 같다. 송나라 사람들의 시에서는 지(只)를 지(祇)로 사용하였는데, '단지(但)'라는 뜻이다. 오늘날 사람들도 이를 연용하고 있는데, 이때는 척(隻)으로 읽는다."

제50부수
050 ■ 눌(㕯)부수

1447

㕯: 㕯: 말을 더듬을 눌·말 느린 소리 열: 口-총7획: nè

原文

㕯: 言之訥也. 从口从内. 凡㕯之屬皆从㕯. 女滑切.

飜譯

'말을 더듬어 어눌하다(言之訥)'라는 뜻이다. 구(口)가 의미부이고 내(內)도 의미부이다.[10] 눌(㕯)부수에 귀속된 글자는 모두 눌(㕯)이 의미부이다. 독음은 여(女)와 활(滑)의 반절이다.

1448

矞: 矞: 송곳질할 율: 矛-총12획: yù

原文

矞: 以錐有所穿也. 从矛从㕯. 一曰滿有所出也. 余律切.

飜譯

'송곳으로 구멍을 내다(以錐有所穿)'라는 뜻이다. 모(矛)가 의미부이고 눌(㕯)도 의미부이다. 일설에는 '가득차서 넘쳐 나오다(滿有所出)'라는 뜻이라고도 한다. 독음은 여(余)와 률(律)의 반절이다.

---

10) 이 둘을 모두 의미부로 보았다는 것은 글자 그대로 풀이하자면, "말이 나오지 않고 들어가다"는 것으로 풀이할 수 있다.

1449

商: 商: 헤아릴 상: 口-총11획: shāng

原文

商: 从外知內也. 从㕯, 章省聲. 𠚶, 古文商. 𠗘, 亦古文商. 𠘫, 籒文商. 式陽
切.

譯

'외부의 모습으로부터 속의 것을 헤아리다(从外知內)'라는 뜻이다. 눌(㕯)이 의미부이
고, 장(章)의 생략된 부분이 소리부이다.[11] 상(𠚶)은 상(商)의 고문체이다. 상(𠗘)도 상
(商)의 고문체이다. 상(𠘫)은 상(商)의 주문체이다. 독음은 식(式)과 양(陽)의 반절이다.

---

11) 고문자에서 ![甲骨文] 甲骨文 ![金文] 金文 ![古陶文]古陶文 ![簡牘文]簡牘文 ![石刻古文]石刻古文
등으로 썼다. 이의 자원에 대해서는 "우뚝 솟은 입구가 있는 건물의 모습인데, 그곳이 정치의
중심임을 나타냈다"는 등 설이 분분하지만, 갑골문과 금문 자형을 종합해 보면, 두 개의 장식
용 기둥(柱)과 세 발(足)과 둥그런 배(腹)를 갖춘 술잔을 그린 것으로 보인다. 이 글자가 商이
라는 민족과 나라를 지칭하게 된 연유는 잘 알려지지 않았지만 일찍부터 하남성 동북부에 있
던 殷墟(은허)를 商이라 불렀는데, 그곳은 당시 中原(중원)의 핵심 지역으로 교통이 편리해 교
역이 성행했다. 商에 거점을 두었던 商族들은 장사수완이 대단히 뛰어났던 것으로 알려져 있
다. 그래서 그들을 '商에 사는 사람'이라는 뜻의 '商人(상인)'으로 불렀는데, 이후 '장사꾼'이
라는 뜻으로 쓰였다. 장사에는 언제나 가격 흥정이 있게 마련이다. 그래서 商에는 商議(상의)
나 商談(상담)에서처럼 '의논하다'는 뜻도 들게 되었던 것으로 추정된다.

제51부수
051 ■ 구(句)부수

1450

觓: 句: 글귀 구: 口-총5획: gōu

原文

觓: 曲也. 从口丩聲. 凡句之屬皆从句. 古矦切.

譯

'굽다(曲)'라는 뜻이다.12) 구(口)가 의미부이고 구(丩)가 소리부이다.13) 구(句)부수에 귀속된 글자는 모두 구(句)가 의미부이다. 독음은 고(古)와 후(矦)의 반절이다.

1451

拘: 拘: 잡을 구: 手-총8획: jū

---

12) 『단주』에서 이렇게 말했다. "구부러진 물건은, 펴면 거(佢)가 되고 오므리면 구(句)가 된다.『주례.고공기』에는 거구(佢句)라는 말이 자주 나오고,『예기.악기』에서는 '펴면 거에 맞추고, 구부리면 구에 맞춘다(佢中矩, 句中鉤)'라고 하였으며,『회남자(淮南子)』에서 짐승에 관해 풀이하면서 '구부러진 발톱과 펴진 어금니(句爪佢牙)'라고 하였다. 지명에서도 구(句)자가 들어가면 모두 산천과 지형이 굽어 있음을 말한다. 예컨대, 구용(句容), 구장(句章), 구여(句餘), 고구려(高句驪) 등이 모두 그러하다. 장구(章句)라는 말의 구(句)도 '잠깐 갈고리로 구부릴 수 있다(雷可鉤乙)'는 뜻을 가진다. 고대음에서는 모두 구(鉤)라고 읽었는데, 이후 사람들이 굽다(句曲)라는 뜻은 구(鉤)로 읽고 문장(章句)이라는 뜻은 구(屨)로 읽게 되었다. 또 굽다(句曲字)라는 뜻을 나타낼 때에는 구(勾)로 바꾸었다. 이는 세속에서의 구분으로, 옛것과 함께 논의할 수는 없는 것들이다."

13) 고문자에서 ![갑골문] 甲骨文 ![금문] 金文 ![고도문] 古陶文 ![간독문] 簡牘文 등으로 썼다. 갑골문에 의하면 口(입 구)가 의미부이고 丩(얽힐 구)가 소리부로, 말(口)을 서로 얽어서(丩) 만들어낸 '문장'이나 그 단위를 말했고, 이로부터 '글'이라는 의미가 나왔는데, 이후 배가 불러 허리를 굽힌 사람의 모습인 勹(쌀 포)와 口의 결합으로 변했다. 句로 구성된 합성자에서는 句와 勾를 서로 바꾸어 쓰기도 한다.

原文

拘 : 止也. 从句从手, 句亦聲. 舉朱切.

飜譯

'제지하다(止)'라는 뜻이다. 구(句)가 의미부이고 수(手)도 의미부인데, 구(句)는 소리부도 겸한다. 독음은 거(舉)와 주(朱)의 반절이다.

1452

笱 : 笱: **통발 구**: 竹-총11획: gǒu

原文

笱 : 曲竹捕魚笱也. 从竹从句, 句亦聲. 古厚切.

飜譯

'대나무를 굽혀 만든 물고기 잡는 기구(曲竹捕魚笱) 즉 통발'을 말한다. 죽(竹)이 의미부이고 구(句)도 의미부인데, 구(句)는 소리부도 겸한다. 독음은 고(古)와 후(厚)의 반절이다.

1453

鉤 : 鉤: **갈고랑이 구**: 金-총13획: gōu

原文

鉤 : 曲也. 从金从句, 句亦聲. 古矦切.

飜譯

'굽다(曲)'라는 뜻이다. 금(金)이 의미부이고 구(句)도 의미부인데, 구(句)는 소리부도 겸한다. 독음은 고(古)와 후(矦)의 반절이다.

제52부수
052 ■ 구(丩)부수

1454

丩: 丩: 얽힐 구: 丨-총1획: jiū

原文

丩: 相糾繚也. 一曰瓜瓠結丩起. 象形. 凡丩之屬皆从丩. 居虯切.

飜譯

'서로 뒤얽히다(相糾繚)'라는 뜻이다. 일설에는 '외의 줄기가 다른 것을 감고 올라가다(瓜瓠結丩起)'라는 것을 말한다고도 한다.[14] 상형이다. 구(丩)부수에 귀속된 글자는 모두 구(丩)가 의미부이다. 독음은 거(居)와 규(虯)의 반절이다.

1455

[茻+丩]: [茻+丩]: 서로 얽힐 규: 艸-총12획: jiū

原文

[茻+丩]: 艸之相丩者. 从茻从丩, 丩亦聲. 居虯切.

飜譯

'풀이 서로 뒤엉킨 것(艸之相丩者)'을 말한다. 망(茻)이 의미부이고 구(丩)도 의미부인데, 구(丩)는 소리부도 겸한다. 독음은 거(居)와 규(虯)의 반절이다.

---

14) 『단주』에서 이렇게 말했다. "오이나 박 등의 줄기(瓠之縢)가 다른 것을 말아 타고 올라가는 것을 말한다(緣物纏結而上). 『시.소아.남유가어(南有嘉魚)』에서 말한 '南有樛木, 甘瓠纍之.(남쪽 가지 늘어진 나무에, 단박 덩굴이 감겨 있네.)'라고 한 것과 같다."

1456

: 糾: 꼴 규: 糸-총8획: jiū

原文

: 繩三合也. 从糸、丩. 居黝切.

譯

'여러 줄의 끈을 하나로 꼬다(繩三合)'라는 뜻이다. 멱(糸)과 구(丩)가 의미부이다.
독음은 거(居)와 유(黝)의 반절이다.

제53부수
053 ■ 고(古)부수

1457

古: 古: 옛 고: 口-총5획: gǔ

原文

古: 故也. 从十、口. 識前言者也. 凡古之屬皆从古. 𠖠, 古文古. 公戶切.

飜譯

'오래되었다(故)'라는 뜻이다. 십(十)과 구(口)가 의미부이다. '오래전의 말을 기록한다(識前言者)'15)라는 뜻이다.16) 고(古)부수에 귀속된 글자는 모두 고(古)가 의미부이다. 고(𠖠)는 고(古)의 고문체이다. 독음은 공(公)과 호(戶)의 반절이다.

1458

嘏: 嘏: 클 하: 口-총14획: jiǎ

---

15) 『단주』에서 이렇게 말했다. "오래 전의 말을 알려주는 것은 입이다. 열에 이르게 되면 전해지고, 인습으로 바뀌고 이것이 바로 '옛날부터의 것'이 된다(識前言者口也. 至於十則展轉因襲. 是爲自古在昔矣.)"

16) 고문자에서 (갑골문 자형들) 甲骨文 (금문 자형들)金文 古古古陶文 古古簡牘文 등으로 썼다. 十(열 십)과 口(입 구)로 구성되었는데, 『설문해자』에서는 십(十) 대 이전부터 구전되어(口) 오던 오래된 옛날이야기라는 뜻이라고 했다. 이로부터 '옛날'이라는 의미가 나왔고, 이후 오래되다, 소박하다 등의 뜻도 나왔다. 갑골문에서는 口에 세로획(丨)이 더해진 형태였는데, 이후 세로획이 十으로 변해 지금의 자형이 되었다. 최근 허진웅(2021)의 연구에 의하면, "'옛날에'라는 의미는 추상적인 의미이므로, 분명 다른 글자에서 빌려와 의미를 표현했을 것이다. 갑골문의 자형을 보면, 하나는 구(口)자 위에 세로 선이 하나 더해졌고, 다른 하나는 구(口)자 위에 테를 두른 원형이 더해진 모습이다. 글자 창제의미는 고(故)자와 관련이 있을 수 있는데, 사고가 있을 때는 모든 사람에게 기물을 두드려 사실을 알려야했음을 표현했다. 고문체에서는 석(石)이 들어갔는데, 경고를 알리는 도구인 석경을 두드려 알렸음을 말해주는 방증이 된다."라고 했다. 참고할만하다.

제
3
권

原文

䀦: 大遠也. 从古叚聲. 古雅切.

飜譯

'매우 멀다(大遠)'라는 뜻이다. 고(古)가 의미부이고 가(叚)가 소리부이다. 독음은 고(古)와 아(雅)의 반절이다.

제54부수

054 ▪ 십(十)부수

1459

十: 十: 열 십: 十-총2획: shí

原文

十: 數之具也. 一爲東西, |爲南北, 則四方中央備矣. 凡十之屬皆从十. 是執切.

飜譯

'수가 다 갖추어졌음(數之具)'을 말한다. 가로획[一]은 동서를, 세로획[丨]은 남북을 말하여 사방과 중앙이 다 갖추어졌음을 말한다.17) 십(十)부수에 귀속된 글자는 모두 십(十)이 의미부이다. 독음은 시(是)와 집(執)의 반절이다.

1460

丈: 丈: 어른 장: 一-총3획: zhàng

原文

丈: 十尺也. 从又持十. 直兩切.

飜譯

'10자(尺)'를 말한다. 손(又)으로 십(十)을 쥔 모습을 그렸다.18) 독음은 직(直)과 량

---

17) 고문자에서 ▮丨甲骨文 丨丨丨金文 十古陶文 十簡牘文 등으로 썼다. 원래 문자가 없던 시절 새끼 매듭을 묶어 '열 개'라는 숫자를 나타내던 약속 부호였는데, 문자로 정착된 글자이다. 갑골문에서는 단순히 세로획으로 나타났지만, 금문에서는 중간에 지어진 매듭이 잘 표현되었다. 이후 소전체에 들면서부터 매듭이 가로획으로 변해 지금처럼 되었다. 十(열 십)이 둘 모이면 卄(스물 입), 셋 모이면 卅(서른 삽), 넷 모이면 卌(마흔 십) 등이 된다. 十은 『설문해자』에서 말한 것처럼 十은 "숫자가 다 갖추어짐"을 뜻한다. 그래서 十美十全(십미십전)은 모든 것이 완벽하게 다 갖추어졌다는 뜻이다. 여기서부터 '많다'는 뜻도 가지게 되었다.

(兩)의 반절이다.

1461

仟: 千: **일천 천**: 十-총3획: qiān

原文

仟: 十百也. 从十从人. 此先切.

飜譯

'백(百)이 열 개 모인 것 즉 일천'을 말한다. 십(十)이 의미부이고 인(人)도 의미부이다.19) 독음은 차(此)와 선(先)의 반절이다.

1462

肸: 肸: **소리 울릴 힐**: 肉-총8획: xì

原文

肸: 響, 布也. 从十从肖. 義乙切.

飜譯

'소리가 울리다(響), 소리가 흩어지다(布)'라는 뜻이다. 십(十)이 의미부이고 흙(肖)도

---

18) 고문자에서 支 支 簡牘文 등으로 썼다. 又(또 우)와 十(열 십)으로 구성되어, 10자(尺)를 말한다. 又는 손이고, 손을 편 한 뼘의 길이가 尺(자 척)임을 고려하면, 丈은 10뼘 즉 10자를 말한다. 옛날에는 1자가 22센티미터 정도였음이 이를 반영한다. 하지만, 간독문자에서는 손(又)에 나무 막대를 쥔 모습으로, 나무 막대는 지팡이를 상징한다. 그래서 지팡이를 丈의 원래 뜻으로 보기도 한다. 지팡이를 짚은 사람이라는 뜻에서 노인과 어른의 뜻이 나왔고, 나이 든 사람의 존칭으로 쓰였다. 그러자 원래 뜻은 木(나무 목)을 더한 杖(지팡이 장)으로 분화했다.

19) 고문자에서 甲骨文 千 金文 千古陶文 簡牘文 千 古璽文 등으로 썼다. 갑골문에서 상징부호인 가로획(一)에 소리부인 人(사람 인)을 더해 1천이라는 숫자를 나타냈고, 이로부터 '많다'는 뜻이 나왔다. 혹자는 벼(禾)를 그렸으며, 벼에 달린 낟알이 매우 많음으로부터 1천이란 숫자를 나타냈다고 풀이하기도 한다. 현대 중국에서는 韆(그네 천)의 간화자로도 쓰인다.

의미부이다. 독음은 희(羲)와 을(乙)의 반절이다.

1463

斟: 斟: 많을 집: 十-총11획: jí

原文

斟: 斟斟, 盛也. 从十从甚. 汝南名蠶盛曰斟. 子入切.

飜譯

'집집(斟斟)'을 말하는데, '무성하다(盛)'라는 뜻이다. 십(十)이 의미부이고 심(甚)도 의미부이다. 여남(汝南)20) 지역에서는 누에가 많은 모습을 집(斟)이라 한다.21) 독음은 자(子)와 입(入)의 반절이다.

1464

博: 博: 넓을 박: 十-총12획: bó

原文

博: 大, 通也. 从十从尃. 尃, 布也. 補各切.

飜譯

'크다(大), 두루 통하다(通)'라는 뜻이다. 십(十)이 의미부이고 부(尃)도 의미부인데, 부(尃)는 '널리 퍼지다(布)'라는 뜻이다.22) 독음은 보(補)와 각(各)의 반절이다.

---

20) 현재의 하남성 주마점(駐馬店)시에 속하는 지역인데, 춘추전국시대 때에는 채(蔡)나라에 속했고, 그 전에는 예주(豫州)에 속했었다.
21) 이는 여남(汝南) 지역의 방언을 말한 것인데,『단주』에 의하면, 당시의 강소(江蘇) 지역 속어에서도 밀집(密斟)이라고 한다고 했다. 여남(汝南)은 오늘날 하남(河南)성 주마점(駐馬店)시의 동부에 있다. 옛날에는 예주(豫州)에 속했는데, 예주(豫州)는 구주(九州)의 하나였고, 또 예주의 가운데 있었기 때문에 천중(天中)이라 불리기도 했다.
22) 고문자에서 ▨▨▨金文 ▨▨古陶文 ▨簡牘文 등으로 썼다. 十(열 십)이 의미부이고 尃(펼 부)가 소리부인데, 尃는 갑골문에 근거할 때 專(오로지 전)과 매우 닮았다. 專은 갑골문에서 윗부분의 세 가닥의 실, 중간 부분의 실패, 아래쪽의 원형으로 된 실패 추(紡輪.방

1465

㤼: 㤼: 공이 클 륵: 十-총4획: lè

원문

㤼: 材十人也. 从十力聲. 盧則切.

번역

'다른 사람보다 열 배가 되는 재주를 가진 사람(材十人)'을 말한다. 십(十)이 의미부이고 력(力)이 소리부이다. 독음은 로(盧)와 칙(則)의 반절이다.

1466

廿: 廿: 스물 입: 卄-총4획: niàn

원문

廿: 二十并也. 古文省. 人汁切.

번역

'십(十)자가 두 개 합쳐진 모습(二十并)'이다. 고문체에서는 생략된 모습을 했다. 독음은 인(人)과 즙(汁)의 반절이다.

1467

斝: 斝: 말 모을 집: 十-총11획: jí

륜), 옆쪽의 이를 쥔 손(寸·촌)으로 구성되어 베 짜는 모습을 상징화했고 이로부터 베 짜기와 같은 '專門的(전문적)'인 일을 상징하는 글자가 되었다. 尃는 專에 비해 실패 아랫부분의 실패 추만 빠졌을 뿐 나머지는 같아서 이 둘은 서로 연계지어 해석해야만 할 것이며, 베를 짜기 전 실을 실패에 감아 베틀에 걸고 베 짤 준비를 하는 모습을 그린 것으로 추정된다. 따라서 博은 베 짜기(尃)처럼 專門的인 학식을 두루 갖춘(十) 것을 말하며, 이로부터 넓다, 크다, 광범위하다, 많다, 깊다, 많이 알다(博識·박식) 등의 뜻이 나왔다.

䇘： 詞之葺矣. 从十咠聲. 秦入切.

'단어를 한데 모으다'[23]라는 뜻이다. 십(十)이 의미부이고 집(咠)이 소리부이다. 독음은 진(秦)과 입(入)의 반절이다.

---

23) 『단주』에서 "詞之葺矣"는 "詞之集也"가 되어야 한다고 하면서 이렇게 말했다. "집(葺)은 『광운(廣韻)』과 『옥편(玉篇)』에 근거할 때, 집(集)이 되어야 한다." 또 "사(詞)는 사(辭)로 적어야 하며, 그래서 '詩曰辭之葺矣'가 되어야 완전하다. 『시』에서는 집(葺)이라고 적었는데, 허신이 집(集)으로 해석했던 것이다. 오늘날의 『모시(毛詩)』에서도 집(輯)으로 적었는데, 『전』에서 집(輯)은 화(和)와 같다고 했다. 아마도 허신이 말했던 삼가시(三家詩)에 근거했던 결과일 것이다."

제55부수
055 ■ 삽(卅)부수

1468

卅: 卅: 서른 삽: 十-총4획: sà

原文

卅: 三十并也. 古文省. 凡卅之屬皆从卅. 蘇沓切.

飜譯

'십(十)자가 세 개 합쳐진 모습(三十并)'이다. 고문체에서는 생략된 모습을 했다. 삽(卅)부수에 귀속된 글자는 모두 삽(卅)이 의미부이다. 독음은 소(蘇)와 답(沓)의 반절이다.

1469

世: 世: 대 세: 一-총5획: shì

原文

世: 三十年爲一世. 从卅而曳長之. 亦取其聲也. 舒制切.

飜譯

'삼십 년이 한 세대가 된다(三十年爲一世).' 삽(卅)에서 획을 길게 빼서 늘인 모습이다. [빼서 늘인 획인 불(乀)은] 소리부도 겸한다.24) 독음은 서(舒)와 제(制)의 반절이다.

---

24) 고문자에서 𠀎𠀎𠀎𠀎𠀎𠀎 𠀎𠀎𠀎 金文 𠀎 簡牘文 등으로 썼다. 갑골문에서 매듭을 지은 세 가닥의 줄을 이어 놓은 모습이다. 이 줄은 새끼매듭(結繩.결승)인데, 結繩은 문자가 탄생하기 전 인류가 보편적으로 사용하던 기억의 보조 수단의 하나로, 새끼에 여러 가지의 매듭을 지어 갖가지 의미를 나타내던 방식이다. 여기서 한 가닥의 매듭은 10을 상징하며, 이가 셋 모인 世는 30을 뜻한다. 그래서 世는 30년을 뜻하고, 이는 부모에서 자식으로 이어지는 한 世代(세대)의 상징이었다. 이후 世는 世代라는 뜻으로부터 一生(일생)의 뜻이, 다시 末世(말세)와 같이 왕조나 세상을 뜻하기도 하였다. 이로부터 世는 사람이 사는 世上(세상)이나

제56부수
056 ■ 언(言)부수

1470

言: 言: 말씀 언: 言-총7획: yán

原文

言: 直言曰言, 論難曰語. 从口辛聲. 凡言之屬皆从言. 語軒切.

飜譯

'직접 말하는 것을 언(言)이라 하고 물음에 답하는 것을 논(論)이라고 한다(直言曰言, 論難曰語).'25) 구(口)가 의미부이고 건(辛)이 소리부이다.26) 언(言)부수에 귀속된

世界의 의미로 확장되었다.

25) 『단주』에서 이렇게 말했다. "『시.대아』의 『모전』에서 '직접 말하는 것(直言)을 언(言)이라 하고, 논란을 벌이는 것(論難)을 어(語)라고 한다.'라고 했는데, 여기의 논(論)을 『정의』에서는 답(荅)으로 적었다. 『주례.춘관.대사악(大司樂)』에 대한 정현의 주석에서 '먼저 말하는 것(發端)을 언(言)이라 하고, 질문에 답하는 것(荅難)을 어(語)라고 한다.'라고 했는데, 『예기.잡기(襍記)』의 주석에서 '언(言)은 자신의 일을 말하는 것(言己事)을 말하고, 다른 사람 때문에 하는 말(爲人說)을 어(語)라고 한다.'라고 했다. 이 세 가지 주석은 대동소이하다. 『설문』의 아래 글에서 '어(語)는 논란을 벌이다(論)라는 뜻이다. 논(論)은 의논하다(議)라는 뜻이다. 의(議)는 말하다(語)라는 뜻이다.'라고 했는데, 『시』의 『모전』은 정본(定本)과 집주본(集注本)을 따랐을 것이다. 『이아』와 『모전』에서 '언(言)은 아(我)와 같다'라고 했는데, 이는 쌍성(雙聲)으로 해석한 것으로, 방언에 근거한 해석이다."

26) 고문자에서 ⬚⬚⬚甲骨文 ⬚⬚金文 ⬚ ⬚盟書 ⬚⬚⬚⬚ ⬚簡牘文 등으로 썼다. 입과 혀 그리고 거기서 나오는 '말'을 상징하는 가로획이 더해진 것이 言(말씀 언)이라는 해석이 일반적이지만, 사실 言은 피리 모양의 악기의 입(reed)과 댓가지(竹.죽) 그리고 거기서 나오는 '소리'를 형상화한 것이라고 舌(혀 설)의 자형에서 풀이한 바 있다. 言이 악기의 '소리'에서 사람의 '말'로, 다시 말과 관련된 여러 뜻을 갖게 되었지만, 言으로 구성된 글자에는 일반적인 언어행위 외에도 말에 대한 고대 중국인들의 인식이 잘 반영되어 있다. 먼저, 말은 믿을 수 없는 거짓, 속임의 수단이었으며, 말을 잘하는 것은 능력이 아닌 간사함이자 교활함에 불과하였다. 그 때문에 말의 귀착점은 언제나 다툼이었다. 이처럼 言에는 부정적 인식이 두드러진다.

제3권

글자는 모두 언(言)이 의미부이다. 독음은 어(語)와 헌(軒)의 반절이다.

1471

譻 : 譻: 소리 앵: 言-총21획: yīng

原文

譻: 聲也. 从言賏聲. 烏莖切.

飜譯

'소리(聲)'를 말한다. 언(言)이 의미부이고 영(賏)이 소리부이다. 독음은 오(烏)와 경(莖)의 반절이다.

1472

謦 : 謦: 기침 경: 言-총18획: qǐng

原文

謦: 欬也. 从言殸聲. 殸, 籀文磬字. 去挺切.

飜譯

'기침을 하다(欬)'라는 뜻이다. 언(言)이 의미부이고 성(殸)이 소리부이다. 성(殸)은 경(磬)의 주문(籀文)체이다. 독음은 거(去)와 정(挺)의 반절이다.

1473

語 : 語: 말씀 어: 言-총14획: yǔ

原文

語: 論也. 从言吾聲. 魚舉切.

飜譯

'논란을 벌이다(論)'라는 뜻이다. 언(言)이 의미부이고 오(吾)가 소리부이다. 독음은 어(魚)와 거(擧)의 반절이다.

1474

談: 談: 말씀 담: 言－총15획: tán

原文

談: 語也. 从言炎聲. 徒甘切.

譯

'논란을 벌이다(語)'라는 뜻이다. 언(言)이 의미부이고 염(炎)이 소리부이다.27) 독음은 도(徒)와 감(甘)의 반절이다.

1475

謂: 謂: 이를 위: 言－총16획: wèi

原文

謂: 報也. 从言胃聲. 于貴切.

譯

'있는 사실 그대로 알리다(報)'라는 뜻이다.28) 언(言)이 의미부이고 위(胃)가 소리부이다. 독음은 우(于)와 귀(貴)의 반절이다.

제3권

---

27) 고문자에서는 ⬚古陶文 ⬚簡牘文 ⬚古璽文 등으로 썼는데, 소전에서처럼 言(말씀 언)이 의미부이고 炎(불 탈 염)이 소리부로, 談話(담화)나 談笑(담소)를 말하는데, 불꽃 튀듯(炎) 말(言)을 활발하게 나눈다는 뜻을 담았다.

28) 『단주』에서 이렇게 말했다. "녑(卒)부수에서 보(報)에 대해 죄인처럼 대하다는 뜻이다(當罪人也)라고 풀이했다. 아마도 죄(罪)와 상당하는 것을 보(報)라고 했기 때문일 것이다. 이후 의미가 파생되어 사람이나 일에 대해 논의할 때(論人論事) 있는 사실 그대로 하는 것을 보(報)라고 한다. 그래서 위(謂)라는 것은 사람이나 일에 대해 논평할 때 있는 그대로 하는 것을 말한다(論人論事得其實也)."

1476

諒: 諒: 믿을 량: 言-총15획: liàng

原文

諒: 信也. 从言京聲. 力讓切.

飜譯

'믿다(信)'라는 뜻이다. 언(言)이 의미부이고 경(京)이 소리부이다. 독음은 력(力)과 양(讓)의 반절이다.

1477

詵: 詵: 많을 선: 言-총13획: shēn

原文

詵: 致言也. 从言从先, 先亦聲. 『詩』曰 : "螽斯羽詵詵兮." 所臻切.

飜譯

'말씀을 드리다(致言)'라는 뜻이다. 언(言)이 의미부이고 선(先)도 의미부인데 선(先)은 소리부도 겸한다. 『시·주남·종사(螽斯)』에서 "여치의 날갯짓 소리 직직 울리는데(螽斯羽詵詵兮)"라고 노래했다. 독음은 소(所)와 진(臻)의 반절이다.

1478

請: 請: 청할 청: 言-총15획: qǐng

原文

請: 謁也. 从言青聲. 七井切.

飜譯

'알현하다(謁)'라는 뜻이다. 언(言)이 의미부이고 청(青)이 소리부이다. 독음은 칠(七)과 정(井)의 반절이다.

1479

謁 : 謁 : 아뢸 알 : 言-총16획 : yè

原文

謁 : 白也. 从言曷聲. 於歇切.

譯

'아뢰다(白)'라는 뜻이다. 언(言)이 의미부이고 갈(曷)이 소리부이다. 독음은 어(於)와 헐(歇)의 반절이다.

1480

許 : 許 : 허락할 허 : 言-총11획 : xǔ

原文

許 : 聽也. 从言午聲. 虛呂切.

譯

'귀담아 듣다(聽)'라는 뜻이다. 언(言)이 의미부이고 오(午)가 소리부이다. 독음은 허(虛)와 려(呂)의 반절이다.

1481

諾 : 諾 : 대답할 낙 : 言-총16획 : nuò

原文

諾 : 㲋也. 从言若聲. 奴各切.

譯

'응낙하다(㲋)'라는 뜻이다. 언(言)이 의미부이고 약(若)이 소리부이다.29) 독음은 노(奴)와 각(各)의 반절이다.

1482

龐: 䧹: 응할 응: 言-총22획: yìng

原文

龐: 以言對也. 从言雁聲. 於證切.

譯譯

'말로 대답하다(以言對)'라는 뜻이다. 언(言)이 의미부이고 응(雁)이 소리부이다.30)
독음은 어(於)와 증(證)의 반절이다.

1483

讎: 讎: 짝 수: 言-총23획: chóu

原文

讎: 猶䧹也. 从言雔聲. 市流切.

譯譯

'대답하다는 뜻의 응(䧹)과 같은 뜻이다.' 언(言)이 의미부이고 수(雔)가 소리부이
다.31) 독음은 시(市)와 류(流)의 반절이다.

---

29) 고문자에서 甲骨文 金文 簡牘文 등으로 썼는데, 言(말씀 언)이 의미부이고 若(같을
약)이 소리부로, 말(言)로 동의하여(若) '許諾(허락)함'을 말하며, 이로부터 순종하다, 허락하다,
동의하다의 뜻이 나왔다. 또 옛날 공문의 마지막 부분에 쓰여 그 내용을 허락하고 결재하였음
을 뜻하는 말로도 쓰였다.
30) 달리 응(䧹)으로 쓰기도 한다.
31) 소전체에서처럼 言(말씀 언)이 의미부고 雔(새 한 쌍 수)가 소리부로, 한 쌍의 새(雔)가 서로
마주보고 싸우듯 말(言)로 다툼을 벌이는 것을 말한다. 이로부터 '짝'이라는 뜻 이외에도 '怨
讎(원수)'의 뜻이 나왔으며, 좌우구조로 된 讐(원수 수)의 이체자이다. 간화자에서는 仇(원수
구)에 통합되었다.

1484

諸: 모든 제: 言-총16획: zhū

原文

諸: 辯也. 从言者聲. 章魚切.

飜譯

'구별을 나타내는 말(辯)이다.'³²⁾ 언(言)이 의미부이고 자(者)가 소리부이다. 독음은 장(章)과 어(魚)의 반절이다.

1485

詩: 시 시: 言-총13획: shī

原文

詩: 志也. 从言寺聲. 訨, 古文詩省. 書之切.

飜譯

'뜻을 말로 표현하는 문체를 말한다(志).'³³⁾ 언(言)이 의미부이고 사(寺)가 소리부이다.³⁴⁾ 시(訨)는 시(詩)의 고문체인데, 생략된 모습이다. 독음은 서(書)와 지(之)의 반절이다.

---

32) 『단주』에서 이렇게 말했다. "변(辯)은 당연히 변(辨)이 되어야 한다. 판단하다는 뜻이다(判也). 내 생각에, 변(辨)자 아래에 사(㗊)자가 빠졌을 것이다. 제(諸)자에 대해 변(辨: 판단하다)으로 뜻풀이하지 않았던 것은 그들을 구분하기 위함이었을 것이다."

33) 『단주』에서 이렇게 말했다. "『모시서(毛詩序)』에서 '시(詩)라는 것은 뜻이 나아가는 바이다(志之所之也). 마음속에 있으면 지(志)가 되고 말로 표현하게 되면 시(詩)가 된다.'라고 했다. 내 생각에 허신이 '뜻이 나아가는 바이다(志之所之)'라는 말을 하지 않고 단지 '뜻이다(志也)'라고만 한 것은 『모시서』에서는 분석해서 자세히 말했고 허신은 통으로 묶어서 말했기 때문일 것이다."

34) 고문자에서 簡牘文 등으로 썼다. 소전에서처럼 言(말씀 언)이 의미부고 寺(절 사)가 소리부로, 詩(시)를 말하는데, 원래는 言과 之(갈 지)로 이루어져 말(言)이 가는 대로(之) 표현하는 문학 장르라는 의미를 담았다. 이후 言과 寺의 구성으로 변하면서 말(言)을 가공하고 손질하는(寺) 것이라는 의미로 변화되었다.

1486

讖: 讖: 참서 참: 言-총24획: chán

原文

讖: 驗也. 从言韱聲. 楚蔭切.

譯

'응험이 있는 말(驗)'을 말한다.[35] 언(言)이 의미부이고 섬(韱)이 소리부이다.[36] 독음은 초(楚)와 음(蔭)의 반절이다.

1487

諷: 諷: 욀 풍: 言-총16획: fěng

原文

諷: 誦也. 从言風聲. 芳奉切.

譯

'외우다(誦)'라는 뜻이다. 언(言)이 의미부이고 풍(風)이 소리부이다. 독음은 방(芳)과 봉(奉)의 반절이다.

1488

誦: 誦: 욀 송: 言-총14획: sòng

---

35) 『단주』에서는 "有徵驗之書, 河雒所出書曰讖.(징험이 있는 글, 하수와 낙수에서 나온 글을 참(讖)이라 한다."라는 12글자를 이선(李善)의 『문선주』에 실린 「붕조부(鵬鳥賦)」와 「위도부(魏都賦)」의 주석에 근거해 보충했다고 했다. 또 『석명(釋名)』에서 참(讖)은 섬(纖: 가늘다)과 같다고 했는데, 섬세하고 미묘하기 때문일 것이라고 했다.
36) 소전에서처럼 言(말씀 언)이 의미부 韱(산 부추 섬)이 소리부로, 앞일의 길흉화복에 대하여 세밀하게(韱) 예언하는 말(言), 혹은 그런 것을 기록한 책을 말한다.

原文

誦: 諷也. 从言甬聲. 似用切.

飜譯

'외우다(諷)'라는 뜻이다. 언(言)이 의미부이고 용(甬)이 소리부이다. 독음은 사(似)와 용(用)의 반절이다.

1489

讀: 讀: 읽을 독: 言-총22획: dú

原文

讀: 誦書也. 从言賣聲. 徒谷切.

飜譯

'책을 외우다(誦書)'라는 뜻이다.37) 언(言)이 의미부이고 육(賣)이 소리부이다. 독음은 도(徒)와 곡(谷)의 반절이다.

1490

啻: 啻: 쾌할 억: 口-총 12획: yì

原文

啻: 快也. 从言从中. 於力切.

飜譯

'즐겁다(快)'라는 뜻이다. 언(言)이 의미부이고 중(中)도 의미부이다.38) 독음은 어(於)

---

37) 『단주』에서는 "誦書也"를 "籒書也"로 고쳤으며, 이렇게 말했다. "주(籒)를 각 판본에서는 송(誦)으로 적었는데, 이는 잘 알지 못하는 사람들이 고친 결과이므로, 지금 바로 잡는다. 죽(竹) 부수에서 주(籒)는 책을 읽다는 뜻이다(讀書也)라고 했다. 독(讀)과 주(籒)은 첩운 관계로 호운(互訓)이 가능하다."

38) 『단주』에서 이렇게 말했다. "쾌(快)는 즐겁다는 뜻이다(喜也). 언(言)과 중(中)이 모두 의미부인 회의자이다. 중(中)은 얻는 것이 있음을 말한다(中之言得也). 말을 하여 얻은 것이 있으니

와 력(力)의 반절이다.

1491

訓: 訓: 가르칠 훈: 言-총10획: xùn

（原文）

訓: 說敎也. 从言川聲. 許運切.

（翻譯）

'설명하고 가르치다(說敎)'라는 뜻이다. 언(言)이 의미부이고 천(川)이 소리부이다.[39] 독음은 허(許)와 운(運)의 반절이다.

1492

誨: 誨: 가르칠 회: 言-총14획: huì

（原文）

誨: 曉敎也. 从言每聲. 荒內切.

（翻譯）

'알아듣도록 가르치다(曉敎)'라는 뜻이다. 언(言)이 의미부이고 매(每)가 소리부이다.[40] 독음은 황(荒)과 내(內)의 반절이다.

　즐거운 것이다(言而得故快)."

39) 고문자에서 [글자] [글자] [글자]簡牘文 [글자]石刻古文 등으로 썼는데, 소전에서처럼 言(말씀 언)이 의미부고 川(내 천)이 소리부로, 가르치다, 풀이하다, 訓練(훈련)하다, 해석하다는 뜻이다. 말(言)을 강물(川)처럼 잘 소통될 수 있도록 풀이하는 것을 말하며, 그것이 가르침의 본질임을 웅변해 준다.

40) 고문자에서 [글자] [글자]甲骨文 [글자] [글자] [글자]金文 등으로 썼는데, 소전에서처럼 言(말씀 언)이 의미부고 每(매양 매)가 소리부로, '가르치다'는 뜻인데, 어머니(每)의 말씀(言)이 바로 '가르침'임을 그렸다. 이로부터 깨우치다, 교도하다, 권하다 등의 뜻도 나왔다. 每는 母(어미 모)에서 분화한 글자로, 비녀를 꽂은 성인 여성을 그렸는데, 단독으로 쓰일 때에는 '매양'으로만 쓰이고 원래 뜻은 사라졌으나, 합성자에서는 '어미'의 뜻이 남아 있다.

1493

譔: 譔: 가르칠 선: 言-총19획: zhuàn

原文

譔: 專教也. 从言巽聲. 此緣切.

譯

'전문적으로 가르치다(專敎)'라는 뜻이다. 언(言)이 의미부이고 손(巽)이 소리부이다. 독음은 차(此)와 연(緣)의 반절이다.

1494

譬: 譬: 비유할 비: 言-총20획: pì

原文

譬: 諭也. 从言辟聲. 匹至切.

譯

'깨우치다(諭)'라는 뜻이다. 언(言)이 의미부이고 벽(辟)이 소리부이다.[41] 독음은 필(匹)과 지(至)의 반절이다.

1495

諢: 諢: 천천히 말할 원: 言-총17획: yuán

原文

諢: 徐語也. 从言原聲. 『孟子』曰 : "故諢諢而來." 魚怨切.

---

41) 고문자에서 簡牘文 등으로 썼는데, 소전에서처럼 言(말씀 언)이 의미부고 辟(임금 벽)이 소리부로, 어떤 현상이나 사물을 다른 말(言)로 빗대어서 설명함(譬喩·비유)을 말하며, 이로부터 알게 하다, 알다의 뜻도 나왔다.

翻譯

'천천히 말하다(徐語)'라는 뜻이다. 언(言)이 의미부이고 원(原)이 소리부이다. 『맹자·만장(萬章)』에서 "그래서 천천히 왔다(故諑諑而來)"라고 했다. 독음은 어(魚)와 원(怨)의 반절이다.

1496

䛐: 詇: 슬기로울 앙: 言-총12획: yàng

原文

詇: 早知也. 从言央聲. 於亮切.

翻譯

'미리 알다(早知)'라는 뜻이다. 언(言)이 의미부이고 앙(央)이 소리부이다. 독음은 어(於)와 량(亮)의 반절이다.

1497

諭: 諭: 깨우칠 유: 言-총16획: yù

原文

諭: 告也. 从言俞聲. 羊戍切.

翻譯

'나아가 알리다(告)'라는 뜻이다. 언(言)이 의미부이고 유(俞)가 소리부이다. 독음은 양(羊)과 수(戍)의 반절이다.

1498

詖: 詖: 치우칠 피: 言-총12획: bì

原文

詖: 辯論也. 古文以爲頗字. 从言皮聲. 彼義切.

譯譯

'변론하다(辯論)'라는 뜻이다. 고문(古文)에서는 파(頗)자로 사용했다. 언(言)이 의미부이고 피(皮)가 소리부이다. 독음은 피(彼)와 의(義)의 반절이다.

1499

諄: 諄: 타이를 순: 言-총15획: zhūn

原文

諄: 告曉之孰也. 从言臺聲. 讀若庉. 章倫切.

譯譯

'알아듣게 자세히 알려주다(告曉之孰)'라는 뜻이다.[42] 언(言)이 의미부이고 순(臺)이 소리부이다. 돈(庉)과 같이 읽는다. 독음은 장(章)과 륜(倫)의 반절이다.

1500

諀: 諀: 말 느릴 지: 言-총17획: chí

原文

諀: 語諄諀也. 从言犀聲. 直离切.

譯譯

'말이 느리고 둔함(語諄諀)'을 말한다. 언(言)이 의미부이고 서(犀)가 소리부이다. 독음은 직(直)과 리(离)의 반절이다.

1501

詻: 詻: 다툴 액: 言-총13획: è

---

42) 숙(孰)을 『정자통(正字通)』에서는 "審也"라고 하여, 자세하다, 상세하다는 뜻이라고 했다.

原文

𧮉: 論訟也. 『傳』曰 : "詻詻孔子容." 从言各聲. 五陌切.

譯

'말의 태도가 엄정하다(論訟)'라는 뜻이다.43) 『전』에서44) "엄정하구나, 공자의 모습이여.(詻詻孔子容.)"라고 했다. 언(言)이 의미부이고 각(各)이 소리부이다. 독음은 오(五)와 맥(陌)의 반절이다.

1502

誾: 誾: 온화할 은: 言-총15획: yín

原文

誾: 和說而諍也. 从言門聲. 語巾切.

譯

'온화하게 말하면서 논쟁을 벌이다(和說而諍)'라는 뜻이다. 언(言)이 의미부이고 문(門)이 소리부이다. 독음은 어(語)와 건(巾)의 반절이다.

1503

謀: 謀: 꾀할 모: 言-총16획: móu

原文

謀: 慮難曰謀. 从言某聲. 𧮲, 古文謀. 𧮛, 亦古文. 莫浮切.

譯

---

43) 『단주』에서 이렇게 말했다. "송(訟)은 송(頌)으로 적어야 한다. 논송(論頌)은 바로 말하는 모습을 말한다(卽言容也). 『예기.옥조(玉藻)』에서 '군사에 임하는 모습은 의연하고, 말하는 모습은 엄격하였네.(戎容暨暨, 言容詻詻)'라고 했는데, 『주』에서 액액(詻詻)은 교령이 엄함을 말한다(敎令嚴也)라고 했다."
44) 『단주』에서 『전』에 대해 "들은 바 없다(未聞). 『논어(論語)』에서는 공자께서 온화하면서도 엄격하셨다(子溫而厲)라고 했다."라고 했다. 어떤 문헌인지 구체적으로 알 수 없다.

'일의 어려움에 대해 미리 고려함을 말한다(慮難曰謀).' 언(言)이 의미부이고 모(某)가 소리부이다. 모(𧮑)는 모(謨)의 고문체이다. 모(𧮫)도 고문체이다. 독음은 막(莫)과 부(浮)의 반절이다.

1504

謨: 謨: 꾀 모: 言-총18획: mó

原文

謨: 議謀也. 从言莫聲. 『虞書』曰 : "咎繇謨." 𢄾, 古文謨从口. 莫胡切.

譯

'의논하여서 정하다(議謀)'라는 뜻이다.[45] 언(言)이 의미부이고 막(莫)이 소리부이다. 『우서』에 '고요모(咎繇謨)'편[46]이 있다. 모(𢄾)는 모(謨)의 고문체인데, 구(口)로 구성되었다. 독음은 막(莫)과 호(胡)의 반절이다.

1505

訪: 訪: 찾을 방: 言-총11획: fǎng

原文

訪: 汎謀曰訪. 从言方聲. 敷亮切.

譯

'널리 의견을 구하는 것을 방(訪)이라 한다(汎謀曰訪).' 언(言)이 의미부이고 방(方)

---

45) 『단주』에서 이렇게 말했다. "『이아.석고(釋詁)』에서 모(謨)는 도모하다는 뜻이다(謀也)라고 했다. 허신은 쌍성으로써 의논하여서 정하다(議謀)로 풀이했다. 『시.교언(巧言)』에서는 모(莫)를 모(謨)로 사용했다."

46) 『단주』에서 이렇게 말했다. "왈(曰)은 당연히 유(有)가 되어야 옳다." 「고요모(咎繇謨)」는 달리 「고요모(皋陶謨)」, 「고요모(皋繇謨)」, 「고요모(咎陶謨)」 등으로 쓰는데, 「요전」. 「순전」, 「대우모」, 「익직」 등과 함께 『상서.우서』를 구성하는 편명이다. 고요는 전설상의 인물로, 요임금 시대에 태어나 순임금 때 형벌을 관리하는 책임자로 임명되었다고 하며, 중국 사법의 비조로 거론된다.

이 소리부이다.47) 독음은 부(敷)와 량(亮)의 반절이다.

1506

諏: 諏: 꾀할 추: 言-총15획: zōu

原文

諏: 聚謀也. 从言取聲. 子于切.

飜譯

'여러 의견을 모으다(聚謀)'라는 뜻이다. 언(言)이 의미부이고 취(取)가 소리부이다. 독음은 자(子)와 우(于)의 반절이다.

1507

論: 論: 말할 론: 言-총15획: lùn, lún

原文

論: 議也. 从言侖聲. 盧昆切.

飜譯

'분석하여 논의하다(議)'라는 뜻이다. 언(言)이 의미부이고 륜(侖)이 소리부이다.48) 독음은 로(盧)와 곤(昆)의 반절이다.

---

47) 고문자에서 簡牘文 說文小篆 등으로 썼는데, 言(말씀 언)이 의미부고 方(모 방)이 소리부로, 좋은 의견을 구하려 주위(方)의 다른 나라로 찾아가 묻고(言) 의논함을 말하며, 이로부터 조사하다, 찾다, 訪問(방문)하다, 모의하다 등의 뜻이 나왔다.

48) 고문자에서 金文 論 簡牘文 등으로 썼는데, 소전에서처럼 言(말씀 언)이 의미부이고 侖(둥글 륜)이 소리부로, 事理(사리)를 분석하여 조리 있게(侖) 말(言)로 설명하고 논의하는 것을 말한다. 이로부터 의논하다, 가늠하다, 차례를 매기다, 연구하다, 조사하다 등의 뜻이 나왔다. 간화자에서는 侖을 줄여 论으로 쓴다.

1508

議: 議: 의논할 의: 言-총20획: yì

原文

議: 語也. 从言義聲. 宜寄切.

釋譯

'일의 옳고 그름에 대해 논란을 벌이다(語)'라는 뜻이다. 언(言)이 의미부이고 의(義)가 소리부이다.[49] 독음은 의(宜)와 기(寄)의 반절이다.

1509

訂: 訂: 바로 잡을 정: 言-총9획: dìng

原文

訂: 平議也. 从言丁聲. 他頂切.

釋譯

'의견을 서로 교환하여 평가하거나 심의하다(平議)'라는 뜻이다. 언(言)이 의미부이고 정(丁)이 소리부이다. 독음은 타(他)와 정(頂)의 반절이다.

1510

詳: 詳: 자세할 상: 言-총13획: xiáng

原文

詳: 審議也. 从言羊聲. 似羊切.

釋譯

---

49) 고문자에서 議 簡牘文 등으로 썼는데, 소전에서처럼 言(말씀 언)이 의미부고 義(옳을 의)가 소리부로, 정의로운(義) 말(言)로 '議論(의논)함'을 말하며, 이로부터 상의하다, 論議(논의)하다, 선택하다, 논평하다, 비방하다, 의견 등의 뜻이 나왔다. 간화자에서는 義를 义로 줄인 议로 쓴다.

'자세히 살펴 옳은 지를 따지다(審議)'라는 뜻이다. 언(言)이 의미부이고 양(羊)이 소리부이다.50) 독음은 사(似)와 양(羊)의 반절이다.

1511

諟: 諟: 이 시: 言-총16획: shì

原文

諟: 理也. 从言是聲. 承旨切.

譯

'사리에 맞게 하다(理)'라는 뜻이다. 언(言)이 의미부이고 시(是)가 소리부이다. 독음은 승(承)과 지(旨)의 반절이다.

1512

諦: 諦: 살필 체: 言-총16획: dì

原文

諦: 審也. 从言帝聲. 都計切.

譯

'자세히 살피다(審)'라는 뜻이다. 언(言)이 의미부이고 제(帝)가 소리부이다.51) 독음은 도(都)와 계(計)의 반절이다.

---

50) 소전에서처럼 言(말씀 언)이 의미부고 羊(양 양)이 소리부로, '자세하다'는 뜻인데, 진실과 정의를 판별해 줄 수 있는 능력을 갖춘 양(羊)이 제대로 審議(심의)하여 판단할 수 있도록 '상세히' 말하다(言)는 뜻을 담았다. 이로부터 심리하다, 분명하게 알다, 상세하다, 자세히 설명하다 등의 뜻이 나왔다.

51) 소전에서처럼 言(말씀 언)이 의미부고 帝(임금 제)가 소리부로, 자세히 살피다는 뜻이며, 이로부터 세밀하다, 자세하다 등의 뜻도 나왔다. 또 불교 유입 후 산스크리트어의 '사티야(Satya)'의 번역어로 '영원히 변하지 않는 성스러운 진리'를 말하는데, 이때에는 四聖諦(사성제)에서처럼 '제'로 읽는다.

1513

**:** 識: **알 식**: 言-**총19획**: **shí**

原文

: 常也. 一曰知也. 从言戠聲. 賞職切.

飜譯

'깃발에 그려 넣은 표지(常)'를 말한다.[52] 일설에는 '알다(知)'라는 뜻이라고도 한다. 언(言)이 의미부이고 시(戠)가 소리부이다.[53] 독음은 상(賞)과 직(職)의 반절이다.

1514

**:** 訊: **물을 신**: 言-**총10획**: **xùn**

原文

: 問也. 从言卂聲. 𧦝, 古文訊从鹵. 思晉切.

飜譯

'묻다(問)'라는 뜻이다. 언(言)이 의미부이고 신(卂)이 소리부이다. 신(𧦝)은 신(訊)의 고문체인데, 서(鹵)로 구성되었다. 독음은 사(思)와 진(晉)의 반절이다.

---

52) 『단주』에서는 이렇게 말했다. "상(常)은 의(意)가 되어야 한다. 글자의 오류일 것이다. 초서(草書)에서 상(常)과 의(意)자는 서로 비슷하다. 육조(六朝) 때에는 초서로 필사를 하였다. 초서가 진서(즉 해서)체로 변하면서 종종 이런 오류가 생기게 되었다. 의(意)는 뜻을 말한다(志也). 뜻(志)은 마음이 가는 바를 말한다(心所之也). 의(意)와 지(志), 지(志)와 지(識)은 옛날에 서로 통용되었다. 마음에 존재하는 바(心之所存)를 의(意)라고 하는데, 지식(知識)이라는 것이 이를 두고 한 말이다. 『대학(大學)』에서 '그 뜻을 성실하게 한다(誠其意)'라고 했는데, 이는 '그 뜻을 실천한다는 뜻이다(實其識也).'" 그러나 『설문금석』에서는 기상(旗常) 즉 기치를 말한다고 했다. 즉 조정이나 군대에서 소속을 식별하기 위해 표지를 그려 넣은 깃발을 말한다.

53) 고문자에서 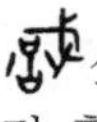金文 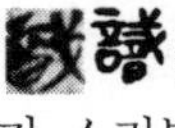簡牘文 古璽文 등으로 썼다. 소전에서처럼 言(말씀 언)이 의미부고 戠(찰진 흙 시)가 소리부로, 알다는 뜻인데, 말(言)을 머릿속에 새겨(戠) 자신의 지식이 되게 하다는 뜻을 담았으며, 이로부터 知識(지식), 알다, 분별하다 등의 뜻이 나왔다. 기록하다는 뜻으로 쓰일 때에는 標識(표지)에서처럼 '지'로 구분해 읽는다. 간화자에서는 소리부인 戠를 간단히 只(다만 지)로 줄인 识으로 쓴다.

제3권

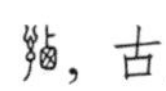

1515

詧 : 詧: 살필 찰·옳은 말 절: 言-총13획: chá

原文

詧: 言微親詧也. 从言, 察省聲. 楚八切.

譯譯

'말로 은밀하게 다른 사람을 살피다(言微親詧)'라는 뜻이다. 언(言)이 의미부이고,
찰(察)의 생략된 모습이 소리부이다. 독음은 초(楚)와 팔(八)의 반절이다.

1516

謹 : 謹: 삼갈 근: 言-총18획: jǐn

原文

謹: 愼也. 从言堇聲. 居隱切.

譯譯

'삼가다(愼)'라는 뜻이다. 언(言)이 의미부이고 근(堇)이 소리부이다.[54] 독음은 거(居)
와 은(隱)의 반절이다.

1517

訊 : 訊: 후할 잉: 言-총9획: réng

原文

訊: 厚也. 从言乃聲. 如乘切.

---

54) 고문자에서 謹 古陶文 謹 謹 簡牘文 등으로 썼는데, 소전에서처럼 言(말씀 언)이 의미
부이고 堇(노란 진흙 근)이 소리부로, 신중하다, 정중하다, 공경하다, 삼가다는 뜻인데, 말(言)
은 사람을 제물로 바쳐 지내는 제사(堇)처럼 항상 정성스럽고 신중하고 삼가야 함을 말한다.

翻譯

'두텁다(厚)'라는 뜻이다. 언(言)이 의미부이고 내(乃)가 소리부이다. 독음은 여(如)와 승(乘)의 반절이다.

1518

譖: 譖: 참 심: 言-총16획: chén

原文

譖: 誠, 諦也. 从言甚聲.『詩』曰 : "天難諶斯." 是吟切.

翻譯

'믿음이 있다(誠), 자세히 살피다(諦)'라는 뜻이다. 언(言)이 의미부이고 심(甚)이 소리부이다.『시·대아대명(大明)』에서 "하늘은 믿고만 있기 어려운 것이니(天難諶斯)"라고 노래했다. 독음은 시(是)와 음(吟)의 반절이다.

1519

信: 信: 믿을 신: 人-총9획: xìn

原文

信: 誠也. 从人从言. 會意. 㐰, 古文从言省. �, 古文信. 息晉切.

翻譯

'참되다(誠)'라는 뜻이다. 인(人)이 의미부이고 언(言)도 의미부이다. 회의이다.55) 신(㐰)은 고문체인데, 언(言)의 생략된 모습으로 구성되었다. 언(䚅)도 고문체이다. 독

---

55) 고문자에서 ㄱ 䚈金文 䚈 䚈 �</> 㐰 㐰古陶文 䚈䚈信信䚈信簡牘文 䚈
㐰古璽文 䚈石刻古文 등으로 썼다. 소전에서처럼 言(말씀 언)이 의미부이고 人(사람 인)이 소리부로, 사람(人)의 말(言)은 언제나 진실하고(信) 신뢰가 있어야 한다는 의미를 담았는데, 전국 시대 때의 일부 글자에서는 言이 口(입 구)로 바뀐 구조가 되기도 했다. 이로부터 믿음, 信仰(신앙), 진실하다, 편지, 소식, 信號(신호) 등의 뜻이 나왔다.

음은 식(息)과 진(晉)의 반절이다.

1520

訦: 訦: 믿을 심: 言-총11획: chén

原文

訦: 燕、代、東齊謂信訦. 从言尤聲. 是吟切.

飜譯

'연(燕), 대(代), 동제(東齊) 지역에서는 신(信)을 심(訦)이라 한다.' 언(言)이 의미부이고 유(尤)가 소리부이다. 독음은 시(是)와 음(吟)의 반절이다.

1521

誠: 誠: 정성 성: 言-총14획: chéng

原文

誠: 信也. 从言成聲. 氏征切.

飜譯

'믿다(信)'라는 뜻이다. 언(言)이 의미부이고 성(成)이 소리부이다.56) 독음은 씨(氏)와 정(征)의 반절이다.

1522

誡: 誡: 경계할 계: 言-총14획: jiè

原文

---

56) 고문자에서 𢦏 𧨈 𧩙 簡牘文 등으로 썼는데, 소전에서처럼 言(말씀 언)이 의미부고 成(이룰 성)이 소리부로, 정성이나 성실, 진실, 확실함 등을 뜻하는데, 말(言)을 실현하려면(成) 지극 정성(誠)을 다해야 하며 믿음이 담긴 것이어야 한다는 의미를 담았다.

誡：敕也. 从言戒聲. 古拜切.

(飜譯)

'말로 타이르다(敕)'라는 뜻이다. 언(言)이 의미부이고 계(戒)가 소리부이다. 독음은 고(古)와 배(拜)의 반절이다.

1523

誋： 誋: **경계할 기**: 言-총14획: jì

(原文)

誋： 誡也. 从言忌聲. 渠記切.

(飜譯)

'경계하다(誡)'라는 뜻이다. 언(言)이 의미부이고 기(忌)가 소리부이다. 독음은 거(渠)와 기(記)의 반절이다.

1524

諱： 諱: **꺼릴 휘**: 言-총16획: huì

(原文)

諱： 誋也. 从言韋聲. 許貴切.

(飜譯)

'꺼리다(誋)'라는 뜻이다. 언(言)이 의미부이고 위(韋)가 소리부이다. 독음은 허(許)와 귀(貴)의 반절이다.

1525

誥： 誥: **고할 고**: 言-총14획: gào

(原文)

誥: 告也. 从言告聲. , 古文誥. 古到切.

飜譯

'[신에게] 나아가 알리다(告)'라는 뜻이다.57) 언(言)이 의미부이고 고(告)가 소리부이다. 고()는 고(誥)의 고문체이다. 독음은 고(古)와 도(到)의 반절이다.

1526

詔: 詔: 고할 조: 言－총12획: zhào

原文

詔: 告也. 从言从召, 召亦聲. 之紹切.

飜譯

'[아랫사람에게] 나아가 알리다(告)'라는 뜻이다.58) 언(言)이 의미부이고 소(召)도 의미부인데, 소(召)는 소리부도 겸한다. 독음은 지(之)와 소(紹)의 반절이다.

1527

誓: 誓: 맹세할 서: 言－총14획: shì

原文

誓: 約束也. 从言折聲. 時制切.

飜譯

'약속을 하다(約束)'라는 뜻이다. 언(言)이 의미부이고 절(折)이 소리부이다.59) 독음

---

57) 장순휘의 『설문약주』에서 고(誥)는 "신에게 알리다는 뜻으로 쓰이는 전용 글자이다. 고문체를 보면, 손에 고기를 쥔 모습인데, 옛날 희생을 바쳐 신에게 알리던 것을 반영한 것이다."라고 했다.

58) 윗사람이 아랫사람에게 알리는 것을 말한다.

59) 고문자에서 𣂮𣂮𣂮𣂮 金文 𣂮 簡牘文 등으로 썼는데, 소전에서처럼 言(말씀 언)이 의미부고 折(꺾을 절)이 소리부로, 약속하다는 뜻이며, 이로부터 맹서하다, 서약하다의 뜻이 나왔다. 이는 전장에 나가기 전 활을 꺾어(折) 결전의 의지를 표현하고 말(言)로 기도를 올려 조상

은 시(時)와 제(制)의 반절이다.

1528

譣: 譣: 간사한 말 험·따져 물을 섬: 言-총20획: xiǎn

原文

譣: 問也. 从言僉聲. 『周書』曰 : "勿以譣人." 息廉切.

飜譯

'따져 묻다(問)'라는 뜻이다. 언(言)이 의미부이고 첨(僉)이 소리부이다. 『주서』에서 "간사한 사람을 쓰지 말라(勿以譣人)"라고 했다. 독음은 식(息)과 렴(廉)의 반절이다.

1529

詁: 詁: 주낼 고: 言-총12획: gǔ

原文

詁: 訓故言也. 从言古聲. 『詩』曰詁訓. 公戶切.

飜譯

'옛날 말에 주석을 붙이다(訓故言)'라는 뜻이다. 언(言)이 의미부이고 고(古)가 소리부이다. 『시』에서 말한 '고훈(詁訓)'이 그것이다.60)61) 독음은 공(公)과 호(戶)의 반

신이나 천지신명에게 어떤 필승을 약속하며 맹세하던 옛날의 풍습을 반영했다.

60) 『단주』에서 이렇게 말했다. "이 구절을 혹자는 『시경.대아(大雅)』의 '고훈시식(古訓是式)'이나 모공(毛公)의 '고훈전(詁訓傳)'을 말하는 것으로 보기도 하는데, 둘 다 틀렸다. 내 생각은 이 렇다. 『경전석문(釋文)』의 「억(抑)」시의 '고지화언(告之話言)' 아래의 주석에서 '[話는] 호(戶) 와 쾌(快)의 반절이다. 『설문』에서는 고(詁)로 적었다.'라고 했다. 그렇다면 이 4글자는 당연히 '詩曰 : 告之詁言'임이 분명하다. 『모전(毛傳)』에서도 '고(詁)는 옛날의 좋은 말을 뜻한다(言古 之善言也)'라고 하여, 고(古)자로 고(詁)자의 의미를 풀었는데, 마침 허신이 고(故)자로 고(詁) 의 의미를 푼 것과 일치한다. 육덕명(陸氏)이 본 『설문』은 오류가 없었다. 그런데도 천박한 사 람들이 『시경』에 '고지고언(告之詁言)'이라는 말이 없다고 하고서는 '시왈고훈(詩曰詁訓)'으로 고쳐 놓았으니, 말이 통하지 않을 따름이다."

61) 『설문금석』에 의하면, 한나라 학자들이 경전을 해석하는 방식에 두 가지가 있었는데, 하나는

절이다.

1530

𧥑: 藹: 부지런할 애: 言-총20획: ài

原文

𧥑: 臣盡力之美. 从言葛聲.『詩』曰:"藹藹王多吉士." 於害切.

(꿈譯)

'신하가 있는 힘을 다해 충성하는 아름다운 모습(臣盡力之美)'을 말한다. 언(言)이 의미부이고 갈(葛)이 소리부이다.『시·대아·권아(卷阿)』에서 "천자님의 여러 훌륭한 신하들 모였으니(藹藹王多吉士)"라고 노래했다. 독음은 어(於)와 해(害)의 반절이다.

1531

諫: 諫: 독촉할 속: 言-총14획: sù

原文

諫: 餔旋促也. 从言束聲. 桑谷切.

(꿈譯)

'식사하려 빨리 가져오라고 재촉함(餔旋促)'을 말한다.62) 언(言)이 의미부이고 속(束)이 소리부이다. 독음은 상(桑)과 곡(谷)의 반절이다.

1532

諝: 諝: 슬기 서: 言-총16획: xū

고(故, 즉 詁와 같고, 이는 訓을 말한다)이고 다른 하나는 전(傳)이다. 전자가 의미상의 소통을 중시하는 방식이라면, 후자는 역사적 증거를 가져와 경전의 의미를 증명하는 방식이었다.

62)『단주』에서는 이 "餔旋促也"에 대해 이렇게 말했다. "들어보지 못한 말이다. 아마도 잘못된 것일 것이다.(未聞, 疑有誤字.)『광아(廣雅)』에서는 속(諫)을 재촉하다는 뜻이다(促也)라고 했고,『집운(集韵)』과 용감수감(龍龕手鑑)』에서는 꾸미다는 뜻이다(飾也)라고 했다."

原文

諝：知也. 从言胥聲. 私呂切.

飜譯

'지혜로움(知)'을 말한다.[63] 언(言)이 의미부이고 서(胥)가 소리부이다. 독음은 사(私)와 려(呂)의 반절이다.

1533

証： 証: 증거 증·간할 정: 言-총12획: zhèng

原文

証： 諫也. 从言正聲. 之盛切.

飜譯

'[윗사람에게] 간언하다(諫)'라는 뜻이다. 언(言)이 의미부이고 정(正)이 소리부이다. 독음은 지(之)와 성(盛)의 반절이다.

1534

諫： 諫: 간할 간: 言-총16획: jiàn

原文

諫： 証也. 从言柬聲. 古晏切.

飜譯

'[임금에게] 바른 말을 하다(証)'라는 뜻이다. 언(言)이 의미부이고 간(柬)이 소리부이

---

63) 『단주』에서 이렇게 보충했다. "『주례(周禮)』와 『시(詩)』에서 모두 서(胥)를 빌려와 서(諝)를 표현했다. 「천관(天官)」의 '서(胥) 12인을 둔다'라고 한 주석에서 서(胥)는 서(諝)로 읽는다고 했고, 재능과 지혜가 있는 자를 우두머리로 삼는다(其有才知爲什長)라고 했다. 또 「추관(秋官)」의 상서(象胥)에 대한 주석에서도 서(胥)는 재능과 지혜가 있는 자를 말한다(其有才知者也)라고 했다. 또 「소아(小雅)」의 '군자낙서(君子樂胥)'의 전(箋)에서도 서(胥)는 재능과 지혜가 있는 것을 일컫는다(有才知之名也)라고 했다."

다.64) 독음은 고(古)와 안(晏)의 반절이다.

1535

諗: 諗: 고할 **심**: 言-총15획: shěn

原文

諗: 深諫也. 从言念聲.『春秋傳』曰："辛伯諗周桓公." 式荏切.

譯譯

'심각하게 간언하다(深諫)'라는 뜻이다. 언(言)이 의미부이고 념(念)이 소리부이다.『춘추전』(『좌전』 민공 2년, B.C. 660)에서 "신백(辛伯)이 주(周) 환공(桓公)에게 심각하게 간언했다"라고 했다. 독음은 식(式)과 임(荏)의 반절이다.

1536

課: 課: 매길 **과**: 言-총15획: kè

原文

課: 試也. 从言果聲. 苦臥切.

譯譯

'시험하다(試)'라는 뜻이다. 언(言)이 의미부이고 과(果)가 소리부이다. 독음은 고(苦)와 와(臥)의 반절이다.

1537

試: 試: 시험할 **시**: 言-총13획: shì

---

64) 고문자에서 𧩙𧩙𧩙 金文 𧩙 古陶文 𧩙 簡牘文 등으로 썼는데, 소전에서처럼 言(말씀 언)이 의미부이고 柬(가릴 간)이 소리부로, 말(言)을 정확하게 가려서(柬) 충고하여 옳지 못하거나 잘못된 일을 고치도록 함을 말한다. 이로부터 '바로 잡다'의 뜻이 나왔고, 임금에게 諫言하는 관리나 그 직책을 지칭하게 되었다. 간화자에서는 谏으로 쓴다.

原文

試: 用也. 从言式聲.『虞書』曰 : “明試以功.” 式吏切.

飜譯

‘사용하다(用)’라는 뜻이다. 언(言)이 의미부이고 식(式)이 소리부이다.65)『우서』에서 “공적에 따라 분명하게 관리로 썼다(明試以功)”라고 했다. 독음은 식(式)과 리(吏)의 반절이다.

1538

諴: 諴: 화할 함: 言-총16획: xián

原文

諴: 和也. 从言咸聲.『周書』曰 : “不能諴于小民.” 胡毚切.

飜譯

‘화합하다(和)’라는 뜻이다. 언(言)이 의미부이고 함(咸)이 소리부이다.『주서』에서 “백성들과 매우 잘 화합했다(不能諴于小民)”라고 했다.66) 독음은 호(胡)와 참(毚)의 반절이다.

1539

謠: 謠: 노래 요·좇을 유: 言-총11획: yáo

原文

謠: 徒歌. 从言、肉. 余招切.

飜譯

---

65) 고문자에서 誠 誠 簡牘文 등으로 썼는데, 소전에서처럼 言(말씀 언)이 의미부고 式(법 식)이 소리부로, 시험하여 사용한다는 뜻인데, 어떤 잣대(式)에 맞는지를 말(言)로 테스트하여 시험함을 말하며, 이로부터 시험해보다, 측정하다, 試驗(시험) 등의 뜻이 나왔다.

66) 불(不)은 비(丕)와 같고, 비(丕)는 크다, 매우라는 뜻이다.

'반주 없이 부르는 노래(徒歌)'를 말한다. 언(言)이 의미부이고 육(肉)도 의미부이다. 독음은 여(余)와 초(招)의 반절이다.

1540

䀓: 詮: 설명할 전: 言-총13획: quán

原文

詮: 具也. 从言全聲. 此緣切.

譯

'[모든 것을] 갖추어 설명하다(具)'라는 뜻이다. 언(言)이 의미부이고 전(全)이 소리부이다. 독음은 차(此)와 연(緣)의 반절이다.

1541

訢: 訢: 기뻐할 흔: 言-총11획: xīn

原文

訢: 喜也. 从言斤聲. 許斤切.

譯

'기뻐하다(喜)'라는 뜻이다. 언(言)이 의미부이고 근(斤)이 소리부이다. 독음은 허(許)와 근(斤)의 반절이다.

1542

說: 說: 말씀 설: 言-총14획: shuō

原文

說: 說, 釋也. 从言、兌. 一曰談說. 失爇切.

譯

'열(說)로, 기뻐하다(釋)는 뜻이다.'67) 언(言)과 태(兌)가 의미부이다.68) 일설에는 '말을 하다(談說)'라는 뜻이라고도 한다. 독음은 실(失)과 설(爇)의 반절이다.

1543

計: 計: 꾀 계: 言-총9획: jì

原文

計: 會也. 筭也. 从言从十. 古詣切.

飜譯

'계산을 하다(會), 셈을 하다(筭)'라는 뜻이다.69) 언(言)이 의미부이고 십(十)도 의미부이다.70) 독음은 고(古)와 예(詣)의 반절이다.

1544

諧: 諧: 화할 해: 言-총16획: xié

---

67) 보통 "說釋也"로 풀이하나, 여기서는 "說, 釋也."로 풀이하는 것이 더 적합해 보인다. 『단주』의 설명처럼 "설(說)과 열(悅), 석(釋)과 역(懌)은 고금자"로 의미가 같다.

68) 고문자에서 敓古陶文 誘敓說簡牘文 등으로 썼는데, 言(말씀 언)이 의미부고 兌(기쁠 태)가 소리부로, 말(言)로 풀이하다가 원래 뜻이다. 어려운 내용을 말(言)로 잘 풀어내면 상대에게 기쁨을 주기 마련이고, 상대가 이해하기 쉽게 풀어낸 말은 남을 설득시키기에 좋은 말이다. 이로부터 '기쁘다'와 설득하다, 遊說(유세)하다의 뜻이 나왔다. 다만, 원래의 '말씀'을 뜻할 때에는 說明(설명)에서처럼 '설'로, '기쁘다'는 뜻으로 쓰일 때는 悅(기쁠 열)과 같아 '열'로, 遊說하다는 뜻으로 쓰일 때에는 '세'로 구분해 읽는다.

69) 『단주』에서는 "會也, 筭也."가 되어야 한다고 주장하면서, "회(會)는 합하다는 뜻이다(合也). 산(筭)은 산(算)으로 적어야 옳은데, 계산을 하다(數也)는 뜻이며, 옛날에는 산(筭)을 산(算)의 가차자로 자주 사용했다"라고 했다.

70) 고문자에서 計 計簡牘文 등으로 썼는데, 소전에서처럼 言(말씀 언)과 十(열 십)으로 구성되었는데, 사람들이 일하는 시간을 숫자(十)로써 보다 자세하게 일러준다(言)는 의미를 담고 있다. 이로부터 計算(계산)이라는 뜻이 나왔고, 다시 미리 계산해 둔다는 의미에서 計略(계략)에서처럼 '꾀'라는 뜻까지 나왔다.

原文

諧: 諧也. 从言皆聲. 戶皆切.

飜譯

'화합하다(諧)'라는 뜻이다. 언(言)이 의미부이고 개(皆)가 소리부이다.[71] 독음은 호(戶)와 개(皆)의 반절이다.

1545

諧: 諧: **화할 합**: 言-총13획: hé

原文

諧: 諧也. 从言合聲. 候閤切.

飜譯

'화해하다(諧)'라는 뜻이다. 언(言)이 의미부이고 합(合)이 소리부이다. 독음은 후(候)와 합(閤)의 반절이다.

1546

調: 調: **고를 조**: 言-총15획: tiáo

原文

調: 和也. 从言周聲. 徒遼切.

飜譯

'조화를 이루다(和)'라는 뜻이다. 언(言)이 의미부이고 주(周)가 소리부이다.[72] 독음

---

71) 고문자에서 𧩜金文 등으로 썼는데, 소전에서처럼 言(말씀 언)이 의미부고 皆(다 개)가 소리부로, 말(言)이 잘 어우러져(皆) 화합함을 말하며, 이로부터 和諧(화해), 골계 등의 뜻이 나왔다.

72) 소전에서처럼 言(말씀 언)이 의미부고 周(두루 주)가 소리부로, 순조롭고 고르다는 뜻인데, 말(言)을 여러 사람에게 두루(周) 통하게 하려고 '조화롭게' 한다는 뜻을 담았다. 이로부터 調和(조화)롭다, 적합하다, 調劑(조제)하다, 調整(조정)하다 등의 뜻이 나왔다.

은 도(徒)와 료(遼)의 반절이다.

1547

話: 話: 말할 화: 言-총13획: huà

原文

話: 合會善言也. 从言昏聲. 『傳』曰 : "告之話言." 譮, 籒文語从會. 胡快切.

飜譯

'회합에서 알맞은 좋은 말을 하다(合會善言)'는 뜻이다. 언(言)이 의미부이고 팔(昏)이 소리부이다. 『춘추전』(『좌전』 문공 6년, B.C. 621)에서 "후세에 남길 좋은 말로 고하라(告之話言)"라고 했다.[73] 화(譮)는 화(話)의 주문체인데, 회(會)로 구성되었다. 독음은 호(胡)와 쾌(快)의 반절이다.

1548

諈: 諈: 번거롭게 할 추: 言-총15획: zhuì

原文

諈: 諈諉, 纍也. 从言垂聲. 竹寘切.

飜譯

'추위(諈諉)'를 말하는데, '남에게 수고를 끼치다(纍)'는 뜻이다. 언(言)이 의미부이고 수(垂)가 소리부이다. 독음은 죽(竹)과 치(寘)의 반절이다.

1549

諉: 諉: 번거롭게 할 위: 言-총15획: wěi

---

73) 금본 『좌전』에서는 "箸之話言"으로 되었는데, 훗날의 경계로 삼기 위해 "좋은 말을 기록으로 남겨 두라"로 해석된다. 화(話)는 선(善)과 통한다.

原文

譥: 勞也. 从言委聲. 女恚切.

譯

'남에게 수고를 끼치다(勞)'라는 뜻이다. 언(言)이 의미부이고 위(委)가 소리부이다. 독음은 여(女)와 에(恚)의 반절이다.

1550

警: 警: 경계할 경: 言-총20획: jǐng

原文

警: 戒也. 从言从敬, 敬亦聲. 居影切.

譯

'경계하다(戒)'라는 뜻이다. 언(言)이 의미부이고 경(敬)도 의미부인데, 경(敬)은 소리부도 겸한다. 독음은 거(居)와 영(影)의 반절이다.

1551

謐: 謐: 고요할 밀: 言-총17획: mì

原文

謐: 靜語也. 从言监聲. 一曰無聲也. 彌必切.

譯

'조용히 말하다(靜語)'라는 뜻이다. 언(言)이 의미부이고 밀(监)이 소리부이다. 일설에는 '소리가 없음(無聲)'을 말한다고도 한다. 독음은 미(彌)와 필(必)의 반절이다.

1552

謙: 謙: 겸손할 겸: 言-총17획: qiān

原文

譧: 敬也. 从言兼聲. 苦兼切.

飜譯

'경(敬)과 같아서 공경하다'라는 뜻이다. 언(言)이 의미부이고 겸(兼)이 소리부이다.74) 독음은 고(苦)와 겸(兼)의 반절이다.

1553

誼: 誼: 옳을 의: 言-총15획: yì

原文

誼: 人所宜也. 从言从宜, 宜亦聲. 儀寄切.

飜譯

'사람들이 옳다고 생각하는 바(人所宜)를 말한다.' 언(言)이 의미부이고 의(宜)도 의미부인데, 의(宜)는 소리부도 겸한다. 독음은 의(儀)와 기(寄)의 반절이다.

1554

詡: 詡: 자랑할 후: 言-총13획: xǔ

原文

詡: 大言也. 从言羽聲. 況羽切.

飜譯

'[과장해서] 큰소리치다(大言)'라는 뜻이다. 언(言)이 의미부이고 우(羽)가 소리부이다. 독음은 황(況)과 우(羽)의 반절이다.

---

74) 소전에서처럼 言(말씀 언)이 의미부이고 兼(겸할 겸)이 소리부로, 謙遜(겸손)하다는 뜻인데, 말(言)이 제멋대로 나오지 않도록 묶어 두는(兼) 것이 바로 謙遜의 의미임을 보여준다. 이는 말을 많이 하는 것보다 말을 적게 하는 것, 즉 침묵을 미덕으로 간주하고 그 무엇보다 중요한 행동규범으로 기능을 해온 전통을 형상적으로 그려낸 글자이다. 동양 사회에서는 전통적으로 모든 불행은 입 즉 말(言)로부터 나오기에, 말을 삼가는 것을 최고의 덕목으로 삼아왔기 때문이다.

1555

譾: 譾: 교묘히 말할 전: 言-총15획: jiàn

原文

譾: 善言也. 从言戔聲. 一曰謔也. 慈衍切.

飜譯

'교묘하게 말을 하다(善言)'라는 뜻이다. 언(言)이 의미부이고 전(戔)이 소리부이다. 일설에는 '희롱하다(謔)'라는 뜻이라고도 한다. 독음은 자(慈)와 연(衍)의 반절이다.

1556

誐: 誐: 좋을 아: 言-총14획: é

原文

誐: 嘉善也. 从言我聲. 『詩』曰 : "誐以溢我." 五何切.

飜譯

'아름다운 말(嘉善)'을 말한다. 언(言)이 의미부이고 아(我)가 소리부이다. 『시·주송·유천지명(維天之命)』에서 "아름다운 말로 우리를 이롭게 하셨으니(誐以溢我)"라고 노래했다.[75] 독음은 오(五)와 하(何)의 반절이다.

1557

詷: 詷: 한 가지 동: 言-총13획: tóng

原文

詷: 共也. 一曰譀也. 从言同聲. 『周書』曰 : "在夏后之詷." 徒紅切.

---

75) 『단주』에서는 일(溢)은 밀(謐)이 되어야 한다고 하면서, 이는 서현의 대서본에서 『모시(毛詩)』에 근거해 제멋대로 바꾼 결과이며, 『광운(廣韵)』에서 인용한 『설문』에서는 밀(謐)로 되었다고 했다. 참고할만하다.

譶譯

'함께하다(共)'라는 뜻이다. 일설에는 '큰 소리 치다(讉)'라는 뜻이라고도 한다. 언(言)이 의미부이고 동(同)이 소리부이다. 『주서』(「고명(顧命)」)에서 "[성왕(成王)은] 온 천하가 공통으로 받드는 임금이다(在夏后之詷)"라고 하였다. 독음은 도(徒)와 홍(紅)의 반절이다.

1558

設: 設: 베풀 설: 言-총11획: shè

原文

設: 施陳也. 从言从殳. 殳, 使人也. 識列切.

譶譯

'진열하다(施陳)'라는 뜻이다. 언(言)이 의미부이고 수(殳)도 의미부인데, 수(殳)는 '사람을 보내다(使人)'라는 뜻이다. 독음은 식(識)과 렬(列)의 반절이다.

1559

護: 護: 보호할 호: 言-총21획: hù

原文

護: 救, 視也. 从言蒦聲. 胡故切.

譶譯

'구호하다(救), 살펴 돌보다(視)'라는 뜻이다.[76] 언(言)이 의미부이고 확(蒦)이 소리부이다. 독음은 호(胡)와 고(故)의 반절이다.

---

76) 『단주』에서는 끊어 읽지 않고 "救視也(구호하며 돌보다는 뜻이다)"라 하였다.

1560

譞: 譞: 영리할 현: 言-총20획: xuān

原文

譞: 譞, 慧也. 从言, 圜省聲. 許緣切.

譯

'현(譞)은 지혜롭다(慧)는 뜻이다.' 언(言)이 의미부이고, 환(圜)의 생략된 모습이 소리부이다. 독음은 허(許)와 연(緣)의 반절이다.

1561

誧: 誧: 도울 포: 言-총14획: bū

原文

誧: 大也. 一曰人相助也. 从言甫聲. 讀若逋. 博孤切.

譯

'큰 소리 치다(大)'라는 뜻이다. 일설에는 '사람들이 서로를 돕다(人相助)'라는 뜻이라고도 한다. 언(言)이 의미부이고 보(甫)가 소리부이다. 포(逋)와 같이 읽는다. 독음은 박(博)과 고(孤)의 반절이다.

1562

諰: 諰: 두려워할 시: 言-총16획: xǐ

原文

諰: 思之意. 从言从思. 胥里切.

譯

'[방금 말을 해놓고서] 다시 생각한다는 뜻이다(思之意).'77) 언(言)이 의미부이고 사

---

77) '사지의(思之意)'에 대해서 『단주』에서는 이렇게 말했다. "『광운(廣韵)』에서 '言且思之'라고

(思)도 의미부이다. 독음은 서(胥)와 리(里)의 반절이다.

1563

託: 託: 부탁할 탁: 言-총10획: tuō

原文

託: 寄也. 从言乇聲. 他各切.

飜譯

'맡기다(寄)'라는 뜻이다. 언(言)이 의미부이고 탁(乇)이 소리부이다. 독음은 타(他)와 각(各)의 반절이다.

1564

記: 記: 기록할 기: 言-총10획: jì

原文

記: 疏也. 从言己聲. 居吏切.

飜譯

'분별하여 기록하다(疏)'[78]는 뜻이다. 언(言)이 의미부이고 기(己)가 소리부이다. 독음은 거(居)와 리(吏)의 반절이다.

1565

譽: 譽: 기릴 예: 言-총21획: yù

했다. 아마도 고본(古本)에서는 '言且思之意'라고 되었을 것이다. 방금 말을 해 놓고서 또 그것을 생각하다(方言而又思之)는 뜻이다. 그래서 이 글자가 언(言)과 사(思)로 구성되었다."

78) 서개의 『계전』에서 "소(疏)는 하나하나 분별하여 기록하는 것을 말한다."라고 했다. 또 『단주』에서 이렇게 말했다. "각 판본에서는 소(疏)로 적었는데, 소(疋)가 되어야 옳다. 소(疋)부수에서 일설에는 기록하다는 뜻이라고도 한다(一曰疋, 記也)라고 했다. 이는 소(疋)와 기(記)가 전주(轉注) 관계임을 말해준다."

原文

𧦧 : 稱也. 从言與聲. 羊茹切.

飜譯

'칭송하다(稱)'라는 뜻이다. 언(言)이 의미부이고 여(與)가 소리부이다. 독음은 양(羊)과 여(茹)의 반절이다.

1566

𧦧 : 譒: 펼 파: 言-총19획: bò

原文

𧦧 : 敷也. 从言番聲. 『商書』曰 : "王譒告之." 補過切.

飜譯

'널리 알리다(敷)'라는 뜻이다. 언(言)이 의미부이고 번(番)이 소리부이다. 『상서(商書)』(「반경(盤庚)」)에서 "선왕들께서 정책을 널리 펴셨다(王譒告之)"라고 했다. 독음은 보(補)와 과(過)의 반절이다.

1567

𧦧 : 謝: 사례할 사: 言-총17획: xiè

原文

𧦧 : 辭, 去也. 从言躲聲. 辭夜切.

飜譯

'사절하다(辭), 거절하다(去)는 뜻이다.'79) 언(言)이 의미부이고 사(躲)가 소리부이다.

---

79) 『단주』에서 "사(辭)는 받지 않다는 뜻이다(不受也). 「곡례(曲禮)」에서 '대부는 70세가 되면 일을 물리친다. 만약 사직을 허락받지 못하면 반드시 궤장을 하사받게 된다.(大夫七十而致事, 若不得謝, 則必賜之几杖.)'라고 했는데, 여기서 말한 것이 사(謝)의 본래 뜻이다. 이후 파생되어 거절하는 것(去)을 범칭하게 되었으며, 또 쇠퇴(衰退)함을 뜻하게 되었다. 세속에서는 배사(拜賜: 하사함에 감사하다)를 사(謝)라고 하기도 한다."

독음은 사(䛃)와 야(夜)의 반절이다.

1568

謳: 謳: 노래할 **구**: 言-총18획: ōu

原文

謳: 齊歌也. 从言區聲. 烏侯切.

飜譯

'많은 사람이 함께 노래하다(齊歌)'라는 뜻이다.[80] 언(言)이 의미부이고 구(區)가 소리부이다. 독음은 오(烏)와 후(侯)의 반절이다.

1569

詠: 詠: 읊을 **영**: 言-총12획: yǒng

原文

詠: 歌也. 从言永聲. 咏, 詠或从口. 爲命切.

飜譯

'길게 읊조리다(歌)'라는 뜻이다.[81] 언(言)이 의미부이고 영(永)이 소리부이다. 영(咏)은 영(詠)의 혹체자인데, 구(口)로 구성되었다. 독음은 위(爲)와 명(命)의 반절이다.

1570

諍: 諍: 간할 **쟁**: 言-총15획: zhèng

原文

---

80) 서개의 『계전』에서 "제(齊)는 많은 사람(衆)'을 말한다"라고 했다.
81) 『단주』에서 이렇게 말했다. "『요전(堯典)』에서 '歌永言'이라 했고, 『악기(樂記)』에서 '歌之爲言也'라고 했다. 길게 말하다는 뜻이다(長言之也). 설득을 하려 하기에 말을 하게 된다. 말이 부족해 그래서 길게 말을 한다는 뜻이다(說之, 故言之. 言之不足, 故長言之.)"

諍: 止也. 从言爭聲. 側迸切.

[飜譯]

'[논쟁을 통해 과오를] 그치게 하다(止)'라는 뜻이다. 언(言)이 의미부이고 쟁(爭)이 소리부이다. 독음은 측(側)과 병(迸)의 반절이다.

1571

謼: 評: 큰 소리로 부를 호: 言-총12획: hū

[原文]

謼: 召也. 从言乎聲. 荒烏切.

[飜譯]

'[큰 소리로 힘껏] 부르다(召)'라는 뜻이다. 언(言)이 의미부이고 호(乎)가 소리부이다. 독음은 황(荒)과 오(烏)의 반절이다.

1572

謣: 謼: 부를 호: 言-총18획: hū

[原文]

謼: 評謼也. 从言虖聲. 荒故切.

[飜譯]

'큰 소리로 부르다(評謼)'라는 뜻이다. 언(言)이 의미부이고 호(虖)가 소리부이다. 독음은 황(荒)과 고(故)의 반절이다.

1573

訖: 訖: 이를 흘: 言-총10획: qì

[原文]

訖 : 止也. 从言气聲. 居迄切.

（飜譯）

'[말을] 끝내다(止)'라는 뜻이다. 언(言)이 의미부이고 기(气)가 소리부이다. 독음은 거(居)와 흘(迄)의 반절이다.

1574

諺 : 諺 : 상말 언 : 言-총16획: yàn

（原文）

諺 : 傳言也. 从言彦聲. 魚變切.

（飜譯）

'세상에 전해져오는 말(傳言)'을 말한다.[82] 언(言)이 의미부이고 언(彦)이 소리부이다. 독음은 어(魚)와 변(變)의 반절이다.

1575

訝 : 訝 : 맞을 아 : 言-총11획: yà

（原文）

訝 : 相迎也. 从言牙聲.『周禮』曰 : "諸侯有卿訝發." 迓, 訝或从辵. 吾駕切.

（飜譯）

'[말로] 상대를 맞아들이다(相迎)'라는 뜻이다. 언(言)이 의미부이고 아(牙)가 소리부이다.『주례·추관장아(掌訝)』에서 "[빈객이] 제후이면 경대부가 나가서 맞이한다(諸侯

---

82) 이처럼 언(諺)의 원래 뜻은 '옛날부터 전해져 오던 말'로 '격언'을 뜻하는데, 지금은 '상말'로 뜻풀이를 하고 있는데, 이는 잘못이다. 그래서『단주』에서도 이렇게 말했다. "언(諺)과 전(傳) 은 첩운(疊韵)관계에 있다. 전해지는 말(傳言)이라는 것은 옛날 말(古語)을 말한다.……경전에서 언(諺)이라 말한 것 치고 전대의 고훈(故訓)이 아닌 것이 없다. 그런데도 송나라 사람들의 주석에서 속어(俗語)나 속유(俗諭)를 언(諺)의 뜻이라고 하는데 이는 잘못이다. 현응(玄應)은 이 글자 아래에다 '세상에 전해지는 격언을 말한다(傳世常言也)'라는 말을 덧붙였는데, 아마도 유엄묵(庾儼默)의 주석에서 근원한 것일 것이다."

有卿誃發)"라고 하였다. 아(䛣)는 아(訝)의 혹체자인데, 착(辵)으로 구성되었다. 독음은 오(吾)와 가(駕)의 반절이다.

1576

詣: 詣: 이를 예: 言-총13획: yì

原文

詣: 候至也. 从言旨聲. 五計切.

飜譯

'문후를 여쭙고자 이르다(候至)'라는 뜻이다. 언(言)이 의미부이고 지(旨)가 소리부이다. 독음은 오(五)와 계(計)의 반절이다.

1577

講: 講: 익힐 강: 言-총17획: jiǎng

原文

講: 和解也. 从言冓聲. 古項切.

飜譯

'강해하다(和解)'라는 뜻이다.[83] 언(言)이 의미부이고 구(冓)가 소리부이다. 독음은 고(古)와 항(項)의 반절이다.

1578

謄: 謄: 베낄 등: 言-총17획: téng

原文

謄: 迻書也. 从言朕聲. 徒登切.

---

83) 서개의 『계전』에서 "옛날에는 강해(講解)를 화해(和解)라고 했다"라고 했다.

飜譯

'베껴 적다(迻書)'라는 뜻이다. 언(言)이 의미부이고 짐(朕)이 소리부이다. 독음은 도(徒)와 등(登)의 반절이다.

1579

訒: 訒: 말더듬을 인: 言-총10획: rèn

原文

訒: 頓也. 从言刃聲.『論語』曰 : "其言也訒." 而振切.

飜譯

'말이 어둔하다(頓)'라는 뜻이다. 언(言)이 의미부이고 인(刃)이 소리부이다.『논어·안연(顏淵)』에서 "그의 말이여, 너무나 어둔하구나.(其言也訒.)"라고 했다. 독음은 이(而)와 진(振)의 반절이다.

1580

訥: 訥: 말 더듬을 눌: 言-총11획: nè

原文

訥: 言難也. 从言从內. 內骨切.

飜譯

'말하는데 어려움이 있음(言難)'을 말한다. 언(言)이 의미부이고 내(內)도 의미부이다. 독음은 내(內)와 골(骨)의 반절이다.

1581

譄: 譄: 저주할 저: 言-총18획: jiē[84]

---

84) 흔글 사전에서 독음은 '저'로 되었으나, 한자를 한글로 전환 시에는 '조'로 변환되는데, 오류로 보인다.

原文

詀: 詀, 㜘也. 从言虘聲. 側加切.

飜譯

'저(詀)는 저주하다(㜘)'는 뜻이다.[85] 언(言)이 의미부이고 차(虘)가 소리부이다. 독음은 측(側)과 가(加)의 반절이다.

1582

僣: 僣: 기다릴 혜: 言-총14획: xì

原文

僣: 待也. 从言俙聲. 讀若觬. 胡禮切.

飜譯

'기다리다(待)'라는 뜻이다. 언(言)이 의미부이고 이(俙)가 소리부이다. 녁(觬)과 같이 읽는다.[86] 독음은 호(胡)와 례(禮)의 반절이다.

1583

謷: 謷: 소리 지를 교: 言-총20획: jiào

原文

---

85) 『단주』에서 '詀㜘也'가 하나의 문구로 되어야 한다고 하면서 이렇게 말했다. "『광아(廣雅)』에서 저(詀)는 희롱하다는 뜻이다(諜也)라고 했다. 『옥편』과 『광운』에서도 모두 '저(詀)는 희롱하다는 뜻이다(諜也). 록(諜)은 저주하다는 뜻이다(詀也)라고 했다.' 내 생각은 이렇다. 허신의 『설문』에 록(㜘)자는 있으나 록(諜)자는 수록되지 않았다. 그래서 이렇게 썼던 것이다(故仍之). 그 의미에 대해서는 듣지 못했다(其義則未聞). 저록(詀㜘)은 당연히 고어일 것이다(當是古語). 허신의 이 문장은 3자가 한 구여야 한다(許當是三字句)." 그러나 유월(兪樾)의 『아점록(兒笘錄)』에서는 "저(詀)는 저(詛)의 주문체이다"라고 했다.

86) 녁(觬)을 『광운(廣韻)』에서는 니(尼)와 액(戹)의 반절이라 하였고, 『집운(集韻)』에서는 니(尼)와 액(厄)의 반절이며 녁(疒)으로 읽는다고 하였는데, 혜(僣)의 독음인 호(胡)와 례(禮)의 반절과는 차이가 많아 보인다.

譽 : 痛呼也. 从言敫聲. 古弔切.

飜譯

'고통스레 울부짖다(痛呼)'라는 뜻이다. 언(言)이 의미부이고 교(敫)가 소리부이다. 독음은 고(古)와 조(弔)의 반절이다.

1584

譊 : 譊 : 떠들 **뇨** : 言-총19획: náo

原文

譊 : 恚呼也. 从言堯聲. 女交切.

飜譯

'분노하여 부르짖다(恚呼)'라는 뜻이다. 언(言)이 의미부이고 요(堯)가 소리부이다. 독음은 여(女)와 교(交)의 반절이다.

1585

營 : 營 : 작은 소리 **영** : 言-총17획: yíng

原文

營 : 小聲也. 从言, 熒省聲. 『詩』曰 : "營營青蠅." 余傾切.

飜譯

'작은 소리(小聲)'를 말한다. 언(言)이 의미부이고, 형(熒)의 생략된 모습이 소리부이다. 『시·소아·청승(青蠅)』에서 "윙윙 쉬파리 날다가(營營青蠅)"라고 노래하였다. 독음은 여(余)와 경(傾)의 반절이다.

1586

譜 : 譜 : 큰 소리 **책**·응답할 **책** : 言-총15획: zé

제
3
권

原文

䜁: 大聲也. 从言昔聲. 讀若笮. 嘖, 譜或从口. 壯革切.

譯

'큰 소리(大聲)'를 말한다. 언(言)이 의미부이고 석(昔)이 소리부이다. 착(笮)과 같이 읽는다. 책(嘖)은 책(譜)의 혹체자인데, 구(口)로 구성되었다. 독음은 장(壯)과 혁(革)의 반절이다.

1587

諛: 諛: 아첨할 유: 言-총16획: yú

原文

諛: 諂也. 从言臾聲. 羊朱切.

譯

'아첨하다(諂)'라는 뜻이다. 언(言)이 의미부이고 유(臾)가 소리부이다. 독음은 양(羊)과 주(朱)의 반절이다.

1588

讇: 讇: 아첨할 첨: 言-총23획: chán

原文

讇: 諛也. 从言閻聲. 諂, 讇或省. 丑琰切.

譯

'아첨하다(諛)'라는 뜻이다. 언(言)이 의미부이고 염(閻)이 소리부이다. 첨(諂)은 첨(讇)의 혹체자인데, 생략된 모습이다. 독음은 축(丑)과 염(琰=琰)의 반절이다.

1589

諼: 諼: 속일 훤: 言-총16획: xuān

原文

諼: 詐也. 从言爰聲. 況袁切.

飜譯

'속이다(詐)'라는 뜻이다. 언(言)이 의미부이고 원(爰)이 소리부이다. 독음은 황(況)과 원(袁)의 반절이다.

1590

謷: 謷: 헐뜯을 오: 言-총18획: áo

原文

謷: 不肖人也. 从言敖聲. 一曰哭不止, 悲聲謷謷. 五牢切.

飜譯

'다른 사람의 말을 듣지 않는다(不肖人)'라는 뜻이다. 언(言)이 의미부이고 오(敖)가 소리부이다. 일설에는 '울음이 그치지 않아 비통한 소리가 끊이지 않음(哭不止, 悲聲謷謷.)'을 말한다고도 한다. 독음은 오(五)와 뢰(牢)의 반절이다.

1591

誠: 誠: 꾀일 수: 言-총12획: xù

原文

誠: 誘也. 从言术聲. 思律切.

飜譯

'유혹하다(誘)'라는 뜻이다. 언(言)이 의미부이고 술(术)이 소리부이다. 독음은 사(思)와 률(律)의 반절이다.

1592

訑: 訑: 자랑할 이: 言-총12획: tuó

(原文)

訑: 沇州謂欺曰訑. 从言它聲. 託何切.

(譯譯)

'연주(沇州)[87] 지역에서는 속이다(欺)는 말을 이(訑)라고 한다.' 언(言)이 의미부이고 타(它)가 소리부이다. 독음은 탁(託)과 하(何)의 반절이다.

1593

謾: 謾: 속일 만: 言-총18획: mán

(原文)

謾: 欺也. 从言曼聲. 母官切.

(譯譯)

'속이다(欺)'라는 뜻이다. 언(言)이 의미부이고 만(曼)이 소리부이다. 독음은 모(母)와 관(官)의 반절이다.

1594

譇: 譇: 말다툼할 차: 言-총19획: zhā

---

87) 여기서 말하는 연주(兗州)는 『우공(禹貢)』에서 말한 9주 중의 하나로, 특정 지명이라기보다는 지리적 개념에 더 가깝다. 대체로 옛날 황하(黃河)와 제수(濟水)사이의 지역을 지칭한다(오늘날의 산동성 서부, 하남성 동부와 하북성 남부 경계 지역). 연주(兗州)가 정식 행정 구역으로 된 것은 서한 무제 때 설치한 14주 자사 때부터이다. 당시에는 복양(濮陽)에 설치되었으며, 산양(山陽), 동군(東郡), 진류(陳留), 제음(濟陰), 태산(泰山), 동평(東平) 등 6군을 관할했다.(바이두 백과)

原文

讆: 諸孥, 羞窮也. 从言奢聲. 陟加切.

飜譯

'차나(諸孥)'를 말하는데, '지루한 말을 계속해서 나열함(羞窮)'을 말한다.[88) 언(言)이 의미부이고 사(奢)가 소리부이다. 독음은 척(陟)과 가(加)의 반절이다.

1595

詐: 詐: 부끄러워 말할 자: 言-총14획: zhà

原文

詐: 慙語也. 从言作聲. 鉏駕切.

飜譯

'부끄러운 말(慙語)'을 말한다. 언(言)이 의미부이고 작(作)이 소리부이다. 독음은 서(鉏)와 가(駕)의 반절이다.

1596

謺: 謺: 말 수다할 집: 言-총18획: zhé

原文

謺: 謺讘也. 从言執聲. 之涉切.

飜譯

'말이 수다스럽다(謺讘)'라는 뜻이다. 언(言)이 의미부이고 집(執)이 소리부이다. 독

---

88) 수궁(羞窮)에 대해 『단주』에서 이렇게 말했다. "『방언(方言)』에서 이렇게 말했다. '란(嚇), 노(哶), 련(謰), 루(護) 등은 모두 '말을 못 알아듣다'라는 뜻의 나(孥)와 같다. 나(孥)는 양주(楊州)와 회계(會稽) 지역의 말이다. 어떤 사람들은 이를 애(薹)로 말하기도 하고, 또 어떤 사람들은 엄(讏)으로 발음하기도 한다." 이에 대해 곽박(郭璞)의 주석에서는 '나(孥)는 차나(諸孥)를 말한다. 노(奴)와 가(加)의 반절이다.'라고 했다. 내 생각은 이렇다. 차나(諸孥)는 여기서 나온 말이다. 그래서 수궁(羞窮)은 껄끄럽고 어려운 말을 지루하게 늘어 하는 말(羞澀辭窮而支離牽引)을 말하며, 이것이 바로 차나(諸孥)라고 생각한다."

음은 지(之)와 섭(涉)의 반절이다.

1597

䜌: 䜌: 말 얽힐 련: 言-총18획: lián

<original>原文</original>

䜌: 䜌谰也. 从言連聲. 力延切.

<translation>飜譯</translation>

'말이 너절너절한 모양(䜌谰)'을 말한다. 언(言)이 의미부이고 련(連)이 소리부이다. 독음은 력(力)과 연(延)의 반절이다.

1598

谰: 谰: 곡진할 루: 言-총18획: lóu

<original>原文</original>

谰: 䜌谰也. 从言婁聲. 陟侯切.

<translation>飜譯</translation>

'말이 너절너절한 모양(䜌谰)'을 말한다. 언(言)이 의미부이고 루(婁)가 소리부이다. 독음은 척(陟)과 후(侯)의 반절이다.

1599

詒: 詒: 보낼 이: 言-총12획: yí

<original>原文</original>

詒: 相欺詒也. 一曰遺也. 从言台聲. 與之切.

<translation>飜譯</translation>

'서로 속이다(相欺詒)'라는 뜻이다. 일설에는 '남겨서 보내주다(遺)'라는 뜻이라고도

한다. 언(言)이 의미부이고 태(台)가 소리부이다. 독음은 여(與)와 지(之)의 반절이다.

1600

譣: 譣: 서로 성낼 참: 言-총18획: cān

原文

譣: 相怒使也. 从言參聲. 倉南切.

飜譯

'서로 분노하여 놀리다(相怒使)'라는 뜻이다.[89] 언(言)이 의미부이고 삼(參)이 소리부이다. 독음은 창(倉)과 남(南)의 반절이다.

1601

誆: 誆: 속일 광: 言-총14획: kuáng

原文

誆: 欺也. 从言狂聲. 居況切.

飜譯

'속이다(欺)'라는 뜻이다. 언(言)이 의미부이고 광(狂)이 소리부이다. 독음은 거(居)와 황(況)의 반절이다.

1602

讘: 讘: 희롱할 의: 言-총21획: nǐ, yì

原文

讘: 騃也. 从言疑聲. 五介切.

飜譯

---

89) 『설문의증』에서 "『집운』에서 참담(譣譚)은 성나서 하는 말을 말한다(怒語也)"라고 했다.

'서로를 비웃다(騃)'라는 뜻이다. 언(言)이 의미부이고 의(疑)가 소리부이다. 독음은 오(五)와 개(介)의 반절이다.

1603

䜁: 諣: 서로 그릇할 과: 言-총20획: guà

原文

䜁: 相誤也. 从言狊聲. 古罵切.

飜譯

'서로 오해하게 하다(相誤)'라는 뜻이다. 언(言)이 의미부이고 구(狊)가 소리부이다. 독음은 고(古)와 매(罵)의 반절이다.

1604

訕: 訕: 헐뜯을 산: 言-총10획: shàn

原文

訕: 謗也. 从言山聲. 所晏切.

飜譯

'비방하다(謗)'라는 뜻이다. 언(言)이 의미부이고 산(山)이 소리부이다. 독음은 소(所)와 안(晏)의 반절이다.

1605

譏: 譏: 나무랄 기: 言-총19획: jī

原文

譏: 誹也. 从言幾聲. 居衣切.

飜譯

'잘못을 꾸짖다(誹)'라는 뜻이다. 언(言)이 의미부이고 기(幾)가 소리부이다. 독음은 거(居)와 의(衣)의 반절이다.

1606

誣: 誣: 무고할 무: 言-총14획: wū

原文

誣: 加也. 从言巫聲. 武扶切.

譯

'[없는 말을] 더하다(加)'라는 뜻이다. 언(言)이 의미부이고 무(巫)가 소리부이다. 독음은 무(武)와 부(扶)의 반절이다.

1607

誹: 誹: 헐뜯을 비: 言-총15획: fěi

原文

誹: 謗也. 从言非聲. 敷尾切.

譯

'비방하다(謗)'라는 뜻이다. 언(言)이 의미부이고 비(非)가 소리부이다. 독음은 부(敷)와 미(尾)의 반절이다.

1608

謗: 謗: 헐뜯을 방: 言-총17획: bàng

原文

謗: 毀也. 从言㫄聲. 補浪切.

譯

'훼방을 놓다(毁)'라는 뜻이다. 언(言)이 의미부이고 방(旁)이 소리부이다. 독음은 보(補)와 랑(浪)의 반절이다.

1609

讟: 讟: 저주할 주: 言-총21획: zhōu

原文

讟: 詶也. 从言壽聲. 讀若醻. 『周書』曰 : "無或讟張爲幻." 張流切.

飜譯

'저주하다(詶)'라는 뜻이다. 언(言)이 의미부이고 수(壽)가 소리부이다. 수(醻)와 같이 읽는다. 『주서(周書)』(「무일(無逸)」)에서 "서로 저주하고 서로 속이는 일이 없구나(無或讟張爲幻)"라고 했다. 독음은 장(張)과 류(流)의 반절이다.

1610

詶: 詶: 대답할 수: 言-총13획: chóu

原文

詶: 讟也. 从言州聲. 市流切.

飜譯

'저주하다(讟)'라는 뜻이다. 언(言)이 의미부이고 주(州)가 소리부이다. 독음은 시(市)와 류(流)의 반절이다.

1611

詛: 詛: 저주할 저: 言-총12획: zǔ

原文

詛: 詶也. 从言且聲. 莊助切.

'저주하다(詶)'라는 뜻이다. 언(言)이 의미부이고 차(且)가 소리부이다. 독음은 장(莊)과 조(助)의 반절이다.

1612

䛱: 䛱: 수작할 주: 言-총12획: zhòu

原文

䛱: 詶也. 从言由聲. 直又切.

飜譯

'저주하다(詶)'라는 뜻이다. 언(言)이 의미부이고 유(由)가 소리부이다. 독음은 직(直)과 우(又)의 반절이다.

1613

誃: 誃: 헤어질 치: 言-총13획: chǐ

原文

誃: 離別也. 从言多聲. 讀若『論語』"跢予之足". 周景王作洛陽誃臺. 尺氏切.

飜譯

'이별하다(離別)'라는 뜻이다. 언(言)이 의미부이고 다(多)가 소리부이다. 『논어·태백(泰伯)』의 "치여지족(跢予之足·나의 손발을 보거라)"이라고 할 때의 '치(跢)'와 같이 읽는다. 주(周)나라 경왕(景王)이 낙양(洛陽)에다 치대(誃臺)라는 누각을 지었었다. 독음은 척(尺)과 씨(氏)의 반절이다.

1614

誖: 誖: 어지러울 패: 言-총14획: bèi

原文

䜌: 亂也. 从言孛聲. 㪱, 詩或从心. 䜌, 籒文詩从二或. 蒲沒切.

飜譯

'어지럽다(亂)'라는 뜻이다. 언(言)이 의미부이고 패(孛)가 소리부이다. 패(㪱)는 패(詩)의 혹체자인데, 심(心)으로 구성되었다. 패(䜌)는 패(詩)의 주문체인데, 2개의 혹(或)으로 구성되었다. 독음은 포(蒲)와 몰(沒)의 반절이다.

1615

䜌: 䜌: 어지러울 련: 言-총19획: luán

原文

䜌: 亂也. 一曰治也. 一曰不絕也. 从言、絲. 㡭, 古文䜌. 呂員切.

飜譯

'[말이] 어지럽다(亂)'라는 뜻이다. 일설에는 '다스리다(治)'라는 뜻이라고도 한다. 또 일설에는 '끊이지 않음(不絕)'을 말한다고도 한다. 언(言)과 사(絲)가 모두 의미부이다. 련(㡭)은 련(䜌)의 고문체이다. 독음은 려(呂)와 원(員)의 반절이다.

1616

誤: 誤: 그릇할 오: 言-총14획: wù

原文

誤: 謬也. 从言吳聲. 五故切.

飜譯

'그릇되다(謬)'라는 뜻이다. 언(言)이 의미부이고 오(吳)가 소리부이다. 독음은 오(五)와 고(故)의 반절이다.

1617

䟡: 䟡: 그르칠 괘: 言-총13획: guà

原文

䟡: 誤也. 从言圭聲. 古賣切.

飜譯

'그릇되다(誤)'라는 뜻이다. 언(言)이 의미부이고 규(圭)가 소리부이다. 독음은 고(古)와 매(賣)의 반절이다.

1618

誒: 誒: 탄식할 희: 言-총14획: ēi, xī

原文

誒: 可惡之辭. 从言矣聲. 一曰誒然.『春秋傳』曰：“誒誒出出.” 許其切.

飜譯

'가증스러움을 표현하는 말(可惡之辭)이다.' 언(言)이 의미부이고 의(矣)가 소리부이다. 일설에는 '응대를 나타내는 말(誒然)'이라고도 한다.『춘추전』(『좌전』 양공 30년, B.C. 543)에서 "[천자가 그의 아우 영부(佞夫)를 죽였다.……이 때 송나라 태묘에서 울부짖는 소리가 났다.] '희희출출'하면서 울부짖었다. [새가 은나라의 사당 위에서 울었는데 그 소리도 마치 '희희'라고 하는 듯 했다.](誒誒出出)"라고 했다. 독음은 허(許)와 기(其)의 반절이다.

1619

譆: 譆: 감탄할 희: 言-총19획: xī

原文

譆: 痛也. 从言喜聲. 火衣切.

飜譯

'비통해 하다(痛)'라는 뜻이다. 언(言)이 의미부이고 희(喜)가 소리부이다. 독음은 화(火)와 의(衣)의 반절이다.

1620

𧮰: 詯: 말소리 우렁찰 회: 言-총13획: huì

原文

詯: 膽气滿聲在人上. 从言自聲. 讀若反目相睞. 荒內切.

飜譯

'담력과 용기가 가득한 소리가 남다른 것(膽气滿聲在人上)'을 말한다. 언(言)이 의미부이고 자(自)가 소리부이다. 반목상래(反目相睞·눈동자가 이리저리 왔다 갔다 함)라고 할 때의 래(睞)와 같이 읽는다. 독음은 황(荒)과 내(內)의 반절이다.

1621

讟: 謧: 말 수다할 리: 言-총18획: lí

原文

謧: 謧詍, 多言也. 从言离聲. 呂之切.

飜譯

'이예(謧詍)'를 말하는데, '말이 많다(多言)'라는 뜻이다. 언(言)이 의미부이고 리(离)가 소리부이다. 독음은 려(呂)와 지(之)의 반절이다.

1622

詍: 詍: 수다스러울 예: 言-총12획: yì

原文

詍: 多言也. 从言世聲. 『詩』曰 : "無然詍詍." 余制切.

'말이 많다(多言)'라는 뜻이다. 언(言)이 의미부이고 세(世)가 소리부이다. 『시·대아 판(板)』에서 "그처럼 떠들고만 있지 마시오(無然詍詍)"라고 노래했다. 독음은 여(余) 와 제(制)의 반절이다.

1623

訾: 訾: 헐뜯을 자: 言-총12획: zǐ

訾: 不思稱意也. 从言此聲.『詩』曰: "翕翕訿訿." 將此切.

'칭찬할 마음이 없음(不思稱意)'을 말한다. 언(言)이 의미부이고 차(此)가 소리부이 다. 『시·소아소민(小旻)』에서 "여럿이 모여 모의하다가 또 서로 욕하고 하니(翕翕訿 訿)"라고 노래했다. 독음은 장(將)과 차(此)의 반절이다.

1624

詢: 詢: 빌 도: 言-총15획: táo

詢: 往來言也. 一曰小兒未能正言也. 一曰祝也. 从言匋聲. 䚯, 詢或从包. 大牢切.

'오가는 말(往來言)'을 말한다. 일설에는 '아직 올바르게 말을 하지 못하는 어린아이 의 말(小兒未能正言)'을 말한다고도 한다. 또 일설에는 '빌다(祝)'라는 뜻이라고도 한다. 언(言)이 의미부이고 도(匋)가 소리부이다. 도(䚯)는 도(詢)의 혹체자인데, 포 (包)로 구성되었다. 독음은 대(大)와 뢰(牢)의 반절이다.

1625

詽: 詽: 수다스러울 염: 言-총13획: nán

原文

詽: 詽詽, 多語也. 从言幵聲. 樂浪有詽邯縣. 汝閻切.

譺譯

'염염(詽詽)은 말이 많음(多語)'을 말한다. 언(言)이 의미부이고 염(幵)이 소리부이다. 낙랑(樂浪) 지역에 염한현(詽邯縣)이 있다. 독음은 여(汝)와 염(閻)의 반절이다.

1626

譶: 譶: 다그쳐 말할 답: 言-총21획: tà

原文

譶: 語相反譶也. 从言遝聲. 他合切.

譺譯

'말이 서로 끊이지 않고 이어짐(語相反譶)'을 말한다. 언(言)이 의미부이고 답(遝)이 소리부이다. 독음은 타(他)와 합(合)의 반절이다.

1627

譗: 譗: 망령되게 말할 답: 言-총15획: tà

原文

譗: 譶譗也. 从言沓聲. 徒合切.

譺譯

'말이 [계속 이어져] 많음(譶譗)'을 말한다. 언(言)이 의미부이고 답(沓)이 소리부이다. 독음은 도(徒)와 합(合)의 반절이다.

1628

訮: 訮: 다투는 소리 현·나무라는 모양 천·말다툼할 안: 言-총13획: yán

原文

訮: 諍語訮訮也. 从言幵聲. 呼堅切.

飜譯

'다투어가며 논쟁을 벌이다(諍語訮訮)'라는 뜻이다. 언(言)이 의미부이고 연(幵)이 소리부이다. 독음은 호(呼)와 견(堅)의 반절이다.

1629

譮: 譮: 장담할 획: 言-총25획: huò

原文

譮: 言壯皃. 一曰數相怒也. 从言巂聲. 讀若畫. 呼麥切.

飜譯

'말에 힘이 있고 씩씩한 모양(言壯皃)'을 말한다. 일설에는 '상대에게 자주 화를 내다(數相怒)'라는 뜻이라고도 한다. 언(言)이 의미부이고 휴(巂)가 소리부이다. 화(畫)와 같이 읽는다. 독음은 호(呼)와 맥(麥)의 반절이다.

1630

䛁: 訇: 큰소리 굉: 言-총9획: hōng

原文

訇: 駭言聲. 从言, 勻省聲. 漢中西城有訇鄉. 又讀若玄. 䛁, 籀文不省. 虎橫切.

飜譯

'크게 말하는 소리(駭言聲)'를 말한다. 언(言)이 의미부이고, 균(勻)의 생략된 모습이 소리부이다. 한중(漢中) 지역의 서성(西城)90)에 굉향(訇鄉)이라는 곳이 있다. 또 현

제3권

(玄)과 같이 읽기도 한다. 굉(⑬)은 주문체인데, 생략되지 않은 모습이다. 독음은 호(虎)와 횡(橫)의 반절이다.

1631

論: 論: 말 교묘히 할 편: 言-총16획: piǎn

(原文)

論: 便巧言也. 从言扁聲.『周書』曰: "截截善論言."『論語』曰: "友論佞." 部田切.

(飜譯)

'교묘하게 하는 말(便巧言)'을 말한다. 언(言)이 의미부이고 편(扁)이 소리부이다.『주서(周書)·진서(秦誓)』에서 "천박하고도 교묘하게 말하는구나(截截善論言)"라고 했다.『논어·계씨』에서 "말을 교묘히 하고 아첨하는 자와 친구를 하는구나(友論佞)"라고 했다. 독음은 부(部)와 전(田)의 반절이다.

1632

矉: 矉: 짝 빈: 言-총23획: pín

(原文)

矉: 匹也. 从言頻聲. 符眞切.

(飜譯)

'말이 많다(匹)'라는 뜻이다.91) 언(言)이 의미부이고 빈(頻)이 소리부이다. 독음은 부(符)와 진(眞)의 반절이다.

---

90) 속본(俗本)에서는 성(城)을 역(域)으로 적기도 한다.
91) 당나라 필사본에서는 비(比)로 되어 있는데, 비(比)는 빈(頻)과 같아 '자주', '많다'는 뜻이다. 금본『옥편』에서도 "말이 많다(多言)"는 뜻이라고 했다.

1633

訍: 訍: 두드릴 구: 言-총10획: kòu

原文

訍: 扣也. 如求婦先訍戜之. 从言从口, 口亦聲. 苦后切.

飜譯

'두드려보다(扣)'라는 뜻이다. 부인을 구할 때 먼저 물어보고 시작을 하는 것과 같다. 언(言)이 의미부이고 구(口)도 의미부인데, 구(口)는 소리부도 겸한다. 독음은 고(苦)와 후(后)의 반절이다.

1634

誽: 誽: 떠볼 나: 言-총15획: nì, ná

原文

誽: 言相誽司也. 从言兒聲. 女家切.

飜譯

'말로써 상대를 떠보다(言相誽司)'라는 뜻이다. 언(言)이 의미부이고 아(兒)가 소리부이다. 독음은 여(女)와 가(家)의 반절이다.

1635

誂: 誂: 꾈 조: 言-총13획: diào

原文

誂: 相呼誘也. 从言兆聲. 徒了切.

飜譯

'상대를 불러 유혹하다(相呼誘)'라는 뜻이다. 언(言)이 의미부이고 조(兆)가 소리부이다. 독음은 도(徒)와 료(了)의 반절이다.

1636

譄: 譄: 더할 증: 言-총19획: céng, zèng

原文

譄: 加也. 从言, 曾聲. 作滕切.

飜譯

'말을 덧보태다(加)'라는 뜻이다. 언(言)이 의미부이고, 증(曾)이 소리부이다. 독음은 작(作)과 등(滕)의 반절이다.

1637

詄: 詄: 잊을 질: 言-총12획: dié

原文

詄: 忘也. 从言失聲. 徒結切.

飜譯

'말을 잊어버리다(忘)'라는 뜻이다. 언(言)이 의미부이고 실(失)이 소리부이다. 독음은 도(徒)와 결(結)의 반절이다.

1638

蘎: 蘎: 꺼릴 기: 言-총15획: jì

原文

蘎: 忌也. 从言其聲. 『周書』曰 : "上不蘎于凶德." 渠記切.

飜譯

'꺼리다 즉 기피하다(忌)'라는 뜻이다. 언(言)이 의미부이고 기(其)가 소리부이다. 『주서(周書)』(「다방(多方)」)에서 "윗사람도 흉덕을 꺼리지 않는구나(上不蘎于凶德)."라고 했다. 독음은 거(渠)와 기(記)의 반절이다.

1639

譀: 譀: 허탈할 함: 言-총19획: hàn

原文

譀: 誕也. 从言敢聲. 譀, 俗譀从忘. 下瞰切.

譯

'허풍을 떨다(誕)'라는 뜻이다. 언(言)이 의미부이고 감(敢)이 소리부이다. 함(譀)은 함(譀)의 속체인데, 망(忘)으로 구성되었다. 독음은 하(下)와 감(瞰)의 반절이다.

1640

誇: 誇: 자랑할 과: 言-총13획: kuā

原文

誇: 譀也. 从言夸聲. 苦瓜切.

譯

'허풍을 떨다(譀)'라는 뜻이다. 언(言)이 의미부이고 과(夸)가 소리부이다. 독음은 고(苦)와 과(瓜)의 반절이다.

1641

誕: 誕: 태어날 탄: 言-총14획: dàn

原文

誕: 詞誕也. 从言延聲. 𢫶, 籒文誕省正. 徒旱切.

譯

'허풍스런 말(詞誕)'을 말한다. 언(言)이 의미부이고 연(延)이 소리부이다. 탄(𢫶)은 탄(誕)의 주문체인데, 정(正)이 생략되었다. 독음은 도(徒)와 한(루)의 반절이다.

1642

讕: 讟: 허풍칠 매·다투며 화낼 해: 言-총20획: mài

原文

讟: 譀也. 从言萬聲. 莫話切.

譯

'허풍을 떨다(譀)'라는 뜻이다. 언(言)이 의미부이고 만(萬)이 소리부이다. 독음은 막(莫)과 화(話)의 반절이다.

1643

謔: 謔: 희롱거릴 학: 言-총17획: xuè

原文

謔: 戲也. 从言虐聲.『詩』曰 : "善戲謔兮." 虛約切.

譯

'희롱하다(戲)'라는 뜻이다. 언(言)이 의미부이고 학(虐)이 소리부이다.『시·위풍기오(淇奧)』에서 "우스갯소리도 잘 하시지만(善戲謔兮)"이라고 노래했다. 독음은 허(虛)와 약(約)의 반절이다.

1644

誾: 誾: 시끄럽게 다툴 현: 言-총13획: hěn

原文

誾: 眼戾也. 从言艮聲. 乎懇切.

譯

'말을 듣지 않다(眼戾)'라는 뜻이다.92) 언(言)이 의미부이고 간(臣)이 소리부이다. 독음은 호(乎)와 간(懇)의 반절이다.

1645

訌: 訌: 무너질 홍: 言-총10획: hòng

原文

訌: 潰也. 从言工聲. 『詩』曰: "蟊賊内訌." 戶工切.

飜譯

'[심하게 다투다] 무너지다(潰)'라는 뜻이다.93) 언(言)이 의미부이고 강(工)이 소리부이다. 『시·대아소민(小旻)』에서 "해충이 들끓듯 내란이 심하네(蟊賊内訌)"라고 노래했다. 독음은 호(戶)와 공(工)의 반절이다.

1646

讟: 讟: 그칠 회: 言-총19획: huì

原文

讟: 中止也. 从言貴聲. 『司馬法』曰: "師多則人讟." 讟, 止也. 胡對切.

飜譯

---

92) 안려(眼戾)는 흔려(很戾)가 되어야 옳다. 당사본 『옥편』에서 "현(誢)은 패려궂다는 뜻이다(很也)"라고 한 것이 이를 증명해 준다. 흔(很)은 말을 따르지 않음을 말한다.
93) 『단주』에서 이렇게 보충했다. "「대아(大雅).소민(召旻)」의 『전(傳)』에서 홍(訌)은 무너지다는 뜻이다(潰也). 「억(抑)」의 『전(傳)』에서도 홍(虹)은 무너지다는 뜻이다(潰也)라고 했다. 홍(虹)은 홍(訌)의 가차자이다. 『이아.석언(釋言)』에서도 '홍(虹)은 무너지다는 뜻이며(潰也), 달리 홍(訌)으로 적기도 한다.'라고 했다. 각박의 주석에서는 무너져 부서짐을 말한다(潰敗)고 했다. 내 생각에, 허신이 독(讀)으로 적었는데, 이는 허신이 독(讀)과 궤(潰)를 같은 뜻으로 보았기 때문일 것이다. 『시』에서 '彼童而角, 實虹小子.(어린 양에게 뿔이 났다는 것 같은 말은, 정말로 젊은이들을 속이는 것이네.)'이라 했고, '天降罪罟, 蟊賊内訌.(하늘이 죄 그물을 내리시니, 해충이 들끓듯 내란이 심하네.)'라고 했는데, 모두 재앙이 그 속에서 나옴을 말해 (그 다음에 이어지는 讟의) '중지하다'는 의미와 부합된다."

'중지하다(中止)'라는 뜻이다. 언(言)이 의미부이고 귀(貴)가 소리부이다. 『사마법(司馬法)』에서 "군대가 많아지면 백성들의 업무가 멈추고 만다(師多則人䞣)."라고 했는데, 회(䞣)는 그치다(止)는 뜻이다. 독음은 호(胡)와 대(對)의 반절이다.

1647

譏： 譏: 들랠 **홰**: 言-총20획: huì

原文

譏: 聲也. 从言歲聲. 『詩』曰: "有譏其聲." 呼會切.

飜譯

'[떠드는] 소리(聲)'를 말한다. 언(言)이 의미부이고 세(歲)가 소리부이다. 『시』에서 "유홰기성(有譏其聲·별들이 반짝이네)"이라고 노래했다.94) 독음은 호(呼)와 회(會)의 반절이다.

1648

調： 調: 게으를 과빠르게 말할 **화**: 言-총16획: huà

原文

調: 疾言也. 从言咼聲. 呼卦切.

飜譯

'말을 빨리하다(疾言)'라는 뜻이다. 언(言)이 의미부이고 괘(咼)가 소리부이다. 독음은 호(呼)와 괘(卦)의 반절이다.

---

94) 오늘날의 『시경』에는 이 문구가 전하지 않는다. 『단주』에서는 이렇게 말했다. "『모시(毛詩). 운한(雲漢)』에 '유혜기성(有嘒其星: 별들만 반짝이네)'이라는 말이 있는데, 『모전(毛傳)』에서 혜(嘒)는 별이 많은 모양이다(衆星皃)라고 했다. 여기서 말한 유홰기성(有譏其聲)은 삼가시(三家詩)에 나오는 말일 것이다. 이는 역사서에서 말한 '적기항천(赤氣亙天: 붉은 기운이 하늘 가득하네)'이나 '팽은유성(砰隱有聲: 커다란 소리 가득하네)' 등과 같은 내용이다. 혹자는 성(聲)은 당연히 성(星)의 오류일 것이라고도 한다. 유홰기성(有譏其星)은 천관서(天官書) 등에서 말한 천유고음(天有鼓音)이나 천구유성(天狗有聲) 등과 같은 부류이다."

1649

譵: 譵: 시끄러울 퇴: 言-총25획: tuí

原文

譵: 謀也. 从言魋聲. 杜回切.

飜譯

'시끄럽게 떠들다(謀)'라는 뜻이다. 언(言)이 의미부이고 퇴(魋)가 소리부이다. 독음은 두(杜)와 회(回)의 반절이다.

1650

譟: 譟: 시끄러울 조: 言-총20획: zào

原文

譟: 擾也. 从言喿聲. 蘇到切.

飜譯

'떠들썩하여 소란스럽다(擾)'라는 뜻이다. 언(言)이 의미부이고 소(喿)가 소리부이다. 독음은 소(蘇)와 도(到)의 반절이다.

1651

訆: 訆: 부르짖을 규: 言-총9획: jiào

原文

訆: 大呼也. 从言丩聲.『春秋傳』曰 : "或訆于宋大廟." 古弔切.

飜譯

'큰 소리로 부르다(大呼)'라는 뜻이다. 언(言)이 의미부이고 규(丩)가 소리부이다. 『춘추전』(『좌전』 양공 30년, B.C. 543)에서 "때때로 송나라의 태묘에서 귀신이 큰소리로 울부짖는다(或訽于宋大廟)."라고 했다. 독음은 고(古)와 조(弔)의 반절이다.

1652

號: 號: 속일 하부르짖을 효·깜짝 놀랄 획: 言-총15획: háo

原文

號: 號也. 从言从虎. 乎刀切.

飜譯

'부르짖다(號)'라는 뜻이다. 언(言)이 의미부이고 도(虎)도 의미부이다. 독음은 호(乎)와 도(刀)의 반절이다.

1653

讙: 讙: 시끄러울 환: 言-총25획: huān

原文

讙: 譁也. 从言雚聲. 呼官切.

飜譯

'시끄럽게 떠들다(譁)'라는 뜻이다. 언(言)이 의미부이고 관(雚)이 소리부이다. 독음은 호(呼)와 관(官)의 반절이다.

1654

譁: 譁: 시끄러울 화: 言-총19획: huā

原文

譁: 讙也. 从言華聲. 呼瓜切.

飜譯

'시끄럽게 떠들다(讙)'라는 뜻이다. 언(言)이 의미부이고 화(華)가 소리부이다. 독음은 호(呼)와 과(瓜)의 반절이다.

1655

譁: 譁: 망령되이 말할 우: 言-총18획: yū

原文

譁: 妄言也. 从言雩聲. 譁, 譁或从夸. 羽俱切.

繙譯

'망령되게 말하다(妄言)'라는 뜻이다. 언(言)이 의미부이고 우(雩)가 소리부이다. 우(譁)는 우(譁)의 혹체자인데, 과(夸)로 구성되었다. 독음은 우(羽)와 구(俱)의 반절이다.

1656

譌: 譌: 거짓말 와: 言-총19획: é

原文

譌: 譌言也. 从言爲聲.『詩』曰 : "民之譌言." 五禾切.

繙譯

'거짓으로 말하다(譌言)'라는 뜻이다. 언(言)이 의미부이고 위(爲)가 소리부이다.『시·소아면수(沔水)』등에서 "백성들의 뜬소문은(民之譌言)"이라고 노래했다. 독음은 오(五)와 화(禾)의 반절이다.

1657

詿: 詿: 그르칠 괘: 言-총13획: guà

原文

詿: 誤也. 从言, 佳省聲. 古賣切.

譌譯

'잘못되다(誤)'라는 뜻이다. 언(言)이 의미부이고, 가(佳)의 생략된 모습이 소리부이다. 독음은 고(古)와 매(賣)의 반절이다.

1658

譺: 誤: 그릇할 오: 言-총14획: wù

原文

譺: 謬也. 从言吳聲. 五故切.

譌譯

'잘못되다(謬)'라는 뜻이다. 언(言)이 의미부이고 오(吳)가 소리부이다. 독음은 오(五)와 고(故)의 반절이다.

1659

謬: 謬: 그릇될 류: 言-총18획: miù

原文

謬: 狂者之妄言也. 从言翏聲. 靡幼切.

譌譯

'미치광이의 망언(狂者之妄言)'을 말한다. 언(言)이 의미부이고 료(翏)가 소리부이다. 독음은 미(靡)와 유(幼)의 반절이다.

1660

諒: 諒: 잠꼬대 황: 言-총13획: huǎng

原文

諒: 夢言也. 从言㐬聲. 呼光切.

翻譯

'꿈에서 하는 말, 즉 잠꼬대(夢言)'를 말한다. 언(言)이 의미부이고 황(㡛)이 소리부이다. 독음은 호(呼)와 광(光)의 반절이다.

1661

䆩: 暴: 하소연할 포: 言-총17획: pò

原文

暴: 大呼自勉也. 从言, 暴省聲. 蒲角切.

翻譯

'자신이 억울하다고 큰소리로 울부짖다(大呼自勉)'라는 뜻이다. 언(言)이 의미부이고, 폭(暴)의 생략된 모습이 소리부이다. 독음은 포(蒲)와 각(角)의 반절이다.

1662

誗: 誗: 재빠를 초: 言-총11획: chāo

原文

誗: 誗, 擾也. 一曰誗, 獪. 从言少聲. 讀若毚. 楚交切.

翻譯

초(誗)는 '소란을 피우다(擾)'라는 뜻이다. 일설에 의하면, 초(誗)는 '교활하다(獪)'라는 뜻이라고도 한다. 언(言)이 의미부이고 소(少)가 소리부이다. 참(毚)과 같이 읽는다. 독음은 초(楚)와 교(交)의 반절이다.

1663

諆: 諆: 속일 기: 言-총15획: jī

原文

諆：欺也. 从言其聲. 去其切.

'기(欺)와 같아 속이다'라는 뜻이다. 언(言)이 의미부이고 기(其)가 소리부이다. 독음은 거(去)와 기(其)의 반절이다.

1664

譎：譎：속일 휼：言-총19획：jué

原文

譎：權詐也. 益、梁曰謬欺, 天下曰譎. 从言矞聲. 古穴切.

飜譯

'권모술수로 남을 속이다(權詐)'라는 뜻이다. 익(益)과 량(梁) 지역에서는 료(謬)나 기(欺)라고 하는데, 전 지역에서 통용되는 말이 휼(譎)이다. 언(言)이 의미부이고 율(矞)이 소리부이다. 독음은 고(古)와 혈(穴)의 반절이다.

1665

詐：詐：속일 사：言-총12획：zhà

原文

詐：欺也. 从言乍聲. 側駕切.

飜譯

'속이다(欺)'라는 뜻이다. 언(言)이 의미부이고 사(乍)가 소리부이다. 독음은 측(側)과 가(駕)의 반절이다.

1666

訏：訏：클 우：言-총10획：xū

原文

訏: 詭譌也. 从言于聲. 一曰訏, 譬. 齊、楚謂信曰訏. 況于切.

飜譯

'기만하여 거짓말을 하다(詭譌)'라는 뜻이다. 언(言)이 의미부이고 우(于)가 소리부이다. 일설에 의하면, 우(訏)는 탄식하는 말(譬)이라고도 한다. 제(齊)와 초(楚) 지역에서는 믿다(信)는 뜻을 우(訏)라고 한다. 독음은 황(況)과 우(于)의 반절이다.

1667

譇: 嗟: 탄식할 차: 言-총17획: jiē

原文

譇: 咨也. 一曰痛惜也. 从言差聲. 子邪切.

飜譯

'탄식하다(咨)'라는 뜻이다. 일설에는 '마음 아파하다(痛惜)'라는 뜻이라고도 한다. 언(言)이 의미부이고 차(差)가 소리부이다. 독음은 자(子)와 사(邪)의 반절이다.

1668

讋: 讋: 두려워할 섭: 言-총23획: zhé

原文

讋: 失气言. 一曰不止也. 从言, 龘省聲. 傅毅讀若慴. 𧮫, 籒文讋不省. 之涉切.

飜譯

'기운 없이 말을 하다(失气言)'라는 뜻이다.95) 일설에는 '그치지 않다(不止)'라는 뜻이라고도 한다. 언(言)이 의미부이고, 답(龘)의 생략된 모습이 소리부이다. 부의(傅

---

95) 『단주』에서 이렇게 말했다. "섭(讋)은 습(慴)과 독음과 의미가 모두 같다. 다만 섭(讋)은 언(言)으로 구성되었을 뿐이다. 그래서 '失气言'이라고 했던 것이다. 「동도부(東都賦)」에서 '陸讋水慄(뭍에서도 두렵고 물에서도 공포스럽구나.)'라고 했다."

毅)96)는 습(慴)과 같이 읽는다고 했다. 섭(讘)은 섭(譬)의 주문체인데, 생략되지 않은 모습이다. 독음은 지(之)와 섭(涉)의 반절이다.

1669

譫: 譫: 익힐 습: 言-총18획: xí

原文

譫: 言譫讘也. 从言習聲. 秦入切.

飜譯

'두려워 겁먹고 말하다(言譫讘)'라는 뜻이다. 언(言)이 의미부이고 습(習)이 소리부이다. 독음은 진(秦)과 입(入)의 반절이다.

1670

誣: 誣: 서로 헐뜯을 오: 言-총15획: wù

原文

誣: 相毀也. 从言亞聲. 一曰畏亞. 宛古切.

飜譯

'상대를 헐뜯다(相毀)'라는 뜻이다. 언(言)이 의미부이고 아(亞)가 소리부이다. 일설에는 '두려워하며 싫어하다(畏亞)'라는 뜻이라고도 한다.97) 독음은 완(宛)과 고(古)의 반절이다.

---

96) 부의(傅毅, ?~90)는 동한 때의 문학가로, 자가 무중(武仲)이며, 부풍(扶風) 무릉(茂陵)(지금의 섬서성 흥평현) 사람이다. 동한 때의 장군이었던 부육(傅育)의 아들로, 사부(辭賦)를 잘 지었다. 한 장제(章帝) 때 난대령사(蘭臺令史)가 되었고 낭중(郎中)에 배수되어, 반고(班固), 가규(賈逵) 등과 왕실의 서적을 교감했다. 「현종송(顯宗頌)」 10편을 지어 조정에 이름을 날렸다. (바이두 백과)
97) 『단주』에서 이렇게 말했다. "달리 외오(畏誣)라고도 한다. 이는 오악(惡惡)의 오(惡)와 거의 비슷하다." 그리하여 아(亞)를 오(誣)로 적었고, 이는 오(惡)와 같다고 보았다.

1671

𧮎 : 𧮎 : 서로 헐뜯을 수·포갤 휴: 言–총19획: huī

原文

𧮎 : 相毀也. 从言, 隨省聲. 雖遂切.

飜譯

'상대를 헐뜯다(相毀)'라는 뜻이다. 언(言)이 의미부이고, 수(隨)의 생략된 모습이 소리부이다. 독음은 수(雖)와 수(遂)의 반절이다.

1672

讍 : 讍 : 잔말할 답: 言–총25획: tà

原文

讍 : 嗑也. 从言闒聲. 徒盍切.

飜譯

'말이 많다(嗑)'라는 뜻이다. 언(言)이 의미부이고 탑(闒)이 소리부이다. 독음은 도(徒)와 합(盍)의 반절이다.

1673

詾 : 詾 : 송사할 흉: 言–총13획: xiōng

原文

詾 : 說也. 从言匈聲. 訩, 或省. 䛶, 詾或从兇. 許容切.

飜譯

'열띠게 다툼을 벌이다(說)'라는 뜻이다.98) 언(言)이 의미부이고 흉(匈)이 소리부이

---

98) 『단주』에서 송(訟)이 되어야 한다고 하면서 이렇게 말했다. "송사를 벌이다는 뜻이다(訟也)가 되어야 한다. 송(訟)을 각 판본에서는 잘못해 열(說)로 적었다. 지금 『옥편』과 『광운』 및 『육

다. 흉(訩)은 혹체자인데, 생략된 모습이다. 흉(詾)도 흉(詗)의 혹체자인데, 흉(兇)으로 구성되었다. 독음은 허(許)와 용(容)의 반절이다.

1674

訟: 訟: 송사할 송: 言-총11획: sòng

原文

訟: 爭也. 从言公聲. 曰：謌訟. 䛦, 古文訟. 似用切.

譯

'다툼을 벌이다(爭)'라는 뜻이다. 언(言)이 의미부이고 공(公)이 소리부이다. 일설에는 '노래 부르다(謌訟)'라는 뜻이라고도 한다. 송(䛦)은 송(訟)의 고문체이다. 독음은 사(似)와 용(用)의 반절이다.

1675

謓: 謓: 성낼 진: 言-총17획: chēn

原文

謓: 恚也. 从言眞聲. 賈侍中說：謓, 笑. 一曰讀若振. 昌眞切.

譯

'성을 내다(恚)'라는 뜻이다. 언(言)이 의미부이고 진(眞)이 소리부이다. 가시중(賈侍中)께서는 '진(謓)은 웃다(笑)라는 뜻이다'라고 하셨다. 일설에는 진(振)과 같이 읽는다고도 한다. 독음은 창(昌)과 진(眞)의 반절이다.

서고(六書故)』에서 인용한 당본(唐本)에 근거해 바로 잡는다. 『이아.석언(釋言)』과 「소아(小雅).노송(魯頌)』의 전(傳)과 전(箋)에서도 모두 흉(訩)은 송사를 벌이다는 뜻이다(訟也)라고 했다 내 생각에, 아래에 이어지는 글자에서도 송(訟)은 다투는 뜻이다(爭也)라고 했는데, 이것이 『설문』의 통용되는 체례이다."

1676

讘: 讘: 속삭일 섭: 言-총25획: niè

原文

讘: 多言也. 从言聶聲. 河東有狐讘縣. 之涉切.

翻譯

'말이 많다(多言)'라는 뜻이다. 언(言)이 의미부이고 섭(聶)이 소리부이다. 하동(河東)군에 호섭현(狐讘縣)[99]이 있다. 독음은 지(之)와 섭(涉)의 반절이다.

1677

訶: 訶: 꾸짖을 가: 言-총12획: hē

原文

訶: 大言而怒也. 从言可聲. 虎何切.

翻譯

'큰 소리로 화를 내다(大言而怒)'라는 뜻이다. 언(言)이 의미부이고 가(可)가 소리부이다. 독음은 호(虎)와 하(何)의 반절이다.

1678

詆: 詆: 들추어낼 지: 言-총13획: zhǐ

原文

詆: 訐也. 从言臣聲. 讀若指. 職雉切.

翻譯

'다른 사람의 허물을 들추어내다(訐)'라는 뜻이다. 언(言)이 의미부이고 신(臣)이 소

---

99) 서한 때 설치되어 하동군(河東郡)에 귀속되었다가 동한 초기에 폐지되었는데, 지금의 산서성 영화현(永和縣) 서남쪽에 있었다.

리부이다. 지(指)와 같이 읽는다. 독음은 직(職)과 치(雉)의 반절이다.

1679

訐: 訐: 들추어낼 알: 言-총10획: jié

(原文)

訐: 面相斥罪, 相告訐也. 从言干聲. 居謁切.

(飜譯)

'면전에서 상대의 잘못을 들추어내고, 이를 상부에 고발하다(面相斥罪, 相告訐)'라는 뜻이다.100) 언(言)이 의미부이고 간(干)이 소리부이다. 독음은 거(居)와 알(謁)의 반절이다.

1680

訴: 訴: 하소연할 소: 言-총12획: sù

(原文)

訴: 告也. 从言, 斥省聲. 『論語』曰: "訴子路於季孫." 𧪜, 訴或从言、朔. 𧪩, 訴或从朔、心. 桑故切.

(飜譯)

'고해바치다(告)'라는 뜻이다. 언(言)이 의미부이고, 엄(斥)의 생략된 모습이 소리부이다. 『논어·헌문(憲問)』에서 "[공백료가] 자로의 잘못을 계손에게 고해바쳤다(訴子路於季孫)"라고 했다. 소(𧪜)는 소(訴)의 혹체자인데, 언(言)과 삭(朔)으로 구성되었다. 소(𧪩)도 소(訴)의 혹체자인데, 삭(朔)과 심(心)으로 구성되었다. 독음은 상(桑)과 고(故)의 반절이다.

---

100) 『단주』에서는 『운회(韻會)』에 근거하여 "面相斥罪, 告訐也."로 고친다고 하면서, 상(相)을 삭제했다.

1681

譖: 譖: 참소할 참: 言-총19획: zèn

原文

譖: 愬也. 从言朁聲. 莊蔭切.

飜譯

'참소하다(愬)'라는 뜻이다. 언(言)이 의미부이고 참(朁)이 소리부이다. 독음은 장(莊)과 음(蔭)의 반절이다.

1682

讒: 讒: 참소할 참: 言-총24획: chán

原文

讒: 譖也. 从言毚聲. 士咸切.

飜譯

'참소하다(譖)'라는 뜻이다. 언(言)이 의미부이고 참(毚)이 소리부이다. 독음은 사(士)와 함(咸)의 반절이다.

1683

譴: 譴: 꾸짖을 견: 言-총21획: qiǎn

原文

譴: 謫問也. 从言遣聲. 去戰切.

飜譯

'문책하다(謫問)'라는 뜻이다. 언(言)이 의미부이고 견(遣)이 소리부이다. 독음은 거(去)와 전(戰)의 반절이다.

1684

讁: 讁: 귀양 갈 적: 言-총18획: zhé

原文

讁: 罰也. 从言啻聲. 陟革切.

譯

'벌을 주다(罰)'라는 뜻이다. 언(言)이 의미부이고 시(啻)가 소리부이다. 독음은 척(陟)과 혁(革)의 반절이다.

1685

諯: 諯: 서로 사양할 전: 言-총16획: zhuān

原文

諯: 數也. 一曰相讓也. 从言耑聲. 讀若專. 尺絹切.

譯

'자주 말하다(數)'라는 뜻이다. 일설에는 '상대를 질책하다(相讓)'라는 뜻이라고도 한다. 언(言)이 의미부이고 단(耑)이 소리부이다. 전(專)과 같이 읽는다. 독음은 척(尺)과 견(絹)의 반절이다.

1686

讓: 讓: 사양할 양: 言-총24획: ràng

原文

讓: 相責讓. 从言襄聲. 人漾切.

譯

'상대를 질책하다(相責讓)'라는 뜻이다. 언(言)이 의미부이고 양(襄)이 소리부이다. 독음은 인(人)과 양(漾)의 반절이다.

1687

譙: 譙: 꾸짖을 초: 言-총19획: qiào

原文

譙: 嬈譊也. 从言焦聲. 讀若嚼. 誚, 古文譙从肖. 才肖切.

譯

'조롱하며 질책하다(嬈譊)'라는 뜻이다. 언(言)이 의미부이고 초(焦)가 소리부이다. 작(嚼)과 같이 읽는다. 초(誚)는 초(譙)의 고문체인데, 초(肖)로 구성되었다. 독음은 재(才)와 초(肖)의 반절이다.

1688

誎: 諫: 자주 나무랄 자: 言-총13획: cì

原文

誎: 數諫也. 从言束聲. 七賜切.

譯

'자주 간언을 하다(數諫)'라는 뜻이다. 언(言)이 의미부이고 자(束)가 소리부이다. 독음은 칠(七)과 사(賜)의 반절이다.

1689

誶: 誶: 욕할 수: 言-총15획: suì

原文

誶: 讓也. 从言卒聲.『國語』曰 : "誶申胥." 雖遂切.

譯

'질책하다(讓)'라는 뜻이다. 언(言)이 의미부이고 졸(卒)이 소리부이다.『국어·오어(吳

語)』에서 "오자서를 질책했다(誶申胥)."라고 했다. 독음은 수(雖)와 수(遂)의 반절이다.

1690

詰: 詰: 물을 힐: 言-총13획: jié

原文

詰: 問也. 从言吉聲. 去吉切.

'따져 묻다(問)'라는 뜻이다. 언(言)이 의미부이고 길(吉)이 소리부이다. 독음은 거 (去)와 길(吉)의 반절이다.

1691

謹: 謹: 책망할 망: 言-총18획: wàng

原文

謹: 責望也. 从言望聲. 巫放切.

'책망하다(責望)'라는 뜻이다. 언(言)이 의미부이고 망(望)이 소리부이다. 독음은 무 (巫)와 방(放)의 반절이다.

1692

詭: 詭: 속일 궤: 言-총13획: guǐ

原文

詭: 責也. 从言危聲. 過委切.

'질책하다(責)'라는 뜻이다. 언(言)이 의미부이고 위(危)가 소리부이다.[101] 독음은 과

(過)와 위(委)의 반절이다.

1693

譜: 證: 증거 증: 言—총19획: zhèng

原文

譜: 告也. 从言登聲. 諸應切.

譯

'고해바치다(告)'라는 뜻이다. 언(言)이 의미부이고 등(登)이 소리부이다.[102] 독음은 제(諸)와 응(應)의 반절이다.

1694

誳: 詘: 굽힐 굴: 言—총12획: qū

原文

誳: 詰詘也. 一曰屈襞. 从言出聲. 誳, 詘或从屈. 區勿切.

譯

'따져 묻다(詰詘)'라는 뜻이다.[103] 일설에는 '치마에 주름을 넣다(屈襞)'라는 뜻이라고도 한다. 언(言)이 의미부이고 출(出)이 소리부이다. 굴(誳)은 굴(詘)의 혹체자인데, 굴(屈)로 구성되었다. 독음은 구(區)와 물(勿)의 반절이다.

---

101) 소전에서처럼 言(말씀 언)이 의미부이고 危(위태할 위)가 소리부로, 곧 드러나게 될 진실을 위태로운(危) 말(言)로써 '속이는' 것을 말하며, 이로부터 남을 속이다, 詭辯(궤변), 기이하다 등의 뜻이 나왔다.

102) 고문자에서 簡牘文 등으로 썼는데, 소전에서처럼 言(말씀 언)이 의미부고 登(오를 등)이 소리부로, 알리다는 뜻인데, 말(言)을 신전에 올리다(登)는 뜻으로부터 '보고하다'의 뜻이 나왔고, 그것은 확실한 증거가 있을 때 가능했기에 '證據(증거)'의 뜻도 함께 나왔다. 간화자에서는 소리부인 登 대신 正(바를 정)을 쓴 证으로 쓰는데, 증거란 오로지 정확한(正) 말(言)이어야 함을 말했다.

103) 『단주』에서는 "힐(詰)과 굴(詘)은 쌍성자로 굽히다는 뜻이다(屈曲之意)."라고 했다.

1695

諻: 諻: 위안할 원: 言-총12획: yuǎn

原文

諻: 尉也. 从言夗聲. 於願切.

譯

'위로하다(尉)'라는 뜻이다. 언(言)이 의미부이고 원(夗)이 소리부이다. 독음은 어(於)와 원(願)의 반절이다.

1696

詗: 詗: 염탐할 형: 言-총12획: xiòng

原文

詗: 知處告言之. 从言同聲. 朽正切.

譯

'깊이 알고 있는 바를 고해바치다(知處告言之)'라는 뜻이다. 언(言)이 의미부이고 경(同)이 소리부이다. 독음은 후(朽)와 정(正)의 반절이다.

1697

譣: 譣: 구할 현: 言-총22획: juàn

原文

譣: 流言也. 从言夐聲. 火縣切.

譯

'근거 없이 떠돌아다니는 말, 즉 유언비어(流言)'를 말한다. 언(言)이 의미부이고 형(夐)이 소리부이다. 독음은 화(火)와 현(縣)의 반절이다.

1698

詆: 詆: 꾸짖을 저: 言-총12획: dǐ

原文

詆: 苛也. 一曰訶也. 从言氏聲. 都禮切.

譯

'가혹하게 질책하다(苛)'라는 뜻이다. 일설에는 '큰 소리로 질책하다(訶)'라는 뜻이라고도 한다. 언(言)이 의미부이고 저(氏)가 소리부이다. 독음은 도(都)와 례(禮)의 반절이다.

1699

誰: 誰: 누구 수: 言-총15획: shuí

原文

誰: 何也. 从言隹聲. 示隹切.

譯

'질책하다(何)'라는 뜻이다. 언(言)이 의미부이고 추(隹)가 소리부이다.104) 독음은 시(示)와 추(隹)의 반절이다.

1700

譯: 譯: 경계할 격: 言-총16획: gé

原文

---

104) 『단주』에서는 이렇게 말했다. "하야(何也)는 수하야(誰何也)가 되어야 한다. 각 판본에서는 수(誰)자가 빠졌는데, 잘못하여 삭제한 것이다.……하(何)는 묻는다는 뜻이다(問也). 「가의전(賈誼傳)」에서 '대견대하(大譴大何: 크게 꾸짖었다)'라고 했다. 언(言)이 의미부이고 가(可)가 소리부이다. 시(示)와 가(可)의 반절로 제15부에 속해 있다."

革言 : 飾也. 一曰更也. 从言革聲. 讀若戒. 古覈切.

翻譯

'꾸미다(飾)'라는 뜻이다. 일설에는 '바꾸다(更)'는 뜻이라고도 한다. 언(言)이 의미부이고 혁(革)이 소리부이다. 계(戒)와 같이 읽는다. 독음은 고(古)와 핵(覈)의 반절이다.

1701

讕 : 讕: 헐뜯을 란: 言-총24획: lán

原文

讕 : 詆讕也. 从言闌聲. 譋, 讕或从閒. 洛干切.

翻譯

'헐뜯다(詆讕)'라는 뜻이다. 언(言)이 의미부이고 란(闌)이 소리부이다. 란(譋)은 란(讕)의 혹체자인데, 한(閒)으로 구성되었다. 독음은 락(洛)과 간(干)의 반절이다.

1702

診 : 診: 볼 진: 言-총12획: zhěn

原文

診 : 視也. 从言㐱聲. 直刃切.

翻譯

'조사하여 살피다(視)'라는 뜻이다. 언(言)이 의미부이고 진(㐱)이 소리부이다. 독음은 직(直)과 인(刃)의 반절이다.

1703

誓斤 : 訢: 슬퍼하는 소리 서: 言-총17획: xī

原文

謺: 悲聲也. 从言, 斯省聲. 先稽切.

譯

'슬퍼 울부짖는 소리(悲聲)'를 말한다. 언(言)이 의미부이고, 사(斯)의 생략된 모습이 소리부이다. 독음은 선(先)과 계(稽)의 반절이다.

1704

訧: 訧: 허물 우: 言-총11획: yóu

原文

訧: 罪也. 从言尤聲.『周書』曰 : "報以庶訧." 羽求切.

譯

'죄(罪)'라는 뜻이다. 언(言)이 의미부이고 우(尤)가 소리부이다.『주서』(「여형(呂刑)」)에서 "서민들의 잣대로 죄를 물을 것이다(報以庶訧)"라고 했다. 독음은 우(羽)와 구(求)의 반절이다.

1705

誅: 誅: 벨 주: 言-총13획: zhū

原文

誅: 討也. 从言朱聲. 陟輸切.

譯

'성토하다(討)'라는 뜻이다. 언(言)이 의미부이고 주(朱)가 소리부이다. 독음은 척(陟)과 수(輸)의 반절이다.

1706

討: 討: 칠 토: 言-총10획: tǎo

原文

訞: 治也. 从言从寸. 他皓切.

繙譯

'정리하다(治)'라는 뜻이다. 언(言)이 의미부이고 촌(寸)도 의미부이다. 독음은 타(他)와 호(皓)의 반절이다.

1707

諳: 음 암: 言-총16획: ān

原文

諳: 悉也. 从言音聲. 烏含切.

繙譯

'다 알다(悉)'라는 뜻이다. 언(言)이 의미부이고 음(音)이 소리부이다. 독음은 오(烏)와 함(含)의 반절이다.

1708

讄: 뇌사 뢰: 言-총22획: lěi

原文

讄: 禱也. 累功德以求福. 『論語』云: "讄曰: '禱尒于上下神祇.'" 从言, 纍省聲. 讄, 或不省. 力軌切.

繙譯

'기도하다(禱)'라는 뜻이다. 공덕을 쌓아 복이 내리기를 기원하다는 뜻이다. 『논어·술이(述而)』에서 이렇게 말했다. "기도문에서 말했다. '너에게 아래위의 천지신이 내리기를 기도한다.'" 언(言)이 의미부이고, 류(纍)의 생략된 모습이 소리부이다. 뢰(讄)는 혹체자인데, 생략되지 않은 모습이다. 독음은 력(力)과 궤(軌)의 반절이다.

1709

諡: 諡: 시호 시: 言-총16획: shì

原文

諡: 行之迹也. 从言、兮、皿. 闕. 神至切.

飜譯

'[살아생전의] 걸어온 길(行之迹)'을 말한다. 언(言)과 혜(兮)와 명(皿)이 모두 의미부이다. 왜 그런지는 몰라 비워 둔다(闕). 독음은 신(神)과 지(至)의 반절이다.

1710

誄: 誄: 뇌사 뢰: 言-총13획: lěi

原文

誄: 諡也. 从言耒聲. 力軌切.

飜譯

'[살아생전의] 걸어온 길에 의거해 시호를 짓다(諡)'라는 뜻이다. 언(言)이 의미부이고 뢰(耒)가 소리부이다. 독음은 력(力)과 궤(軌)의 반절이다.

1711

謑: 謑: 창피 줄 혜: 言-총17획: xī

原文

謑: 恥也. 从言奚聲. 謞, 謑或从巟. 胡禮切.

飜譯

'치욕을 안기다(恥)'라는 뜻이다. 언(言)이 의미부이고 해(奚)가 소리부이다. 혜(謞)는 혜(謑)의 혹체자인데, 혈(巟)로 구성되었다. 독음은 호(胡)와 례(禮)의 반절이다.

1712

詬: 詬: 꾸짖을 후: 言-총13획: gòu

原文

詬: 謑詬, 恥也. 从言后聲. 訽, 詬或从句. 呼寇切.

譯

'혜후(謑詬)'를 말하는데, '치욕을 안기다(恥)'라는 뜻이다. 언(言)이 의미부이고 후(后)가 소리부이다. 후(訽)는 후(詬)의 혹체자인데, 구(句)로 구성되었다. 독음은 호(呼)와 구(寇)의 반절이다.

1713

諜: 諜: 염탐할 첩: 言-총16획: dié

原文

諜: 軍中反閒也. 从言枼聲. 徒叶切.

譯

'군대에 심어 놓은 간첩(軍中反閒)'을 말한다. 언(言)이 의미부이고 엽(枼)이 소리부이다. 독음은 도(徒)와 협(叶)의 반절이다.

1714

該: 該: 그 해: 言-총13획: gāi

原文

該: 軍中約也. 从言亥聲. 讀若心中滿該. 古哀切.

譯

'군대에서 맺은 약속(軍中約)'을 말한다. 언(言)이 의미부이고 해(亥)가 소리부이다. '심중만해(心中滿該)'라고 할 때의 해(該)와 같이 읽는다.[105] 독음은 고(古)와 애(哀)

의 반절이다.

1715

譯: **통변할 역**: 言-총20획: yì

原文

譯: 傳譯四夷之言者. 从言睪聲. 羊昔切.

飜譯

'사방 이민족들의 말을 전하여 통역하는 것(傳譯四夷之言者)'을 말한다. 언(言)이 의미부이고 역(睪)이 소리부이다.106) 독음은 양(羊)과 석(昔)의 반절이다.

1716

訅: **급할 구**: 言-총9획: qiú

原文

訅: 迫也. 从言九聲. 讀若求. 巨鳩切.

飜譯

'말로 재촉하다(迫)'라는 뜻이다. 언(言)이 의미부이고 구(九)가 소리부이다. 구(求)와 같이 읽는다. 독음은 거(巨)와 구(鳩)의 반절이다.

---

105) 『단주』에서는 "심중만해(心中滿該)의 해(該)와 같이 읽는다고 했는데, 해(該)는 억(餩)과 같은데, 배불리 먹어서 트림을 하다라는 뜻이다(飽息也)."라고 했다. 그렇게 보면 억(餩)은 많이 먹어 트림이나 딸꾹질을 하다는 뜻이다.

106) 고문자에서 ▨簡牘文 등으로 썼는데, 言(말씀 언)이 의미부고 睪(엿볼 역)이 소리부로, 말 (言)을 알맞게 골라(睪) 다른 말로 통역함을 말한다. 이로부터 번역하다, 번역하는 사람, 말이 통하지 않는 다른 지역 등의 뜻이 나왔다. 간화자에서는 睪을 圣으로 간단하게 줄여 译으로 쓴다.

1717

謚: 謚: 웃을 익·시호 시: 言-총17획: shì

原文

謚: 笑皃. 从言益聲. 伊昔切.

繙譯

'웃는 모습(笑皃)'을 말한다. 언(言)이 의미부이고 익(益)이 소리부이다. 독음은 이(伊)와 석(昔)의 반절이다.

1718

譶: 譶: 말이 유창할 답·지껄일 집: 言-총21획: tà

原文

譶: 疾言也. 从三言. 讀若沓. 徒合切.

繙譯

'말을 빠르게 하다(疾言)'라는 뜻이다. 세 개의 언(言)으로 구성되었다. 답(沓)과 같이 읽는다. 독음은 도(徒)와 합(合)의 반절이다.

1719

詢: 詢: 물을 순: 言-총13획: xún

原文

詢: 謀也. 从言旬聲. 相倫切.

繙譯

'계책을 세우다(謀)'라는 뜻이다. 언(言)이 의미부이고 순(旬)이 소리부이다. 독음은 상(相)과 륜(倫)의 반절이다. [신부]

1720

讜: 讜: 곧은 말 당: 言-총27획: dǎng

原文

讜: 直言也. 从言黨聲. 多朗切.

飜譯

'곧바른 소리를 하다(直言)'라는 뜻이다. 언(言)이 의미부이고 당(黨)이 소리부이다. 독음은 다(多)와 랑(朗)의 반절이다. [신부]

1721

譜: 譜: 계보 보: 言-총19획: pǔ

原文

譜: 籍録也. 从言普聲. 『史記』从並. 博古切.

飜譯

'책에다 기록하다(籍録)'라는 뜻이다. 언(言)이 의미부이고 보(普)가 소리부이다. 『사기』에서는 (윗부분이 竝이 아닌) 병(並)으로 구성되었다. 독음은 박(博)과 고(古)의 반절이다. [신부]

1722

詎: 詎: 어찌 거: 言-총12획: jù

原文

詎: 詎猶豈也. 从言巨聲. 其呂切.

飜譯

'거(詎)는 기(豈)와 같은 뜻이다.' 언(言)이 의미부이고 거(巨)가 소리부이다. 독음은 기(其)와 려(呂)의 반절이다. [신부]

1723

𧭱: 誚: 작을꾈 소: 言-총16획: xiāo, sǒu, sòu

原文

𧭱: 小也. 誘也. 从言叜聲.『禮記』曰 : "足以誚聞." 先鳥切.

譯

'작다(小)'라는 뜻이다. '유혹하다(誘)'라는 뜻이다. 언(言)이 의미부이고 수(叜)가 소리부이다.『예기·학기(學記)』에서 "약간의 명성을 얻기엔 충분하지만(足以誚聞)"이라고 했다. 독음은 선(先)과 조(鳥)의 반절이다. [신부]

1724

謎: 謎: 수수께끼 미: 言-총17획: mí

原文

謎: 隱語也. 从言、迷, 迷亦聲. 莫計切.

譯

'비밀스런 말(隱語)'을 말한다. 언(言)과 미(迷)가 모두 의미부인데, 미(迷)는 소리부도 겸한다. 독음은 막(莫)과 계(計)의 반절이다. [신부]

1725

誌: 誌: 기록할 지: 言-총14획: zhì

原文

誌: 記誌也. 从言志聲. 職吏切.

譯

'기록하다(記誌)'라는 뜻이다. 언(言)이 의미부이고 지(志)가 소리부이다. 독음은 직

(職)과 리(吏)의 반절이다. [신부]

1726

𧦡 : 訣: 이별할 결: 言-총11획: jué

原文

𧦡 : 訣別也. 一曰法也. 从言, 決省聲. 古穴切.

翻譯

'결별하다(訣別)'라는 뜻이다. 일설에는 '비결(法)'을 말한다고도 한다. 언(言)이 의미부이고, 결(決)의 생략된 모습이 소리부이다. 독음은 고(古)와 혈(穴)의 반절이다. [신부]

제57부수
057 ■ 경(誩)부수

1727

誩: 誩: 말다툼할 경: 言-총14획: jìng

(原文)

誩: 競言也. 从二言. 凡誩之屬皆从誩. 讀若競. 渠慶切.

(飜譯)

'말로 다투다(競言)'라는 뜻이다. 두 개의 언(言)으로 구성되었다. 경(誩)부수에 귀속된 글자는 모두 경(誩)이 의미부이다. 경(競)과 같이 읽는다. 독음은 거(渠)와 경(慶)의 반절이다.

1728

譱: 譱: 착할 선: 言-총20획: shàn

(原文)

譱: 吉也. 从誩从羊. 此與義美同意. 善, 篆文善从言. 常衍切.

(飜譯)

'아름답다(吉)'라는 뜻이다. 경(誩)이 의미부이고 양(羊)도 의미부이다. [양(羊)이 의미부가 된 것은] 의(義)나 미(美)자와 같은 이치이다. 선(善)은 선(善)의 전서체인데, 언(言)으로 구성되었다. 독음은 상(常)과 연(衍)의 반절이다.

1729

競: 競: 겨룰 경: 立-총20획: jìng

原文

誩: 彊語也. 一曰逐也. 从誩, 从二人. 渠慶切.

譯

'격렬한 논쟁(彊語)'을 말한다. 일설에는 '각축을 벌이다(逐)'라는 뜻이라고도 한다. 경(誩)이 의미부이고, 두 개의 인(人)으로 구성되었다. 독음은 거(渠)와 경(慶)의 반절이다.

1730

讟: 讟: 원망할 **독**: 言-총29획: dú

原文

讟: 痛怨也. 从誩賣聲.『春秋傳』曰 : "民無怨讟." 徒谷切.

譯

'아파하며 원망하다(痛怨)'라는 뜻이다. 경(誩)이 의미부이고 육(賣)이 소리부이다.『춘추전』(『좌전』소공 8년, B.C. 534)에서 "백성들은 원망의 정서가 없다(民無怨讟)."라고 했다. 독음은 도(徒)와 곡(谷)의 반절이다.

제 3 권

제58부수
058 ▪ 음(音)부수

1731

音: 音: 소리 음: 音-총9획: yīn

原文

音: 聲也. 生於心, 有節於外, 謂之音. 宮商角徵羽, 聲; 絲竹金石匏土革木, 音也. 从言含一. 凡音之屬皆从音. 於今切.

飜譯

'[악기의] 소리(聲)'를 말한다. 마음에서 생겨나서, 바깥에서 절도를 이루는 것을 음(音)이라 한다. 궁(宮)·상(商)·각(角)·치(徵)·우(羽)를 성(聲)이라 하고, 현악기(絲), 대로 만든 악기(竹), 쇠로 만든 악기(金), 돌로 만든 악기(石), 바가지로 만든 악기(匏), 질 그릇으로 만든 악기(土), 가죽으로 만든 악기(革), 나무로 만든 악기(木)에서 나는 소리를 음(音)이라 한다. 언(言)에 가로획[一]이 물린 모습을 그렸다.[107] 음(音)부수에 귀속된 글자는 모두 음(音)이 의미부이다. 독음은 어(於)와 금(今)의 반절이다.

---

107) 고문자에서 金文 古陶文 盟書 簡牘文 등으로 썼는데, 言(말씀 언)과 가로획(一)으로 구성되어, 피리(言)에서 나오는 소리(一)를 형상화했다. 이로부터 소리, 음악, 소식 등의 뜻이 나왔다. 원래는 言과 자원이 같았지만, 금문에 들면서 추상부호인 가로획이 더해져 言과 구분되었다. 言은 대로 만든 피리를 그린 것으로 보인다. 音은 사람의 소리나 개인 차원의 의사소통 필요성보다는 공동체의 위기를 알리거나 마을의 중요한 회의를 소집하기 위한 도구였던 것으로 보인다. 이처럼 音은 악기를 이용하여 인간이 멀리 전달할 수 있는 '소리'가 원래 뜻이며, 이후 音樂(음악)은 물론 모든 '소리'를 지칭하게 되었다. 그래서 音으로 구성된 글자들은 음악이나 '소리'와 관련을 갖는다. 나아가 음악은 제사나 연회에서 주로 사용되었기에 연회와 관련된 음악을 지칭한다.

1732

響: 響: 울림 향: 音-총22획: xiǎng

原文

響: 聲也. 从音鄉聲. 許兩切.

飜譯

'소리(聲)'를 말한다.108) 음(音)이 의미부이고 향(鄉)이 소리부이다. 독음은 허(許)와 량(兩)의 반절이다.

1733

䭻: 䭻: 작은 소리 암: 音-총20획: yàn

原文

䭻: 下徹聲. 从音奋聲. 恩甘切.

飜譯

'낮고 가는 소리(下徹聲)'를 말한다. 음(音)이 의미부이고 염(奋)이 소리부이다. 독음은 은(恩)과 감(甘)의 반절이다.

1734

韶: 韶: 풍류 이름 소: 音-총14획: sháo

原文

韶: 虞舜樂也. 『書』曰 : "『簫韶』九成, 鳳皇來儀." 从音召聲. 市招切.

飜譯

---

108) 『단주』에서 이렇게 보충했다. "이는 통틀어서 한 말이다. 「천문지(天文志)」에서 '향지응성 (鄉之應聲: 되돌아오는 소리)이라고 했는데, 이는 세분해서 한 말이며, 향(鄉)은 가차자이다. 『옥편』에 의하면 향(響)은 되돌아오는 소리를 말한다(應聲也)."

'요순(虞舜) 임금 때의 음악'을 말한다. 『서·하우서·고요모(皐陶謨)』에서 "소소(簫韶) 9장을 연주할 때에는 봉황새도 날아와 법식에 따라 춤을 추었습니다.(簫韶九成, 鳳皇來儀.)"라고 했다. 음(音)이 의미부이고 소(김)가 소리부이다. 독음은 시(市)와 초(招)의 반절이다.

1735

章: 章: 글 장: 立-총11획: zhāng

原文

章: 樂竟爲一章. 从音从十. 十, 數之終也. 諸良切.

飜譯

'음악의 한 장이 다 끝나는 것을 일장(一章)이라고 한다.' 음(音)이 의미부이고 십(十)도 의미부이다. 십(十)은 숫자의 종결점(數之終)을 뜻한다.[109] 독음은 제(諸)와 량(良)의 반절이다.

1736

竟: 竟: 다할 경: 立-총11획: jìng

原文

竟: 樂曲盡爲竟. 从音从人. 居慶切.

飜譯

---

109) 고문자에서 ﹃﹄﹅﹆﹇金文 ﹈﹉﹊﹋古陶文 ﹌﹍簡牘文 ﹎帛書 등으로 썼다. 위에서처럼 "音(소리 음)과 十(열 십)으로 구성되었다"라고 했으나, 원래는 辛(매울 신)과 田(밭 전)으로 구성되어 문신 칼(辛)로 문양을 새겨 넣은(田) 모습을 해 이로써 문양이나 글자를 새겨 넣다는 의미를 그렸다. 이후 音과 숫자의 끝을 상징하는 十이 결합한 구조로 바뀌어 음악(音)이 끝나는(十) 단위 즉 樂章(악장)이라는 뜻이 생겼고, 이후 어떤 사물의 단락이나 章節(장절), 법규, 조리, 문채 등을 말하게 되었다. 그러자 원래 뜻은 彡(터럭 삼)을 더한 彰(밝을 창)으로 분화했다.

'악곡이 다 끝나는 것을 경(竟)이라 한다.' 음(音)이 의미부이고 인(人)도 의미부이다.110) 독음은 거(居)와 경(慶)의 반절이다.

1737

韻: 韻: 운 운: 音-총19획: yùn

原文

韻: 和也. 从音員聲. 裴光遠云 : 古與均同. 未知其審. 王問切.

飜譯

'조화롭다(和)'라는 뜻이다. 음(音)이 의미부이고 원(員)이 소리부이다. 배광원(裴光遠)111)의 학설에 의하면, "옛날에는 균(均)과 같은 독음이었다. 상세한 사정은 알 수 없다."라고 했다. 독음은 왕(王)과 문(問)의 반절이다. [신부]

---

110) 고문자에서 🖈 甲骨文 등으로 썼다. 갑골문에서는 辛(매울 신)과 입을 크게 벌린 사람으로 구성되어 형벌을 받은 노예가 경주를 벌이는 모습을 그렸다. 이후 소전체에서 지금처럼 音(소리 음)과 儿(사람 인)의 구성으로 변해 악기(音)를 부는 사람(儿)의 모습을 그렸고, 악기의 연주가 끝나다는 뜻에서 '끝', 완료, 궁극 등의 의미가 나왔다. 또 시작부터 끝까지의 전체 시간을 의미하며, '뜻밖에'라는 부사로도 쓰였다. 현대 중국에서는 競(겨룰 경)의 간화자로도 쓰인다.

111) 당나라 때의 서학(書學) 박사로 알려져 있다. 염(染)자의 해석에서도 서개가 그의 견해를 인용한 바 있다. 그에 관한 자료는 많지 않은데, 서강(徐剛)의 연구에 의하면, 그는 하동 사람으로, 당시 국자감 박사였고 서예로 이름이 났으며, 주요 활동 시기는 선종(宣宗) 대중(大中) 연간(847~859) 이후로 추정된다. 송나라 무명씨의 『보각유편(寶刻類編)』 권6의 「명신」 편에 그의 석각 6편이 수록되었는데, 의종(懿宗) 함통(咸通) 연간(860~873) 사이의 것으로 추정된다. 또 『태평광기』 권123의 '왕표(王表)'에 의하면 그는 891년 활주(滑州)로 부임하던 길에 사망한 것으로 알려졌다. 『고문원류고(古文源流考)』(북경대학출판사, 2008), 170~173쪽 참조.

제59부수
059 ■ 건(辛)부수

1738

辛: 辛: 허물 건: 立-총6획: qiān

(原文)

辛: 皋也. 从干、二. 二, 古文上字. 凡辛之屬皆从辛. 讀若愆. 張林說. 去虔切.

(飜譯)

'죄(皋)'라는 뜻이다. 간(干)과 상(二)이 모두 의미부인데, 상(二)은 상(上)자의 고문체이다.112) 건(辛)부수에 귀속된 글자는 모두 건(辛)이 의미부이다. 건(愆)과 같이 읽는다. 장림(張林)113)의 학설이다. 독음은 거(去)와 건(虔)의 반절이다.

1739

童: 童: 아이 동: 立-총12획: tóng

(原文)

童: 男有皋曰奴, 奴曰童, 女曰妾. 从辛, 重省聲. 𢘃, 籀文童, 中與竊中同从廿. 廿, 以爲古文疾字. 徒紅切.

(飜譯)

'남자가 죄를 지으면 노비(奴)가 되고, 노비(奴)를 동(童)이라 한다. 여자는 첩(妾)이

---

112) 위(上)를 범하다(干)는 뜻이 건(辛)의 본래 뜻임을 설명한 것이다.
113) 한(漢)나라 장제(章帝) 때의 사람으로, 진정현령(真定縣令)을 맡았고, 두헌(竇憲)이 그를 상서(尚書)로 추천한 바 있다. 일찍이 포백(布帛)을 세금으로 받고 염세를 관부로 귀속시키는 등 한 무제 때의 균수법(均輸法)을 회복해 조정의 재정 문제를 해결하려 했으며 대부분 채택되었다. 원화(元和) 연간에 태위(太尉) 정홍삼(鄭弘參)이 그가 두헌(竇憲)과 결탁했다고 고했고, 이후 재물 탐기 등으로 죄를 받았다.(위키 백과)

라 한다.' 건(辛)이 의미부이고, 중(重)의 생략된 모습이 소리부이다.114) 동(童)은 동(童)의 주문체이다. 동(童)의 중간부분과 절(竊)자의 중간부분은 모두 입(廿)으로 구성되었다. 입(廿)은 질(疾)의 고문체로 알려져 있다. 독음은 도(徒)와 홍(紅)의 반절이다.

1740

妾: **첩 첩**: 女-총8획: qiè

原文

妾: 有辠女子, 給事之得接於君者. 从辛从女. 『春秋』云：“女爲人妾.” 妾, 不娉也. 七接切.

譯

'죄를 지은 여자'를 말하는데, 임금 옆에 붙어서(接) 일을 거들기 때문에 첩(妾)이라 부른다. 건(辛)이 의미부이고 여(女)도 의미부이다.115) 『춘추』(『좌전』 희공 17년, B.C. 643)에서 “[죄 지은] 여자는 첩(妾)으로 삼는다.”라고 했는데, 첩(妾)은 빙례(娉)를 갖출 필요가 없다. 독음은 칠(七)과 접(接)의 반절이다.

제 3 권

---

114) 고문자에서 金文 古陶文 簡牘文 帛書 등으로 썼다. 원래는 윗부분이 문신 칼(辛.신)이고 중간이 눈(目.목)이고 아랫부분이 소리부인 東(동녘 동)인 구조로, 반항하는 힘을 줄이고자 한쪽 눈(目)을 칼(辛)로 도려낸 남자 노예 '아이'를 그렸는데, 자형이 줄어 지금처럼 되었다. 이후 어린이나 미성년의 통칭이 되었고, 아직 뿔이 나지 않은 짐승을 지칭하는 데도 쓰였다.

115) 소전에서처럼 辛(매울 신)과 女(여자 여)의 결합으로, 묵형을 받은(辛) 천한 여자(女)를 말했는데, 이후 '첩'의 뜻으로 쓰였고, 자형도 조금 변했다.

제60부수
060 ■ 착(丵)부수

1741

丵: 丵: 풀 무성할 착: ㅣ-총10획: zhuó

原文

丵: 叢生艸也. 象丵嶽相竝出也. 凡丵之屬皆从丵. 讀若澤. 士角切.

飜譯

'떨기로 나는 풀(叢生艸)'을 말한다. 떨기를 이루어 키를 다투며 함께 자라나는 모습 (丵嶽相竝出)을 그렸다. 착(丵)부수에 귀속된 글자는 모두 착(丵)이 의미부이다. 착(澤)과 같이 읽는다. 독음은 사(士)와 각(角)의 반절이다.

1742

業: 業: 업 업: 木-총13획: yè

原文

業: 大版也. 所以飾縣鍾鼓. 捷業如鋸齒, 以白畫之. 象其鉏鋙相承也. 从丵从巾. 巾象版. 『詩』曰: "巨業維樅." 쬻, 古文業. 魚怯切.

飜譯

'[악기를 매다는] 커다란 널빤지(大版)'를 말한다. 종이나 북을 걸거나 장식하는데 쓰인다. 톱날 같이 어긋나게 배열하고 흰색으로 칠을 하는데, 들쭉날쭉 고르지 않으면서도 서로 이어지는 듯 보이게 하는 효과가 있다. 착(丵)이 의미부이고 건(巾)도 의미부인데, 건(巾)은 널빤지(版)를 형상한 것이다.116) 『시·대아·영대(靈臺)』에서 "종과

---

116) 고문자에서 業 業 金文 業 簡牘文 등으로 썼다. 『설문해자』의 설명처럼, "옛날 악기를 내

경 틀에 기둥나무와 가로나무 아래위로 있고(巨業維樅)"라고 노래했다. 업(𤕸)은 업(業)의 고문체이다. 독음은 어(魚)와 겁(怯)의 반절이다.

1743

叢: 叢: 모일 총: 又-총18획: cóng

原文

叢: 聚也. 从丵取聲. 徂紅切.

飜譯

'모여 있다(聚)'라는 뜻이다. 착(丵)이 의미부이고 취(取)가 소리부이다. 독음은 조(徂)와 홍(紅)의 반절이다.

1744

對: 對: 대답할 대: 寸-총14획: duì

原文

對: 譍無方也. 从丵从口从寸. 對, 對或从士. 漢文帝以爲責對而爲言, 多非誠對, 故去其口以从士也. 都隊切.

飜譯

'정해진 일방이 아닌 여러 사람이 무작위로 자유롭게 대답하다(譍無方)'라는 뜻이다.[117] 착(丵)이 의미부이고 구(口)도 의미부이고 촌(寸)도 의미부이다.[118] 대(對)는

걸기 위한 橫木(횡목.가로질러 놓은 나무)에 달아 놓은 장식용 널빤지"를 말하는데, 보통 톱니처럼 만들고 흰색으로 칠을 해 드러나 보이게 했다고 한다. 국가에 큰일이 있을 때 이루어지는 編鐘(편종) 등이 동원된 성대한 곡을 연주할 악기 틀의 장식물을 만드는 일은 전문적이고 특별한 재주가 필요했을 것이며, 이로부터 '전문적인 일'이나 '위대한 일'이라는 뜻이, 다시 직업, 사업, 생업, 산업 등의 뜻이 나왔다. 이후 '이미'라는 부사로도 쓰였다. 또 불교에서 업보를 뜻하는데, 산스크리트어 '카르마(Karma)'의 번역어이다. 몸(身)과 입(口)과 의지(意)를 三業(삼업)이라 한다. 간화자에서는 윗부분만 남기고 나머지는 줄인 형태인 业으로 쓴다.

117) 『단주』에서 이렇게 보충했다. "「빙례(聘禮)」의 주(注)에서 대(對)는 답문을 말한다(荅問也)라

대(對)의 혹체자인데, 사(士)로 구성되었다. 한(漢) 문제(文帝)는 책문에 대한 대답을 보면서 대부분이 성실한 대답이 아니라고 여겼다. 그래서 구(口)자를 제거해 보리고 대신 사(士)가 들어가도록 했다. 독음은 도(都)와 대(隊)의 반절이다.

고 했다. 내 생각에, 대(對)와 답(荅)은 옛날 서로 통용되었다. 응무방(譍無方)이라 했는데, 이 는 소위 마치 큰 종을 치면 큰 소리를 내고 작은 종을 치면 작은 소리를 내는 것처럼 종을 치듯 질문에 잘 대답을 하는 것을 말한다.(謂善待問者如撞鐘, 叩以大者則大鳴, 叩以小者則小 鳴也.) 그래서 응대에 정해진 상대가 없기 때문에(譍無方) 대(對)가 착(辛)과 구(口)로 구성된 것이다."

118) 고문자에서 [고문자 자형] 甲骨文 [금문 자형들] 金文 등으 로 썼다. 갑골문에서 辛(풀 무성할 착)과 寸(마디 촌)으로 구성되었는데, 辛은 악기를 내걸기 위한 나무걸이 대(業에서 아랫부분의 木(나무 목)이 생략된 형태로, 叢(모일 총)이나 鑿(뚫을 착)에도 들어 있다)를 그렸다. 그래서 對는 손(寸)으로 악기의 걸이 대(辛)를 내단 모습이다. 이로부터 '올리다', '받들다'는 뜻이 생겼고, 이후 소전체에 들면서 '대답하다'는 뜻을 강조하 기 위해 辛의 아랫부분에 口(입 구)가 더해졌고, 해서체에서는 口가 다시 士(선비 사)로 변해 지금의 자형이 되었다. 간화자에서는 辛을 간단한 부호로 대체한 对로 쓴다.

제61부수

061 ■ 복(業)부수

1745

業: 業: 번거로울 **복**: 艸−총12획: pú

原文

業: 瀆業也. 从丵从廾, 廾亦聲. 凡業之屬皆从業. 蒲沃切.

譯

'일이 많고 번잡하다(瀆業)'라는 뜻이다.119) 복(丵)이 의미부이고 공(廾)도 의미부인데, 공(廾)은 소리부도 겸한다. 복(業)부수에 귀속된 글자는 모두 복(業)이 의미부이다. 독음은 포(蒲)와 옥(沃)의 반절이다.

1746

僕: 僕: 종 **복**: 人−총14획: pú

原文

僕: 給事者. 从人从業, 業亦聲. 儌, 古文从臣. 蒲沃切.

譯

'일을 거들어주는 사람(給事者)'을 말한다. 인(人)이 의미부이고 복(業)도 의미부인데, 복(業)은 소리부도 겸한다.120) 복(儌)은 고문체인데, 신(臣)으로 구성되었다. 독

---

119) 『단주』에서 이렇게 말했다. "독(瀆)은 일이 많고 수고롭다(煩瀆)라는 뜻이다. 복(業)은 『맹자』에 나오는 복복(僕僕)과 같은 뜻인데, 조기(趙岐)의 주석에 의하면 번잡하고 자질구레한 모습(煩猥皃)을 말한다고 했다."

120) 고문자에서 𤒅甲骨文 𤶇𤶇𤶇𤶇𤶇金文 僕古陶文 𤶇僕 僕簡牘文 僕石刻古文 등으로 썼다. 소전에서처럼 人(사람 인)이 의미부고 業(번거로울 복)이 소리부이지만, 갑골문에서는 이마에 문신을 한 사람이 두 손으로 삼태기를 든 모습으로 되어, 잡일을 하는 비천한 노

음은 포(蒲)와 옥(沃)의 반절이다.

1747

蕭: 菐: 제일 천하게 여길 반: 八-총 14획: bān

原文

蕭: 賦事也. 从菐从八. 八, 分之也. 八亦聲. 讀若頒. 一曰讀若非. 布還切.

飜譯

'일을 나누어주다(賦事)'라는 뜻이다. 복(菐)이 의미부이고 팔(八)도 의미부이다. 팔(八)은 나누다(分)는 뜻이다. 팔(八)은 소리부도 겸한다. 반(頒)과 같이 읽는다. 일설에는 비(非)와 같이 읽는다고도 한다. 독음은 포(布)와 환(還)의 반절이다.

비를 그렸고, 이로부터 '종'이라는 뜻이 나왔다. 남을 모시는 존재라는 뜻으로부터 남 앞에서 자신을 낮추어 부르는 말로도 쓰였다. 『설문해자』 고문에서는 人 대신 臣(신하 신)이 들어 '노복'임을 강조했고, 간화자에서는 소리부 菐이 卜(점 복)으로 바뀐 仆(엎드릴 부)에 통합되었다.

제62부수
062 ■ 공(収)부수

1748

卂: 収: 받들 공: 又-총4획: gǒng

原文

卂: 竦手也. 从ナ从又. 凡廾之屬皆从廾. (今變隷作廾.) 𠬞, 楊雄說：廾从兩手. 居竦切.

飜譯

'손을 마주잡고 받들다(竦手)'라는 뜻이다. 좌(ナ)가 의미부이고 우(又)도 의미부이다. 공(廾)부수에 귀속된 글자는 모두 공(廾)이 의미부이다. [오늘날에는 예변(變隷)을 거쳐 공(廾)으로 쓴다.] 공(𠬞)에 대해, 양웅(楊雄)은 공(廾)자인데 두 개의 수(手)로 구성되었다고 했다. 독음은 거(居)와 송(竦)의 반절이다.

1749

奉: 奉: 받들 봉: 大-총8획: fèng

原文

奉: 承也. 从手从廾, 半聲. 扶隴切.

飜譯

'받들다(承)'라는 뜻이다. 수(手)가 의미부이고 공(廾)도 의미부이며, 봉(半)이 소리부이다.[121] 독음은 부(扶)와 롱(隴)의 반절이다.

---

121) 고문자에서 金文 盟書 簡牘文 帛書 등으로 썼다. 금문에서 廾(두 손 마주잡을 공)이 의미부고 丰(예쁠 봉)이 소리부인 구조로, 모나 어린 묘목(丰)을 두 손으로 받든(廾) 모습을 그렸는데 자형이 조금 변했다. 아마도 농경을 중심으로 살았던 고대 중국에서 농

1750

丞: 丞: 도울 승: 一-총6획: chéng

原文

丞: 翊也. 从廾从卩从山. 山高, 奉承之義. 署陵切.

飜譯

'보좌하다(翊)'라는 뜻이다. 공(廾)이 의미부이고 절(卩)도 의미부이고 산(山)도 의미부이다. 높은 산은 [옆에서 받드는 산이 있는 법, 이처럼] 옆에서 받들다는 뜻이다.[122] 독음은 서(署)와 릉(陵)의 반절이다.

1751

奐: 奐: 빛날 환: 大-총9획: huàn

原文

奐: 取奐也. 一曰大也. 从廾, 夐省. 呼貫切.

飜譯

'바꾸다(取奐)'라는 뜻이다. 일설에는 '크다(大)'는 뜻이라고도 한다. 공(廾)과 형(夐)의 생략된 모습이 모두 의미부이다. 독음은 호(呼)와 관(貫)의 반절이다.

작물을 신에게 바쳐 한 해의 풍작을 비는 모습을 형상화한 것이라 추측된다. 이로부터 '받들다'는 뜻이, 다시 奉獻(봉헌)에서처럼 '바치다'는 뜻이 생겼다. 그러자 원래의 의미는 手(손수)를 더한 捧(받들 봉)으로 분화했다.

122) 고문자에서 甲骨文 古陶文 簡牘文 등으로 썼다. 갑골문에서 구덩이에 빠진 사람을 두 손으로 끌어 올리는 모습을 그렸는데, 예서 이후 자형이 많이 변했다. 구덩이에서 건져주다가 원래 뜻이고, 이로부터 '도우다'와 '구제하다'의 뜻이 나왔고, 丞相(승상)에서처럼 왕을 보필하는 관리를 뜻하기도 했다. 그러자 원래 뜻은 手(손 수)를 더한 拯(건질 증)으로 분화했다.

1752

龕: 弇: 덮을 엄: 廾-총9획: yǎn

原文

龕: 蓋也. 从廾从合. 廅, 古文弇. 古南切.

譯

'덮다(蓋)'라는 뜻이다. 공(廾)이 의미부이고 합(合)도 의미부이다. 엄(廅)은 엄(弇)의 고문체이다. 독음은 고(古)와 남(南)의 반절이다.

1753

𢌱: 𢍞: 늘일 역: 廾-총16획: yì, zé

原文

𢌱: 引給也. 从廾睪聲. 羊益切.

譯

'끌어서 늘이다(引給)'라는 뜻이다. 공(廾)이 의미부이고 역(睪)이 소리부이다. 독음은 양(羊)과 익(益)의 반절이다.

1754

畁: 畁: 남에게 줄 비: 廾-총9획: qí

原文

畁: 舉也. 从廾由聲. 『春秋傳』曰: "晉人或以廣墜, 楚人畁之." 黃顥說: 廣車陷, 楚人爲舉之. 杜林以爲騏驎字. 渠記切.

譯

'들다(舉)'라는 뜻이다. 공(廾)이 의미부이고 불(由)이 소리부이다. 『춘추전』(『좌전』 선공 12년, B.C. 597)에서 "진나라 군사들 중에는 구덩이에 빠진 군사도 있었는데, 초나라 사람들이 구해주었다(晉人或以廣墜, 楚人畀之.)"라고 했다. 황경(黃顥)에 의하면, 전차가 함정에 빠졌는데, 초나라 사람들이 끌어내 주었다(廣車陷, 楚人爲擧之.)라는 뜻이라고 했다. 두림(杜林)은 비(畀)가 기린(騏麟)이라고 할 때의 기(麒)와 같다고 했다. 독음은 거(渠)와 기(記)의 반절이다.

1755

: 异: 그만둘 이: 廾-총6획: yì

原文

: 擧也. 从廾㠯聲. 『虞書』曰: "岳曰: 异哉!" 羊吏切.

飜譯

'들다(擧)'라는 뜻이다. 공(廾)이 의미부이고 이(㠯)가 소리부이다. 『우서(虞書)』에서 "사방 제후의 수장이 말하기를 '기이하도다!'라고 했다(岳曰: 异哉!)"라고 했다.[123] 독음은 양(羊)과 리(吏)의 반절이다.

1756

: 弄: 희롱할 롱: 廾-총7획: nòng

原文

: 玩也. 从廾持玉. 盧貢切.

飜譯

'갖고 놀다(玩)'라는 뜻이다. 두 손으로 옥을 쥔 모습(廾持玉)을 그렸다.[124] 독음은

---

123) 『단주』에서 이렇게 말했다. "우서(虞書)에서 말했다고 했는데, 우서(虞書)는 당서(唐書)가 되어야 한다. '嶽曰异哉'는 「요전(堯典)」의 문장이다. 『경전석문(釋文)』에서 정현은 독음이 이(異)라고 했다. 독음으로부터 그 의미를 구할 수가 있는데(於其音求其義), 사악(四嶽)이 요(堯)임금의 말을 듣고서 놀라 기이하구나(異哉也)라고 한 것이다. 그래서 이(异)는 이(異)의 가차자이다."

124) 고문자에서 甲骨文 金文 簡牘文 등으로 썼다. 소전에서처럼 玉(옥

로(盧)와 공(貢)의 반절이다.

1757

𡕥: 𠔥: 두 손으로 받들 육: 廾-총8획: yù

原文

𡕥: 兩手盛也. 从廾𡵊聲. 余六切.

飜譯

'두 손에다 물건을 담다(兩手盛)'라는 뜻이다. 공(廾)이 의미부이고 륙(𡵊)이 소리부이다. 독음은 여(余)와 륙(六)의 반절이다.

1758

𠔿: 𠔿: 밥 뭉칠 권: 廾-총10획: juàn

原文

𠔿: 摶飯也. 从廾釆聲. 釆, 古文辨字. 讀若書卷. 居券切.

飜譯

'밥을 둥글게 뭉치다(摶飯)'라는 뜻이다. 공(廾)이 의미부이고 변(釆)이 소리부이다. 변(釆)은 판(辨)의 고문체이다. 서권(書卷)이라고 할 때의 권(卷)과 같이 읽는다. 독음은 거(居)와 권(券)의 반절이다.

1759

𢍧: 𢍧: 쇠뇌 잡이를 쥘 귀: 廾-총7획: kuí

옥)이 의미부이고 廾(두 손 마주잡을 공)이 소리부로, 옥(玉)을 두 손으로(廾) '갖고 노는' 모습으로부터 '戲弄(희롱)하다', 갖고 놀다, 감상하다의 뜻이 나왔다. 상해 지역에서는 작은 골목을 지칭하기도 한다.

原文

𦥑: 持弩拊. 从廾、肉. 讀若達. 渠追切.

飜譯

'쇠뇌 잡이를 손으로 쥐다(持弩拊)'라는 뜻이다. 공(廾)과 육(肉)이 모두 의미부이다. 규(達)와 같이 읽는다. 독음은 거(渠)와 추(追)의 반절이다.

1760

𢧜 : 戒: 경계할 계: 戈-총7획: jiè

原文

𢧜: 警也. 从廾持戈, 以戒不虞. 居拜切.

飜譯

'경계하다(警)'라는 뜻이다. 두 손으로 무기를 쥔 모습(廾持戈)을 그렸는데, 예상치 못할 일을 경계하다(以戒不虞)는 뜻이다.[125] 독음은 거(居)와 배(拜)의 반절이다.

1761

𠔏 : 兵: 군사 병: 八-총7획: bīng

原文

𠔏: 械也. 从廾持斤, 并力之皃. 𠈯, 古文兵, 从人、廾、干. 𠦳, 籒文. 補明切.

飜譯

'병기(械)'를 말한다. 두 손으로 도끼를 쥔 모습(廾持斤)을 그렸는데, 온 힘을 다하는 모습(并力之皃)을 뜻한다.[126] 병(𠈯)은 병(兵)의 고문체이다. 인(人)과 공(廾)과

---

125) 고문자에서 甲骨文 金文 帛書 簡牘文 등으로 썼다. 소전에서처럼 戈(창 과)와 廾(두 손 마주잡을 공)으로 구성되어, 창(戈)을 두 손으로 들고(廾) 警戒(경계)를 서는 모습을 그렸으며, 이로부터 경계를 서다, 준비하다, 齋戒(재계)하다 등의 뜻이 나왔다.
126) 원래는 斤(도끼 근)과 廾(두 손 마주잡을 공)으로 구성되어, 두 손으로(廾) 무기의 일종인

간(干)으로 구성되었다. 병(屏)은 주문체이다. 독음은 보(補)와 명(明)의 반절이다.

1762

龏: 龏: 공손할 공: 龍-총19획: gōng

原文

龏: 慤也. 从収龍聲. 紀庸切.

飜譯

'공손히 하다(慤)'라는 뜻이다. 공(収)이 의미부이고 룡(龍)이 소리부이다. 독음은 기(紀)와 용(庸)의 반절이다.

1763

弈: 弈: 바둑 혁: 収-총9획: yì

原文

弈: 圍棊也. 从収亦聲. 『論語』曰 : "不有博弈者乎!" 羊益切.

飜譯

'바둑(圍棊)'을 말한다. 공(収)이 의미부이고 역(亦)이 소리부이다. 『논어·양화(陽貨)』에서 "육박(六博)이나 바둑 같은 것도 있지 않은가!(不有博弈者乎!)"라고 했다. 독음은 양(羊)과 익(益)의 반절이다.

1764

具: 具: 갖출 구: 八-총8획: jù

도끼(斤)를 든 '병사'의 모습을 그렸는데, 자형이 조금 변했다. 무기를 든 모습으로부터 兵士(병사), 兵力(병력), 兵器(병기) 등의 뜻이 나왔으며, 군사나 전쟁에 관한 것을 지칭하기도 한다.

原文

𦥔 : 共置也. 从廾, 从貝省. 古以貝爲貨. 其遇切.

譯

'함께 진설해 놓다(共置)'라는 뜻이다. 공(廾)이 의미부이고, 패(貝)의 생략된 모습도 의미부이다. 옛날에는 조개(貝)로 재물(貨)을 삼았었다.[127] 독음은 기(其)와 우(遇)의 반절이다.

---

[127] 고문자에서 甲骨文 金文 簡牘文 古璽文 등으로 썼다. 갑골문에서 鼎(솥 정)과 廾(두 손 마주잡을 공)으로 구성되어, 두 손(廾)으로 솥(鼎)을 드는 모습으로, 가장 대표적인 음식 그릇(鼎)을 갖추었음(具備: 구비)을 그렸고, 이로부터 갖추다, 완비하다, 옷 등을 갖추어 입다, 기물, 기구 등의 뜻이 나왔다. 이후 鼎이 모습이 유사한 貝(조개 패)로 변해 지금의 자형이 되었는데, 재산(貝)을 갖추다는 의미를 부각시켰다.

제63부수
063 ■ 반(찌)부수

1765

羊: 찌: 더위잡을 반: 又-총4획: pān

原文

羊: 引也. 从反廾. 凡찌之屬皆从찌. (今變隸作大.) 攀, 찌或从手从樊. 普班切.

飜譯

'끌어당기다(引)'라는 뜻이다. 반(反)과 공(廾) 모두 의미부이다. 반(찌)부수에 귀속된 글자는 모두 반(찌)이 의미부이다. [오늘날의 예변에서는 대(大)로 쓴다.] 반(攀)은 반(찌)의 혹체자인데, 번(樊)으로 구성되었다. 독음은 보(普)와 반(班)의 반절이다.

1766

樊: 樊: 울 번: 木-총15획: fán

原文

樊: 鷙不行也. 从찌从棥, 棥亦聲. 附袁切.

飜譯

'밖으로 나가지 못하도록 꽉 매다(鷙不行)'라는 뜻이다.[128] 반(찌)이 의미부이고 번

---

128) 『단주』에서 이렇게 말했다. "지불행야(鷙不行也)가 되어야 하는데, 지(鷙)를 각 판본에서는 잘못하여 지(鷙)로 썼다. 마(馬)부수에서 지(鷙)는 말이 무거운 모양을 말한다(馬重皃)고 했다. 그래서 지불행(鷙不行)은 무거워 처져서 앞으로 나가지 못함을 말한다(沈滯不行也). 『모시(毛詩)』에서 '절류번포(折柳樊圃: 버들가지 꺾어서 채전에 울을 치면)'라고 했는데, 번(棥: 울타리)자로 가차되었다. 『장자(莊子)』에서 '새끼 꿩을 새장 속에 넣어 길렀다(澤雉畜乎樊中)'라고 했는데, 번(樊)은 새장을 말한다(籠也). 이 또한 앞으로 나아가지 못하다는 뜻이다." 그런가 하면 『유편』에서 인용한 『설문』에서는 집(縶)으로 되었다.

제
3
권

(棥)도 의미부인데, 번(棥)은 소리부도 겸한다.[129] 독음은 부(附)와 원(袁)의 반절이다.

1767

𤔲 : 𤔲: 이룰 련: 大-총22획: luán

原文

𤔲: 𤔲也. 从㸚𤔲聲. 呂員切.

譯譯

'꽉 매다(𤔲)'라는 뜻이다. 반(㸚)이 의미부이고 련(𤔲)이 소리부이다. 독음은 려(呂)와 원(員)의 반절이다.

---

129) 고문자에서 🔤 🔤 🔤 🔤 金文 등으로 썼다. 소전에서처럼 廾(두 손 마주잡을 공)과 木(나무 목)과 爻(효 효)로 구성되어, 두 손(廾)으로 나무(木)를 교차되게(爻) 엮어 '울타리'를 만드는 모습을 그렸으며, 울타리, 울타리 모양으로 엮은 '새 장'을 뜻하기도 한다. 또 나라 이름이나 성씨로도 쓰였다.

제64부수
064 ▪ 공(共)부수

1768

㐀: 共: 함께 공: 八-총6획: gòng

原文

㐀: 同也. 从廿、廾. 凡共之屬皆从共. 𢌅, 古文共. 渠用切.

飜譯

'함께 하다(同)'라는 뜻이다. 입(廿)과 공(廾)이 모두 의미부이다. 공(共)부수에 귀속
된 글자는 모두 공(共)이 의미부이다.130) 공(𢌅)은 공(共)의 고문체이다. 독음은 거
(渠)와 용(用)의 반절이다.

1769

龔: 龔: 공손할 공: 龍-총22획: gōng

原文

龔: 給也. 从共龍聲. 俱容切.

飜譯

'공급하다(給)'라는 뜻이다. 공(共)이 의미부이고 룡(龍)이 소리부이다. 독음은 구(俱)
와 용(容)의 반절이다.

---

130) 고문자에서 [甲骨文] [金文] [簡牘文]
[古璽文] 등으로 썼다. 갑골문에서 口(입 구)가 의미부이고 廾(두 손으로 받들 공)
이 소리부로, 어떤 물체(口)를 두 손(廾)으로 '함께' 받쳐 든 모습을 그렸는데, 자형이 변해 지금
처럼 되었다. 이로부터 共同(공동), 함께 등의 뜻이 나왔고, 합계, 모두라는 뜻으로도 쓰였다.

제65부수
065 ▪ 이(異)부수

1770

畀： 異： 다를 이: 田-총12획: yì

原文

畀： 分也. 从廾从畀. 畀, 予也. 凡異之屬皆从異. 羊吏切.

譯

'나누다(分)'라는 뜻이다. 공(廾)이 의미부이고 비(畀)도 의미부이다. 비(畀)는 주다
(予)는 뜻이다.131) 이(異)부수에 귀속된 글자는 모두 이(異)가 의미부이다. 독음은 양
(羊)과 리(吏)의 반절이다.

1771

戴： 戴： 일 대: 戈-총18획: dài

原文

戴： 分物得增益曰戴. 从異𢧄聲. 𢧄, 籒文戴. 都代切.

譯

'나눈 재물에 다시 더하는 것(分物得增益)을 대(戴)라고 한다.' 이(異)가 의미부이고 재
(𢧄)가 소리부이다.132) 대(𢧄)는 대(戴)의 주문체이다. 독음은 도(都)와 대(代)의 반절이다.

---

131) 고문자에서 甲骨文 金文 簡牘文 등으로 썼다. 얼굴에 커
다란 가면을 걸치고 손을 위로 들어 춤을 추고 있는 모습을 그렸는데, 윗부분이 田(밭 전)으
로 아랫부분이 共(함께 공)으로 변해 지금의 자형이 되었다. 커다란 가면을 걸치고 춤을 추는
모습이 보통의 형상과는 달랐으므로 異常(이상)하다, 特異(특이)하다, 奇異(기이)하다, 다르다
는 뜻이 생겼다. 간화자에서는 윗부분의 田을 巳(여섯째지지 사)로 아랫부분의 共을 廾(두 손
으로 받들 공)으로 바꾸어 㫋로 쓴다.

제66부수
066 ▪ 여(舁)부수

1772

舁: 舁: 마주 들 여: 臼-총10획: yú

原文

舁: 共舉也. 从臼从廾. 凡舁之屬皆从舁. 讀若余. 以諸切.

飜譯

'함께 들어 올리다(共舉)'라는 뜻이다. 구(臼)가 의미부이고 공(廾)도 의미부이다.[133] 여(舁)부수에 귀속된 글자는 모두 여(舁)가 의미부이다. 여(余)와 같이 읽는다. 독음은 이(以)와 제(諸)의 반절이다.

1773

舉: 舉: 높이 오를 선: 廾-총16획: qiān

原文

舉: 升高也. 从舁囟聲. 舉, 舉或从卩. 舉, 古文舉. 七然切.

飜譯

'높이 올라가다(升高)'라는 뜻이다. 여(舁)가 의미부이고 신(囟)이 소리부이다. 선(舉)

---

132) 고문자에서 甲骨文, 金文 등으로 썼다. 소전에서처럼 異(다를 이)가 의미부이고 𢦏(다칠 재)가 소리부인데, 𢦏는 戈(창 과)에 소리부인 才(재주 재)가 결합한 모습이며, 異는 얼굴에 가면을 쓴 채 두 손으로 얼굴을 가리키는 모습이다. 그래서 戴는 큰 가면을 얼굴에 쓰듯(異) 무엇인가를 얼굴에 '올려놓다'는 뜻이며, 이로부터 (머리에) '이다'는 뜻이 나왔다.

133) 글자의 윗부분이 두 손을 마주한 모습을 그린 구(臼), 아랫부분은 두 손을 마주잡은 모습을 그린 공(廾)으로 구성되어, 무엇인가를 함께 들어 올리는 것을 그렸다는 의미이다.

은 선(䉉)의 혹체자인데, 절(卪)로 구성되었다. 선(䉉)은 선(䉉)의 고문체이다. 독음은 칠(七)과 연(然)의 반절이다.

1774

䑞: 與: 줄 여: 臼-총14획: yǔ

(原文)

䑞: 黨與也. 从舁从与. 㒦, 古文與. 余呂切.

(譯)

'무리를 지어 함께 하다(黨與)'라는 뜻이다. 여(舁)가 의미부이고 여(与)도 의미부이다.134) 여(㒦)는 여(與)의 고문체이다. 독음은 여(余)와 려(呂)의 반절이다.

1775

䑝: 興: 일 흥: 臼-총16획: xīng

(原文)

䑝: 起也. 从舁从同. 同力也. 虛陵切.

(譯)

'일어나다(起)'라는 뜻이다. 여(舁)가 의미부이고 동(同)도 의미부이다. 힘을 함께 하다(同力)는 뜻이다.135) 독음은 허(虛)와 릉(陵)의 반절이다.

---

134) 고문자에서 䑞䑞舁 金文 盟書 與與與 簡牘文 石刻古文 등으로 썼다. 소전에서처럼 与(어조사 여)가 의미부고 舁(마주들 여)가 소리부로, 서로 함께 '더불어' 힘을 합해 무거운 물건을 마주 드는(舁) 모습을 그렸으며, 이후 주다는 뜻도 생겼다. 간화자에서는 초서체로 줄인 与로 쓴다.

135) 고문자에서 興興舁興舁 甲骨文 興興興舁 興 金文 舁古陶文 興興 盟書 興 興興舁舁 簡牘文 등으로 썼다. 소전에서처럼 同(한가지 동)과 舁(마주들 여)로 구성되어, 모두가 함께(同) 힘을 합쳐 함께 드는 것을 말하며, 이로부터 일으키다의 뜻이 나왔다. 간화자에서는 초서체로 간단히 줄여 兴으로 쓴다.

제67부수
067 ▪ 국(臼)부수

1776

臼: 臼: 깍지 낄 국: 臼-총7획: jú, jǔ

原文

臼: 叉手也. 从、乚、ヨ. 凡臼之屬皆从臼. 居玉切.

飜譯

'손을 깍지 끼다(叉手)'라는 뜻이다. 구(乚)와 계(ヨ)가 모두 의미부이다. 구(臼)부수에 귀속된 글자는 모두 구(臼)가 의미부이다. 독음은 거(居)와 옥(玉)의 반절이다.

1777

要: 要: 구할 요: 襾-총9획: yāo

原文

要: 身中也. 象人要自臼之形. 从臼, 交省聲. 要, 古文要. 於消切.

飜譯

'몸의 가운데 부분(身中)'을 말한다. 사람이 두 손을 허리에 놓은 모습이다(象人要自臼之形). 구(臼)가 의미부이고, 교(交)의 생략된 모습이 소리부이다.[136] 요(要)는 요(要)의 고문체이다. 독음은 어(於)와 소(消)의 반절이다.

---

136) 고문자에서 要要金文　　要要簡牘文 등으로 썼다. 소전체에서 女(여자 여)와 臼(절구 구)가 의미부이고 幺(작을 요)가 소리부로, 두 손(臼)을 여성(女)의 잘록한(幺) 허리에 댄 모습을 그려, 그곳이 '허리'임을 나타냈는데, 윗부분이 襾(덮을 아)로 변해 지금의 자형이 되었다. 이후 신체의 중요한 부분이라는 뜻에서 '중요하다'는 뜻이 나왔고, 이후 그런 것을 구하다, '요구하다'는 뜻까지 생겼으며, 그러자 원래 뜻은 肉(고기 육)을 더한 腰(허리 요)로 분화했다.

제68부수

068 ■ 신(晨)부수

1778

晨: 晨: 새벽 신: 辰-총13획: chén

原文

晨: 早昧爽也. 从臼从辰. 辰, 時也. 辰亦聲. 𠦥夕爲夙, 臼辰爲晨, 皆同意. 凡晨之屬皆从晨. 食鄰切.

飜譯

'아침'을 말하는데, '날이 밝을 때(早昧爽)'137)라는 뜻이다. 구(臼)가 의미부이고 진(辰)도 의미부이다. 진(辰)은 때(時)를 말한다. 진(辰)은 소리부도 겸한다.138) 극(𠦥)과 석(夕)이 결합하여 숙(夙)자가 되고, 구(臼)와 진(辰)이 결합하여 신(晨)자가 되는데, 모두 같은 원리에 의해 만들어졌다. 신(晨)부수에 귀속된 글자는 모두 신(晨)이 의미부이다. 독음은 식(食)과 린(鄰)의 반절이다.

1779

農: 農: 농사 농: 辰-총20획: nóng

原文

農: 耕也. 从晨囟聲. 農, 籒文農从林. 𧖻, 古文農. 𦦳, 亦古文農. 奴冬切.

飜譯

---

137) "早昧爽"은 "早, 昧爽"으로 끊어 읽는 것이 바람직하다.

138) 고문자에서 [甲骨文] [金文] [帛書] 등으로 썼다. 소전에서처럼 日(날 일)이 의미부고 辰(때 신.지지 진)이 소리부로, 조개 칼(辰)로 상징되는 농사일이 시작되는 이른 시간대(日)인 '새벽'을 말하며, 28宿(수)의 하나인 房星(방성)을 지칭하기도 한다.

'밭을 갈다(耕)'라는 뜻이다. 신(晨)이 의미부이고 신(囟)이 소리부이다.139) 농(辳)은 농(農)의 주문체인데, 임(林)으로 구성되었다. 농(𦦙)은 농(農)의 고문체이다. 농(辳) 도 농(農)의 고문체이다. 독음은 노(奴)와 동(冬)의 반절이다.

---

139) 고문자에서 𦦙 𦦙 𦦙 甲骨文 𦦙 𦦙 𦦙 𦦙 𦦙 𦦙 𦦙 金文 𦦙 古陶文 𦦙 簡牘文 등으로 썼다. 갑골문에서 林(수풀 림)과 辰(때 신.별 진)으로 이루어져, 조개 칼(辰)로 숲(林)의 풀을 베어 내고 농작물을 키우는 모습을 그렸고, 이로부터 '農事(농사)'의 뜻이 나왔으며 농사 나 農民(농민)을 지칭하게 되었다. 고대 중국에서 농사가 모든 산업의 핵심이었으므로 '진정 한'이라는 의미도 가진다. 금문에 들면서 田(밭 전)이 더해졌고, 소전체에 들면서 林이 두 손 을 그린 臼(절구 구)로 변했으며, 예서에서부터 지금의 자형으로 변했다. 간화자에서는 초서체 로 줄여 쓴 农으로 쓴다.

제69부수
069 ■ 찬(爨)부수

1780

爨: 爨: 불 땔 찬: 火-총29획: cuàn

原文

爨: 齊謂之炊爨. 臼象持甑, 冂爲竈口, 廾推林內火. 凡爨之屬皆从爨. 𤑖, 籒文爨省. 七亂切.

飜譯

'제(齊)나라 지역에서는 불 때는 것(炊)을 찬(爨)이라 한다.'140) 구(臼)는 시루(甑)를 쥔 모습을, 경(冂)은 부뚜막 아궁이의 입구(竈口)를, 공(廾)은 땔감을 불 속으로 밀어 넣는(推林內火) 모습을 그렸다. 찬(爨)부수에 귀속된 글자는 모두 찬(爨)이 의미부이다. 찬(𤑖)은 찬(爨)의 주문체인데, 생략된 모습이다. 독음은 칠(七)과 란(亂)의 반절이다.

1781

釁: 釁: 가슴 치미는 것 공: 臼-총18획: qióng, gǒng

原文

釁: 所以枝鬲者. 从爨省, 鬲省. 渠容切.

飜譯

'솥을 지탱해 주는 받침대(所以枝鬲者)'를 말한다. 찬(爨)의 생략된 모습과 력(鬲)의

---

140)『단주』에서는 각 판본에서 위(謂)자 다음에 지(之)가 더 들어가 있는데, "齊謂炊爨"이 되어야 한다고 했다. 또 "화(火)부수에서 '취(炊)는 불을 때다(爨)는 뜻이다'라고 했다. 그렇다면 취(炊)와 찬(爨)은 호훈(互訓)자이다.『맹자』에 대한 조기(趙岐)의 주석에서도 '찬(爨)은 불을 때다(炊)는 뜻이다'라고 하였다."

생략된 모습이 모두 의미부이다. 독음은 거(渠)와 용(容)의 반절이다.

1782

釁 : 釁: 피 바를 흔: 酉-총25획: xìn

原文

釁: 血祭也. 象祭竈也. 从爨省, 从酉. 酉, 所以祭也. 从分, 分亦聲. 虛振切.

飜譯

'혈제, 피를 바쳐 지내는 제사(血祭)'를 말한다. 제사를 드리는 부뚜막(祭竈)을 그렸다. 찬(爨)의 생략된 모습이 의미부이고, 유(酉)도 의미부이다. 유(酉)는 제사드릴 때 쓰는 제수(所以祭)를 말한다. 분(分)도 의미부인데, 분(分)은 소리부도 겸한다. 독음은 허(虛)와 진(振)의 반절이다.

완역 설문해자

제3권

(하)

제70부수
070 ■ 혁(革)부수

1783

革: 革: 가죽 혁: 革-총9획: gé

原文

革: 獸皮治去其毛, 革更之. 象古文革之形. 凡革之屬皆从革. 革, 古文革从三

十. 三十年爲一世, 而道更也. 臼聲. 古覈切.

飜譯

‘짐승 가죽의 털을 제거하고 그것을 변경시킨 것을 말하는데[141], 고문체로 된 혁(革)
의 모습을 형상했다.[142][143] 혁(革)부수에 귀속된 글자는 모두 혁(革)이 의미부이다.
혁(革)은 고문체인데, 삼십(三十)으로 구성되었다. 삼십(三十)년이 1세(世)가 되며,

제3권

---

141) 『단주』에서는 "털을 다 제거한 짐승의 가죽(革獸皮治去其毛)을 혁(革)이라 한다. 혁(革)은
바꾸다(更)라는 뜻이다."로 되어야 한다고 했다.

142) 『단주』에서 이렇게 말했다. "글자 중에는 고문(古文)체를 모방하여 만든 소전(小篆)이 있다.
허신이 이렇게 말해 두지 않았다면 그 글자가 육서(六書) 중 어디에 해당하는지 알 길이 없었
을 것이다. 예컨대, ‘혁(革)자는 고문(古文)체의 혁(革)자 모습을 형상했다’라고 하였고, ‘제(弟)
자는 고문체의 모습을 형상했다’라고 하였고, ‘민(民)자는 고문체의 모습을 형상했다’라고 하였
고, ‘유(酉)자는 고문체의 유(酉)자의 모습을 형상했다’라고 한 것 등이 그렇다. [혁(革)의 소전
체는 혁(革)의 소문체에서] 구(臼)가 구(口)로 바뀌었는데, 이는 복잡한 자형의 일부를 생략하
여 간단하게 만든 것일 따름이다. 혹자는 이렇게 풀이하기도 한다. ‘혁(革)은 삽(卅)이 의미부
이고 위(囗)도 의미부이며, 독음이 위(韋)이다. 위(囗)는 국읍(國邑)을 말하며, 30년이면 법도 바
뀐다(卅年而法更).’ 이는 양승경(楊承慶)의 『자통(字統)』에서 나온 억지해설로 보인다.

143) 고문자에서 　金文　　　簡牘文　　石刻古文 등으로 썼다. 벗겨 내 말리는 짐승의
가죽의 모습을 그렸다. 가죽은 털을 제거하고 무두질을 거쳐야 새로운 제품이 만들어진다. 그
래서 革에는 革職(혁직)처럼 ‘제거하다’의 뜻이, 또 가공해 다른 제품을 만든다는 의미에서 變
革(변혁)이나 革命(혁명)처럼 ‘바꾸다’의 뜻이, 다시 皮革(피혁)처럼 ‘가죽제품’ 등의 뜻이 있
게 되었다. 革으로 구성된 글자들을 보면 먼저, 가죽은 질김과 구속의 상징이었다. 또 가죽 제
품을 지칭하는데, 특히 북방에서는 말이 주요한 운송과 수송 수단이었던지라, 말에 쓰는 제품
에 관련된 것이 많다.

그때마다 도(道)가 바뀌기 때문이다. 구(臼)가 소리부이다. 독음은 고(古)와 핵(覈)의 반절이다.

1784

鞹: 鞹: 무두질한 가죽 곽: 革-총20획: kuò

原文

鞹: 去毛皮也.『論語』曰："虎豹之鞹." 从革郭聲. 苦郭切.

飜譯

'털을 제거한 가죽(去毛皮)'을 말한다. 『논어·안연(顏淵)』에서 "호랑이와 표범의 가죽(虎豹之鞹)"이라고 했다. 혁(革)이 의미부이고 곽(郭)이 소리부이다. 독음은 고(苦)와 곽(郭)의 반절이다.

1785

靬: 靬: 가죽 간: 革-총12획: kàn

原文

靬: 靬, 乾革也. 武威有麗靬縣. 从革干聲. 苦旰切.

飜譯

'간(靬)은 말린 가죽(乾革)'을 말한다. 무위(武威) 지역에 여간현(麗靬縣)이라는 곳이 있다.[144] 혁(革)이 의미부이고 간(干)이 소리부이다. 독음은 고(苦)와 간(旰)의 반절이다.

---

144) 여간(麗靬)은 달리 여간(驪靬)으로 쓰기도 하며, 『한서.장건전(張騫傳)』에서는 리간(犛靬)으로, 『서역전』에서는 리간(犛靬)으로 썼다. 서한 때 설치되었으며, 량주(涼州)의 장액(張掖)군에 속했었다. 서역(西域)의 여간(驪靬)사람들을 여기로 옮겨 살게 하였으므로 그런 이름이 붙여지게 되었다. 북위(北魏) 이후로는 역간(力幹)이라 불리기도 했고, 수나라 때 없어졌다. 지금의 감숙성 금창시(金昌市) 영창현(永昌縣) 초가장향(焦家莊鄉)에 해당하며, 해발 2400미터에 자리한 옛날 실크로드의 주요 도시이자 군사요충지였다.

1786

鞳 : 鞳 : 가죽 띠 락 : 革-총15획: luò

原文

鞳 : 生革可以爲縷束也. 从革各聲. 盧各切.

飜譯

'어떤 것을 동여맬 수 있는 생가죽(生革可以爲縷束)'을 말한다. 혁(革)이 의미부이고 각(各)이 소리부이다. 독음은 로(盧)와 각(各)의 반절이다.

1787

鞄 : 鞄 : 혁공 포 : 革-총14획: páo

原文

鞄 : 柔革工也. 从革包聲. 讀若朴. 『周禮』曰: "柔皮之工鮑氏." 鞄卽鮑也. 蒲角切.

飜譯

'가죽을 부드럽게 만드는 장인(柔革工)'을 말한다. 혁(革)이 의미부이고 포(包)가 소리부이다. 박(朴)과 같이 읽는다. 『주례·고공기』에서 "가죽을 부드럽게 만드는 장인인 포씨(鮑氏)"라고 했는데, 포(鞄)는 바로 포(鮑)와 같다. 독음은 포(蒲)와 각(角)의 반절이다.

1788

鞠 : 鞠 : 북 메는 장인 운현 : 革-총18획: yùn

原文

鞠 : 攻皮治鼓工也. 从革軍聲. 讀若運. 鞠, 鞠或从韋. 王問切.

飜譯

'가죽을 다듬어 북을 만드는 장인(攻皮治鼓工)'을 말한다. 혁(革)이 의미부이고 군

(軍)이 소리부이다. 운(運)과 같이 읽는다. 운(韗)은 운(鞻)의 혹체자인데, 위(韋)로 구성되었다. 독음은 왕(王)과 문(問)의 반절이다.

1789

鞣: 鞣: 다룸가죽 유: 革-총18획: róu

原文

鞣: 耎也. 从革从柔, 柔亦聲. 耳由切.

譯

'가죽을 부드럽게 만들다(耎)'라는 뜻이다. 혁(革)이 의미부이고 유(柔)도 의미부인데, 유(柔)는 소리부도 겸한다. 독음은 이(耳)와 유(由)의 반절이다.

1790

靻: 靻: 다룸가죽 단: 革-총14획: dá

原文

靻: 柔革也. 从革, 从旦聲. 韇, 古文靻从亶. 旨熱切.

譯

'가죽을 부드럽게 만들다(柔革)'라는 뜻이다. 혁(革)이 의미부이고, 단(旦)이 소리부이다. 단(韇)은 단(靻)의 고문체인데, 단(亶)으로 구성되었다. 독음은 지(旨)와 열(熱)의 반절이다.

1791

鞼: 鞼: 무늬 있는 가죽 궤: 革-총21획: guì

原文

鞼: 韋繡也. 从革貴聲. 求位切.

飜譯

'수를 놓은 가죽(韋繡)'을 말한다. 혁(革)이 의미부이고 귀(貴)가 소리부이다. 독음은 구(求)와 위(位)의 반절이다.

1792

鞶： 鞶: 큰 띠 반: 革-총19획: pán

原文

鞶: 大帶也.『易』曰 : "或錫之鞶帶." 男子帶鞶, 婦人帶絲. 从革般聲. 蒲官切.

飜譯

'큰 띠(大帶)'를 말한다.『역·계사(繫辭)』에서 "혹 임금이 내린 큰 가죽 띠인가?(或錫之鞶帶)"라고 했다. 남자는 가죽으로 된 큰 띠(帶鞶)를 매고, 여자는 비단 실로 만든 띠(絲)를 맨다. 혁(革)이 의미부이고 반(般)이 소리부이다. 독음은 포(蒲)와 관(官)의 반절이다.

제3권

1793

鞏： 鞏: 묶을 공: 革-총15획: gǒng

原文

鞏: 以韋束也.『易』曰 : "鞏用黃牛之革." 从革巩聲. 居竦切.

飜譯

'가죽으로 묶다(以韋束)'라는 뜻이다.『역·혁괘(革卦)』에서 "단단하게 묶으려면 황소의 가죽을 써야 한다(鞏用黃牛之革)"라고 했다. 혁(革)이 의미부이고 공(巩)이 소리부이다. 독음은 거(居)와 송(竦)의 반절이다.

1794

鞔： 鞔: 신울 만: 革-총16획: mán

原文

鞔: 履空也. 从革免聲. 母官切.

飜譯

'신울, 신발의 양쪽 가에 댄, 발등까지 올라오는 부분(履空)'을 말한다. 혁(革)이 의미부이고 면(免)이 소리부이다. 독음은 모(母)와 관(官)의 반절이다.

1795

鞈: 靸: 신 삽: 革-총13획: tā

原文

靸: 小兒履也. 从革及聲. 讀若沓. 穌合切.

飜譯

'어린 아이의 신(小兒履)'을 말한다. 혁(革)이 의미부이고 급(及)이 소리부이다. 답(沓)과 같이 읽는다. 독음은 소(穌)와 합(合)의 반절이다.

1796

鞏: 鞥: 앙각 앙: 革-총13획: áng

原文

鞥: 鞥角, 鞮屬. 从革卬聲. 五岡切.

飜譯

'앙각(鞥角)을 말하는데, 가죽 신(鞮)의 일종이다.' 혁(革)이 의미부이고 앙(卬)이 소리부이다. 독음은 오(五)와 강(岡)의 반절이다.

1797

鞮: 鞮: 가죽신 제: 革-총18획: dī

原文

鞮: 革履也. 从革是聲. 都兮切.

譯

'가죽으로 만든 신(革履)'을 말한다. 혁(革)이 의미부이고 시(是)가 소리부이다. 독음은 도(都)와 혜(兮)의 반절이다.

1798

鞂: 鞂: 겹사 겹: 革-총16획: jiá

原文

鞂: 鞮鞂沙也. 从革从夾, 夾亦聲. 古洽切.

譯

'겹사라는 앞이 터진 가죽 신(鞮鞂沙)'을 말한다.[145] 혁(革)이 의미부이고 협(夾)도 의미부인데, 협(夾)은 소리부도 겸한다. 독음은 고(古)와 흡(洽)의 반절이다.

1799

鞳: 鞳: 가죽신 사: 革-총20획: xǐ

原文

鞳: 鞮屬. 从革徙聲. 所綺切.

譯

'가죽신의 일종이다(鞮屬).' 혁(革)이 의미부이고 사(徙)가 소리부이다. 독음은 소(所)와 기(綺)의 반절이다.

---

145) 『단주』에서 이렇게 보충했다. "가죽신의 이름으로, 겹사(鞂沙)라는 가죽신을 말한다. 앙각(鞅角)과 겹사(鞂沙)는 모두 한족들의 말이다. 『광아(廣雅)』에서 말한 갑사(鞳鞂)와 같다.……서북 이민족들이 신는 신이다."라고 했다.

1800

鞵: 鞵: 생가죽신 혜: 革-총19획: xié

原文

鞵: 革生鞵也. 从革奚聲. 戶佳切.

譯

'생가죽으로 만든 신(革生鞵)'을 말한다. 혁(革)이 의미부이고 해(奚)가 소리부이다. 독음은 호(戶)와 가(佳)의 반절이다.

1801

靪: 靪: 신 창받이 할 정: 革-총11획: dīng

原文

靪: 補履下也. 从革丁聲. 當經切.

譯

'신의 아래쪽을 깁다(補履下)'라는 뜻이다. 혁(革)이 의미부이고 정(丁)이 소리부이다. 독음은 당(當)과 경(經)의 반절이다.

1802

鞠: 鞠: 공 국: 革-총17획: jū

原文

鞠: 蹋鞠也. 从革匊聲. 鞫, 鞠或从夑. 居六切.

譯

'답국 즉 공을 차며 하는 놀이(蹋鞠)'를 말한다.146) 혁(革)이 의미부이고 국(匊)이 소

---

146) 『단주』에서는 이렇게 보충했다. "유향(劉向)의 『별록(別錄)』에서 축국(蹵鞠)은 황제(黃帝)가 만든 놀이라고 전해진다. 그러나 혹자는 전국(戰國)시대 때 시작되었다고 한다. 답국(蹋鞠)은 군사의 실력을 말한다(兵勢也). 무사들을 단련시키고 재능이 있는지를 알아보는 도구인데, 모

리부이다. 국(鞠)은 국(鞠)의 혹체자인데, 국(鞠)으로 구성되었다. 독음은 거(居)와 륙(六)의 반절이다.

1803

鞱: 韜: 노도 도: 革-총14획: táo

原文

鞱: 韜遼也. 从革召聲. 䩌, 韜或从兆. 鼗, 韜或从鼓从兆. 䶇, 籀文韜从殸、召. 徒刀切.

飜譯

'가죽으로 만든 작은 북(韜遼)'을 말한다.[147] 혁(革)이 의미부이고 소(召)가 소리부이다. 도(䩌)는 도(韜)의 혹체자인데, 조(兆)로 구성되었다. 도(鼗)도 도(韜)의 혹체자인데, 고(鼓)가 의미부이고 조(兆)도 의미부이다. 도(䶇)는 도(韜)의 주문체인데, 성(殸)과 소(召)로 구성되었다. 독음은 도(徒)와 도(刀)의 반절이다.

1804

鞍: 鞍: 양물기의 끈 원: 革-총19획: yuǎn

原文

鞍: 量物之鞍. 一曰抒井鞍. 古以革. 从革冤聲. 䩾, 鞍或从宛. 於袁切.

飜譯

'물건의 양을 재는 도구이다(量物之鞍).' 일설에는 '우물을 팔 때 진흙을 떠내는 도구(抒井鞍)'라고도 한다.[148] 옛날에는 가죽으로 만들었다. 혁(革)이 의미부이고 원

두들 그것을 좋아해서 잘 익힌다. 『한서.예문지』에 의하면 군사의 기교에 관한 것이 13가(家)가 있고 축(蹴)에 관한 저술이 25편 실려 있다. 곽박(郭樸)이 단 『삼창(三蒼)』의 주석에서 털을 둥글게 뭉쳐서 발로 차며 놀이할 수 있는 것(毛丸可蹋戲者)을 국(鞠)이라 한다고 했다."
147) 『단주』에서 이렇게 말했다. "『주례주(周禮注)』에서 도(鼗)와 비슷하면서 크기는 작은 데, 손잡이를 잡고서 흔들면 양쪽 곁으로 지동으로 돌아와 두드리게 된다." 오늘날 말하는 긴 손잡이를 가진 요고(搖鼓)를 말한다. 속칭 발랑고(撥浪鼓)나 화랑고(貨郎鼓)라고도 한다.

(冤)이 소리부이다. 원(鞙)은 원(鞙)의 혹체자인데, 완(宛)으로 구성되었다. 독음은 어(於)와 원(袁)의 반절이다.

1805

鞞: 鞞: 마상 북 비·칼집 병: 革-총17획: bǐng, pí

原文

鞞: 刀室也. 从革卑聲. 幷頂切.

飜譯

'칼집(刀室)'을 말한다. 혁(革)이 의미부이고 비(卑)가 소리부이다. 독음은 병(幷)과 정(頂)의 반절이다.

1806

鞎: 鞎: 수레 장식 가죽 흔: 革-총15획: hén

原文

鞎: 車革前曰鞎. 从革艮聲. 戶恩切.

飜譯

'수레의 앞쪽의 가죽으로 만든 장식을 흔(鞎)이라 한다(車革前曰鞎).' 혁(革)이 의미부이고 간(艮)이 소리부이다. 독음은 호(戶)와 은(恩)의 반절이다.

---

148) 『단주』에서 이렇게 말했다. "『소서(小徐)에서 서정(抒井)은 오늘날 말의 도정(淘井)과 같은데, 진흙을 퍼내는 그릇이다. 내(단옥재) 생각은 이렇다 『설문』의 준(浚)자 해석에서 퍼내다는 뜻이다(抒也)라고 했다. 그렇다면 소서(小徐)의 말이 옳다. 수(手)부수에서 서(抒)에 대해 물을 푸다는 뜻이다(挹也)라고 했다. 그렇다면 우물을 푸는 것(汲井) 또한 서정(抒井)이라 할 수 있다. 또 부(缶)부수에서 옹(罋)은 물을 긷는 두레박이다(汲缾也)라고 했다. 『춘추전(春秋傳)』에서는 두레박줄과 두레박을 갖추었다(具綆缶)라고 했고, 『주역』에서는 두레박을 걸어 올리다(羸其缾)라고 했다. 이는 이 기물로 토기로 된 것(缶)을 사용한 역사가 오래되었음을 말해준다. 처음에는 가죽으로 된 것을 사용했을 것이다."

1807

鞃 : 鞃 : 수레앞턱가로나무 감은 가죽 굉: 革-총14획: hóng

<原文>

鞃 : 車軾也. 从革弘聲. 『詩』曰 : "鞹鞃淺幭." 讀若穹. 丘弘切.

<譯>

'수레 앞턱의 가로나무를 감은 가죽(車軾)'을 말한다. 혁(革)이 의미부이고 홍(弘)이 소리부이다. 『시·대아한혁(韓奕)』에서 "가죽 붙인 수레 앞턱 가로나무며, 무늬 새긴 멍에(鞹鞃淺幭)."라고 노래했다. 궁(穹)과 같이 읽는다. 독음은 구(丘)와 홍(弘)의 반절이다.

1808

鞪 : 鞪 : 투구 무: 革-총18획: mù

<原文>

鞪 : 車軸束也. 从革敄聲. 莫卜切.

<譯>

'끌채를 동여매는 가죽(車軸束)'을 말한다. 혁(革)이 의미부이고 무(敄)가 소리부이다. 독음은 막(莫)과 복(卜)의 반절이다.

1809

鞸 : 鞸 : 수레의 밧줄 필: 革-총14획: bì

<原文>

鞸 : 車束也. 从革必聲. 毗必切.

<譯>

'수레에 가죽으로 묶는 곳(車束)'을 말한다. 혁(革)이 의미부이고 필(必)이 소리부이다. 독음은 비(毗)와 필(必)의 반절이다.

제 3 권

1810

鑽: 鑽: 수레 멍에 동이는 끈 찬: 革-총38획: zuān

(原文)

鑽: 車衡三束也. 曲轅鑽縛, 直轅籑縛. 从革爨聲. 讀若『論語』"鑽燧"之'鑽'. 鑽,
鑽或从革、贊. 借官切.

(飜譯)

'수레의 끌채에 가죽으로 묶는 세 곳(車衡三束)'을 말한다. 작은 수레는 구멍을 뚫
어 가죽으로 묶고, 큰 수레는 끌채 전체를 가죽 띠로 묶는다(曲轅鑽縛, 直轅籑縛).
혁(革)이 의미부이고 찬(爨)이 소리부이다. 『논어·양화(陽貨)』의 '찬수(鑽燧·나무에 구
멍을 뚫고 마찰시켜 불을 일으킴)'라고 할 때의 찬(鑽)과 같이 읽는다. 찬(鑽)은 찬(鑽)의
혹체자인데, 혁(革)과 찬(贊)으로 구성되었다. 독음은 차(借)와 관(官)의 반절이다.

1811

鞊: 鞊: 일산 끈 지: 革-총15획: zhì

(原文)

鞊: 蓋杠絲也. 从革旨聲. 脂利切.

(飜譯)

'수레 덮개의 가로지른 나무를 묶는 가죽 끈(蓋杠絲)'을 말한다. 혁(革)이 의미부이
고 지(旨)가 소리부이다. 독음은 지(脂)와 리(利)의 반절이다.

1812

鞁: 鞁: 가슴걸이 피: 革-총14획: bèi

(原文)

鞁: 車駕具也. 从革皮聲. 平祕切.

'수레를 말에 거는 도구(車駕具)'를 말한다. 혁(革)이 의미부이고 피(皮)가 소리부이다. 독음은 평(平)과 비(祕)의 반절이다.

1813

鞥: 鞥: 가죽 고삐 압: 革-총18획: ēng

原文

鞥: 轡鞥. 从革弇聲. 讀若膺. 一曰龍頭繞者. 烏合切.

翻譯

'말의 가죽 고삐(轡鞥)'를 말한다. 혁(革)이 의미부이고 엄(弇)이 소리부이다. 응(膺)과 같이 읽는다. 일설에는 '말의 굴레(龍頭繞者)'를 말한다고도 한다. 독음은 오(烏)와 합(合)의 반절이다.

1814

靶: 靶: 고삐 파: 革-총13획: bà

原文

靶: 轡革也. 从革巴聲. 必駕切.

翻譯

'가죽으로 된 고삐(轡革)'를 말한다. 혁(革)이 의미부이고 파(巴)가 소리부이다. 독음은 필(必)과 가(駕)의 반절이다.

1815

韅: 韅: 뱃대끈 현: 革-총32획: xiǎn

原文

韅: 著掖鞥也. 从革顯聲. 呼典切.

譯

'말의 양 겨드랑이에 거는 가죽 고삐(著掖鞥)'를 말한다. 혁(革)이 의미부이고 현(顯) 이 소리부이다. 독음은 호(呼)와 전(典)의 반절이다.

1816

靳: 靳: 가슴걸이 근: 革-총13획: jìn

原文

靳: 當膺也. 从革斤聲. 居近切.

譯

'말의 가슴에 거는 가죽 끈(當膺)'을 말한다. 혁(革)이 의미부이고 근(斤)이 소리부이 다. 독음은 거(居)와 근(近)의 반절이다.

1817

韂: 韂: 말의 치장 정: 革-총18획: chǎn, chěng

原文

韂: 驂具也. 从革毚聲. 讀若騁蹇. 丑郢切.

譯

'곁마[수레를 끄는 네 마리 말에서 바깥쪽의 두 마리 말]에 거는 도구(驂具)'를 말한다. 혁 (革)이 의미부이고 천(毚)이 소리부이다. 빙(騁)과 같이 읽고, 또 진(蹇)과 같이 읽기 도 한다.149) 독음은 축(丑)과 영(郢)의 반절이다.

---

149) 『단주』에서 이렇게 말했다. "충(虫)부수에서 천(毚)을 빙(騁)과 같이 읽는다고 했다. 그렇다 면 여기서 천(毚)이 소리부라고 했는데, 빙(騁)으로 읽는 것이 맞다. 무슨 연유로 신(蹇)자가 더해졌는지 모르겠다. 빙(騁)과 신(蹇)을 연속해 빙신(騁蹇)이라 읽어서는 문맥이 통하지 않는 다. 아마도 '또 신(蹇)과 같이 읽기도 한다(又讀若蹇)'라고 되어야 옳을 것이다." 여기서는 단 옥재의 주석을 따라 번역했다.

1818

靷: 靷: 가슴걸이 인: 革-총13획: yǐn

原文

靷: 引軸也. 从革引聲. 䩆, 籀文靷. 余忍切.

飜譯

'수레 축에 연결해 수레를 나아가게 하는 가죽 끈(引軸)'을 말한다. 혁(革)이 의미부이고 인(引)이 소리부이다. 인(䩆)은 인(靷)의 주문체이다. 독음은 여(余)와 인(忍)의 반절이다.

1819

輨: 輨: 말에 쓰는 기물의 총칭 관: 革-총17획: guǎn

原文

輨: 車鞁具也. 从革官聲. 古滿切.

飜譯

'수레에 말을 연결하는 도구(車鞁具)'를 말한다. 혁(革)이 의미부이고 관(官)이 소리부이다. 독음은 고(古)와 만(滿)의 반절이다.

1820

鞳: 鞳: 언치 두: 革-총16획: dòu

原文

鞳: 車鞁具也. 从革豆聲. 田候切.

飜譯

'수레에 말을 연결하는 도구(車鞁具)'를 말한다. 혁(革)이 의미부이고 두(豆)가 소리부이다. 독음은 전(田)과 후(候)의 반절이다.

1821

靬: 靬: 가죽 우: 革-총12획: yú

原文

靬: 輨内環靬也. 从革于聲. 羽俱切.

譯

'수레바퀴의 드러난 안쪽부분을 둘러싸는 부드러운 가죽(輨内環靬)'을 말한다.[150] 혁(革)이 의미부이고 우(于)가 소리부이다. 독음은 우(羽)와 구(俱)의 반절이다.

1822

鞴: 鞴: 차상 동여매는 아래 끈 박: 革-총19획: bó, fú, bù, fù

原文

鞴: 車下索也. 从革尃聲. 補各切.

譯

'수레 아래쪽을 묶는 끈(車下索)'을 말한다. 혁(革)이 의미부이고 부(尃)가 소리부이다. 독음은 보(補)와 각(各)의 반절이다.

1823

鞥: 鞥: 수레의 가죽 압: 革-총17획: è

原文

鞥: 車具也. 从革奄聲. 烏合切.

譯

'수레에 사용하는 도구(車具)'를 말한다.[151] 혁(革)이 의미부이고 암(奄)이 소리부이

---

150) 환단(環靬)은 수레의 바퀴 중심의 드러난 둥근 나무를 감싸던 부드러운 가죽을 말하는데, 옛날 수레바퀴 통은 바깥으로 드러나 있어 손상을 잘 입었기에 부드러운 가죽으로 감싸고 그 위를 금속으로 덧씌워 마모나 손상을 덜 입도록 하여 수레의 수명을 늘였다.

다. 독음은 오(烏)와 합(合)의 반절이다.

1824

鞊: 輟: 수레 위의 신 철: 革-총17획: zhuó

原文

鞊: 車具也. 从革叕聲. 陟劣切.

飜譯

'수레에 사용하는 도구(車具)'를 말한다.[152] 혁(革)이 의미부이고 철(叕)이 소리부이다. 독음은 척(陟)과 렬(劣)의 반절이다.

1825

鞌: 鞌: 안장 안: 革-총15획: ān

原文

鞌: 馬鞁具也. 从革从安. 烏寒切.

飜譯

'말을 덮는 도구(馬鞁具)'를 말한다. 혁(革)이 의미부이고 안(安)도 의미부이다. 독음은 오(烏)와 한(寒)의 반절이다.

1826

鞋: 鞋: 털 장식 용: 革-총19획: róng, rǒng

原文

鞋: 鞌毳飾也. 从革茸聲. 而隴切.

---

151) 어떤 도구인지 명확하지 않으나 암(奄)이 소리부로 쓰인 것으로 보아 수레는 덮는데 쓰는 가죽으로 된 도구일 것으로 보인다.
152) 구체적으로 어떤 도구를 말하는지는 명확하지 않다.

翻譯

'가는 털로 만든 말안장의 장식(鞶毳飾)'을 말한다. 혁(革)이 의미부이고 용(茸)이 소리부이다. 독음은 이(而)와 롱(隴)의 반절이다.

1827

鞊: 鞊: 첩선 첩: 革-총14획: nián, tiǎn, tié, wěi

原文

鞊: 鞶飾. 从革占聲. 他叶切.

翻譯

'말안장의 장식(鞶飾)'을 말한다. 혁(革)이 의미부이고 점(占)이 소리부이다. 독음은 타(他)와 협(叶)의 반절이다.

1828

鞈: 鞈: 굳을 협: 革-총15획: gé

原文

鞈: 防汗也. 从革合聲. 古洽切.

翻譯

'화살을 막는 도구(防汗)'를 말한다.[153] 혁(革)이 의미부이고 합(合)이 소리부이다. 독음은 고(古)와 흡(洽)의 반절이다.

1829

勒: 勒: 굴레 륵: 力-총11획: lè

原文

---

153) 『옥편』에서는 "주머니를 말한다(囊也). 방어하는데 쓰인다(以防捍也)."라고 하여 방한(防汗) 이 방한(防捍)으로 되었는데, 『옥편』이 옳아 보인다.

勒: 馬頭絡銜也. 从革力聲. 盧則切.

飜譯

'말의 머리에 씌우는 굴레(馬頭絡銜)'를 말한다.154) 혁(革)이 의미부이고 력(力)이 소리부이다. 독음은 로(盧)와 칙(則)의 반절이다.

1830

鞙: 鞙: 멍에끈 현: 革-총16획: xuàn

原文

鞙: 大車縛軛靼. 从革肙聲. 狂沇切.

飜譯

'큰 수레에 멍에를 연결하는 가죽 끈(大車縛軛靼)'을 말한다. 혁(革)이 의미부이고 연(肙)이 소리부이다. 독음은 광(狂)과 연(沇)의 반절이다.

154) 『단주』에서는 "馬頭落銜也"가 되어야 한다고 하면서 이렇게 말했다. "락(落)과 락(絡)은 고금자이다. 멱(糸)부수의 환(繯)자에서 '둘러씌우다는 뜻이다(落也)'라고 했는데, 허신은 락(落)으로 썼지 락(絡)으로 쓰지 않았음을 알 수 있다. 『석명(釋名)』에서도 륵(勒)은 둘러씌우다는 뜻이다(絡也). 머리를 둘러씌워서 끌어당긴다(絡其頭而引之)라고 했다. 망(网)부수의 칩(馽)자에서 말의 머리를 둘러씌우다는 뜻이다(馬落頭也)라고 했고, 금(金)부수의 함(銜)자에서도 말의 입 가운데에 재갈을 물리다는 뜻이다(馬勒口中)라고 했다. 여기서 말한 락(落)과 함(銜)은 말의 머리를 둘러씌우고 그 입을 재갈로 채워(落其頭而銜其口) 통제 가능하도록 하다는 말이다. 이로부터 억륵(抑勒: 강제하다)의 의미가 나왔고, 또 물륵공명(物勒工名: 기물에 장인의 이름을 새기다)의 의미가 나왔다. 『광운』에서 '석호(石虎: 後趙의 제3대 임금)의 이름인 륵(勒)을 피휘하여, 말의 굴레(馬勒)를 비(轡)라 불렀다.'라고 했는데, 이는 잘못된 명칭이다. 『이아』에서 머리를 둘러씌우는 것을 혁(革)이라 한다(轡首謂之革)라고 했는데, 혁(革)은 륵(勒)의 생략된 모습이다. 말의 머리를 씌웠다는 것은 고삐로 매었다는 뜻이다.(馬絡頭者, 轡所係也.) 그래서 비수(轡首: 머리에 고삐를 씌우다)라고 했던 것이다. 『모시(毛詩)』를 보면 조혁(鞗革)을 모두 옛날 금석문에 근거해 유륵(攸勒)이나 조륵(鋚勒)으로 적었고, 또 『모전(毛傳)』에서는 유(攸)는 머리에 씌우는 고삐의 장식을 말하며(轡首飾也), 혁(革)은 머리에 고삐를 씌우다는 뜻이다(轡首也)라고 했다. 위의 구절에서 수식(首飾: 머리장식)이라는 2글자가 빠지게 되면서부터 그 의미를 알 수 없게 되고 말았다."

1831

鞔: 鞔: 굴레 면: 革-총 18획: miǎn

原文

鞔: 勒鞔也. 从革面聲. 弥沇切.

飜譯

'큰 수레에 멍에를 연결하는 가죽 끈(勒鞔)'을 말한다. 혁(革)이 의미부이고 면(面)이
소리부이다. 독음은 미(弥)와 연(沇)의 반절이다.

1832

靳: 靳: 신 끈 금: 革-총13획: qín

原文

靳: 鞻也. 从革今聲. 巨今切.

飜譯

'신을 메는 가죽 끈(鞻)'을 말한다. 혁(革)이 의미부이고 금(今)이 소리부이다. 독음
은 거(巨)와 금(今)의 반절이다.

1833

鞬: 鞬: 동개 건: 革-총18획: jiān

原文

鞬: 所以戢弓矢. 从革建聲. 居言切.

飜譯

'활과 화살을 넣는 통(所以戢弓矢)'을 말한다. 혁(革)이 의미부이고 건(建)이 소리부
이다. 독음은 거(居)와 언(言)의 반절이다.

1834

鞼: 鞼: 전동 독: 革-총24획: dú

原文

鞼: 弓矢鞼也. 从革賣聲. 徒谷切.

飜譯

'활과 화살을 넣는 통(弓矢鞼)'을 말한다. 혁(革)이 의미부이고 육(賣)이 소리부이다. 독음은 도(徒)와 곡(谷)의 반절이다.

1835

鞼: 鞼: 말안장 술 쇠: 革-총27획: suī

原文

鞼: 綏也. 从革巂聲. 山垂切.

飜譯

'실로 땋아 만든 말안장 장식(綏)'을 말한다. 혁(革)이 의미부이고 휴(巂)가 소리부이다. 독음은 산(山)과 수(垂)의 반절이다.

1836

鞭: 鞭: 급할 극: 革-총18획: jí

原文

鞭: 急也. 从革亟聲. 紀力切.

飜譯

'급하다(急)'라는 뜻이다. 혁(革)이 의미부이고 극(亟)이 소리부이다. 독음은 기(紀)와 력(力)의 반절이다.

제
3
권

1837

鞭: 鞭: 채찍 편: 革-총18획: biān

原文

鞭: 驅也. 从革便聲. 攴, 古文鞭. 卑連切.

飜譯

'[채찍으로] 말을 몰다(驅)'라는 뜻이다. 혁(革)이 의미부이고 편(便)이 소리부이다. 편(攴)은 편(鞭)의 고문체이다. 독음은 비(卑)와 련(連)의 반절이다.

1838

鞅: 鞅: 가슴걸이 앙: 革-총14획: yāng, yàng

原文

鞅: 頸鞅也. 从革央聲. 於兩切.

飜譯

'말의 가슴에 걸어 안장에 매는 가죽 끈(頸鞅)'을 말한다. 혁(革)이 의미부이고 앙(央)이 소리부이다. 독음은 어(於)와 량(兩)의 반절이다.

1839

鞤: 鞤: 칼 끈 획·칼 장식 호: 革-총23획: hù

原文

鞤: 佩刀絲也. 从革蒦聲. 乙白切.

飜譯

'칼에 다는 가죽 장식(佩刀絲)'을 말한다.155) 혁(革)이 의미부이고 확(蒦)이 소리부

---

155) 『단주』에서는 "佩刀系也"가 되어야 한다고 하면서 이렇게 말했다. "계(系)를 각 판본에서는 사(絲)로 적었다. 지금 바로 잡는다. 이는 아마도 멱(糸)부수에서 말한 구(緱: 칼자루를 감은 끈)를 말한 것일 것이다. 『광운』에서는 칼에 다는 장식(佩刀飾)을 말한다고 했다. 『장자음의

이다. 독음은 을(乙)과 백(白)의 반절이다.

1840

鞄: 鞄: 밀치끈 타: 革-총14획: tuó

原文

鞄: 馬尾鞄也. 从革它聲. 今之般緧. 徒何切.

飜譯

'말 꼬리를 묶는 가죽 끈(馬尾鞄)'을 말한다.[156) 혁(革)이 의미부이고 타(它)가 소리부이다. 오늘날의 반추(般緧)를 말한다. 독음은 도(徒)와 하(何)의 반절이다.

1841

鞙: 鞙: 쇠다리 묶을 혈: 革-총16획: xì, xié

原文

鞙: 繋牛脛也. 从革見聲. 已彳切.

飜譯

'소의 다리를 단단히 졸라매다(繋牛脛)'라는 뜻이다. 혁(革)이 의미부이고 견(見)이 소리부이다. 독음은 이(已)와 척(彳)의 반절이다.

(莊子音義)』에서 인용한 『삼창(三蒼)』에서도 획(鞙)은 칼에 다는 가죽 장식을 말한다(佩刀鞙韋也)라고 했다. 『장자』에 외획(外鞙: 안으로 얽매인 자)과 내획(內鞙: 밖으로 얽매인 자)이라는 말이 나오는데 이는 파생의미일 것이다." 그렇게 되면 칼에 매다는 가죽 장식으로 번역되어야 한다.

156) 『단주』에서 이렇게 말했다. "『방언(方言)』에 의하면, 거주(車紂: 수레의 껑거리끈)를 함곡관 동쪽 지역, 주락(周雒) 여영(汝潁) 동쪽 지역에서는 추(緧)라고 하는데, 혹은 곡도(曲綯)라 하기도 하며, 혹은 곡륜(曲綸)이라고도 하며, 함곡관 서쪽 지역에서는 주(紂)라고 한다. 멱(糸)부수에서 추(緧)는 말의 껑거리끈(馬紂)을 말한다. 주(紂)도 말의 껑거리끈(馬紂)을 말한다. 『고공기(考工記)』에서 '必緧其牛'라 했는데, 정현(後鄭)은 함곡관 동쪽 지역에서는 주(紂)를 추(緧)라 한다고 했다. 내 생각에 아마도 타(鞄)와 도(鞙)는 독음이 비슷한데, 타(鞄)는 도(鞙)의 통용어였을 것이다."

1842

鞘: 鞘: 칼집 초: 革-총16획: qiào

原文

鞘: 刀室也. 从革肖聲. 私妙切.

飜譯

'칼의 집(刀室)'을 말한다. 혁(革)이 의미부이고 초(肖)가 소리부이다. 독음은 사(私)와 묘(妙)의 반절이다.

1843

韉: 韉: 언치 천: 革-총26획: jiān

原文

韉: 馬鞁具也. 从革薦聲. 則前切.

飜譯

'말의 안장이나 길마 밑에 까는 깔개(馬鞁具)'를 말한다. 혁(革)이 의미부이고 천(薦)이 소리부이다. 독음은 칙(則)과 전(前)의 반절이다. [신부]

1844

鞾: 鞾: 신 화: 革-총21획: xué

原文

鞾: 鞮屬. 从革華聲. 許臥切.

飜譯

'가죽신의 일종이다(鞮屬).' 혁(革)이 의미부이고 화(華)가 소리부이다. 독음은 허(許)와 화(臥)의 반절이다. [신부]

1845

鞗: 鞗: 고삐 적: 革-총12획: dí

원문

鞗: 馬覊也. 从革勺聲. 都歷切.

번역

'말의 고삐(馬覊)'를 말한다. 혁(革)이 의미부이고 작(勺)이 소리부이다. 독음은 도(都)와 력(歷)의 반절이다. [신부]

제
3
권

제71부수

071 ■ 력(鬲)부수

1846

鬲: 鬲: 막을 격.솥 력: 鬲-총10획: lì

原文

鬲: 鼎屬. 實五觳. 斗二升曰觳. 象腹交文, 三足. 凡鬲之屬皆从鬲. 䰇, 鬲或从瓦. 䰛, 『漢令』鬲从瓦厤聲. 郎激切.

譯

'세 발 솥의 일종이다(鼎屬).' 용량은 5곡(觳)이다. 1말(斗) 2되(升)가 1곡(觳)이다. 볼록한 배와 교차된 무늬와 세 개의 발을 그렸다.[157] 력(鬲)부수에 귀속된 글자는 모두 력(鬲)이 의미부이다. 력(䰇)은 력(鬲)의 혹체자인데, 와(瓦)로 구성되었다. 력(䰛)은 『한령(漢令)』에서의 력(鬲)인데, 와(瓦)가 의미부이고 력(厤)이 소리부이다. 독음은 랑(郎)과 격(激)의 반절이다.

1847

䰝: 䰝: 가마솥 의: 鬲-총14획: yǐ

---

157) 고문자에서 甲骨文 金文 古陶文 簡牘文 石刻古文 등으로 썼다. 鬲은 청동기의 대표인 세 발 솥(鼎.정)과 닮았으되 다리(足.족)의 속이 비어 물이 빨리 데워지도록 고안된 청동 솥을 그렸다. 제사의 희생으로 쓸 양을 자주 삶았던지 羊(양 양)이 더해진 자형도 종종 등장한다. 물론 모든 용기가 질그릇에서 시작하듯, 鬲도 陶器(도기)에서 시작했으나 청동기가 유행하자 이를 강조하기 위해 金(쇠 금)을 더한 鎘(다리 굽은 솥 력)을 만들기도 했다. 그래서 鬲은 '솥'이나 '삶다'는 뜻과 관련된다. 중국 문명의 대표로 평가되는 청동기 문명은 그 역사가 오래되어 기원전 5천 년 경에 이미 천연동이 사용되었음이 확인되었고, 기원전 4천5백 년 경의 서안 반파 유적지에서 발견된 청동 조각은 동 65%, 아연 25%, 주석 2%, 납 6% 등으로 되어 이후의 청동에 근접해 있다. 이러한 역사를 가진 청동시대의 기술은 상나라에 이르러 최고조에 달하였으며, 다양하고 수준 높은 예술품들이 만들어졌다.

原文

鬺：三足鍑也. 一曰滫米器也. 从鬲支聲. 魚綺切.

飜譯

'발이 셋 달린 가마솥(三足鍑)'을 말이다. 일설에는 '쌀을 이는 그릇(滫米器)'을 말한다고도 한다. 력(鬲)이 의미부이고 지(支)가 소리부이다. 독음은 어(魚)와 기(綺)의 반절이다.

1848

鬹： 鬹: 세발 달린 가마솥 규: 鬲-총21획: guī

原文

鬹：三足釜也. 有柄喙. 讀若嬀. 从鬲規聲. 居隨切.

飜譯

'세 발로 된 가마솥(三足釜)'을 말한다. 손잡이(柄)와 주둥이(喙)를 갖추고 있다. 규(嬀)와 같이 읽는다. 력(鬲)이 의미부이고 규(規)가 소리부이다. 독음은 거(居)와 수(隨)의 반절이다.

1849

鬷： 鬷: 가마솥 종: 鬲-총19획: zōng

原文

鬷：釜屬. 从鬲㚇聲. 子紅切.

飜譯

'가마솥의 일종이다(釜屬).' 력(鬲)이 의미부이고 종(㚇)이 소리부이다. 독음은 자(子)와 홍(紅)의 반절이다.

1850

鬸 : 鬸: 흙 가마솥 과: 鬲– 총13획: guō

原文

鬸: 秦名土釜曰鬸. 从鬲干聲. 讀若過. 古禾切.

飜譯

'진(秦)나라에서는 토기로 만든 솥(釜)을 과(鬸)라고 부른다.' 력(鬲)이 의미부이고 과(干)가 소리부이다. 과(過)와 같이 읽는다. 독음은 고(古)와 화(禾)의 반절이다.

1851

鬵 : 鬵: 용가마 심: 鬲–총18획: qiān

原文

鬵: 大釜也. 一曰鼎大上小下若甑曰鬵. 从鬲兓聲. 讀若岑. 鬵, 籀文鬵. 才林切.

飜譯

'큰 가마솥(大釜)'을 말한다. 일설에는 위가 크고 아래가 작아 시루(甑)처럼 생긴 세발 솥(鼎)을 심(鬵)이라 한다고도 한다. 력(鬲)이 의미부이고 침(兓)이 소리부이다. 잠(岑)과 같이 읽는다. 심(鬵)은 심(鬵)의 주문체이다. 독음은 재(才)와 림(林)의 반절이다.

1852

鬸 : 鬸: 시루 증: 鬲–총22획: zèng

原文

鬸: 鬵屬. 从鬲曾聲. 子孕切.

飜譯

'용가마의 일종이다(鬵屬).'¹⁵⁸⁾ 력(鬲)이 의미부이고 증(曾)이 소리부이다. 독음은 자(子)와 잉(孕)의 반절이다.

1853

鬴: 鬴: 가마솥 부: 鬲-총17획: bū, pǔ

原文

鬴: 鍑屬. 从鬲甫聲. 釜, 鬴或从金父聲. 扶雨切.

翻譯

'아가리가 오므라진 솥의 일종이다(鍑屬).' 력(鬲)이 의미부이고 보(甫)가 소리부이다. 부(釜)는 부(鬴)의 혹체자인데, 금(金)이 의미부이고 부(父)가 소리부이다. 독음은 부(扶)와 우(雨)의 반절이다.

1854

鬳: 鬳: 솥 권: 鬲-총16획: juàn

原文

鬳: 鬲屬. 从鬲虍聲. 牛建切.

翻譯

'력의 일종이다(鬲屬).' 력(鬲)이 의미부이고 호(虍)가 소리부이다. 독음은 우(牛)와 건(建)의 반절이다.

1855

融: 融: 화할 융: 虫-총16획: róng

---

158) 『단주』에서는 이렇게 말했다. "이 글자(䰝)는 천한 사람들이 제멋대로 잘못 더한 글자이다. 와(瓦)부수에서 증(甑)은 시루를 말한다(鬵也)라고 했고, 언(鬳)은 시루를 말한다(甑也)라고 했다. 그렇다면 증(䰝)은 증(甑)의 혹체자에 지나지 않는다. 『이아음의(爾雅音義)』에서도 증(甑)은 본래 증(甗)으로 적기도 했다고 했다. 『옥편』이나 『광운』에서도 모두 증(甑)과 증(䰝)은 같은 글자라고 했다. 이렇게 볼 때, 고본 『설문』에서는 력(鬲)부수와 와(瓦)부수 두 곳에 나누어 수록하지 않았음을 알 수 있다. 그러다가 『집운(集韵)』에 이르러 서현(徐鉉)의 판본에 근거해 이 두 글자로 나누게 되었을 뿐이다."

原文

融: 炊气上出也. 从鬲, 蟲省聲. 䲣, 籒文融不省. 以戎切.

飜譯

'음식을 조리할 때 증기가 위로 올라가는 모습(炊气上出)'을 말한다. 력(鬲)이 의미부이고 충(蟲)의 생략된 모습이 소리부이다.[159] 융(䲣)은 융(融)의 주문체인데, 생략되지 않은 모습으로 구성되었다. 독음은 이(以)와 융(戎)의 반절이다.

1856

䰾: 䰾: 김 오르는 모양 효: 鬲-총 31획: xiāo

原文

䰾: 炊气皃. 从鬲䀠聲. 許嬌切.

飜譯

'음식을 조리할 때 증기가 나는 모습(炊气皃)'을 말한다. 력(鬲)이 의미부이고 효(䀠)가 소리부이다. 독음은 허(許)와 교(嬌)의 반절이다.

1857

鬺: 鬺: 삶을 상: 鬲-총 16획: shāng

原文

鬺: 煑也. 从鬲羊聲. 式羊切.

飜譯

'삶다(煑)'라는 뜻이다. 력(鬲)이 의미부이고 양(羊)이 소리부이다. 독음은 식(式)과

---

159) 鬲(솥 력.막을 격)이 의미부고 虫(벌레 충)이 소리부로, 『설문해자』에서는 솥(鬲)에서 김이 하늘로 올라가는 모습을 그렸다고 했는데, 올라가는 모습이 벌레(虫)처럼 굽이친 모습 때문이었을 것이다. 하늘로 올라간 김은 공기와 섞이고(融合.융합) 김은 공기 속을 흘러 다니기에 金融(금융)에서처럼 유통의 뜻이 생겼다. 이후 融解(용해)하다, 회통하다, 유통하다 등의 뜻도 나왔다. 달리 좌우구조로 된 蝠이나 虫 대신 蟲(벌레 충)이 들어간 蟲으로 쓰기도 했다.

양(羊)의 반절이다.

1858

鬻: 鬻: 끓을 비: 鬲-총18획: fèi

<원문>

鬻: 涫也. 从鬲沸聲. 芳未切.

<번역>

'[음식물이] 끓다(涫)'라는 뜻이다. 력(鬲)이 의미부이고 비(沸)가 소리부이다. 독음은 방(芳)과 미(未)의 반절이다.

제72부수
072 ■ 력(鬲)부수

1859

鬲: 鬲: 다리 굽은 솥 력: 鬲-총16획: lì

（原文）

鬲: 鼎也. 古文, 亦鬲字. 象孰飪五味气上出也. 凡鬲之屬皆从鬲. 郎激切.

（飜譯）

'질그릇으로 된 솥(鼎)'을 말한다. 고문(古文)체인데, 마찬가지로 력(鬲)자이다. 음식이 끓을 때 다섯 가지 맛의 증기가 위로 올라가는 모습이다(孰飪五味气上出). 력(鬲)부수에 귀속된 글자는 모두 력(鬲)이 의미부이다. 독음은 랑(郎)과 격(激)의 반절이다.

1860

鬻: 鬻: 죽 건: 鬲-총24획: zhān

（原文）

鬻: 鬻也. 从鬲侃聲. 鬻, 鬻, 或从食衍聲. 餰, 或从干聲. 饎, 或从建聲. 諸延切.

（飜譯）

'묽은 죽(鬻)'을 말한다. 력(鬲)이 의미부이고 간(侃)이 소리부이다. 건(鬻)은 건(鬻)의 혹체자인데, 식(食)이 의미부이고 연(衍)이 소리부이다. 건(餰)도 혹체자인데, 간(干)이 소리부이다. 건(饎)도 혹체자인데, 건(建)이 소리부이다. 독음은 제(諸)와 연(延)의 반절이다.

1861

鬻: 鬻: 죽 죽: 鬲-총22획: yù

原文

鬻: 健也. 从鬲米聲. 武悲切.

飜譯

'묽은 죽(健)'을 말한다. 력(鬲)이 의미부이고 미(米)가 소리부이다. 독음은 무(武)와 비(悲)의 반절이다.

1862

鬻: 죽 호: 鬲-총21획: hú

原文

鬻: 健也. 从鬲古聲. 戶吳切.

飜譯

'죽(健)'을 말한다. 력(鬲)이 의미부이고 고(古)가 소리부이다. 독음은 호(戶)와 오(吳)의 반절이다.

1863

鬻: 곰국 갱: 鬲-총26획: gēng

原文

鬻: 五味盉羹也. 从鬲从羔. 『詩』曰: "亦有和鬻." 鬻, 或从美, 鬻省. 䰛, 鬻或省. 羹, 小篆从羔从美. 古行切.

飜譯

'다섯 가지 맛이 조화를 이룬 진한 수프(五味盉羹)'를 말한다. 력(鬲)이 의미부이고 고(羔)도 의미부이다. 『시·상송·열조(烈祖)』에서 "갖은 양념한 국도 있는데(亦有和鬻)"라고 노래했다. 갱(鬻)은 혹체자인데, 미(美)와 갱(鬻)의 생략된 모습으로 구성되었다. 갱(䰛)은 갱(鬻)의 혹체자인데, 생략된 모습으로 구성되었다. 갱(羹)은 소전체인데 고(羔)도 의미부이고 미(美)도 의미부이다. 독음은 고(古)와 행(行)의 반절이다.

1864

鬻 : 鬻: 솥 안에 든 음식 속: 鬲-총27획: sù

原文

鬻: 鼎實. 惟葦及蒲. 陳畱謂鍵爲鬻. 从鬲速聲. 餗, 鬻或从食束聲. 桑谷切.

譯

'솥에 든 내용물(鼎實)'을 말한다. 갈대(葦)나 창포(蒲) 같은 채소도 포함된다. 진류(陳畱) 지역에서는 건(鍵)을 속(鬻)이라 부른다.160) 력(鬲)이 의미부이고 속(速)이 소리부이다. 속(餗)은 속(鬻)의 혹체자인데, 식(食)이 의미부이고 속(束)이 소리부이다. 독음은 상(桑)과 곡(谷)의 반절이다.

1865

鬻 : 鬻: 물건을 팔 육: 鬲-총30획: yù

原文

鬻: 鬻也. 从鬲毓聲. 粥, 鬻或省从米. 余六切.

譯

'묽은 죽(鬻)'을 말한다. 력(鬲)이 의미부이고 육(毓)이 소리부이다. 육(粥)은 육(鬻)의 혹체자로서 생략된 모습인데, 미(米)로 구성되었다. 독음은 여(余)와 륙(六)의 반절이다.

1866

鬻 : 鬻: 미음 말: 鬲-총37획: miè

---

160) 『단주』에 의하면, "세발 솥(鼎)으로 요리하는 것에는 고기(肉)도 있고 채소(菜)도 있고 쌀(米)도 있는데, 쌀(米)로 맛을 맞춘 수프를 이(麋)라고 한다. 미(麋)는 건(鍵)의 일종이다. 그래서 옛날의 뜻풀이(古訓)에서는 간혹 채소(菜)를 들어서 말하기도 했고, 또 쌀(米)을 들어서 말하기도 했다."라고 했다.

原文

鬻: 涼州謂鬻爲䊏. 从鬲糜聲. 㯈, 䊏或省从末. 莫結切.

飜譯

'양주(涼州) 지역에서는 묽은 죽(鬻)을 말(䊏)이라 부른다.' 력(鬲)이 의미부이고 말(糜)이 소리부이다. 말(㯈)은 말(䊏)의 혹체자로서 생략된 모습인데, 말(末)로 구성되었다. 독음은 막(莫)과 결(結)의 반절이다.

1867

鬻: 가루 떡 이: 鬲-총22획: ěr

原文

鬻: 粉餠也. 从鬲耳聲. 餌, 鬻或从食耳聲. 仍吏切.

飜譯

'가루로 만든 떡(粉餠)'을 말한다. 력(鬲)이 의미부이고 이(耳)가 소리부이다. 이(餌)는 이(鬻)의 혹체자인데, 식(食)이 의미부이고 이(耳)가 소리부이다. 독음은 잉(仍)과 리(吏)의 반절이다.

1868

鬻: 볶을 초: 鬲-총26획: chǎo

原文

鬻: 熬也. 从鬲芻聲. 尺沼切.

飜譯

'볶다(熬)'라는 뜻이다. 력(鬲)이 의미부이고 추(芻)가 소리부이다. 독음은 척(尺)과 소(沼)의 반절이다.

1869

鬻: 鸙: 데칠 약: 鬲-총30획: yuè

原文

鸙: 内肉及菜湯中薄出之. 从鬲翟聲. 以勺切.

飜譯

'고기와 채소를 끓는 물에 잠시 넣었다가 꺼내는 것(内肉及菜湯中薄出之)'을 말한다. 력(鬲)이 의미부이고 적(翟)이 소리부이다. 독음은 이(以)와 작(勺)의 반절이다.

1870

鬻: 鬻: 삶을 자·저: 鬲-총25획: zhǔ

原文

鬻: 孚也. 从鬲者聲. 暇, 鬻或从火. 煮, 鬻或从水在其中. 章與切.

飜譯

'삶다(孚)'라는 뜻이다. 력(鬲)이 의미부이고 자(者)가 소리부이다. 자(煮)는 자(鬻)의 혹체자인데, 화(火)로 구성되었다. 자(煮)도 자(鬻)의 혹체자인데, 물(水)이 그 속에 든 모습을 그렸다. 독음은 장(章)과 여(與)의 반절이다.

1871

鬻: 鬻: 솥 끓어 넘을 불: 鬲-총23획: bó

原文

鬻: 吹聲沸也. 从鬲孛聲. 蒲沒切.

飜譯

'음식을 끓일 때 솥에서 물이 넘치다(吹聲沸)'는 뜻이다. 력(鬲)이 의미부이고 패(孛)가 소리부이다. 독음은 포(蒲)와 몰(沒)의 반절이다.

제73부수
073 ■ 조(爪)부수

1872

爪: 爪: 손톱 조: 爪-총4획: zhǎo

原文

爪: 丮也. 覆手曰爪. 象形. 凡爪之屬皆从爪. 側狡切.

飜譯

'손으로 꽉 쥐다(丮)'라는 뜻이다. 달리 손을 뒤집어 아래로 향하게 하는 것(覆手)을 조(爪)라고 하기도 한다. 상형이다.161) 조(爪)부수에 귀속된 글자는 모두 조(爪)가 의미부이다. 독음은 측(側)과 교(狡)의 반절이다.

1873

孚: 孚: 미쁠 부: 子-총7획: fú

原文

孚: 卵孚也. 从爪从子. 一曰信也. 𤓰, 古文孚从禾, 禾, 古文保. 芳無切.

飜譯

'알을 까다(卵孚)'라는 뜻이다. 조(爪)가 의미부이고 자(子)도 의미부이다. 일설에는 '믿다(信)'라는 뜻이라고도 한다.162) 부(𤓰)는 부(孚)의 고문체인데, 보(禾)로 구성되

161) 고문자에서 甲骨文 金文 古陶文 등으로 썼다. 손발톱을 그렸는데, 금문의 자형은 손톱이 대단히 사실적으로 표현되었다. 인간의 손발톱은 퇴화해 기능을 많이 상실했지만, 동물에게서는 아직도 살아남기 위한 필수도구이다. 그래서 爪는 손동작 중에서도 공격, 방어, 명령, 선택 등의 뜻을 갖는다. 이후 이러한 동작을 강조하고자 手(손 수)를 더한 抓(긁을 조)를 만들어 분화하기도 했다.

162) 고문자에서 甲骨文 金文 簡牘文 등으로 썼다. 爪(손톱 조)와 子(아들 자)

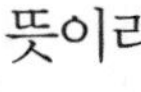

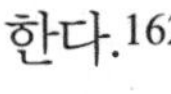

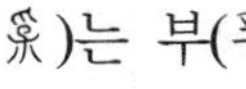

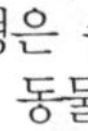

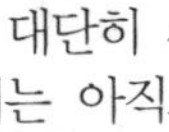

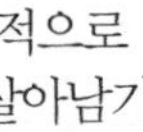

었다. 보(承)는 보(保)의 고문체이다. 독음은 방(芳)과 무(無)의 반절이다.

1874

爲: 爲: 할 위: 爪-총12획: wéi

原文

爲: 母猴也. 其爲禽好爪. 爪, 母猴象也. 下腹爲母猴形. 王育曰: "爪, 象形也." 古文爲象兩母猴相對形. 薳支切.

翻譯

'원숭이(母猴)'를 말한다. 원숭이는 손톱을 잘 사용하는 짐승이다. 손톱(爪)은 원숭이의 상징이다(母猴象). 글자의 아랫부분은 원숭이의 모습을 그렸다. 왕육(王育)은 "조(爪)가 상형자이다"라고 했다.163) 위( )는 위(爲)의 고문체인데, 원숭이 두 마리가 서로 마주보고 있는 모습을 그렸다. 독음은 원(薳)과 지(支)의 반절이다.

1875

爪: 爪: 가질 장: 爪-총4획: zhǎng

原文

爪: 亦丮也. 从反爪. 闕. 諸兩切.

로 구성되어, 알에서 막 깨어난 새끼(子)를 손끝(爪)으로 '들어 올리는' 모습이다. 고대 사회에서 자식은 자신의 노후를 담보해 주는 가장 '미덥고' 더없이 사랑스러워 보이는 존재였을 것이고, 이로부터 '미쁘다'는 뜻이 생긴 것으로 보인다. 그러자 원래 뜻은 卵(알 란)을 더해 孵(알 깔 부)로 분화했다.

163)   고문자에서 （이미지）甲骨文 （이미지）金文 （이미지）古陶文 （이미지）簡牘文 등으로 썼다. 爪(손톱 조)와 象(코끼리 상)으로 구성되어, 손(爪)으로 코끼리(象)를 부려 일을 시키는 모습을 그렸는데, 아랫부분의 형체가 변해 지금처럼 되었다. '일을 하다'가 원래 뜻이며, 이후 '…위하여', '…때문에'라는 문법소로 쓰였다. 속자에서는 爲로 줄여 쓰며, 간화자에서는 초서체로 줄인 为로 쓴다.

'이 또한 손톱으로 꽉 쥐다(乴)'라는 뜻이다. 조(爪)를 뒤집은 모습이다. 왜 그런 의미를 가지는지는 알 수 없어 비워 둔다(闕). 독음은 제(諸)와 량(兩)의 반절이다.

제74부수
074 ■ 극(丮)부수

1876

: 丮: **잡을 극**: 丨-총4획: jǐ

原文

: 持也. 象手有所丮據也. 凡丮之屬皆从丮. 讀若戟. 几劇切.

飜譯

'쥐다(持)'라는 뜻이다. 손에 어떤 것을 꽉 쥔 모습을 그렸다. 극(丮)부수에 귀속된 글자는 모두 극(丮)이 의미부이다. 극(戟)과 같이 읽는다. 독음은 궤(几)와 극(劇)의 반절이다.

1877

: 埶: **심을 예**: 土-총12획: yì

原文

: 種也. 从坴、丮. 持亟種之. 『書』曰: "我埶黍稷." 魚祭切.

飜譯

'씨를 뿌리다(種)'라는 뜻이다. 육(坴)과 극(丮)이 의미부이다. 손에 쥐고서 재빨리 씨를 뿌리다(持亟種之)는 뜻이다.[164] 『서』[165]에서 "우리는 찰기장과 메기장의 씨를

---

164) 고문자에서  甲骨文 金文 簡牘文 등으로 썼다. 云(이를 운)이 의미부이고 蓺(심을 예)가 소리부로, 심다는 뜻인데, 구름이 끼거나 흐린 날(云, 雲의 원래 글자)에 나무를 심다(蓺)는 뜻을 담았다. 하지만, 갑골문과 금문에서는 나무 심는 모습을 대단히 사실적으로 그렸다. 한 사람이 꿇어앉아 두 손으로 어린 묘목(屮.철)을 감싸 쥔 모습이다. 간혹 屮이 木(나무 목)으로 바뀌기도 했지만, 의미에는 영향을 주지 않는다. 이후 土(흙 토)가 더해져 埶(심을 예)가 되었는데, 이는 땅(土)에 나무를 심는다는 것을 강조하기 위함이었다. 이후 다

뿌리네(我蓺黍稷)”라고 노래했다. 독음은 어(魚)와 제(祭)의 반절이다.

1878

𦥯: 𩞁: 누구 숙: 羊-총21획: shú

𩞁: 食飪也. 从丮𦎫聲. 『易』曰 : “𩞁飪.” 殊六切.

'음식을 요리하다(食飪)'라는 뜻이다. 극(丮)이 의미부이고 순(𦎫)이 소리부이다.[166]
『역·정괘(鼎卦)』에서 “음식을 조리한다(𩞁飪)”라고 했다. 독음은 수(殊)와 륙(六)의
반절이다.

1879

𩞁: 馭: 음식 차릴 재: 食-총15획: zài

시 草木(초목)을 대표하는 艸(풀 초)가 더해져 藝가 되었고, 다시 구름을 상형한 云이 더해져
지금의 藝가 완성되었다. 나무를 심다는 뜻에서 나무 심는 기술의 뜻이 나왔고, 다시 技藝(기
예), 工藝(공예), 藝術(예술) 등의 뜻도 나왔다. 간화자에서는 소리부 藝를 乙(새 을)로 바꾼
艺로 쓴다.

165) 서계의 『계전』에서는 당연히 『시』가 되어야 옳다고 했다. 『시.소아.초자(楚茨)』편의 말이다.

166) 고문자에서 🔲 甲骨文 🔲 金文 🔲 簡牘文 등으로 적었다. 享(亯.누릴 향)과 丮(잡을
극)으로 구성되어, 제단(享) 앞에서 제수를 받쳐 들고(丮) 제사를 지내는 모습을 그렸으며, 丮
이 丸(알 환)으로 변해 지금의 자형이 되었다. 享은 원래 커다란 기단 위에 지어진 높은 집
모양으로 宗廟(종묘)를 상징하고, 丮은 두 손을 받쳐 든 사람의 형상으로, 종묘에 祭物(제물)
을 올리는 모습을 그렸다. 익힌 고기를 祭物로 사용했던 때문인지 孰은 처음에 '삶은 고기'라
는 뜻으로 쓰였다. 금문에 들면서 孰의 자형이 조금 복잡해지는데, 祭物의 내용을 구체화하기
위해 羊(양 양)을 더하는가 하면, 동작을 강조하기 위해 발을 그려 넣기도 했다. 그러다가 隸
書(예서)에 들어 지금의 孰으로 고정되었다. 이후 孰이 '누구'나 '무엇'이라는 의문 대명사로
가차되어 쓰이자, 원래 뜻을 표현할 때에는 火(불 화)를 더하여 熟(익을 숙)으로 분화했다. 그
리하여 熟은 '익(히)다'는 뜻을 전담하여 표현했고, 다시 成熟(성숙)이나 熟練(숙련) 등의 뜻은
물론 사람 간의 익숙함도 뜻하게 되었다.

原文

飺: 設飪也. 从卂从食, 才聲. 讀若載. 作代切.

繙譯

'요리한 음식을 진설하다(設飪)'라는 뜻이다. 극(卂)이 의미부이고 식(食)도 의미부이고, 재(才)가 소리부이다. 재(載)와 같이 읽는다. 독음은 작(作)과 대(代)의 반절이다.

1880

𢀜: 巩: 안을 공: 工-총7획: gǒng

原文

𢀜: 裛也. 从卂工聲. 鞏, 巩或加手. 居悚切.

繙譯

'[품에] 안다(裛)'라는 뜻이다. 극(卂)이 의미부이고 공(工)이 소리부이다. 공(鞏)은 공(巩)의 혹체자인데, 수(手)를 더하기도 하였다. 독음은 거(居)와 송(悚)의 반절이다.

1881

䜁: 䜁: 절 갹: 谷-총11획: jué

原文

䜁: 相踦之也. 从卂谷聲. 其虐切.

繙譯

'다리를 질질 끌다(相踦之)'라는 뜻이다.167) 극(卂)이 의미부이고 갹(谷)이 소리부이다. 독음은 기(其)와 학(虐)의 반절이다.

---

167) 『단주』에서는 이렇게 말했다. "기(踦)는 기(掎)로 적어야 옳다. 갹(䜁)을 『옥편』에서는 각(郤)으로 적었다."

1882

𢽟: 㓰: **복사뼈 칠 화**: 戈-총8획: huà

原文

𢽟: 擊踝也. 从丮从戈. 讀若踝. 胡瓦切.

飜譯

'복사뼈를 발로 차다(擊踝)'라는 뜻이다. 극(丮)이 의미부이고 과(戈)도 의미부이다. 과(踝)와 같이 읽는다. 독음은 호(胡)와 와(瓦)의 반절이다.

1883

𡜒: 㚩: **잡을 국**: 厂-총7획: jú

原文

𡜒: 拖持也. 从反丮. 闕. 居玉切.

飜譯

'손으로 당겨 쥐다(拖持)'라는 뜻이다. 극(丮)을 뒤집은 모습이 의미부이다. 왜 그런 뜻을 가졌는지 알 수 없다(闕). 독음은 거(居)와 옥(玉)의 반절이다.

제75부수
075 ■ 투(鬥)부수

1884

鬥: 鬥: 싸울 투·두·각: 鬥-총10획: dòu

原文

鬥: 兩士相對, 兵杖在後, 象鬥之形. 凡鬥之屬皆从鬥. 都豆切.

譯

'두 병사가 서로 대치하는 모습인데, 병장기가 뒤에 놓인 모습이며, 서로 싸우는 모습을 그렸다.(兩士相對, 兵杖在後, 象鬥之形.)'168)169) 투(鬥)부수에 귀속된 글자는 모두 투(鬥)가 의미부이다. 독음은 도(都)와 두(豆)의 반절이다.

---

168) 고문자에서 𝍏𝍏 甲骨文 𝍏𝍏 𝍏 𝍏 簡牘文 등으로 썼다. 鬥는 갑골문에서 두 사람이 서로 상대하여 싸우는 모습을 그렸는데, 마주한 사람의 머리칼이 위로 치솟아 화를 내며 싸우는 모습임을 구체화했다. 『설문해자』에서는 소전체에 근거해 "병사가 싸우는 모습인데, 무기가 뒤에 놓인 모양이다."라고 했지만, 맨손으로 싸우는 모습이지 무기를 가진 병사의 싸움이라 보기는 어렵다. 해서에 들면서는 소리부인 두(豆, 콩 두)와 손동작을 강조한 寸(마디 촌)이 더해져 鬪(싸움 투)가 되었다. 이 때문에 鬥가 든 글자는 鬨(싸울 홍), 鬩(고함지를 함), 鬧(시끄러울 뇨), 鬩(다툴 혁)에서처럼 모두 '싸움'과 관련되어 있다. 현대 중국의 간화자에서는 발음이 같은 斗(말 두)에 통합되었다.

169) 단옥재는 이 설명이 허신의 원래 말이 아닐 것으로 추정했는데, 그 근거를 다음과 같이 설명했다. "허신이 부수를 나누고 소속 글자를 배열한 순서에 대해 '형체에 근거해 연결시켰다(據形系聯)'고 했다. 극(𡠹)과 국(𠬝)자가 이의 앞 부수에 귀속되었다. 그래서 이를 이어서 투(鬥)가 배열되었던 것이다. 그렇다면 당연히 '다투다는 뜻이다(爭也)'가 되어야 할 것이다. 두 개의 극(𡠹)이 서로 대치하는 모습의 상형자이기 때문에 '두 사람이 손을 들고 서로 대치하다는 뜻이다(兩人手持相對也)'라고 했던 것이다. 그런데 '두 병사가 서로 대치한 모습인데, 병장기가 뒤에 놓인 모습이다(兩士相對, 兵杖在後)'라고 하였는데, 이는 앞 부수에서 한 풀이와 어긋난다. 게다가 글자를 보면 두 손으로 구성되었지, 두 병사가 아니다. 이는 필시 다른 학자의 이설일 것이다. 그런데도 천박한 이들이 제멋대로 가져와서 허신의 책을 바꾼 것이다. 비록 『효경음의(孝經音義)』에서 이 풀이를 인용하긴 했으나, 믿을 수 없다."

1885

鬥: 鬪: 싸울 투: 鬥-총25획: dòu

原文

鬪: 遇也. 从鬥斲聲. 都豆切.

飜譯

'만나다(遇)'라는 뜻이다. 투(鬥)가 의미부이고 착(斲)이 소리부이다. 독음은 도(都)와 두(豆)의 반절이다.

1886

鬨: 鬨: 싸울 홍: 鬥-총16획: hòng

原文

鬨: 鬪也. 从鬥共聲. 『孟子』曰: "鄒與魯鬨." 下降切.

飜譯

'싸우다(鬪)'라는 뜻이다. 투(鬥)가 의미부이고 공(共)이 소리부이다. 『맹자양혜왕(梁惠王)』에서 "추나라와 노나라가 서로 다툰다(鄒與魯鬨)"라고 했다. 독음은 하(下)와 강(降)의 반절이다.

1887

鬮: 鬮: 목 졸라 죽일 류·력: 鬥-총21획: liú

原文

鬮: 經繆殺也. 从鬥翏聲. 力求切.

飜譯

'목을 졸라 죽이다(經繆殺)'라는 뜻이다. 투(鬥)가 의미부이고 료(翏)가 소리부이다. 독음은 력(力)과 구(求)의 반절이다.

1888

鬮: 鬮: 심지 구: 鬥-총26획: guì

原文

鬮: 鬮取也. 从鬥龜聲. 讀若三合繩糾. 古矦切.

飜譯

'싸워 쟁취하다(鬮取)'라는 뜻이다. 투(鬥)가 의미부이고 구(龜)가 소리부이다. 삼합승규(三合繩糾)라고 할 때의 규(糾)와 같이 읽는다. 독음은 고(古)와 후(矦)의 반절이다.

1889

鬩: 鬩: 못날 녜: 鬥-총24획: nǐ

原文

鬩: 智少力劣也. 从鬥爾聲. 奴礼切.

飜譯

'지력이 모자라고 힘이 약함(智少力劣)'을 말한다. 투(鬥)가 의미부이고 이(爾)가 소리부이다. 독음은 노(奴)와 례(礼)의 반절이다.

1890

鬦: 鬦: 뒤얽힐 분: 鬥-총28획: fēn

原文

鬦: 鬮連結鬦紛, 相牽也. 从鬥燓聲. 撫文切.

飜譯

'실이 엉키듯 서로 뒤엉켜 싸우면서 서로 끌어당기다'라는 뜻이다.[170] 투(鬥)가 의미

---

170) 문맥이 완전하지 않다. 그래서 『단주』에서는 "鬦鬩也. 从鬥燓聲."으로 고쳤고, 또 이어서 "讀若紛"이 되어야 할 것이라고 했다. 그렇게 되면 "빈분(鬦鬩: 싸우느라 서로 뒤엉켜 어지럽

부이고 선(燹)이 소리부이다. 독음은 무(撫)와 문(文)의 반절이다.

1891

鬦: 鬦: 다툴 빈: 鬥-총21획: pīn

原文

鬦: 鬭也. 从鬥, 賓省聲. 讀若賓. 匹賓切.

說譯

'싸우다(鬭)'라는 뜻이다. 투(鬥)가 의미부이고, 빈(賓)의 생략된 모습이 소리부이다. 빈(賓)과 같이 읽는다. 독음은 필(匹)과 빈(賓)의 반절이다.

1892

鬩: 鬩: 다툴 혁: 鬥-총18획: xì

原文

鬩: 恆訟也. 『詩』云 : "兄弟鬩于牆." 从鬥从兒. 兒, 善訟者也. 許激切.

說譯

'항상 다투다(恆訟)'라는 뜻이다. 『시·소아상체(常棣)』에서 "형제가 집안에서는 늘 다툰다 하지만(兄弟鬩于牆)"이라 노래했다. 투(鬥)가 의미부이고 아(兒)도 의미부인데, 아(兒)는 잘 다투는 사람(善訟者)이라는 뜻이다. 독음은 허(許)와 격(激)의 반절이다.

1893

鬥: 鬥: 힘을 재는 추 현: 鬥-총14획: xuàn

原文

鬥: 試力士錘也. 从鬥从戈. 或从戰省. 讀若縣. 胡畎切.

_____

다)을 말하는데, 투(鬥)가 의미부이고 분(燹)이 소리부이다. 분(紛)과 같이 읽는다."가 될 것이다.

'역사들이 힘을 시험할 때 쓰는 쇠몽둥이(試力士錘)'를 말한다. 투(鬥)가 의미부이고 과(戈)도 의미부이다. 간혹 전(戰)의 생략된 모습으로 구성되기도 한다. 현(縣)과 같이 읽는다. 독음은 호(胡)와 견(畎)의 반절이다.

1894

 : 鬧: 시끄러울 뇨: 鬥-총15획: nào

原文

鬧 : 不靜也. 从市、鬥. 奴教切.

'조용하지 않다(不靜)'라는 뜻이다. 시(市)와 투(鬥)가 모두 의미부이다. 독음은 노(奴)와 교(教)의 반절이다. [신부]

> 제76부수
> 076 ■ 우(又)부수

1895

ㅋ: 又: **또 우**: 又-총2획: yòu

原文

ㅋ: 手也. 象形. 三指者, 手之劉多略不過三也. 凡又之屬皆从又. 于救切.

飜譯

'손(手)'을 말한다. 상형이다. 손가락이 세 개만 표현된 것은 손가락을 다 나열하면 많으므로 줄여서 세 개로만 표현했기 때문이다.[171] 우(又)부수에 귀속된 글자는 모두 우(又)가 의미부이다. 독음은 우(于)와 구(救)의 반절이다.

1896

ㅋ: 右: **오른쪽 우**: 口-총5획: yòu

原文

ㅋ: 手口相助也. 从又从口. 于救切.

飜譯

'손과 입이 서로 돕다(手口相助)'라는 뜻이다. 우(又)가 의미부이고 구(口)도 의미부이다.[172] 독음은 우(于)와 구(救)의 반절이다.

---

171) 고문자에서 ㆍ㋦ ㆍ㋦ 甲骨文 ㋦ ㋦ ㋦ 金文 ㋦ ㋦ 古陶文 등으로 썼다. 갑골문에서 오른손을 그렸는데, 다섯 손가락이 셋으로 줄었을 뿐 팔목까지 그대로 표현되었다. 그래서 又(또 우)는 取(취할 취)나 受(받을 수)와 같이 주로 손의 동작을 나타내는 데 쓰인다. 형체가 조금 변했지만 秉(잡을 병)이나 筆(붓 필)에도 又의 변형된 모습이 들어 있다. 하지만 又는 이후 '또'라는 의미로 가차되어 원래의 의미를 상실했는데, 지금은 단독으로 쓰이는 경우 주로 '또'라는 뜻으로 쓰인다.

1897

𠃊 : 厷: 팔뚝 굉: 厶-총4획: gōng, hóng

原文

𠃊 : 臂上也. 从又, 从古文. 𠃋, 古文厷, 象形. 䪒, 厷或从肉. 古薨切.

譯譯

'팔뚝의 윗부분(臂上)'을 말한다. 우(又)가 의미부인데, 고문체를 따랐다. 굉(𠃋)은 굉(厷)의 고문체인데, 상형이다. 굉(䪒)은 굉(厷)의 혹체자인데, 육(肉)으로 구성되었다. 독음은 고(古)와 홍(薨)의 반절이다.

1898

彐 : 叉: 깍지 낄 차: 又-총3획: chā

原文

彐 : 手指相錯也. 从又, 象叉之形. 初牙切.

譯譯

'손가락을 서로 교차되게 끼다(手指相錯)'라는 뜻이다. 우(又)가 의미부인데, 깍지를 낀 모습(叉之形)을 그렸다.[173] 독음은 초(初)와 아(牙)의 반절이다.

---

172) 고문자에서 𝄞甲骨文 𠃊彐金文 𮃤𮃥𠃋古陶文 𮃦𮃧簡牘文 𮃨古璽文 등으로 썼다. 원래는 오른손을 그려 돕다는 뜻을 그렸는데, 이후 오른손, 오른쪽, 돕다, 중시하다, 귀하다의 뜻이 나왔고, 다시 서쪽 즉 남쪽으로 보고 앉았을 때의 오른쪽을 지칭하게 되었다. 이후 그것이 오른쪽 손임을 더욱 명확하게 하려고 손의 왼쪽에 두 점을 첨가하였다가, 다시 口로 바꾸어 지금의 자형이 되었는데, 口는 입이나 기물의 아가리를 그렸다. 혹자는 이를 두고 오른손으로 입(口)에 밥을 떠 넣거나, 그릇(口)에서 음식을 더는 모습을 그렸다고 풀이하기도 한다.

173) 又(또 우)와 지사부호(丶)로 구성되어, 손가락(又) 사이로 무엇인가 끼워져 있는 모습을 그렸고, 이로부터 손가락 사이로 '끼우다'는 뜻이 나왔다.

1899

鸟: 叉: 손톱 조: 又-총4획: zhǎo

原文

鸟: 手足甲也. 从又, 象叉形. 側狡切.

飜譯

'손톱이나 발톱(手足甲)'을 말한다. 우(又)가 의미부이고, 손톱(叉)의 모습을 그렸다. 독음은 측(側)과 교(狡)의 반절이다.

1900

勻: 父: 아비 부: 父-총4획: fù

原文

勻: 矩也. 家長率教者. 从又舉杖. 扶雨切.

飜譯

'구(矩)와 같아 법규'를 말한다. 집안의 가장으로서 가족을 이끌고 교육하는 자를 말한다. 손(又)으로 지팡이를 든 모습(舉杖)을 그렸다.174) 독음은 부(扶)와 우(雨)의 반절이다.

1901

叟: 叜: 늙은이 수: 又-총9획: sǒu

---

174) 고문자에서 〔그림〕甲骨文 〔그림〕金文 〔그림〕古陶文 〔그림〕 〔그림〕簡牘文 〔그림〕石刻古文 등으로 썼다. 손(又·우)으로 돌도끼[丨]를 쥔 모습인데 자형이 변해 지금처럼 되었다. 돌도끼는 석기시대를 살았던 고대인들에게 가장 중요하고 기본적인 생산도구이자, 전쟁도구였으며, 권위의 상징이기도 했다. 그래서 父는 돌도끼를 들고 밖으로 나가 수렵에 종사하고 야수나 적의 침입을 막던 성인 '남성'에 대한 통칭이 되었고, '아버지'와 아버지뻘에 대한 총칭이 되었다. 그러자 '돌도끼'는 斤(도끼 근)을 더한 斧(도끼 부)로 분화했다. 고대 문헌에서는 父와 같은 독음을 가진 甫(클 보)도 '남자'를 아름답게 부르는 말로 쓰였다.

原文

叟: 老也. 从又从灾. 闕. 𡱖, 籀文从寸. 傁, 叜或从人. 穌后切.

譒譯

'늙은이(老)'를 말한다. 우(又)가 의미부이고 재(灾)도 의미부이다. 왜 그런지는 알 수 없어 비워 둔다(闕). 수(𡱖)는 주문체인데, 촌(寸)으로 구성되었다. 수(傁)는 수(叜)의 혹체자인데, 인(人)으로 구성되었다. 독음은 소(穌)와 후(后)의 반절이다.

1902

燮: 燮: 불꽃 섭: 火-총17획: xiè

原文

燮: 和也. 从言从又、炎. 籀文燮从羊. 羊, 音飪. 讀若溼. 穌叶切.

譒譯

'(고루고루) 조화롭다(和)'라는 뜻이다. 언(言)이 의미부이고 우(又)와 염(炎)도 모두 의미부이다.175) 주문(籀文)체의 섭(燮)자는 임(羊)으로 구성되었는데, 임(羊)은 독음이 임(飪)이다. 습(溼)과 같이 읽는다. 독음은 소(穌)와 협(叶)의 반절이다.

1903

曼: 曼: 끌 만: 曰-총11획: màn

原文

曼: 引也. 从又冒聲. 無販切.

譒譯

---

175) 고문자에서 甲骨文 金文 등으로 썼다. 갑골문에서 대통을 손(又·우)으로 잡고 불 위에 돌려가며 굽는 모습을 그렸고, 이로부터 '고루 익히다', 고르다, 순조롭다, 화합하다 등의 뜻이 나왔다. 소전체에서는 손(又)과 대(辛·신)와 불(炎·염)로 구성되었던 것이 예서에 들면서 辛이 言(말씀 언)으로 변해 지금의 자형이 되었다.

'끌어당기다(引)'라는 뜻이다. 우(又)가 의미부이고 모(冒)가 소리부이다.176) 독음은
무(無)와 판(販)의 반절이다.

1904

𦥔 : 㫑 : 펼 신 : 又-총11획: shēn

(原文)

㫑 : 引也. 从又𦥔聲. 𦥔, 古文申. 失人切.

(飜譯)

'인(引)과 같아 끌어당기다'라는 뜻이다. 우(又)가 의미부이고 신(𦥔)이 소리부이다.
신(𦥔)은 신(申)의 고문체이다. 독음은 실(失)과 인(人)의 반절이다.

1905

夬 : 夬 : 터놓을 쾌·깍지 결 : 大-총4획: guài

(原文)

夬 : 分決也. 从又, 夬象決形. 古賣切.

(飜譯)

'나누어져 터지다(分決)'라는 뜻이다. 우(又)가 의미부인데, 쾌(夬)는 제방이 터지는
모습을 그렸다. 독음은 고(古)와 매(賣)의 반절이다.

1906

尹 : 尹 : 다스릴 윤 : 尸-총4획: yǐn

---

176) 금문에서 ▨ ▨金文 등으로 썼다. 이의 자원은 불분명하다. 그러나 금문에 의하면 윗부분
은 투구, 중간은 눈(目.목), 아랫부분은 손(又.우)으로 구성되어, 손(又)으로 투구를 눈 위까지
끌어당겨 눌러 쓴 모습을 그린 것으로 추정된다. 이로부터 손으로 끌어당기다, 덮다, 가리다,
늘어뜨리다 등의 뜻이 나왔다. 이후 윗부분의 손이 모자(冃.모)로 변해 의미가 더욱 구체적으
로 표현되었고 지금처럼 되었다.

原文

尹: 治也. 从又、丿, 握事者也. , 古文尹. 余準切.

譯註

'다스리다(治)'라는 뜻이다. 우(又)와 별(丿)이 모두 의미부인데, 일을 장악한 사람(握事者)이라는 뜻이다.177) 윤()은 윤(尹)의 고문체이다. 독음은 여(余)와 준(準)의 반절이다.

1907

𠭴: 𠭴: 취할 사: 又-총13획: zhā

原文

𠭴: 又卑也. 从又虘聲. 側加切.

譯註

'손가락으로 아래에 있는 것을 잡다(又卑)'라는 뜻이다. 우(又)가 의미부이고 차(虘)가 소리부이다. 독음은 측(側)과 가(加)의 반절이다.

1908

𠭯: 𠭯: 이끌 리: 又-총13획: lí

原文

𠭯: 引也. 从又𠩺聲. 里之切.

譯註

'끌어당기다(引)'라는 뜻이다. 우(又)가 의미부이고 리(𠩺)가 소리부이다. 독음은 리(里)와 지(之)의 반절이다.

177) 고문자에서 甲骨文 金文 古陶文 簡牘文 등으로 썼다. 又(또 우)와 丨(뚫을 곤)으로 구성되어, 손(又)으로 붓(丨)을 잡은 모습을 그렸고, 이로부터 행정 사무의 관리자나 행정직의 우두머리, 관리를 지칭했으며, 관리하다, 다스리다는 뜻도 나왔다. 혹자는 손에 잡은 것을 막대로 보아 권위의 상징으로 해석하기도 한다.

1909

𡱝 : 㕞: 닦을 쇄: 又-총8획: shuā

原文

𡱝 : 拭也. 从又持巾在尸下. 所劣切.

翻譯

'닦다(拭)'라는 뜻이다. 수건(巾)을 쥔 손(又)이 시신(尸) 아래에 놓인 모습을 그렸다. 독음은 소(所)와 렬(劣)의 반절이다.

1910

𠬝 : 及: 미칠 급: 又-총4획: jí

原文

𠬝 : 逮也. 从又从人. 乁, 古文及. 『秦刻石』及如此. 弓, 亦古文及. 𨕈, 亦古文及. 巨立切.

翻譯

'미치다(逮)'라는 뜻이다. 우(又)가 의미부이고 인(人)도 의미부이다.[178] 급(乁)은 급(及)의 고문체이다. 진(秦)나라 때의 각석(刻石)에서 급(及)을 이렇게 썼다.[179] 급

178) 고문자에서 甲骨文 金文 古陶文 簡牘文 石刻古文 등으로 썼다. 人(사람 인)과 又(또 우)로 구성되어, 사람(人)의 뒤쪽을 손(又)으로 잡은 모습에서 '잡다'의 뜻을 그렸고, 다시 어떤 목표에 '이르다'의 뜻이 생겼다. '不狂不及(불광불급: 미치지 않으면 미치지 못한다)'은 '미쳐야 미친다'는 말이다. 이후 대상물에 미치다는 뜻으로부터 '…및'이라는 접속사로 쓰였다.

179) 『단주』에서 이렇게 말했다. "지금 『사기(史記)』에 실린 것을 보면, 「낭아대각석(琅邪臺刻石)」에서는 '澤及牛馬(진시황의 은택이 소나 말에게까지 미치고)'라고 했고, 「갈석각석(碣石刻石)」에서는 '惠論功勞, 賞及牛馬.(공로는 은혜로이 논의하셔서 그 상이 소나 말에게까지 이르렀다.)'라고 했다. 이사(李斯)가 소전을 만들었지만, 각석(刻石)에서는 여전히 고문(古文)을 폐기하지 않았음을 알 수 있다."

(乁)도 급(及)의 고문체이다. 급(🈂)도 급(及)의 고문체이다. 독음은 거(巨)와 립(立)의 반절이다.

1911

🈂: 秉: 잡을 병: 禾-총8획: bǐng

原文

🈂: 禾束也. 从又持禾. 兵永切.

譯

'[손으로 쥘 수 있는 한웅큼 양의] 볏단(禾束)'을 말한다. 손(又)으로 볏단(禾)을 쥔 모습을 그렸다.180) 독음은 병(兵)과 영(永)의 반절이다.

1912

反: 反: 되돌릴 반: 又-총4획: fǎn

原文

反: 覆也. 从又, 厂反形. 🈂, 古文. 府遠切.

譯

'되돌아오다(覆)'라는 뜻이다. 우(又)가 의미부인데, 엄(厂)을 뒤집은 모습이다.181) 반(🈂)은 고문체이다. 독음은 부(府)와 원(遠)의 반절이다.

---

180) 고문자에서 🈂🈂🈂 甲骨文 🈂🈂🈂 金文 🈂🈂 簡牘文 🈂 石刻古文 등으로 썼다. 禾(벼 화)와 又(또 우)로 구성되어, 손(又)으로 볏단(禾)을 거머쥔 모습을 그렸고, 이로부터 '잡다', 장악하다, 주재하다 등의 뜻이 나왔다. 이후 용량 단위로도 쓰였는데, 16斛(곡)을 말했다.

181) 고문자에서 🈂🈂 甲骨文 🈂🈂🈂 金文 🈂 古陶文 🈂🈂🈂 簡牘文 등으로 썼다. 厂(기슭 엄)과 又(또 우)로 구성되었는데, 이의 자원에 대한 해설은 분분하다. 혹자는 손(又)을 이용해 언덕(厂)을 기어오르는 모습이라거나, 달리 손(又)으로 벽을 밀어 넘어뜨리는 모습이라고도 한다. 또『설문해자』에서는 손(又)을 '뒤집다'는 뜻이라고 했는데, 뒤집으면 원래의 위치와는 반대되기에 '反對(반대)'라는 뜻이 나왔다. 이로부터 뒷면, 일상적인 것과의 반대됨, 반대하다, 되돌아가다 등의 뜻이 나왔다.

1913

𠬝: 𝄇: 다스릴 복: 又-총4획: fú

原文

𠬝: 治也. 从又从卩. 卩, 事之節也. 房六切.

飜譯

'다스리다(治)'라는 뜻이다. 우(又)가 의미부이고 절(卩)도 의미부이다. 절(卩)은 일의 절차(事之節)를 말한다. 독음은 방(房)과 륙(六)의 반절이다.

1914

叞: 叞: 미끄러울 도: 又-총5획: tāo

原文

叞: 滑也. 『詩』云 : "叞兮達兮." 从又、屮. 一曰取也. 土刀切.

飜譯

'미끄럽다(滑)'라는 뜻이다. 『시·정풍·자금(子衿)』에서 "[이리저리] 왔다 갔다 하며(叞兮達兮)"라고 노래했다. 우(又)와 철(屮)이 모두 의미부이다. 일설에는 '빼앗다(取)'라는 뜻이라고도 한다. 독음은 토(土)와 도(刀)의 반절이다.

1915

叕: 叕: 점칠 체: 又-총12획: zhuì

原文

叕: 楚人謂卜問吉凶曰叕. 从又持祟, 祟亦聲. 讀若贅. 之芮切.

飜譯

'초(楚)나라 사람들은 길흉에 대해 점치는 것을 체(叕)'라고 한다. 손(又)으로 수(祟: 빌미)를 쥔 모습을 그렸는데, 수(祟)는 소리부도 겸한다. 췌(贅)와 같이 읽는다. 독음은 지(之)와 예(芮)의 반절이다.

1916

柗: 叔: 아재비 숙: 又-총8획: shū

原文

柗: 拾也. 从又尗聲. 汝南名收芌爲叔. 柗, 叔或从寸. 式竹切.

飜譯

'수습하다(拾)'라는 뜻이다. 우(又)가 의미부이고 숙(尗)이 소리부이다.[182] 여남(汝南) 지역에서는 토란 수확(收芌)을 숙(叔)이라 한다. 숙(柗)은 숙(叔)의 혹체자인데, 촌(寸)으로 구성되었다. 독음은 식(式)과 죽(竹)의 반절이다.

1917

曼: 叟: 물에 들어가 취할 몰: 又-총7획: mò

原文

曼: 入水有所取也. 从又在冋下. 冋, 古文回. 回, 淵水也. 讀若沫. 莫勃切.

飜譯

'물에 들어가 무엇인가를 채취하는 것(入水有所取)'을 말한다. 손(又)이 회(冋: 큰 연못) 아래에 놓인 모습이다. 회(冋)는 회(回)의 고문체이다. 회(回)는 큰 못의 물(淵水)을 말한다. 말(沫)과 같이 읽는다. 독음은 막(莫)과 발(勃)의 반절이다.

---

182) 고문자에서 〔甲骨文〕 〔金文〕 〔盟書〕 〔簡牘文〕 〔石刻古文〕 등으로 썼다. 尗(콩 숙)과 又(또 우)로 구성되어, 콩 넝쿨(尗)을 손(又)으로 잡고 콩을 따는 모습을 그렸는데, 갑골문에서는 나무를 타고 올라가는 콩 넝쿨을 그렸다. '콩'이 원래 뜻이었으나, 叔父(숙부)에서처럼 '아재비'와 항렬에서 '셋째'를 뜻하는 의미로 가차되었다. 그러자 원래 뜻은 다시 艸(풀 초)를 더해 菽(콩 숙)으로 분화했다.

1918

𰉍: 取: 취할 취: 又-총8획: qǔ

(原文)

𰉍: 捕取也. 从又从耳. 『周禮』: "獲者取左耳." 『司馬法』曰: "載獻聝." 聝者, 耳也. 七庾切.

(飜譯)

'포획하다(捕取)'라는 뜻이다. 우(又)가 의미부이고 이(耳)도 의미부이다.[183] 『주례·하관대사마(大司馬)』에서 "사냥에서 짐승을 잡으면 왼쪽 귀를 벤다(獲者取左耳)"라고 했다. 『사마법(司馬法)』에서는 "자른 귀를 바친다(載獻聝)"라고 했는데, 괵(聝)은 귀(耳)를 말한다. 독음은 칠(七)과 유(庾)의 반절이다.

1919

彗: 彗: 비 혜: ⺕-총11획: huì

(原文)

彗: 掃竹也. 从又持甡. 篲, 彗或从竹. 𥲤, 古文彗从竹从習. 祥歲切.

(飜譯)

'대로 만든 청소 도구(掃竹)'를 말한다. 손(又)으로 신(甡·많은 것)을 쥔 모습이다. 혜(篲)는 혜(彗)의 혹체자인데, 죽(竹)으로 구성되었다. 혜(𥲤)는 혜(彗)의 고문체인데, 죽(竹)도 의미부이고 습(習)도 의미부이다. 독음은 상(祥)과 세(歲)의 반절이다.

1920

叚: 叚: 빌 가: 又-총9획: jiǎ

---

183) 고문자에서 여 ⺊ 甲骨文 ⺊⺊ 金文 ▨▨ 帛書 ▨▨▨ 簡牘文 등으로 썼다. 耳(귀 이)와 又(또 우)로 구성되어, 전공을 세우려 적의 귀(耳)를 베어 손(又)에 쥔 모습이며, 이로부터 (귀를) 베다, 가지다, '빼앗다', 채택하다 등의 뜻이 나왔다.

原文

叚: 借也. 闕. 𠬶, 古文叚. 𥭴, 譚長說: 叚如此. 古雅切.

飜譯

'빌리다(借)'라는 뜻이다. 왜 그런지는 알지 못해 비워 둔다(闕).[184] 가(𠬶)는 가(叚)의 고문체이다. 가(𥭴)는 담장(譚長)의 해설에 의하면 가(叚)를 이렇게 썼다고 한다. 독음은 고(古)와 아(雅)의 반절이다.

1921

𠬪: 友: 벗 우: 又-총4획: yǒu

原文

𠬪: 同志爲友. 从二又. 相交友也. 𦫠, 古文友. 𦫚, 亦古文友. 云久切.

飜譯

'뜻을 같이 하는 사람(同志)을 우(友)'라 한다. 두 개의 우(又)로 구성되었다. 서로 친구를 사귀다(相交友)라는 뜻이다.[185] 우(𦫠)는 우(友)의 고문체이다. 우(𦫚)도 우(友)의 고문체이다. 독음은 운(云)과 구(久)의 반절이다.

---

184) 고문자에서 𠬶𠬶𠬶𠬶 金文 叚 簡牘文 등으로 썼다. 금문에서 왼쪽은 벼랑을 오른쪽은 두 손을 그려, 두 손을 이용해 벼랑을 기어오르는 모습을 그린 것으로 추정된다. 이로부터 '빌다', '의지하다'의 뜻이 나왔고, 가정을 나타내는 문법소로도 쓰였다. 이후 사람(人.인)의 힘을 빌다(叚)는 뜻에서 人을 더한 假(거짓 가)가 나왔고, '빌다', '가짜' 등의 뜻으로 분화했다.

185) 고문자에서 𠬪𠬪𠬪 甲骨文 𠬪𠬪𠬪𠬪𠬪𠬪 金文 𠬪古陶文 𠬪盟書 𠬪𠬪簡牘文 등으로 썼다. 오른손(又) 두 개가 같은 방향으로 나란히 놓인 모습이다. 오른손은 도움을 상징하여, 어려울 때 도움을 줄 수 있는 관계가 友라는 의미를 형상화했다. 『주례』에서 "같은 스승을 모시는 관계가 朋(붕)이요, 뜻을 같이하는 관계가 友이다."라고 한 것을 보면, 도움엔 뜻을 같이하는 것(同志.동지)보다 더 큰 것은 없어 보인다.

1922

度: 度: 법도 도: 广—총9획: dù

原文

度: 法制也. 从又, 庶省聲. 徒故切.

譯

'법률 제도(法制)'를 말한다. 우(又)가 의미부이고, 서(庶)의 생략된 모습이 소리부이다. 독음은 도(徒)와 고(故)의 반절이다.

제
3
권

제77부수
077 ▪ 좌(ナ)부수

1923

𠂇 : ナ : 왼손 좌: ノ-총2획: zuǒ

（原文）

𠂇 : ナ手也. 象形. 凡ナ之屬皆从ナ. 臧可切.

（飜譯）

'왼손(ナ手)'을 말한다.186) 상형이다. 좌(ナ)부수에 귀속된 글자는 모두 좌(ナ)가 의미부이다. 독음은 장(臧)과 가(可)의 반절이다.

1924

𤰞 : 卑 : 낮을 비: 十-총8획: bēi

（原文）

𤰞 : 賤也. 執事也. 从ナ、甲. 補移切.

（飜譯）

'천하다(賤)'라는 뜻이다. '일을 맡아 하다(執事)'라는 뜻이다. 좌(ナ)와 갑(甲)이 모두 의미부이다.187) 독음은 보(補)와 이(移)의 반절이다.

---

186) 『단주』에서는 좌(左)를 좌(佐)로 보아 '도와주는 손'으로 풀이했다. 즉 "『설문』 좌(左)부수에서 '좌(左)는 서로 도와주는 왼손을 말한다(ナ手相左也)'라고 한 것이 바로 이를 두고 한 것이라고 했다. 오른손에 왼손이 더해지면 외롭지 않기 때문이다(又手得ナ手則不孤). 그래서 '도와주는 손(左助之手)'이라는 뜻이다."라고 했다.

187) 고문자에서 𤰞 𤰞 𤰞 𤰞 𤰞 金文 𤰞 𤰞 古陶文 𤰞 𤰞 𤰞 𤰞 𤰞 盟書 등으로 썼다. 이의 자원은 아직 명확하지 않지만 왼손(屮.좌)으로 사냥도구를 든 모습을 그린 것으로 추정된다. 일반적으로 田(밭 전)과 攴(攵.칠 복)으로 구성된 것으로 보고, 밭(田)에서 일을 강제하는(攴) 모습을 그렸으며 이 때문에 '시키다'의 뜻이 나왔고, 시키는 일을 해야 하는 사람의

의미로부터 지위가 '낮다'는 뜻이 생긴 것으로 풀이한다. 하지만, 금문을 더 자세히 살펴보면 왼손(屮, 又의 반대 꼴)과 畢(홑 단)의 아랫부분처럼 뜰채 모양의 사냥 도구로 구성되어, 왼손으로 뜰채를 잡고 사냥하는 모습을 그린 글자로 풀이하는 것이 더 타당해 보인다. 고대의 여러 그림을 보면 사냥대열에 언제나 말을 탄 지휘자가 있고 그 아래로 뜰채를 들고 이리저리 뛰어다니며 열심히 짐승들을 생포하는 사람들이 보인다. 뜰채를 든 사람은 말 탄 사람보다 지위가 낮고 힘든 일을 하기에 卑에 '낮음'과 일을 '시키다'는 의미가 담기게 되었으며, 돕다나 보좌하다의 뜻도 나왔다. 소전체에 들면서 卑는 甲(첫째 천간 갑)과 왼손의 결합으로 변하는데, 뜰채를 그린 부분이 갑옷을 의미하는 甲으로 바뀌었는데, 이것은 자형의 유사성도 유사성이지만 사냥은 곧 전쟁이라는 고대인들의 심리적 무의식과도 연계되어 있음을 보여준다.

제78부수
078 ■ 사(史)부수

1925

史: 史: 역사 사: 口-총5획: shǐ

原文

史: 記事者也. 从又持中. 中, 正也. 凡史之屬皆从史. 疏士切.

譯

'일을 기록하는 사람(記事者)'을 말한다. 손(又)으로 중(中·올바름)을 쥔 모습이다.[188]
중(中)은 올바름(正)을 말한다.[189] 사(史)부수에 귀속된 글자는 모두 사(史)가 의미부
이다. 독음은 소(疏)와 사(士)의 반절이다.

1926

事: 事: 일 사: 亅-총8획: shì

原文

事: 職也. 从史, 之省聲. 叓, 古文事. 鉏史切.

---

188) 고문자에서 甲骨文 復 金文 古陶文 簡牘文 등
으로 썼다. 원래는 장식된 붓을 손(又)으로 쥔 모습을 그렸는데, 자형이 조금 변해 지금처럼
되었다. 손에 붓을 쥔 모습으로부터 역사를 기록하는 史官(사관)이라는 의미를 담았으며, 이후
문서 관리나 역사를 기록하는 관리의 일반적인 명칭이 되었다. 이로부터 歷史(역사), 자연이나
사회의 발전과정을 지칭하게 되었으며, 또『史記(사기)』의 간칭으로도 쓰인다.

189)『단주』의 말처럼,『예기.옥조(玉藻)』에서 "행동은 좌사가 기록하고, 말씀은 우사가 기록한
다.(動則左史書之, 言則右史書之.)"라고 했는데, 여기서는 '일을 기록하다(記事)'라는 말로 이
둘을 통칭한 것으로 보인다.『단주』에서 "임금이 거동하면 반드시 기록을 하게 되는데, 훌륭
한 역사관의 필법이라면 절대로 숨기지 않는다.(君舉必書, 良史書法不隱.)"

'일을 기록하다(職)'라는 뜻이다. 사(史)가 의미부이고, 지(之)의 생략된 모습이 소리부이다.[190] 사(🏵)는 사(事)의 고문체이다. 독음은 서(鉏)와 사(史)의 반절이다.

---

190) 고문자에서 甲骨文 金文 古陶文 盟書 事簡牘文 石刻古文 등으로 썼다. 원래 손(又.우)으로 장식이 달린 붓을 잡은 모습으로, 역사나 문서의 기록에 참여하는 행위를 형상화했다. 이로부터 관직, 직무, 직업, 사업, 업무 등의 뜻이 나왔고, '일'을 통칭하게 되었다. 원래는 史(사관 사), 吏(벼슬아치 리, 使의 본래 글자)와 같은 데서 분화한 글자이며, 고대 사회에서 붓을 잡고 국가의 문서를 기록할 수 있었던, 즉 문자를 점유하고 있었던 사람들이라면 당연히 벼슬아치(吏)였거나 남을 부리고(使) 다스리는 계층이었다는 것을 반영했다.

제79부수
079 ■ 지(支)부수

1927

⿱: 支: **가를 지**: 支-총4획: zhī

原文

⿱: 去竹之枝也. 从手持半竹. 凡支之屬皆从支. 𢾅, 古文支. 章移切.

飜譯

'대의 곁가지를 제거하다(去竹之枝)'라는 뜻이다. 손(手)으로 대의 반쪽(半竹)을 쥔 모습이다.[191] 지(支)부수에 귀속된 글자는 모두 지(支)가 의미부이다. 지(𢾅)는 지(支)의 고문체이다. 독음은 장(章)과 이(移)의 반절이다.

1928

敧: 敧: **기울 기**: 支-총12획: qī

原文

敧: 持去也. 从支奇聲. 去奇切.

飜譯

'지켜 나가다(持去)'라는 뜻이다.[192] 지(支)가 의미부이고 기(奇)가 소리부이다. 독음

---

191) 고문자에서 **支 支** 簡牘文 등으로 썼다. 又(또 우)와 十(열 십)으로 구성되었는데, 十은 원래 댓가지를 그린 것이 변한 것으로 추정되며, 『설문해자』에서는 "댓가지를 제거하다는 뜻이다"라고 풀이했다. 그렇다면 支는 손으로 대의 몸체로부터 꺾어 낸 '가지'를 말한다. 그래서 支는 '나뭇가지'가 원래 뜻이고, 가지는 나무의 몸체에서 갈라져 나온 것이라는 의미에서 '갈라지다'의 뜻이, 몸체에 붙어 있다는 뜻에서 '곁'과 '지탱하다'의 의미가 나왔다. 支가 순수한 의미부로 기능을 하여 구성된 글자들은 그다지 많지 않아 현대 중국의 『신화자전』에서는 따로 부수로 세우지 않고, 十부수에 통합시켰다. 원래 뜻인 '나뭇가지'의 의미를 더욱 구체화하기 위해 木(나무 목)을 더한 枝(가지 지)로 분화했다.

은 거(去)와 기(奇)의 반절이다.

---

192) 『단주』에서 이렇게 말했다. "지(支)에는 지켜나가다(持)라는 뜻이 있다. 그래서 지켜나가다
(持去)라는 뜻의 기(攲)가 지(支)를 의미부로 삼은 것이다." 서호의 『단주전』에서는 "젓가락으
로 물건을 집는 것을 기(攲)라고 한다."라고 했다.

제80부수
080 ■ 녑(聿)부수

1929

聿: 聿: 손 빠를 녑: 聿-총5획: niè

原文

聿: 手之聿巧也. 从又持巾. 凡聿之屬皆从聿. 尼輒切.

飜譯

'손놀림이 민첩하고 정교하다(手之聿巧)'라는 뜻이다. 손(又)으로 수건(巾)을 쥔 모습이다. 녑(聿)부수에 귀속된 글자는 모두 녑(聿)이 의미부이다. 독음은 니(尼)와 첩(輒)의 반절이다.

1930

肄: 肄: 나머지 이: 巾-총14획: yì

原文

肄: 習也. 从聿希聲. 㣉, 籒文肄. 肄, 篆文肄. 羊至切.

飜譯

'익히다(習)'라는 뜻이다. 녑(聿)이 의미부이고 이(希)가 소리부이다. 이(㣉)는 이(肄)의 주문체이다. 이(肄)는 이(肄)의 전서체이다. 독음은 양(羊)과 지(至)의 반절이다.

1931

肅: 肅: 엄숙할 숙: 聿-총12획: sù

原文

肅: 持事振敬也. 从聿在𣶒上, 戰戰兢兢也. , 古文肅从心从卩. 息逐切.

譯解

'일을 함에 신중하고 공경스럽게 하다(持事振敬)'라는 뜻이다. 녑(聿)이 연(𣶒: 큰 못) 위에 놓인 모습으로, 전전긍긍하다는 뜻이다.193) 숙()은 숙(肅)의 고문체인데, 심(心)도 의미부이고 절(卩)도 의미부이다. 독음은 식(息)과 축(逐)의 반절이다.

193) 고문자에서  金文  簡牘文 등으로 썼다. 聿(붓 율)과 𣶒(못 연, 淵의 원래 글자)으로 구성되어, 붓(聿)으로 수놓을 밑그림(𣶒)을 그리는 모습을 형상화하여 '수를 놓다'는 뜻을 그렸다. 수를 놓을 때는 주의를 집중해야 하므로 이에 '엄숙'이나 진지하다의 뜻이 생겼다. 그러자 원래 뜻은 다시 糸(가는 실 멱)을 더한 繡(수놓을 수)로 분화했다. 간화자에서는 肃으로 줄여 쓴다.

제3권

제81부수
081 ■ 율(聿)부수

1932

聿: 聿: 붓 율: 聿-총6획: yù

原文

聿: 所以書也. 楚謂之聿, 吳謂之不律, 燕謂之弗. 从聿一聲. 凡聿之屬皆从聿. 余律切.

飜譯

'글을 쓰는 도구(所以書)'를 말한다. 초(楚) 지역에서는 율(聿)이라 하고, 오(吳) 지역에서는 '불률(不律)'이라 하고, 연(燕) 지역에서는 '불(弗)'이라 한다. 녑(聿)이 의미부이고 일(一)이 소리부이다.[194)195)] 율(聿)부수에 귀속된 글자는 모두 율(聿)이 의미부이다. 독음은 여(余)와 률(律)의 반절이다.

1933

筆: 筆: 붓 필: 竹-총12획: bǐ

原文

筆: 秦謂之筆. 从聿从竹. 鄙密切.

飜譯

---

194) 단옥재는 "일이 소리부이다(一聲)"라는 것은 잘못되었으며, "녑(聿)과 일(一)이 모두 의미부이다"로 바뀌어야 한다고 했다.

195) 고문자에서 ⬚ ⬚ ⬚ 甲骨文 ⬚ ⬚ 金文 ⬚ 簡牘文 등으로 썼다. 손으로 붓을 잡은 모습을 그렸다. 이후 붓대는 주로 대(竹.죽)로 만들어졌기에 竹을 더한 筆(붓 필)로 분화했고, 현대 중국의 간화자에서는 대(竹)로 된 붓대와 털(毛.모)로 된 붓 봉을 상징화한 笔로 변했다. 붓은 필기구의 대표이다.

'진(秦) 지역에서는 [붓을] 필(筆)이라 부른다.' 율(聿)이 의미부이고 죽(竹)도 의미부이다. 독음은 비(鄙)와 밀(密)의 반절이다.

1934

聿: 肂: 붓으로 꾸밀 진: 聿-총9획: jīn

原文

肂: 聿飾也. 从聿从彡. 俗語以書好爲肂. 讀若津. 將鄰切.

譯

'붓으로 꾸미다(聿飾)'라는 뜻이다. 율(聿)이 의미부이고 삼(彡)도 의미부이다. 속어에 "붓글씨를 잘 쓰는 것을 진(肂)이라 한다(以書好爲肂)"라는 말이 있다. 진(津)과 같이 읽는다. 독음은 장(將)과 린(鄰)의 반절이다.

1935

書: 書: 쓸 서: 曰-총10획: shū

原文

書: 箸也. 从聿者聲. 商魚切.

譯

'죽간이나 백서에 글을 쓰다(箸)'라는 뜻이다.[196] 율(聿)이 의미부이고 자(者)가 소리부이다.[197] 독음은 상(商)과 어(魚)의 반절이다.

---

[196] 『단주』에서 『설문.서(敍)』의 말을 인용하여 이렇게 말했다. "죽간이나 백서에 글을 쓰는 것(箸於竹帛)을 서(書)라고 한다. 서(書)라는 것은 똑같이 하다는 뜻이다(如也). 죽간이나 백서에 글을 쓰려면 붓이 아니고서는 불가하다.(箸於竹帛. 非筆末由矣.)"

[197] 고문자에서   金文   古陶文   簡牘文   古璽文 등으로 썼다. 손에 붓을 쥔(聿.률) 모습과 그릇(口.구)을 그려, 그릇에 담긴 먹을 찍어 '글'을 쓰는 모습을 그렸는데, 口가 曰(가로 왈)로 바뀌어 지금의 자형이 되었다. 이로부터 書寫(서사)하다, 기록하다, 글, 書體(서체), 文書(문서), 書籍(서적) 등의 뜻이 나왔다. 간화자에서는 초서체를 변형한 书로 쓴다.

제82부수
082 ■ 화(畫)부수

1936

畫: 畫: 그림 화: 田-총12획: huà

原文

畫: 界也. 象田四界. 聿, 所以畫之. 凡畫之屬皆从畫. 劃, 古文畫省. 𦘕, 亦古
文畫. 胡麥切.

繙譯

'경계선을 그리다(界)'라는 뜻이다. 밭처럼 네 개의 경계로 나뉜 모습을 그렸다(象田
四界). 율(聿)은 그것을 그리는 도구를 말한다.[198] 화(畫)부수에 귀속된 글자는 모두
화(畫)가 의미부이다. 화(劃)는 화(畫)의 고문체인데, 생략된 모습이다. 화(𦘕)도 화
(畫)의 고문체이다. 독음은 호(胡)와 맥(麥)의 반절이다.

1937

畫: 畫: 낮 주: 日-총11획: zhòu

原文

畫: 日之出入, 與夜爲界. 从畫省, 从日. 𦘕, 籒文畫. 陟救切.

繙譯

---

198) 고문자에서 甲骨文 金文 簡牘文 古璽文
등으로 썼다. 갑골문에서 붓(聿.율, 筆의 원래 글자)으로 그림이나 도형을 그리는 모습이며, 이
로부터 그림이나 그림을 그리다는 뜻이 나왔다. 금문에서는 도형 대신 농사지을 땅(周.주)의
경계를 그리는 모습으로 변화되었고, 이후 周가 田(밭 전)으로 변해 지금의 자형이 되었다. 달
리 畫(그림 화)로 쓰기도 하며, 간화자에서는 画로 줄여 쓴다.

'태양이 떠서 질 때까지의 시간을 말하는데, 밤과 경계를 이룬다(日之出入, 與夜爲界).' 화(畫)의 생략된 모습이 의미부이고, 일(日)도 의미부이다.[199] 주(書)는 주(畫)의 주문체이다. 독음은 척(陟)과 구(救)의 반절이다.

---

199) 고문자에서 ![書]金文 ![書] ![書]古陶文 ![書]畫簡牘文 ![書]帛書 등으로 썼다. 갑골문에서 聿(붓율)과 日(날 일)로 구성되어, 붓(聿)으로 글을 쓸 수 있는 햇빛(日)이 있는 시간대인 '낮'을 말했는데, 자형이 변해 지금처럼 되었다. 이후 정오 시간대를 뜻하였으며, 다시 낮의 뜻이 나왔다. 간화자에서는 윗부분의 聿을 尺(자 척)으로 간단하게 줄여 昼로 쓴다.

제83부수
083 ■ 이(隶)부수

1938

隶: 隶: 미칠 이·대: 隶-총8획: lì, dài

原文

隶: 及也. 从又, 从尾省. 又, 持尾者, 从後及之也. 凡隶之屬皆从隶. 徒耐切.

飜譯

'따라잡다(及)'라는 뜻이다. 우(又)가 의미부이고, 미(尾)의 생략된 모습도 의미부이다. 우(又·손)는 꼬리(尾)를 잡은 것을 말하는데, 뒤에서 그것을 따라잡는다는 뜻이다.200) 이(隶)부수에 귀속된 글자는 모두 이(隶)가 의미부이다. 독음은 도(徒)와 내(耐)의 반절이다.

1939

隸: 隸: 미칠 태: 隶-총17획: dài

原文

隸: 及也. 从隶枲聲.『詩』曰 : " 隸天之未陰雨." 徒耐切.

飜譯

'미치다(及)'라는 뜻이다. 이(隶)가 의미부이고 시(枲)가 소리부이다.『시·빈풍·치효(鴟鴞)』에서 "장맛비 오기 전에(隸天之未陰雨)"라고 노래했다. 독음은 도(徒)와 내(耐)

---

200) 隶는 손(又.우)으로 짐승의 꼬리를 잡은 모습인데,『설문해자』에서는 "又와 尾(꼬리 미)의 생략된 모습이 의미부"라고 했다. 짐승을 뒤쫓아 꼬리 부분을 손으로 잡은 모습에서 '미치다'와 '따라잡다'라는 뜻이 나왔다. 이후 辵(쉬엄쉬엄 갈 착)을 더해 逮(미칠 체)를 만들었는데, 의미는 같다. 그래서 隶로 구성된 글자들에는 모두 잡은 짐승이라는 뜻이 있다. 예컨대, 隸(종례)는 손에 잡힌 짐승이란 뜻에서 '隸屬(예속)'의 뜻이 나왔고, 肆(늘어놓을 사)는 镸(長.길장)과 隶로 구성되어 잡아온 짐승(隶)을 길게(镸) 늘어놓고 파는 '가게'를 말했다.

의 반절이다.

1940

隸: 隸: 붙을 례: 隶-총17획: lì

原文

隸: 附箸也. 从隶柰聲. 隸, 篆文隸从古文之體. (臣鉉等未詳古文所出.) 郞計切.

譯

'들러붙다(附箸)'라는 뜻이다. 이(隶)가 의미부이고 내(柰)가 소리부이다. 례(隸)는 례(隸)의 전서체인데, 체(體)의 고문체로 구성되었다.201) [신(臣) 서현 등은 이 고문체가 어디에서 나왔는지 잘 모르겠습니다.] 독음은 랑(郞)과 계(計)의 반절이다.

---

201) 『단주』에서는 이렇게 주석을 달았다. "여기서 말한 전서체(篆文)는 앞의 고문(古文)을 말한다. 고문체를 앞에 놓고 전서체를 뒤에 놓는 방식은 것은 상(上)부수에서도 보인다. 그러나 고문체를 앞에 놓고 전서체를 뒤에 놓았다면, 고문체에서 반드시 이(隶)로 구성되었을 것인바, 전서체에서는 이(隶)로 구성되지 않는 것이 합리적이다."

제84부수

084 ■ 간(臤)부수

1941

臤 : 臤: 어질 현·굳을 간: 臣-총8획: qiān

原文

臤 : 堅也. 从又臣聲. 凡臤之屬皆从臤. 讀若鏗鏘之鏗. 古文以爲賢字. 苦閑切.

譯

'견고하다(堅)'라는 뜻이다. 우(又)가 의미부이고 신(臣)이 소리부이다. 간(臤)부수에 귀속된 글자는 모두 간(臤)이 의미부이다. 견장(鏗鏘)이라고 할 때의 견(鏗)과 같이 읽는다. 고문체에서는 이를 현(賢)자로 여긴다.202) 독음은 고(苦)와 한(閑)의 반절이다.

1942

緊 : 緊: 굳게 얽을 긴: 糸-총14획: jǐn

原文

緊 : 纏絲急也. 从臤, 从絲省. 糾忍切.

譯

---

202) 『단주』에서 이렇게 보충했다. "고문체에서는 ~글자로 여긴다(古文以爲者)'라는 말은 모두 고문체에서의 가차(假借)를 말한 것이다. 이러한 예는 철(屮)부수에서 설명한 바 있는데, 「한교관비(漢校官碑)」에서 '親臤寶智(어진 사람과 친하게 지내고 지혜로운 사람을 보배로 여긴다)', '師臤作朋(어진 사람을 스승으로 삼고 친구로 사귄다)'라고 했으며, 「국삼로원량비(國三老袁良碑)」에서는 '優臤之寵(뛰어나고 어진 사람의 총애)'이라고 했다. 내 생각에, 한위(漢魏) 때의 사람들이 사용한 우현(優賢)이라는 어휘는 모두 『금문상서.반경(般庚)』의 '優賢揚歷(높고 현명함을 널리 날리네)'이라는 구절에 근거한 것이다. 『금문상서.반경』편에서는 간(臤)을 현(賢)의 의미로 사용하였다."

'단단하게 묶은 상태(纏絲急)'를 말한다. 간(臤)이 의미부이고, 사(絲)의 생략된 모습도 의미부이다. 독음은 규(糾)와 인(忍)의 반절이다.

1943

堅: 堅: 굳을 견: 土-총11획: jiān

原文

堅: 剛也. 从臤从土. 古賢切.

譯

'단단하다(剛)'라는 뜻이다. 간(臤)이 의미부이고 토(土)도 의미부이다.203) 독음은 고(古)와 현(賢)의 반절이다.

1944

豎: 豎: 더벅머리 수: 豆-총15획: shù

原文

豎: 豎立也. 从臤豆聲. 𢾙, 籀文豎从殳. 臣庾切.

譯

'곧추세우다(豎立)'라는 뜻이다. 간(臤)이 의미부이고 두(豆)가 소리부이다. 수(𢾙)는 수(豎)의 주문체인데, 역(殳)으로 구성되었다. 독음은 신(臣)과 유(庾)의 반절이다. [신부]

---

203) 고문자에서 🔲🔲 簡牘文 등으로 썼다. 土(흙 토)가 의미부이고 臤(어질 현.굳을 간)이 소리부로, 흙(土)이 단단하게(臤) 굳어 견고함을 말한다. 이로부터 堅固(견고)하다, 堅實(견실)하다, 단결하다 등의 뜻이 나왔다. 간화자에서는 윗부분을 줄여 坚으로 쓴다.

제85부수

085 ■ 신(臣)부수

1945

臣: 臣: 신하 신: 臣-총6획: chén

原文

臣: 牽也. 事君也. 象屈服之形. 凡臣之屬皆从臣. 植鄰切.

譯

'견(牽)과 같아 끌고 가다'라는 뜻이다.204) 임금을 모시다(事君)라는 뜻이다. 굴복하는 모습을 그렸다.205) 신(臣)부수에 귀속된 글자는 모두 신(臣)이 의미부이다. 독음은 식(植)과 린(鄰)의 반절이다.

1946

䏁: 䏁: 어그러질 광: 臣-총12획: guàng

原文

---

204) 신(臣)의 의미를 독음이 유사한 견(牽)을 가져와 설명했는데, 이는 첩운자를 사용한 '성훈'에 속한다. 『춘추설(春秋說)』과 『광아(廣雅)』에서 모두 '신(臣)은 견고하다(堅)라는 뜻이다'라고 하였고, 『백호통(白虎通)』에서는 '신(臣)은 묶는다(繯)는 뜻인데, 뜻을 품고 스스로를 굳게 지킨다(屬志自堅固)라는 뜻이다.'라고 하였다.

205) 고문자에서 甲骨文 金文 古陶文 簡牘文 帛書 石刻古文 등으로 썼다. 가로로 된 자연스런 눈과 달리 세워진 모습인데, 머리를 숙인 채 위로 쳐다보는 눈으로써 '노예'를 특징적으로 그렸다. 갑골문에서 臣은 항복했거나 포로로 잡힌 남자 노예를 뜻하며, 왕실의 노예를 감독하는 노예의 우두머리를 지칭하기도 했다. 이로부터 臣에 신하의 뜻이 담겼고, 군주제 시절 임금에게 자신을 낮추어 부르던 호칭으로 쓰이기도 했다. 그래서 臣은 目(눈 목)이나 見(볼 견)과 같이 눈을 그렸지만, '보다'는 의미보다는 굴복과 감시의 이미지를 강하게 담고 있다.

朏: 乖也. 从二臣相違. 讀若誑. 居況切.

（飜譯）

'어그러지다(乖)'라는 뜻이다. 두 개의 신(臣)이 서로 어긋난 모습이다. 광(誑)과 같이 읽는다. 독음은 거(居)와 황(況)의 반절이다.

1947

臧: 臧: **착할 장**: 臣-총14획: zāng

（原文）

臧: 善也. 从臣戕聲. 臧, 籀文. 則郎切.

（飜譯）

'착하다(善)'라는 뜻이다. 신(臣)이 의미부이고 장(戕)이 소리부이다.206) 장(臧)은 주문체이다. 독음은 칙(則)과 랑(郎)의 반절이다.

---

206) 고문자에서 🔲甲骨文 🔲🔲🔲🔲金文 🔲🔲🔲🔲🔲🔲古陶文 🔲🔲🔲簡牘文 🔲🔲帛書 🔲🔲🔲🔲🔲古璽文 등으로 썼다. 臣(신하 신)과 戈(창 과)가 의미부이고 爿(나무 조각 장)이 소리부인데, 자형이 조금 변해 지금처럼 되었다. 한쪽 눈(臣)이 창(戈)에 찔린 모습에 독음을 나타내는 爿이 더해진 구조로, 반항능력을 줄이고자 한쪽 눈을 뺀 '남자 노예'를 말했으며, 고분고분한 노예라는 의미에서 '착하다'의 뜻이 나왔다. 나아가 타인 소유의 사람을 포로로 잡아와 노예를 삼는다는 뜻에서 臟物(장물)의 뜻이, 남에게서 빼앗아온 물건은 숨겨두게 마련이라는 뜻에서 '숨기다'는 뜻도 나왔다.

제86부수

086 ■ 수(殳)부수

1948

殳: 殳: 창 수: 殳-총4획: shū

原文

殳: 以杸殊人也. 『禮』: "殳以積竹, 八觚, 長丈二尺, 建於兵車, 車旅賁以先驅." 从又几聲. 凡殳之屬皆从殳. 市朱切.

譯

'팔각형 창으로 사람을 때려죽이다(以杸殊人)'라는 뜻이다. 『주례』에서 "수(殳)는 대쪽을 켜켜이 겹쳐서 만드는데, 팔각형이며, 길이는 1팔(장) 2자(척)이다. 전차에 세워두며, 전차의 선봉대가 그것으로 선도해 나간다.(以積竹, 八觚, 長丈二尺, 建於兵車, 車旅賁以先驅.)"라고 했다.207) 우(又)가 의미부이고 궤(几)가 소리부이다.208) 수(殳)

---

207) 『주례.고공기(考工記)』의 주석에 의하면, '대체로 창 자루는 팔각으로 되었고, 날이 없기 때문에 팔고(八觚)라고 하였으며, 길이는 1팔 2자였고, 전차에 세워 사용했다.(此無刃亦八觚也. 長丈二尺, 建於兵車.)'라고 했다 또 『주례.고공기(考工記)』에서도 '여인(廬人)이 여기(廬器)를 만들었는데, 길이가 1팔 4자였다. 수레에는 6등급의 숫자가 있는데, 수레 턱은 높이가 4자이고, 낫 창은 수레 턱보다 4자 높게, 사람은 낫 창보다 4자 높게, 팔각 창은 사람보다 4자 높게, 수레 창은 팔각 창보다 4자 높게, 긴 자루 뾰족 창은 수레 창보다 4자 높게 하였다.(廬人爲廬器. 殳長尋有四尺. 車有六等之數. 車軫四尺. 戈崇於軫四尺. 人崇於戈四尺. 殳崇於人四尺. 車戟崇於殳四尺. 酋矛崇於戟四尺.)'이라 하였다. 이의 주석에서 '이들은 모두 전차를 말한다. 팔각 창이 수레 창이나 뾰족 창은 모두 전차 양쪽의 꽂이에다 꽂는다.(此所謂兵車也. 殳戟矛皆插車軫.)'라고 하였다.

208) 고문자에서 𝄇甲骨文 𝄇金文 𝄇簡牘文 등으로 썼다. 갑골문에서 손(又.우)에 끝이 뾰족한 창을 든 모습인데, 자형이 변해 几(안석 궤)와 又의 구조로 변했다. 옛 기록에 의하면, 殳는 길이가 1丈(장) 8尺(척)에 8각형의 모서리를 가졌고, 군대가 전진할 때 전차의 양쪽에 꽂거나 보병이 들고 적의 근접을 막는 무기라 했는데, 1974년 진시황의 병마용 갱에서 실물이 발견되어 이를 증명해 주었다. 그래서 殳는 창, '때리다', 창과 유사한 도구 등의 뜻을 갖는다. 또 진시황 때 쓰였던 서체의 하나로, 병기에 쓰인 문자를 지칭하기도 한다.

부수에 귀속된 글자는 모두 수(殳)가 의미부이다. 독음은 시(市)와 주(朱)의 반절이다.

1949

裞: 祋: 창 대: 示-총9획: duì

原文

祋: 殳也. 从殳示聲. 或說城郭市里, 高縣羊皮, 有不當入而欲入者, 暫下以驚牛馬曰祋. 故从示、殳. 『詩』曰: "何戈與祋." 丁外切.

譯

'팔각 창(殳)'을 말한다. 수(殳)가 의미부이고 시(示)가 소리부이다. 혹자는, 성곽(城郭) 내의 시장 입구(市里)에다 양가죽(羊皮)을 높이 내걸어, 들어와서는 아니 되는 자가 들어오고자 할 때, 일을 잠시 내려뜨려 마차를 끄는 소나 말을 놀라게 하는 것을 대(祋)라고 하며, 그래서 시(示)와 수(殳)가 모두 의미부라고도 한다. 『시·조풍·후인(候人)』에서 "어짊에도 긴 창 짧은 창 메고 있네(何戈與祋)"라고 노래했다. 독음은 정(丁)과 외(外)의 반절이다.

1950

杸: 杸: 팔모진 창 수: 木-총8획: shū

原文

杸: 軍中士所持殳也. 从木从殳. 『司馬法』曰: "執羽从杸." 市朱切.

譯

'군대에서 병사들이 지니는 창(軍中士所持殳)'을 말한다. 목(木)이 의미부이고 수(殳)도 의미부이다. 『사마법(司馬法)』에서 "깃으로 된 창을 들고 팔모진 창을 든 사람을 뒤따른다(執羽从杸)"라고 했다. 독음은 시(市)와 주(朱)의 반절이다.

1951

殸: 毄: 부딪칠 격: 殳-총14획: jī

原文

毄: 相擊中也. 如車相擊. 故从殳从叀. 古歷切.

飜譯

'수레바퀴가 서로 부딪히다(相擊中)'라는 뜻이다. 수레가 서로 부딪히는 것과 같다. 그래서 수(殳)가 의미부이고 위(叀)도 의미부이다. 독음은 고(古)와 력(歷)의 반절이다.

1952

殼: 殼: 내려칠 각·구역질하는 모양 학: 殳-총10획: què

原文

殼: 从上擊下也. 一曰素也. 从殳青聲. 青, 苦江切. 苦角切.

飜譯

'위에서 아래로 내리치다(从上擊下)'라는 뜻이다. 일설에는, 단단한 껍질(素)[209]을 말한다고도 한다. 수(殳)가 의미부이고 강(青)이 소리부이다. 강(青)은 고(苦)와 강(江)의 반절이다. 독음은 고(苦)와 각(角)의 반절이다.

1953

殳: 殳: 다스릴 금·올려칠 침: 殳-총8획: dàn, qín, zhěn

原文

殳: 下擊上也. 从殳冘聲. 知朕切.

飜譯

'아래에서 위로 올려치다(下擊上)'라는 뜻이다. 수(殳)가 의미부이고 유(冘)가 소리부

---

209) 『단주』에서는 소(素)에 대해 아직 굽지 않은 기와(坏)처럼 단단한 물질을 말한다고 했다.

이다. 독음은 지(知)와 짐(朕)의 반절이다.

1954

𣪊: 毄: 멀리 칠 두: 殳-총11획: tóu, duì

𣪊: 繇擊也. 从殳豆聲. 古文役如此. 度矦切.

'멀리서 치다(繇擊)'라는 뜻이다. 수(殳)가 의미부이고 두(豆)가 소리부이다. 고문(古文)체에서 대(役)를 이렇게 적었다. 독음은 도(度)와 후(矦)의 반절이다.

1955

𣪃: 毄: 칠 수: 殳-총18획: chóu

𣪃: 縣物殳擊. 从殳𦥑聲. 市流切.

'옷 등을 높이 널어놓고 막대기로 치다(縣物殳擊)'라는 뜻이다. 수(殳)가 의미부이고 수(𦥑)가 소리부이다. 독음은 시(市)와 류(流)의 반절이다.

1956

𣪘: 毆: 칠 독: 豕-총12획: dú, zhuó

𣪘: 椎毄物也. 从殳豕聲. 冬毒切.

'몽둥이로 때리다(椎毄物)'라는 뜻이다. 수(殳)가 의미부이고 축(豕)이 소리부이다. 독음은 동(冬)과 독(毒)의 반절이다.

1957

毆: 毆: 때릴 구: 殳-총15획: ōu

原文

毆: 捶毄物也. 从殳區聲. 烏后切.

飜譯

'몽둥이로 때리다(捶毄物)'라는 뜻이다. 수(殳)가 의미부이고 구(區)가 소리부이다. 독음은 오(烏)와 후(后)의 반절이다.

1958

毃: 毃: 두드릴 각: 殳-총14획: qiāo

原文

毃: 擊頭也. 从殳高聲. 口卓切.

飜譯

'머리를 치다(擊頭)'라는 뜻이다. 수(殳)가 의미부이고 고(高)가 소리부이다. 독음은 구(口)와 탁(卓)의 반절이다.

1959

殿: 殿: 큰 집 전: 殳-총13획: diàn

原文

殿: 擊聲也. 从殳屍聲. 堂練切.

飜譯

'때리는 소리(擊聲)'를 말한다. 수(殳)가 의미부이고 둔(屍)이 소리부이다. 독음은 당(堂)과 련(練)의 반절이다.

1960

殹: 殹: 앓는 소리 예: 殳-총11획: yī

原文

殹: 擊中聲也. 从殳医聲. 於計切.

飜譯

'가운데를 치는 소리(擊中聲)'를 말한다.[210] 수(殳)가 의미부이고 예(医)가 소리부이다. 독음은 어(於)와 계(計)의 반절이다.

1961

段: 段: 구분 단: 殳-총9획: duàn

原文

段: 椎物也. 从殳, 耑省聲. 徒玩切.

飜譯

'몽둥이로 때리다(椎物)'라는 뜻이다. 수(殳)가 의미부이고, 단(耑)의 생략된 모습이 소리부이다.[211] 독음은 도(徒)와 완(玩)의 반절이다.

---

210) 『단주』에서 본래 의미는 알 수 없으며, 어기조사 야(也)로 사용되었다고 하면서 이렇게 보충했다. "이 글자의 본래 의미는 알 수 없다. 다만 유(酉)부수의 의(醫)자가 예(殹)로 구성되었는데, 왕육(王育)의 설에 따르면 예(殹)는 보기 흉한 자태를 말한다(惡姿也)고 했고, 일설에 예(殹)는 아파서 내는 소리를 말한다(病聲也)고 하였다. 이것이 '격중성(擊中聲)'이라는 의미와 비슷하다. 진(秦)나라 사람들은 이를 어기사로 빌려 사용했다. 「저초문(詛楚文)」에 '禮使介老將之以自救殹(예에 따라 보잘 것 없는 일개 나이 든 장군으로 하여금 스스로 구하게 하고자 할 따름이다)'라는 말이 있고, 설상공(薛尙功)이 본 「진권명(秦權銘)」에 '其於久遠殹(그 오래되고 멀기도 하여라)'라는 말이 있고, 「석고문(石鼓文)」에 '汧殹沔沔(汧水는 가득 차 호탕하게 흐르고)'라는 말이 있다. 「권명(權銘)」의 예(殹)자를 「낭아대각석(琅邪臺刻石)」 및 다른 「진권(秦權)」이나 「진근(秦斤)」에서 모두 야(也)자로 적었다. 그렇다면 주진(周秦) 때의 사람들이 예(殹)를 야(也)로 사용했다는 것은 믿을만하다. 『시경』에서 혜(兮)자나 시(詩)라고 부르는 것들에서 간혹 야(也)자를 예(殹)자로 썼다. 그래서 이들 세 글자는 서로 통용되었다."

211) 고문자에서 金文 古陶文 등으로 썼다. 창과 유사한 모습을 한 갈고랑이 같은 도구(殳·수)로 언덕(厂·엄)에서 광석을 캐는 모습을 그렸는데, 캐낸 광물은 불로 녹이고 두드려

1962

腞: 毃: 허공 치는 소리 동: 殳-총14획: tóng

原文

腞: 擊空聲也. 从殳宮聲. 徒冬切.

譯譯

'속이 빈 물체를 때리는 소리(擊空聲)'를 말한다. 수(殳)가 의미부이고 궁(宮)이 소리부이다. 독음은 도(徒)와 동(冬)의 반절이다.

1963

殽: 殽: 섞일 효: 殳-총12획: xiáo

原文

殽: 相雜錯也. 从殳肴聲. 胡茅切.

譯譯

'서로 뒤섞임(相雜錯)'을 말한다. 수(殳)가 의미부이고 효(肴)가 소리부이다. 독음은 호(胡)와 모(茅)의 반절이다.

1964

毅: 毅: 굳셀 의: 殳-총15획: yì

原文

毅: 妄怒也. 一曰有決也. 从殳豙聲. 魚旣切.

필요한 연장을 만든다. 그래서 段은 '두드리다'는 뜻과 '잘라낸' 광석이라는 뜻에서 어떤 구분된 사물이나 시간대의 段落(단락)을 말하게 되었다. 여기서 파생된 鍛(煅.쇠 불릴 단)은 연장을 만들고자 쇠(金·금)를 불에 녹여 불리는 것을, 碫(숫돌 단)은 숫돌(石·석)로 쓰려고 잘라 놓은 돌을, 緞(비단 단)은 일정한 길이로 재단해 놓은 비단(糸·멱)을 말한다.

翻譯

'강한 분노(㤢怒)'를 말한다. 일설에는 '결의가 있다(有決)'는 뜻이라고도 한다. 수(殳)가 의미부이고 의(豙)가 소리부이다.212) 독음은 어(魚)와 기(既)의 반절이다.

1965

殼: 毄: 구부릴 구: 殳-총12획: jiù

原文

殼: 揉屈也. 从殳从𠭥. 𠭥, 古文叀字. 廄字从此. 居又切.

翻譯

'[대나무 등을] 휘게 하다(揉屈)'라는 뜻이다. 수(殳)가 의미부이고 유(𠭥)도 의미부이다. 유(𠭥)는 전(叀)의 고문체인데, 구(廄)자가 이로 구성되었다. 독음은 거(居)와 우(又)의 반절이다.

1966

役: 役: 부릴 역: 彳-총7획: yì

原文

役: 戍邊也. 从殳从彳. 㱘, 古文役从人. 營隻切.

翻譯

'변방을 지키다(戍邊)'라는 뜻이다. 수(殳)가 의미부이고 척(彳)도 의미부이다. 역(㱘)은 역(役)의 고문체인데, 인(人)으로 구성되었다. 독음은 영(營)과 척(隻)의 반절이다.

---

212) 고문자에서 🔣🔣 金文 등으로 썼다. 殳(창 수)가 의미부이고 豙(돼지 성나 털 일어날 의)가 소리부로, 멧돼지(豕)나 창(殳)의 강인함처럼 '굳세고 강함'을 말한다. 원래는 豙로 써 멧돼지(豕.시)의 털을 칼(辛.신)로 깎는 모습을 그렸고 여기에 다시 殳가 더해졌는데, '멧돼지'는 강인함의 대표이고 그 '털'은 뻣뻣함의 상징이기에 '굳세다', '강인하다'는 뜻이 생겼다.

1967

殻 : 㱾: 부적 개·해: 殳−총10획: gāi, kāi

原文

殻 : 㱾改, 大剛卯也. 以逐精鬼. 从殳亥聲. 古哀切.

譯

'개이(㱾改), 즉 몸에 차는 벽사용 장신구(大剛卯)[213]'를 말하는데, 귀신을 몰아내는 용도로 쓴다(以逐精鬼).[214] 수(殳)가 의미부이고 해(亥)가 소리부이다. 독음은 고(古)와 애(哀)의 반절이다.

---

213) 강묘(剛卯)는 벽사(避邪)를 위해 몸에 차는 장식물을 말한다. 등급에 따라 옥, 무소뿔, 상아, 금(金), 복숭아나무로 만든다. 모양은 직사각형의 네모꼴로 되었는데, 끈을 달 수 있는 구멍이 있고, 사면으로 글자를 새겼다. 대부분 악귀나 질병을 몰아내는 문구인데, 첫 구가 보통 '정월 강묘가 이미 깊었느니(正月剛卯旣央)'로 시작된다. 그래서 강묘(剛卯)라고 부른다. 한나라 때에 성행했으며, 황제로부터 제후와 선비들에게까지 차지 않은 자가 없었다. 왕망(王莽) 때 한 차례 금지되었으나 동한 때 다시 유행했고, 위진(魏晉) 때 없어졌다. 『한서.왕망전(王莽傳)』의 '정월강묘(正月剛卯)'에 대해 안사고(顏師古)가 인용한 복건(服虔)의 말을 보면, "강묘(剛卯)는 정월 묘일(正月卯日)에 만들어 몸에 차는데, 길이는 3치, 너비는 1치, 사각으로 되었으며, 옥이나 금이나 복숭아나무로 만들며, 가죽 끈으로 맨다."라고 했다.(바이두 백과)

214) 원래 개(改)로 되었으나 이(攺)의 잘못으로 보여 고쳤다. 『강희자전』에서 이렇게 말했다. "『급취편주(急就篇註)』에서 '사발(射魃)은 대강묘(大剛卯)를 말하는데, 금(金)이나 옥(玉) 및 복숭아나무를 깎아서 만든다. 일명 개이(㱾攺)라고도 한다.'고 했다. 또 『경철록(輟耕錄)』에서는 '강묘(剛卯)는 『왕망전(王莽傳)』의 복건(服虔) 주석에 근거하면, 정월(正月) 묘일(卯日)에 만들어 몸에다 차는데, 길이는 3치, 너비는 1치4푼이며, 옥으로 하거나 쇠로 하거나 복숭아나무로 만들어 몸에 찬다.'라고 했다."

제87부수
087 ■ 살(殺)부수

1968

殺: 殺: 죽일 살: 殳-총11획: shā

原文

殺: 戮也. 从殳杀聲. 凡殺之屬皆从殺. 𣫫, 古文殺. 𢔶, 古文殺. 𣏂, 古文殺. 所八切.

飜譯

'죽이다(戮)'라는 뜻이다.215) 수(殳)가 의미부이고 살(杀)이 소리부이다. 살(殺)부수에 귀속된 글자는 모두 살(殺)이 의미부이다. 살(𣫫)은 살(殺)의 고문체이다. 살(𢔶)도 살(殺)의 고문체이다. 살(𣏂)도 살(殺)의 고문체이다. 독음은 소(所)와 팔(八)의 반절이다.

1969

弒: 弒: 죽일 시: 弋-총13획: shì

原文

弒: 臣殺君也. 『易』曰 : "臣弒其君." 从殺省, 式聲. 式吏切.

飜譯

'신하가 임금을 죽이다(臣殺君)'라는 뜻이다. 『역·곤괘』에서 "신하가 그의 임금을 시해하다(臣弒其君)."라고 했다. 살(殺)의 생략된 모습이 의미부이고, 식(式)이 소리부이다. 독음은 식(式)과 리(吏)의 반절이다.

---

215) 과(戈)부수에서 "륙(戮)은 죽이다(殺)는 뜻이다"라고 했다. 따라서 살(殺)과 륙(戮)은 호훈자에 해당한다.

제88부수
088 ■ 수(几)부수

1970

几: 几: 새 깃 짧을 수: 几-총2획: shū

原文

几: 鳥之短羽飛几几也. 象形. 凡几之屬皆从几. 讀若殊. 市朱切.

飜譯

'짧은 깃을 파닥거리며 새가 날아가다(鳥之短羽飛几几)'라는 뜻이다. 상형이다. 수(几)부수에 귀속된 글자는 모두 수(几)가 의미부이다. 수(殊)와 같이 읽는다. 독음은 시(市)와 주(朱)의 반절이다.

1971

彡: 彡: 숱 많을 진: 人-총5획: zhěn

原文

彡: 新生羽而飛也. 从几从彡. 之忍切.

飜譯

'깃이 새로 나 나는 연습을 하는 모양(新生羽而飛)'을 말한다. 수(几)가 의미부이고 삼(彡)도 의미부이다. 독음은 지(之)와 인(忍)의 반절이다.

1972

鳧: 鳧: 오리 부: 鳥-총13획: fú

原文

鳧: 舒鳧, 鶩也. 从鳥几聲. 房無切.

'서부(舒鳧) 즉 집오리(鶩)'를 말한다. 조(鳥)가 의미부이고 수(几)가 소리부이다.[216]
독음은 방(房)과 무(無)의 반절이다.

---

216) "수(几)가 소리부이다"는 명백한 오류이다. 그래서 『단주』에서도 "부(几)와 조(鳥)가 모두 의
미부이고, 부(几)는 소리부도 겸한다(亦聲)"라고 고쳤다.

제89부수
089 ■ 촌(寸)부수

1973

彐: 寸: 마디 촌: 寸-총3획: cùn

原文

彐: 十分也. 人手卻一寸, 動𧾷, 謂之寸口. 从又从一. 凡寸之屬皆从寸. 倉困切.

飜譯

‘10분(十分: 10푼)’을 말한다.217) 사람 손의 안쪽 뒤로 1치 되는 곳(人手卻一寸), 즉 동맥이 있는 곳(動𧾷)을 말하는데, 이곳을 촌구(寸口)라 부른다. 우(又)가 의미부이고 일(一)도 의미부이다.218) 촌(寸)부수에 귀속된 글자는 모두 촌(寸)이 의미부이다. 독음은 창(倉)과 곤(困)의 반절이다.

1974

寺: 寺: 절 사: 寸-총6획: sì

原文

寺: 廷也. 有法度者也. 从寸之聲. 祥吏切.

飜譯

---

217) 『단주』에서 이렇게 말했다. "길이를 잴 때에는 분(分)으로 구분하고, 헤아릴 때에는 촌(寸)으로 구분한다(度別於分. 忖於寸). 화(禾)부수에서 10발(髮)을 1정(程)이라 하고, 1정(程)이 1분(分)이며, 10분(分)이 1촌(寸)이라고 했다."

218) 고문자에서 彐古陶文 彐簡牘文 彐汗簡 등으로 썼다. 오른손을 그린 又(또 우)에 짧은 가로획을 더해, 그것이 손의 마디임을 형상화했다. 손의 마디를 뜻하는 寸은 길이의 단위로 쓰이게 되었는데, 한 자(尺: 척)의 10분의 1을 나타내기도 했고, 一寸光陰(일촌광음: 짧은 시간)이라는 말에서처럼 매우 짧음도 뜻한다. 그래서 寸으로 구성된 한자는 손이나 손동작, 그리고 짧음과 의미적 관련을 갖는다.

'조정(廷)'을 말한다. '법도가 있는 곳(有法度者)'이라는 뜻이다. 촌(寸)이 의미부이고 지(之)가 소리부이다.[219] 독음은 상(祥)과 리(吏)의 반절이다.

1975

將: 將: 장차 장: 寸-총11획: jiàng

原文

將: 帥也. 从寸, 牆省聲. 卽諒切.

飜譯

'장수(帥)'를 말한다. 촌(寸)이 의미부이고, 장(牆)의 생략된 모습이 소리부이다.[220] 독음은 즉(卽)과 량(諒)의 반절이다.

1976

尋: 尋: 찾을 심: 彡-총15획: xún

제 3 권

---

219) 고문자에서 금문(金文), 고도문(古陶文), 간독문(簡牘文), 백서(帛書) 등으로 썼다. 又(또 우)가 의미부이고 之(갈 지)가 소리부로, 처리하다, '어떤 곳으로 가서 일을 처리하다'가 원래 뜻인데, 이후 又가 寸(마디 촌)으로 변하고 之가 士(선비 사)로 잘못 변해 지금의 자형이 되었다. 之는 어떤 정해진 곳으로 가는 것을, 손을 뜻하는 又는 인간의 일이 대부분 손에 의존했기 때문에 '일하다'는 뜻을 갖는다. 그래서 寺는 그러한 일을 처리함을 말했고, 임금을 곁에서 모시고 후궁의 일을 맡아 보던 그런 사람을 특별히 寺人(시인)이라 했으며 그런 관원들이 머무는 곳을 寺라고 하여 관청이나 부서를 뜻하기도 했는데, 이때에는 '시'로 읽힘에 주의해야 한다. 또 한나라 때 불교의 유입 이후에는 불교 사원인 '절'도 지칭하게 되었다.

220) 고문자에서 금문(金文), 고도문(古陶文), 간독문(簡牘文) 등으로 썼다. 肉(月.고기 육)과 寸(마디 촌)이 의미부이고 爿(나무 조각 장)이 소리부로, 제사에 쓸 솥에 삶아 낸 고기(月=肉)를 손(寸)으로 잡고 탁자(爿) 앞으로 올리는 모습이며, 이로부터 '바치다'의 뜻이 나왔다. 바치려면 갖고 나아가야 하므로 將帥(장수)에서처럼 '이끌다'의 뜻이, 다시 將次(장차)에서와 같이 미래 시제를 나타내게 되었다. 간화자에서는 爿을 간단하게 줄이고 月을 夕(저녁 석)으로 줄여 将으로 쓴다.

原文

毳 : 繹理也. 从工从口从又从寸. 工、口, 亂也. 又、寸, 分理之. 彡聲. 此與𣪘
同意. 度, 人之兩臂爲尋, 八尺也. 徐林切.

飜譯

'실마리를 찾아 다스리다(繹理)'라는 뜻이다. 공(工)이 의미부이고 구(口)도 의미부이
고 우(又)도 의미부이고 촌(寸)도 의미부이다. 공(工)과 구(口)는 실이 헝클리다(亂)라
는 뜻이다. 우(又)와 촌(寸)은 헝클어진 것을 갈무리하다는 뜻이다. 삼(彡)이 소리부이
다. 이 글자의 구성은 영(𣪘)자와 같다. 길이 단위(度)로, 사람이 두 팔을 벌린 길이
(人之兩臂)를 심(尋)이라 하는데, 8척(八尺)이다. 독음은 서(徐)와 림(林)의 반절이다.

1977

專 : 專: 오로지 전: 寸-총11획: zhuān

原文

專 : 六寸簿也. 从寸叀聲. 一曰專, 紡專. 職緣切.

飜譯

'두께가 6치 되는 장부(六寸簿)'를 말한다. 촌(寸)이 의미부이고 전(叀)이 소리부이
다. 일설에 전(專)은 베 짜는 데 쓰는 방전(紡專·북실)을 말한다고도 한다.221) 독음은
직(職)과 연(緣)의 반절이다.

---

221) 고문자에서 甲骨文 등으로 썼다. 갑골문에서 맨 위쪽은 여러 가닥의 실을 단순
화하여 표현한 세 가닥의 실이고, 중간 부분은 실을 감은 실패, 아래쪽의 원형은 실패 추(紡
輪·방륜)를, 옆쪽은 이를 쥔 손(寸)을 그렸다. 그래서 專은 실패를 돌려가며 베를 짜는 모습을
상징화했으며, 베 짜기는 예로부터 專門的(전문적)인 기술에 속했고 정신을 집중해야만 원하
는 베를 짤 수 있었다. 그리하여 專門的, 專心(전심) 등의 뜻이 생겼다. 간화자에서는 초서체
로 간단하게 줄인 专으로 쓴다.

1978

尃: 尃: 펼 부: 寸-총10획: fū

尃: 布也. 从寸甫聲. 芳無切.

譯

'배포하다(布)'라는 뜻이다. 촌(寸)이 의미부이고 보(甫)가 소리부이다. 독음은 방(芳)과 무(無)의 반절이다.

1979

導: 導: 이끌 도: 寸-총16획: dǎo

原文

導: 導, 引也. 从寸道聲. 徒皓切.

譯

'도(導)는 이끌다(引)'라는 뜻이다. 촌(寸)이 의미부이고 도(道)가 소리부이다.[222] 독음은 도(徒)와 호(皓)의 반절이다.

---

222) 고문자에서 金文 簡牘文 石刻古文 등으로 썼다. 寸(마디 촌)이 의미부이고 道(길 도)가 소리부로, 길(道)을 가도록 잡아(寸) 이끌어 인도하다는 뜻이며, 이로부터 교도하다, 유인하다, 개발하다 등의 뜻도 나왔다. 간화자에서는 윗부분의 道를 巳(여섯째지지 사)로 줄인 导로 쓴다.

> 제90부수
> 090 ■ 피(皮)부수

1980

皮: 皮: 가죽 피: 皮-총5획: pí

原文

皮: 剝取獸革者謂之皮. 从又, 爲省聲. 凡皮之屬皆从皮. 𡰻, 古文皮. 𡰿, 籒文皮. 符羈切.

飜譯

'벗긴 짐승의 가죽(剝取獸革者)을 피(皮)라고 한다.'[223] 우(又)가 의미부이고, 위(爲)의 생략된 모습이 소리부이다. 피(皮)부수에 귀속된 글자는 모두 피(皮)가 의미부이다.[224] 피(𡰻)는 피(皮)의 고문체이다. 피(𡰿)는 피(皮)의 주문체이다. 독음은 부(符)와 기(羈)의 반절이다.

---

223) 가죽을 살에서 분리하여 벗겨낸 것을 피(皮)라 하고, 여기서 털을 제거하면 혁(革)이 되며, 무두질을 하면 위(韋)가 된다.

224) 고문자에서 **𧘇 𧘇 𡰻** 金文 **𡰻** 古陶文 **𡰻 𡰿** 簡牘文 등으로 썼다. 손(又.우)으로 짐승의 가죽을 벗기는 모습을 그렸다. 금문에서처럼 오른쪽 아래는 손이고, 왼쪽의 윗부분은 짐승의 머리이며 오른편으로 동그랗게 표현된 것은 짐승의 가죽인데 완전한 모습이 아니라 일부만 표현함으로써, '벗기고 있음'을 강조했다. 소전체에 들어서는 가죽이 짐승의 몸체에서 분리되었음을 형상적으로 그렸다. 이는 革(가죽 혁)과 비교해 보면 형상이 더욱 분명해지는데, 革은 짐승의 머리와 벗겨 낸 가죽이 양쪽으로 대칭을 이루는 모습으로 표현되었다. 皮가 그래서 가죽을 벗기는 모습이라면 革은 완전히 벗겨 말리는 모습이라 할 수 있다. 그래서 皮는 털이 그대로 붙어 있는 상태의 가죽을, 革은 털을 제거하고 말린 상태의 가죽을 말한다. 또 皮는 짐승의 몸 바깥을 싼 가죽이므로, '겉', 表皮(표피)라는 뜻이 나왔다. 皮로 구성된 글자들은 '가죽'이나 '표면', '겉' 등의 뜻이 있다.

1981

皰: 皰: 여드름 포: 皮-총10획: pào

原文

皰: 面生气也. 从皮包聲. 旁教切.

譯

'얼굴에 나는 여드름(面生气)'을 말한다. 피(皮)가 의미부이고 포(包)가 소리부이다. 독음은 방(旁)과 교(教)의 반절이다.

1982

皯: 皯: 기미 낄 간: 皮-총8획: gǎn

原文

皯: 面黑气也. 从皮干聲. 古旱切.

譯

'얼굴에 나는 검은 점(面黑气) 즉 기미'를 말한다. 피(皮)가 의미부이고 간(干)이 소리부이다. 독음은 고(古)와 한(旱)의 반절이다.

1983

皸: 皸: 틀 군: 皮-총14획: jūn

原文

皸: 足坼也. 从皮軍聲. 矩云切.

譯

'발이 틀어 갈라지다(足坼)'라는 뜻이다. 피(皮)가 의미부이고 군(軍)이 소리부이다. 독음은 구(矩)와 운(云)의 반절이다. [신부]

1984

皴: 皴: 주름 준: 皮-총12획: cūn

原文

皴: 皮細起也. 从皮夋聲. 七倫切.

譯

'가죽이 가늘게 일어나다(皮細起)'라는 뜻이다. 피(皮)가 의미부이고 준(夋)이 소리부
이다. 독음은 칠(七)과 륜(倫)의 반절이다. [신부]

제91부수

091 ■ 연(皮)부수

1985

閞: 皮: 무두질한 가죽 연·준: 瓦-총14획: ruǎn

（原文）

閞: 柔韋也. 从北, 从皮省, 从夐省. 凡皮之屬皆从皮. 讀若耎. 一曰若雋. 𠬤, 古文皮. 𠬤, 籒文皮从夐省. 而沇切.

（飜譯）

'가죽을 부드럽게 만들다(柔韋)'라는 뜻이다. 북(北)이 의미부이고, 피(皮)의 생략된 모습도 의미부이며, 형(夐)의 생략된 모습이 소리부이다.[225] 연(皮)부수에 귀속된 글자는 모두 연(皮)이 의미부이다. 연(耎)과 같이 읽는다. 일설에는 준(雋)과 같이 읽는다고도 한다. 연(𠬤)은 연(皮)의 고문체이다. 연(𠬤)은 연(皮)의 주문체인데, 현(夐)의 생략된 모습으로 구성되었다. 독음은 이(而)와 연(沇)의 반절이다.

1986

韖: 韖: 사냥할 때 입는 가죽 바지 용: 瓦-총21획: jùn

（原文）

韖: 羽獵韋綺. 从皮弁聲. 𥛠, 或从衣从朕.『虞書』曰: "鳥獸褎毛." 而隴切.

（飜譯）

'사냥할 때 입는 자국 옷(羽獵韋綺)'을 말한다. 연(皮)이 의미부이고 선(弁)이 소리부이다. 용(𥛠)은 혹체자인데, 의(衣)가 의미부이고 짐(朕)도 의미부이다.『상서·우서

---

225) 성(聲)자가 없는데, 단옥재는 성(聲)이 들어가야 옳으며, 형(夐)과 연(皮) 모두 고음 제14부에 속한다고 했다.

(虞書)』에서 "[겨울을 나기 위해] 조수의 털이 풍성해진다(鳥獸氄毛.)"라고 했다. 독음은 이(而)와 롱(隴)의 반절이다.

제92부수
092 ■ 복(攴)부수

1987

攴: 攴: **칠 복**: 攴-총4획: pū

原文

攴: 小擊也. 从又卜聲. 凡攴之屬皆从攴. 普木切.

飜譯

'가볍게 살짝 치다(小擊)'라는 뜻이다. 우(又)가 의미부이고 복(卜)이 소리부이다.226)
복(攴)부수에 귀속된 글자는 모두 복(攴)이 의미부이다. 독음은 보(普)와 목(木)의 반
절이다.

1988

啓: 啟: **열 계**: 攴-총11획: qǐ

原文

啟: 教也. 从攴启聲.『論語』曰 : "不憤不啟." 康礼切.

飜譯

'가르쳐 이끌다(教)'라는 뜻이다. 복(攴)이 의미부이고 계(启)가 소리부이다.『논어·술

---

226) 고문자에서 𠂤甲骨文 𠂤古陶文 등으로 썼다. 又(또 우)가 의미부고 卜(점 복)이 소리부인
구조인데, 갑골문에서는 손에 막대나 연장을 들고 무엇인가를 치는 모습이었다. 이후의『설문
해자』에서는 攴을 두고 '가볍게 치는' 것이라고 했지만, 攴의 실제 의미는 훨씬 다양하다. 때
로는 악기나 대상물을 치는 것을, 때로는 회초리로 상대를 굴복시킴을, 때로는 가르침의 수단
을 뜻하기도 했다. 鼓(북 고)에서처럼 '치다'가 攴의 기본 의미이며, 敗(깨트릴 패)에서처럼 대
상물을 깨트리다는 뜻으로 확장되었고, 改(고칠 개)에서처럼 대상물을 강제하고 다스리는 수단
의 상징이기도 했다.

이(述而)』에서 "분발하지 않으면 가르쳐주지 않는다(不憤不啟)"라고 했다.227) 독음은 강(康)과 례(礼)의 반절이다.

1989

徹: 徹: 통할 **철**: 彳-총15획: chè

原文

徹: 通也. 从彳从攴从育. 𢾁, 古文徹. 丑列切.

飜譯

'관통하다(通)'라는 뜻이다. 척(彳)이 의미부이고 복(攴)도 의미부이고 육(育)도 의미부이다.228) 철(𢾁)은 철(徹)의 고문체이다. 독음은 축(丑)과 렬(列)의 반절이다.

1990

肇: 肇: 칠 **조**: 聿-총14획: zhào

原文

肇: 擊也. 从攴, 肇省聲. 治小切.

飜譯

---

227) 고문자에서 🔳甲骨文 🔳簡牘文 등으로 썼다. 원래 戶(지게 호)와 又(또 우)로 구성되어, 손(又)으로 문(戶)을 열어젖히는 모습에서 '열다'의 뜻을 그렸고, 이로부터 열다, 개척하다, 통하다, 알리다, 啟導(계도)하다, 가르치다 등의 뜻까지 나왔다. 이후 소리를 지르며 문을 열어달라고 요구한다는 뜻에서 口(입 구)를 더했고, 又가 攵(攴.칠 복)으로 변해 의미가 더욱 구체화되었다. 간화자에서는 攵을 생략한 启로 쓴다.

228) 고문자에서 🔳甲骨文 🔳🔳🔳金文 🔳簡牘文 등으로 썼다. 원래 세 발 솥의 하나인 鬲(솥 력.막을 격)과 攵(칠 복)으로 이루어져, 식사를 마치고 솥(鬲)을 치우는 모습으로부터 '撤去(철거)'와 '撤收(철수)'의 의미를 그렸다. 이후 手(손 수)를 더해 撤(거둘 철)로 만들었고, 그러한 행위가 주로 길에서 행해졌기에 手 대신 彳(조금 걸을 척)을 더해 徹을 만들었는데, 자형이 조금 변해 지금처럼 되었다. 간화자에서는 彳이 의미부이고 切(끊을 절)이 소리부인 구조의 彻로 쓴다.

'치다(擊)'라는 뜻이다. 복(攴)이 의미부이고, 조(肇)의 생략된 모습이 소리부이다.229) 독음은 치(治)와 소(小)의 반절이다.

1991

敏: 敏: 재빠를 민: 攴-총11획: mǐn

原文

敏: 疾也. 从攴每聲. 眉殞切.

飜譯

'빠르다(疾)'라는 뜻이다. 복(攴)이 의미부이고 매(每)가 소리부이다.230) 독음은 미(眉)와 운(殞)의 반절이다.

1992

啟: 啟: 강인할 민: 攴-총9획: mǐn

原文

啟: 彊也. 从攴民聲. 眉殞切.

---

229) 고문자에서 𦘒 𦘔 𦘕 𦘓 𦘗 𦘘 𦘙 𦘚 金文 등으로 썼다. 聿(붓 율)과 啓(열 계)의 생략된 모습으로 구성되어, '붓(聿)으로 쓴 글을 열다(啓)'는 의미를 담았으며, 이로부터 '시작'의 의미를 그려냈다. 원래는 戶(지게 호)와 攴(칠 복)으로 구성되어, 문(戶)을 열다(攴)는 뜻으로 썼으며, 이후 의미를 강조하기 위해 聿을 더해 지금의 자형이 되었다. 이는 자신의 몸으로써 武王(무왕)의 병을 대신하고자 신께 기도드렸던 周公(주공)의 祝辭(축사)가 담긴 궤짝을 연다는 金縢神話(금등신화)의 반영으로 알려져 있다. 주공이 쓴(聿) 글이 담긴 궤짝이 '열림'으로써 주공의 저주 때문에 무왕이 죽었다는 오해가 '처음' 풀리게 되었다는 뜻에서 '비롯하다'의 뜻이 생겼을 것으로 추정된다.

230) 고문자에서 𣱼 𣱽甲骨文 𣱾 𣱿 𣲀金文 등으로 썼다. 每(매양 매)와 攴(칠 복)으로 구성되어, 자식을 가르치는 '어머니(每)의 회초리(攴)'를 형상화했으며, 이로부터 英敏(영민)하다, 재빠르다는 뜻이 나왔다. 이는 어머니에게 매를 맞아 가며 지혜와 지식을 전수받던 옛날의 교육 모습으로부터 영민하다, 민첩하다, 지혜롭다, 재능이 있다 등의 의미를 그려낸 것으로 보인다.

翻譯

'강하다(彊)'라는 뜻이다. 복(攴)이 의미부이고 민(民)이 소리부이다. 독음은 미(眉)와 운(殞)의 반절이다.

1993

敄: 敄: 힘쓸 무: 攴-총9획: wù

原文

敄: 彊也. 从攴矛聲. 亡遇切.

翻譯

'강하다(彊)'라는 뜻이다. 복(攴)이 의미부이고 모(矛)가 소리부이다. 독음은 망(亡)과 우(遇)의 반절이다.

1994

敀: 敀: 핍박할 박: 攴-총9획: bó

原文

敀: 迮也. 从攴白聲. 『周書』曰 : "常敀常任." 博陌切.

翻譯

'다그치다(迮)'라는 뜻이다. 복(攴)이 의미부이고 백(白)이 소리부이다. 『주서(周書)』(「입정(立政)」)에서 "상박(常敀: 백성을 키우는 관리)과 상임(常任: 일을 관리하는 관리)이 있다"라고 했다. 독음은 박(博)과 맥(陌)의 반절이다.

1995

整: 整: 가지런할 정: 攴-총16획: zhěng

原文

整: 齊也. 从攴从束从正, 正亦聲. 之郢切.

譯

'가지런하게 하다(齊)'라는 뜻이다. 복(攴)이 의미부이고 속(束)도 의미부이고 정(正)도 의미부인데, 정(正)은 소리부도 겸한다. 독음은 지(之)와 영(郢)의 반절이다.

1996

斆: 效: 본받을 효: 攴-총10획: xiào

原文

斆: 象也. 从攴交聲. 胡教切.

譯

'본뜨다(象)'라는 뜻이다. 복(攴)이 의미부이고 교(交)가 소리부이다.231) 독음은 호(胡)와 교(教)의 반절이다.

1997

故: 故: 옛 고: 攴-총9획: gù

原文

故: 使爲之也. 从攴古聲. 古慕切.

譯

'그렇게 되도록 하다(使爲之)'라는 뜻이다. 복(攴)이 의미부이고 고(古)가 소리부이다.232) 독음은 고(古)와 모(慕)의 반절이다.

---

231) 고문자에서 𣀈𣀈𣀈甲骨文 𣀈𣀈𣀈金文 𣀈古陶文 效簡牘文 등으로 썼다. 攴(칠 복)이 의미부고 交(사귈 교)가 소리부로, 매로 다스려가며(攴) 본받도록 하다는 뜻이며, 이로부터 效果(효과) 등의 뜻이 나왔다.

232) 고문자에서 𣀈𣀈𣀈金文 故古陶文 𣀈𣀈𣀈故故簡牘文 𣀈帛書 𣀈石刻古文 등으로 썼다. 攴(칠 복)이 의미부이고 古(옛 고)가 소리부로, 회초리를 쳐가며(攴) 옛것(古)으로 되돌아가게 하다는 뜻이며, 이로부터 '옛것'의 뜻이, 다시 '억지로(故意.고의)'라는 뜻이 나왔다.

1998

政: 政: 정사 정: 攴-총8획: zhèng

原文

政: 正也. 从攴从正, 正亦聲. 之盛切.

繙譯

'바르다(正)'라는 뜻이다. 복(攴)이 의미부이고 정(正)도 의미부인데, 정(正)은 소리부도 겸한다.[233] 독음은 지(之)와 성(盛)의 반절이다.

1999

施: 施: 베풀 시: 攴-총7획: shī

原文

施: 敷也. 从攴也聲. 讀與施同. 式支切.

繙譯

'베풀다(敷)'라는 뜻이다. 복(攴)이 의미부이고 야(也)가 소리부이다. 시(施)와 똑같이 읽는다. 독음은 식(式)과 지(支)의 반절이다.

2000

敷: 敷: 베풀 부: 攴-총14획: fū

原文

敷: 敂也. 从攴專聲. 『周書』曰: "用敷遺後人." 芳无切.

---

[233] 고문자에서 ᨁ甲骨文 政政 ᨁᨁᨁ金文 ᨁ 政盟書 ᨁᨁᨁᨁᨁ政政簡牘文 등으로 썼다. 攴(칠 복)이 의미부고 正(바를 정)이 소리부로, 회초리로 쳐(攴) 가며 바르게(正) 되게 하는 것이 정치이자 정사임을 말하며, 이로부터 다스리다, 바로잡다, 政治(정치), 政事(정사), 政黨(정당), 政務(정무) 등의 뜻이 나왔다.

'베풀다(敊)'라는 뜻이다. 복(攴)이 의미부이고 부(尃)가 소리부이다. 『주서(周書)·고명(顧命)』에서 "그래서 후대에 베푸는 것이다(用敷遺後人)"라고 했다. 독음은 방(芳)과 무(无)의 반절이다.

2001

敟: 敟: 떳떳할 전: 攴-총12획: diàn

原文

敟: 主也. 从攴典聲. 多殄切.

'주관하다(主)'라는 뜻이다. 복(攴)이 의미부이고 전(典)이 소리부이다. 독음은 다(多)와 진(殄)의 반절이다.

2002

數: 數: 셀 려: 攴-총23획: lǐ

原文

數: 數也. 从攴麗聲. 力米切.

'계산하다(數)'라는 뜻이다. 복(攴)이 의미부이고 려(麗)가 소리부이다. 독음은 력(力)과 미(米)의 반절이다.

2003

數: 數: 셀 수: 攴-총15획: shǔ

原文

數: 計也. 从攴婁聲. 所矩切.

譯

'계산하다(計)'라는 뜻이다. 복(攴)이 의미부이고 루(婁)가 소리부이다.234) 독음은 소(所)와 구(矩)의 반절이다.

2004

瀨 : 湅 **쇠 불릴 련**: 氵-총16획: liàn

原文

瀨 : 辟湅鐵也. 从攴从湅. 郎電切.

譯

'여러 차례 쇠를 불리다(辟湅鐵)'라는 뜻이다. 복(攴)이 의미부이고 련(湅)도 의미부이다. 독음은 랑(郎)과 전(電)의 반절이다.

2005

孜 : 孜 **힘쓸 자**: 子-총7획: zī

原文

孜 : 汲汲也. 从攴子聲.『周書』曰 : "孜孜無怠." 子之切.

譯

'열심히 힘쓰다(汲汲)'라는 뜻이다. 복(攴)이 의미부이고 자(子)가 소리부이다.『주서(周書)』(「태서(泰誓)」)에서 "게으름 없이 부지런히 힘쓰네(孜孜無怠)"라고 했다. 독

---

234) 고문자에서 簡牘文 등으로 썼다. 攴(칠 복)이 의미부이고 婁(별 이름 루)가 소리부로, '세다'는 뜻이다. 갑골문에서 왼쪽 부분은 매듭을 여러 개 지어 놓은 모습을 그렸고, 오른쪽은 손으로 매듭을 짓는 모습을 표현했으며, 이로써 계산하다와 셈이 쓰이는 '숫자'를 뜻하게 되었다. 특히 왼쪽은 매듭과 함께 禾가 들어 있는 것으로 보아 매듭에 사용되었던 줄은 바로 다름 아닌 새끼였고 이는 숫자나 셈의 개념이 결승(새끼 매듭)에서 왔다는 것을 보여 준다. 다만, 숫자나 세다는 의미는 '수'로, 자주라는 의미는 '삭'으로, 빽빽하다는 뜻은 '촘'으로 구분해 읽는다. 소전체에서 왼쪽이 소리부인 婁로 변하고 오른쪽이 의미부인 攴으로 변해 지금의 자형이 되었고, 간화자에서는 婁를 娄로 줄인 数로 쓴다.

음은 자(子)와 지(之)의 반절이다.

2006

攽： 攽: 나눌 반: 攴-총8획: bān

原文

攽: 分也. 从攴分聲. 『周書』曰 : "乃惟孺子攽." 亦讀與彬同. 布還切.

飜譯

'나누다(分)'라는 뜻이다. 복(攴)이 의미부이고 분(分)이 소리부이다. 『서·주서(周書)·낙고(洛誥)』에서 "당신께서는 젊으시나 스스로 일을 분별하여야 할 것입니다(乃惟孺子攽)"라고 했다. 또한 빈(彬)과 똑같이 읽는다. 독음은 포(布)와 환(還)의 반절이다.

2007

敦： 敦: 막을 한: 攴-총11획: hàn

原文

敦: 止也. 从攴旱聲. 『周書』曰 : "敦我于艱." 矦旰切.

飜譯

'그치게 하다(止)'라는 뜻이다. 복(攴)이 의미부이고 한(旱)이 소리부이다. 『서·주서(周書)·문후지명(文侯之命)』에서 "[당신은 전공이 매우 뛰어나고] 어려움에서 나를 보호해주었소(敦我于艱)"라고 했다. 독음은 후(矦)와 간(旰)의 반절이다.

2008

敳： 敳: 다스릴 애: 攴-총14획: ái

原文

敳: 有所治也. 从攴豈聲. 讀若狠. 五來切.

翻譯

'다스리는 바가 있음(有所治)'을 말한다. 복(攴)이 의미부이고 기(豈)가 소리부이다. 간(狠)과 같이 읽는다. 독음은 오(五)와 래(來)의 반절이다.

2009

敞: 敞: 높을 창: 攴-총12획: chǎng

原文

敞: 平治高土, 可以遠望也. 从攴尚聲. 昌兩切.

翻譯

'흙을 평평하게 하여 높이 쌓은 것을 말하는데, 멀리 바라다 볼 수 있게 하기 위함이다(平治高土, 可以遠望).' 복(攴)이 의미부이고 상(尚)이 소리부이다. 독음은 창(昌)과 량(兩)의 반절이다.

2010

僾: 僾: 다스릴 신: 攴-총11획: shēn

原文

僾: 理也. 从攴伸聲. 直刃切.

翻譯

'다스리다(理)'라는 뜻이다. 복(攴)이 의미부이고 신(伸)이 소리부이다. 독음은 직(直)과 인(刃)의 반절이다.

2011

改: 改: 고칠 개: 攴-총7획: gǎi

原文

改: 更也. 从攴、己. 李陽冰曰: "已有過, 攴之卽改." 古亥切.

飜譯

'바꾸다(更)'라는 뜻이다. 복(攴)과 기(己)가 모두 의미부이다.235) 이양빙(李陽冰)은 "이미 과오가 있을진대, 때려서 바뀌게 한다.(已有過, 攴之即改.)"라는 뜻이라고 했다. 독음은 고(古)와 해(亥)의 반절이다.

2012

彎 : 變 : 변할 변 : 言-총23획 : biàn

原文

彎 : 更也. 从攴䜌聲. 祕戀切.

飜譯

'바꾸다(更)'라는 뜻이다. 복(攴)이 의미부이고 련(䜌)이 소리부이다.236) 독음은 비(祕)와 련(戀)의 반절이다.

2013

雪 : 更 : 고칠 경·다시 갱 : 曰-총7획 : gēng

原文

雪 : 改也. 从攴丙聲. 古孟切.

飜譯

---

235) 고문자에서 𢼸 𢼸 𢼸 𢼸 𢼸 盟書 𢼸 簡牘文 등으로 썼다. 원래는 巳(여섯째 지지 사)와 攴(칠 복)으로 구성되어, 아이(巳)를 매로 때려가며(攵=攴) 옳은 길을 가도록 '바로 잡음'을 말했는데, 巳가 己(몸 기)로 바뀌어 지금의 자형이 되었다. 이후 '바꾸다', '고치다', '수정하다', '다시' 등의 뜻이 나왔다.

236) 고문자에서 𢼸 𢼸 金文 𢼸 𢼸 𢼸 簡牘文 등으로 썼다. 攴(攵·칠 복)이 의미부이고 䜌(어지러울 련)이 소리부로, 강제하여(攴) '바꾸다'는 뜻인데, 말(言)은 항상성을 지닌 것이 아니라 언제나 변하여 믿을 수 없는 것임을 반영했다. 이로부터 변경하다, 변화하다, 事變(사변) 등의 뜻이 나왔다. 간화자에서는 소리부 䜌을 亦(또 역)으로 간단하게 줄이고 攵을 又(또 우)로 줄여 变으로 쓴다.

'바꾸다(改)'라는 뜻이다. 복(攴)이 의미부이고 병(丙)이 소리부이다.237) 독음은 고(古)와 맹(孟)의 반절이다.

2014

敕: 敕: 조서 칙: 攴-총11획: chì

原文

敕: 誡也. 臿地曰敕. 从攴束聲. 恥力切.

譯

'훈계하다(誡)'라는 뜻이다. 땅속에 꽂는 것(臿地)도 칙(敕)이라 한다.238) 복(攴)이 의미부이고 속(束)이 소리부이다. 독음은 치(恥)와 력(力)의 반절이다.

2015

敓: 敓: 부릴 섭: 耳-총10획: xiè

原文

敓: 使也. 从攴, 耴省聲. 而涉切.

譯

'부리다(使)'라는 뜻이다. 복(攴)이 의미부이고, 첩(耴)의 생략된 모습이 소리부이다. 독음은 이(而)와 섭(涉)의 반절이다.

---

237) 고문자에서 ![갑골문] 甲骨文 ![금문] 金文 ![고도문] 古陶文 ![간독문] 簡牘文 등으로 썼다. 원래는 又(또우)가 의미부이고 丙(남녘 병)이 소리부로, 손(又)으로 어떤 받침대(丙)를 옮기는 모습을 그렸는데 자형이 조금 변해 지금처럼 되었다. 이로부터 '옮기다'의 뜻이 나왔고, 다시 更新(경신), 更迭(경질), 變更(변경)에서와 같이 '고치다'는 뜻도 나왔다. 옮기는 것은 다시 시작하기 위함이기에 '다시'라는 뜻도 나왔다. 다만, '다시'나 '더욱이'라는 뜻으로 쓰일 때에는 更生(갱생)에서처럼 '갱'으로 읽는다.

238) 『단주』에서 이렇게 말했다. "땅에 꽂는 것(臿地)을 칙(敕)이라 한다고 했는데, 이는 또 다른 의미이다. 보통 물체를 땅에다 꽂는 것(植物地中)을 치(畜)라고 한다."

2016

斂: 斂: 거둘 렴: 攴-총17획: liǎn

原文

斂: 收也. 从攴僉聲. 良冉切.

飜譯

'거두어들이다(收)'라는 뜻이다. 복(攴)이 의미부이고 첨(僉)이 소리부이다.[239] 독음은 량(良)과 염(冉)의 반절이다.

2017

敹: 敹: 가릴 료: 攴-총15획: liáo

原文

敹: 擇也. 从攴柬聲.『周書』曰:"敹乃甲冑." 洛簫切.

飜譯

'가려서 선택하다(擇)'라는 뜻이다. 복(攴)이 의미부이고 미(柬)가 소리부이다.『서·주서(周書)·비서(費誓)』에서 "그대들의 갑옷과 투구를 선택하고 [그대들의 방패 끈을 잘 이어, 감히 완전하지 않는 것이 없도록 하시오.](敹乃甲冑)"라고 했다. 독음은 락(洛)과 소(簫)의 반절이다.

2018

敽: 敽: 끈 맬 교: 攴-총16획: qiáo

原文

敽: 繫連也. 从攴喬聲.『周書』曰:"敽乃干." 讀若矯. 居夭切.

---

239) 고문자에서 䀠金文 㪣簡牘文 등으로 썼다. 攴(칠 복)이 의미부이고 僉(다 첨)이 소리부로, 세금 등을 거두다는 뜻인데, 강제하여(攴) 다 함께(僉) 모이도록 한다는 의미를 담았다. 이로부터 세금, 징수하다 등의 뜻이 나왔다. 간화자에서는 僉을 간단하게 줄인 敛으로 쓴다.

鑫譯

'끈으로 연결해 매다(繫連)'라는 뜻이다. 복(攴)이 의미부이고 교(喬)가 소리부이다. 『서·주서(周書)·비서(費誓)』에서 "그대들의 방패 끈을 잘 이어 [감히 완전하지 않는 것이 없도록] 하시오.(敽乃干)"라고 했다. 교(矯)와 같이 읽는다. 독음은 거(居)와 요(夭)의 반절이다.

2019

齝: 敆: 모을 갑·협·물 이름 합: 攴-총10획: hé

原文

敆: 合會也. 从攴从合, 合亦聲. 古沓切.

鑫譯

'회합하다(合會)'라는 뜻이다. 복(攴)이 의미부이고 합(合)도 의미부인데, 합(合)은 소리부도 겸한다. 독음은 고(古)와 답(沓)의 반절이다.

2020

䌸: 敶: 벌리다 진: 攴-총15획: chén

原文

敶: 剓也. 从攴陳聲. 直刃切.

鑫譯

'나열하다(剓)'라는 뜻이다. 복(攴)이 의미부이고 진(陳)이 소리부이다. 독음은 직(直)과 인(刃)의 반절이다.

2021

敵: 敵: 원수 적: 攴-총15획: dí

原文

斁： 仇也. 从攴啻聲. 徒歷切.

翻譯

'원수(仇)'를 말한다. 복(攴)이 의미부이고 시(啻)가 소리부이다.[240] 독음은 도(徒)와 력(歷)의 반절이다.

2022

敕： 救： 건질 **구**: 攴-총11획: jiù

原文

救： 止也. 从攴求聲. 居又切.

翻譯

'그치게 하다(止)'라는 뜻이다. 복(攴)이 의미부이고 구(求)가 소리부이다.[241] 독음은 거(居)와 우(又)의 반절이다.

2023

敚： 敓： 빼앗을 **탈**: 攴-총11획: duó

原文

敓： 彊取也.『周書』曰："敓攘矯虔." 从攴兌聲. 徒活切.

翻譯

'억지로 빼앗다(彊取)'라는 뜻이다.『주서(周書)』(「여형(呂刑)」)에서 "[치우가 난을 일

---

240) 고문자에서 금文 등으로 썼다. 攴(칠 복)이 의미부이고 啻(밑동 적)이 소리부로, 원수를 말하는데, 매를 쳐(攴) 몰아내고 꺾어(啻) 제거해야 할 대상인 '원수'를 말하며, 이로부터 상대하다, 대등하다 등의 뜻도 나왔다. 간화자에서는 啻을 舌(혀 설)로 간단하게 줄인 敌으로 쓴다.

241) 고문자에서 金文 簡牘文 石刻古文 등으로 썼다. 攴(칠 복)이 의미부이고 求(구할 구)가 소리부로, 손에 막대기(攴)를 쥐고 털 달린 짐승(求)이 해치지 못하도록 몰아내 사람을 구해 주는 모습을 그렸고, 이로부터 돕다, 구제하다는 뜻이 나왔다.

으켰을 때] 서로 약탈하고 훔치며 난동과 혼란을 일삼았소(斂攘矯虔)."라고 했다. 복(攴)이 의미부이고 태(兌)가 소리부이다. 독음은 도(徒)와 활(活)의 반절이다.

2024

斁: 斁: 섞을 두·싫어할 역: 攴-총17획: yì

原文

斁: 解也. 从攴睪聲. 『詩』云 : "服之無斁." 斁, 猒也. 一曰終也. 羊益切.

飜譯

'풀다(解)'라는 뜻이다. 복(攴)이 의미부이고 역(睪)이 소리부이다. 『시·주남·갈담(葛覃)』에서 "베옷 지어 입으니 좋을시고(服之無斁)."라고 노래했다. 두(斁)는 염증을 느끼다(猒)라는 뜻이다. 일설에는 '끝내다(終)'는 뜻이라고도 한다. 독음은 양(羊)과 익(益)의 반절이다.

2025

赦: 赦: 용서할 사: 赤-총11획: shè

原文

赦: 置也. 从攴赤聲. 㪯, 赦或从亦. 始夜切.

飜譯

'방치하다(置)'라는 뜻이다. 복(攴)이 의미부이고 적(赤)이 소리부이다. 사(㪯)는 사(赦)의 혹체자인데, 역(亦)으로 구성되었다. 독음은 시(始)와 야(夜)의 반절이다.

2026

攸: 攸: 바 유: 攴-총7획: yōu

原文

攸: 行水也. 从攴从人, 水省. 汥, 『秦刻石嶧山文』攸字如此. 以周切.

醱譯

‘물이 흘러가게 하다(行水)’라는 뜻이다. 복(攴)이 의미부이고 인(人)도 의미부이며, 수(水)의 생략된 모습도 의미부이다.242) 유(攸)는 「진각석역산문(秦刻石繹山文)」에서의 유(攸)자인데 이렇게 썼다. 독음은 이(以)와 주(周)의 반절이다.

2027

岐: 歧: **어루만질 무**: 攴-총7획: fǔ

原文

岐: 撫也. 从攴厶聲. 讀與撫同. 芳武切.

醱譯

‘어루만지다(撫)’라는 뜻이다. 복(攴)이 의미부이고 망(厶)이 소리부이다. 무(撫)와 똑같이 읽는다. 독음은 방(芳)과 무(武)의 반절이다.

2028

敉: 敉: **어루만질 미**: 攴-총10획: mǐ

原文

敉: 撫也. 从攴米聲. 『周書』曰: "亦未克敉公功." 讀若弭. 侎, 敉或从人. 縣婢切.

醱譯

‘어루만지다(撫)’라는 뜻이다. 복(攴)이 의미부이고 미(米)가 소리부이다. 『주서(周書)

---

242) 고문자에서 〔甲骨文〕 〔金文〕 〔古陶文〕 〔簡牘文〕 〔繹山刻石〕 등으로 썼다. 금문에 의하면 攸는 攴(칠 복)과 人(사람 인)과 水(물 수)로 구성되어 손에 솔처럼 생긴 나무막대를 쥐고(攴) 사람(人)의 등을 물(水)로 ‘씻는’ 모습을 그려 ‘씻다’가 원래 뜻이고, 목욕재계를 위한 행위라는 뜻에서 ‘닦다’는 뜻이 나왔는데, 水가 세로획으로 변해 지금의 자형이 되었다. 이후 ‘…하는 바’라는 문법소로 쓰이게 되자, 원래 뜻은 다시 彡(터럭 삼)을 더해 지금의 修가 되었다.

』(「낙고(洛誥)」)에서 "[세상은 아직도 혼란하여] 공의 일도 제대로 모두 끝냈다고는 할 수 없소(亦未克敉公功)"라고 했다. 미(弭)와 같이 읽는다.243) 미(𠈽)는 미(敉)의 혹체자인데, 인(人)으로 구성되었다. 독음은 면(緜)과 비(婢)의 반절이다.

2029

𢾭 ： 敡： 업신여길 이: 攵-총12획: yì

原文

𢾭： 侮也. 从攴从易, 易亦聲. 以豉切.

飜譯

'업신여기다(侮)'라는 뜻이다. 복(攴)이 의미부이고 이(易)도 의미부인데, 이(易)는 소리부도 겸한다. 독음은 이(以)와 시(豉)의 반절이다.

2030

敼 ： 敼： 어그러질 위: 攵-총13획: wéi

原文

敼： 戾也. 从攴韋聲. 羽非切.

飜譯

'어그러지다(戾)'라는 뜻이다. 복(攴)이 의미부이고 위(韋)가 소리부이다. 독음은 우(羽)와 비(非)의 반절이다.

2031

敦 ： 敦： 도타울 돈: 攵-총12획: dūn

原文

---

243) 보통 '편안해지도록 어루만져주다'로 풀이하나 김학주의 『시경』 번역에서 '다 끝내다'라는 뜻이라고 풀이해 이를 따랐다.

敦: 怒也. 詆也. 一曰誰何也. 从攴䆞聲. 都昆切.

翻譯

'분노하다(怒)'라는 뜻이다. '꾸짖다(詆)'라는 뜻이다. 일설에는 '질책하다(誰何)'라는 뜻이라고도 한다. 복(攴)이 의미부이고 순(䆞)이 소리부이다.244) 독음은 도(都)와 곤(昆)의 반절이다.

2032

䴞: 䴞: 친구를 범할 군: 攴-총17획: qún

原文

䴞: 朋侵也. 从攴从羣, 羣亦聲. 渠云切.

翻譯

'무리지어 침범하다(朋侵)'라는 뜻이다.245) 복(攴)이 의미부이고 군(羣)도 의미부인데, 군(羣)은 소리부도 겸한다.246) 독음은 거(渠)와 운(云)의 반절이다.

2033

敗: 敗: 깨뜨릴 패: 攴-총11획: bài

原文

敗: 毀也. 从攴、貝. 敗、賊皆从貝, 會意. 贁, 籒文敗从賏. 薄邁切.

翻譯

'훼멸하다(毀)'라는 뜻이다. 복(攴)과 패(貝)가 모두 의미부이다. 패(敗)와 적(賊) 등

---

244) 고문자에서 [金文] [簡牘文] 등으로 썼다. 원래는 攴(칠 복)이 의미부이고 亯(익을 순)이 소리부였으나, 예서에서 亯이 享(누릴 향)으로 바뀌어 지금의 자형이 되었다. 매질을 해가며(攴) '심하게 야단치다'는 뜻이며, 이후 '심하다', '두텁다' 등의 뜻이 나왔다.

245) 서개의 『계전』에서는 "군도(群盜) 즉 떼도둑이라는 뜻이다"라고 했다.

246) 『단주』에서는 "군(羣)은 친구를 말하며(朋也), 복(攴)은 침범하다는 뜻이다(侵也)."라고 보충했다.

이 모두 패(貝)를 의미부로 삼는다.247) 회의(會意)이다. 패(敗)는 패(貝)의 주문체인데, 영(賏)으로 구성되었다. 독음은 박(薄)과 매(邁)의 반절이다.

2034

歃: 斀: 번거로울 란: 攴-총16획: luàn

(原文)

歃: 煩也. 从攴从𤔔, 𤔔亦聲. 郎段切.

(飜譯)

'번거롭다(煩)'라는 뜻이다. 복(攴)이 의미부이고 난(𤔔)도 의미부인데, 난(𤔔)은 소리부도 겸한다. 독음은 랑(郎)과 단(段)의 반절이다.

2035

寇: 寇: 도둑 구: 宀-총11획: kòu

(原文)

寇: 暴也. 从攴从完. 苦候切.

(飜譯)

'사납다(暴)'라는 뜻이다. 복(攴)이 의미부이고 완(完)도 의미부이다.248) 독음은 고

---

247) 고문자에서 𣪊𣪊甲骨文 𣪊𣪊金文 𣪊𣪊敗簡牘文 등으로 썼다. 攴(칠 복)이 의미부고 貝(조개 패)가 소리부로, 조개(貝)를 막대로 쳐 깨트림을 그렸다. 조개는 화폐로 쓰였기에 재산을 뜻했고 이의 파괴는 파산의 상징이었다. 그전 갑골문에서는 敗가 鼎(솥 정)과 攴으로 구성되어, 당시 가장 중요한 가재도구였던 솥(鼎)의 파괴로써 파산을 그려냈다. 나아가 鼎은 크게는 九鼎(구정)의 전설에서 보듯 한 국가의 정통성을, 작게는 한 종족이나 가족의 상징이기도 했다.

248) 고문자에서 𡧍𡧍金文 𡧍𡧍𡧍𡧍古陶文 𡧍 𡧍𡧍 𡧍 𡧍盟書 𡧍𡧍𡧍簡牘文 등으로 썼다. 宀(집 면)과 元(으뜸 원)과 攴(칠 복)으로 구성되어, 사람(元)을 종묘(宀)로 끌고 와 매로 다스리는(攴) 모습을 그렸는데, 이 사람은 적이나 도적으로 보인다. 이로부터 적대관계에 있는 적이나 도적을 뜻하게 되었고, 다시 겁탈하다, 침략하다 등의 뜻이 나왔다.

(苦)와 후(候)의 반절이다.

2036

敵: 敵: 찌를 치: 攴-총14획: zhǐ

原文

敵: 刺也. 从攴蚩聲. 豬几切.

飜譯

'찌르다(刺)'라는 뜻이다. 복(攴)이 의미부이고 치(蚩)가 소리부이다. 독음은 저(豬)와
궤(几)의 반절이다.

2037

斁: 斁: 닫을 두: 攴-총13획: dù

原文

斁: 閉也. 从攴度聲. 讀若杜. 剫, 斁或从刀. 徒古切.

飜譯

'닫다(閉)'라는 뜻이다. 복(攴)이 의미부이고 도(度)가 소리부이다. 두(杜)와 같이 읽
는다. 두(剫)는 두(斁)의 혹체자인데, 도(刀)로 구성되었다. 독음은 도(徒)와 고(古)의
반절이다.

2038

敜: 敜: 막을 녑: 攴-총12획: niè

原文

敜: 塞也. 从攴念聲.『周書』曰 : "敜乃穽." 奴叶切.

飜譯

'틀어막다(塞)'라는 뜻이다. 복(攴)이 의미부이고 녑(念)이 소리부이다.『주서(周書)』

(「비서(費誓)」)에서 "그대들의 사냥용 함정을 메워 [풀어 놓은 짐승들이 상하지 않게 하시오](斂乃穽)"라고 했다. 독음은 노(奴)와 협(叶)의 반절이다.

2039

敤： 敠： 다할 필: 攴-총15획: bì

(原文)

敠： 敠盡也. 从攴畢聲. 卑吉切.

(飜譯)

'끝까지 다하다(敠盡)'라는 뜻이다. 복(攴)이 의미부이고 필(畢)이 소리부이다. 독음은 비(卑)와 길(吉)의 반절이다.

2040

收： 收： 거둘 수: 攴-총6획: shōu

(原文)

收： 捕也. 从攴丩聲. 式州切.

(飜譯)

'체포하다(捕)'라는 뜻이다. 복(攴)이 의미부이고 구(丩)가 소리부이다. 독음은 식(式)과 주(州)의 반절이다.

2041

鼓： 鼓： 북 고: 鼓-총13획: gǔ

(原文)

鼓： 擊鼓也. 从攴从壴, 壴亦聲. 公戶切.

(飜譯)

'북을 치다(擊鼓)'라는 뜻이다. 복(攴)이 의미부이고 주(壴)도 의미부인데, 주(壴)는 소리부도 겸한다.249) 독음은 공(公)과 호(戶)의 반절이다.

2042

攷: 攷: 상고할 고: 攴-총6획: kǎo

原文

攷: 敏也. 从攴丂聲. 苦浩切.

飜譯

'두드리다(敏)'라는 뜻이다. 복(攴)이 의미부이고 교(丂)가 소리부이다. 독음은 고(苦)와 호(浩)의 반절이다.

2043

敂: 敂: 두드릴 구: 攴-총9획: gǒu

原文

敂: 擊也. 从攴句聲. 讀若扣. 苦候切.

飜譯

'치다(擊)'라는 뜻이다. 복(攴)이 의미부이고 구(句)가 소리부이다. 구(扣)와 같이 읽는다. 독음은 고(苦)와 후(候)의 반절이다.

---

249) 고문자에서 𝄞𝄞𝄞 𝄞 甲骨文 𝄞𝄞𝄞𝄞𝄞 金文 𝄞 古陶文 𝄞𝄞𝄞 簡牘文 등으로 썼다. 壴(악기이름 주)와 攴(칠 복)으로 구성되었는데, 壴는 윗부분이 술로 장식된 대 위에 놓인 북을 그렸고 攴(攵)은 북채를 쥔 손을 그려, 북을 치는 모습을 그렸다. 여기에서 북은 들고 다니거나 매달아 쓰는 북이 아니라, 굽이 높은 받침대 위에 올려놓은 북이다. 전쟁터에서는 받침대에 바퀴를 달아 이동하기 쉽게 했을 것이다. 북은 鼓吹(고취)에서처럼 전쟁터에서 군사들의 사기를 북돋우는 주요한 악기였으며, 시계가 없던 시절에 시간을 알려주던 도구이기도 했다. 그래서 성에는 鼓樓(고루)가 설치되었다.

2044

攻: 攻: **칠 공**: 攴-총7획: gōng

原文

攻: 擊也. 从攴工聲. 古洪切.

譯

'치다(擊)'라는 뜻이다. 복(攴)이 의미부이고 공(工)이 소리부이다. 독음은 고(古)와 홍(洪)의 반절이다.

2045

敲: 敲: **두드릴 고**: 攴-총14획: qiāo

原文

敲: 橫擿也. 从攴高聲. 口交切.

譯

'옆에서 두드리다(橫擿)'라는 뜻이다. 복(攴)이 의미부이고 고(高)가 소리부이다. 독음은 구(口)와 교(交)의 반절이다.

2046

豛: 豛: **칠 탁**: 攴-총12획: zhuó

原文

豛: 擊也. 从攴豕聲. 竹角切.

譯

'치다(擊)'라는 뜻이다. 복(攴)이 의미부이고 축(豕)이 소리부이다. 독음은 죽(竹)과 각(角)의 반절이다.

2047

敳 : 敳 : 굽을 왕 : 攴-총10획: wǎng

原文

敳 : 放也. 从攴㞷聲. 迃往切.

飜譯

'놓아주다(放)'라는 뜻이다. 복(攴)이 의미부이고 왕(㞷)이 소리부이다. 독음은 우(迃)와 왕(往)의 반절이다.

2048

斄 : 斄 : 터질 리 : 厂-총11획: xī, lí

原文

斄 : 坼也. 从攴从厂. 厂之性坼, 果孰有味亦坼. 故謂之斄, 从未聲. 許其切.

飜譯

'터지다(坼)'라는 뜻이다. 복(攴)이 의미부이고 엄(厂)도 의미부이다. 낭떠러지(厂)는 잘 갈라지는 속성을 갖고 있으며, 과실도 익으면 맛이 들고 갈라진다. 그래서 이를 두고 리(斄)라 한다. 미(未)는 독음을 나타낸다.[250] 독음은 허(許)와 기(其)의 반절이다.

2049

斀 : 斀 : 형벌 탁 : 攴-총17획: zhuó

原文

斀 : 去陰之刑也. 从攴蜀聲. 『周書』曰 : "刖劓斀黥." 竹角切.

---

250) "从未聲"에 대해 『단주』에서는 "故从未(그래서 未로 구성되었다)"가 되어야 한다고 했다. 그리고 이렇게 보충했다. "각 판본에서는 '故謂之斄, 从未聲.'으로 되었는데, 4글자(謂之斄, 聲)는 필요 없이 더 들어간 결과이다. 여기서는 리(斄)가 미(未)로 구성되게 된 연유를 설명한 것이지, 형성(形聲) 구조를 설명한 것은 아니다." 단옥재의 해설이 옳아 보인다.

'음경을 제거하는 형벌(去陰之刑)'을 말한다. 복(攴)이 의미부이고 촉(蜀)이 소리부이다. 『주서(周書)·여형(呂刑)』에서 "발뒤꿈치를 자르는 형벌(刖), 코를 베는 형벌(劓), 음경을 자르는 형벌(斀), 이마에 묵을 넣는 형벌(黥)."이라고 했다. 독음은 죽(竹)과 각(角)의 반절이다.

2050

𢽳 : 𢽳: 무릅쓸 민: 攴-총13획: mǐn

原文

𢽳 : 冒也. 从攴昏聲. 『周書』曰：“𢽳不畏死.” 眉殞切.

🔖 譯譯

'무릅쓰다(冒)'라는 뜻이다.251) 복(攴)이 의미부이고 혼(昏)이 소리부이다. 『주서(周書)』(「강고(康誥)」)에서 "억지를 쓰며 죽음도 두려워하지 않거든 [모두 사형에 처하라](𢽳不畏死)"라고 했다. 독음은 미(眉)와 운(殞)의 반절이다.

2051

𢿨 : 𢿨: 막을 어: 攴-총11획: yǔ

原文

𢿨 : 禁也. 一曰樂器, 椌楬也, 形如木虎. 从攴吾聲. 魚擧切.

🔖 譯譯

---

251) 단옥재는 민(𢽳)의 뜻이 "무릅쓰다(冒也)"가 아니라 "강하다는 뜻이다(強也)"가 되어야 한다고 했다. 그는 민(敏)의 해석에서 이렇게 말했다. "『이아.석고(釋詁)』에서 혼(昏)과 민(暋)은 강하다는 뜻이다(強也)라고 했다. 내(단옥재) 생각은 이렇다. 『설문』에서는 민(暋)을 민(𢽳)으로 적었고, 무릅쓰다는 뜻이다(冒也)라고 풀이했다. 그런데 허신이 근거했던 『이아』에서는 민(敃)으로 적었고, 강하다는 뜻이다(強也)라고 했다. 혼(昏)자는 저(氐)의 생략된 모습으로 구성되었지 민(民)이 소리부인 구조가 아니다. 그런데도 세속에서는 이들을 뒤섞어 쓰고 있으며, 독음도 혼란스럽게 되었다. 『옥편』에서 민(敃)과 같은 글자라고 했는데, 이 역시 그런 (잘못된) 예이다."

‘금지하다(禁)’라는 뜻이다. 일설에는, 악기(樂器) 즉 강갈(梜橻)이라는 악기를 말한다고도 하는데, (엎드린) 호랑이 모양을 했다. 복(攴)이 의미부이고 오(吾)가 소리부이다. 독음은 어(魚)와 거(舉)의 반절이다.

2052

敤: 敤: 갈 과: 攴-총12획: kě, kè, kuò

原文

敤: 研治也. 从攴果聲. 舜女弟名敤首. 苦果切.

飜譯

‘갈고 닦다(研治)’라는 뜻이다. 복(攴)이 의미부이고 과(果)가 소리부이다. 순(舜)의 여동생 이름이 과수(敤首)였다. 독음은 고(苦)와 과(果)의 반절이다.

2053

鈙: 鈙: 가질 금: 金-총12획: qín

原文

鈙: 持也. 从攴金聲. 讀若琴. 巨今切.

飜譯

‘지니다(持)’라는 뜻이다. 복(攴)이 의미부이고 금(金)이 소리부이다. 금(琴)과 같이 읽는다. 독음은 거(巨)와 금(今)의 반절이다.

2054

斁: 斁: 내다 버릴 수: 攴-총18획: chóu

原文

斁: 棄也. 从攴壽聲. 『周書』以爲討. 『詩』云: "無我斁兮." 市流切.

飜譯

'내다버리다(棄)'라는 뜻이다. 복(攴)이 의미부이고 수(㒼)가 소리부이다. 『주서(周書)』에서는 토(討)로 썼다.252) 『시·정풍준대로(遵大路)』에서 "나를 미워 마시고(無我斁兮)"라고 노래했다. 독음은 시(市)와 류(流)의 반절이다.

2055

畋 : 畋: 밭 갈 전: 田-총9획: tián

原文

畋 : 平田也. 从攴、田. 『周書』曰 : "畋尒田." 待年切.

飜譯

'밭을 갈무리하다(平田)'라는 뜻이다. 복(攴)과 전(田)이 모두 의미부이다. 『주서(周書)』(「다방(多方)」)에서 "그대들은 그대들의 밭을 갈고 있거늘(畋尒田)"이라고 했다. 독음은 대(待)와 년(年)의 반절이다.

2056

攺 : 攺: 역귀 쫓을 이: 攴-총7획: yǐ

原文

攺 : 毅攺, 大剛卯, 以逐鬼魅也. 从攴巳聲. 讀若巳. 古亥切.

飜譯

'개이(毅攺), 즉 몸에 차는 벽사용 장신구(大剛卯)'를 말하는데, 귀신을 쫓아내는 용도로 쓴다(以逐鬼魅). 복(攴)이 의미부이고 이(巳)가 소리부이다.253) 이(巳)와 같이 읽는다.254) 독음은 고(古)와 해(亥)의 반절이다.

---

252) 『단주』에 의하면 "금문 『상서(尙書)·주서(周書)』에는 토(討)자가 없다. 오직 「우서(虞書)·고요모(皋繇謨)」에서 '天討有罪'라고 했는데, 아마도 「주서」는 「우서」가 되어야 옳을 것 같다."
253) 사(巳)는 이(巳)가 되어야 옳다. 고대 문헌에서 자주 혼동되어 쓰였다.
254) "이(巳)가 소리부이다."라고 해 놓고 "이(巳)와 같이 읽는다."라고 한 것은 모순적이다. 그래서 소서본에서는 "讀若目"라고 하여 이(目)로 적었다.

2057

敘: 敘: **차례 서**: 攴-총11획: xù

原文

敘: 次弟也. 从攴余聲. 徐呂切.

飜譯

'차례(次弟)'를 말한다. 복(攴)이 의미부이고 여(余)가 소리부이다. 독음은 서(徐)와 려(呂)의 반절이다.

2058

敊: 敊: **치는 소리 비**: 攴-총12획: bǐ

原文

敊: 毀也. 从攴卑聲. 辟米切.

飜譯

'헐다(毀)'라는 뜻이다. 복(攴)이 의미부이고 비(卑)가 소리부이다. 독음은 벽(辟)과 미(米)의 반절이다.

2059

敗: 敗: **헐 예**: 攴-총12획: ní

原文

敗: 敊也. 从攴兒聲. 五計切.

飜譯

'헐다(敊)'라는 뜻이다. 복(攴)이 의미부이고 아(兒)가 소리부이다. 독음은 오(五)와 계(計)의 반절이다.

2060

牧: 牧: 칠 목: 牛-총8획: mù

原文

牧: 養牛人也. 从攴从牛.『詩』曰: "牧人乃夢." 莫卜切.

繇譯

'소 키우는 사람(養牛人)'을 말한다. 복(攴)이 의미부이고 우(牛)도 의미부이다.[255]『시·소아·무양(無羊)』에서 "목동이 꿈을 꾸었는데(牧人乃夢)"라고 노래했다. 독음은 막(莫)과 복(卜)의 반절이다.

2061

敕: 敕: 채찍질할 책: 攴-총10획: cè

原文

敕: 擊馬也. 从攴束聲. 楚革切.

繇譯

'말을 때리다(擊馬)'라는 뜻이다. 복(攴)이 의미부이고 자(束)가 소리부이다. 독음은 초(楚)와 혁(革)의 반절이다.

2062

斷: 斷: 약간 용정할 만: 攴-총18획: chuàn, chuò

原文

斷: 小舂也. 从攴算聲. 初絭切.

---

255) 고문자에서 甲骨文 金文 簡牘文 등으로 썼다. 牛(소 우)와 攴(칠 복)으로 구성되어, 회초리로 치며(攴) 소(牛)를 모는 모습으로부터 소 기르는 모습을 그렸으며, 이로부터 牧畜(목축)이라는 의미가 나왔는데, 이후 牧民(목민)에서처럼 백성(民)으로까지 그 대상이 확장되었다.

翻譯

'[곡식을] 살짝 찧다(小舂)'라는 뜻이다. 복(攴)이 의미부이고 산(算)이 소리부이다. 독음은 초(初)와 권(拳)의 반절이다.

2063

敠: 敫: 칠 교: 攴-총16획: qiāo

原文

敫: 鷔田也. 从攴堯聲. 牽遙切.

翻譯

'밭의 딱딱한 흙을 쳐서 깨다(鷔田)'라는 뜻이다. 복(攴)이 의미부이고 요(堯)가 소리부이다. 독음은 견(牽)과 요(遙)의 반절이다.

제93부수
093 ▪ 교(教)부수

2064

敎 : 教: 본받을 교: 攴-총11획: jiào

(原文)

敎 : 上所施下所效也. 从攴从孝. 凡教之屬皆从教. 𤕝, 古文教. 𭥴, 亦古文教. 古孝切.

(譯)

'위에서 내리는 가르침을 아랫사람이 본받다(上所施下所效)'라는 뜻이다.256) 복(攴)이 의미부이고 효(孝)도 의미부이다.257) 교(教)부수에 귀속된 글자는 모두 교(教)가 의미부이다. 교(𤕝)는 교(教)의 고문체이다. 교(𭥴)도 교(教)의 고문체이다. 독음은 고(古)와 효(孝)의 반절이다.

2065

斆 : 斅: 깨달을 효: 攴-총20획: xiào

(原文)

斆 : 覺悟也. 从教从冂. 冂, 尚矇也. 臼聲. 斆, 篆文斆省. 胡覺切.

---

256) 자(子)부수에서 '효(斆)는 본받다(效)는 뜻이다'라고 하였다.

257) 고문자에서 甲骨文 金文 簡牘文 石刻古文 등으로 썼다. 子(아들 자)와 攵(攴, 칠 복)이 의미부이고 爻(효 효)가 소리부로, 아이(子)에게 새끼 매듭(爻) 지우는 법을 회초리로 치며(攵) 가르치는 모습을 그렸는데, 새끼 매듭(結繩.결승)은 문자가 출현하기 전 기억을 보조하던 주요 수단이었고, 그것을 가르치는 것이 教育(교육)이었다. 이로부터 지식이나 기능 등을 전수하다는 뜻이 생겼고, 학술 등의 유파를 뜻하여 宗教(종교)라는 뜻도 나왔으며, 이후 사역동사로도 쓰였다. 달리 孝(효도 효)가 소리부이고 攵이 의미구조로 된 敎로 쓰기도 하는데, 가르침의 최고 대상의 하나가 '효'임을 천명했다.

역譯

'깨우치다(覺悟)'라는 뜻이다. 교(敎)가 의미부이고 멱(冂)²⁵⁸⁾도 의미부이다. 멱(冂)은 아직 몽매한 상태(尙曚)를 뜻한다. 구(臼)가 소리부이다. 효(學)는 효(斅)의 전서체인데, 생략된 모습이다. 독음은 호(胡)와 각(覺)의 반절이다.

---

258) 이는 글자의 구조로 볼 때 멱(冖)이 되어야 옳다.

제94부수
094 ■ 복(卜)부수

2066

卜 : 卜: 점 복: 卜-총2획: bǔ

原文

卜 : 灼剝龜也, 象炙龜之形. 一曰象龜兆之從橫也. 凡卜之屬皆从卜. 卟, 古文
卜. 博木切.

飜譯

'불로 거북딱지를 지져 갈라지게 하다(灼剝龜也)'라는 뜻인데, 불로 거북딱지를 지
지는 모습을 그렸다(象炙龜之形). 일설에는 '거북딱지에 종횡으로 난 갈라진 흔적
(象龜兆之從橫)'을 말한다고도 한다.259) 복(卜)부수에 귀속된 글자는 모두 복(卜)이
의미부이다. 복(卟)은 복(卜)의 고문체이다. 독음은 박(博)과 목(木)의 반절이다.

2067

卦 : 卦: 걸 괘: 卜-총8획: guà

原文

卦 : 筮也. 从卜圭聲. 古壞切.

飜譯

---

259) 고문자에서 **ㅏㅏㅏㅓ**甲骨文 **ㅏㅏ**金文 **ㅏ**古陶文 **ㅏ**盟書 **ㄐㅅ ㅏ**簡牘文 **ㅏ**石刻
古文 등으로 썼다. 거북딱지를 불로 지져 갈라진 모양을 사실적으로 그렸다. 상나라 때에는
거북딱지에 홈을 파고 거기를 불로 지져 갈라지는 모습으로 길흉을 점치던 거북점이 유행했는
데, 그 갈라진 모습이 卜이다. 이로부터 '점치다', 예측하다는 뜻이 나왔고, 갈라지는 금은 단
단한 거북딱지의 특성 때문에 직선으로 곧게 나타나기에 '곧다'는 의미도 생겼다. 현대 중국에
서는 蔔(무 복)의 간화자로도 쓰인다.

'점대로 점을 치다(筮)'라는 뜻이다. 복(卜)이 의미부이고 규(圭)가 소리부이다.260) 독음은 고(古)와 괴(壞)의 반절이다.

2068

卟: 卟: 점칠 계: 卜-총5획: jī

原文

卟: 卜以問疑也. 从口、卜. 讀與稽同. 『書』云"卟疑". 古兮切.

翻譯

'점을 쳐 의문 나는 것을 물어보다(卜以問疑)'라는 뜻이다. 구(口)와 복(卜)이 모두 의미부이다. 계(稽)와 똑같이 읽는다. 『상서』(「홍범(洪範)」)에서 "점을 쳐 의문 나는 것을 밝힌다(卟疑)"라고 했다. 독음은 고(古)와 혜(兮)의 반절이다.

2069

貞: 貞: 곧을 정: 貝-총9획: zhēn

原文

貞: 卜問也. 从卜, 貝以爲贄. 一曰鼎省聲. 京房所說. 陟盈切.

翻譯

'점을 쳐 물어보다(卜問)'라는 뜻이다. 복(卜)이 의미부이고, 조개화폐(貝)로 점을 치는 예물로 삼는다. 일설에는 정(鼎)의 생략된 모습이 소리부라고도 한다.261) 경방(京

---

260) 卜(점 복)이 의미부이고 圭(홀 규)가 소리부로, 점(卜)을 쳐서 얻는 占卦(점괘)를 말하는데, 單卦(단괘)는 8개이며, 이들이 중복되어 총 64개의 괘를 만들어낸다.

261) 고문자에서 [甲骨文] 甲骨文 [金文] 金文 [古陶文] 古陶文 [簡牘文] 簡牘文 등으로 썼다. 원래는 卜(점 복)이 의미부고 鼎(솥 정)이 소리부로, 청동 제기(鼎)를 차려 제사를 지내고 점을 쳐(卜) '신에게 물어보던' 것을 말했는데, 이후 곧다, 곧은 절개, 貞節(정절), 충절 등의 뜻이 나왔다. 鼎은 불을 때 음식을 익히던 대표적인 조리 기구로, 거북점 등에서 흔적(卜)이 갈라지도록 지지는 '불'을 뜻한다. 거북 점(卜) 등을 칠 때 불로 지지면 곧바르게 갈라지는데, 그 모습에서 '곧다'는 뜻이 나왔고, 이후 전국시대에 들면서 鼎은 자형이 비슷한 貝(조개 패)로 잘못 변해

房)262)의 학설이다. 독음은 척(陟)과 영(盈)의 반절이다.

2070

粦: 冔: 뉘우칠 회: 卜-총9획: huǐ, huì

（原文）

粦: 『易』卦之上體也. 『商書』"曰貞曰冔." 从卜每聲. 荒內切.

（飜譯）

'『역(易)』괘의 윗부분(上體)'을 말한다. 『주서』(「홍범(洪範)」)에서 "하괘와 상괘를 잘 살펴야 할 것이다(曰貞曰冔)"라고 했다.263) 복(卜)이 의미부이고 매(每)가 소리부이 다. 독음은 황(荒)과 내(內)의 반절이다.

2071

占: 占: 차지할 점: 卜-총5획: zhān

（原文）

占: 視兆問也. 从卜从口. 職廉切.

（飜譯）

'갈라진 흔적을 보면서 묻다(視兆問)'라는 뜻이다. 복(卜)이 의미부이고 구(口)도 의 미부이다.264) 독음은 직(職)과 렴(廉)의 반절이다.

지금의 자형이 되었다. 이 때문에 현행 옥편에서 貝(조개 패) 부수에 귀속시켜 놓았다. 貞은 眞(참 진)과 같은 데서 근원한 글자로 보인다. 간화자에서는 贞으로 쓴다.

262) 경방(京房, 기원전 77년~기원전 37년)은 서한 때의 학자로 원래 성은 이(李)씨이고, 자는 군 명(君明)으로, 동군(東郡)의 돈구(頓丘)(오늘날 하남성 淸豊 서남쪽) 사람이다. 원제(元帝) 때 낭(郎)이 되었고, 위군(魏郡)의 태수를 역임했다. 『역』학에 뛰어났으며, 초연수(焦延壽) 등을 제자로 두었다. 재이(災異)설에 뛰어났으며, 경씨(京氏) 역학(易學)을 창시했는데, 금문파에 속 하며, 일가를 이루었다.

263) 김학주의 해설에 의하면, 시초로 치는 역점의 괘에는 아랫니 두 가지 괘가 있는데, 위의 것 을 외괘(外卦)라 하고 회(悔)라 부르며, 아래의 것을 내괘(內卦)라 하고 정(貞)이라 부른다.

264) 고문자에서 ⤋ 占 𪊨 ꛫ甲骨文 占 占古陶文 占 占 ϧ簡牘文 등으로 썼다. 卜(점 복)과

2072

劭: 굛: 무꾸리할 조: 卜-총7획: shào

原文

劭: 卜問也. 从卜召聲. 市沼切.

翻譯

'점을 쳐 물어보다(卜問)'라는 뜻이다. 복(卜)이 의미부이고 소(召)가 소리부이다. 독음은 시(市)와 소(沼)의 반절이다.

2073

州: 狐: 점 조: 卜-총8획: zhào

原文

州: 灼龜坼也. 从卜；兆, 象形. 㳀, 古文兆省. 治小切.

翻譯

'불로 거북딱지를 지져 갈라지게 하다(灼龜坼)'라는 뜻이다. 복(卜)이 의미부이다. 조(兆)는 [갈라진 모습을 그린] 상형이다. 조(㳀)는 조(兆)의 고문체인데, 생략된 모습이다. 독음은 치(治)와 소(小)의 반절이다.

제 3 권

口(입 구)로 구성되어, 거북을 불로 지져 갈라진 무늬(卜)를 보고 길흉을 말(口)로 해석함을 말하며, 이로부터 점치다, 예측하다, 점, 징조, 징험, 운명 등의 뜻이 나왔다.

제95부수

095 ▪ 용(用)부수

2074

用: 用: 쓸 용: 用-총5획: yòng

原文

用: 可施行也. 从卜从中. 衞宏說. 凡用之屬皆从用. 𤰃, 古文用. 余訟切.

譯

'시행할 수 있다(可施行)'라는 뜻이다. 복(卜)이 의미부이고 중(中)도 의미부이다. 위 굉(衞宏)의 학설이다.265) 용(用)부수에 귀속된 글자는 모두 용(用)이 의미부이다. 용(𤰃)은 용(用)의 고문체이다. 독음은 여(余)와 송(訟)의 반절이다.

2075

甫: 甫: 클 보: 用-총7획: fǔ

---

265) 고문자에서 甲骨文 金文 簡牘文 帛書 石刻古文 등으로 썼다. 이의 자원은 분명하지 않다. 희생에 쓸 소를 가두어 두던 우리를 그렸고 그로부터 '쓰다'의 뜻이 나왔다거나, 중요한 일의 시행을 알리는 데 쓰는 '종'으로부터 '시행'의 뜻이 나왔다고 하는 등 의견이 분분하다. 하지만, 자세히 살피면 가운데가 卜(점 복)이고 나머지가 뼈(𦱠.뼈 발라 낼 과, 骨의 원래 글자)로 구성되어 점복에 쓰던 뼈를 그렸다는 설이 일리가 있어 보인다. 점(卜)은 고대 사회에서 중대사를 결정할 때 반드시 거쳐야 하는 절차였고, 특히 상나라 때에는 공동체에서 시행되던 거의 모든 일이 점을 통해 이루어졌다. 이 때문에 점을 칠 때 쓰던 뼈로써 시행의 의미를 그렸고, 여기서 使用(사용), 應用(응용), 作用(작용) 등의 뜻이 생겼다. 이후 중요한 일이 결정되어 모든 구성원에게 이의 시행을 알리는 행위로서 '종'이 주로 사용되었기에 다시 '종'의 의미가 나온 것으로 보인다. 用에서 파생된 甬(길 용)은 윗부분이 종을 거는 부분으로 매달아 놓은 '종'의 모습인데, 고대문헌에서 用과 甬이 자주 통용되는 것도 이 때문이다. 그래서 用과 甬이 들어간 글자는 대부분 '종', 매달린 종처럼 '서다', 속이 빈 '종'처럼 '통하다', 큰 종소리처럼 '강력하다' 등의 의미를 갖는다.

原文

甫: 男子美稱也. 从用、父, 父亦聲. 方矩切.

飜譯

'남자를 아름답게 부르는 말(男子美稱)'이다. 용(用)과 부(父)가 모두 의미부인데, 부(父)는 소리부도 겸한다.266) 독음은 방(方)과 구(矩)의 반절이다.

2076

甭: 庸: 쓸 용: 广－총11획: yōng

原文

庸: 用也. 从用从庚. 庚, 更事也. 『易』曰 : "先庚三日." 余封切.

飜譯

'쓰이다(用)'라는 뜻이다. 용(用)이 의미부이고 경(庚)도 의미부인데, 경(庚)은 그 법을 바꿀 수 있다(更事)는 뜻이다.267) 『역·손괘(巽卦)』(구오효)에서 "먼저 삼 일간 해보고 나중에 변화되는 것을 보자(先庚三日)"라고 했다. 독음은 여(余)와 봉(封)의 반절이다.

제3권

---

266) 고문자에서 甫 甫 甫甲骨文 甫 甫 甫金文 甫古陶文 甫簡牘文 등으로 썼다. 用(쓸용)이 의미부이고 父(아비 부)가 소리부인데, 갑골문에서는 田(밭 전)과 屮(싹 틀 철)로 구성되어 밭(田)에 싹(屮)이 돋은 '채소밭'을 형상했고, 자형이 변해 지금처럼 되었다. 채소밭은 농경 사회를 살았던 중국에서 주식은 아니지만, 부식을 제공해 주는 대단히 중요한 밭이었기에 '보완하다'는 뜻과 함께 '위대하다'는 뜻이 나왔다. 이후 孔子(공자)를 尼甫(니보)라 불렀듯 남성에 대한 미칭으로 쓰이게 되었는데, 이때에는 '보'라 구분해 읽는다. 그러자 원래 뜻은 울(囗. 위)을 더해 圃(밭 포)로 분화했다.

267) 고문자에서 甭甲骨文 甭 甫金文 甭石刻古文 등으로 썼다. 원래는 庚(일곱째 천간 경)이 의미부고 用(쓸 용)이 소리부로, 종(用)으로써 일의 시행에 '쓰는' 것을 말하며 이로부터 필요하다, 고용하다, 노고 등의 뜻이 나왔다. 다만, 그 대상이 사람일 때에는 人(사람 인)을 더한 傭(품팔이 용)으로 구분해 썼다. 또 부사로 쓰여 대략, 혹시, 어찌 등의 의미를 나타내기도 했다.

2077

葡: 葡: 갖출 비: 用-총11획: bèi, fú

原文

葡: 具也. 从用, 茍省. 平祕切.

飜譯

'갖추다(具)'라는 뜻이다. 용(用)이 의미부이고, 구(茍)의 생략된 모습도 의미부이다.268) 독음은 평(平)과 비(祕)의 반절이다.

2078

甯: 甯: 차라리 녕: 用-총12획: níng

原文

甯: 所願也. 从用, 寧省聲. 乃定切.

飜譯

'바라고 원하다(所願)'라는 뜻이다. 용(用)이 의미부이고, 녕(寧)의 생략된 모습이 소리부이다.269) 독음은 내(乃)와 정(定)의 반절이다.

---

268) 고문자에서 甲骨文 金文 簡牘文 등으로 썼다. 人(사람 인)이 의미부고 葡(갖출 비)가 소리부로, 갖추다, 具備(구비)하다는 뜻이다. 갑골문과 금문에서는 葡로 써 화살 통에 화살이 담긴 모습을 그렸으며, 이후 人이 더해 지금의 자형이 되었다. 고대사회에서 화살 통 속의 활(葡)은 사람(人)이 언제라도 갖추고 준비해야 하는 것임을 반영했다. 간화자에서는 줄임 형태인 备로 쓴다.

269) 고문자에서 甲骨文 金文 古陶文 簡牘文 石刻古文 등으로 썼다. 원래 宀(집 면)과 心(마음 심)과 用(쓸 용)으로 구성된 甯(차라리 녕)으로 썼는데, 자형이 조금 변해 지금처럼 되었다. 집안(宀)에 쓸 것(用)이 갖추어져 심리적(心)으로 안정되고 편안함을 강조하여, '편안하다'는 뜻을 그렸다. 또 그러한 것은 반드시 갖추어져야 한다는 뜻에서 心이 必(반드시 필)로 변하고, 用이 형체가 비슷한 冄(나아갈 염)으로 잘못 변해 지금의 자형이 되었다. 달리 寧(편안할 녕)과 같이 쓴다. 이후 '차라리'라는 부사어로 가차되었다.

제96부수
096 ■ 효(爻)부수

2079

爻: 爻: 효 효: 爻-총4획: yáo

原文

爻: 交也. 象『易』六爻頭交也. 凡爻之屬皆从爻. 胡茅切.

飜譯

'교(交)와 같아 교차하다'라는 뜻이다. 『역(易)』의 육효(六爻)가 서로 교차하는 모습을 그렸다.[270] 효(爻)부수에 귀속된 글자는 모두 효(爻)가 의미부이다. 독음은 호(胡)와 모(茅)의 반절이다.

2080

棥: 棥: 울타리 번: 木-총12획: fán

原文

棥: 藩也. 从爻从林. 『詩』曰: "營營青蠅, 止于棥." 附袁切.

飜譯

'울타리(藩)'를 말한다. 효(爻)가 의미부이고 림(林)도 의미부이다. 『시·소아·청승(青蠅)』에서 "윙윙 쉬파리 날다가, 대추나무에 앉았네.(營營青蠅, 止于棥.)"라고 노래했다. 독음은 부(附)와 원(袁)의 반절이다.

---

270) 실이나 새끼를 교차하게 짜거나 매듭짓는 모습이며, 이로부터 그렇게 짠 면직물이나 '섞인 것'을 뜻하게 되었다.

제97부수
097 ■ 리(茲)부수

2081

茲: 茲: 밝은 모양 리·그칠 려: 茲-총8획: lǐ

(原文)

茲: 二爻也. 凡茲之屬皆从茲. 力几切.

(飜譯)

'두 개의 효가 교차됨(二爻)'을 말한다. 리(茲)부수에 귀속된 글자는 모두 리(茲)가 의미부이다. 독음은 력(力)과 궤(几)의 반절이다.

2082

爾: 爾: 너 이: 茲-총14획: ěr

(原文)

爾: 麗爾, 猶靡麗也. 从冂从茲, 其孔茲, 㸚聲. 此與爽同意. 兒氏切.

(飜譯)

'리이(麗爾)'를 말하는데, '아름답고 화려하다(靡麗)'라는 뜻이다. 멱(冂)271)이 의미부이고 리(茲)도 의미부인데, 그 구멍이 송송하다는 뜻이며(孔茲), 이(㸚)가 소리부이다. 이는 상(爽)과 같은 뜻이다.272) 독음은 아(兒)와 씨(氏)의 반절이다.

---

271) 멱(冂)은 멱(冖)과 같은 글자이다.

272) 고문자에서 ![금문] 金文 ![간독문] 簡牘文 ![석각고문] 石刻古文 등으로 썼다. 갑골문부터 등장함에도 자원은 잘 밝혀져 있지 않지만, 爾는 누에가 실을 토해 고치를 만드는 모습으로 추정되며, 글자를 구성하는 冖(덮을 멱)은 어떤 테두리를, 爻(효 효)는 실이 교차한 모습을, 나머지 윗부분은 실을 토해 내는 누에의 모습으로 해석될 수 있다. 누에는 성충이 되면서 몸무게가 태어날 때의 1만 배로 증가하며, 누에 한 마리가 토해내는 실의 길이가 무려 1천5백 미터

2083

爽 : 爽: 시원할 상: 㸚-총11획: shuǎng

原文

爽: 明也. 从㸚从大. 㶅, 篆文爽. 疏兩切.

飜譯

'밝다(明)'라는 뜻이다. 리(㸚)가 의미부이고 대(大)도 의미부이다.[273] 상(㶅)은 상(爽)의 전서체이다. 독음은 소(疏)와 량(兩)의 반절이다.

에 이르는 신비한 존재이다. 하지만 누에는 온도를 단계별로 정밀하게 조절해야 하는 환경에 대단히 민감한 벌레이기에 항상 방안에서 곁에 두고 조심스레 관리해야만 했다. 누에가 실을 토해 가득하고 촘촘한 고치를 만들어 간다는 뜻에서 爾에는 '가득하다', '성대하다'의 뜻이 담겼고, 언제나 곁에 두고 보살펴야 한다는 뜻에서 '가깝다'는 뜻이 생겼다. 그래서 爾(尒)는 나에게 가장 '가까운' 존재인 당신의 뜻으로 쓰였고, 이때에는 人(사람 인)을 더한 儞(你.너 이)로 구분하기도 했다. 그것은 누에가 실을 토해 고치를 만들지만 내가 그 실을 교차시켜 옷감을 만들 때 가능하다. 이인칭 대명사 '당신'은 누에와 같은 남이지만 나의 기술과 엉켜 이렇게 실이 될 때 비로소 나에게 남이 아닌 이인칭이 될 수 있으며, 그때 '당신'은 나와 가장 가까운 존재로 변한다. 간화자에서는 초서체로 간단하게 줄인 尔로 쓴다.

273) 고문자에서 爽爽爽爽 金文 爽 簡牘文 등으로 썼다. 갑골문에서처럼 大(큰 대)와 두 개의 㸚(효 효)로 구성되어, 사람(大)의 양 겨드랑이에 성글게 짠(㸚) 베를 그려 바람이 '시원하게' 통함을 형상화했고, 이로부터 爽快(상쾌)하다, 쾌활하다, 편안하다, 밝다 등의 뜻이 나왔다.

제
3
권

지은이 **허신 許慎**

동한(東漢) 때의 여남(汝南)군 소릉(召陵)현 사람으로, 자는 숙중(叔重)이며, 당시 최고의 경학자이자 한자학자였다.

그의 저서『설문해자(說文解字)』는 중국 최고의 한자 연구서로 알려져 있으며, 그에 의해 한자 연구의 이론적 기틀이 마련됐고, 부수의 창안, 육서설의 체계화 등도 그에 의해 이루어졌다. 또『오경이의(五經異義)』,『효경고문설(孝經古文說)』,『회남자주(准南子注)』 등을 지었다 하나 전하지 않는다.

옮긴이 **하영삼**

경남 의령 출생으로, 경성대학교 중국학과 교수, 한국한자연구소 소장, 인문한국플러스(HK+)사업단 단장, 세계한자학회(WACCS) 상임이사로 있다. 부산대학교 중문과를 졸업하고, 대만 정치대학에서 석.박사 학위를 취득했으며, 한자에 반영된 문화 특징을 연구하고 있다.

저서에『한자어원사전』,『100개 한자로 읽는 중국문화』,『한자와 에크리튀르』,『부수한자』,『뿌리한자』,『연상한자』,『한자의 세계: 기원에서 미래까지』,『제오유의 정리와 연구(第五游整理與硏究)』,『한국한문자전의 세계』등이 있고, 역서에『중국 청동기 시대』(장광직),『허신과 설문해자』(요효수),『갑골학 일백 년』(왕우신 등),『한어문자학사』(황덕관),『한자 왕국』(세실리아 링퀴비스트, 공역),『언어와 문화』(나상배),『언어지리유형학』(하시모토 만타로),『고문자학 첫걸음』,『수사고신록(洙泗考信錄)』(최술, 공역),『석명(釋名)』(유희, 선역),『관당집림(觀堂集林)』(왕국유, 선역) 등이 있으며, "한국역대자전총서"(16책) 등을 공동 주편했다.